윤우혁
헌법
기출문제집

1 헌법총론/기본권론

INTRO 머리말

공부방법론

공부방법론을 말하기 전에, 내 자신의 위치를 밝혀둘 필요가 있겠다. 나는 자의 반 타의 반으로 공부를 하는 인생을 살아왔다. 그래서 얼마의 성취가 있었냐고 묻는다면 부끄럽지만 당당하게 말할 수 있다. 지식의 세계는 바다처럼 넓은데 반하여 나는 겨우 모래알 몇 개를 보았노라고. 그럼에도 불구하고 나는 운 좋게 응시한 모든 시험에 용케 합격의 행운을 누렸다. 그렇다면 천학비재를 무릅쓰고도 공부법을 말할 수 있지 않을까. 만약 학문을 논한다면 더 이상 읽지 않는 것이 좋다.

시험의 본질

시험, 특히 객관식 시험은 풀이시간이 한정되어 있다. 한정된 시간 안에 거의 무한대의 내용을 공부해야 하기 때문에, 여기에서 "합격"과 "불합격"이 갈라지게 된다.

묻고 싶다. 고등학교 때 「수학의 정석」으로 공부한 적이 있을 것이다. 그런데 왜 수학을 100점 받기가 어려웠을까. 또 묻는다. 영어를 10년 이상 공부해 왔는데 왜 아직 100점 받기가 힘들고, 한국인인데 왜 국어가 100점이 나오지 않는 것일까. 이상하지 않은가. 이 점을 고민하지 않았다면 시험의 본질을 모르는 것이다.

왜 우리는, 어제 본 내용을 생생히 기억하는데 일주일이 지나면 잊어버리는 것일까. 시간의 유한성과 기억의 한계와 싸우는 것이 바로 '시험'이기 때문이다.

합격은, 과목 간의 배분 문제도 매우 중요하다. 모든 과목을 잘 보면 가장 좋겠지만, 시험에서는 자신 있는 과목을 못 보는 경우도 있고, 자신 없는 과목을 잘 보는 경우도 있다. 특정 과목을 100점 받는 것이 합격의 조건이 아님을 알아야 한다.

법학의 본질

법학은 수학과 국어의 잡탕이다. 수학을 공부할 때 우리는 모든 문제를 외우지 않는다. 수학의 답은 명쾌하지만, 국어는 애매한 경우가 있다(물론, 나는 국어 전문가는 아니다). 법학은 명쾌하기도 하고 애매한 경우도 있다. 이는 수많은 경우를 포섭하기 때문이다.

기본서냐 기출이냐

기본서 공부법

어떤 학생이 질문을 했다. "기본서를 볼까요, 기출을 볼까요?" 이에, "기본서를 꼼꼼히 다 보는 것이 좋습니다."라고 대답하면, 마음은 편해지지만 돌아서서 미안해진다. 기본서를 다 안다는 것이 너무나 힘들다는 것을 잘 알기 때문이다. 기본서를 공부하는 것은 좋은 방법이 될 수 있다. 다만 몇 가지의 전제가 필요하다.

1. 시간이 무한대로 있다면

이때도 기본서로 공부하라고 하는 것은 쉽지 않다. 기억의 한계가 있기 때문이다.

2. 시간이 무한대이면서 기억력도 무한대라면

이때도 기본서로 공부하라고 하기는 어렵다. 논리력이 완벽하지 않기 때문이다.

3. 시간이 무한대이면서 기억력이 무한대이고 논리력까지 완벽하다면

이때도 기본서로 공부하라고 권하기는 어렵다. 기본서는 옳은 문장 위주로 되어있으나, 시험은 옳지 않은 것을 찾는 것이기 때문이다. 지문의 키워드를 바꾸었을 때도 바로 답이 보이는가? 시험은 악의적 함정을 파고 수험생이 빠지기를 기다린다. 이점에 대한 대비 학습이 바로 기출 분석이다.

4. 수확체감의 법칙

어느 정도 공부가 된 상태이면, 일정한 점수를 받아볼 수 있다. 그러나 기본서를 보든 기출을 보든 95점 이상은 쉽지 않다. 수확체감의 법칙은 시험에도 여지없이, 아니 다른 어떤 것 보다 가혹하게 적용된다. 한 때 법과목이 100점 과목이었던 적이 있었지만 지금은 아니다. 이른바 게임 체인지가 일어난 것이다. 기억해 보라. 과연 받아쓰기 시험 이후로 100점을 받은 적이 얼마나 있는지.

5. 부정확한 지식의 위험성

수험생들은 한 번 봐두는 것이 좋다고 생각하는 경향이 있다. 틀린 말은 아니지만 동시에 위험한 생각이기도 하다. 돌이켜 보라. 시험장에서 애매하게 기억나거나 헷갈리는 문제를 맞힐 확률이 얼마였는지를. 사람은 심리적으로 헷갈리는 문제 앞에서는 틀릴 확률이 훨씬 높다. 고친 답이 틀리는 경우를 이미 많이 경험해 보지 않았는가.

6. 공부는 겸손하게 해야 한다.

기본서를 보는 것이 겸손하지 않다는 것은 아니다. 그러나 방대한 기본서를 다 알겠다고 하는 것은 본의가 아니라 하더라도 겸손하지 않은 것이다. 시험은 방대한 내용 보다 필수적 내용을 정확하게 알았을 때 합격에 다가서는 것이다.

INTRO 머리말

기출문제 공부법

어떤 학생이 질문을 했다. "기본서를 볼까요, 기출을 볼까요?" 이에, "기출을 반복하세요."라고 답변하면, 다소 불안하면서도 뒤돌아서서는 그것이 가장 효과적인 방법이라고 확신한다. 수험생의 시간과 기억력, 그리고 시험의 본질을 고려한 답변임에 틀림없다.

1 기출을 공부하라는 말을 기출만 보라는 것으로 오해하면 안 된다.
기본서의 베이스가 어느 정도 자리 잡히면 기출로 정리하는 것이 가장 효율적이라는 것이다. 기본서를 10번 본다고 그 내용을 다 알게 되는 것은 아니기 때문이다.

2 기출로 공부할 때 주의할 점이 있다.
단순히 문제를 맞히는데 목적을 둘 것이 아니라, 기출의 모든 지문을 '왜 옳고' '왜 옳지 않은지' 정확히 분석하면서 변형가능성에 대비해야 한다. 같은 지문도 살짝 바꾸었을 때 다른 느낌이라는 것을 명심하자.

3 아직 출제되지 않았더라도 꼼꼼히 정리해야 한다.
기출을 공부하면서, 아직 출제되지 않은 중요내용과 판례는 당연히 같이 정리해 놓아야 한다.

하고 싶은 일과 할 수 있는 일을 구분하라.
의지만으로는 아무것도 되지 않는다. 만약 의지만으로 되는 것이 있다면, 물 위를 걷는 것도 가능하지 않겠는가. 한 발이 빠지기 전에 다른 발을 디디면 된다. 의지만으로 된다면 월드컵 우승인들 어려울 게 있겠는가. 7번만 이기면 되는 것을.

수험생은 완벽한 대비를 하고 싶어한다.
유감이지만 그것은 불가능하다. 이 점은 지난 수십 년간 공무원 시험에 만점을 받은 사람이 드물다는 것으로 입증할 수 있다. 합격을 하고 싶은 것인가, 아니면 폼 나는 공부를 하고 싶은 것인가. 답은 이미 나와 있다. 다만 그걸 선택하는 과정만 있을 뿐이다.

즉, 수험생은 완벽한 대비를 할 수는 없지만 완벽한 시험을 칠 수는 있다.
기본서를 보지 말라는 것이 아니다. 시간 대비 효율성이 떨어진다는 것이다. 기본서를 본다고 다 알 수 있다면 이런 논의는 애초에 필요 없다. 수확체감의 법칙은 기출보다 기본서를 볼 때 더 명확하게 나타난다. 같은 논리로 「수학의 정석」을 보면 당연히 100점을 받아야 하는데 그렇지 않은 것이다. 그래서 나는 기출을 정확히 분석하라고 강조한다. 이 말은 참 어려운 말이다. '정확히'의 의미가 사람마다 다르기 때문이다.

시험의 경향

최근, 시험의 경향이 변화하고 있다고들 한다. 맞는 말이지만 어느 해이고 경향이 변하지 않았던 적이 한 번이라도 있었던가. 바꿔 말해, 요즘 애들은 버릇이 없다는 말에 동의하는가. 3,000년 이상된 이 문제에 대한 답변은 정해져 있다. 요즘 애들은 버릇이 없지 않다. 다만 그렇게 생각하는 사람이 있을 뿐이다. 마찬가지로 공부법도 다르지 않다. 다만 어떻게 하는가의 차이만 있을 뿐이다.

분명, 시험의 경향은 변한다. 그러면 어떻게 대비하는 것이 좋은가.

그전에 잉카의 전설을 알아보자. 한때, 잉카 주민들은 숲속에 살았다. 숲이 주는 풍요로움과 쾌적함을 누리면서 말이다. 그러던 어느 날 숲에 불이 나고 많은 사람이 죽었다. 그래서 그들은 강가로 거처를 옮겨갔다. 적어도 화재의 위험은 없는 곳이기 때문이다. 그러나 이번에는 홍수가 나서 많은 사람이 죽었다. 주민들은 다시 돌밭에 새로운 거처를 잡았다. 다소 불편하지만 화재와 홍수의 위험으로부터 완벽히 안전한 곳이기 때문이다. 그런데 이번엔 지진이 나서 다시 망했다. 시험도 같은 이치이다.

시험의 대비

출제와 관계없이 반드시 알아야 하는 것이 있다. 동시에 출제에 대비하지 못하는 부분도 있다. 예컨대 모든 판례를 알 수는 없지만 반드시 알아야 하는 것이 있는 것이다. 「국적법」은 출제될 때고 있고 아닐 때도 있다. 어떻게 해야 하나. 필요한 부분만 알면 된다. 만약 여기서 「국적법」의 모든 내용을 알려고 하면 그 만큼 다른 부분에서 손해를 보게 된다. 앞에서 법학은 수학과 국어의 잡탕이라고 한 것을 기억하는가. 수학은 모르는 문제가 나와도 맞출 수 있다. 이것이 수험 공부이다.

기출의 범위

많은 학생들이 묻는다. 사법시험과 법원행정고시의 문제를 풀어야 하지 않느냐고. 나는 항상 아니라고 대답한다. 풀라고 하면 아주 간단한 것을 왜 위험을 무릅쓰면서까지 풀지 말라고 하는 것인가. 투입 대비 산출을 고려한 것이다. 물론 사법시험과 법원행정고시의 문제를 완벽히 알면 당연히 좋겠지만 시간을 고려하면 다른 문제가 생긴다. 만약 당신이 기출을 완벽히 안다면 굳이 말리지는 않는다. 그러나 내가 수험생이라면 그 시간에 다른 과목을 좀 더 보겠다.

결국, 공부는 선택의 문제이고 유한한 시간과 기억력의 한계 아래에 있다. 어느 하나의 방법이 최선이라고 할 수는 없다. 사람마다 다른 조건과 특성이 있기 때문이다. 고승덕 공부법은 고승덕에게 맞는 것이다. 다만 90%의 확률로(정확한 근거는 없다. 그간의 경험을 토대로 한 것이다) 기출로 공부하는 것이 합격을 앞당기는 방법이라는 것을 강조하고 싶은 것이다. 당신은 합격을 원하는가 폼나는 공부를 원하는가. 선택은 당신의 몫이다.

2024년 11월 윤우혁

CONTENTS 목차

PART 01 헌법총론

CHAPTER 01 | 헌법과 헌법학
- 제1절 헌법의 의의 0010
- 제2절 헌법해석과 헌법관 0014
- 제3절 헌법의 제정·개정과 변천 0020
- 제4절 헌법의 수호 0030

CHAPTER 02 | 대한민국헌법총설
- 제1절 대한민국 헌정사 0041
- 제2절 대한민국의 국가형태와 구성요소 0055
- 제3절 대한민국헌법의 기본원리 0083
- 제4절 대한민국헌법의 기본질서 0126

PART 02 기본권론

CHAPTER 01 | 기본권총론
- 제1절 기본권의 의의 0151
- 제2절 기본권의 분류와 체계 0154
- 제3절 기본권의 주체 0157
- 제4절 기본권의 효력 0171
- 제5절 기본권의 한계와 제한 0178
- 제6절 기본권의 확인과 보장 0198

CHAPTER 02 | 인간의 존엄과 가치·행복추구권·평등권
- 제1절 인간으로서의 존엄과 가치 0206
- 제2절 행복추구권 0217
- 제3절 평등권 0230

CHAPTER 03 | 자유권적 기본권
- 제1절 인신의 자유권 0282
- 제2절 사생활의 자유권 0363
- 제3절 정신적 자유권 0395

CHAPTER 04 | 경제적 기본권
- 제1절 재산권 0464
- 제2절 직업선택의 자유 0502

CHAPTER 05 | 정치적 기본권
- 제1절 참정권 0529
- 제2절 선거권과 선거제도 0535
- 제3절 정당의 자유와 정당제도 0568
- 제4절 공무담임권과 직업공무원제도 0590

CHAPTER 06 | 청구권적 기본권
- 제1절 청원권 0617
- 제2절 재판청구권 0625
- 제3절 국가배상청구권 0652
- 제4절 형사보상청구권 0658
- 제5절 범죄피해자구조청구권 0665

CHAPTER 07 | 사회적 기본권

제1절	사회적 기본권의 구조와 체계	0669
제2절	인간다운 생활을 할 권리	0680
제3절	교육을 받을 권리와 교육제도	0685
제4절	근로의 권리	0705
제5절	근로3권	0713
제6절	환경권	0724
제7절	혼인, 가족, 모성보호, 보건에 관한 권리	0728

CHAPTER 08 | 국민의 기본적 의무 ── 0740

CHAPTER 04 | 국회 ── 0761

CHAPTER 05 | 대통령과 행정부

제1절	대통령	0883
제2절	정부	0926
제3절	선거관리위원회	0949
제4절	지방자치제도	0959
제5절	군사제도	0980

CHAPTER 06 | 사법부(법원) ── 0981

CHAPTER 07 | 헌법재판소와 헌법소송

제1절	헌법재판소 일반론	1017
제2절	위헌법률심판	1053
제3절	위헌심사형 헌법소원	1064
제4절	권리구제형 헌법소원	1071
제5절	권한쟁의심판	1121

PART 03 통치구조론

CHAPTER 01 | 통치구조론의 이론적 기초

CHAPTER 02 | 통치구조의 구성원리

제1절	대의제 원리	0750
제2절	권력분립의 원리	0753

CHAPTER 03 | 통치구조의 형태 ── 0758

부록

2024 국가직 7급 헌법 기출문제 및 해설 ── 1142
2024 서울·지방직 7급 헌법 기출문제 및 해설 ── 1161

PART 01

2025 윤우혁 헌법 기출문제집

헌법총론

CHAPTER 01	헌법과 헌법학
CHAPTER 02	대한민국헌법총설

CHAPTER 01 헌법과 헌법학

제1절 헌법의 의의

001 회독 ☐☐☐   23 경찰1차

헌법의 개념에 관한 설명으로 가장 적절하지 않은 것은? (다툼이 있는 경우 판례에 의함)

① 관습헌법도 성문헌법과 마찬가지로 주권자인 국민의 헌법적 결단의 의사표현이고 성문헌법과 동등한 효력을 가지며, 관습헌법의 요건들은 그 성립의 요건일 뿐 효력유지의 요건은 아니다.
② 관습헌법이 성립하기 위하여서는 관습이 성립하는 사항이 단지 법률로 정할 사항이 아니라 반드시 헌법에 의하여 규율되어 법률에 대하여 효력상 우위를 가져야 할 만큼 헌법적으로 중요한 기본적 사항이 되어야 한다.
③ 일반적인 헌법사항 중 과연 어디까지가 기본적이고 핵심적인 헌법사항에 해당하는지 여부는 일반추상적인 기준을 설정하여 재단할 수는 없고, 개별적 문제사항에서 헌법적 원칙성과 중요성 및 헌법원리를 통하여 평가하는 구체적 판단에 의하여 확정하여야 한다.
④ 성문헌법이라고 하여도 그 속에 모든 헌법사항을 빠짐없이 완전히 규율하는 것은 불가능하고 또한 헌법은 국가의 기본법으로서 간결성과 함축성을 추구하기 때문에 형식적 헌법전에는 기재되지 아니한 사항이라도 이를 불문헌법 내지 관습헌법으로 인정할 소지가 있다.

해설

① (×)

> 관습헌법도 성문헌법과 마찬가지로 주권자인 국민의 헌법적 결단의 의사의 표현이며 성문헌법과 동등한 효력을 가진다고 보아야 한다. 다만, 관습헌법의 성립요건은 관습헌법의 성립요건일 뿐만 아니라 효력유지의 요건이기도 하다. 따라서 국민의 합의성이 소멸되면 이미 성립한 관습헌법도 법적 효력을 상실하게 된다. (헌재 2004.10.21. 2004헌마554 등)

🔖 **관습헌법의 성립요건**
- **관행**: 기본적 헌법사항에 관하여 어떠한 관행 내지 관례가 존재하여야 한다.
- **반복·계속성**: 그 관행은 국민이 그 존재를 인식하고 사라지지 않을 관행이라고 인정할 만큼 충분한 기간 동안 반복 내지 계속되어야 한다.
- **항상성**: 관행은 지속성을 가져야 하는 것으로서 그 중간에 반대되는 관행이 이루어져서는 아니 된다.
- **명료성**: 관행은 여러 가지 해석이 가능할 정도로 모호한 것이 아닌 명확한 내용을 가진 것이어야 한다.
- **국민적 합의**: 이러한 관행이 헌법관습으로서 국민들의 승인 내지 확신을 얻어 국민이 강제력을 가진다고 믿고 있어야 한다.

② (○) ③ (○) ④ (○) 헌재 2004.10.21. 2004헌마554 등

정답 ①

002  13 서울7급

헌법의 의의와 특질에 관한 기술로 옳지 않은 것은? (다툼이 있는 경우 판례에 의함)

① 헌법은 그 조문 등이 갖는 구조적 특성으로 인하여 하위의 법규범에 비해 해석에 의한 보충의 필요성이 큰 편이다.
② 헌법규범 상호 간에는 이념적·논리적으로뿐만 아니라 효력상으로도 특정 규정이 다른 규정의 효력을 부인할 수 있는 정도의 가치의 우열을 인정할 수 있다.
③ 헌법재판소의 결정에 따르면 관습헌법도 성문헌법과 마찬가지로 주권자인 국민의 헌법적 결단의 의사의 표현이며 성문헌법과 동등한 효력을 가진다.
④ 헌법에 헌법 제37조 제2항과 같은 일반적 법률유보조항을 두는 것은 헌법의 최고규범성을 약화시킬 수 있다.
⑤ 현대민주국가의 헌법은 일반적으로 국가긴급권의 발동의 조건, 내용 그리고 그 한계 등에 관하여 상세히 규정함으로써, 그 오용과 남용의 소지를 줄이고 있다.

해설

① (O) 헌법의 개방성이라고 한다.
② (X)

> 헌법은 전문과 각 개별조항이 서로 밀접한 관련을 맺으면서 하나의 통일된 가치체계를 이루고 있는 것으로서, 헌법의 제 규정 가운데는 헌법의 근본가치를 보다 추상적으로 선언한 것도 있고, 이를 보다 구체적으로 표현한 것도 있으므로 이념적·논리적으로는 규범 상호 간의 우열을 인정할 수 있는 것이 사실이다. 그러나 이때 인정되는 규범 상호 간의 우열은 추상적 가치규범의 구체화에 따른 것으로 헌법의 통일적 해석에 있어서는 유용할 것이지만, 그것이 헌법의 어느 특정 규정이 다른 규정의 효력을 전면적으로 부인할 수 있을 정도의 개별적 헌법규정 상호 간에 효력상의 차등을 의미하는 것이라고는 볼 수 없다. (헌재 1995.12.28. 95헌바3)
> 법 상호 간의 효력은 형식적으로 판단된다. 즉, 헌법전에 들어가 있으면 헌법으로서 최고의 효력이 인정된다.

③ (O) 관습헌법의 개정도 성문헌법의 개정과 동일한 방법에 의하여야 한다. (헌재 2004.10.21. 2004헌마554 등)
④ (O) 일반적 법률유보는 국민의 모든 자유와 권리를 제한할 수 있으므로 법률에 의해 기본권이 침해될 가능성이 많아지므로 헌법의 최고규범성을 약화시킬 우려도 있다.
⑤ (O) 우리 헌법도 제76조에서 대통령의 국가긴급권에 대하여 발동의 요건, 내용, 한계를 상세히 규정하고 있다.

정답 ②

003 회독 ☐☐☐

13 국회9급

현대복지국가 헌법의 내용과 일치하지 않는 것은?

① 생존권적 기본권의 보장
② 사회적 정의의 실현을 위한 국민경제의 규제, 조정
③ 기능적 권력분립론의 극복과 의회주의의 강화
④ 실질적 평등의 보장을 위한 국가작용의 강화, 확대
⑤ 정당제도의 헌법상 수용과 정당기능의 확대

> 해설

① (O) ⑤ (O)
② (O) 한편, 근대입헌국가는 경제에 대한 자유방임과 국가의 소극적 입장을 유지하였다.
③ (✗) 현대복지국가 헌법은 고전적 권력분립을 넘어서 기능적 권력분립을 강조하나, 의회주의가 약화되고 있다. 그 이유는 정당제도의 확대와 관련있다.
④ (O) 한편, 근대입헌국가는 형식적 평등을 추구하였다.

정답 ③

🔔 근대입헌주의 헌법과 현대복지국가 헌법

구분	근대입헌주의 헌법	현대복지국가 헌법
주권과 선거권	형식적 국민주권 → 대의제 → 제한선거	실질적 국민주권 → 보통선거
국민	국민은 추상적·관념적 존재로서 국가권력의 정당성의 근거를 의미하는 것일 뿐, 주권의 행사주체가 아니다. → 국민은 주권의 보유자이지만 행사자는 아니다.	국민은 더 이상 추상적·관념적 존재가 아니라 유권적 시민의 총체로 나타난다. → 국민은 주권의 행사자이다.
국가관	소극국가(작은정부)·자유방임·야경국가	적극국가(큰정부)·행정·사회·조세·계획국가
국가의 사회영역에 대한 개입	• 원칙적 금지 • 단지 예외적·최소한의 개입만을 허용	• 광범위한 개입 허용 • 국가의 형성기능 강조(국가기능을 적극적으로 이해)
경제체제	자유시장경제질서 • 경제에 대한 국가 개입 최소화 • 시장에 의한 자유로운 가격 조절(보이지 않는 손에 의한 가격 조절)	자유시장경제질서를 기본으로 하되, 국가의 규제와 조정을 넓게 인정하는 사회적 시장경제질서 내지 혼합경제질서 표방
법치주의	형식적 법치주의(법률의 우위)	실질적 법치주의(헌법의 우위, 위헌법률심판제도)
평등권	형식적 평등(기회의 평등)	실질적 평등(결과의 평등)
권력분립	국가기관 중심의 엄격한 권력분립(고전적 권력분립) → 헌법재판 부정	권력통합현상, 행정부의 강화 → 고전적 권력분립의 위기 → 기능적 권력분립론 대두 → 헌법재판 인정
선거권	제한선거	보통선거
기본권의 본질	• 전국가적 권리성의 인식 • 자연법상 권리·천부인권론 • 자유권, 정치적 기본권 강조	자연권설의 기본은 유지하며, 새로운 사회적 기본권 인정
기본권의 효력	기본권은 주관적 공권 → 대국가적 효력(천부인권, 항의적 성질의 권리개념), 대국가적 방어권	대국가적 효력 + 기본권의 객관적 가치질서성 → 국가의 기본권 보호의무, 기본권의 대사인적 효력
국제평화주의	부정	인정

004

헌법의 개념에 관한 설명으로 옳지 않은 것은?

① 기본권 보장규범으로서의 헌법개념은 근대에 비로소 성립되었다.
② 근대 이전의 헌법개념은 국가 최고기관의 조직과 구성이라는 조직법적 개념이었다.
③ 근대 이후에는 조직규범으로서의 헌법개념은 법률에 위임되었고 헌법은 권리장전의 의미를 갖게 되었다.
④ 20세기 이후 세계 각국의 헌법전에는 국가적 조직이나 제도 이외에 경제제도나 정당제도와 같은 내용도 추가되고 있다.
⑤ 현대에는 수도 이외에 국기, 국가 같은 내용도 헌법전의 내용에 포함될 수 있다고 한다.

해설

① (O)
② (O) 고유한 의미의 헌법은 기본권에 관한 규정이 없고 국가의 조직과 통치구조에 대한 내용이었고, "국가 있는 곳에 헌법이 있다."라는 말로 표현된다. 근대헌법에 이르러 비로소 기본권 보장이 이루어졌으며, 사회적 기본권과 실질적 법치주의는 현대적 의미의 헌법에 와서 규정되었다.
③ (X) 조직규범의 내용은 근대헌법에서도 여전히 헌법사항이다. 권리장전이란 기본권 규정을 의미하는데, 통치구조와 더불어 근대헌법의 양대 축이다.
④ (O)
⑤ (O)

정답 ③

005

헌법의 개념 및 특성에 대한 설명으로 옳은 것은?

① 헌법의 최고규범성과 경성헌법성은 서로 밀접히 관련되어 있다.
② 성문헌법국가에서도 경우에 따라서는 관습헌법이 성문헌법에 대하여 개폐적 효력을 갖는다.
③ 경성헌법은 헌법생활에서 발생하는 현실적 요구에 신축적으로 대응할 수 있다.
④ 국가구성 내지 창설적 기능은 형식적 의미의 헌법만을 전제로 한 기능이다.

해설

① (O) 헌법을 경성으로 하는 이유 중 하나는 헌법의 최고규범성을 확립하고자 하는 것이다. 그 외에도 위헌법률심사제 등이 헌법의 최고규범성과 관련된다.
② (X) 헌법재판소 판례상 관습헌법은 성문헌법과 대등한 효력을 가진다. 또한 헌법재판소는 우리 헌법의 어느 규정이 다른 규정의 효력을 배제할 수 있는 것은 아니라고 판시한다. 따라서 관습헌법이 성문헌법을 개폐하는 것은 불가능하다.
③ (X) 경성헌법은 개정이 어렵기 때문에 시대의 변화에 신축적으로 대응할 수 없다. 반면, 연성헌법은 비교적 신축적인 대응이 가능하다. 경성헌법은 헌법변천의 가능성이 높다.
④ (X) 헌법의 국가창설적 기능은 실질적 의미의 헌법(정부조직법)과 형식적 의미의 헌법이 모두 가능하다. 기본권의 국가구성적 기능을 강조하는 것은 통합주의 헌법관이다.

정답 ①

제 2절 헌법해석과 헌법관

 **핵심노트**

헌법관

구분	법실증주의	결단주의	통합주의
대표자	옐리네크, 켈젠	슈미트	스멘드, 헤세
연구대상	• 주어진 헌법 조문만을 대상으로 함. 자연법(정의) 배격 • 사실과 규범을 엄격히 구분하여, 모든 존재적 요소를 배격	헌법제정권자의 결단 내용	국가가 추구하여야 할 근본가치
정치와 법	엄격히 구별	구별 ×	구별 ×
왜 최고규범인가	헌법은 주어진 존재일 뿐이므로	제정권자의 결단이기 때문	근본가치이기 때문
기본권에 대한 인식	• 켈젠: 주관적 공권이 아니라 반사적 이익에 불과하다. • 옐리네크: 주관적 공권성을 인정하나, 법률 속 권리로 파악한다.	• 천부인권으로서 주관적 공권(자연권)성 인정 • 대국가적 방어권 • 자유권만이 진정한 기본권 • 국가로부터의 자유를 강조(자유주의 기본권관)	기본권의 이중성 • 객관적 가치질서 → 국가의 기본권 보호의무, 기본권의 대사인효 • 주관적 공권성도 인정 → 사회적 기본권 강조, 국가를 향한 자유
통치구조	형식적 법치주의	기본권과 통치구조는 이원적 단절관계 (배분의 원리)	기본권과 통치구조는 일원적 교차관계 (기본권의 국가창설적 기능)
헌법제정한계	헌법제정의 한계 부정	헌법제정의 한계 부정	헌법제정의 한계 인정
헌법개정한계	헌법규범 간의 등가성 → 헌법개정무한계설	• 근본 결단: 헌법 • 기타 결단: 헌법률 → 헌법률은 헌법을 넘을 수 없으므로 헌법개정한계설	근본가치가 헌법개정의 한계
관점	정태적 헌법관	동태적 · 미시적 · 찰나적 헌법관	동태적 · 거시적 헌법관
국가의 선재성	인정	인정	부정

합헌적 법률해석과 규범통제

합헌적 법률해석은 주로 규범통제과정(위헌법률심판)에서 문제되는 것이 보통이나 반드시 규범통제를 전제로 하는 것은 아니므로 규범통제와 개념적으로 구별되지만, 한편으로 규범통제와 표리관계를 이룬다.

구분	합헌적 법률해석	규범통제
목적	법률의 효력 지속	헌법의 최고법규성(최고규범성) 유지
이론적 근거	헌법의 최고규범성	헌법의 최고규범성
헌법적 근거	헌법의 최고규범성에만 근거하여 인정 가능, 별도의 근거 불요	헌법의 최고규범성 이외에 별도의 명시적인 제도적 근거 요구
헌법의 기능	해석기준으로 작용(해석규칙)	심사기준으로 작용(저촉규칙)

006  23 국회8급

법률에 대한 헌법합치적 해석에 대한 헌법재판소의 판시 내용과 설명으로 적절하지 않은 것은?

① 법률에 대한 헌법합치적 해석이란 어떠한 법률이 다의적으로 해석될 가능성이 있을 경우, 위헌적 해석가능성은 배제하고, 합헌적 해석가능성을 택하여 법률의 효력을 유지시키는 해석방법이다.
② 헌법재판소는 법률에 대한 헌법합치적 해석의 근거로 권력분립원리, 민주주의원리의 관점에서 입법자의 존중, 법질서의 통일성 및 법적 안정성을 들고 있다.
③ 법률 또는 법률의 조항은 원칙적으로 가능한 범위 안에서 합헌적으로 해석함이 마땅하나 그 해석은 법의 문구와 목적에 따른 한계가 있다. 즉, 법률의 조항의 문구가 간직하고 있는 말의 뜻을 넘어서 말의 뜻이 완전히 다른 의미로 변질되지 아니하는 범위 내이어야 한다는 문의적 한계와 입법권자가 그 법률의 제정으로써 추구하고자 하는 입법자의 명백한 의지와 입법의 목적을 헛되게 하는 내용으로 해석할 수 없다고 하는 법목적에 따른 한계가 바로 그것이다.
④ 헌법재판소에 의하면 「민법」 제764조 '명예회복에 적당한 처분'에 사죄광고를 포함시키는 것은 헌법에 위반된다.
⑤ 헌법재판소에 의하면 구 「상속세법」 제18조 제1항 본문 중 '상속인'의 범위에 '상속개시 전에 피상속인으로부터 상속재산가액에 가산되는 재산을 증여받고 상속을 포기한 자'를 포함하지 않은 것은 상속을 승인한 자의 헌법상 재산권을 침해하는 것은 아니다.

해설

① (O) 합헌적 법률해석의 의미이다.
② (O) 헌재 1989.7.14. 88헌가5
③ (O) 그 외 헌법수용적 한계가 있다.
④ (O) 법인의 대표자의 양심의 자유를 침해한다. (헌재 1991.4.1. 89헌마160)
⑤ (×)

> 심판대상조항은 응능부담의 원칙을 상속세의 부과에서 실현하고자 하는 입법목적이 공공복리에 기여하므로 목적의 정당성을 인정할 수 있으나, 상속포기자를 제외하는 것은 응능부담원칙의 실현이라는 입법목적 달성에 적절한 수단이 될 수 없어서 방법의 적절성원칙에 위배된다. 따라서 '상속인'의 범위에 '상속개시 전에 피상속인으로부터 상속재산가액에 가산되는 재산을 증여받고 상속을 포기한 자'를 포함하지 않는 것은 상속을 승인한 자의 헌법상 보장되는 재산권을 침해한다. (헌재 2008.10.30. 2003헌바10)

정답 ⑤

007

헌법의 분류 및 합헌적 법률해석에 관한 설명으로 옳지 않은 것을 모두 고른 것은?

ㄱ. 어떤 법률의 개념이 다의적이고 그 어의의 테두리 안에서 여러 가지 해석이 가능할 때 헌법을 그 최고법규로 하는 통일적인 법질서의 형성을 위하여 헌법에 합치되는 해석, 즉 합헌적인 해석을 택하여야 하며, 이에 의하여 위헌적인 결과가 될 해석을 배제하면서 합헌적이고 긍정적인 면은 살려야 한다는 것이 헌법의 일반법리이다.

ㄴ. 헌법개정절차의 난이에 따라 경성헌법과 연성헌법으로 나눌 수 있으며 경성헌법은 개정절차에서 국민투표를 필수적으로 요구한다.

ㄷ. 합헌적 법률해석이란 어떤 법률이 한 가지 해석방법에 의하면 헌법에 위배되는 것처럼 보이더라도 다른 해석방법에 의하면 헌법에 합치되는 것으로 볼 수 있다면 합헌으로 해석하여야 한다는 사법소극주의적인 법률해석기술이다.

ㄹ. 구체적 사건에서의 법률의 해석·적용권한은 사법권의 본질적 내용을 이루는 것으로서, 합헌적 법률해석은 대법원을 정점으로 하는 일반법원이 하여야 하는 임무이고, 법률의 위헌심사를 맡는 헌법재판소의 임무는 아니다.

ㅁ. 합헌적인 한정축소해석은 위헌적인 해석가능성과 그에 따른 법 적용을 소극적으로 배제한 것이고, 적용범위의 축소에 의한 한정위헌결정은 위헌적인 법 적용영역과 그에 상응하는 해석가능성을 적극적으로 배제한다는 뜻에서 차이가 있을 뿐, 본질적으로는 같은 방법이다.

① ㄱ, ㄴ
② ㄴ, ㄹ
③ ㄴ, ㄷ, ㄹ
④ ㄷ, ㄹ, ㅁ

해설

ㄱ. (O) 합헌적 법률해석은 헌법원리이지만 법률해석에서 사용되는 원리이기도 하다. [19 법무사]
ㄴ. (X) 경성헌법은 헌법의 개정절차가 일반법률의 개정보다 까다로운 것을 말하지만, 국민투표를 필수적으로 요구하는 것은 아니다. [15 지방7급]
ㄷ. (O) 합헌적 법률해석의 개념이다. 합헌적 법률해석은 사법소극주의의 표현이다. [15 지방7급]
ㄹ. (X) 헌법재판소도 합헌적 법률해석을 하는 경우가 있다. [19 법무사]
ㅁ. (O) [19 법무사]

정답 ②

🔮 합헌적 법률해석

- 한정위헌과 한정합헌은 합헌적 법률해석의 일종이지만 동시에 위헌결정의 일종이다.
- 헌법불합치는 합헌적 법률해석이 아니다.
- 변형결정은 기능적 적정성(모든 국가기관은 자신의 권한을 넘어서는 헌법해석을 해서는 안 된다는 원칙)의 원칙에서 인정되는 것으로 국회의 입법권을 존중하는 것이다.
- 변형결정은 헌법재판소법에 규정이 있는 것은 아니다.

008

헌법해석에 관한 설명 중 옳지 않은 것은? (다툼이 있는 경우 판례에 의함)

① 헌법의 기본원리는 헌법의 이념적 기초인 동시에 헌법을 지배하는 지도원리로서 입법이나 정책결정의 방향을 제시하며 공무원을 비롯한 모든 국민과 국가기관이 헌법을 존중하고 수호하도록 하는 지침이 되며, 구체적 기본권을 도출하는 근거로 될 수 있다.

② 헌법해석상 특정인에게 구체적인 기본권이 생겨 이를 보장하기 위한 국가의 행위의무 내지 보호의무가 발생하였음이 명백함에도 불구하고 입법자가 아무런 입법조치를 취하지 아니한 경우에는 입법자에게 입법의무가 인정된다.

③ 헌법해석은 헌법이 담고 추구하는 이상과 이념에 따른 역사적·사회적 요구를 올바르게 수용하여 헌법적 방향을 제시하는 헌법의 창조적 기능을 수행하여 국민적 욕구와 의식에 알맞은 실질적 국민주권의 실현을 보장하는 것이어야 한다.

④ 국민의 기본권의 강화·확대라는 헌법의 역사성, 헌법재판소의 헌법해석은 헌법이 내포하고 있는 특정한 가치를 탐색·확인하고 이를 규범적으로 관철하는 작업인 점 등에 비추어, 헌법재판소가 행하는 구체적 규범통제의 심사기준은 원칙적으로 헌법재판을 할 당시에 규범적 효력을 가지는 헌법이다.

해설

① (✗)

> '헌법전문에 기재된 3·1정신'은 우리나라 헌법의 연혁적·이념적 기초로서 헌법이나 법률해석에서의 해석기준으로 작용한다고 할 수 있지만, 그에 기하여 곧바로 국민의 개별적 기본권성을 도출해낼 수는 없다고 할 것이므로, 헌법소원의 대상인 '헌법상 보장된 기본권'에 해당하지 아니한다. (헌재 2001.3.21. 99헌마139)

② (O) 이때 입법을 하지 않으면 진정입법부작위가 된다.
③ (O) 헌법해석의 방향이다.
④ (O) 규범통제의 기준이 되는 헌법은 현행헌법이라는 의미이다.

정답 ①

009

합헌적 법률해석에 대한 설명으로 옳지 않은 것은? (다툼이 있는 경우 판례에 의함)

① 구「사회보호법」제5조 제1항("보호대상자가 다음 각 호의 1에 해당하는 때에는 10년의 보호감호에 처한다. 다만, 보호대상자가 50세 이상인 때에는 7년의 보호감호에 처한다.")은 그 요건에 해당하는 경우에는 법원으로 하여금 감호청구의 이유 유무, 즉 재범의 위험성 유무를 불문하고 반드시 감호의 선고를 하도록 한 것임이 위 조항의 문의임은 물론 입법권자의 의지임을 알 수 있으므로 위 조항에 대한 합헌적 해석은 문의의 한계를 벗어난 것이다.

② 임원과 과점주주에게 연대책임을 부과하는 구「상호신용금고법」제37조의3이 부실경영에 책임이 없는 임원과 과점주주에 대해서까지 책임을 묻는 것으로 해석될 경우에는 위헌이다. 하지만 동 조항을 단순위헌으로 선언할 경우 임원과 과점주주가 금고의 채무에 대하여 단지「상법」상의 책임만을 지는 결과가 발생하고 이로써 예금주인 금고의 채권자의 이익이 충분히 보호될 수 없기 때문에 헌법재판소는 합헌적 법률해석에 따라 '부실경영의 책임이 없는 임원'과 '금고의 경영에 영향력을 행사하여 부실의 결과를 초래한 자 이외의 과점주주'에 대해서도 연대채무를 부담하게 하는 범위 내에서 헌법에 위반된다고 한정위헌결정을 내렸다.

③ 구「군인사법」제48조 제4항 후단의 '무죄의 선고를 받은 때'의 의미와 관련하여, 형식상 무죄판결뿐 아니라 공소기각재판을 받았다 하더라도 그와 같은 공소기각의 사유가 없었더라면 무죄가 선고될 현저한 사유가 있는 이른바 내용상 무죄재판의 경우도 이에 포함된다고 해석하는 것은 법률의 문의적 한계를 벗어난 것으로서 합헌적 법률해석에 부합하지 아니한다.

④ 대법원의 판례에 따르면, 한정위헌결정에 의하여 법률이나 법률조항이 폐지되는 것이 아니라 그 문언이 전혀 달라지지 않은 채 그대로 존속하고 있는 것이므로 이는 법률 또는 법률조항의 의미, 내용과 그 적용범위를 정하는 법률해석이라고 할 수 있으며, 헌법재판소의 견해를 일응 표명한 것에 불과하여 법원에 전속되어 있는 법령의 해석·적용권한에 대하여 어떠한 영향을 미치거나 기속력을 가질 수 없다.

해설

① (O) 합헌적 법률해석의 문의적 한계를 벗어난 경우이다. 조문에서 재범의 위험성을 규정하지 않았음에도 재범의 위험성을 해석에 의해 추가하는 것은 허용되지 않는다. (헌재 1989.7.14. 88헌가5 등)

② (O)

> **비상장법인의 과점주주 전원에게 법인의 체납액 전부에 대하여 2차 납세의무를 부과하는 것** (헌재 1997.6.26. 93헌바49 등)
> [1] 제2차 납세의무는 국세 부과 및 세법 적용상의 원칙으로서의 실질과세의 원칙을 구현하려는 것으로서, 형식적으로는 제3자에게 재산이 귀속되어 있으나 실질적으로는 주된 납세의무자와 동일한 책임을 인정하더라도 공평을 잃지 않을 특별한 관계에 있는 제3자를 제2차 납세의무자로 하여 보충적인 납세의무를 지게 하여 그 재산의 형식적인 권리귀속을 부인함으로써 그 내용상의 합리성과 타당성 내지 조세형평을 기하는 한편 조세징수의 확보라는 공익을 달성하기 위한 제도이므로, <u>그 제도의 취지 자체는 실질적 조세법률주의에 위반되지 않는다</u>고 할 것이다.
> [2] 이 사건 법률조항은 과점주주의 주식의 소유 정도 및 과점주주 소유의 주식에 대한 실질적인 권리의 행사 여부와 법인의 경영에 대한 사실상의 지배 여부 등 제2차 납세의무의 부과를 정당화시키는 실질적인 요소에 대하여는 고려함이 없이, 과점주주 전원에 대하여 일률적으로 법인의 체납액 전부에 관하여 제2차 납세의무를 부담하도록 함으로써 … 조세법률주의 및 조세평등주의에 위반된다.

③ (✗)

> 군장교가 형사기소되면 휴직을 명할 수 있고 휴직기간 중에는 봉급의 반액을 지급하게 되는데 무죄판결을 받으면 차액을 소급하여 지급한다는 규정에서, 무죄판결에 공소기각재판(공소기각의 사유가 없었다면 무죄가 될 수 있는 내용상 무죄재판)을 포함하여 해석해도 문의적 한계 내의 합헌적 법률해석에 부합한다. (대판 2004.8.20. 2004다22377)

④ (○) 대법원은 한정위헌의 기속력을 인정하지 않지만 헌법재판소는 인정한다.

정답 ③

010 14 서울7급

합헌적 법률해석의 근거로 내세우기에 옳지 않은 것은?

① 헌법의 생활규범성 및 상반규범성에서 기인하는 규범조화의 요청
② 헌법의 최고규범성에서 나오는 법질서의 통일성
③ 민주적 정당성을 갖는 입법권의 존중(권력분립의 정신)
④ 법적 안정성의 요청에 의한 규범 유지의 필요성 및 법률의 추정적 효력
⑤ 국제사회에서의 신의 존중과 국가 간의 긴장 회피 및 신뢰보호

해설

① (✗) 헌법의 생활규범성 및 상반규범성에서 기인하는 규범조화의 요청은 합헌적 법률해석의 근거가 아니라 헌법의 특징 중 하나이다.
② (○) ③ (○) ④ (○) ⑤ (○) 합헌적 법률해석의 이론적 근거로는 헌법의 최고규범성과 법질서의 통일성, 권력분립원칙에 따른 입법부의 권위 존중, 법질서의 안정성과 법률의 규범력 유지, 국가 간의 신뢰보호 및 이에 따른 조약의 규범력 유지, 사법적 소극주의 등이 있다.

정답 ①

011 08 국가7급

합헌적 법률해석에 관한 설명 중 옳은 것은?

① 합헌적 법률해석은 규범통제의 과정에서만 문제되며, 대체로 규범통제를 강화하는 기능을 한다.
② 합헌적 법률해석은 주로 정신적 자유의 규제입법에 적용된다.
③ 합헌적 법률해석은 독일 연방헌법재판소 판례를 통하여 처음으로 행해졌다.
④ 합헌적 법률해석은 입법자의 명백한 의지 및 입법목적과 완전히 다른 해석을 하여서는 아니 된다.

해설

① (✗) 합헌적 법률해석은 규범통제를 약화시킨다. 합헌적 법률해석은 외형상 법률이 다소의 위헌성이 있다고 하더라도 되도록이면 합헌으로 해석하여야 한다는 원칙을 말하고, 규범통제(위헌법률심사)는 법률이 헌법에 위배되는지를 심사하는 것이다. 합헌적 법률해석이 규범통제를 전제로 하는 것은 아니다.
② (✗) 합헌적 법률해석은 경제적 영역에서 많이 나타난다. 정신적 규제입법에서 합헌적 법률해석이 불가능한 것은 아니지만, 상대적으로 정신적 규제입법에서는 합헌적 법률해석의 가능성이 좁아진다.
③ (✗) 합헌적 법률해석은 1827년 미국의 연방대법원 판례인 Ogden V. Saunder 사건에서 최초로 형성되었고, 그 후 독일에서 받아들인 것이다.
④ (○) 합헌적 법률해석은 문의적 한계, 법목적적 한계, 헌법원리적 한계를 가지므로 입법자의 명백한 의지 및 입법목적과 완전히 다른 해석을 하여서는 아니 된다.

정답 ④

제3절 헌법의 제정·개정과 변천

 **핵심노트**

헌법의 제정·개정·변천

헌법제정	헌법제정권자가 헌법제정권력을 행사하여 국가의 기본법인 헌법을 창조하는 행위를 말한다.
헌법개정	• 헌법에 규정된 개정절차에 따라 기존 헌법과 기본적 동일성을 유지하면서 헌법의 특정 조항을 의식적으로 수정·삭제·추가함으로써 헌법 내용에 변경을 가하는 행위를 의미한다. • 헌법의 규범력을 높이는 기능을 한다.
헌법변천	• 특정 헌법조항이 헌법에 규정된 개정절차에 따라 수정·변경되는 것이 아니라, 해당 조문은 그대로 있으면서 그 의미나 내용만이 실질적으로 변화하는 경우를 말함. 불문헌법 국가에서도 발생한다. • 헌법변천은 무의식적으로 일어나고, 헌법개정은 의식적으로 일어난다는 점에서 양자는 구별됨. 그러나 헌법변천이 의식적으로 일어날 수도 있다는 반대 견해도 있다.

012 NEW 24 경찰2차

헌법개정에 관한 설명으로 옳지 않은 것을 모두 고른 것은?

ㄱ. 헌법개정은 국회 재적 의원 과반수 또는 대통령을 수반으로 하는 정부의 발의로 제안된다.
ㄴ. 대통령의 임기연장 또는 중임변경을 위한 헌법개정은 그 헌법개정 제안 당시의 대통령에 대하여는 효력이 없다.
ㄷ. 제안된 헌법개정안은 국회가 20일 이상의 기간 이를 공고하여야 한다.
ㄹ. 국회는 헌법개정안이 공고된 날로부터 60일 이내에 의결하여야 하며, 국회의 의결은 재적의원 3분의 2 이상의 찬성을 얻어야 하는데, 표결은 무기명투표로 한다.
ㅁ. 헌법개정안은 국회가 의결한 후 30일 이내에 국민투표에 붙여 국회의원선거권자 과반수의 투표와 투표자 과반수의 찬성을 얻어야 한다.

① ㄱ, ㄴ, ㅁ   ② ㄱ, ㄷ, ㄹ   ③ ㄴ, ㄷ, ㄹ   ④ ㄷ, ㄹ, ㅁ

해설

ㄱ. (X) ㄴ. (O)

> **헌법 제128조**
> ① 헌법개정은 국회 재적 의원 과반수 또는 대통령의 발의로 제안된다.
> ② 대통령의 임기연장 또는 중임변경을 위한 헌법개정은 그 헌법개정 제안 당시의 대통령에 대하여는 효력이 없다.

ㄷ. (X)

> **헌법 제129조**
> 제안된 헌법개정안은 대통령이 20일 이상의 기간 이를 공고하여야 한다.

ㄹ. (X) 헌법개정안은 기명으로 표결한다.
ㅁ. (O) 헌법 제130조 제2항

정답 ②

013　회독 ☐☐☐　22 변호사

헌법개정에 관한 설명 중 옳은 것(○)과 옳지 않은 것(×)을 올바르게 조합한 것은? (다툼이 있는 경우 판례에 의함)

ㄱ. 국회는 헌법개정안이 공고된 날로부터 60일 이내에 의결하여야 하며, 국회의 의결은 국회 재적의원 300명 중 200명 이상의 찬성을 얻어야 한다.
ㄴ. 헌법상 헌법개정안은 국회가 의결한 후 30일 이내에 국민투표에 부쳐 국회의원 선거권자 과반수의 투표와 투표자 과반수의 찬성을 얻어야 한다.
ㄷ. 헌법개정은 국회 재적의원 300명 중 150명 이상의 발의로 제안될 수 있다.
ㄹ. 성문헌법의 개정은 헌법의 조문이나 문구의 명시적이고 직접적인 변경을 내용으로 하는 헌법개정안의 제출에 의하여야 하고, 하위규범인 법률의 형식으로, 일반적인 입법절차에 의하여 개정될 수 없다.

① ㄱ(○), ㄴ(○), ㄷ(○), ㄹ(×)
② ㄱ(○), ㄴ(○), ㄷ(×), ㄹ(○)
③ ㄱ(○), ㄴ(×), ㄷ(×), ㄹ(○)
④ ㄱ(×), ㄴ(○), ㄷ(×), ㄹ(○)
⑤ ㄱ(×), ㄴ(×), ㄷ(○), ㄹ(×)

해설

ㄱ. (○) 헌법 제130조 제1항
ㄴ. (○) 헌법 제130조 제2항
ㄷ. (×) 재적의원 과반수의 발의가 필요하다. **(헌법 제128조 제1항)** 따라서 300명의 과반수인 151명이다.
ㄹ. (○) 헌법개정은 헌법이 정한 절차를 따라야 하고, 그 외의 방법으로는 할 수 없다.

정답 ②

014　회독 ☐☐☐　20 국가7급

헌법개정에 대한 설명으로 옳지 않은 것은?

① 헌법의 안정성과 헌법에 대한 존중이라는 요청 때문에 우리 헌법의 개정은 제한적으로 인정되며, 일반 법률과는 다른 엄격한 요건과 절차가 요구된다.
② 제1차 헌법개정은 정부안과 야당안을 발췌·절충한 개헌안을 대상으로 하여 헌법개정절차인 공고절차를 그대로 따랐다.
③ 1972년 개정헌법에 따르면, 대통령이 제안한 헌법개정안은 국회의 의결을 거치지 않고 국민투표를 통하여 확정된다.
④ 헌법개정안은 국회가 의결한 후 30일 이내에 국민투표에 부쳐 국회의원 선거권자 과반수의 투표와 투표자 과반수의 찬성을 얻어야 하고, 이 찬성을 얻은 때에 헌법개정은 확정되며, 대통령은 즉시 이를 공포하여야 한다.

해설

① (O) 헌법개정의 특성이다.
② (✗) 제1차 헌법개정은 발췌개헌으로 국민에게 별도로 공고하지 않았다는 점에서 공고절차에 위반되었다는 평가를 받고 있다.
③ (O) **헌법개정절차의 이원화**

> • 대통령 제안의 경우 → 국민투표
> • 국회 제안의 경우 → 국회 의결을 거쳐 통일주체국민회의가 확정

④ (O)

헌법 제128조	① 헌법개정은 국회 재적의원 과반수 또는 대통령의 발의로 제안된다. ② 대통령의 임기 연장 또는 중임변경을 위한 헌법개정은 그 헌법개정 제안 당시의 대통령에 대하여는 효력이 없다.	• 중임제한은 제8차 개정헌법, 인적 효력범위 제한설(다수설) • 개정금지조항이 아니다.
제129조	제안된 헌법개정안은 대통령이 <u>20일 이상의 기간</u> 이를 공고하여야 한다.	• 공고절차를 위반한 개정: 제1차 개정헌법(발췌개헌) • 정족수를 위반한 개정: 제2차 개정헌법(사사오입개헌)
제130조	① 국회는 헌법개정안이 공고된 날로부터 60일 이내에 의결하여야 하며, 국회의 의결은 재적의원 3분의 2 이상의 찬성을 얻어야 한다. ② 헌법개정안은 국회가 <u>의결한 후 30일 이내</u>에 국민투표에 붙여 국회의원 선거권자 과반수의 투표와 투표자 과반수의 찬성을 얻어야 한다. ③ 헌법개정안이 제2항의 찬성을 얻은 때에는 헌법개정은 <u>확정</u>되며, 대통령은 <u>즉시</u> 이를 공포하여야 한다.	• 헌법개정은 대통령의 공포로 확정되는 것이 아니라 국민투표로 확정된다. • 최초로 국민투표로 확정된 헌법: 제5차 개정헌법 • 헌법개정에 국민투표를 규정: 제5차 개정헌법 • 국민투표를 최초로 규정한 헌법은 제2차 개정헌법(주권의 제약, 영토 변경), 헌법개정에 대한 국민발안제는 제2차 개정헌법에서 도입, 제6차 개정헌법까지 인정 • 국회 의결과 국민투표를 모두 거친 헌법: 제6차 개정헌법, 현행헌법

대통령에게 헌법개정발안권이 없었던 유일한 시기: 제5차·제6차 개정헌법 당시

정부의 법률안제출권은 건국헌법부터 계속 인정되고 있다.

정답 ②

015

헌법개정에 대한 설명으로 옳지 않은 것은?

① 제안된 헌법개정안은 대통령이 30일간 공고할 수 있다.
② 헌법개정안 공고문의 전문에는 대통령 또는 국회 재적의원 과반수가 발의한 사실을 적고, 대통령이 서명한 후 대통령인을 찍고 그 공고일을 명기하여 국무총리와 각 국무위원이 부서한다.
③ 대통령은 헌법 제72조의 국민투표부의권을 행사하여 국회의 의결을 거치지 않고 헌법을 개정할 수 있다.
④ 현행헌법상 헌법개정안을 국회에서 수정의결할 수 없다.

해설

① (O) [20 입시]

> **헌법 제129조**
> 제안된 헌법개정안은 대통령이 20일 이상의 기간 이를 공고하여야 한다.

② (O) 법령 등 공포에 관한 법률 제3조 [16 지방7급]
③ (X) 헌법개정은 헌법 제130조 제2항에 따른 절차에 의해서만 할 수 있고, 그 외의 방법으로 할 수 없다. [11 법원직]
④ (O) 헌법개정안을 국회에서 수정의결할 수 없는데, 그 이유는 공고절차에 위배되기 때문이다. 법률안, 예산안, 긴급명령은 수정의결이 가능하지만, 조약은 수정의결이 불가하다. [14 국회9급]

정답 ③

기출지문 OX

헌법개정안에 대한 국민투표는 국회 의결을 전제로 하여 헌법개정안에 관한 국민의 찬반의사를 묻는 국민투표인 반면, 헌법 제72조에 따라 대통령이 부의한 국민투표는 외교·국방·통일 기타 국가안위와 관련된 중요정책에 대하여 국회의 의사를 묻지 않고 국민에게 직접 찬반의사를 물을 수 있는 국민투표라는 점에서 차이가 있다. 09 국회8급   (O / X)

해설

> **헌법 제130조**
> ② 헌법개정안은 국회가 의결한 후 30일 이내에 국민투표에 부쳐 국회의원 선거권자 과반수의 투표와 투표자 과반수의 찬성을 얻어야 한다.
>
> **제72조**
> 대통령은 필요하다고 인정할 때에는 외교·국방·통일 기타 국가안위에 관한 중요정책을 국민투표에 부칠 수 있다.

제72조의 국민투표는 정족수에 대한 규정이 없고, 구속력이 있는지에 대한 규정도 없다.

정답 O

016 19 법무사

헌법규정에 관한 다음 설명 중 옳지 않은 것은 모두 몇 개인가?

ㄱ. 모든 국민은 법률이 정하는 바에 의하여 국가기관에 문서로 청원할 권리를 가진다.
ㄴ. 형사피고인은 유죄의 판결이 선고될 때까지는 무죄로 추정된다.
ㄷ. 정당의 목적이나 활동이 민주적 기본질서에 위배될 때에는 국회는 헌법재판소에 그 해산을 제소할 수 있고, 정당은 헌법재판소의 심판에 의하여 해산된다.
ㄹ. 국회는 의원의 자격을 심사하며, 의원을 징계할 수 있다. 의원을 제명하려면 국회 재적의원 3분의 2 이상의 찬성이 있어야 하는데, 제명처분에 대하여는 법원에 제소할 수 없다.
ㅁ. 헌법재판소는 법관의 자격을 가진 9인의 재판관으로 구성하고, 대법원은 대법원장을 포함하여 14인의 대법관으로 구성한다.

① 1개   ② 2개   ③ 3개
④ 4개   ⑤ 5개

> **해설**

ㄱ. (○) 헌법 제26조 제1항

ㄴ. (✗)

> **헌법 제27조**
> ④ 형사피고인은 유죄의 판결이 확정될 때까지는 무죄로 추정된다.

ㄷ. (✗)

> **헌법 제8조**
> ④ 정당의 목적이나 활동이 민주적 기본질서에 위배될 때에는 정부는 헌법재판소에 그 해산을 제소할 수 있고, 정당은 헌법재판소의 심판에 의하여 해산된다.

ㄹ. (○)

> **헌법 제64조**
> ① 국회는 법률에 저촉되지 아니하는 범위 안에서 의사와 내부규율에 관한 규칙을 제정할 수 있다.
> ② 국회는 의원의 자격을 심사하며, 의원을 징계할 수 있다.
> ③ 의원을 제명하려면 국회 재적의원 3분의 2 이상의 찬성이 있어야 한다.
> ④ 제2항과 제3항의 처분에 대하여는 법원에 제소할 수 없다.

ㅁ. (✗) 헌법재판관 수에 대한 규정은 헌법에 있고, 대법관 수에 대한 규정은 헌법이 아니라 법원조직법에 있다.

정답 ③

017

헌법의 제·개정에 대한 설명으로 옳지 않은 것은? (다툼이 있는 경우 헌법재판소 결정에 의함)

① 실질적 의미의 헌법이 아니더라도 성문헌법에 규정되어 있는 사항을 개정하려면 헌법개정절차에 따라야 한다.
② 헌법개정안은 국회 재적의원 과반수 또는 대통령의 발의로 제안되고, 공고의 절차를 거쳐, 국회가 의결한 후 30일 이내에 국민투표에 회부하여, 국회의원 선거권자 과반수의 찬성을 얻어 헌법개정이 확정되면 대통령은 즉시 이를 공포하여야 한다.
③ 헌법개정무한계설에 의하면 헌법제정권력과 헌법개정권력과의 차이를 인정하지 아니한다.
④ 헌법재판관 및 헌법재판소장의 정년은 「헌법재판소법」에 규정되어 있으므로 헌법을 개정하지 않고도 변경이 가능하다.

> **해설**

① (○) 반대로 실질적 의미의 헌법이라도 법률에 규정되어 있으면 법률개정절차에 의한다.
② (✗) 국회의원 선거권자 과반수의 투표와 투표자 과반수의 찬성으로 헌법개정이 확정된다. (헌법 제130조 제2항)
③ (○) 법실증주의의 입장이다. 결단주의는 헌법제정권력과 개정권력을 구별한다.
④ (○) 헌법재판소법에 의하면 헌법재판소 재판관 및 헌법재판소장의 정년은 70세이다. 헌법재판소장의 임기와 연임에 대해서는 규정이 없다. 헌법재판소 재판관이 임기 중 소장으로 임명되면 자신의 남아 있는 재판관 임기 동안 소장으로 재직하는 것이 현재 관행이다.

정답 ②

기출지문 OX

❶ 다수설에 의하면 명문의 규정이 없는 이상 헌법개정에 대해서는 그 한계가 인정되지 아니한다. 11 법원직 (O / X)

해설 현행헌법상 명문으로 헌법개정을 금지하는 조항은 없으나, 헌법개정에 한계가 있다는 것이 통설이다. 법실증주의는 헌법개정의 한계를 부정한다. 정답 X

❷ 헌법의 개정에 한계가 있는지 여부에 관하여 학설상 대립이 있지만 현실적으로 그 한계를 무시한 개헌이 이루어지는 경우, 헌법재판소 판례에 따르면 위헌법률심판이나 헌법소원 어느 절차에 의하여도 그 헌법규정에 대한 위헌심사가 가능하지 않다. 12 변호사 (O / X)

해설 위헌법률심판의 대상은 법률이고, 헌법소원의 대상은 공권력의 행사이기 때문이다. 정답 O

❸ 헌법개정한계설에 의하면 헌법제정규범(상위규범)과 헌법개정규범(하위규범)은 구별된다. 14 국회9급 (O / X)

해설 헌법개정무한계설은 헌법규정의 등가설에 입각하고 있다. 헌법제정규범(상위규범)과 헌법개정규범(하위규범)이 구별된다고 보는 입장이 헌법개정한계설과 연결된다. 정답 O

018 회독 ☐☐☐   17 국회8급

대한민국 헌법의 개정방식에 대한 설명으로 옳은 것은?

① 제헌헌법에 따르면 헌법개정은 국회 재적의원 3분의 1 이상의 동의로 제안될 수 없다.
② 제2차 개정헌법에 따르면 민의원 선거권자 50만명 이상은 헌법개정을 제안할 수 없다.
③ 제3차 개정헌법에 따르면 대통령은 헌법개정을 제안할 수 없다.
④ 제5차 개정헌법에 따르면 대통령은 헌법개정을 제안할 수 없다.
⑤ 제7차 개정헌법에 따르면 헌법개정은 국회 재적의원 3분의 1 이상의 발의로 제안될 수 있다.

해설

① (X) 제헌헌법에서 헌법개정은 대통령과 국회 재적의원 3분의 1 이상이 제안할 수 있었다.
② (X) ③ (X) 제2차·제3차 개정헌법에서 헌법개정은 대통령, 참의원 내지 민의원 재적 3분의 1 이상, 민의원 선거권자 50만명 이상이 제안할 수 있었다.
④ (O) 역대 헌법에서 대통령에게 헌법개정제안권이 없었던 유일한 시기가 제3공화국 헌법(제5차·제6차 개정헌법)이다. 제5차 개정헌법에서 헌법개정은 국회 재적의원 3분의 1 이상과 국회의원 선거권자 50만명 이상의 국민이 제안할 수 있었다.
⑤ (X) 제7차 개정헌법에서 헌법개정은 대통령과 국회 재적의원 과반수가 제안할 수 있었다.

정답 ④

019 회독 ☐☐☐ 재구성   11 국회9급

헌법개정에 관한 설명으로 옳은 것은?

① 현행헌법과 마찬가지로 역대 헌법은 헌법개정의 실정법적 한계를 인정하지 않았다.
② 헌법개정이나 헌법변천 모두 헌법에 규정된 개정절차에 따르는 헌법변경이라는 점에서 동일하다.
③ 법은 진화하고 있으며, 새로 만들어진 법은 새로운 환경의 변화를 반영하는 것으로서 언제나 타당한 것이라는 의견은 헌법개정한계설의 논거 중 하나이다.
④ 모든 가치는 상대적이고, 공동체 구성원인 국민은 그 정치적 실존에 대하여 그 의지대로 결단할 수 있다는 것은 헌법개정무한계설의 입장이다.

해설

① (✗) 제2차 개정헌법에는 헌법개정의 한계에 관한 명문규정이 있었다.
② (✗) 헌법변천은 헌법조문은 그대로 있으면서 조문의 의미와 내용이 실질적으로 변한 것을 의미한다. 헌법개정은 헌법변천의 한계적 기능을 수행한다.
③ (✗) 헌법개정무한계설의 논거이다. 헌법개정무한계설은 법실증주의에서 주장되고, 헌법개정한계설은 결단주의와 통합주의에서 논의된다.
④ (○) 선지에서의 '결단'은 결단주의의 결단이 아니라 일반적 의미의 결단이다. '모든 가치가 상대적'이라는 것은 법실증주의의 입장이다.

정답 ④

020 [16 서울7급, 10 국가7급]

헌법의 제정과 개정에 관한 설명으로 옳지 않은 것은?

① 시예스(A. Siéyès)에 따르면 헌법제정권력의 주체는 오직 국민뿐이며, 슈미트(C. Schmitt)에 따르면 헌법제정권력의 주체는 이론적으로 개인, 소수인 또는 국민이 될 수 있다고 한다.
② 시예스와 슈미트 모두 헌법제정권력을 시원적 권력으로 보기 때문에 헌법제정권력의 한계를 인정하지 않는다.
③ 법실증주의자들은 헌법개정의 한계를 부정하는데, 그 이유의 하나로서 헌법전 내의 모든 규정은 서열이 동등하다고 보는 것을 들 수 있다.
④ 1948년 헌법부터 유신헌법에 이르기까지 헌법개정안을 30일 이상 공고하도록 하였으나, 1980년 헌법개정에 의하여 그 공고기간이 20일 이상으로 단축되었다.

해설

① (○) 시예스는 프랑스 대혁명 이후 대의민주주의를 주장하면서 왕권을 제약하기 위해서 헌법제정권력이 오직 국민에 있다고 주장하였다. 슈미트는 결단을 중시한 결과 현실적인 결단을 내릴 수 있는 힘을 가진 자는 누구나 헌법제정권력이 될 수 있다고 보았다. 따라서 경우에 따라서는 왕, 귀족, 국민 모두가 헌법제정권력자가 될 수 있다. 슈미트는 시예스보다는 루소의 직접민주주의 전통을 이어받아 동일성민주주의를 주장하였다. 그러나 현실적으로 대의제의 필요성을 부인하지는 않았다. 이에 비해 시예스는 철저한 대의주의자였다. [10 국가7급]
② (○) 시예스와 슈미트는 모두 헌법제정권력의 한계를 인정하지 않았다. 그 이유는 두 사람 모두 헌법제정권력의 정당성을 문제삼지 않았기 때문이다. 그러나 오늘날 헌법제정권력의 한계를 인정하는 것이 다수설이다. [10 국가7급]
③ (○) 헌법개정권력의 한계에 대해서는 법실증주의는 헌법개정의 한계를 부정하는 입장이고, 결단주의와 통합주의는 한계를 인정하는 입장이다. 법실증주의는 헌법전 내의 모든 조문은 그 효력이 동일하다는 논거이고, 결단주의는 헌법제정권력과 헌법개정권력을 구분하여 '헌법률'은 개정할 수 있지만 '헌법'은 개정할 수 없다고 한다. 따라서 결단주의에서 '헌법'을 바꾸기 위해서는 헌법개정이 아닌 새로운 헌법제정을 하여야 한다. 통합주의에서는 국가의 근본가치는 개정의 대상이 아니라고 본다. [10 국가7급]
④ (✗) 1972년 제7차 개정헌법에서 공고기간이 20일 이상으로 단축되었다. [16 서울7급]

정답 ④

021

헌법개정에 대한 설명으로 옳지 않은 것만을 모두 고르면? (다툼이 있는 경우 판례에 의함)

ㄱ. 현행헌법상 대통령과 일정 수의 국회의원만이 헌법개정안을 발의할 수 있으며 국민이 직접 헌법개정안을 발의할 수는 없다.
ㄴ. 현행법상 국회의원 100인이 반대하는 경우 헌법을 개정하는 것은 불가능하다.
ㄷ. 1954년 헌법은 "대한민국의 주권은 국민에게 있고 모든 권력은 국민으로부터 나온다."라고 한 헌법 제2조를 개폐할 수 없다고 규정하였다.
ㄹ. 헌법개정에 관한 국민투표의 효력에 관하여 이의가 있는 투표인은 투표인 10만인 이상의 찬성을 얻어 중앙선거관리위원회에 이의를 제기할 수 있다.

① ㄱ, ㄴ
② ㄱ, ㄷ
③ ㄴ, ㄹ
④ ㄷ, ㄹ

해설

ㄱ. (O) 현재는 대통령과 국회의원 재적 과반수만이 헌법개정안을 발의할 수 있다. 제2차 개정헌법에서 일정 수 이상의 국민이 헌법개정안을 발안하는 제도가 있었다. [10 지방7급]

ㄴ. (X) 현재 국회의원의 정수는 300명이고 그에 대한 재적 3분의 2는 200명이므로 100명이 반대하는 경우 국회의원 정원에 결원이 없다면 개정이 가능하다. [10 지방7급]

> 🔖 **재적의원**
> 재적의원은 정원과는 다른 개념이다. 현재 정원은 300명이지만 이 중 1명이 사망하고 2명이 당선무효라면 재적의원은 297명이 된다.

ㄷ. (O) 1954년 헌법에는 헌법개정금지조항에 대해 규정하고 있었으나, 현행헌법은 헌법개정의 한계에 대해 규정하고 있지 않다. [18 국가7급]

ㄹ. (X) [20 법원직]

> 🔖 **국민투표법 제92조(국민투표무효의 소송)**
> 국민투표의 효력에 관하여 이의가 있는 투표인은 투표인 10만인 이상의 찬성을 얻어 중앙선거관리위원회 위원장을 피고로 하여 투표일로부터 20일 이내에 대법원에 제소할 수 있다.

정답 ③

기출지문 OX

❶ 제1차 헌법개정(1952.7.)은 헌법이 정하는 공고절차를 거치지 아니하였으나, 국민투표에 의하여 확정되었다. 11 국가7급 (O / X)

> 해설 제1차 헌법개정(발췌개헌)은 헌법이 정하는 공고절차를 위배하였고, 국민투표에 의하여 확정된 것이 아니다. 헌법개정시 국민투표 실시를 최초로 규정한 것은 제5차 개정헌법이다. 한편 국민투표에 의하여 최초로 확정된 헌법도 제5차 개정헌법인데, 이는 당시 헌법에 정해진 절차를 따른 것이 아니라 5·16에 의해 당시 헌법에는 없었던 국민투표를 한 것이다. **정답** X

❷ 우리 국민은 1948년 7월 12일 헌법제정권력을 직접 행사하여 건국헌법을 제정하였다. 13 서울7급 (O / X)

> 해설 건국헌법은 국민투표를 거치지 않고 국회에서 의결하였기 때문에 국민이 헌법제정권력을 직접 행사한 것은 아니다. **정답** X

022

헌법개정에 관한 설명으로 옳지 않은 것은?

① 헌법개정이 의식적인 헌법규정의 변경이라고 한다면, 헌법변천은 무의식적인 헌법규정의 내용 변화라고 할 수 있다.
② 슈미트(C. Schmitt)는 헌법제정의 한계는 부인하나, 헌법개정의 한계는 인정한다.
③ 독일기본법은 헌법개정법률에 의한 헌법개정방법을 도입하고, 헌법개정의 한계를 명문으로 규정하고 있다.
④ 현행헌법과 마찬가지로 역대 헌법은 헌법개정의 실정법적 한계를 인정하지 않았다.

해설

① (O) 헌법개정은 의식적이고 명시적인 헌법규정의 변경이고, 헌법변천은 조문 내용을 그대로 두고 해석을 시대에 맞게 변경하는 것인바, 이는 암묵적이고 무의식적인 헌법규정의 내용 변화라고 할 수 있다. 헌법변천은 무의식적인 경우가 일반적이나 의식적인 헌법변천도 있을 수 있다.
② (O) 슈미트는 결단주의 헌법관의 입장에서 헌법제정권력의 한계를 부인하고 헌법개정권력의 한계는 헌법제정권력에 종속하는 것으로 보고 있다. 따라서 '헌법(헌법제정권력)＞헌법률(헌법개정권력)＞입법권(국회)'라는 도식이 성립한다.
③ (O) 독일기본법은 형식적으로는 헌법이 아니라 법률이기 때문에 헌법개정법률에 의한 헌법개정방법이지 헌법을 개정한다는 개념이 있을 수 없다. 또한 독일기본법에서도 독일기본법에 대한 개정의 한계를 명시하고 있다.
④ (X) 제2차 개정헌법(1954년)에서 헌법개정의 실정법적 한계를 인정한 바 있다. 민주공화국, 국민주권 등에 대해서는 개정할 수 없다는 규정이 있었다.

법실증주의는 개정금지조항도 개정이 가능하다는 비판을 받을 수 있다.

정답 ④

023

헌법개정의 한계를 인정하는 견해를 전제로 할 때, 다음 중 헌법개정의 한계를 벗어난 것이라고 볼 수 있는 것은?

① 대통령제를 폐지하고, 의원내각제를 채택하는 것
② 헌법재판소를 폐지하고, 헌법재판소의 기능을 대법원이 담당하게 하는 것
③ 감사원의 소속을 국회로 변경하는 것
④ 복수정당제를 폐지하는 것
⑤ 국회를 양원제로 구성하는 것

해설

④ (O) 복수정당제는 자유민주국가원리의 중요한 구성요소로서 헌법개정으로 폐지할 수 없다.

정답 ④

024 [15 지방7급, 13 서울7급]

헌법변천에 대한 설명으로 옳지 않은 것만을 모두 고르면? (다툼이 있는 경우 판례에 의함)

> ㄱ. 헌법규범과 헌법현실 간에 괴리가 생긴 경우, 헌법개정은 그 괴리를 좁혀 궁극적으로 규범력을 높이는 기능을 하지만, 헌법변천은 그와 같은 기능을 기대할 수 없다.
> ㄴ. 미국 연방대법원의 위헌법률심사권이나 일본의 자위대를 통한 전력 보유는 헌법변천의 예로 설명될 수 있다.
> ㄷ. 경성헌법의 원리를 중시하면 헌법변천은 헌법해석과 헌법개정의 한계를 초월할 수 있다.
> ㄹ. 헌법변천을 한계 없이 인정할 경우 사실상 관철된 헌법 현실 또는 심지어 위헌적인 헌법 현실이 정당화되는 결과가 발생된다.

① ㄱ, ㄴ
② ㄱ, ㄷ
③ ㄴ, ㄹ
④ ㄷ, ㄹ

해설

ㄱ. (X) 헌법개정과 헌법변천은 둘 다 헌법규범과 헌법현실 간에 괴리가 생긴 경우 그 괴리를 좁히는 역할을 한다. 다만, 헌법개정은 헌법개정절차에 따른 의도적인 변경이라는 차이점이 있다. 따라서 헌법개정은 헌법변천의 한계적 기능을 수행한다고 표현된다. [13 서울7급]

ㄴ. (O) 그 외에도 영국의 왕이 실권을 행사하지 않는 것과 우리나라 제1차 개정헌법에서 양원제를 규정하고 실시하지 않는 것도 헌법변천의 예이다. [15 지방7급]

　　불문헌법 국가에서도 헌법변천이 일어난다는 것을 주의하여야 한다.

ㄷ. (X) 경성헌법을 중시하면 헌법의 개정이 어려우므로 연성헌법보다는 헌법변천의 가능성이 높은 것은 사실이다. 그러나 헌법변천은 무제한 허용될 수 없으며 헌법의 기본이념에 어긋날 수 없다. [15 지방7급]

ㄹ. (O) 헌법변천의 문제점이다. [15 지방7급]

정답 ②

제4절 헌법의 수호

025　회독 □□□　09 지방7급

헌법의 수호에 대한 설명 중 옳지 않은 것은? (다툼이 있는 경우 판례에 의함)

① 방어적 민주주의는 민주주의의 자기방어적인 성격을 갖는 것으로서 가치상대주의 내지 다원주의에 대한 한계로서 인정될 것이다.
② 국회에 있어서 입법과정의 하자(흠)에 대해서는 저항권 행사의 대상이 될 수 없다.
③ 대통령은 평상시에 헌법수호의 기능을 담당하지만, 비상시에는 헌법재판소가 그 역할을 분담하게 된다.
④ 헌법수호의 대상으로서 헌법은 형식적 의미의 헌법뿐만 아니라 실질적 의미의 헌법도 포함한다.

해설

① (O) 방어적 민주주의는 가치구속적 민주주의이다.
② (O) 국회법 소정의 협의 없는 개의시간의 변경과 회의일시를 통지하지 아니한 입법과정의 하자에 대해 노동조합이 쟁의행위를 하면서 이를 저항권의 행사라고 주장한 부분이 대상이 된 '노동조합 및 노동관계조정법 등 위헌제청' 사건에서 "저항권은 국가권력에 의하여 헌법의 기본원리에 대한 중대한 침해가 행하여지고 그 침해가 헌법의 존재 자체를 부인하는 것으로서 다른 합법적인 구제수단으로는 목적을 달성할 수 없을 때에 국민의 자기의 권리·자유를 지키기 위하여 실력으로 저항하는 권리이므로, 국회법 소정의 협의 없는 개의시간의 변경과 회의일시를 통지하지 아니한 입법과정의 하자는 저항권 행사의 대상이 되지 아니한다."라고 하여 저항권을 인정하는 듯한 판시를 하고 있다(다만, 판시사안은 저항권 행사의 대상이 되지 않는다는 결론을 내렸을 뿐이다). (헌재 1997.9.25. 97헌가4【각하】)
③ (X) 평상시의 헌법수호는 헌법재판소가, 비상시에는 대통령이 한다(국가긴급권).
④ (O)

정답 ③

026　회독 □□□　17 서울7급

저항권에 대한 설명으로 가장 옳지 않은 것은? (다툼이 있는 경우 판례에 의함)

① 저항권은 국민적 정당성에 기초해 있다는 점에서 혁명과 동일하지만, 혁명의 목적이 새로운 헌법질서의 창출에 있다면, 저항권의 목적은 기존 헌법질서의 수호에 있다.
② 저항권은 실정법질서를 부정하는 폭력적 방법으로도 정당화될 수 있지만, 시민불복종은 비폭력적 방법으로 행사되어야 한다.
③ 국가기관이나 지방자치단체와 같은 공법인도 저항권의 주체가 될 수 있다.
④ 저항권의 행사는 헌법질서의 수호 유지 또는 회복을 위해 남겨진 최후의 수단이어야 한다.

해설

① (O) ② (O) ④ (O)

구분	저항권	시민불복종	혁명권
목적	민주적·법치국가적 기본질서의 수호	개별정책이나 법령의 개선	기존 질서를 파괴하고 새로운 질서의 수립을 목적으로 한다.
보충성	다른 구제수단이 없는 경우에만 행사 가능	보충성을 요하지 않는다.	
방법	폭력적 방법도 허용	비폭력적 방법만 가능	폭력적 방법

③ (X) 저항권의 주체는 국민이며, 국가기관은 저항권의 주체가 될 수 없다. 외국인의 주체성 여부는 학설이 대립한다.

정답 ③

027 17 법무사

저항권에 관한 다음 설명 중 가장 옳지 않은 것은? (다툼이 있는 경우 헌법재판소 결정에 의함)

① 저항권은 고대 그리스 도시국가에서 참주에 대한 국외 추방제도나 고대 중국의 사상가인 맹자의 역성혁명론에서 그 사상적 기원을 찾을 수 있다.
② 저항권은 자연권으로 발전되었고, 영국의 대헌장, 미국의 독립선언서, 프랑스의 1789년 인권선언에서 실정화되었으나, 대한민국헌법에는 저항권이 명문으로 규정되어 있지 않다.
③ 저항권은 공권력의 행사자가 민주적 기본질서를 침해하거나 파괴하려는 경우 이를 회복하기 위하여 국민이 공권력에 대하여 폭력·비폭력, 적극적·소극적으로 저항할 수 있는 국민의 권리이자 헌법수호제도를 의미한다.
④ 저항권은 공권력의 행사에 대한 실력적 저항이어서 그 본질상 질서교란의 위험이 수반되므로, 저항권의 행사에는 개별헌법조항에 대한 단순한 위반이 아닌 민주적 기본질서라는 전체적 질서에 대한 중대한 침해가 있거나 이를 파괴하려는 시도가 있어야 하고, 이미 유효한 구제수단이 남아 있지 않아야 한다는 보충성의 요건이 적용된다.
⑤ 저항권은 민주적 기본질서의 유지·회복을 목적으로 저항할 수 있을 뿐, 기존의 위헌적인 정권을 물러나게 하기 위한 목적으로는 행사할 수 없다.

해설

① (○) **저항권 인정 여부와 사상 전개**

부정론	• 학자: 홉스(복종계약설), 칸트(도덕국가론), 루터(국가를 '신의 구세적 계율질서'로 보기 때문) • 법실증주의(단, 켈젠은 실정화된 저항권을 인정)
긍정론	• 연혁 ─ 서양에서는 폭군방벌론, 동양에서는 맹자의 역성혁명에서 기원을 찾을 수 있다. └ 최초로 성문화한 것은 대헌장(마그나 카르타)이다. • 자연법이론과 위임계약설: 근대적 의미의 저항권이론은 로크에 의하여 체계화되었다. • 로크는 자연법이론과 위임계약설에 근거하여 저항권을 인정한다. • 시이예스, 결단주의(슈미트), 통합주의

② (○)
③ (○) 저항권 행사는 폭력적 방법으로도 가능하다.
④ (○) 헌재 2014.12.19. 2013헌다1
⑤ (×)

> 이른바 저항권적 상황에서 저항권의 행사에 의하여 기존의 위헌적인 정권을 물러나게 함으로써 민주적 기본질서를 회복하고, 그 이후에 민주적인 방법에 의한 집권을 하겠다는 취지로 해석할 여지가 없지는 않다. (헌재 2014.12.19. 2013헌다1)

정답 ⑤

기출지문 OX

저항권의 법적 성질에 관한 자연권설에 의하면 저항권은 기본적으로 인간의 자기수호의 본성에 근거하고 있으며, 실정법의 규정 유무에 따라 저항권의 인정 여부가 결정되는 것은 저항권의 본질에 반하며, 헌법에 저항권이 규정되어 있더라도 그것은 자연적인 권리를 확인한 것에 지나지 않는다고 본다. 14 국회8급   (○/×)

해설 한편, 법실증주의는 저항권을 인정하지 않지만 실정화된 저항권은 인정한다.   **정답** ○

028

헌법의 보장 혹은 보호에 관한 사항으로 옳은 것은?

① 대법원은 저항권이 일종의 자연법상의 권리로서 이를 인정하는 것이 타당하다고 할 것이고 저항권이 인정된다면 재판규범으로서의 기능을 배제할 근거가 없다는 입장을 가지고 있다.
② 소수의 특수집단을 중심으로 헌정체제의 변화를 유발하는 쿠데타는 혁명이나 저항권과 같이 국민적 정당성을 확보한다고 볼 수 있다.
③ 헌법의 최고법규성 선언, 헌법개정의 곤란성, 권력분립원리 채택, 탄핵제도 등은 사전예방적 헌법수호제도이다.
④ 방어적 민주주의를 위한 장치로 위헌정당해산제도와 기본권 실효제도를 들 수 있는데, 이 중 우리는 독일과 달리 위헌정당해산제도만을 도입하고 있다.
⑤ 국가권력 행사의 불법이 객관적으로 명백하고 민주적 기본질서를 중대하게 침해하고 헌법의 존재 자체를 부인하는 경우에만 국민은 시민불복종운동을 행사할 수 있다.

해설

① (X) 선지는 대법원 판례의 소수의견이다.

> 현대 입헌자유민주주의 국가의 헌법이론상 자연법에서 우러나온 자연권으로서의 소위 저항권이 헌법 기타 실정법에 규정되어 있든 없든 간에 엄존하는 권리로 인정되어야 한다는 논지가 시인된다고 하더라도 그 저항권이 실정법에 근거를 두지 못하고 오직 자연법에만 근거하고 있는 한 법관은 이를 재판규범으로 원용할 수 없다고 할 것인바, 헌법 및 법률에 저항권에 관하여 아무런 규정 없는 우리나라의 현 단계에서는 저항권이론을 재판의 근거규범으로 채용, 적용할 수 없다. (대판 1980.5.20. 80도306)

② (X) 쿠데타는 국민적 정당성을 확보할 수 없다고 보는 것이 일반적 견해이다. 다만, 옐리네크는 이미 이루어진 사실이라는 개념으로 이를 인정한다.
③ (X) 탄핵제도는 사후적·교정적 헌법보장제도의 일종이다.
④ (O) 우리나라는 기본권 실효제도를 인정하지 않는다. 독일에서도 적용사례가 없다. 기본권 실효제도는 기본권을 박탈하는 것이 아니라 해당 사안에서 정치적 무기로 사용하지 못하게 하는 것이고, 그 외의 경우에는 기본권이 인정된다.
⑤ (X) 선지는 저항권 행사의 요건이다. 즉, 저항권은 국가권력 행사의 불법이 객관적으로 명백하고 민주적 기본질서를 중대하게 침해하고 헌법의 존재 자체를 부인하는 경우에 행사할 수 있다. 한편, 시민불복종운동은 개별정책이나 법령에 대한 준수 거부를 의미하며, 무력 행사가 배제된 시민운동의 방법으로 행할 수 있다.

정답 ④

예상판례

시민불복종운동은 위법성이 조각되지 않는다. (대판 2004.4.27. 2002도315)
시민불복종운동의 일환으로 낙선운동을 한 것은 형법상의 정당행위 또는 긴급피난의 요건을 갖춘 행위로 볼 수 없다.

029

정당해산심판에 대한 설명으로 옳지 않은 것은? (다툼이 있는 경우 판례에 의함)

① 정당해산심판제도는 정치적 비판자들을 탄압하기 위한 용도로 남용되는 일이 생기지 않도록 엄격하고 제한적으로 운용되어야 한다.
② 정당해산심판에 있어서는 피청구인의 활동을 정지하는 가처분이 인정되지 않는다.
③ 정당의 해산을 명하는 헌법재판소의 결정은 중앙선거관리위원회가 「정당법」에 따라 집행한다.
④ 헌법재판소의 해산결정으로 정당이 해산되는 경우에 그 정당 소속 국회의원이 의원직을 상실하는지에 대하여 명문규정은 없으나 헌법재판소의 정당해산결정이 있는 경우 그 정당 소속 국회의원의 의원직은 당선 방식을 불문하고 모두 상실된다.

해설

① (O) [21 법무사]

> 정당해산심판제도가 비록 정당을 보호하기 위한 취지에서 도입된 것이라고 하더라도 다른 한편 이는 정당의 강제적 해산가능성을 헌법상 인정하는 것이므로, 그 자체가 민주주의에 대한 제약이자 위협이 될 수 있음을 또한 깊이 주의해야 한다. 정당해산심판제도는 운영 여하에 따라 그 자체가 민주주의에 대한 해악이 될 수 있으므로 일종의 극약처방인 셈이다. 따라서 정치적 비판자들을 탄압하기 위한 용도로 남용되는 일이 생기지 않도록 정당해산심판제도는 매우 엄격하고 제한적으로 운용되어야 한다. (헌재 2014.12.19. 2013헌다1)

② (×) 정당해산심판과 권한쟁의심판의 경우에는 명문규정으로 가처분이 인정된다. 탄핵의 경우에는 권한 행사가 정지되기 때문에 가처분이 인정되지 않고, 그 외의 경우는 사건마다 다르다. [21 국가7급]
③ (O) 헌법재판소의 해산결정은 창설적 효력이다. 다만, 중앙선거관리위원회의 집행은 확인적이다. [21 국가7급]
④ (O) 국회의원의 국민대표성을 희생시켜 의원직 상실결정을 하였다. 다만, 지방의원의 의원직에 대해서는 판단하지 않았다. [21 국가7급]

정답 ②

030 회독 ☐☐☐ 재구성   21 법무사, 20 국가7급, 18 서울7급

정당해산심판에 대한 설명으로 옳은 것은? (다툼이 있는 경우 판례에 의함)

① 정당해산심판은 「헌법재판소법」에 특별한 규정이 있는 경우를 제외하고는 헌법재판의 성질에 반하지 아니하는 한도 내에서 민사소송에 관한 법령과 「행정소송법」을 함께 준용한다.
② 자유위임의 원리가 정당국가의 원리보다 우선된다고 볼 때는 위헌정당해산결정으로 해산정당 소속 의원은 의원의 신분을 상실하게 된다.
③ 정당의 목적이나 활동이 헌법에 위반된 경우, 그 위반이 사소한 위반인 경우에도 그 정당을 해산하는 것이 헌법정신에 부합한다.
④ 정당 소속원이 민주적 기본질서에 위반된 행위를 하였다고 하더라도, 개인적 차원의 행위에 불과한 것이라면, 이러한 행위에 대해서까지 정당해산심판의 심판대상이 되는 활동으로 보기는 어렵다.

해설

① (✕) [20 국가7급]

> **헌법재판소법 제40조(준용규정)**
> ① 헌법재판소의 심판절차에 관하여는 이 법에 특별한 규정이 있는 경우를 제외하고는 헌법재판의 성질에 반하지 아니하는 한도에서 민사소송에 관한 법령을 준용한다. 이 경우 탄핵심판의 경우에는 형사소송에 관한 법령을 준용하고, 권한쟁의심판 및 헌법소원심판의 경우에는 행정소송법을 함께 준용한다.
> ② 제1항 후단의 경우에 형사소송에 관한 법령 또는 행정소송법이 민사소송에 관한 법령에 저촉될 때에는 민사소송에 관한 법령은 준용하지 아니한다.

② (✕) [18 서울7급]

> 해산되는 위헌정당 소속 국회의원이 의원직을 유지한다면 위헌적인 정치이념을 정치적 의사형성과정에서 대변하고 이를 실현하려는 활동을 허용함으로써 실질적으로는 그 정당이 계속 존속하는 것과 마찬가지의 결과를 가져오므로, 해산정당 소속 국회의원의 의원직을 상실시키지 않는 것은 결국 정당해산제도가 가지는 헌법수호기능이나 방어적 민주주의 이념과 원리에 어긋나고 정당해산결정의 실효성을 확보할 수 없게 된다. 이와 같이 헌법재판소의 해산결정으로 해산되는 정당 소속 국회의원의 의원직 상실은 위헌정당해산제도의 본질로부터 인정되는 기본적 효력이다. (헌재 2014.12.19. 2013헌다1)

③ (✕) [21 법무사]

> 정당에 대한 해산결정은 민주주의 원리와 정당의 존립과 활동에 대한 중대한 제약이라는 점에서, 정당의 목적과 활동에 관련된 모든 사소한 위헌성까지도 문제 삼아 정당을 해산하는 것은 적절하지 않다. (헌재 2014.12.19. 2013헌다1)

④ (○) [21 법무사]

> 정당대표나 주요 관계자의 행위라고 하더라도 개인적 차원의 행위에 불과한 것이라면 이러한 행위에 대해서까지 정당해산심판의 심판대상이 되는 활동으로 보기는 어렵다. (헌재 2014.12.19. 2013헌다1)

정답 ④

031

정당해산심판에 대한 설명으로 옳지 않은 것만을 모두 고르면? (다툼이 있는 경우 판례에 의함)

ㄱ. 헌법 제8조 제4항의 정당해산심판제도는 정치적 반대세력을 제거하고자 하는 정부의 일방적인 행정처분에 의해서 유력한 진보적 야당이 등록취소되어 사라지고 말았던 우리 현대사에 대한 반성의 산물로서 1960년 제3차 헌법개정을 통해 헌법에 도입된 것이다.

ㄴ. 헌법 제8조 제4항의 민주적 기본질서 개념은 정당해산결정의 가능성과 긴밀히 결부되어 있다. 이 민주적 기본질서의 외연이 확장될수록 정당해산결정의 가능성은 축소되고, 이와 동시에 정당활동의 자유는 확대될 것이다. 따라서 민주적 기본질서를 현행헌법이 채택한 민주주의의 구체적 모습과 동일하게 보아서는 안 된다.

ㄷ. 비례원칙 준수 여부는 법률이나 기타 공권력 행사의 위헌 여부를 판단할 때 사용하는 위헌심사의 척도에 해당하므로, 헌법재판소가 정당해산결정을 내리기 위해서는 그 해산결정이 비례원칙에 부합하는지를 판단할 필요가 없다.

ㄹ. 대통령은 국무회의 의장으로서 회의를 소집하고 이를 주재하지만 대통령이 사고로 직무를 수행할 수 없을 경우에는 국무총리가 그 직무를 대행할 수 있고, 대통령이 해외 순방 중인 경우는 '사고'에 해당되므로, 대통령의 직무상 해외 순방 중 국무총리가 주재한 국무회의에서 이루어진 정당해산심판청구서 제출안에 대한 의결은 위법하지 아니하다.

① ㄱ, ㄴ
② ㄱ, ㄹ
③ ㄴ, ㄷ
④ ㄷ, ㄹ

[해설]

ㄱ. (○) 위헌정당해산제도가 헌법에 도입된 취지이다. 한편, 복수정당제는 제5차 개정헌법에 도입되었다.

ㄴ. (✕) 민주적 기본질서의 외연이 확장될수록 정당해산결정의 가능성은 확대되고 정당활동의 자유는 축소된다. 외연이 확장되면 민주주의의 여러 가지 개념 중 하나에 위배되면 해산이 가능하기 때문이다.

> 헌법 제8조 제4항이 의미하는 '민주적 기본질서'는 개인의 자율적 이성을 신뢰하고 모든 정치적 견해들이 각각 상대적 진리성과 합리성을 지닌다고 전제하는 다원적 세계관에 입각한 것으로서, 모든 폭력적·자의적 지배를 배제하고, 다수를 존중하면서도 소수를 배려하는 민주적 의사결정과 자유·평등을 기본원리로 하여 구성되고 운영되는 정치적 질서를 말하며, 구체적으로는 국민주권의 원리, 기본적 인권의 존중, 권력분립제도, 복수정당제도 등이 현행헌법상 주요한 요소라고 볼 수 있다(안전보장, 질서유지, 공공복리는 정당해산사유에 해당하지 않는다). 민주적 기본질서는 최대한 엄격하고 협소한 의미로 이해해야 한다. 따라서 민주적 기본질서를 현행헌법이 채택한 민주주의의 구체적 모습과 동일하게 보아서는 안 된다. 마찬가지로, 민주적 기본질서를 부정하지 않는 한 정당은 각자가 옳다고 믿는 다양한 스펙트럼의 이념적인 지향을 자유롭게 추구할 수 있다. (헌재 2014.12.19. 2003헌다1)

ㄷ. (✕)

> 정당해산은 헌법상 핵심적인 정치적 기본권인 정당활동의 자유에 대한 근본적 제한이므로, 헌법재판소는 이에 관한 결정을 할 때 헌법 제37조 제2항이 규정하고 있는 비례원칙을 준수해야만 한다. (헌재 2014.12.19. 2003헌다1)

ㄹ. (○) 헌재 2014.12.19. 2003헌다1

정답 ③

032 [19 법원직·5급행시]

위헌정당해산결정에 대한 설명으로 옳지 않은 것만을 모두 고르면? (다툼이 있는 경우 판례에 의함)

ㄱ. 정당해산심판은 원칙적으로 해당 정당에게만 그 효력이 미치며, 정당해산결정은 대체정당이나 유사정당의 설립까지 금지하는 효력을 가진다.
ㄴ. 헌법재판소는 정당해산결정의 본질적 효과로서 그 정당 소속 국회의원들의 의원직이 상실된다고 결정하였다.
ㄷ. 정당해산결정의 파급효과를 고려할 때, 재심을 허용하지 아니함으로써 얻을 수 있는 법적 안정성의 이익보다 재심을 허용함으로써 얻을 수 있는 구체적 타당성의 이익이 더 큰 경우에 한하여 제한적으로 인정된다.
ㄹ. 정당해산결정이 선고되면, 대체정당의 결성이 금지되나 동일한 당명을 사용하는 것은 가능하다.

① ㄱ, ㄴ
② ㄱ, ㄹ
③ ㄴ, ㄷ
④ ㄷ, ㄹ

해설

ㄱ. (O) [19 법원직]

> 정당해산심판은 일반적 기속력과 대세적·법규적 효력을 가지는 법령에 대한 헌법재판소의 결정과 달리 원칙적으로 해당 정당에게만 그 효력이 미친다. 또 정당해산결정은 해당 정당의 해산에 그치지 않고 대체정당이나 유사정당의 설립까지 금지하는 효력을 가지므로, 오류가 드러난 결정을 바로잡지 못한다면 현 시점의 민주주의가 훼손되는 것에 그치지 않고 장래 세대의 정치적 의사결정에까지 부당한 제약을 초래할 수 있다. 따라서 정당해산심판절차에서는 재심을 허용하지 아니함으로써 얻을 수 있는 법적 안정성의 이익보다 재심을 허용함으로써 얻을 수 있는 구체적 타당성의 이익이 더 크므로 재심을 허용하여야 한다. 한편, 이 재심절차에서는 원칙적으로 민사소송법의 재심에 관한 규정이 준용된다. (헌재 2016.5.26. 2015헌아20)
> 재심사유가 인정되지 않아서 각하되었다.

ㄴ. (O) 의원직 상실에 관한 명문규정은 없지만 선지와 같이 결정하였다. [19 법원직]

ㄷ. (X) 헌법재판에 대한 재심은 제한적으로 허용되는 것이 아니라 판단유탈이 있을 때 비교형량하여 재심의 자유가 있으면 재심이 허용된다. [19 법원직]

ㄹ. (X) [19 5급행시]

> **정당법 제40조(대체정당의 금지)**
> 정당이 헌법재판소의 결정으로 해산된 때에는 해산된 정당의 강령(또는 기본정책)과 동일하거나 유사한 것으로 정당을 창당하지 못한다.
>
> **제41조(유사명칭 등의 사용금지)**
> ① 이 법에 의하여 등록된 정당이 아니면 그 명칭에 정당임을 표시하는 문자를 사용하지 못한다.
> ② 헌법재판소의 결정에 의하여 해산된 정당의 명칭과 같은 명칭은 정당의 명칭으로 다시 사용하지 못한다.
> ③ 창당준비위원회 및 정당의 명칭(약칭을 포함한다)은 이미 신고된 창당준비위원회 및 등록된 정당이 사용 중인 명칭과 뚜렷이 구별되어야 한다.
> ④ 제44조(등록의 취소) 제1항의 규정에 의하여 등록취소된 정당의 명칭과 같은 명칭은 등록취소된 날부터 최초로 실시하는 임기만료에 의한 국회의원 선거의 선거일까지 정당의 명칭으로 사용할 수 없다.

정답 ④

033

정당에 대한 설명으로 옳은 것은? (다툼이 있는 경우 판례에 의함)

① 정당의 활동은 정당 기관의 행위나 주요 정당관계자의 행위로서 그 정당에게 귀속시킬 수 있는 활동 일반을 의미하며 일반당원의 활동은 제외된다.
② 정당의 창당준비위원회는 중앙당의 경우에는 200명 이상의, 시·도당의 경우에는 100명 이상의 발기인으로 구성한다.
③ 경찰청장으로 하여금 퇴직 후 2년간 정당의 설립과 가입을 금지하는 것은 경찰청장의 정당설립의 자유와 피선거권 및 직업의 자유를 침해하는 것이다.
④ 정당은 그 대의기관의 결의로써 해산할 수 있으며, 이에 따라 정당이 해산한 때에는 그 대표자는 지체 없이 그 뜻을 국회에 신고하여야 한다.

해설

① (✗) 정당의 활동은 정당 기관의 행위나 주요 정당관계자의 행위로서 그 정당에게 귀속시킬 수 있는 활동뿐만 아니라 일반당원의 활동도 포함되지만 당원의 개인적인 일탈은 제외된다. [19 입시]

② (○) 정당법 제6조 [19 국가7급]

③ (✗) [19 국가7급]

> **공무담임권과 정당의 자유 – 경찰청장 정당가입금지** (헌재 1999.12.23. 99헌마135 【위헌】)
>
> 경찰청장으로 하여금 퇴직 후 2년간 정당의 설립과 가입을 금지하는 이 사건 법률조항은 '누구나 국가의 간섭을 받지 아니하고 자유롭게 정당을 설립하고 가입할 수 있는 자유'를 국민의 기본권으로서 보장하는 '정당의 자유'를 제한하는 규정이다. 정당에 관한 한, 헌법 제8조는 일반결사에 관한 헌법 제21조에 대한 특별규정이므로, 정당의 자유에 관하여는 헌법 제8조 제1항이 우선적으로 적용된다. … 청구인들은 정당가입을 금지하는 이 사건 법률조항으로 말미암아 결과적으로 퇴직 후 2년간은 정당의 추천이 아닌 무소속으로만 각종 공직선거에 입후보할 수밖에 없게 되었다. 그러나 이 사건 법률조항이 규율하는 것은 국민 누구나가 공직선거에 입후보하여 당선될 수 있는 피선거권, 즉 선거직공무원을 포함한 모든 공직에 취임할 수 있는 권리로서 공무담임권이 아니라, 정당의 설립과 가입에 관한 자유이다. 물론 이 사건 법률조항이 규정하는 정당가입의 금지로 인하여 청구인들이 정당의 공천을 받을 수 없다는 결과가 발생하고 이로써 공직선거에 입후보할 수 있는 기회를 사실상 잃게 되는 경우도 있을 수 있을 것이다. 그러나 그렇다고 하여 공직선거에 출마하여 당선될 수 있는 권리 그 자체가 침해받는 것은 아니다. 청구인들이 공무담임권에 대한 제약을 받는 것은 단지 정당공천을 받는 경우에 일반적으로 기대할 수 있는 보다 높은 선출의 가능성일 뿐이다. 따라서 피선거권에 대한 제한은 이 사건 법률조항이 가져오는 간접적이고 부수적인 효과에 지나지 아니하므로 헌법 제25조의 공무담임권(피선거권)은 이 사건 법률조항에 의하여 제한되는 청구인들의 기본권이 아니다. 또한 청구인들은 직업의 자유도 침해되었다고 주장하나, 공무원직에 관한 한 공무담임권은 직업의 자유에 우선하여 적용되는 특별법적 규정이고, 위에서 밝힌 바와 같이 공무담임권(피선거권)은 이 사건 법률조항에 의하여 제한되는 청구인들의 기본권이 아니므로, 직업의 자유 또한 이 사건 법률조항에 의하여 제한되는 기본권으로서 고려되지 아니한다.

④ (✗) [19 국가7급]

> **정당법 제45조(자진해산)**
> ① 정당은 그 대의기관의 결의로써 해산할 수 있다.
> ② 제1항의 규정에 의하여 정당이 해산한 때에는 그 대표자는 지체 없이 그 뜻을 관할 선거관리위원회에 신고하여야 한다.

정답 ②

034 [19 입시, 15 서울7급·지방7급]

정당해산심판에 대한 설명으로 옳지 않은 것은? (다툼이 있는 경우 판례에 의함)

① 민주적 기본질서의 '위배'란 그 정당의 목적이나 활동이 우리 사회의 민주적 기본질서에 대하여 실질적인 해악을 끼칠 수 있는 구체적 위험성을 초래하는 경우를 말한다.
② 민주적 기본질서를 부정하지 않는 한 정당은 다양한 스펙트럼의 이념적 지향을 자유롭게 추구할 수 있다.
③ 정당해산심판의 청구가 있는 때, 가처분결정을 한 때 및 그 심판이 종료한 때에는 헌법재판소장은 그 사실을 국회와 중앙선거관리위원회에 통지하여야 한다.
④ 정당의 해산을 명하는 헌법재판소의 결정은 헌법재판소가 「정당법」의 규정에 의하여 이를 집행한다.

해설

① (O) [19 입시]
② (O) [15 서울7급]
③ (O) 헌법재판소법 제58조 제1항 [15 지방7급]
④ (X) [15 지방7급]

> **헌법재판소법 제60조(결정의 집행)**
> 정당의 해산을 명하는 헌법재판소의 결정은 <u>중앙선거관리위원회가</u> 정당법에 따라 집행한다.

정답 ④

기출지문 OX

❶ 민주적 기본질서 위배란 민주적 기본질서에 대한 단순한 위반이나 저촉을 의미하는 것이 아니라 정당의 목적이나 활동이 민주적 기본질서에 대한 실질적 해악을 끼칠 수 있는 추상적·구체적 위험성을 초래하는 경우를 가리킨다. [15 서울7급] (O / X)

> **해설**
>
> **통합진보당 해산결정** (헌재 2014.12.19. 2013헌다1)
> [1] **정당해산심판의 사유**
> 정당의 목적이나 활동 중 어느 하나라도 민주적 기본질서에 위배되어야 한다. 헌법 제8조 제4항의 '민주적 기본질서'는 개인의 자율적 이성을 신뢰하고 모든 정치적 견해들이 상대적 진리성과 합리성을 지닌다고 전제하는 다원적 세계관에 입각한 것으로서, 모든 폭력적·자의적 지배를 배제하고, 다수를 존중하면서도 소수를 배려하는 민주적 의사결정과 자유와 평등을 기본원리로 하여 구성되고 운영되는 정치적 질서를 말한다. 민주적 기본질서를 부정하지 않는 한 정당은 <u>다양한 스펙트럼의 이념적 지향을 자유롭게 추구할 수 있다. 민주적 기본질서 위배란 민주적 기본질서에 대한 단순한 위반이나 저촉을 의미하는 것이 아니라 정당의 목적이나 활동이 민주적 기본질서에 대한 실질적 해악을 끼칠 수 있는 구체적 위험성을 초래하는 경우를 가리킨다.</u> 강제적 정당해산은 핵심적인 정치적 기본권인 정당활동의 자유에 대한 근본적 제한이므로 헌법 제37조 제2항이 규정하고 있는 비례의 원칙을 준수해야만 한다.
> [2] 피청구인 주도세력의 북한 추종성에 비추어 피청구인의 여러 활동들은 민주적 기본질서에 대해 실질적 해악을 끼칠 구체적 위험성이 발현된 것으로 보인다. 특히 내란 관련 사건에서 피청구인 구성원들이 북한에 동조하여 대한민국의 존립에 위해를 가할 수 있는 방안을 구체적으로 논의한 것은 피청구인의 진정한 목적을 단적으로 드러낸 것으로서 표현의 자유의 한계를 넘어 민주적 기본질서에 대한 구체적 위험성을 배가한 것이다.
> [3] 합법정당을 가장하여 국민의 세금으로 상당한 액수의 정당보조금을 받아 활동하면서 민주적 기본질서를 파괴하려는 피청구인의 고유한 위험성을 제거하기 위해서는 정당해산결정 외에 다른 대안이 없다. 정당해산결정으로 민주적 기본질서를 수호함으로써 얻을 수 있는 법익은 정당해산결정으로 초래되는 피청구인의 정당활동자유의 근본적 제약이나 민주주의에 대한 일부 제한이라는 불이익에 비하여 월등히 크고 중요하다.

[4] 피청구인 소속 국회의원의 의원직 상실 여부
　가. 국회의원의 국민대표성과 정당기속성
　　국회의원은 국민 전체의 대표자로서 활동하는 한편, 소속 정당의 이념을 대변하는 정당의 대표자로서도 활동한다. 공직선거법 제192조 제4항은 비례대표국회의원에 대하여 소속 정당의 해산 등 이외의 사유로 당적을 이탈하는 경우 퇴직된다고 규정하고 있는데, 이 규정의 의미는 정당이 자진해산하는 경우 비례대표국회의원은 퇴직되지 않는다는 것으로서, 국회의원의 국민대표성과 정당기속성 사이의 긴장관계를 적절히 조화시켜 규율하고 있다.
　나. 정당해산심판제도의 본질적 효력과 의원직 상실 여부
　　엄격한 요건 아래 위헌정당으로 판단하여 정당해산을 명하는 것은 헌법을 수호한다는 방어적 민주주의 관점에서 비롯된 것이므로, 이러한 비상상황에서는 국회의원의 국민대표성은 부득이 희생될 수밖에 없다.
　　　🔍 자유위임을 강조하면 국회의원의 신분을 상실시키는 것이 어렵다.
　다. 해산되는 위헌정당 소속 국회의원이 의원직을 유지한다면 위헌적인 정치이념을 정치적 의사형성과정에서 대변하고 이를 실현하려는 활동을 허용함으로써 실질적으로는 그 정당이 계속 존속하는 것과 마찬가지의 결과를 가져오므로, 해산정당 소속 국회의원의 의원직을 상실시키지 않는 것은 결국 정당해산제도가 가지는 헌법수호기능이나 방어적 민주주의 이념과 원리에 어긋나고 정당해산결정의 실효성을 확보할 수 없게 된다.
　라. 헌법재판소의 해산결정으로 해산되는 정당 소속 국회의원의 의원직 상실은 위헌정당해산제도의 본질로부터 인정되는 기본적 효력이다.

정답 ×

❷ 헌법재판소가 정당해산의 결정을 하는 때에는 재판관 과반수의 찬성을 요한다. 19 5급행시　　　　　　　　　　　　　(O / ×)
　해설 권한쟁의심판의 경우는 과반수의 찬성으로 의결하고 그 외는 재판관 6명의 찬성이 있어야 한다.

헌법 제113조
① 헌법재판소에서 법률의 위헌결정, 탄핵의 결정, 정당해산의 결정 또는 헌법소원에 관한 인용결정을 할 때에는 재판관 6인 이상의 찬성이 있어야 한다.

헌법재판소법 제23조(심판정족수)
① 재판부는 재판관 7명 이상의 출석으로 사건을 심리한다.
② 재판부는 종국심리에 관여한 재판관 과반수의 찬성으로 사건에 관한 결정을 한다. 다만, 다음 각 호의 어느 하나에 해당하는 경우에는 재판관 6명 이상의 찬성이 있어야 한다.
　1. 법률의 위헌결정, 탄핵의 결정, 정당해산의 결정 또는 헌법소원에 관한 인용결정을 하는 경우
　2. 종전에 헌법재판소가 판시한 헌법 또는 법률의 해석 적용에 관한 의견을 변경하는 경우

정답 ×

035 회독 ☐☐☐ 재구성

14 국회8급

정당해산심판제도에 관한 설명으로 옳지 않은 것은? (다툼이 있는 경우 헌법재판소 결정에 의함)

① 정당해산심판을 청구할 수 있는 권한은 정부가 독점적으로 가진다.
② 자유민주적 기본질서에 위해를 준다 함은 모든 폭력적 지배와 자의적 지배, 즉 반국가단체의 일인독재 내지 일당독재를 배제하고 다수의 의사에 의한 국민의 자치, 자유·평등의 기본원칙에 의한 법치주의적 통치질서의 유지를 어렵게 만드는 것을 말한다.
③ 「헌법재판소법」에 특별한 규정이 없는 경우에는 준용조항에 따라 정당해산심판의 성질에 반하지 아니하는 한도에서 행정소송에 관한 법령이 준용된다.
④ 정당해산을 명하는 결정서는 피청구인 외에 국회, 정부 및 중앙선거관리위원회에도 송달하여야 한다.

해설

① (O)

> **헌법 제8조**
> ① 정당의 설립은 자유이며, 복수정당제는 보장된다.
> ② 정당은 그 목적·조직과 활동이 민주적이어야 하며, 국민의 정치적 의사형성에 참여하는 데 필요한 조직을 가져야 한다.
> ③ 정당은 법률이 정하는 바에 의하여 국가의 보호를 받으며, 국가는 법률이 정하는 바에 의하여 정당운영에 필요한 자금을 보조할 수 있다.
> ④ <u>정당의 목적이나 활동이 민주적 기본질서에 위배될 때에는 정부는 헌법재판소에 그 해산을 제소할 수 있고, 정당은 헌법재판소의 심판에 의하여 해산된다.</u>

② (O) 헌법재판소는 "자유민주적 기본질서에 위해를 준다 함은 모든 폭력적 지배와 자의적 지배, 즉 반국가단체의 일인독재 내지 일당독재를 배제하고 다수의 의사에 의한 국민의 자치, 자유·평등의 기본원칙에 의한 법치주의적 통치질서의 유지를 어렵게 만드는 것이고, 이를 보다 구체적으로 말하면 기본적 인권의 존중, 권력분립, 의회제도, 복수정당제도, 선거제도, 사유재산과 시장경제를 골간으로 한 경제질서 및 사법권의 독립 등 우리의 내부체제를 파괴·변혁시키려는 것으로 풀이할 수 있을 것이다."라고 판시하고 있다. 이러한 헌법재판소의 입장은 독일 연방헌법재판소의 입장을 대체로 수용하고 있는 것으로 평가된다. **(헌재 1990.4.2. 89헌가113 【한정합헌】)**

③ (×) 법령의 준용

헌법소원심판, 권한쟁의심판	민사소송법 + 행정소송법 준용 → 충돌시 행정소송법 준용
위헌법률심판, 정당해산심판	민사소송법 준용
탄핵심판	민사소송법 + 형사소송법 → 충돌시 형사소송법 준용
형벌조항의 위헌결정에 대한 재심	형사소송법 준용
위헌소원의 인용결정에 대한 재심	• 일반사건: 민사소송법 • 형사사건: 형사소송법

④ (O) 헌법재판소법 제58조 제2항

정답 ③

CHAPTER 02 대한민국헌법총설

제1절 대한민국 헌정사

 핵심노트

대한민국 헌정사

구분		기본권	통치구조
제1공화국	건국헌법 (1948)	• 국민투표를 거치지 않고 국회에서 의결 • 통제경제(근로자의 이익분배균점권) • 사회적 기본권 보장 • 바이마르헌법의 영향	• 대통령제 + 의원내각제 • 부통령과 국무총리 둘 다 존재 • 대통령 국회 간선 • 국무원은 의결기구 • 헌법위원회, 탄핵재판소
	제1차 개정헌법 (1952)	• 발췌개헌(공고절차 위반) • 대통령 직선제	양원제를 규정했으나, 실시되지 못하였다(헌법변천).
	제2차 개정헌법 (1954)	• 사사오입개헌(의결정족수 위반) • 초대 대통령 3선 제한 철폐 • 자유시장경제로 전환	• 국무총리가 없던 유일한 시기 • 헌법개정금지에 대한 명문 규정 • 국민투표 최초 규정
제2공화국 (3·15부정선거와 4·19로 성립)	제3차 개정헌법 (1960)	• 본질적 내용 침해금지, 검열금지 • 직업공무원제도 • 위헌정당해산제도 • 중앙선거관리위원회	• 의원내각제(대통령 간선) • 국무원은 의결기구 • 양원제 실시 • 대법원장과 대법관 선거제 • 헌법재판소 규정(실시하지 못하였다)
	제4차 개정헌법 (1960)	소급입법에 의한 처벌근거 마련	
제3공화국 (5·16으로 성립)	제5차 개정헌법 (1962)	• 최초로 국민투표에 의한 개헌 • 인간의 존엄과 가치, 직업의 자유, 인간다운 생활권 • 영화·연예에 대한 검열 규정 • 헌법개정에 대한 국민투표 최초 규정	• 대통령 직선 • 국무회의는 심의기구(이후 지금까지) • 감사원 설치 • 극단적 정당국가
	제6차 개정헌법 (1969)	대통령 3선 개헌	• 위헌법률심판권은 대법원이 행사 • 탄핵심판위원회 • 대법원장, 대법원 판사: 법관추천회의
제4공화국 (10월 유신)	제7차 개정헌법 (1972)	• 영도적 대통령제 • 본질적 내용 침해금지 삭제 • 평화통일조항(전문) • 모든 법관을 대통령이 임명	• 대통령은 통일주체국민회의에서 간선 • 헌법개정의 이원화(대통령이 제안 → 국회 의결 없이 국민투표, 국회가 제안 → 국회 의결 후 통일주체국민회의에서 결정)
제5공화국	제8차 개정헌법 (1980)	• 본질적 내용 침해금지 부활 • 행복추구권, 사생활의 비밀과 자유, 적정임금, 평생교육, 환경권, 무죄추정원칙	• 대통령은 대통령 선거인단에서 간선(7년 단임) • 국정조사 헌법에 최초 규정(제7차 개정헌법에서는 국정조사가 국회법에 규정)
제6공화국	제9차 개정헌법 (1987)	• 적법절차, 미란다원칙, 최저임금, 쾌적한 주거생활권, 모성보호 • 자유민주적 기본질서에 입각한 평화통일	• 대통령 직선 • 헌법재판소

001 회독 ☐☐☐ NEW   24 변호사

대한민국 헌정사에 관한 설명 중 옳지 않은 것은? (다툼이 있는 경우 판례에 의함)

① 제1차 개정헌법(1952년 개헌)에서는 국무위원과 행정각부장관은 국무총리의 제청으로 대통령이 임면하도록 하고 국무원 불신임결의권을 국회(민의원)에 부여하였다.
② 제4차 개정헌법(1960년 개헌)에서는 부칙에 대통령, 부통령 선거에 관련하여 부정행위를 한 자를 처벌하기 위한 특별법 또는 특정지위에 있음을 이용하여 현저한 반민주행위를 한 자의 공민권을 제한하기 위한 특별법을 제정할 수 있는 소급입법의 근거를 두었다.
③ 제5차 개정헌법(1962년 개헌)에서는 국민이 4년 임기의 대통령을 선거하고, 대통령은 1차에 한하여 중임할 수 있도록 하였으며, 위헌법률심사권을 대법원의 권한으로 하였다.
④ 제7차 개정헌법(1972년 개헌)에서는 5년 임기의 통일주체국민회의 대의원을 국민의 직접선거에 의하여 선출하고, 통일주체국민회의는 국회의원 정수 2분의 1에 해당하는 수의 국회의원을 선거하였다.
⑤ 제8차 개정헌법(1980년 개헌)에서는 행복추구권, 연좌제 금지, 사생활의 비밀과 자유의 불가침, 환경권 등을 신설하였다.

해설

① (O) 그 외 대통령직선, 양원제규정(실시되지는 못함)을 하였다.
② (O) 형벌불소급의 예외를 인정하였다.
③ (O) 제3공화국은 대법원이 위헌법률심판과 위헌정당해산을 했고, 탄핵은 탄핵심판위원회의 담당이었다.
④ (X) 제7차 개정헌법(1972년 개헌)에서는 6년 임기의 통일주체국민회의 대의원을 국민의 직접선거에 의하여 선출하고, 통일주체국민회의는 국회의원 정수 3분의 1에 해당하는 수의 국회의원을 선거하였다.
⑤ (O) 그 외 무죄추정원칙, 적정임금을 규정 하였다.

정답 ④

002 회독 ☐☐☐ NEW   24 경찰2차

헌법에서 처음 명문으로 규정한 시기가 같은 개별 기본권끼리 묶이지 않은 것은?

① 1948년 헌법: 양심의 자유 – 근로자의 이익분배균점권 – 공무원 파면청구권
② 1962년 헌법: 인간으로서의 존엄과 가치 – 직업선택의 자유 – 인간다운 생활을 할 권리
③ 1980년 헌법: 행복추구권 – 사생활의 비밀과 자유 – 환경권
④ 1987년 헌법: 사상의 자유 – 형사피해자의 재판절차상 진술권 – 범죄피해자구조청구권

해설

① (O) 근로자의 이익분배균점권은 제5차 개정헌법에서 삭제되었다.
② (O) ③ (O)
④ (X) 사상의 자유는 우리헌법에 규정된 적이 없다.

정답 ④

003 NEW 23 국가7급

역대 헌법에 대한 설명으로 옳지 않은 것은?

① 제헌헌법에서 모든 국민은 국가 각 기관에 대하여 문서로써 청원을 할 권리가 있으며, 청원에 대하여 국가는 심사할 의무를 진다고 규정하였다.
② 1952년 제1차 헌법개정에서 단원제 국회가 규정되었고, 국무위원은 국무총리의 제청에 의하여 대통령이 임면한다고 규정하였다.
③ 1962년 제5차 헌법개정에서 중앙선거관리위원회는 대통령이 임명하는 2인, 국회에서 선출하는 2인과 대법원 판사회의에서 선출하는 5인의 위원으로 구성하고, 위원장은 위원 중에서 호선한다고 규정하였다.
④ 1980년 제8차 헌법개정에서 모든 국민은 깨끗한 환경에서 생활할 권리를 가지며, 국가와 국민은 환경보전을 위하여 노력하여야 한다고 규정하였다.

해설

① (O) ③ (O) ④ (O)
② (✗) 1952년 제1차 헌법개정에서 양원제 국회가 규정되었지만 실시되지는 못하였다(헌법변천).

정답 ②

기출지문 OX

1969년 제6차 개정헌법에서는 "그 헌법 개정 제안 당시의 대통령에 한해서 계속 재임은 3기로 한다."고 규정하였다.
23 서울·지방7급 (O / ✗)

해설

제6차 개정헌법 제69조
③ 대통령의 계속 재임은 3기에 한한다.

정답 ✗

---

004 23 변호사

헌법의 역사에 관한 설명 중 옳은 것은?

① 1948년 헌법은 국가의 세입·세출의 결산, 국가 및 법률에 정한 단체의 회계 검사와 행정기관 및 공무원의 직무에 관한 감찰을 하기 위하여 대통령 소속하에 감사원을 두도록 규정하였다.
② 1954년 헌법은 대통령이 사고로 인하여 직무를 수행할 수 없을 때에는 부통령이 그 권한을 대행하고, 대통령·부통령 모두 사고로 인하여 그 직무를 수행할 수 없을 때에는 국무총리가 그 권한을 대행하도록 규정하였다.
③ 1962년 헌법은 국회의원에 입후보하려면 소속 정당의 추천을 받도록 규정하였다.
④ 1972년 헌법은 국민의 주권적 수임기관으로 통일주체국민회의를 설치하고, 통일주체국민회의에서 대통령과 국회의원 정수의 2분의 1에 해당하는 수의 국회의원을 선출하도록 규정하였다.
⑤ 1980년 헌법은 국회가 국무총리 또는 국무위원에 대하여 개별적으로 그 해임을 건의할 수 있으나, 국무총리에 대한 해임건의는 국회가 임명동의를 한 후 1년 이내에는 할 수 없도록 규정하였다.

> 해설

① (✗) 1948년 헌법은 감사원이 아니라 심계원과 감찰위원회로 분리하였고, 감사원을 규정한 것은 제5차 개정헌법이다.
② (✗) 1954년 헌법 제52조는 "대통령이 사고로 인하여 직무를 수행할 수 없을 때에는 부통령이 그 권한을 대행하고 대통령, 부통령 모두 사고로 인하여 그 직무를 수행할 수 없을 때에는 법률이 정하는 순위에 따라 국무위원이 그 권한을 대행한다."라고 규정하였다.
③ (〇) 제5차 개정헌법은 무소속 출마를 금지하고 소속 정당의 추천을 받도록 규정하였다. 제7차 개정헌법에서 다시 무소속 출마가 가능하게 되었다.
④ (✗) 1972년 헌법은 국민의 주권적 수임기관으로 통일주체국민회의를 설치하고, 통일주체국민회의에서 대통령과 국회의원 정수의 3분의 1에 해당하는 수의 국회의원을 선출하도록 규정하였다.
⑤ (✗) 제7차·제8차 개정헌법은 해임건의가 아니라 해임의결이 가능하였다. 이에 대응하여 대통령에게는 국회해산권을 인정하였다.

 ③

005   22 국가7급

헌정사에 대한 설명으로 옳지 않은 것은?

① 제1차 헌법개정(1952년 헌법)에서는 국무위원 임명에 있어서 국무총리의 제청권을 규정하였다.
② 제3차 헌법개정(1960년 헌법)에서는 위헌법률심판 및 헌법소원심판을 위한 헌법재판소를 설치하였다.
③ 제5차 헌법개정(1962년 헌법)에서는 헌법전문(前文)을 최초로 개정하여 4·19이념을 명문화하였다.
④ 제8차 헌법개정(1980년 헌법)에서는 행복추구권, 사생활의 비밀과 자유에 관한 규정을 신설하였다.

> 해설

① ③ ④ (〇)
② (✗) 헌법소원은 제9차 개정헌법에 처음 규정되었다.

 ②

006   22 국회8급

우리나라 헌법재판제도의 역사에 대한 설명으로 옳지 않은 것만을 〈보기〉에서 모두 고르면?

> 보기
>
> ㄱ. 제헌헌법은 탄핵사건을 심판하기 위하여 법률로써 헌법위원회를 설치하도록 규정하였다.
> ㄴ. 제3차 개정헌법은 헌법재판소가 탄핵재판, 정당의 해산, 권한쟁의, 헌법소원을 관장하도록 규정하였다.
> ㄷ. 제5차 개정헌법은 탄핵사건을 심판하기 위하여 탄핵심판위원회를 두도록 규정하였다.
> ㄹ. 제7차 개정헌법은 헌법위원회가 탄핵, 정당의 해산, 법원의 제청에 의한 법률의 위헌 여부를 심판하도록 규정하였다.
> ㅁ. 제8차 개정헌법은 대법원이 탄핵, 정당의 해산, 법률의 위헌 여부를 심판하도록 규정하였다.

① ㄱ, ㄴ, ㄷ   ② ㄱ, ㄴ, ㅁ   ③ ㄱ, ㄷ, ㄹ
④ ㄴ, ㄹ, ㅁ   ⑤ ㄷ, ㄹ, ㅁ

해설

ㄱ. (✗) 제헌헌법은 헌법위원회에서 위헌법률심판을 하고, 탄핵사건을 심판하기 위하여 탄핵재판소를 두었다.
ㄴ. (✗) 제3차 개정헌법은 헌법재판소를 규정하였지만 설치되지는 못했고, 헌법소원에 관한 규정도 없었다. 헌법소원은 제9차 개정헌법에 처음 규정하였다.
ㄷ, ㄹ. (○)
ㅁ. (✗) 제8차 개정헌법은 헌법위원회에서 탄핵, 정당의 해산, 법률의 위헌 여부를 심판하도록 규정하였다.

정답 ②

007 회독 ☐☐☐ 21 국회8급

헌정사에 대한 설명으로 옳지 않은 것은?

① 1948년 제헌헌법은 대통령과 부통령을 국회에서 각각 선거하도록 하고 1차에 한하여 중임할 수 있도록 규정하였다.
② 1960년 6월 개정헌법은 대법원장과 대법관을 법관의 자격이 있는 자로 조직되는 선거인단이 선거하고 대통령이 이를 확인하며, 그 외의 법관은 대법관회의의 결의에 따라 대법원장이 임명하도록 규정하였다.
③ 1962년 개정헌법은 국민의 보통·평등·직접·비밀선거에 의하여 대통령을 선출하고, 대통령이 궐위된 경우 잔임기간이 2년 미만인 때에는 국회에서 선거하도록 규정하였다.
④ 1972년 개정헌법은 대통령은 대통령선거인단에서 무기명투표로 선출하고, 대통령에 입후보하려는 자는 정당의 추천 또는 법률이 정하는 수의 대통령선거인의 추천을 받도록 규정하였다.
⑤ 1980년 개정헌법은 국회가 국무총리에 대하여 해임을 의결할 경우, 대통령은 국무총리와 국무위원 전원을 해임하여야 한다고 규정하였다.

해설

① (○) 제1차 개정헌법에서 직선으로 개정되었다.
② ③ ⑤ (○)
③ (○)
④ (✗) 1972년 헌법은 통일주체국민회의에서 대통령을 간선하였다. 선거인단에서 간선한 것은 제8차 개정헌법이다.

정답 ④

008 회독 ☐☐☐ 20 국가7급

역대 헌법에 대한 설명으로 옳지 않은 것은?

① 1948년 제헌헌법에서 국회의원의 임기와 국회에서 선거되는 대통령의 임기는 모두 4년으로 규정되었다.
② 1962년 개정헌법은 국회 재적의원 3분의 1 이상 또는 국회의원 선거권자 50만인 이상의 찬성으로 헌법개정의 제안을 하도록 규정함으로써, 1948년 헌법부터 유지되고 있던 대통령의 헌법개정제안권을 삭제했다.
③ 1980년 개정헌법은 행복추구권, 친족의 행위로 인하여 불이익한 처우의 금지 및 범죄피해자구조청구권을 새로 도입하였다.
④ 1987년 개정헌법은 여야합의에 의해 제안된 헌법개정안을 국회가 의결한 후 국민투표로 확정된 것이다.

해설

① (O) 제헌헌법상 국회의원의 임기는 4년으로 규정되어 있었지만, 초대 국회의원의 임기는 2년이었다.
② (O) 제5차 개정헌법의 내용 중 하나이다.
③ (X) 범죄피해자구조청구권은 제9차 개정헌법의 내용이다.
④ (O) 제9차 개정헌법의 특성이다.

정답 ③

009   20 변호사

헌법의 역사에 관한 설명 중 옳지 않은 것은?

① 1948년 제헌헌법은 근로자의 단결, 단체교섭과 단체행동의 자유를 법률의 범위 내에서 보장하도록 하였으며, 노령, 질병 기타 근로능력의 상실로 인하여 생활유지의 능력이 없는 자는 법률이 정하는 바에 의하여 국가의 보호를 받도록 하였다.
② 1972년 헌법(제7차 개정헌법)은 대통령의 임기를 5년으로 하고, 통일주체국민회의에서 대통령을 토론 없이 기명투표로 선거하도록 하였으며, 통일주체국민회의에서 재적 대의원 과반수의 찬성을 얻은 자를 대통령당선자로 하도록 규정하였다.
③ 1980년 헌법(제8차 개정헌법)은 국가의 사회보장·사회복지 증진노력의무, 중소기업의 사업활동보호·육성, 소비자보호운동의 보장 등을 규정하였다.
④ 현행헌법은 국가가 여자의 복지와 권익의 향상을 위하여 노력하고, 재해를 예방하고 그 위험으로부터 국민을 보호하기 위하여 노력하도록 규정하고 있다.

해설

① ③ ④ (O)
② (X) 1972년 헌법(제7차 개정헌법)은 대통령의 임기를 6년으로 하고, 통일주체국민회의에서 대통령을 토론 없이 무기명투표로 선거하도록 하였으며, 통일주체국민회의에서 재적 대의원 과반수의 찬성을 얻은 자를 대통령당선자로 하도록 규정하였다.

정답 ②

010   20·17 입시

헌정사에 대한 설명으로 옳지 않은 것은?

① 1948년 제헌헌법에서는 정부의 법률안제출권을 헌법에 규정하지 않았다.
② '반민주행위자 공민권 제한법' 등 소급입법의 근거를 마련한 것은 제4차 개정헌법이다.
③ 1971년에는 '국가보위에 관한 특별조치법'이 제정되었고, 이듬해에는 유신헌법이 공포되었다.
④ 제8차 개정헌법은 대통령의 임기를 7년 단임제로 하였고, 그 선거는 선거인단에 의한 간접선거를 채택하였다.

해설

① (X) 우리 헌법은 건국헌법 이후 지금까지 계속해서 정부의 법률안제출권을 인정하고 있다. [20 입시]
② (O) 제4차 개정헌법은 3·15 부정선거와 4·19 관련자에 대한 형사처벌의 근거를 마련하기 위한 소급입법이라는 문제가 있다. [17 입시]
③ (O) [17 입시]
④ (O) 한편, 제7차 개정헌법은 통일주체국민회의에서 대통령을 간선하였다. [17 입시]

정답 ①

011 | 20 국회8급

헌정사에 대한 설명으로 옳지 않은 것은?

① 1952년 헌법은 국회의원의 자유로운 토론이 봉쇄된 가운데 기립투표로 통과되었으며 양원제 국회, 국회의 국무원불신임제, 국무위원 임명시 국무총리제청권을 규정하였다.
② 1960년 헌법은 대법원장과 대법관의 선거제 및 지방자치단체장의 직선제를 채택하고, 헌법재판소를 우리나라 헌정사상 최초로 규정하였다.
③ 1962년 헌법은 헌정사상 처음으로 국민투표를 통해 확정된 헌법으로 위헌법률심판권을 대법원에 부여하였고, 국무총리제도와 국무총리·국무위원해임건의제도를 두어 의원내각제적 요소를 가미하였다.
④ 1972년 헌법은 구속적부심 및 국정감사제를 폐지하였고, 국회의 회기를 단축하였으며 대법원장을 비롯한 모든 법관을 대통령이 임명하도록 규정하였다.
⑤ 1980년 헌법은 행복추구권·형사피고인의 무죄추정·사생활의 비밀과 자유의 불가침 등 국민의 자유와 권리 보장조항을 강화하고 평화통일조항을 최초로 규정하였다.

해설

① (O) 제1차 개정헌법의 내용이다.
② (O) 제3차 개정헌법의 내용이다. 다만, 헌법재판소가 설치되지는 못하였다.
③ (O) 제5차 개정헌법의 내용이다.
④ (O) 제7차 개정헌법의 내용이다.
⑤ (X) 평화통일조항은 제7차 개정헌법(1972년)에 최초로 규정된 이후 현행헌법까지 이어지고 있다. 다만, 자유민주적 기본질서에 입각한 평화통일은 제9차 개정헌법에 규정되었다.

 ⑤

012 | 20 입시, 18 국가7급

헌정사에 대한 설명으로 옳지 않은 것은?

① 1954년 헌법은 대한민국의 주권의 제약 또는 영토의 변경을 가져올 국가안위에 관한 중대사항은 국회의 가결을 거친 후에 국민투표에 부하여 민의원 의원선거권자 3분의 2 이상의 투표와 유효투표 3분의 2 이상의 찬성을 얻어야 한다고 규정하였다.
② 1962년 헌법은 인간의 존엄과 가치를 명시하고, 행복추구권을 기본권으로 신설하였다.
③ 1980년 헌법은 적정임금보장에 대해 규정하였다.
④ 1987년 헌법은 체포·구속시 이유 고지 및 가족통지제도를 추가하였고, 범죄피해자구조청구권을 기본권으로 새로 규정하였다.

해설

① (O) 제2차 개정헌법상 국민투표는 국회의 의결을 거친 후 국민투표를 한다는 특징이 있다. [18 국가7급]
② (X) 행복추구권은 제8차 개정헌법에 도입되었다. [18 국가7급]
③ (O) 최저임금은 제9차 개정헌법이다. [20 입시]
④ (O) [18 국가7급]

 ②

013 회독 □□□ 재구성 　　　　　　　　　　　　　　　　　　　　　20 입시, 19 법무사

현행헌법인 1987년 제9차 개정헌법에 대한 설명으로 옳지 않은 것은?

① 대한민국임시정부의 법통 계승이 처음 규정되었다.
② 현대적 인권인 환경권이 처음 규정되었다.
③ 언론·출판에 대한 허가나 검열과 집회·결사에 대한 허가는 인정되지 않는다는 조항이 부활되었다.
④ 국정감사와 국정조사를 모두 규정하였다.

해설

① (O) [19 법무사]
② (X) 환경권은 제8차 개정헌법에 처음 규정되었다. [19 법무사]
③ (O) 검열금지는 제3차 개정헌법에 처음 규정되었다가 제5차 개정헌법에서 영화·연예에 대한 검열이 가능함을 규정하였고, 제7차 개정헌법에서는 검열금지가 삭제되었다가 현행헌법에 다시 도입되었다. [19 법무사]
④ (O) 국정감사는 건국헌법에 처음 규정되었으며, 제7차 개정헌법에서 삭제되었다. 한편, 국정조사는 제8차 개정헌법에서 처음 규정되었다. 국정감사와 조사가 모두 헌법에 규정된 것은 제9차 개정헌법이다. [20 입시]

정답 ②

014 회독 □□□ 　　　　　　　　　　　　　　　　　　　　　　　　　　　　　　19 지방7급

헌법개정의 변천사에 대한 설명으로 옳지 않은 것은?

① 1962년 헌법 및 1969년 헌법은 대통령뿐만 아니라 국회의원 선거권자 50만인 이상의 국민에게도 헌법개정의 제안을 인정하였다.
② 1954년 헌법, 1960년 6월 헌법 및 1960년 11월 헌법에서는 일부 조항의 개정을 금지하는 규정을 둔 바 있다.
③ 1962년 헌법은 국가재건최고회의의 의결을 거쳐 국민투표로 확정되었다.
④ 헌법개정의 제안에 국회 재적의원 과반수의 발의가 요구된 것은 1972년 헌법부터이다.

해설

① (X) 제2차 개정헌법에서 도입된 국민발안제는 1962년 헌법 및 1969년 헌법에서 국회의원 선거권자 50만인 이상의 국민에게도 헌법개정의 제안을 인정하였다(제7차 개정헌법에서 폐지). 1962년 헌법 및 1969년 헌법은 대통령의 헌법개정제안권을 인정하지 않았다.
② (O) 명문으로 개정금지조항을 둔 경우이다.
③ (O) 5·16으로 국회가 해산되어 1962년 헌법은 국가재건최고회의의 의결을 거쳐 국민투표로 확정되었다.
④ (O) 그 이전에는 국회의 재적의원 3분의 1 이상의 발의가 필요하였다.

정답 ①

015

헌법의 역사에 관한 설명 중 옳지 않은 것은?

① 1948년 제헌헌법은 대통령과 부통령을 국회에서 각각 선거하도록 하고 1차에 한하여 중임하도록 하였으며, 국무총리는 대통령이 임명하고 국회의 승인을 얻도록 규정하였다.
② 1962년 개정헌법(제5차 개헌)은 대통령 직선제를 규정하는 동시에 국무총리·국무위원 해임건의제도를 두어, 국무총리·국무위원에 대한 국회의 해임건의가 있을 때에는 대통령은 특별한 사유가 없는 한 이에 응하도록 규정하였다.
③ 1962년 제5차 개정헌법은 국회의원 정수의 하한뿐 아니라 상한도 설정하였다.
④ 1969년 제6차 개정헌법은 대통령에 대한 탄핵소추요건을 제5차 개정헌법과 다르게 규정하였다.
⑤ 1980년 개정헌법(제8차 개헌)은 임기 7년의 대통령을 국회에서 무기명투표로 선거하도록 하고 1차에 한하여 중임을 허용하였으며, 위헌법률심판과 탄핵심판을 담당하는 헌법위원회를 규정하였다.

해설

① (O) [19 변호사]
② (O) [19 변호사]
③ (O) 제5차 개정헌법 제36조에 "국회의원의 수는 150인 이상 200인 이하의 범위 안에서 법률로 정한다."라고 규정하였다. [19 국회8급]
④ (O) 제5차 개정헌법상 탄핵소추는 국회의원 30명 이상의 발의가 있어야 하며, 그 의결은 재적의원 과반수의 찬성이 있어야 한다. 한편, 제6차 개정헌법상 탄핵소추는 국회의원 30명 이상의 발의가 있어야 하며, 그 의결은 재적의원 과반수의 찬성이 있어야 하지만, 대통령에 대한 탄핵소추는 국회의원 50명 이상의 발의와 재적의원 3분의 2 이상의 찬성이 있어야 한다. [19 국회8급]
⑤ (X) 국회가 아니라 대통령 선거인단에서 간선하였고 7년 단임을 규정하였다. [19 변호사]

정답 ⑤

016

대한민국 헌법사에 대한 설명으로 옳지 않은 것은?

① 1948년 헌법은 지방자치에 관한 장과 재정에 관한 장을 별도로 두었다.
② 1960년 제3차 개정헌법은 중앙선거관리위원회와 각급 선거관리위원회를 둘 것을 규정하였다.
③ 1972년 제7차 개정헌법은 대통령에게 평화적 통일을 위한 성실한 의무를 규정하였다.
④ 1980년 제8차 개정헌법은 기본권에 대한 본질적 내용의 침해금지조항을 두었다.

해설

① (O)
② (X) 1960년 제3차 개정헌법은 중앙선거관리위원회를 규정하고, 제5차 개정헌법에서 각급 선거관리위원회를 규정하였다.
③ (O)
④ (O) 본질적 내용 침해금지는 제3차 개정헌법에서 규정되었다가 제7차 개정헌법에서 삭제되고, 제8차 개정헌법에서 재규정되어 현재까지 지속되고 있다.

정답 ②

017
헌정사에 대한 설명으로 옳지 않은 것은?

① 건국헌법은 대통령, 부통령, 국무총리를 모두 두고 있었다.
② 구속적부심사제도는 제헌헌법에서부터 인정되었으며 폐지되지 않고 현행헌법까지 유지되어 왔다.
③ 1972년 헌법은 종전 헌법보다 정당국가적 경향이 약화되었다.
④ 정당운영자금에 대한 국고보조조항은 1980년 헌법에 처음 규정되었다.

해설

① (O) 국무총리가 없었던 유일한 시기는 제2차 개정헌법이다. [10 국회8급]
② (X) 구속적부심사제도(1679년 영국의 인신보호령에 의하여 확립)는 1948년 군정법령에 의해 도입된 후 제헌헌법에 규정되었으나 1972년 제7차 개정헌법에서 삭제되었다가, 제8차 개정헌법에서 법률유보조항을 두고 재규정되었으며, 현행헌법에서는 법률유보조항도 삭제되었다. [18 서울7급]
③ (O) 제5차 개정헌법이 극단적인 정당국가화 경향(무소속 출마 불가)이었는데 제7차 개정헌법에서 약화되어 무소속 출마가 가능하게 되었다. 한편, 제7차 개정헌법에서는 국회의원 선거에서 중선거구를 채택하였다. 제3차 개정헌법 당시 참의원 선거를 대선거구로 실시한 적이 있다. [10 국회8급]
④ (O) [10 국회8급]

정답 ②

018
헌정사에 대한 설명으로 옳은 것은?

① 1948년 헌법은 평등권, 신체의 자유 및 직업의 자유를 비롯한 고전적 기본권을 보장하였을 뿐만 아니라, 근로3권과 사기업에 있어서 근로자의 이익분배균점권, 생활무능력자의 보호, 혼인의 순결과 가족의 건강의 특별한 보호 등 일련의 사회적 기본권까지 규정하여 사회주의적 요소를 가미하였다.
② 1987년 제9차 개정헌법에서는 재외국민보호의무를 신설하고, 대법관 임명에 국회동의를 요하도록 하였으며, 형사보상청구권을 피의자까지 확대·인정하였다.
③ 제2차 개정헌법은 초대 대통령의 중임제한 폐지, 국무총리제 폐지, 국민소환제 등을 규정하였다.
④ 제5차 개정헌법은 헌법기관으로 법관추천회의를 두고, 모든 법관을 법관추천회의의 제청을 거쳐 임명하도록 하였다.

해설

① (X) 직업선택의 자유는 제5차 개정헌법에서 처음 규정되었다. [16 국가7급]
② (O) 피고인 형사보상청구권은 건국헌법에서부터 규정되어 있고, 피의자 형사보상청구권은 제9차 개정헌법에서 규정되었다. [14 국회8급]
③ (X) 헌정사상 국민소환제를 규정한 적은 없다. [14 서울7급]
④ (X) 제5차 개정헌법에서 대법원장과 대법원판사는 법관추천회의 동의를 받아 임명하고, 일반법관은 대법원판사회의의 의결을 거쳐 대법원장이 임명하였다. [15 국회8급]

정답 ②

019

헌정사에 대한 설명으로 옳지 않은 것만을 모두 고르면?

ㄱ. 제3차 개정헌법(1960년)은 여야합의에 의한 헌법개정이었다.
ㄴ. 제3차 개정헌법(1960년)에서 경제질서에 자유시장경제적 요소를 최초로 도입하였다.
ㄷ. 제7차 개정헌법(1972년)은 대통령에게 국회해산권과 국회의원 3분의 1의 선출권을 부여하였다.
ㄹ. 제7차 개정헌법(1972년)은 부칙에서 지방의회를 조국통일이 이루어질 때까지 구성하지 않는다고 규정하였다.

① ㄱ, ㄴ   ② ㄴ, ㄷ   ③ ㄴ, ㅁ   ④ ㄹ, ㅁ

해설

ㄱ. (O) 여야합의에 의한 헌법개정은 제3차 개정헌법과 현행헌법이다. [11 국회8급]
ㄴ. (✕) 건국헌법은 통제경제에 가까운 경제질서였으나, 제2차 개정헌법에서 자유시장경제로 전환하였다. 한편, 건국헌법상 근로자의 이익분배균점권은 제5차 개정헌법에서 삭제되었다. [11 국회8급]
ㄷ. (✕) 제7차 개정헌법에서는 대통령의 국회해산권을 인정하였으나, 국회의원 3분의 1의 선출권을 부여받은 것은 통일주체국민회의이다. 제7차 개정헌법에서 국회는 국민의 선거에 의하여 선출된 의원과 통일주체국민회의가 선거하는 의원으로 구성되었다. [13 국회8급]
ㄹ. (O) 제8차 개정헌법에서는 재정자립도를 고려하여 순차적으로 실시한다고 규정하였다. [15 국회8급]

정답 ②

020

헌정사에 대한 설명으로 옳지 않은 것은?

① 독립된 헌법재판기관이 없었던 적이 있다.
② 하위법으로 상위법인 헌법을 사실상 개정하였던 사례가 있다.
③ 대통령을 간접선거로 선출하였던 사례로는 국회에 의한 간선과 통일주체국민회의에 의한 간선 두 가지가 있다.
④ 재외국민보호규정은 1980년의 제8차 개정헌법에서 처음으로 규정되었다.

해설

① (O) 제3공화국은 대법원이 위헌법률심판과 정당해산심판을 하였다(미국식). [11 국회9급]
② (O) 제5차 개정헌법은 최초로 국민투표를 거쳤는데, 이는 당시 헌법에 근거가 없고 국가재건최고회의법에 의한 것이었다. [11 국회9급]
③ (✕) 우리나라 헌정사상 대통령을 간접선거로 선출하였던 사례는 국회에 의한 간선(제헌헌법), 민·참의원 합동회의에 의한 간선(제3차 개정헌법), 통일주체국민회의에 의한 간선(제7차 개정헌법), 대통령 선거인단에 의한 간선(제8차 개정헌법)이 있다. [11 국회9급]
④ (O) 재외국민에 대한 국가의 '보호의무'는 제9차 개정헌법에 규정되었다. [13 국회9급]

정답 ③

021 회독 ☐☐☐   12 변호사

대한민국헌법의 역사에 관한 설명 중 옳지 않은 것은? (단, 헌법 명칭은 공포된 해를 기준으로 함)

① 지방의회는 1952년 최초로 구성되었으나 1961년 군사정권에 의해서 해산되었고, 조국통일시까지 지방의회 구성을 유예하는 1972년 헌법 부칙, 재정자립도를 감안하여 순차적으로 구성하되 그 시기는 법률로 정한다는 1980년 헌법 부칙에 의하여 구성되지 못하다가, 동 부칙규정이 폐지된 현행헌법에 근거하여 1991년 다시 구성되었다.

② 정당에 관한 명문의 조항을 둔 것은 1960년 헌법부터이고, 1962년 헌법은 정당의 추천을 받아야만 대통령 선거와 국회의원 선거에 입후보할 수 있도록 제한하여 정당제민주주의를 추구하였다.

③ 대통령의 선출방식은 1948년 헌법의 간선제, 1952년 헌법의 직선제, 1960년 헌법의 간선제, 1962년 헌법의 직선제, 1972년 헌법의 간선제, 1980년 헌법의 직선제, 1987년 헌법의 직선제로 변화되어 왔다.

④ 비상계엄하의 군사재판을 일정한 경우에 단심으로 할 수 있다고 규정한 헌법 제110조 제4항 본문은 1962년 헌법에서 최초로 명문화되었으며, 동 조항 단서의 '사형을 선고한 경우에는 그러하지 아니하다'는 규정은 1987년 헌법에 신설되었다.

⑤ 1972년 소위 유신헌법에서 삭제되었던 언론·출판에 대한 허가·검열금지규정과 함께 집회에 대한 허가제금지규정을 부활시킨 역사적 배경은, 언론·출판의 자유와 더불어 집회의 자유가 형식적·장식적 기본권으로 후퇴하였던 과거의 헌정사에 대한 반성적 고려에서, 집회의 자유가 실질적으로 보장되지 않는 한 자유민주주의적 헌정질서가 발전·정착되기 어렵다는 역사적 경험을 토대로 한 헌법개정권력자인 국민들의 헌법가치적 합의이며 헌법적 결단에 기초한 것이다.

해설

① (O)

② (O) 1962년 헌법은 극단적 정당주의를 채택하여 무소속 입후보를 금지하였고 국회의원의 탈당은 의원직 상실사유로 하였다. 한편, 1972년 헌법에서는 국회의원의 선거구를 중선거구로 하였다.

③ (✗) 건국헌법은 대통령 간선제로 출발하여 1952년 제1차 개정헌법에서 직선제로 개정하였다. 1960년 헌법은 의원내각제이므로 당연히 간선제이고, 1962년 제5차 개정헌법에서 다시 직선제로 전환하였다. 제6차 개정헌법은 직선이지만 대통령 3선 개헌이었다. 제7차 개정헌법인 유신헌법은 통일주체국민회의에서 대통령을 간선하였고, 1980년 제8차 개정헌법에서는 대통령 선거인단에서 선출하는 간선제를 채택하였다. 현행헌법인 제9차 개정헌법에서 다시 직선제로 전환하여 현재에 이르고 있다.

④ (O)

⑤ (O)

정답 ③

022 12 국회8급

역대 헌법에 관한 설명으로 옳지 않은 것은?

① 제헌헌법에서는 심의기관인 국무원을 두었으며, 대통령이 국무원의 의장이었다.
② 1960년 6월의 제3차 개정헌법하에서 대통령은 국회에서 간선되었으며, 의결기관인 국무원을 두었고 국무총리가 국무원의 의장이었으며, 국무원은 민의원 해산권을 가지고 있었다.
③ 1962년의 제5차 개헌은 국회의 의결 없이 국가재건최고회의가 의결하였으며 국민투표로 확정하였다. 이것은 제2공화국 헌법의 헌법개정절차에 따른 개정이 아니었다.
④ 1962년의 제5차 개정헌법에서는 대통령과 국회의원의 입후보에 소속 정당의 추천을 받도록 하고, 국회의원의 당적이탈·변경 또는 정당해산시 의원직을 상실하도록 규정하였다.

해설

① (✗) 제헌헌법에서 국무원은 의결기관이었다. 대통령제에서는 특이한 것으로 의원내각제적 요소이다. 국무원(또는 국무회의)의 법적 성격은 건국헌법부터 제2공화국까지 의결기관이었고 제5차 개정헌법 때부터 심의기구로 되었다.
② (O)
③ (O) 헌법개정에 최초로 국민투표를 도입한 것도 제5차 개정헌법이다.
④ (O)

정답 ①

023 19 5급행시, 10 국가7급

다음 중 옳지 않은 것은?

① 1948년 제헌헌법부터 지방자치제도에 관한 헌법규정이 존재하였다.
② 공권력 행사인 행정처분에 대하여 구제절차로서 법원의 재판을 거친 경우, 그 처분의 기초가 된 사실관계의 인정과 평가, 단순한 일반법규의 해석, 적용의 문제는 원칙적으로 헌법재판소의 심판사항이라고 볼 수 없다.
③ 위헌심사의 대상이 되는 규범으로서의 '법률'이라 함은 국회의 의결을 거쳐 제정된 이른바 형식적 의미의 법률을 의미하므로, 헌법의 개별규정 자체는 헌법소원에 의한 위헌심사의 대상이 아니다.
④ '조약체결행위' 등은 국제정치에 해당하는 외교권에 속하므로 원칙적으로 헌법소원심판의 대상이 되지 아니한다.

해설

① (O) [19 5급행시]
② (O) 선지는 원행정처분에 대한 헌법소원의 가능성을 묻고 있다. 원행정처분은 원칙적으로 헌법소원의 대상이 아니다. 다만, 헌법재판소가 위헌으로 결정한 법률을 적용하여 기본권을 침해한 재판이 예외적으로 헌법소원의 대상이 되어 그 재판이 취소되는 경우에는 원행정처분도 헌법소원의 대상이 될 수 있다. [10 국가7급]
③ (O) 위헌법률심판의 대상은 법률 또는 법률과 동등한 효력을 가지는 긴급명령이나 조약 등이다. 헌법의 개별규정은 위헌법률심판(헌가 사건)의 대상이 되지 못하고, 헌법소원(헌마 사건)의 대상도 아니다. [10 국가7급]
④ (✗) 헌법재판소는 조약체결행위가 헌법소원의 대상이 된다고 판시한 바 있다. (헌재 2009.2.26. 2007헌바35) 헌법소원의 대상이 되는 공권력의 행사 또는 불행사는 입법, 행정, 사법(재판 제외)의 모든 작용을 포함한다. [10 국가7급]

정답 ④

024

국회의 국정조사권과 국정감사권을 모두 인정한 헌법과 모두 인정하지 않은 헌법의 조합으로 옳은 것은?

① 건국헌법(1948년) - 제2공화국 헌법(1960년)
② 현행헌법(1987년) - 유신헌법(1972년)
③ 제5공화국 헌법(1980년) - 유신헌법(1972년)
④ 제2공화국 헌법(1960년) - 제3공화국 헌법(1962년)

해설

우리나라의 국정감사·조사권의 연혁

구분	제1공화국~제3공화국	제4공화국	제5공화국	현행헌법
국정감사	건국헌법의 국정감사가 일반감사는 국정감사로, 특정감사는 국정조사로 발전	국정감사 삭제	국정감사 삭제	헌법에 부활
국정조사	별도의 규정이 없다.	국회법에 국정조사 규정 (헌법 ×)	헌법에 국정조사가 처음으로 규정	헌법에 규정

정답 ②

025

우리 헌법의 기본권 보장 역사에 관한 설명으로 옳지 않은 것은?

① 1954년 헌법개정안에 대한 표결 결과 민의원 재적의원 203명 중 135명이 찬성하여 헌법개정에 필요한 의결정족수인 3분의 2 이상의 찬성이라는 기준에 한 표가 모자랐지만 이른바 사사오입이라는 계산법을 적용하여 부결선포를 번복하고 가결로 선포하였다.
② 1960년 헌법은 기본권의 자연권적·천부인권적 성격을 강조하면서 일반적 법률유보조항을 삭제하고 개별적 법률유보조항을 두었다.
③ 1962년 헌법은 인권보장의 이념적 지표가 되는 인간의 존엄과 가치의 존중에 관한 조항이 신설되고, 인간다운 생활을 할 권리, 고문금지 및 자백의 증거능력제한규정을 신설하였다.
④ 제3공화국의 대통령은 임기 4년의 직선제 선출기관이었음에도 부통령은 두지 않았으며, 잔임기간 2년 미만의 궐위시에는 국회에서 후임 대통령을 선출하고 잔임기간만 재임하도록 하였다.
⑤ 제8차 개헌에 의한 정부형태에서는 대통령이 국회해산권을 갖는 대신 국회는 국무총리와 국무위원에 대한 개별적인 해임의결권을 가지되, 국무총리에 대한 해임의결은 전체 국무위원의 연대책임을 초래하였다.

해설

① (O) 1954년 제2차 개정헌법은 사사오입개헌으로 의결정족수를 위반하였고, 1952년 제1차 개정헌법은 공고절차를 위반하였다. [16 국가7급]
② (×) 1960년 제3차 개정헌법에서는 일반적 법률유보조항을 처음으로 명문화하였다. 제3차 개정헌법은 제2공화국의 출범으로 민주의식이 고양되던 시기였다. 기본권의 본질적 내용 침해금지도 이때 도입되었다. [09 국회8급]
③ (O) 그 외에 언론·출판의 타인명예 침해금지와 영화·연예에 대한 검열이 허용되었다. [09 국회8급]
④ (O) 제5차 개정헌법(제3공화국)은 대통령제(임기 4년, 직선제)로 환원, 국회단원제 환원, 헌법전문 개정, 정당추천을 받지 않으면 대통령이나 국회의원에 입후보하지 못하게 하였다. [14 지방7급]
⑤ (O) 국회해산권은 제3차·제7차·제8차 개정헌법에 존재하였다. 제8차 개정헌법은 국무총리, 국무위원 해임의결권, 국무총리 해임의결은 전체 국무위원의 연대책임을 규정하였다. [14 지방7급]

정답 ②

제 2 절 대한민국의 국가형태와 구성요소

026

헌법의 총강에 대한 설명으로 옳지 않은 것은?

① 대한민국의 국가형태와 주권의 소재를 명시하고 있다.
② 대한민국의 국민이 되는 요건은 입법사항임을 밝히고 있다.
③ 국군과 공무원의 정치적 중립성에 대하여 서술하고 있다.
④ 헌법상 국제법과 조약에 따른 외국인의 지위보장에 대하여 밝히고 있다.
⑤ 정당운영에 필요한 자금에 대한 국가보조의무원칙을 명시하고 있다.

해설

① (O)

> **헌법 제1조**
> ① 대한민국은 민주공화국이다.
> ② 대한민국의 주권은 국민에게 있고, 모든 권력은 국민으로부터 나온다.

② (O)

> **헌법 제2조**
> ① 대한민국의 국민이 되는 요건은 법률로 정한다.
> ② 국가는 법률이 정하는 바에 의하여 재외국민을 보호할 의무를 진다.

③ (O)

> **헌법 제5조**
> ① 대한민국은 국제평화의 유지에 노력하고 침략적 전쟁을 부인한다.
> ② 국군은 국가의 안전보장과 국토방위의 신성한 의무를 수행함을 사명으로 하며, 그 정치적 중립성은 준수된다.
>
> **제7조**
> ① 공무원은 국민 전체에 대한 봉사자이며, 국민에 대하여 책임을 진다.
> ② 공무원의 신분과 정치적 중립성은 법률이 정하는 바에 의하여 보장된다.

④ (O)

> **헌법 제6조**
> ① 헌법에 의하여 체결·공포된 조약과 일반적으로 승인된 국제법규는 국내법과 같은 효력을 가진다.
> ② 외국인은 국제법과 조약이 정하는 바에 의하여 그 지위가 보장된다.

⑤ (X) 정당운영에 필요한 자금에 대한 국가보조는 의무가 아니다.

> **헌법 제8조**
> ③ 정당은 법률이 정하는 바에 의하여 국가의 보호를 받으며, 국가는 법률이 정하는 바에 의하여 정당운영에 필요한 자금을 보조할 수 있다.

정답 ⑤

027 회독 ☐☐☐ NEW
24 경찰간부

국민주권 및 민주주의 원리에 대한 설명으로 가장 적절하지 않은 것은? (다툼이 있는 경우 헌법재판소 판례에 의함)

① 국민주권의 원리는 공권력의 구성·행사·통제를 지배하는 우리 통치질서의 기본원리이므로, 공권력의 일종인 지방자치권과 국가교육권도 이 원리에 따른 국민적 정당성 기반을 갖추어야만 한다.
② 국민주권주의는 국가권력의 민주적 정당성을 의미하는 것이기는 하나, 그렇다고 하여 국민전체가 직접 국가기관으로서 통치권을 행사하여야 한다는 것은 아니므로, 주권의 소재와 통치권의 담당자가 언제나 같을 것을 요구하는 것이 아니다.
③ 민주주의 원리의 한 내용인 국민주권주의는 모든 국가권력이 국민의 의사에 기초해야 한다는 의미일 뿐만 아니라 국민이 정치적 의사결정에 관한 모든 정보를 제공받고 직접 참여하여야 한다는 의미이다.
④ 국민주권의 원리는 기본적 인권의 존중, 권력분립제도, 복수정당제도 등과 함께 헌법 제8조 제4항이 의미하는 민주적 기본질서의 주요한 요소라고 볼 수 있다.

해설

① (O) 헌재 2000.3.30. 99헌바113
② (O) 대의제 민주주의에서 주권의 소재는 국민이지만, 통치권의 담당자는 대통령, 국회 등이다.
③ (X) 민주주의 원리의 한 내용인 국민주권주의는 모든 국가권력이 국민의 의사에 기초해야 한다는 의미이지만, 국민이 정치적 의사결정에 관한 모든 정보를 제공받고 직접 참여하여야 한다는 것은 아니다.
④ (O) 국민주권의 내용이다.

정답 ③

028 회독 ☐☐☐
14 서울7급

국민주권에 대한 설명 중 옳지 않은 것은? (다툼이 있는 경우 판례에 의함)

① 민주국가에서 국민주권의 원리는 무엇보다도 대의기관의 선출을 의미하는 선거와 필요한 경우 국민의 직접적 결정을 의미하는 국민투표에 의하여 실현된다.
② 원칙적으로 모든 국민이 균등하게 선거에 참여할 것을 요청하는 보통·평등선거원칙은 국민의 자기지배를 의미하는 국민주권의 원리에 입각한 민주국가를 실현하기 위한 필수적 요건이다.
③ 지방자치제도의 헌법적 보장은 한마디로 국민주권의 기본원리에서 출발하여 주권의 지역적 주체로서의 주민에 의한 자기통치의 실현으로 요약할 수 있다.
④ 현대민주사회에서 표현의 자유가 국민주권주의 이념의 실현에 불가결한 것인 점에 비추어 볼 때, 불명확한 규범에 의한 표현의 자유의 규제는 헌법상 보호받는 표현에 대한 위축적 효과를 야기한다.
⑤ 지역농협 임원 선거는 국민주권 내지 대의민주주의 원리와 관계가 있는 단체의 조직구성에 관한 것으로서 공익을 위하여 상대적으로 폭넓은 법률상 규제가 불가능하다.

해설

① (O) 헌재 1999.5.27. 98헌마214

② (O)

> 원칙적으로 모든 국민이 균등하게 선거에 참여할 것을 요청하는 보통·평등선거원칙은 국민의 자기지배를 의미하는 국민주권의 원리에 입각한 민주국가를 실현하기 위한 필수적 요건이다. 원칙적으로 모든 국민이 선거권과 피선거권을 가진다는 것은 바로 국민의 자기지배를 의미하는 민주국가에의 최대한의 접근을 의미하기 때문이다. **(헌재 1999.5.27. 98헌마214)**

③ (○)

> 지방의회 사무직원을 그 지방자치단체장이 임명하도록 규정하고 있는 지방자치법 제91조 제1항은 헌법에 위반되지 않는다. (헌재 2014.1.28. 2012헌바216)
> 지방자치제도의 헌법적 보장은 한마디로 국민주권의 기본원리에서 출발하여 주권의 지역적 주체로서의 주민에 의한 자기통치의 실현으로 요약할 수 있고, 이러한 지방자치의 본질적 내용인 핵심영역(자치단체·자치기능·자치사무의 보장)은 어떠한 경우라도 입법 기타 중앙정부의 침해로부터 보호되어야 한다는 것을 의미한다.

④ (○) 표현의 자유를 규제하는 입법에 있어서 명확성원칙은 특별히 중요한 의미를 지닌다.

> 현대민주사회에서 표현의 자유가 국민주권주의 이념의 실현에 불가결한 것인 점에 비추어 볼 때, 불명확한 규범에 의한 표현의 자유의 규제는 헌법상 보호받는 표현에 대한 위축적 효과를 야기하고, 그로 인하여 다양한 의견, 견해, 사상의 표출을 가능하게 함으로써 그러한 표현들이 상호검증을 거치도록 한다는 표현의 자유의 본래의 기능을 상실하게 한다. 따라서 표현의 자유를 규제하는 법률은 규제되는 표현의 개념을 세밀하고 명확하게 규정할 것이 헌법적으로 요구된다. (헌재 2013.6.27. 2012헌바37)

⑤ (✕)

> 지역농협 임원 선거는 국민주권 내지 대의민주주의 원리와 관계없는 단체 내부의 조직구성에 관한 것으로서 공익을 위하여 상대적으로 폭넓은 법률상 규제가 가능하다. (헌재 2013.7.25. 2012헌바112)

정답 ⑤

029 회독 □□□ 14 국가7급

주권 및 대의제에 대한 설명으로 옳지 않은 것은? (다툼이 있는 경우 판례에 의함)

① 국민의 개념을 이념적 통일체로서 전체 국민으로 파악할 때, 국민은 주권의 보유자이지만 구체적인 국가의사결정에 있어서 주권의 행사자는 국민대표가 된다.
② 우리 헌법상 자유위임은 국민대표가 자신을 선출한 국민의 의사에 종속되지 않고, 국민 전체의 이익을 위하여 직무상 양심에 기속됨을 근거로 한다.
③ 장 보댕(J. Bodin)은 국민주권이론을 체계화하였고, 이를 통하여 왕권을 제한하는 데 결정적 역할을 하였다.
④ 국회구성권이란 유권자가 설정한 국회의석분포에 국회의원들을 기속시키고자 하는 것이며, 이는 오늘날 대의제도의 본질에 반하는 것으로 헌법상 기본권으로 인정될 여지가 없다.

해설

① (○) 국민의 개념을 이념적 통일체로서 전체 국민으로 파악한다는 의미는 주권의 보유자가 누구냐의 문제이므로 전체 국민이 된다. 구체적인 국가의사결정에 있어서 주권의 행사자라는 의미는 현실적인 정책결정권을 가지는 자를 말하므로 국민대표가 된다. 이념적 통일체로서의 전체 국민은 형식적 국민주권을 말한다.
② (○) 헌법상 자유위임에 대해 명문규정은 없고, 제46조 제2항의 국가이익우선의무, 국회의원의 면책특권, 제7조 제1항의 국민 전체에 대한 봉사자 규정을 그 근거로 본다. 또, 국회법상의 자유투표(교차투표)도 자유위임의 근거이다.
③ (✕) 보댕은 군주주권론을 확립한 사람이다. 국민주권론은 알투지우스가 주장했으며 로크, 루소 등이 발전시켰다.

④ (O) 국회구성권은 인정될 수 없으므로 인위적인 여대야소가 기본권을 침해하는 것은 아니다.

> 대의제 민주주의하에서 국민의 국회의원 선거권이란 국회의원을 보통·평등·직접·비밀선거에 의하여 국민의 대표자로 선출하는 권리에 그치며, 국민과 국회의원은 명령적 위임관계에 있는 것이 아니라 자유위임관계에 있으므로, 유권자가 설정한 국회의석분포에 국회의원들을 기속시키고자 하는 내용의 '국회구성권'이라는 기본권은 오늘날 이해되고 있는 대의제도의 본질에 반하는 것이어서 헌법상 인정될 여지가 없고, 청구인들 주장과 같은 대통령에 의한 여야 의석분포의 인위적 조작행위로 국민주권주의라든지 복수정당제도가 훼손될 수 있는지의 여부는 별론으로 하고 그로 인하여 바로 헌법상 보장된 청구인들의 구체적 기본권이 침해당하는 것은 아니다. (헌재 1998.10.29. 96헌마186〔각하〕)

정답 ③

030 07 국가7급

연방국가에 대한 설명으로 옳은 것은?

① 연방헌법은 주(州)들 간 조약규범으로서 잠정적 성격을 가진다.
② 주(州)도 주권을 갖는다고 보는 것이 우리나라의 통설이다.
③ 국가인 이상 연방국가의 통치권은 단일불가분의 성격을 가진다.
④ 연방은 주(州)의 국제법 위반의 책임까지 부담한다.

해설

① (✗) 연방국가는 하나의 나라이므로 그 헌법은 확정적인 성격을 가진다. 잠정적 성격을 가지는 것은 국가연합의 경우이다.
② (✗) 주권은 국민이 가지고 연방의 주는 주권을 갖지 않는다.
③ (✗) 통치권은 입법권, 사법권, 행정권 등으로 나눌 수 있으며 분할할 수 있지만, 주권은 분할할 수 없다.
④ (O) 연방국가의 각 주는 국가연합의 개별국가와 달리 국제법적인 주체가 될 수 없고, 연방이 개별주의 국제법 위반에 대하여 책임을 진다.

정답 ④

🍀 **연방국가와 국가연합**

구분	연방국가	국가연합
국제법의 주체	• 연방국가 자체가 국제법의 주체가 된다. • 그 구성국(支邦)은 주체가 될 수 없다.	• 국가연합 자체가 국제법의 주체가 되지 못한다. • 그 구성국이 주체가 된다.
국가적 성격	진정한 국가(영구적 결합)	진정한 국가가 아니다(잠정적·한시적 결합).
결합의 근거	원칙적으로 국내법인 헌법	원칙적으로 구성국 간에 체결된 조약(국제법)
통치권	연방과 그 구성국 간에 통치권이 분할된다.	구성국이 전적으로 대내적 통치권을 보유한다.
국가의 국제책임	연방이 자신과 구성국의 국제법 위반 책임을 부담한다.	국가연합은 부담하지 않고, 각 구성국이 국제책임을 부담
병력의 보유	연방이 병력을 보유하며, 구성국은 자체 병력을 보유하지 않는다.	구성국만 병력을 보유
대표적인 예	미국(1787), 스위스(1848), 캐나다(1867), 독일(1871)	미국(1778~1787), 독일(1815~1866), 소련 해체 후 독립국가연합(1993)

유럽공동체(EU)의 성격: 유럽공동체는 국가연합보다는 결속력이 더 강한 형태로 자기 명의로 조약을 체결하는 국제법의 주체이다. 한국과 EU 간의 FTA 체결을 생각해 보라.

031 회독 ☐☐☐ NEW

24 국회8급

국적에 대한 설명으로 옳지 않은 것은?

① 법무부장관은 거짓이나 그 밖의 부정한 방법으로 귀화허가, 국적회복허가, 국적의 이탈 허가 또는 국적보유판정을 받은 자에 대하여 그 허가 또는 판정을 취소할 수 있다.
② 복수국적자가 외국에 주소가 있는 경우에만 국적이탈을 신고할 수 있도록 하는 「국적법」 제14조 제1항 본문은 복수국적자의 기회주의적 국적이탈을 방지하여 국민으로서 마땅히 부담해야 할 의무에 대한 악의적 면탈을 방지하고 국가공동체 운영의 기본원리를 지키고자 적어도 외국에 주소가 있는 자에게만 국적이탈을 허용하려는 것이므로 목적이 정당하고 그 수단도 적합하다.
③ 직계존속이 외국에서 영주할 목적 없이 체류한 상태에서 출생한 자는 병역의무를 해소한 경우에만 국적이탈을 신고할 수 있도록 하는 구「국적법」 제12조 제3항은 출입국 등 거주·이전 그 자체에 제한을 가하고 있으므로, 출입국에 관련하여 그 출생자의 거주·이전의 자유가 침해되는지 여부가 문제된다.
④ 복수국적자가 제1국민역에 편입된 날부터 3개월 이내에 하나의 국적을 선택하여야 하고 그때까지 대한민국 국적을 이탈하지 않으면 병역의무가 해소된 후에야 이탈할 수 있도록 한 「국적법」 조항은 '병역의무의 공평성 확보'라는 입법목적을 훼손하지 않으면서도 기본권을 덜 침해하는 방법이 있는데도 그러한 예외를 전혀 두지 않고 일률적으로 병역의무 해소 전에는 국적이탈을 할 수 없도록 하는바, 이는 피해의 최소성 원칙에 위배된다.
⑤ 국적회복허가에 애초 허가가 불가능한 불법적 요소가 개입되어 있었다면 어느 순간에 불법적 요소가 발견되었든 상관없이 그 허가를 취소함으로써 국법질서를 회복할 필요성이 있다.

해설

① (O) 국적법 제21조 제1항
② (O)

> 복수국적자가 외국에 주소가 있는 경우에만 국적이탈을 신고할 수 있도록 하는 국적법 제14조 제1항 본문은 헌법에 위반되지 않는다. (헌재 2023.2.23. 2020헌바603【합헌】)

③ (X) 심판대상조항은 과잉금지원칙에 위배되지 아니하므로 국적이탈의 자유를 침해하지 아니한다.

> 심판대상조항은 '직계존속이 외국에서 영주할 목적 없이 체류한 상태에서 출생한 자'에 대해서는 병역의무를 해소한 경우에만 대한민국 국적이탈을 신고할 수 있도록 하므로, 위와 같이 출생한 사람의 국적이탈의 자유를 제한한다. 다만, 거주·이전의 자유를 규정한 헌법 제14조는 국적이탈의 자유의 근거조항이고 심판대상조항은 출입국 등 거주·이전 그 자체에 어떠한 제한을 가한다고 보기 어려운바, 출입국에 관련하여 거주·이전의 자유가 침해된다는 청구인의 주장에 대해서는 판단하지 아니한다. (헌재 2023.2.23. 2019헌바462)

④ (O)

> 심판대상 법률조항은 위와 같이 국적이탈이 가능한 기간을 제한함으로써 병역준비역에 편입된 사람이 그 이후 국적이탈이라는 방법을 통해서는 병역의무에서 벗어날 수 없도록 하므로, 병역의무 이행의 공평성 확보라는 목적을 달성하는 데 적합한 수단이다. 이처럼 '병역의무의 공평성 확보'라는 입법목적을 훼손하지 않으면서도 기본권을 덜 침해하는 방법이 있는데도 심판대상 법률조항은 그러한 예외를 전혀 두지 않고 일률적으로 병역의무 해소 전에는 국적이탈을 할 수 없도록 하는바, 이는 피해의 최소성 원칙에 위배된다. (헌재 2020.9.24. 2016헌마889)

⑤ (O)

> 심판대상조항은 과잉금지원칙에 위배하여 거주·이전의 자유 및 행복추구권을 침해하지 아니한다. (헌재 2020.2.27. 2017헌바434)

정답 ③

032　회독 ☐☐☐　NEW

23 국가7급

국적에 대한 설명으로 옳지 않은 것은?

① 「국적법」 조항 중 거짓이나 그 밖의 부정한 방법으로 국적회복허가를 받은 사람에 대하여 그 허가를 취소할 수 있도록 규정한 부분은 과잉금지원칙에 위배하여 거주·이전의 자유 및 행복추구권을 침해하지 아니한다.
② 1978.6.14.부터 1998.6.13. 사이에 태어난 모계출생자(모가 대한민국 국민이거나 모가 사망할 당시에 모가 대한민국 국민이었던 자)가 대한민국 국적을 취득할 수 있는 특례를 두면서 2004.12.31.까지 국적취득신고를 한 경우에만 대한민국 국적을 취득하도록 한 「국적법」 조항은, 모계출생자가 권리를 남용할 가능성을 억제하기 위하여 특례기간을 2004.12.31.까지로 한정하고 있는바, 이를 불합리하다고 볼 수 없고 평등원칙에 위배되지 않는다.
③ 「국적법」 조항 중 '외국에 주소가 있는 경우'는 입법취지 및 사전적 의미 등을 고려할 때 다른 나라에 생활근거가 있는 경우를 뜻함이 명확하므로 명확성원칙에 위배되지 아니한다.
④ 복수국적자가 외국에 주소가 있는 경우에만 국적이탈을 신고할 수 있도록 정한 「국적법」 조항은 복수국적자에게 과도한 불이익을 발생시켜 과잉금지원칙에 위배되어 국적이탈의 자유를 침해한다.

해설

① (O)

> 국적취득에 있어서 적법성 확보가 사회구성원들 사이의 신뢰를 확보하고 국가질서를 유지하는 근간이 됨을 고려할 때 심판대상조항을 통하여 달성하고자 하는 공익이 제한되는 사익에 비해 훨씬 크다고 할 것이므로 심판대상조항은 법익의 균형성도 갖추었다. 따라서 심판대상조항은 과잉금지원칙에 위배하여 거주·이전의 자유 및 행복추구권을 침해하지 아니한다. (헌재 2020.2.27. 2017헌바434)

② (O)

> 특례의 적용을 받는 모계출생자가 특례기간 내에 국적취득신고를 하지 못한 경우에도 그 사유가 천재지변 기타 불가항력적 사유에 의한 것이면 그 사유가 소멸한 때부터 3개월 내에 국적취득신고를 할 수 있고, 그 외에 다른 사정으로 국적취득신고를 하지 못한 경우에도 간이귀화 또는 특별귀화를 통하여 어렵지 않게 대한민국 국적을 취득할 수 있으므로, 심판대상조항은 특례의 적용을 받는 모계출생자와 출생으로 대한민국 국적을 취득하는 모계출생자를 합리적 사유 없이 차별하고 있다고 볼 수 없고, 따라서 평등원칙에 위배되지 않는다. (헌재 2015.11.26. 2014헌바211)

③ (O)

④ (X)

> 복수국적자가 외국에 주소가 있는 경우에만 국적이탈을 신고할 수 있도록 하는 국적법 제14조 제1항 본문은 헌법에 위반되지 않는다. (헌재 2023.2.23. 2020헌바603 [합헌])

정답 ④

033 회독 ☐☐☐ 재구성   23 국회8급

국적에 대한 헌법재판소의 판시 내용과 설명으로 옳은 것은?

① 대한민국의 「민법」상 미성년인 대한민국의 국민이 아닌 자는 대한민국 국민인 부 또는 모에 의하여 인지되고, 출생 당시에 그 부 또는 모가 대한민국의 국민이라는 요건을 모두 갖춘 때에 대한민국 국적을 취득한다.
② 대한민국 국적을 취득한 사실이 없는 외국인은 법무부장관의 귀화허가를 받아 대한민국 국적을 취득할 수 있으며, 법무부장관 앞에서 국민선서를 하고 귀화증서를 수여받은 때에 대한민국 국적을 취득한다.
③ 대한민국 국민의 양자로서 입양 당시 대한민국의 「민법」상 성년이었던 외국인으로서 대한민국에 2년간 계속하여 주소가 있는 자는 5년 이상 계속하여 대한민국에 주소가 없고 대한민국에 영주할 수 있는 체류자격이 없더라도 귀화허가를 받을 수 있다.
④ 대한민국 국적을 취득한 외국인으로서 외국 국적을 가지고 있는 자가 대한민국 국적을 취득한 날로부터 1년 내에 그 외국 국적을 포기하지 않아 국적을 상실한 경우 상실 이후 2년 내에 그 외국 국적을 포기하면 대한민국 국적을 재취득할 수 있다.

해설

① (✗) 인지는 요건을 갖춘 때에 국적을 취득하는 것이 아니라 법무부장관에게 신고함으로써 대한민국 국적을 취득할 수 있다.

> **국적법 제3조(인지에 의한 국적 취득)**
> ① 대한민국의 국민이 아닌 자(이하 '외국인'이라 한다)로서 대한민국의 국민인 부 또는 모에 의하여 인지된 자가 다음 각 호의 요건을 모두 갖추면 법무부장관에게 신고함으로써 대한민국 국적을 취득할 수 있다.
>   1. 대한민국의 민법상 미성년일 것
>   2. 출생 당시에 부 또는 모가 대한민국의 국민이었을 것

② (○)

> **국적법 제4조(귀화에 의한 국적 취득)**
> ① 대한민국 국적을 취득한 사실이 없는 외국인은 법무부장관의 귀화허가를 받아 대한민국 국적을 취득할 수 있다.
> ③ 제1항에 따라 귀화허가를 받은 사람은 법무부장관 앞에서 국민선서를 하고 귀화증서를 수여받은 때에 대한민국 국적을 취득한다. 다만, 법무부장관은 연령, 신체적·정신적 장애 등으로 국민선서의 의미를 이해할 수 없거나 이해한 것을 표현할 수 없다고 인정되는 사람에게는 국민선서를 면제할 수 있다.

③ (✗) 성인의 경우 입양만으로 국적을 취득하지는 못하지만 3년의 거주로 간이귀화가 가능하다.

> **국적법 제6조(간이귀화요건)**
> ① 다음 각 호의 어느 하나에 해당하는 외국인으로서 대한민국에 3년 이상 계속하여 주소가 있는 사람은 제5조 제1호 및 제1호의2의 요건을 갖추지 아니하여도 귀화허가를 받을 수 있다.
>   3. 대한민국 국민의 양자로서 입양 당시 대한민국의 민법상 성년이었던 사람

④ (×)

국적법 제11조(국적의 재취득)
① 제10조 제3항에 따라 대한민국 국적을 상실한 자가 그 후 1년 내에 그 외국 국적을 포기하면 법무부장관에게 신고함으로써 대한민국 국적을 재취득할 수 있다.

제10조(국적 취득자의 외국 국적 포기의무)
① 대한민국 국적을 취득한 외국인으로서 외국 국적을 가지고 있는 자는 대한민국 국적을 취득한 날부터 1년 내에 그 외국 국적을 포기하여야 한다.
③ 제1항 또는 제2항을 이행하지 아니한 자는 그 기간이 지난 때에 대한민국 국적을 상실한다.

정답 ②

034

국적에 대한 설명으로 옳은 것만을 모두 고르면? (다툼이 있는 경우 판례에 의함)

ㄱ. 외국인인 개인이 특정한 국가의 국적을 선택할 권리가 자연권으로서 또는 우리 헌법상 당연히 인정된다고 할 수 없다.
ㄴ. 병역준비역에 편입된 사람이 그 이후 국적 이탈이라는 방법을 통해서 병역의무에서 벗어날 수 없도록 국적 이탈이 가능한 기간을 제한하는 것은 병역의무 이행의 공평성 확보라는 목적을 달성하는 데 적합한 수단이다.
ㄷ. 국적을 이탈하거나 변경하는 것은 헌법 제14조가 보장하는 거주·이전의 자유에 포함된다.
ㄹ. 국적 이탈 신고서에 '가족관계기록사항에 관한 증명서'를 첨부하도록 하는 것은 국적 이탈 신고와 관련하여 구체적으로 어떠한 서류를 제출하도록 하는 것인지 불분명하므로 명확성원칙에 위배된다.
ㅁ. 법무부장관은 출생에 의하여 대한민국 국적을 취득한 복수국적자에 대해서는 그가 대한민국의 국익에 반하는 행위를 하여 대한민국 국적을 보유함이 현저히 부적합하다고 인정하는 경우에도 해당 복수국적자의 국적 상실을 결정할 수 없다.

① ㄱ
② ㄱ, ㄴ
③ ㄱ, ㄴ, ㄷ
④ ㄱ, ㄴ, ㄷ, ㅁ

> 해설

ㄱ. (O) [22 변호사]

> **국적선택권은 헌법상 기본권이다.** (헌재 2006.3.30. 2003헌마806)
> 근대국가 성립 이전의 영민은 토지에 종속되어 영주의 소유물과 같은 처우를 받았다. 근대국가에서도 개인은 출생지 또는 혈통에 기속되고 충성의무를 강요당하는 지위에 있었으므로 국적선택권이 인정될 여지가 없었다. 그러나 천부인권사상은 국민주권을 기반으로 하는 자유민주주의 헌법을 낳고 이 헌법은 인간의 존엄과 가치를 존중하므로, 개인은 자신의 운명에 지대한 영향을 미치는 정치적 공동체인 국가를 선택할 수 있는 권리, 즉 국적선택권을 기본권으로 인식하기에 이르렀다. 세계인권선언(1948.12.10.)이 제15조에서 '① 사람은 누구를 막론하고 국적을 가질 권리를 가진다. ② 누구를 막론하고 불법하게 그 국적을 박탈당하지 아니하여야 하며 그 국적변경의 권리가 거부되어서는 아니 된다'는 규정을 둔 것은 이를 뒷받침하는 좋은 예다. 그러나 개인의 국적선택에 대하여는 나라마다 그들의 국내법에서 많은 제약을 두고 있는 것이 현실이므로, 국적은 아직도 자유롭게 선택할 수 있는 권리에는 이르지 못하였다고 할 것이다.

ㄴ. (O) 수단의 적합성은 인정되지만, 침해의 최소성원칙에 위배된다. (헌재 2020.9.24. 2016헌마889) [22 변호사]

ㄷ. (O) 국적 이탈의 자유는 명문규정이 없지만, 헌법 제14조가 보장하는 거주·이전의 자유에 포함된다. [22 변호사]

ㄹ. (✕) [23 변호사]

> [1] 복수국적자가 병역준비역에 편입된 때부터 3개월이 지난 경우 병역의무 해소 전에는 대한민국 국적에서 이탈할 수 없도록 제한하는 국적법 제12조 제2항 본문 및 제14조 제1항 단서 중 제12조 제2항 본문에 관한 부분은 과잉금지원칙에 위배되어 국적 이탈의 자유를 침해한다. 2022.9.30.을 시한으로 개정될 때까지 계속적용된다. 【헌법불합치】
> [2] 국적 이탈 신고시 신고서에 '가족관계기록사항에 관한 증명서'를 첨부하도록 하는 국적법 시행규칙 제12조 제2항 제1호는 명확성원칙에 위배되지 않으며, 청구인의 국적 이탈의 자유도 침해하지 않는다. 【기각】 (헌재 2020. 9. 24. 2016헌마889)

국적법 제14조의2(대한민국 국적의 이탈에 관한 특례)
① 제12조 제2항 본문 및 제14조 제1항 단서에도 불구하고 다음 각 호의 요건을 모두 충족하는 복수국적자는 병역법 제8조에 따라 병역준비역에 편입된 때부터 3개월 이내에 대한민국 국적을 이탈한다는 뜻을 신고하지 못한 경우 법무부장관에게 대한민국 국적의 이탈 허가를 신청할 수 있다.
  1. 다음 각 목의 어느 하나에 해당하는 사람일 것
   가. 외국에서 출생한 사람(직계존속이 외국에서 영주할 목적 없이 체류한 상태에서 출생한 사람은 제외한다)으로서 출생 이후 계속하여 외국에 주된 생활의 근거를 두고 있는 사람
   나. 6세 미만의 아동일 때 외국으로 이주한 이후 계속하여 외국에 주된 생활의 근거를 두고 있는 사람

ㅁ. (O) [23 변호사]

국적법 제14조의4(대한민국 국적의 상실결정)
① 법무부장관은 복수국적자가 다음 각 호의 어느 하나의 사유에 해당하여 대한민국의 국적을 보유함이 현저히 부적합하다고 인정하는 경우에는 청문을 거쳐 대한민국 국적의 상실을 결정할 수 있다. 다만, 출생에 의하여 대한민국 국적을 취득한 자는 제외한다.
  1. 국가안보, 외교관계 및 국민경제 등에 있어서 대한민국의 국익에 반하는 행위를 하는 경우
  2. 대한민국의 사회질서 유지에 상당한 지장을 초래하는 행위로서 대통령령으로 정하는 경우
② 제1항에 따른 결정을 받은 자는 그 결정을 받은 때에 대한민국 국적을 상실한다.

정답 ④

035

국적에 대한 설명으로 옳은 것은?

① 대한민국의 국민으로서 자진하여 외국 국적을 취득한 자는 그 외국 국적을 취득한 날로부터 6개월이 지난 때에 대한민국 국적을 상실한다.
② 대한민국 국적을 상실한 자는 국적을 상실한 때부터 대한민국의 국민만이 누릴 수 있는 권리를 향유할 수 없으며, 이들 권리 중 대한민국의 국민이었을 때 취득한 것으로서 양도할 수 있는 것은 그 권리와 관련된 법령에서 따로 정한 바가 없으면 3년 내에 대한민국의 국민에게 양도하여야 한다.
③ 외국인의 자로서 대한민국의 「민법」상 성년인 사람은 부 또는 모가 귀화허가를 신청할 때 함께 국적 수반 취득을 신청할 수 있다.
④ 출생 당시에 부가 대한민국의 국민인 자만 출생과 동시에 대한민국 국적을 취득한다.

해설

① (✗)

> **국적법 제15조(외국 국적 취득에 따른 국적 상실)**
> ① 대한민국의 국민으로서 자진하여 외국 국적을 취득한 자는 그 외국 국적을 취득한 때에 대한민국 국적을 상실한다.
> ② 대한민국의 국민으로서 다음 각 호의 어느 하나에 해당하는 자는 그 외국 국적을 취득한 때부터 6개월 내에 법무부장관에게 대한민국 국적을 보유할 의사가 있다는 뜻을 신고하지 아니하면 그 외국 국적을 취득한 때로 소급하여 대한민국 국적을 상실한 것으로 본다.
> 　1. 외국인과의 혼인으로 그 배우자의 국적을 취득하게 된 자
> 　2. 외국인에게 입양되어 그 양부 또는 양모의 국적을 취득하게 된 자
> 　3. 외국인인 부 또는 모에게 인지되어 그 부 또는 모의 국적을 취득하게 된 자
> 　4. 외국 국적을 취득하여 대한민국 국적을 상실하게 된 자의 배우자나 미성년의 자로서 그 외국의 법률에 따라 함께 그 외국 국적을 취득하게 된 자
> ③ 외국 국적을 취득함으로써 대한민국 국적을 상실하게 된 자에 대하여 그 외국 국적의 취득일을 알 수 없으면 그가 사용하는 외국 여권의 최초 발급일에 그 외국 국적을 취득한 것으로 추정한다.

② (○) 국적법 제18조

③ (✗)

> **국적법 제8조(수반 취득)**
> ① 외국인의 자로서 대한민국의 민법상 미성년인 사람은 부 또는 모가 귀화허가를 신청할 때 함께 국적 취득을 신청할 수 있다.
> ② 제1항에 따라 국적 취득을 신청한 사람은 부 또는 모가 대한민국 국적을 취득한 때에 함께 대한민국 국적을 취득한다.

④ (✗)

> **국적법 제2조(출생에 의한 국적 취득)**
> ① 다음 각 호의 어느 하나에 해당하는 자는 출생과 동시에 대한민국 국적을 취득한다.
> 　1. 출생 당시에 부(父)또는 모(母)가 대한민국의 국민인 자
> 　2. 출생하기 전에 부가 사망한 경우에는 그 사망 당시에 부가 대한민국의 국민이었던 자
> 　3. 부모가 모두 분명하지 아니한 경우나 국적이 없는 경우에는 대한민국에서 출생한 자

정답 ②

036 「국적법」상 귀화에 대한 설명으로 옳지 않은 것은? (다툼이 있는 경우 판례에 의함)

23 변호사, 20 국회8급, 19 국가7급

① '품행이 단정할 것'이라는 외국인의 귀화허가요건은 귀화신청자를 대한민국의 새로운 구성원으로 받아들이는 데 지장이 없을 만한 품성과 행실을 갖춘 것을 의미하므로 명확성원칙에 위배되지 않는다.
② 부 또는 모가 대한민국의 국민이었던 외국인은 대한민국에서 3년 이상 계속하여 주소가 있는 경우 간이귀화허가를 받을 수 있다.
③ 「국적법」에 따라 귀화허가를 받은 사람은 법무부장관 앞에서 국민선서를 하고 귀화증서를 수여받은 때에 대한민국 국적을 취득하며, 법무부장관은 연령, 신체적·정신적 장애 등으로 국민선서의 의미를 이해할 수 없거나 이해한 것을 표현할 수 없다고 인정되는 사람에게는 국민선서를 면제할 수 있다.
④ 법무부장관은 거짓이나 그 밖의 부정한 방법으로 귀화허가를 받은 자에 대하여 그 허가를 취소할 수 있으며, 법무부장관의 취소권 행사기간은 귀화허가를 한 날로부터 6개월 이내이다.

해설

① (O) 헌재 2016.7.28. 2014헌바421 [23 변호사]
② (O) 국적법 제6조 제1항 제1호 [20 국회8급]
③ (O) 국적법 제4조 제3항 [19 국가7급]
④ (X) 6개월이라는 기간 제한이 없다. [19 국가7급]

> **국적법** 제21조(허가 등의 취소)
> ① 법무부장관은 거짓이나 그 밖의 부정한 방법으로 귀화허가, 국적회복허가, 국적의 이탈허가 또는 국적보유판정을 받은 자에 대하여 그 허가 또는 판정을 취소할 수 있다.

정답 ④

037

국적에 대한 설명으로 옳지 않은 것만을 모두 고르면?

ㄱ. 사실혼관계에 있는 한국인 아버지와 외국인 어머니 사이에서 출생한 미성년인 자는 한국인 생부가 인지하여야 대한민국 국적을 취득할 수 있다. 이때에 인지를 하는 한국인 생부는 자의 출생 당시에 대한민국의 국민이어야만 한다.
ㄴ. 헌법 제2조 제1항은 "대한민국의 국민이 되는 요건은 법률로 정한다."라고 하여 대한민국 국적의 취득에 관하여 위임하고 있으나, 국적의 유지나 상실을 둘러싼 전반적인 법률관계를 법률에 규정하도록 위임하고 있는 것으로 풀이할 수는 없다.
ㄷ. 외국 국적 포기의무를 이행하지 아니하여 대한민국 국적을 상실한 자가 그 후 1년 내에 그 외국 국적을 포기하면 법무부장관의 허가를 받아 대한민국 국적을 재취득할 수 있다.
ㄹ. 복수국적자가 대한민국 국적을 선택하기 위해서는 외국 국적을 포기하거나 외국 국적을 행사하지 아니하겠다는 서약을 하는 방식으로 대한민국 국적을 선택할 수 있다. 단, 출생 당시 어머니가 자녀에게 외국 국적을 취득하게 할 목적으로 외국에 체류한 사실이 인정된 경우에는 복수국적을 유지할 수 없다.

① ㄱ, ㄴ　　② ㄱ, ㄹ　　③ ㄴ, ㄷ　　④ ㄷ, ㄹ

해설

ㄱ. (O) **사실혼관계에서 출생한 자의 국적** [11 국회8급]

	법률혼	부모 중 한 사람만 한국인이면 출생과 더불어 국적 취득
사실혼	부(외국인) + 모(한국인)	자는 출생과 동시에 국적 취득
	부(한국인) + 모(외국인)	생부의 인지나 귀화가 있어야 한다.

ㄴ. (X) 국적법에는 국적의 취득, 유지, 상실에 관한 일반적 규정이 있다. [18 지방7급]

ㄷ. (X) [20 국회8급]

> **국적법 제11조(국적의 재취득)**
> ① 제10조(국적 취득자의 외국 국적 포기의무) 제3항에 따라 대한민국 국적을 상실한 자가 그 후 1년 내에 그 외국 국적을 포기하면 **법무부장관에게 신고함으로써** 대한민국 국적을 재취득할 수 있다.

ㄹ. (O) [11 국회8급]

> **국적법 제12조(복수국적자의 국적선택의무)**
> ① 만 20세가 되기 전에 복수국적자가 된 자는 만 22세가 되기 전까지, 만 20세가 된 후에 복수국적자가 된 자는 그 때부터 2년 내에 제13조와 제14조에 따라 하나의 국적을 선택하여야 한다. 다만, 제10조 제2항에 따라 법무부장관에게 대한민국에서 외국 국적을 행사하지 아니하겠다는 뜻을 서약한 복수국적자는 제외한다.
> ② 제1항 본문에도 불구하고 병역법 제8조에 따라 병역준비역에 편입된 자는 편입된 때부터 3개월 이내에 하나의 국적을 선택하거나 제3항 각 호의 어느 하나에 해당하는 때부터 2년 이내에 하나의 국적을 선택하여야 한다. 다만, 제13조에 따라 대한민국 국적을 선택하려는 경우에는 제3항 각 호의 어느 하나에 해당하기 전에도 할 수 있다.
> ③ 직계존속이 외국에서 영주할 목적 없이 체류한 상태에서 출생한 자는 병역의무의 이행과 관련하여 다음 각 호의 어느 하나에 해당하는 경우에만 제14조에 따른 국적 이탈 신고를 할 수 있다.
> 　1. 현역·상근예비역·보충역 또는 대체역으로 복무를 마치거나 마친 것으로 보게 되는 경우
> 　2. 전시근로역에 편입된 경우
> 　3. 병역면제처분을 받은 경우

정답 ③

038 회독 □□□   19 5급행시

대한민국 국민이 되는 요건에 대한 설명으로 옳지 않은 것은?

① 출생 당시에 부 또는 모가 대한민국의 국민인 자는 출생과 동시에 대한민국 국적을 취득한다.
② 대한민국에서 발견된 기아는 대한민국에서 출생한 것으로 추정한다.
③ 국적을 후천적으로 취득하는 방법으로 인지나 귀화 등이 있다.
④ 부모 중 어느 한쪽이 국적이 없는 경우에 대한민국에서 출생한 자는 대한민국 국적을 취득한다.

해설

① (O) 속인주의
② (O) 속지주의
③ (O) 후천적 국적 취득사유는 인지, 귀화, 입양 등이 있다. 혼인은 그 자체만으로 국적 취득사유는 아니고 간이귀화의 요건이다.
④ (X) 대한민국에서 출생한 경우에 국적을 취득하는 경우는 국적법 제2조 제1항의 제3호와 제2항 두 가지이다.

국적법 제2조(출생에 의한 국적 취득)

속인주의	① 다음 각 호의 어느 하나에 해당하는 자는 출생과 동시에 대한민국 국적을 취득한다. 1. 출생 당시에 부 또는 모가 대한민국의 국민인 자 2. 출생하기 전에 부가 사망한 경우에는 그 사망 당시에 부가 대한민국의 국민이었던 자
속지주의	3. 부모가 모두 분명하지 아니한 경우나 국적이 없는 경우에는 대한민국에서 출생한 자 ② 대한민국에서 발견된 기아는 대한민국에서 출생한 것으로 추정한다.

정답 ④

기출지문 OX

❶ 재외국민은 「국가유공자 등 예우 및 지원에 관한 법률」 또는 「독립유공자예우에 관한 법률」에 따른 보훈급여금을 받을 수 있으나, 외국 국적 동포는 그렇지 아니하다. 14 지방7급   (O / X)

해설

재외동포의 출입국과 법적 지위에 관한 법률 제16조(국가유공자·독립유공자와 그 유족의 보훈급여금)
외국 국적 동포는 국가유공자 등 예우 및 지원에 관한 법률 또는 독립유공자예우에 관한 법률에 따른 보훈급여금을 받을 수 있다.

정답 X

❷ 행정안전부장관은 징역형이나 금고형의 집행이 끝나지 아니한 국민에 대하여는 6개월 이내의 기간을 정하여 출국을 금지할 수 있다. 14 지방7급   (O / X)

해설 출입국관리에 관한 업무는 법무부 관할이다.

출입국관리법 제4조(출국의 금지)
① 법무부장관은 다음 각 호의 어느 하나에 해당하는 국민에 대하여는 6개월 이내의 기간을 정하여 출국을 금지할 수 있다.
  2. 징역형이나 금고형의 집행이 끝나지 아니한 사람

정답 X

039  19 서울7급(2월)

대한민국 국적에 관한 설명으로 가장 옳지 않은 것은?

① 대한민국 남자와 결혼하여 국적을 취득한 여자는 이혼하였다고 하여 대한민국 국적을 상실하는 것은 아니다.
② 일반귀화는 대한민국에서 영주할 수 있는 체류자격을 가지고 3년 이상 대한민국에 주소를 가지는 것 등의 요건을 갖추어야 한다.
③ 법률이 정하는 일정한 재외국민에게는 대통령 선거권, 국회의원 선거권, 지방의원 및 단체의 장 선거권, 국민투표권, 주민투표권을 부여하고 있다.
④ 헌법재판소는 1948년 정부수립 이전 이주동포를 「재외동포의 출입국과 법적 지위에 관한 법률」의 적용대상에서 제외하는 것은 헌법 제11조의 평등원칙에 위배된다고 판시하였다.

해설

① (O)
② (×)

> **국적법 제5조(일반귀화요건)**
> 외국인이 귀화허가를 받기 위해서는 제6조나 제7조에 해당하는 경우 외에는 다음 각 호의 요건을 갖추어야 한다.
> 1. 5년 이상 계속하여 대한민국에 주소가 있을 것
> 1의2. 대한민국에서 영주할 수 있는 체류자격을 가지고 있을 것
> 2. 대한민국의 민법상 성년일 것
> 3. 법령을 준수하는 등 법무부령으로 정하는 품행 단정의 요건을 갖출 것
> 4. 자신의 자산이나 기능에 의하거나 생계를 같이하는 가족에 의존하여 생계를 유지할 능력이 있을 것
> 5. 국어능력과 대한민국의 풍습에 대한 이해 등 대한민국 국민으로서의 기본 소양을 갖추고 있을 것
> 6. 귀화를 허가하는 것이 국가안전보장·질서유지 또는 공공복리를 해치지 아니한다고 법무부장관이 인정할 것

③ (O)
④ (O)

> 재외동포의 출입국과 법적 지위에 관한 법률은 외국 국적 동포 등에게 광범한 혜택을 부여하고 있는바, 이 사건 심판대상규정은 대한민국 정부수립 이전에 국외로 이주한 동포와 그 이후 국외로 이주한 동포를 구분하여 후자에게는 위와 같은 혜택을 부여하고 있고, 전자는 그 적용대상에서 제외하고 있다. 요컨대, 이 사건 심판대상규정이 청구인들과 같은 정부수립 이전 이주동포를 재외동포의 출입국과 법적 지위에 관한 법률의 적용대상에서 제외한 것은 합리적 이유 없이 정부수립 이전 이주동포를 차별하는 자의적인 입법이어서 헌법 제11조의 평등원칙에 위배된다. (헌재 2001.11.29. 99헌마494)

정답 ②

040 회독 ☐☐☐ 재구성   19 국회8급

대한민국 국적에 대한 설명으로 옳은 것은? (다툼이 있는 경우 판례에 의함)

① 「국적법」에 규정된 신청이나 신고와 관련하여 그 신청이나 신고를 하려는 자가 18세 미만이면 법정대리인이 대신하여 이를 행한다.
② 중앙행정기관의 장이 복수국적자를 외국인과 동일하게 처우하는 내용으로 법령을 제정 또는 개정하려는 경우에는 미리 법무부장관에게 통보하여야 한다.
③ 대한민국 국민이었다가 만 17세에 외국인에게 입양되어 외국 국적을 취득하고 외국에서 계속 거주하다가 국적회복허가를 받은 사람은 대한민국 국적을 취득한 날부터 1년 내에 법무부장관이 정하는 바에 따라 대한민국에서 외국 국적을 행사하지 아니하겠다는 뜻을 법무부장관에게 서약함으로써 외국 국적을 유지할 수 있다.
④ 대한민국의 국민으로서 외국인에게 입양되어 그 양부의 국적을 취득하게 된 자는 그 외국 국적을 취득한 때부터 1년 내에 법무부장관에게 대한민국 국적을 보유할 의사가 있다는 뜻을 신고하지 아니하면 그 외국 국적을 취득한 때로 소급하여 대한민국 국적을 상실한 것으로 본다.

해설

① (X)

> **국적법 제19조(법정대리인이 하는 신고 등)**
> 이 법에 규정된 신청이나 신고와 관련하여 그 신청이나 신고를 하려는 자가 15세 미만이면 법정대리인이 대신하여 이를 행한다.

② (X)

> **국적법 제11조의2(복수국적자의 법적 지위 등)**
> ① 출생이나 그 밖에 이 법에 따라 대한민국 국적과 외국 국적을 함께 가지게 된 사람으로서 대통령령으로 정하는 사람(이하 '복수국적자'라 한다)는 대한민국의 법령 적용에서 대한민국 국민으로만 처우한다.
> ② 복수국적자가 관계 법령에 따라 외국 국적을 보유한 상태에서 직무를 수행할 수 없는 분야에 종사하려는 경우에는 외국 국적을 포기하여야 한다.
> ③ 중앙행정기관의 장이 복수국적자를 외국인과 동일하게 처우하는 내용으로 법령을 제정 또는 개정하려는 경우에는 미리 법무부장관과 협의하여야 한다.

③ (O)

> **국적법 제10조(국적 취득자의 외국 국적 포기의무)**
> ② 제1항에도 불구하고 다음 각 호의 어느 하나에 해당하는 자는 대한민국 국적을 취득한 날부터 1년 내에 외국 국적을 포기하거나 법무부장관이 정하는 바에 따라 대한민국에서 외국 국적을 행사하지 아니하겠다는 뜻을 법무부장관에게 서약하여야 한다.
>   3. 대한민국의 민법상 성년이 되기 전에 외국인에게 입양된 후 외국 국적을 취득하고 외국에서 계속 거주하다가 제9조에 따라 국적회복허가를 받은 자

④ (X) 1년이 아니라 6개월이다.

> **국적법 제15조(외국 국적 취득에 따른 국적 상실)**
> ① 대한민국의 국민으로서 자진하여 외국 국적을 취득한 자는 그 외국 국적을 취득한 때에 대한민국 국적을 상실한다.
> ② 대한민국의 국민으로서 다음 각 호의 어느 하나에 해당하는 자는 그 외국 국적을 취득한 때부터 6개월 내에 법무부장관에게 대한민국 국적을 보유할 의사가 있다는 뜻을 신고하지 아니하면 그 외국 국적을 취득한 때로 소급하여 대한민국 국적을 상실한 것으로 본다.
>   1. 외국인과의 혼인으로 그 배우자의 국적을 취득하게 된 자

    2. 외국인에게 입양되어 그 양부 또는 양모의 국적을 취득하게 된 자
    3. 외국인인 부 또는 모에게 인지되어 그 부 또는 모의 국적을 취득하게 된 자
    4. 외국 국적을 취득하여 대한민국 국적을 상실하게 된 자의 배우자나 미성년의 자로서 그 외국의 법률에 따라 함께 그 외국 국적을 취득하게 된 자
  ③ 외국 국적을 취득함으로써 대한민국 국적을 상실하게 된 자에 대하여 그 외국 국적의 취득일을 알 수 없으면 그가 사용하는 외국 여권의 최초 발급일에 그 외국 국적을 취득한 것으로 추정한다.

정답 ③

041

대한민국 국적의 취득에 대한 설명으로 옳지 않은 것은? (다툼이 있는 경우 판례에 의함)

① 부모가 모두 분명하지 아니한 경우 대한민국에서 출생한 자는 출생과 동시에 대한민국 국적을 취득한다.
② 만 18세의 외국인은 출생 당시 대한민국 국민인 부 또는 모가 인지하는 경우에 법무부장관의 허가를 받아 대한민국 국적을 취득할 수 있다.
③ 외국인이 대한민국의 국민인 배우자와 혼인한 후 3년이 지나고 혼인한 상태로 대한민국에 1년 이상 계속하여 주소가 있는 경우 간이귀화허가를 받을 수 있다.
④ 법무부장관은 귀화신청인이 법률이 정하는 귀화요건을 갖추었다고 하더라도 귀화를 허가할 것인지 여부에 관하여 재량권을 가진다.

해설

① (O) 국적법 제2조 제1항 제3호
② (X) 허가가 아니라 신고이다.

  국적법 제3조(인지에 의한 국적 취득)
  ① 대한민국의 국민이 아닌 자(이하 '외국인'이라 한다)로서 대한민국의 국민인 부 또는 모에 의하여 인지된 자가 다음 각 호의 요건을 모두 갖추면 법무부장관에게 신고함으로써 대한민국 국적을 취득할 수 있다.
    1. 대한민국의 민법상 미성년일 것
    2. 출생 당시에 부 또는 모가 대한민국의 국민이었을 것
  ② 제1항에 따라 신고한 자는 그 신고를 한 때에 대한민국 국적을 취득한다.

③ (O) 국적법 제6조 제2항 제2호
④ (O) 대판 2010.7.15. 2009두19069

정답 ②

042 회독 ☐☐☐ 재구성   18 국회8급

국적에 대한 설명으로 옳지 않은 것만을 모두 고르면?

ㄱ. 평창올림픽을 앞두고 아이스하키 분야에 매우 우수한 능력을 보유한 자로서 대한민국의 국익에 기여할 것으로 인정되는 자는 대한민국에 주소가 없어도 귀화허가를 받을 수 있다.
ㄴ. 대한민국에서 출생한 자로서 부 또는 모가 대한민국에서 출생한 자에 해당하는 외국인이 대한민국에 1년 이상 계속하여 주소가 있는 때에는 귀화허가를 받을 수 있다.
ㄷ. 복수국적자로서 외국 국적을 선택하려는 자는 외국에 주소가 없어도 법무부장관에게 대한민국 국적을 이탈한다는 뜻을 신고할 수 있다.
ㄹ. 출생 당시 모가 자녀에게 외국 국적을 취득하게 할 목적으로 외국에서 체류 중이었던 사실이 인정되는 자는 대한민국에서 외국 국적을 행사하지 않겠다는 서약을 한 후 대한민국 국적을 선택한다는 뜻을 신고할 수 있다.

① ㄱ, ㄴ, ㄷ
② ㄱ, ㄴ, ㄹ
③ ㄴ, ㄷ, ㄹ
④ ㄱ, ㄴ, ㄷ, ㄹ

해설

ㄱ. (✗) 특별귀화의 경우 거주요건이 필요 없을 뿐이지, 국내에 주소는 있어야 한다.

국적법 제7조(특별귀화요건)
① 다음 각 호의 어느 하나에 해당하는 외국인으로서 대한민국에 주소가 있는 사람은 제5조 제1호·제1호의2·제2호 또는 제4호의 요건을 갖추지 아니하여도 귀화허가를 받을 수 있다.
  1. 부 또는 모가 대한민국의 국민인 사람. 다만, 양자로서 대한민국의 민법상 성년이 된 후에 입양된 사람은 제외한다.
  2. 대한민국에 특별한 공로가 있는 사람
  3. 과학·경제·문화·체육 등 특정 분야에서 매우 우수한 능력을 보유한 사람으로서 대한민국의 국익에 기여할 것으로 인정되는 사람

ㄴ. (✗)

국적법 제6조(간이귀화요건)
① 다음 각 호의 어느 하나에 해당하는 외국인으로서 대한민국에 3년 이상 계속하여 주소가 있는 사람은 제5조 제1호 및 제1호의2의 요건을 갖추지 아니하여도 귀화허가를 받을 수 있다.
  1. 부 또는 모가 대한민국의 국민이었던 사람
  2. 대한민국에서 출생한 사람으로서 부 또는 모가 대한민국에서 출생한 사람
  3. 대한민국 국민의 양자로서 입양 당시 대한민국의 민법상 성년이었던 사람
② 배우자가 대한민국의 국민인 외국인으로서 다음 각 호의 어느 하나에 해당하는 사람은 제5조 제1호 및 제1호의2의 요건을 갖추지 아니하여도 귀화허가를 받을 수 있다.
  1. 그 배우자와 혼인한 상태로 대한민국에 2년 이상 계속하여 주소가 있는 사람
  2. 그 배우자와 혼인한 후 3년이 지나고 혼인한 상태로 대한민국에 1년 이상 계속하여 주소가 있는 사람
  3. 제1호나 제2호의 기간을 채우지 못하였으나, 그 배우자와 혼인한 상태로 대한민국에 주소를 두고 있던 중 그 배우자의 사망이나 실종 또는 그 밖에 자신에게 책임이 없는 사유로 정상적인 혼인 생활을 할 수 없었던 사람으로서 제1호나 제2호의 잔여기간을 채웠고 법무부장관이 상당하다고 인정하는 사람
  4. 제1호나 제2호의 요건을 충족하지 못하였으나, 그 배우자와의 혼인에 따라 출생한 미성년의 자를 양육하고 있거나 양육하여야 할 사람으로서 제1호나 제2호의 기간을 채웠고 법무부장관이 상당하다고 인정하는 사람

ㄷ. (×)

> **국적법 제14조(대한민국 국적의 이탈요건 및 절차)**
> ① 복수국적자로서 외국 국적을 선택하려는 자는 외국에 주소가 있는 경우에만 주소지 관할 재외공관의 장을 거쳐 법무부장관에게 대한민국 국적을 이탈한다는 뜻을 신고할 수 있다. 다만, 제12조 제2항 본문 또는 같은 조 제3항에 해당하는 자는 그 기간 이내에 또는 해당 사유가 발생한 때부터만 신고할 수 있다.

ㄹ. (×)

> **국적법 제13조(대한민국 국적의 선택절차)**
> ① 복수국적자로서 제12조 제1항 본문에 규정된 기간 내에 대한민국 국적을 선택하려는 자는 외국 국적을 포기하거나 법무부장관이 정하는 바에 따라 대한민국에서 외국 국적을 행사하지 아니하겠다는 뜻을 서약하고 법무부장관에게 대한민국 국적을 선택한다는 뜻을 신고할 수 있다.
> ② 복수국적자로서 제12조 제1항 본문에 규정된 기간 후에 대한민국 국적을 선택하려는 자는 외국 국적을 포기한 경우에만 법무부장관에게 대한민국 국적을 선택한다는 뜻을 신고할 수 있다. 다만, 제12조 제3항 제1호의 경우에 해당하는 자는 그 경우에 해당하는 때부터 2년 이내에는 제1항에서 정한 방식으로 대한민국 국적을 선택한다는 뜻을 신고할 수 있다.
> ③ 제1항 및 제2항 단서에도 불구하고 출생 당시에 모가 자녀에게 외국 국적을 취득하게 할 목적으로 외국에서 체류 중이었던 사실이 인정되는 자는 외국 국적을 포기한 경우에만 대한민국 국적을 선택한다는 뜻을 신고할 수 있다.

정답 ④

📑 중요조문

> **국적법 제9조(국적회복에 의한 국적 취득)**
> ① 대한민국의 국민이었던 외국인은 법무부장관의 국적회복허가를 받아 대한민국 국적을 취득할 수 있다.
> ② 법무부장관은 국적회복허가신청을 받으면 심사한 후 다음 각 호의 어느 하나에 해당하는 사람에게는 국적회복을 허가하지 아니한다.
>   1. 국가나 사회에 위해를 끼친 사실이 있는 사람
>   2. 품행이 단정하지 못한 사람
>   3. 병역을 기피할 목적으로 대한민국 국적을 상실하였거나 이탈하였던 사람
>   4. 국가안전보장·질서유지 또는 공공복리를 위하여 법무부장관이 국적회복을 허가하는 것이 적당하지 아니하다고 인정하는 사람

기출지문 OX

❶ 甲이 임신한 후 국적을 취득하지 못한 채 배우자와 이혼하였을 때, 甲은 자신에게 이혼의 책임이 있더라도 그 배우자와의 혼인에 따라 출생한 미성년의 자를 양육하고 있을 경우, 귀화에 필요한 기간을 채우고 법무부장관이 상당하다고 인정하면 귀화허가를 받을 수 있다. 10 국회8급 (O / X)

> **해설** 외국인이 결혼 후 국적을 취득하지 못한 채 배우자와 이혼하였을 때, 이혼의 책임이 누구에게 있는지와 관계없이 그 배우자와의 혼인에 따라 출생한 미성년의 자를 양육하고 있을 경우에 귀화에 필요한 기간을 채우고 법무부장관이 상당하다고 인정하면 귀화허가를 받을 수 있다.

정답 O

❷ 배우자가 대한민국 국민인 외국인으로서 그 배우자와 혼인에 따라 출생한 미성년의 자를 양육하고 있거나 양육하여야 할 자는 법무부장관이 상당하다고 인정하는 경우에 거주기간과 주소에 관계없이 귀화허가를 받을 수 있다. 15 국회8급 (O / X)

> **해설** 미성년의 자를 양육하는 경우에도 일정 기간의 거주와 주소요건은 필요하다.

정답 ×

043

국적에 대한 설명으로 옳지 않은 것만을 모두 고르면? (다툼이 있는 경우 판례에 의함)

ㄱ. 국적은 국가의 생성과 더불어 발생하지만, 국가의 소멸이 바로 국적의 상실사유가 되는 것은 아니다.
ㄴ. 외국인이 복수국적을 누릴 자유는 헌법상 행복추구권에 의하여 보호되는 기본권에 해당한다.
ㄷ. 헌법상 재외국민의 보호조항이 국가로 하여금 특정한 협약에 가입하거나 조약을 체결하여야 하는 입법위임을 한 취지라고 할 수 없다.
ㄹ. 이중국적자(현 복수국적자)의 국적 이탈의 자유는 거주·이전의 자유가 아니라 일반적 행동의 자유에 포함된다.

① ㄱ, ㄴ, ㄷ
② ㄱ, ㄴ, ㄹ
③ ㄴ, ㄷ, ㄹ
④ ㄱ, ㄴ, ㄷ, ㄹ

해설

ㄱ. (✗) [18 5급행시]

> 국적은 국가와 그의 구성원 간의 법적 유대이고 보호와 복종관계를 뜻하므로 이를 분리하여 생각할 수 없다. 즉, 국적은 국가의 생성과 더불어 발생하고 국가의 소멸은 바로 국적의 상실사유인 것이다. 국적은 성문의 법령을 통해서가 아니라 국가의 생성과 더불어 존재하는 것이므로, 헌법의 위임에 따라 국적법이 제정되나 그 내용은 국가의 구성요소인 국민의 범위를 구체화, 현실화하는 헌법사항을 규율하고 있는 것이다. (헌재 2000.8.31. 97헌가12)

ㄴ. (✗) [16 법원직]

> [1] 외국인이 대한민국 국적을 취득한 경우 일정 기간 내에 그 외국 국적을 포기하도록 한 국적법 제10조 제1항에 대한 심판청구에 대해 외국인인 청구인들의 참정권, 입국의 자유, 재산권, 행복추구권에 관한 기본권 주체성 또는 기본권 침해가능성요건이 인정되지 않는다. 【각하】
> 참정권과 입국의 자유에 대한 외국인의 기본권 주체성이 인정되지 않고, 외국인이 대한민국 국적을 취득하면서 자신의 외국 국적을 포기한다고 하더라도 이로 인하여 재산권 행사가 직접 제한되지 않으며, 외국인이 복수국적을 누릴 자유가 우리 헌법상 행복추구권에 의하여 보호되는 기본권이라고 보기 어려우므로, 외국인의 기본권 주체성 내지 기본권 침해가능성을 인정할 수 없다.
> [2] 대한민국 국민이 자진하여 외국 국적을 취득한 경우 대한민국 국적을 상실하도록 한 국적법 제15조 제1항은 청구인의 거주·이전의 자유 및 행복추구권을 침해하지 않는다. 【기각】 (헌재 2014.6.26. 2011헌마502)

ㄷ. (○) [12 국회9급]

> 독일정부의 우리나라 국민에 대한 '미성년자 보호 관련 관헌의 관할권 및 준거법에 관한 협약'의 적용을 피하기 위하여 우리나라 정부가 위 협약에 가입, 수정가입, 일부가입 또는 독일과의 별도 조약을 체결하지 아니한 것은 헌법소원의 대상이 아니다. (헌재 1998.5.28. 97헌마282)

ㄹ. (✗) 국적을 이탈하거나 변경하는 것은 헌법 제14조가 보장하는 거주·이전의 자유에 포함된다. (헌재 2006.11.30. 2005헌마739) [12 국회9급]

정답 ②

044 회독 □□□   16 국회8급

甲은 현재 미국 뉴욕주에 거주하는 재외국민으로서 국내에 주민등록은 물론 거소신고도 되어 있지 않은 사람이다. 「공직선거법」상 甲이 외국에 거주하면서도 행사할 수 있는 참정권을 〈보기〉에서 모두 고르면? (다툼이 있는 경우 헌법재판소 결정에 의함)

보기
ㄱ. 대통령 선거권
ㄴ. 임기만료에 따른 비례대표국회의원 선거권
ㄷ. 임기만료에 따른 비례대표지방의회의원 선거권
ㄹ. 국회의원 재·보궐 선거권
ㅁ. 국민투표권

① ㄱ, ㄴ, ㄹ   ② ㄱ, ㄴ, ㅁ
③ ㄱ, ㄴ, ㄷ, ㅁ   ④ ㄱ, ㄷ, ㄹ, ㅁ
⑤ ㄴ, ㄷ, ㄹ, ㅁ

해설

ㄱ. (O) ㄴ. (O) ㅁ. (O)
ㄷ. (X) ㄹ. (X) 재외선거인(주민등록이 되어 있지 않고 국내거소신고도 하지 않은 재외국민) 선거권 부정

정답 ②

---

045 회독 □□□ 재구성   14·12·09 국회8급

「국적법」상 국적에 대한 설명으로 옳은 것은?

① 대한민국 국민이 미국의 시민권을 취득하면 이중국적자(현 복수국적자)가 되어 「국적법」에 따라 법무부장관의 허가를 얻어 대한민국의 국적을 이탈하여야 대한민국의 국적을 상실한다.
② 대한민국의 국적을 취득한 사실이 있었던 외국인은 법무부장관의 귀화허가를 받을 수 없다.
③ 복수국적자로서 대한민국에서 외국 국적을 행사하지 아니하겠다는 뜻을 서약한 자가 그 뜻에 현저히 반하는 행위를 한 경우 법무부장관은 청문을 거쳐 대한민국 국적의 상실을 결정할 수 있다.
④ 「국적법」은 출생이나 그 밖에 「국적법」에 따라 대한민국 국적과 외국 국적을 함께 가지게 된 자, 즉 복수국적자는 대한민국의 법령 적용에 있어서 대한민국 국민과 외국 국민으로 처우한다.

해설

① (X) [09 국회8급]

국적법 제15조(외국 국적 취득에 따른 국적 상실)
① 대한민국의 국민으로서 자진하여 외국 국적을 취득한 자는 그 외국 국적을 취득한 때에 대한민국 국적을 상실한다.

② (○) [09 국회8급]

국적법 제4조(귀화에 의한 국적 취득)
① 대한민국 국적을 취득한 사실이 없는 외국인은 법무부장관의 귀화허가를 받아 대한민국 국적을 취득할 수 있다.

③ (✕) [12 국회8급]

국적법 제14조의3(복수국적자에 대한 국적선택명령)
② 법무부장관은 복수국적자로서 제10조 제2항, 제13조 제1항 또는 같은 조 제2항 단서에 따라 대한민국에서 외국 국적을 행사하지 아니하겠다는 뜻을 서약한 자가 그 뜻에 현저히 반하는 행위를 한 경우에는 6개월 내에 하나의 국적을 선택할 것을 명할 수 있다.

④ (✕) [14 국회8급]

국적법 제11조의2(복수국적자의 법적 지위 등)
① 출생이나 그 밖에 이 법에 따라 대한민국 국적과 외국 국적을 함께 가지게 된 사람으로서 대통령령으로 정하는 사람(이하 '복수국적자'라 한다)은 대한민국의 법령 적용에서 대한민국 국민으로만 처우한다.

정답 ②

기출지문 OX

❶ 주민등록만을 기준으로 주민투표권을 인정하여 국내거주 재외국민이 주민투표를 할 수 없도록 하는 법률조항은 평등권을 침해한다. 12 법원직 (○ / ✕)

해설 재외국민의 선거권

국민의 지위만으로 인정되는 선거권	대통령 선거	부정하면 보통선거원칙, 평등권, 선거권 침해 → 지금은 인정
	국민투표	인정
	국회의원 선거	• 지역구국회의원 선거는 국민의 지위와 주민의 지위가 필요 • 비례대표국회의원 선거는 재외국민 등록신청을 하면 주민등록이 없어도 인정
국민 + 주민의 지위로 인정되는 선거권 (주민 아닌 재외국민에게는 인정되지 않음)	지역구국회의원 선거	임기만료에 의한 선거는 주민등록이나 국내거소신고를 하면 인정. 재·보궐선거는 불인정
	지방의회의원 선거	부정하면 보통선거원칙, 평등권, 선거권 침해 → 지금은 인정
	지방자치단체장 선거	인정(과거 헌법상 기본권으로 인정하지 않았지만 지금은 헌법상 기본권으로 인정됨)
	주민투표·주민소환	헌법상 기본권은 아니지만, 평등권 침해로 재외국민에게 인정

정답 ○

❷ 외국 국적 동포에 대하여 「부동산 실권리자명의 등기에 관한 법률」 적용의 예외를 규정한 것은 평등원칙에 위배되지 않는다. 12 법원직 (○ / ✕)

해설 헌재 2001.5.31. 99헌가18 등

부동산 실권리자명의 등기에 관한 법률 위반에 대하여 일률적으로 30%의 과징금을 부과하는 것은 헌법불합치에 해당한다.

정답 ○

❸ 헌법 제2조 제2항의 '재외국민보호의무' 규정이 중국동포의 이중국적 해소 또는 국적선택권을 위한 특별법 제정의무를 명시적으로 위임한 것이라고 볼 수 없다. 12 법원직 (○ / ✕)

해설 헌재 2006.3.30. 2003헌마806

정답 ○

046

현행 「국적법」에 관한 설명으로 옳은 것은?

① 대한민국 국적을 취득한 외국인으로서 외국 국적을 가지고 있는 자는 대한민국 국적을 취득한 날부터 1년 내에 그 외국 국적을 포기하여야 하고, 이를 이행하지 아니하면 원칙적으로 그 기간이 지난 때 대한민국 국적을 상실한다.
② 귀화허가를 받기 위해서는 대한민국의 「민법」상 성년이 되어야만 한다.
③ 대한민국 국민과 결혼하면 바로 국적을 취득한다.
④ 출생에 의하여 이중국적자(현 복수국적자)가 된 자는 대한민국의 「민법」에 의하여 성년이 되기 전까지 하나의 국적을 선택하여야 한다.
⑤ 출생에 의한 국적 취득의 경우 혈통주의만 인정될 뿐 출생지주의는 인정되지 아니한다.

해설

① (O) 국적법 제10조
② (✕) 귀화는 대한민국 국적을 취득한 사실이 없는 자의 국적 취득방법이다. 귀화의 종류로는 일반귀화, 간이귀화, 특별귀화가 있다. 귀화(일반귀화)는 원칙적으로 성년이어야 하나, 간이귀화나 특별귀화는 성년이 아니어도 가능하다.
③ (✕) 후천적 취득이란 인지, 귀화, 입양, 국적회복, 국적의 재취득, 수반 취득 등 출생 이외의 사실에 의해 국적을 얻게 되는 것을 말한다. 결혼만으로 국적을 취득할 수는 없다는 점에서 결혼은 국적 취득사유로 볼 수 없다. 혼인은 간이귀화요건이 될 뿐이다. **(국적법 제6조 제2항)**
④ (✕)

> **국적법 제12조(복수국적자의 국적선택의무)**
> ① 만 20세가 되기 전에 복수국적자가 된 자는 만 22세가 되기 전까지, 만 20세가 된 후에 복수국적자가 된 자는 그때부터 2년 내에 제13조와 제14조에 따라 하나의 국적을 선택하여야 한다. 다만, 제10조 제2항에 따라 법무부장관에게 대한민국에서 외국 국적을 행사하지 아니하겠다는 뜻을 서약한 복수국적자는 제외한다.

⑤ (✕) 원칙적 속인주의이지만 속지주의를 예외적으로 인정한다. **(국적법 제2조)**

정답 ①

예상판례

❶ 직계존속이 외국에서 영주할 목적 없이 체류한 상태에서 출생한 자는 병역의무를 해소한 경우에만 국적 이탈을 신고할 수 있도록 하는 구 국적법 제12조 제3항은 명확성원칙에 위배되지 않으며, 국적 이탈의 자유도 침해하지 않는다. **(헌재 2023.2.23. 2019헌바462 〖합헌〗)**

❷ 복수국적자가 외국에 주소가 있는 경우에만 국적 이탈을 신고할 수 있도록 하는 국적법 제14조 제1항 본문은 명확성원칙에 위배되지 않으며, 국적 이탈의 자유도 침해하지 않는다. **(헌재 2023.2.23. 2020헌바603〖합헌〗)**

047 회독

헌법 제3조에 대한 설명으로 가장 적절한 것은? (다툼이 있는 경우 판례에 의함)

① 국민의 기본권 침해에 대한 권리구제를 위한 전제조건으로서 영토에 관한 권리를 영토권이라고 구성하여 기본권의 하나로 간주하는 것은 불가능하다.
② 독도 등을 중간수역으로 정한 '대한민국과 일본국 간의 어업에 관한 협정'의 해당 조항은 배타적 경제수역을 직접 규정한 것이고, 영해문제와 직접적인 관련을 가지므로 헌법상 영토조항을 위반한 것이다.
③ 북한이 국제사회에서 하나의 주권국가로 존속하고 있고, 우리 정부가 북한 당국자의 명칭을 쓰면서 정상회담 등을 제의하였다고 하여 북한이 대한민국의 영토고권을 침해하는 반국가단체가 아니라고 단정할 수 없다.
④ 「저작권법」의 효력은 헌법 제3조에도 불구하고 대한민국의 주권범위 밖에 있는 북한지역에 미치지 않는다.

해설

① (×)

> **한일어업협정사건** (헌재 2001.3.21. 99헌마139 등)
> [1] **적법요건에 대한 판단**
> 가. 어업에 관한 조약은 국내법과 같은 효력을 가지므로 그 체결행위는 공권력의 행사에 해당한다.
> 나. 헌법 전문의 3·1정신으로부터 기본권을 도출할 수 없다.
> 다. 재산권과 직업의 자유에 대한 침해 여부를 판단하는 이상 경제적 기본권 침해 여부는 별도로 판단할 필요가 없다.
> 라. 헌법재판소는 국민의 개별적 기본권이 아니라고 할지라도 기본권 보장의 실질화를 위해서는, 영토조항만을 근거로 하여 독자적으로는 헌법소원을 청구할 수 없다고 할지라도, 모든 국가권능의 정당성의 근원인 국민의 기본권 침해에 대한 권리구제를 위하여 그 전제조건으로서 영토에 관한 권리를, 이를테면 영토권이라 구성하여 이를 헌법소원의 대상인 기본권의 하나로 간주하는 것은 가능한 것으로 판단된다.
> 마. 어업에 종사하지 아니하는 자는 자기관련성이 인정되지 아니한다.
> [2] **본안에 대한 판단**
> 이 사건 조약으로 국민의 직업의 자유 등이 침해되었다고 볼 수 없다.

② (×)

> 독도가 중간수역에 속해 있다고 할지라도 독도의 영유권문제나 영해문제와는 직접적인 관련을 갖지 아니하므로, 이 사건 협정조항이 헌법상 영토조항을 위반하였다고 할 수 없다. (헌재 2009.2.26. 2007헌바35)

③ (○) 북한은 반국가단체라는 성격과 대화와 협력의 동반자라는 이중적 지위가 있다.

④ (×)

> 타인의 저작물을 복제, 배포, 발행함에 필요한 요건과 저작재산권의 존속기간을 규정한 저작권법 제36조 제1항, 제41조, 제42조, 제47조 제1항의 효력은 대한민국 헌법 제3조에 의하여 여전히 대한민국의 주권범위 내에 있는 북한지역에도 미치는 것이므로 6.25사변 전후에 납북되거나 월북한 문인들이 저작한 작품들을 발행하려면, 아직 그 저작재산권의 존속기간이 만료되지 아니하였음이 역수상 명백한 만큼, 동인들이나 그 상속인들로부터 저작재산권의 양수 또는 저작물 이용 허락을 받거나 문화부장관의 승인을 얻어야 하고 이를 인정할 자료가 없는 이상 원고는 위 작품들의 출판 및 판매금지처분의 부존재확인을 구할 법률상 지위에 있는 자라고 할 수 없고, 헌법상 국민에게 부여된 출판의 자유로부터도 확인을 구할 법률상의 지위가 부여된다고 볼 수 없다. (대판 1990.9.28. 89누6396)

정답 ③

048 22 국회8급

헌법상 통일에 대한 설명으로 옳은 것은? (다툼이 있는 경우 헌법재판소 판례에 의함)

① 국가의 안전과 자유민주적 기본질서를 보장하고 국민의 안전을 확보하는 가운데 평화적 통일을 이루기 위한 기반을 조성하기 위하여 북한주민 등과의 접촉에 관하여 남북관계의 전문기관인 통일부장관에게 그 승인권을 준 법률조항은 국민의 통일에 대한 기본권을 위헌적으로 침해한 것이다.

② 북한을 법 소정의 '외국'으로, 북한의 주민 또는 법인 등을 '비거주자'로 바로 인정하기는 어렵지만, 개별 법률의 적용 내지 준용에 있어서는 남북한의 특수관계적 성격을 고려하여 북한지역을 외국에 준하는 지역으로, 북한주민 등을 외국인에 준하는 지위에 있는 자로 규정할 수 있다.

③ 1992년 발효된 '남북 사이의 화해와 불가침 및 교류협력에 관한 합의서'는 남북한 당국이 각기 정치적인 책임을 지고 상호 간에 그 성의 있는 이행을 약속한 것이므로, 국내법과 동일한 효력이 있는 조약이나 이에 준하는 것으로 보아야 한다.

④ 1990년에 「남북교류협력에 관한 법률」이 제정되었다고 하더라도, '남한과 북한의 주민'이라는 행위주체 사이에 '투자 기타 경제에 관한 협력사업'이라는 행위를 할 경우에는 이 법이 다른 법률보다 우선적으로 적용되는 것은 아니다.

⑤ 헌법의 통일 관련 조항들은 국가의 통일의무를 선언한 것이지만 단순한 선언규정에 그친다 할 수는 없는 것이므로, 이들 조항으로부터 국민 개개인의 통일에 대한 기본권을 도출할 수 있다.

해설

① (X)

> 국가의 안전과 자유민주적 기본질서를 보장하고 국민의 안전을 확보하는 가운데 평화적 통일을 이루기 위한 기반을 조성하기 위하여 북한주민 등과의 접촉에 관하여 남북관계의 전문기관인 통일부장관에게 그 승인권을 준 이 사건 법률조항은 평화통일의 사명을 천명한 헌법 전문이나 평화통일원칙을 규정한 헌법 제4조, 대통령의 평화통일의무에 관하여 규정한 헌법 제66조 제3항의 규정 및 기타 헌법상의 통일 관련 조항에 위반된다고 볼 수 없다. (헌재 2000.7.20. 98헌바63)

② (O)

> **북한의 법적 지위** (헌재 2005.6.30. 2003헌바114)
> 우리 헌법이 '대한민국의 영토는 한반도와 그 부속도서로 한다'는 영토조항을 두고 있는 이상 대한민국의 헌법은 북한지역을 포함한 한반도 전체에 그 효력이 미치고 따라서 북한지역은 당연히 대한민국의 영토가 되므로, 북한을 법 소정의 '외국'으로, 북한의 주민 또는 법인 등을 '비거주자'로 바로 인정하기는 어렵지만, 개별법률의 적용 내지 준용에 있어서는 남북한의 특수관계적 성격을 고려하여 북한지역을 외국에 준하는 지역으로, 북한주민 등을 외국인에 준하는 지위에 있는 자로 규정할 수 있다고 할 것이다.

③ (X)

> 소위 남북합의서는 남북관계를 '나라와 나라 사이의 관계가 아닌 통일을 지향하는 과정에서 잠정적으로 형성되는 특수관계'임을 전제로 하여 이루어진 합의문서인바, 이는 한민족 공동체 내부의 특수관계를 바탕으로 한 당국 간의 합의로서 남북당국의 성의 있는 이행을 상호 약속하는 일종의 공동성명 또는 신사협정에 준하는 성격을 가짐에 불과하다. (헌재 1997.1.16. 92헌바6 등)

④ (X)

> 남한과 북한의 주민(법인, 단체 포함) 사이의 투자 기타 경제에 관한 협력사업 및 이에 수반되는 거래에 대하여는 우선적으로 남북교류협력에 관한 법률과 같은 법 시행령 및 위 외국환관리지침이 적용되며, 관련 범위 내에서 외국환거래법이 준용된다. 즉, '남한과 북한의 주민'이라는 행위주체 사이에 '투자 기타 경제에 관한 협력사업'이라는 행위를 할 경우에는 남북교류협력에 관한 법률이 다른 법률보다 우선적으로 적용되고, 필요한 범위 내에서 외국환거래법 등이 준용되는 것이다. (헌재 2005.6.30. 2003헌바114)

⑤ (×)

> **평화통일조항에서 기본권을 도출할 수 없다.** (헌재 2000.7.20. 98헌바63)
> 헌법상의 여러 통일 관련 조항들은 국가의 통일의무를 선언한 것이기는 하지만, 그로부터 국민 개개인의 통일에 대한 기본권, 특히 국가기관에 대하여 통일과 관련된 구체적인 행동을 요구하거나 일정한 행동을 할 수 있는 권리가 도출된다고 볼 수 없다.

정답 ②

기출지문 OX

❶ 영토조항을 두고 있는 이상 대한민국의 헌법은 북한을 포함한 한반도 전체에 효력이 미치고, 따라서 북한지역은 대한민국의 영토가 되어, 북한은 구 「외국환거래법」 소정의 '대한민국'으로 인정되고 북한주민은 '거주자'로 인정된다. 14 지방7급 (O / ×)

해설 우리 헌법이 "대한민국의 영토는 한반도와 그 부속도서로 한다."라는 영토조항을 두고 있는 이상 대한민국의 헌법은 북한지역을 포함한 한반도 전체에 그 효력이 미치고 따라서 북한지역은 당연히 대한민국의 영토가 되므로, 북한을 법 소정의 '외국'으로, 북한의 주민 또는 법인 등을 '비거주자'로 바로 인정하기는 어렵지만, 개별법률의 적용 내지 준용에 있어서는 남북한의 특수관계적 성격을 고려하여 북한지역을 외국에 준하는 지역으로, 북한주민 등을 외국인에 준하는 지위에 있는 자로 규정할 수 있다고 할 것이다. (헌재 2005.6.30. 2003헌바114)

정답 ×

❷ 우리 헌법이 영토조항(제3조)을 두고 있는 이상 대한민국의 헌법은 북한지역을 포함한 한반도 전체에 그 효력이 미치고 따라서 북한지역은 당연히 대한민국의 영토가 된다. 21 국가7급 (O / ×)

해설 북한도 대한민국의 영토이지만, 현실적으로 통치권이 미치지는 않는다.

정답 O

❸ 북한법의 규정에 따라 북한 국적을 취득하여 중국 주재 북한대사관으로부터 북한의 해외공민증을 발급받은 자라 하더라도, 그가 대한민국 국적을 취득하고 이를 유지함에 있어 아무런 영향이 없다. 14 국회9급 (O / ×)

해설 조선인을 부친으로 하여 출생한 자는 남조선과도정부법률 제11호 국적에 관한 임시조례의 규정에 따라 조선 국적을 취득하였다가 제헌헌법의 공포와 동시에 대한민국 국적을 취득하였다 할 것이고, 설사 그가 북한법의 규정에 따라 북한 국적을 취득하여 중국 주재 북한대사관으로부터 북한의 해외공민증을 발급받은 자라 하더라도 북한지역 역시 대한민국 영토에 속하는 한반도의 일부를 이루는 것이어서 대한민국의 주권이 미칠 뿐이고, 대한민국의 주권과 부딪치는 어떠한 국가단체나 주권을 법리상 인정할 수 없는 점에 비추어 볼 때, 그러한 사정은 그가 대한민국 국적을 취득하고 이를 유지함에 있어 아무런 영향을 끼칠 수 없다. (대판 1996.11.12. 96누1221)

정답 O

❹ 조선인을 부친으로 하여 출생한 자는 설사 그가 북한 국적을 취득하였다고 하더라도 대한민국의 국적을 취득한 것으로 인정할 수 있다. 15 서울7급 (O / ×)

해설 북한주민은 대한민국 국민으로 인정하는 것이 판례의 입장이다.

정답 O

049

남북관계에 대한 설명으로 옳은 것은? (다툼이 있는 경우 판례에 의함)

① 남북은 국제연합(UN)에 2개의 국가로 동시 가입하였으므로 북한주민은 별도의 국적 취득절차를 거쳐야 대한민국 국민이 된다.
② 헌법조항이나 헌법해석에 의하여 바로 탈북의료인에게 국내 의료면허를 부여할 입법의무가 발생한다고 볼 수 없다.
③ 「국가보안법」과 「남북교류협력에 관한 법률」은 법체계상 일반법과 특별법의 관계에 있다.
④ 이른바 남북기본합의서는 남북한 당국이 성의 있는 이행을 약속한 것이므로 국가 간의 조약은 아니나 적어도 그에 준하는 것에 해당한다.
⑤ 마약거래범죄자인 북한이탈주민을 보호대상자로 결정하지 않을 수 있도록 규정한 「북한이탈주민의 보호 및 정책지원에 관한 법률」 제9조 제1항은 마약거래범죄자인 북한이탈주민의 인간다운 생활을 할 권리를 침해한다.

해설

① (✗) 국제연합(UN)에 동시 가입하였다는 것이 국제관계에서 국가로 인정하는 것은 별론으로 하고 상호국 간에 국가 승인이 있는 것은 아니다. 북한주민은 별도의 국적 취득절차를 거치지 않고 대한민국 국민이 된다.

② (○)

> [1] 북한의 의과대학이 헌법 제3조의 영토조항에도 불구하고 국내 대학으로 인정될 수 없고 또한 보건복지부장관이 인정하는 외국의 대학에도 해당하지 아니하므로 북한의 의과대학 등을 졸업한 탈북의료인의 경우 국내 의료면허취득은 북한이탈주민의 보호 및 정착지원에 관한 법률 제14조에 의할 수밖에 없다.
> [2] 의료행위는 의학적 전문지식으로 질병의 진찰, 검안, 처방, 투약 및 외과적 시술을 시행하여 질병의 예방이나 치료행위를 하는 일련의 행위를 의미하므로 이를 담당하는 의료인은 이러한 일련의 과정을 자신의 책임으로 그리고 독자적으로 수행할 수 있는 지적·실무적 능력을 갖출 것이 요구된다. 그러므로 국가가 의사면허 등 의료면허를 부여함에 있어서는 공정하고 객관적인 절차와 기준에 따라 의료인으로서의 능력을 갖추었다고 판단하는 경우에만 이를 부여하여야 하고, 이러한 당위성은 북한이탈주민의 의료면허를 국내 의료면허로 인정함에 있어서도 달라질 것은 아니다. 따라서 청구인과 같은 탈북의료인에게 국내 의료면허를 부여할 것인지 여부는 북한의 의학교육 실태와 탈북의료인의 의료수준, 탈북의료인의 자격증명방법 등을 고려하여 입법자가 그의 입법형성권의 범위 내에서 규율할 사항이지, 헌법조문이나 헌법해석에 의하여 바로 입법자에게 국내 의료면허를 부여할 입법의무가 발생한다고 볼 수는 없으므로, 이 사건 입법부작위의 위헌확인을 구하는 예비적 청구 부분은 부적법하다. (헌재 2006.11.30. 2006헌마679)

③ (✗) 별개의 법체계로 본다.

④ (✗)

> 1992.2.19. 발효된 '남북 사이의 화해와 불가침 및 교류협력에 관한 합의서'는 일종의 공동성명 또는 신사협정에 준하는 성격을 가짐에 불과하여 법률이 아님은 물론 국내법과 동일한 효력이 있는 조약이나 이에 준하는 것으로 볼 수 없다. (헌재 2000.7.20. 98헌바63)

⑤ (✗)

> [1] 이 사건 법률조항의 문언과 입법취지 등에 비추어 볼 때, 이 사건 법률조항의 마약거래는 향정신성의약품의 거래를 포함하는 것으로서 영리목적이나 상습성이 있는 거래에 국한되는 것이 아님을 알 수 있으므로, 이 사건 법률조항은 명확성원칙에 위배되지 않는다.
> [2] 마약거래범죄자라는 이유로 보호대상자로 결정되지 못한 북한이탈주민도 북한이탈주민의 보호 및 정착지원에 관한 법률에 따른 정착지원시설 보호, 거주지 보호, 학력 및 자격 인정, 국민연금 특례 등의 보호 및 지원을 받을 수 있고, 일정한 요건 아래 국민기초생활보장법에 따른 급여 등을 받을 수 있는 등으로 인간다운 생활을 위한 객관적인 최소한의 보장을 받고 있으므로, 이 사건 법률조항이 마약거래범죄자인 북한이탈주민의 인간다운 생활을 할 권리를 침해한다고 볼 수 없다. (헌재 2014.3.27. 2012헌바192)

정답 ②

기출지문 OX

❶ 남북한이 유엔(UN)에 동시 가입하였다고 하더라도, 이는 '유엔헌장'이라는 다변조약에의 가입을 의미하는 것으로서 유엔헌장 제4조 제1항의 해석상 신규가맹국이 유엔(UN)이라는 국제기구에 의하여 국가로 승인받는 효과가 발생하는 것은 별론으로 하고, 그것만으로 곧 다른 가맹국과의 관계에 있어서도 당연히 상호 간에 국가승인이 있었다고 볼 수 없다는 것이 현실 국제정치상의 관례이다. [12 변호사] (O / X)

해설 헌재 1997.1.16. 92헌바6 등 정답 O

❷ 「국가보안법」 제7조 제1항의 '국가의 존립·안전이나 자유민주적 기본질서를 위태롭게 한다는 정을 알면서'라는 구성요건은 그 소정의 행위가 국가의 존립·안전이나 자유민주적 기본질서에 해악을 끼칠 명백한 위험성이 있는 경우에만 적용되어야 한다. [12 변호사] (O / X)

해설 헌재 2002.4.25. 99헌바27 등 정답 O

❸ 「남북관계 발전에 관한 법률」에 따르면, 대통령은 정부와 북한당국 간에 문서의 형식으로 체결된 합의(남북합의서)를 비준하기에 앞서 국무회의의 심의를 거쳐야 하고, 국회는 국가나 국민에게 중대한 재정적 부담을 지우는 남북합의서 또는 입법사항에 관한 남북합의서의 체결·비준에 대한 동의권을 가진다. [12 변호사] (O / X)

해설
남북관계 발전에 관한 법률 제13조(남북관계발전기본계획의 수립)
① 정부는 남북관계발전에 관한 기본계획(이하 '기본계획'이라 한다)을 5년마다 수립하여야 한다.
② 기본계획은 통일부장관이 남북관계발전위원회의 심의 및 국무회의의 심의를 거쳐 이를 확정한다. 다만, 예산이 수반되는 기본계획은 국회의 동의를 얻어야 한다.
④ 통일부장관은 관계 중앙행정기관의 장과 협의를 거쳐 기본계획에 따른 연도별 시행계획을 수립하여야 한다.
⑤ 통일부장관은 기본계획 및 연도별 시행계획(이하 이 항에서 '기본계획 등'이라 한다)을 수립하거나 대통령령으로 정하는 기본계획 등의 주요 사항을 변경하는 경우 이를 다음 각 호의 구분에 따른 시기까지 국회에 보고하여야 한다.
  1. 기본계획 등의 수립: 정기국회 개회 전까지
  2. 기본계획 등의 주요 사항 변경: 변경 후 30일 이내

정답 O

050 16 국가7급, 14 국회8급

헌법의 인적 또는 장소적 적용범위에 대한 설명으로 옳지 않은 것만을 모두 고르면? (다툼이 있는 경우 판례에 의함)

ㄱ. 1954년 헌법은 영토의 변경을 가져올 국가안위에 관한 중대사항에 관하여 국회의 가결을 거친 후 국민투표로 결정하도록 규정하였다.

ㄴ. 대한민국의 영토는 한반도와 그 부속도서로 하며, 대한민국의 영해는 기선으로부터 측정하여 그 바깥쪽 12해리의 선까지에 이르는 수역으로 하되, 대통령령으로 정하는 바에 따라 일정 수역의 경우에는 12해리 이내에서 영해의 범위를 따로 정할 수 있다.

ㄷ. 북한주민은 「대일항쟁기 강제동원 피해조사 및 국외강제동원 희생자 등 지원에 관한 특별법」상 위로금 지급제외대상인 '대한민국 국적을 갖지 아니한 사람'에 해당한다.

ㄹ. 「북한이탈주민의 보호 및 정착지원에 관한 법률」에 따르면 북한을 벗어난 후 외국의 국적을 취득한 자는 '북한이탈주민'으로 보호된다.

① ㄱ, ㄴ
② ㄱ, ㄹ
③ ㄴ, ㄷ
④ ㄷ, ㄹ

해설

ㄱ. (O) 1954년 헌법은 국가안위에 관한 중대사항에 관하여 처음으로 국민투표를 규정하였다. 다만, 헌법개정에 관한 국민투표는 제5차 개정헌법에서 처음으로 규정하였다. [16 국가7급]

ㄴ. (O) 영해는 기선으로부터 측정하여 그 바깥쪽 12해리의 선까지이고 다시 거기서부터 12해리를 접속수역이라고 한다. 접속수역에서는 관세, 출입국관리, 위생에 관한 법규 위반행위를 단속한다. 영해기선으로부터 외측 200해리까지에 이르는 수역 중 영해를 제외한 수역을 경제적배타수역이라고 한다. 천연자원의 탐사, 인공섬의 설치 등이 가능하다. [16 국가7급]

ㄷ. (X) [16 국가7급]

> 우리 헌법이 대한민국의 영토는 한반도와 그 부속도서로 한다는 영토조항을 두고 있는 이상 대한민국 헌법은 북한지역을 포함한 한반도 전체에 효력이 미치므로 북한지역도 당연히 대한민국의 영토가 되고, 북한주민 역시 일반적으로 대한민국 국민에 포함되는 점, 대일항쟁기 강제동원 피해조사 및 국외강제동원 희생자 등 지원에 관한 특별법은 위로금 지원제외대상을 '대한민국 국적을 갖지 아니한 사람'으로 정하고 있을 뿐, 북한주민을 지원대상에서 제외하는 명시적인 규정을 두고 있지 않은 점, 일제에 의한 강제동원으로 피해를 입은 사람 등의 고통을 치유하고자 하는 위 법의 입법목적에 비추어 적용범위를 남북 분단과 6·25 등으로 의사와 무관하게 북한정권의 사실상 지배 아래 놓이게 된 군사분계선 이북지역의 주민 또는 그의 유족을 배제하는 방향으로 축소해석할 이유가 없는 점 등을 종합하면, 북한주민은 대일항쟁기 강제동원 피해조사 및 국외강제동원 희생자 등 지원에 관한 특별법상 위로금 지급제외대상인 '대한민국 국적을 갖지 아니한 사람'에 해당하지 않는다. (대판 2016.1.28. 2011두24675)

ㄹ. (X) [14 국회8급]

북한이탈주민의 보호 및 정착지원에 관한 법률 제2조(정의)
이 법에서 사용하는 용어의 뜻은 다음과 같다.
1. '북한이탈주민'이란 군사분계선 이북지역(이하 '북한'이라 한다)에 주소, 직계가족, 배우자, 직장 등을 두고 있는 사람으로서 북한을 벗어난 후 외국 국적을 취득하지 아니한 사람을 말한다.

정답 ④

제3절 대한민국헌법의 기본원리

 **핵심노트**

헌법전문	주요 내용
① 유구한 역사와 전통에 빛나는	문화국가원리
② 우리 대한국민은	헌법개정권자가 국민임을 명시
③ 3·1운동으로 건립된	• 3·1운동: 건국헌법에서부터 규정 • 3·1운동에서 기본권 도출은 불가
④ 대한민국임시정부의 법통과	임시정부: 현행헌법에서 규정, 독립유공자와 그 유가족에 대한 예우를 하여야 할 헌법적 의무 도출(헌법재판소)
⑤ 불의에 항거한 4·19민주이념을 계승하고,	• 4·19: 제5차 개정헌법에서 도입, 1980년 삭제, 현행헌법에서 부활 • 저항권의 헌법적 근거로 보는 학설이 있지만, 판례는 저항권을 부정 • 4·19와 5·16을 처음 규정한 것은 제5차 개정헌법이었지만, 불의에 항거한 4·19민주이념 계승을 규정한 것은 현행헌법
⑥ 조국의 민주개혁과	민주주의의 원리
⑦ 평화적 통일의 사명에 입각하여 정의·인도와 동포애로써	유신헌법에서 도입, 자유민주적 기본질서에서 입각한 평화적 통일(제4조)은 현행헌법에서 도입
⑧ 민족의 단결을 공고히 하고, 모든 사회적 폐습과 불의를 타파하며, 자율과 조화를 바탕으로	민족에 대한 전문 규정이 있다.
⑨ 자유민주적 기본질서를 더욱 확고히 하여	자유민주주의의 원리
⑩ 정치·경제·사회·문화의 모든 영역에 있어서	문화국가원리
⑪ 각인의 기회를 균등히 하고, 능력을 최고도로 발휘하게 하며	평등원리
⑫ 자유와 권리에 따르는 책임과 의무를 완수하게 하여,	권리만 규정하는 것이 아니라 책임과 의무에 대해서도 명시
⑬ 안으로는 국민생활의 균등한 향상을 기하고	사회국가원리
⑭ 밖으로는 항구적인 세계평화와 인류공영에 이바지함으로써	국제평화주의
⑮ 우리들과 우리들의 자손의 안전과 자유와 행복을 영원히 확보할 것을 다짐하면서 1948년 7월 12일에 제정되고 8차에 걸쳐 개정된 헌법을 이제 국회의 의결을 거쳐	안전과 자유, 행복에 대해 명시
⑯ 국민투표에 의하여 개정한다.	헌법개정의 주체가 국민이며 국민투표를 통한 개정임을 명시

주의
1. **헌법전문에 없는 것**
   민족문화의 창달, 개인의 자유와 창의의 존중, 경제민주화, 권력분립, 자유민주적 기본질서에 입각한 평화통일
2. **전문 최초 개정**
   제5차 개정헌법(4·19와 5·16을 처음으로 규정)
3. 헌법전문은 성문헌법의 필수적 구성요소가 아니다.

규범력 인정 여부

학설	부정설	법실증주의, 미연방대법원
	긍정설	결단주의, 통합주의, 독일연방헌법재판소, 우리나라
헌법재판소		헌법전문의 규범성을 인정

051

헌법전문에 관한 설명 중 옳은 것(○)과 옳지 않은 것(×)을 올바르게 조합한 것은? (다툼이 있는 경우 판례에 의함)

ㄱ. 태평양전쟁 전후 일제에 의한 강제동원으로 피해를 입은 자에 대한 위로금 지급에 있어 대한민국 국적을 갖고 있지 않은 유족을 위로금 지급대상에서 제외하는 것은 정의·인도와 동포애로써 민족의 단결을 공고히 할 것을 규정한 헌법전문에 비추어 헌법에 위반된다.

ㄴ. 헌법전문이 규정하는 대한민국임시정부의 법통 계승은 선언적·추상적 의미에 불과하므로, 우리 헌법이 제정되기 전에 발생한 일제강점기 피해자들의 훼손된 인간의 존엄과 가치를 회복시켜야 할 의무는 지금의 정부가 국민에 대하여 부담하는 근본적 보호의무에 속한다고 볼 수 없다.

ㄷ. 헌법전문에 기재된 3·1정신은 우리나라 헌법의 연혁적·이념적 기초로서 헌법이나 법률해석에서의 해석기준으로 작용할 수 있지만, 그에 기하여 곧바로 국민의 개별적 기본권성을 도출해낼 수는 없다.

ㄹ. 국가가 일제로부터 조국의 자주독립을 위하여 공헌한 독립유공자와 그 유족에 대하여는 응분의 예우를 하여야 할 헌법적 의무를 헌법전문으로부터 도출할 수 있다.

① ㄱ(○), ㄴ(○), ㄷ(○), ㄹ(×)
② ㄱ(○), ㄴ(×), ㄷ(×), ㄹ(×)
③ ㄱ(×), ㄴ(○), ㄷ(○), ㄹ(×)
④ ㄱ(×), ㄴ(×), ㄷ(○), ㄹ(○)
⑤ ㄱ(×), ㄴ(×), ㄷ(×), ㄹ(○)

해설

ㄱ. (×)

> 대한민국 국적을 가지지 아니한 사람을 위로금 지급대상에서 제외한 '대일항쟁기 강제동원 피해조사 및 국외강제동원 희생자 등 지원에 관한 특별법'은 평등원칙에 위배되지 않는다. (헌재 2015.12.23. 2011헌바139)

ㄴ. (×)

> 청구인들이 일본국에 대하여 가지는 원폭피해자로서의 배상청구권이 '대한민국과 일본국 간의 재산 및 청구권에 관한 문제의 해결과 경제협력에 관한 협정' 제2조 제1항에 의하여 소멸되었는지 여부에 관한 한·일 양국 간 해석상 분쟁을 위 협정 제3조가 정한 절차에 따라 해결하지 아니하고 있는 피청구인의 부작위는 헌법에 위반된다. (헌재 2011.8.30. 2008헌마648)
> 우리 정부가 직접 원폭피해자들의 기본권을 침해하는 행위를 한 것은 아니지만, 일본에 대한 배상청구권의 실현 및 인간으로서의 존엄과 가치의 회복에 대한 장애상태가 초래된 것은 우리 정부가 청구권의 내용을 명확히 하지 않고 '모든 청구권'이라는 포괄적인 개념을 사용하여 이 사건 협정을 체결한 것에도 책임이 있다는 점에 주목한다면, 그 장애상태를 제거하는 행위로 나아가야 할 구체적 의무가 있음을 부인하기 어렵다.

ㄷ. (○) ㄹ. (○) 헌법전문에서 국가의 의무는 도출되지만, 기본권은 도출되지 않는다.

정답 ④

052 회독 ☐☐☐ 재구성   21 서울·지방7급, 18 입시

헌법전문에 대한 설명으로 옳지 않은 것은? (다툼이 있는 경우 판례에 의함)

① 헌법전문에서 '3·1운동으로 건립된 대한민국임시정부의 법통을 계승'한다고 선언하고 있는바, 국가는 일제로부터 조국의 자주독립을 위하여 공헌한 독립유공자와 그 유족에 대하여는 응분의 예우를 하여야 할 헌법적 의무를 지니며, 이러한 헌법적 의무는 당사자가 주장하는 특정인을 독립유공자로 인정해야 한다는 것을 뜻한다.

② 헌법전문에서 '대한민국은 3·1운동으로 건립된 대한민국임시정부의 법통을 계승하(였다)'라고 규정되어 있지만, 특정 토지에 대한 보상이라는 작위의무가 헌법에서 유래하는 작위의무로 특별히 구체적으로 규정되어 있다거나 해석상 도출된다고 볼 수 없다.

③ 일본군 위안부로 강제동원되어 장기간 비극적인 삶을 산 피해자들의 훼손된 인간존엄과 가치를 회복시켜야 할 의무는 대한민국임시정부의 법통을 계승한 지금 정부의 보호의무에 속한다.

④ 우리 헌법이 제정되기 전의 일이라도 일제강점기에 징병과 징용으로 일제에 의해 강제이주당하여 원폭피해를 당한 상태에서 장기간 방치됨으로써 심각하게 훼손된 피해자들의 인간으로서의 존엄과 가치를 회복시켜야 할 의무는 대한민국임시정부의 법통을 계승한 지금의 정부가 국민에 대하여 부담한다.

해설

① (X) 특정인을 독립유공자로 인정하여야 하는 것은 아니다. [21 서울·지방7급]
② (O) [21 서울·지방7급]
③ (O) [18 입시]
④ (O) [18 입시]

> 우리 정부가 직접 원폭피해자들의 기본권을 침해하는 행위를 한 것은 아니지만, 일본에 대한 배상청구권의 실현 및 인간으로서의 존엄과 가치의 회복에 대한 장애상태가 초래된 것은 우리 정부가 청구권의 내용을 명확히 하지 않고 '모든 청구권'이라는 포괄적인 개념을 사용하여 이 사건 협정을 체결한 것에도 책임이 있다는 점에 주목한다면, 그 장애상태를 제거하는 행위로 나아가야 할 구체적 의무가 있음을 부인하기 어렵다. 불법적인 강제징용 및 징병에 이어 피폭을 당한 후 방치되어 몸과 마음이 극도로 피폐해진 채 비참한 삶을 영위하게 된 한국인 원폭피해자들이 일본에 대하여 가지는 배상청구권은 헌법상 보장되는 재산권일 뿐만 아니라, 그 배상청구권의 실현은 무자비하고 불법적인 일본의 침략전쟁 수행과정에서 도구화되고 피폭 후에도 인간 이하의 극심한 차별을 받음으로써 침해된 인간으로서의 존엄과 가치를 사후적으로 회복한다는 의미를 가지는 것이므로, 침해되는 기본권이 매우 중대하다. 또한 원폭피해자는 모두 고령으로서, 더 이상 시간을 지체할 경우 원폭피해자의 배상청구권을 실현함으로써 역사적 정의를 바로 세우고 침해된 인간의 존엄과 가치를 회복하는 것은 영원히 불가능해질 수 있으므로, 기본권 침해 구제의 절박성이 인정되고, 이 사건 협정의 체결 경위 및 그 전후의 상황, 일련의 국내외적인 움직임을 종합해 볼 때 구제가능성이 결코 작다고 할 수 없다. 국제정세에 대한 이해를 바탕으로 한 전략적 선택이 요구되는 외교행위의 특성을 고려한다고 하더라도, 피청구인이 부작위의 이유로 내세우는 '소모적인 법적 논쟁으로의 발전가능성'이나 '외교관계의 불편'이라는 매우 불분명하고 추상적인 사유를 들어, 기본권 침해의 중대한 위험에 직면한 청구인들에 대한 구제를 외면하는 타당한 사유라거나 진지하게 고려되어야 할 국익이라고 보기는 힘들다. 이상과 같은 점을 종합하면, 결국 이 사건 협정 제3조에 의한 분쟁해결 절차로 나아가는 것만이 국가기관의 기본권 기속성에 합당한 재량권 행사라고 할 것이고, 피청구인의 부작위로 인하여 청구인들에게 중대한 기본권의 침해를 초래하였다고 할 것이므로, 이는 헌법에 위반된다. (헌재 2011.8.30. 2008헌마648)

정답 ①

예상판례

일제강점기에 강제동원되어 기간 군수사업체인 일본제철 주식회사에서 강제노동에 종사한 甲 등이 위 회사가 해산된 후 새로이 설립된 신일철주금 주식회사를 상대로 위자료 지급을 구한 사안에서, 甲 등이 주장하는 손해배상청구권은 '대한민국과 일본국 간의 재산 및 청구권에 관한 문제의 해결과 경제협력에 관한 협정'의 적용대상에 포함되지 않는다. (대판 2018.10.30. 2013다61381 전원합의체)

[1] 조약은 전문·부속서를 포함하는 조약문의 문맥 및 조약의 대상과 목적에 비추어 조약의 문언에 부여되는 통상적인 의미에 따라 성실하게 해석되어야 한다. 여기서 문맥은 조약문(전문 및 부속서를 포함한다) 외에 조약의 체결과 관련하여 당사국 사이에 이루어진 조약에 관한 합의 등을 포함하며, 조약 문언의 의미가 모호하거나 애매한 경우 등에는 조약의 교섭 기록 및 체결시의 사정 등을 보충적으로 고려하여 의미를 밝혀야 한다.

[2] 청구권협정의 협상과정에서 일본 정부는 식민지배의 불법성을 인정하지 않은 채 강제동원 피해의 법적 배상을 원천적으로 부인하였고, 이에 따라 한일 양국의 정부는 일제의 한반도 지배의 성격에 관하여 합의에 이르지 못하였는데, 이러한 상황에서 강제동원 위자료청구권이 청구권협정의 적용대상에 포함되었다고 보기는 어려운 점 등에 비추어, 甲 등이 주장하는 신일철주금에 대한 손해배상청구권은 청구권협정의 적용대상에 포함되지 않는다.

053

헌법전문에 관한 다음 설명 중 가장 옳지 않은 것은? (다툼이 있는 경우 헌법재판소 결정에 의함)

① 헌법전문이란 헌법전의 일부를 구성하는 헌법서문을 말하지만, 성문헌법의 필수적 구성요소는 아니다.
② 현행헌법전문은 헌법의 기본이념과 기본원리를 선언하고 있다.
③ 현행헌법전문에 담겨있는 최고이념은 국민주권주의와 자유민주주의에 입각한 입헌민주헌법의 본질적 기본원리에 기초하고 있다.
④ 현행헌법은 전문에서 "3·1운동으로 건립된 대한민국임시정부의 법통을 계승한다."라고 선언하고 있으나, 이는 추상적 프로그램적 규정일 뿐이고 이로부터 국민의 구체적인 기본권이나 국가의 헌법적 의무가 도출되는 것은 아니다.

해설

① (O) 성문헌법국가 중에서 전문이 없는 나라도 있다. 헌법전문은 헌법전의 본문 앞에 위치하고 있는 서문으로서 헌법전의 일부를 구성하는 문장을 말한다. 헌법전문의 역사는 1215년 영국의 '대헌장'으로 거슬러 올라가지만, 성문헌법의 전문의 효시는 1787년 미연방헌법이다. 현재 대부분의 헌법은 전문을 두고 있으나 모두가 그런 것은 아니어서, 헌법전문은 성문헌법의 필수적 구성요소는 아니다.

② (O) ③ (O) 우리 헌법전문은 헌법의 역사와 기본원리 및 헌법개정권자 등을 밝히고 있다.

④ (X)

대한민국임시정부의 법통 계승 부분의 효력 (헌재 2005.6.30. 2004헌마859)
이는 대한민국이 일제에 항거한 독립운동가의 공헌과 희생을 바탕으로 이룩된 것임을 선언한 것이고, 그렇다면 국가는 일제로부터 조국의 자주독립을 위하여 공헌한 독립유공자와 그 유족에 대하여는 응분의 예우를 하여야 할 헌법적 의무를 지닌다.

정답 ④

054 18 5급행시

헌법전문의 내용으로 옳지 않은 것만을 모두 고른 것은?

> 유구한 역사와 전통에 빛나는 우리 ㉠ <u>대한민국</u>은 3·1운동으로 건립된 대한민국임시정부의 법통과 불의에 항거한 4·19민주이념을 계승하고, … (중략) …, 자유와 권리에 따르는 책임과 의무를 완수하게 하여, 안으로는 국민생활의 균등한 향상을 기하고 밖으로는 항구적인 세계평화와 인류공영에 이바지함으로써 우리들과 우리들의 자손의 안전과 자유와 행복을 영원히 확보할 것을 다짐하면서 ㉡ <u>1947년 7월 12일</u>에 제정되고 ㉢ <u>9차</u>에 걸쳐 개정된 헌법을 이제 국회의 의결을 거쳐 국민투표에 의하여 개정한다.   1987년 10월 29일

① ㉠, ㉡   ② ㉠, ㉢   ③ ㉡, ㉢   ④ ㉠, ㉡, ㉢

해설

㉠ (✗) 대한민국이 아니라 대한국민이다. 즉, 헌법개정권자가 국민임을 밝히고 있는 것이다.
㉡ (✗) 1947년이 아니라 1948년이다.
㉢ (✗) 9차가 아니라 8차다.

정답 ④

기출지문 OX

❶ 1972년 제7차 개정헌법의 전문에서는 3·1운동의 숭고한 독립정신과 4·19의거 및 5·16혁명의 이념을 계승한다고 규정하였다. 21 서울·지방7급   (○/✗)
해설 제7차 개정헌법의 내용이다. 한편, 4·19의거 및 5·16혁명이 헌법에 처음 도입된 것은 제5차 개정헌법이다.   **정답** ○

❷ 1972년 제7차 개정헌법의 전문에서는 3·1운동의 숭고한 독립정신과 4·19의거 및 5·16혁명의 이념을 계승한다고 규정하였으나, 1980년 제8차 개정헌법의 전문에서는 3·1운동의 숭고한 독립정신을 계승한다고 규정하였다. 17 변호사 (○/✗)
해설 3·1운동은 건국헌법에서부터 규정되었으나 4·19와 5·16이 헌법에 들어온 것은 제5차 개정헌법이 처음이고, 그 후 지문과 같은 과정을 거쳤다.   **정답** ○

❸ 1987년 헌법전문에서는 불의에 항거한 4·19민주이념을 계승하도록 처음으로 규정하였다. 16 국회8급   (○/✗)
해설 3·1운동은 건국헌법에서부터 있었다. 4·19와 5·16을 처음 규정한 것은 제5차 개정헌법이었지만, 불의에 항거한 4·19민주이념 계승을 규정한 것은 현행헌법이다. 헌법전문을 처음 개정한 것은 제5차 개정헌법이다.   **정답** ○

❹ 헌법제정 및 개정의 주체, 건국이념과 대한민국의 정통성, 자유민주주의적 기본질서의 확립, 평화통일과 국제평화주의의 지향은 물론 대한민국이 민주공화국이고 모든 권력이 국민으로부터 나온다는 사실도 헌법전문에 선언되어 있다. 18 국회8급 (○/✗)
해설 대한민국이 민주공화국이고 모든 권력이 국민으로부터 나온다는 사실은 헌법전문이 아니라 헌법 제1조에 규정되어 있다.   **정답** ✗

❺ 헌법전문은 법령의 해석기준이면서 입법의 지침일 뿐만 아니라, 구체적 소송에서 적용될 수 있는 재판규범으로서 위헌법률심사의 기준이 되는 헌법규범이기도 하다. 18 국회8급   (○/✗)
해설
> 우리 헌법의 전문과 본문 전체에 담겨 있는 최고이념은 국민주권주의와 자유민주주의에 입각한 입헌민주헌법의 본질적 기본원리에 기초하고 있다. 기타 헌법상의 여러 원칙도 여기에서 연유되는 것이므로 이는 <u>헌법전을 비롯한 모든 법령해석의 기준이 되고, 입법형성권 행사의 한계와 정책결정의 방향을 제시하며, 나아가 모든 국가기관과 국민이 존중하고 지켜가야 하는 최고의 가치규범이다.</u> 헌법을 개정하거나 폐지하고 다른 내용의 헌법을 모색하는 것은 주권자인 국민이 보유하는 가장 기본적인 권리로서, 가장 강력하게 보호되어야 할 권리 중의 권리에 해당한다. 무릇 집권세력의 정책과 도덕성, 혹은 정당성에 대하여 정치적인 반대의사를 표시하는 것은 헌법이 보장하는 정치적 자유의 가장 핵심적인 부분이기 때문이다. (헌재 2013.3.28. 2010헌바70)

정답 ○

055　16 법원직

1987.10.29. 개정된 현행 우리 헌법의 전문에서 명시적으로 언급하고 있지 않은 것은?

① 조국의 민주개혁
② 경제의 민주화
③ 세계평화와 인류공영
④ 국민생활의 균등한 향상

해설

② (✗) 경제의 민주화는 헌법전문이 아니라 헌법 제119조 제2항에 규정되어 있다.

정답 ②

056　15 서울7급

현행헌법전문에 규정된 내용이 아닌 것은?

① 국민생활의 균등한 향상
② 민족문화의 창달
③ 세계평화와 인류공영
④ 조국의 민주개혁

해설

② (✗) 헌법전문에는 문화국가의 원리에 대해서는 규정이 있지만, 민족문화의 창달노력은 헌법 제9조와 제69조에 규정되어 있다.

> 📘 **헌법전문에 없는 내용**
> - 민족문화의 창달
> - 개인의 자유와 창의의 존중
> - 권력분립
> - 경제의 민주화
> - 자유민주적 기본질서에 입각한 평화적 통일(제4조) – 현행헌법에서 처음 규정

정답 ②

057　14 법원직

헌법전문의 내용으로 볼 수 없는 것은?

① 조국의 민주개혁과 평화적 통일의 사명
② 권력분립
③ 자유와 권리에 따르는 책임과 의무
④ 자유민주적 기본질서

해설

② (✗) 권력분립은 헌법전문에 없는 내용이다.

정답 ②

058 회독 ☐☐☐
13 서울7급

현행헌법전문에 규정된 사항은?

① 전통문화의 계승·발전
② 자유민주적 기본질서에 입각한 평화통일
③ 복수정당제의 보장
④ 5·16혁명이념 계승
⑤ 대한민국임시정부의 법통 계승

> **해설**

① (✕) 문화국가원리는 헌법전문에 있지만, 전통문화에 대해서는 헌법 제9조와 제69조에 규정되어 있다.

> **헌법 제9조**
> 국가는 전통문화의 계승·발전과 민족문화의 창달에 노력하여야 한다.
>
> **제69조**
> 대통령은 취임에 즈음하여 다음의 선서를 한다. "나는 헌법을 준수하고 국가를 보위하며 조국의 평화적 통일과 국민의 자유와 복리의 증진 및 민족문화의 창달에 노력하여 대통령으로서의 직책을 성실히 수행할 것을 국민 앞에 엄숙히 선서합니다."

② (✕) 평화통일의 내용은 헌법전문에 나오지만, 자유민주적 기본질서에 입각한 평화통일은 제4조에 규정되어 있다.

> **헌법 제4조**
> 대한민국은 통일을 지향하며, 자유민주적 기본질서에 입각한 평화적 통일정책을 수립하고 이를 추진한다.

③ (✕)

> **헌법 제8조**
> ① 정당의 설립은 자유이며, 복수정당제는 보장된다.
> ② 정당은 그 목적·조직과 활동이 민주적이어야 하며, 국민의 정치적 의사형성에 참여하는 데 필요한 조직을 가져야 한다.
> ③ 정당은 법률이 정하는 바에 의하여 국가의 보호를 받으며, 국가는 법률이 정하는 바에 의하여 정당운영에 필요한 자금을 보조할 수 있다.
> ④ 정당의 목적이나 활동이 민주적 기본질서에 위배될 때에는 정부는 헌법재판소에 그 해산을 제소할 수 있고, 정당은 헌법재판소의 심판에 의하여 해산된다.

④ (✕) 제5차 개정헌법전문에 5·16혁명이념과 4·19를 명시하였고, 제8차 개정헌법에서 5·16은 삭제되었다.
⑤ (○)

정답 ⑤

059 회독 ☐☐☐
10 법원직

다음은 우리 헌법이 채택하고 있는 제도이다. 국민주권의 원리를 실현하고자 하는 것으로서 상대적으로 가장 거리가 먼 것은?

① 정당제도
② 국민투표제도
③ 권력분립제도
④ 선거제도

> **해설**

③ (✕) 권력분립제도는 국가권력을 분산하여 국민의 기본권을 보호하기 위한 것이다. 따라서 권력분립원리(의회를 필수적 전제로 한다)는 민주주의를 전제로 하지 않는다는 점을 주의하여야 한다. 몽테스키외가 권력분립을 주장하였을 때, 군주제를 전제로 한 것이었다는 점을 생각하면, 국민주권주의보다는 법치국가적 원리를 실현하고자 하는 성격이 더 강함을 알 수 있다. 권력분립의 사상적 배경은 민주주의가 아니라 자유주의이다.

정답 ③

060

인민(peuple)주권과 국민(nation)주권의 특성을 열거한 것 중 올바르게 된 것은?

ㄱ. 몽테스키외
ㄴ. 루소
ㄷ. 이상적인 민주주의
ㄹ. 순수대표제
ㅁ. 하나의 통일체로서의 전체 국민
ㅂ. 대의제
ㅅ. 직접민주제
ㅇ. 자유위임
ㅈ. 기속위임
ㅊ. 보통선거제
ㅋ. 제한선거제
ㅌ. 필수적 권력분립제도
ㅍ. 임의적 권력분립제도

① 인민주권 - ㄱ, ㄷ, ㅅ, ㅈ, ㅋ
② 국민주권 - ㄱ, ㄹ, ㅁ, ㅂ, ㅊ
③ 인민주권 - ㄴ, ㄷ, ㅅ, ㅈ, ㅊ, ㅍ
④ 국민주권 - ㄴ, ㄹ, ㅁ, ㅂ, ㅇ, ㅋ, ㅍ

해설

- 인민주권은 루소의 직접민주주의와 관련되는 것으로 이상적인 민주주의로 평가되며, 보통선거원칙, 대표의 기속위임을 주장하게 되고 권력분립과 친하기 어려운 개념이다. 따라서 필수적 권력분립은 인민주권에서는 인정될 수 없다. 그러나 임의적 권력분립까지 부정하는 것은 아니다. 임의적 권력분립은 치자와 피치자의 자동성원리와 관계된 것으로 권력통합과 관련된 개념이기 때문이다.
- 국민주권은 간접민주주의와 연결되며 그 결과 대의제를 주장하게 되고 자유위임(무기속위임)과 관련된다. 형식적 국민주권에 의하여 제한선거를 인정하고 권력분립을 강조한다.

구분	nation주권	peuple주권
주권의 주체	• 국민 ┌ 주권의 보유자 ○ └ 주권의 행사자 × → 제한선거 → 대의제 → 자유위임(무기속위임) → 필수적 권력분립 • 주권보유자는 이념적·관념적·추상적 존재인 nation(국민) • 불가분적 주권	• 국민 ┌ 주권의 보유자 ○ └ 주권의 행사자 ○ → 보통선거 → 직접민주주의 → 기속위임 → 임의적 권력분립 • 사회계약의 참가자 총체(유권자 총체)인 구체적인 개인의 집단인 peuple(인민) • 가분적 주권
의사주체성	스스로의 의사를 표명할 수 없는 추상적·비실재적 존재로 본다.	peuple은 의사주체가 될 수 있는 개인(시민)의 집합체, 고유한 의사능력을 가진다.
국민주권의 실현방법	• 대의제 • nation이 대표자를 통제할 수 없기 때문에 무기속위임(자유위임) • 주권의 주체와 행사자 분리	• 직접민주제 • 예외적으로 대표제를 택하더라도 기속위임 • 주권의 주체와 행사자 일치
권력분립제	채택	채택하기 어렵다(권력집중제 - 회의제 정부형태로 발전).
대표적 주장자	시이예스, 몽테스키외, 로크	루소
헌법제정권력	제헌의회	국민
선거권의 성격	• 선거권을 공의무로 파악하기 때문에 공의무를 부담할 수 있는 사람에게만 선거권 부여 • 제한·차등선거제와 강제투표제도 무방	• 선거권은 공의무가 아니라 권리 • 보통·평등선거제 채택 • 자유선거와 임의투표제

정답 ③

기출지문 OX

국민은 사회의 구성원을 의미하는 것으로서 인민(people)과 동일한 개념이다. (O/X)

해설 국민이란 국가의 구성원을 말하며, 법적 개념이다. 국가의 구성원이 아닌 사회의 구성원인 인민과 구별하는 것이 일반적인 견해이다.

정답 X

061 NEW

문화국가의 원리에 대한 설명으로 옳지 않은 것은?

① 우리나라는 건국헌법 이래 문화국가의 원리를 헌법의 기본원리로 채택하고 있다.
② 헌법은 제9조에서 "문화의 영역에 있어서 각인의 기회를 균등히" 할 것을 선언하고 있을 뿐 아니라, 국가에게 전통문화의 계승 발전과 민족문화의 창달을 위하여 노력할 의무를 지우고 있다.
③ 헌법 제9조의 규정취지와 민족문화유산의 본질에 비추어 볼 때, 국가가 민족문화유산을 보호하고자 하는 경우 이에 관한 헌법적 보호법익은 '민족문화유산의 존속' 그 자체를 보장하는 것이고, 원칙적으로 민족문화유산의 훼손 등에 관한 가치보상이 있는지 여부는 이러한 헌법적 보호법익과 직접적인 관련이 없다.
④ 국가는 학교교육에 관한 한, 교육제도의 형성에 관한 폭넓은 권한을 가지고 있지만, 학교교육 밖의 사적인 교육영역에서는 원칙적으로 부모의 자녀교육권이 우위를 차지하고, 국가 또한 헌법이 지향하는 문화국가이념에 비추어, 학교교육과 같은 제도교육 외에 사적인 교육의 영역에서도 사인의 교육을 지원하고 장려해야 할 의무가 있으므로 사적인 교육영역에 대한 국가의 규율권한에는 한계가 있다.

해설

① (O)
② (X) 문화의 영역에 있어서 각인의 기회의 균등은 헌법 제9조가 아니라 헌법전문에 규정되어 있다. 전통문화의 계승 발전과 민족문화의 창달은 헌법 제9조의 내용이다.
③ (O) 가치보장은 문화재를 훼손하더라도 가치만 보상하면 된다는 것이므로 문화유산의 보호는 가치보장이 아니라 존속보장에 초점이 있는 것이다.
④ (O) 자녀의 양육과 교육은 일차적으로 부모의 천부적인 권리인 동시에 부모에게 부과된 의무이기도 하다. '부모의 자녀에 대한 교육권'은 비록 헌법에 명문으로 규정되어 있지는 아니하지만, 이는 모든 인간이 누리는 불가침의 인권으로서 혼인과 가족생활을 보장하는 헌법 제36조 제1항, 행복추구권을 보장하는 헌법 제10조 및 "국민의 자유와 권리는 헌법에 열거되지 아니한 이유로 경시되지 아니한다."고 규정하는 헌법 제37조 제1항에서 나오는 중요한 기본권이다. 부모는 자녀의 교육에 관하여 전반적인 계획을 세우고 자신의 인생관·사회관·교육관에 따라 자녀의 교육을 자유롭게 형성할 권리를 가지며, 부모의 교육권은 다른 교육의 주체와의 관계에서 원칙적인 우위를 가진다. 자녀의 양육과 교육에 있어서 부모의 교육권은 교육의 모든 영역에서 존중되어야 하며, 다만 학교 교육에 관한 한, 국가는 헌법 제31조에 의하여 부모의 교육권으로부터 원칙적으로 독립된 독자적인 교육권한을 부여받음으로써 부모의 교육권과 함께 자녀의 교육을 담당하지만, 학교 밖의 교육영역에서는 원칙적으로 부모의 교육권이 우위를 차지한다.

정답 ②

062

문화국가원리에 대한 설명으로 가장 적절하지 않은 것은? (다툼이 있는 경우 헌법재판소 판례에 의함)

① 우리나라는 건국헌법 이래 문화국가의 원리를 헌법의 기본원리로 채택하고 있다.
② 헌법은 문화국가를 실현하기 위하여 보장되어야 할 정신적 기본권으로 양심과 사상의 자유, 종교의 자유, 언론·출판의 자유, 학문과 예술의 자유 등을 규정하고 있는바, 이들 기본권은 문화국가원리의 불가결의 조건이다.
③ 국가의 문화육성의 대상에는 원칙적으로 모든 사람에게 문화창조의 기회를 부여한다는 의미에서 엘리트문화뿐만 아니라 서민문화, 대중문화도 포함하여야 한다.
④ 문화는 사회의 자율영역을 바탕으로 하지만, 이를 근거로 혼인과 가족의 보호가 헌법이 지향하는 자유민주적 문화국가의 필수적인 전제조건이라 하기는 어렵다.

해설

① (O)
② (O) 헌재 2004.5.27. 2003헌가1 등
③ (O)

> 오늘날 문화국가에서의 문화정책은 그 초점이 문화 그 자체에 있는 것이 아니라 문화가 생겨날 수 있는 문화풍토를 조성하는 데 두어야 한다. 문화국가원리의 이러한 특성은 문화의 개방성 내지 다원성의 표지와 연결되는데, 국가의 문화육성의 대상에는 원칙적으로 모든 사람에게 문화창조의 기회를 부여한다는 의미에서 모든 문화가 포함된다. 따라서 엘리트문화뿐만 아니라 서민문화, 대중문화도 그 가치를 인정하고 정책적인 배려의 대상으로 하여야 한다. (헌재 2004.5.27. 2003헌가1 등)

④ (X)

> 혼인과 가족의 보호는 헌법이 지향하는 자유민주적 문화국가의 필수적인 전제조건이다. 개별성·고유성·다양성으로 표현되는 문화는 사회의 자율영역을 바탕으로 하고, 사회의 자율영역은 무엇보다도 바로 가정으로부터 출발하기 때문이다. 헌법은 가족제도를 특별히 보장함으로써, 양심의 자유, 종교의 자유, 언론의 자유, 학문과 예술의 자유와 같이 문화국가의 성립을 위하여 불가결한 기본권의 보장과 함께, 견해와 사상의 다양성을 그 본질로 하는 문화국가를 실현하기 위한 필수적인 조건을 규정한 것이다. 따라서 헌법은 제36조 제1항에서 혼인과 가정생활을 보장함으로써 가족의 자율영역이 국가의 간섭에 의하여 획일화·평준화되고 이념화되는 것으로부터 보호하고자 하는 것이다. (헌재 2000.4.27. 98헌가16 등)

정답 ④

> **기출지문 OX**

❶ 국민주권주의는 국가권력의 민주적 정당성을 요구하는 것이므로, 국민 전체가 직접 국가기관으로서 통치권을 행사하여야 한다는 것을 의미한다. `23 5급행시` (O / X)

> [해설] 국민주권주의를 구현하기 위하여 헌법은 국가의 의사결정방식으로 대의제를 채택하고, 이를 가능하게 하는 선거제도를 규정함과 아울러 선거권, 피선거권을 기본권으로 보장하며, 대의제를 보완하기 위한 방법으로 직접민주제 방식의 하나인 국민투표제도를 두고 있다. 이러한 국민주권주의는 국가권력의 민주적 정당성을 의미하는 것이기는 하나, 그렇다고 하여 국민 전체가 직접 국가기관으로서 통치권을 행사하여야 한다는 것은 아니므로 주권의 소재와 통치권의 담당자가 언제나 같을 것을 요구하는 것이 아니고, 예외적으로 국민이 주권을 직접 행사하는 경우 이외에는 국민의 의사에 따라 통치권의 담당자가 정해짐으로써 국가권력의 행사도 궁극적으로 국민의 의사에 의하여 정당화될 것을 요구하는 것이다. (헌재 2009.3.26. 2007헌마843)

정답 X

❷ 공동체 구성원들 사이에 관습화된 문화요소라 하더라도 종교적인 의식, 행사에서 유래된 경우에까지 국가가 지원하는 것은 문화국가원리와 정교분리원칙에 위반된다. `17 국가7급` (O / X)

[해설] 관습화된 문화요소에 대한 지원은 종교의 문제라기보다는 문화의 문제이므로 문화국가원리와 정교분리원칙에 위반되지 않는다.

정답 X

063 헌법상 기본원리에 대한 설명으로 옳은 것만을 모두 고르면? (다툼이 있는 경우 판례에 의함)

ㄱ. 국회·대통령과 같은 정치적 권력기관은 헌법규정에 따라 국민으로부터 직선되나, 지방자치기관은 지방자치제의 권력분립적 속성상 중앙정치기관의 구성과는 다소 상이한 방법으로 국민주권·민주주의원리가 구현될 수 있다.

ㄴ. 체계정당성의 원리는 국가권력에 대한 통제와 이를 통한 국민의 자유와 권리의 보장을 이념으로 하는 법치주의원리로부터 도출되는데, 이러한 체계정당성 위반은 비례의 원칙이나 평등의 원칙 등 일정한 헌법의 규정이나 원칙을 위반하여야만 비로소 위헌이 된다.

ㄷ. 자기책임의 원리는 인간의 자유와 유책성, 그리고 인간의 존엄성을 진지하게 반영한 원리로서 헌법 제10조의 취지로부터 도출되는 것이지, 법치주의에 내재하는 원리는 아니다.

ㄹ. 정당이 자유민주적 기본질서를 부정하고 이를 적극적으로 제거하려는 경우 중앙선거관리위원회는 그 정당의 등록을 취소할 수 있다.

① ㄱ, ㄴ
② ㄱ, ㄹ
③ ㄴ, ㄷ
④ ㄷ, ㄹ

해설

ㄱ. (O)
> 헌법상 권력분립의 원리는 지방의회와 지방자치단체의 장 사이에서도 상호견제와 균형의 원리로서 실현되고 있다. 다만 지방자치단체의 장과 지방의회는 정치적 권력기관이긴 하지만 지방자치제도가 본질적으로 훼손되지 않는다면, 중앙·지방 간 권력의 수직적 분배라고 하는 지방자치제의 권력분립적 속성상 중앙정부와 국회 사이의 구성 및 관여와는 다른 방법으로 국민주권·민주주의원리가 구현될 수 있다. 따라서 지방의회와 지방자치단체의 장 사이에서의 권력분립제도에 따른 상호견제와 균형은 현재 우리 사회 내 지방자치의 수준과 특성을 감안하여 국민주권·민주주의원리가 최대한 구현될 수 있도록 하는 효율적이고도 발전적인 방식이 되어야 한다. (헌재 2014.1.28. 2012헌바216)

ㄴ. (O) 체계정당성의 원리는 헌법적 원리이지만 체계정당성 위반만으로는 위헌이 아니고 비례원칙 등의 다른 원칙에 위배되어야 위헌이 된다.

ㄷ. (X)
> 자기책임원리는 인간의 자유와 유책성, 그리고 인간의 존엄성을 진지하게 반영한 원리로서 법치주의에 당연히 내재하는 원리이다. (헌재 2010.6.24. 2007헌바101 등)

ㄹ. (X)
> **정당의 보호** (헌재 1999.12.23. 99헌마135)
> 자유민주적 기본질서를 부정하고 이를 적극적으로 제거하려는 조직도 국민의 정치적 의사형성에 참여하는 한 '정당의 자유'의 보호를 받는 정당에 해당하며, 오로지 헌법재판소가 그의 위헌성을 확인한 경우에만 정당은 정치생활의 영역으로부터 축출될 수 있다는 의미를 가진다.

정답 ①

064 [21·20 국가7급]

헌법상 기본원리에 대한 설명으로 옳은 것만을 모두 고르면? (다툼이 있는 경우 판례에 의함)

ㄱ. '책임 없는 자에게 형벌을 부과할 수 없다'는 형벌에 관한 책임주의는 형사법의 기본원리로서, 헌법상 법치국가의 원리에 내재하는 원리인 동시에, 헌법 제10조의 취지로부터 도출되는 원리이고, 법인의 경우도 자연인과 마찬가지로 책임주의원칙이 적용된다.

ㄴ. 헌법 제119조 제1항은 헌법상 경제질서에 관한 일반조항으로서 국가의 경제정책에 대한 하나의 헌법적 지침이고, 동 조항이 언급하는 경제적 자유와 창의는 직업의 자유, 재산권의 보장, 근로3권과 같은 경제에 관한 기본권 및 비례의 원칙과 같은 법치국가원리에 의하여 비로소 헌법적으로 구체화된다.

ㄷ. 사회환경이나 경제여건의 변화에 따른 필요성에 의하여 법률이 신축적으로 변할 수 있고, 변경된 새로운 법질서와 기존의 법질서 사이에 이해관계의 상충이 불가피하더라도 국민이 가지는 모든 기대 내지 신뢰는 헌법상 권리로서 보호되어야 한다.

ㄹ. 우리 헌법상 문화국가원리는 견해와 사상의 다양성을 그 본질로 하지만, 이를 실현하는 국가의 문화정책이 국가가 어떤 문화현상에 대하여도 이를 선호하거나 우대하는 경향을 보이지 않는 불편부당의 원칙을 따라야 하는 것은 아니다.

① ㄱ, ㄴ
② ㄱ, ㄷ
③ ㄱ, ㄴ, ㄹ
④ ㄴ, ㄷ, ㄹ

해설

ㄱ. (O) 자기책임원칙의 내용이다. [20 국가7급]
ㄴ. (O) 헌법 제119조 제1항의 성격이다. [20 국가7급]
ㄷ. (X) 모든 신뢰가 보호되는 것이 아니라 공익과 이익형량을 하여 결정된다. [20 국가7급]
ㄹ. (X) 불편부당의 원칙을 따라야 한다. [21 국가7급]

정답 ①

065

헌법의 기본원리에 대한 설명으로 옳지 않은 것은? (다툼이 있는 경우 판례에 의함)

① 규범 상호 간의 구조와 내용 등이 모순됨이 없이 체계와 균형을 유지하도록 입법자를 기속하는 체계정당성의 원리는 입법자의 자의를 금지하여 규범의 명확성, 예측가능성 및 규범에 대한 신뢰와 법적 안정성을 확보하기 위한 것으로 법치주의원리로부터 도출되는 것이다.

② 신뢰보호원칙은 법률이나 그 하위법규뿐만 아니라 국가관리의 입시제도와 같이 국·공립대학의 입시전형을 구속하여 국민의 권리에 직접 영향을 미치는 제도운영지침의 개폐에도 적용된다.

③ 원칙적으로 모든 국민이 균등하게 선거에 참여할 것을 요청하는 보통·평등선거원칙은 국민의 자기지배를 의미하는 국민주권의 원리에 입각한 민주국가를 실현하기 위한 필수적 요건이다.

④ 헌법 제119조 제2항에 규정된 '경제주체 간의 조화를 통한 경제민주화' 이념은 경제영역에서 정의로운 사회질서를 형성하기 위하여 추구할 수 있는 국가목표일 뿐 개인의 기본권을 제한하는 국가행위를 정당화하는 헌법규범은 아니다.

해설

① (O) 체계정당성의 개념이다. 다만, 체계정당성을 위반했다고 곧바로 위헌이 되는 것은 아니다. [19 지방7급]

② (O) [19 지방7급]

③ (O) 헌재 1995.5.27. 98헌마214 [23 5급행시]

④ (X) [19 지방7급]

> 헌법 제119조 제2항에 규정된 '경제주체 간의 조화를 통한 경제민주화'의 이념은 경제영역에서 정의로운 사회질서를 형성하기 위하여 추구할 수 있는 국가목표로서 개인의 기본권을 제한하는 국가행위를 정당화하는 헌법규범이다. (헌재 2004.10.28. 99헌바91)

정답 ④

기출지문 OX

체계정당성의 원리는 규범 상호 간의 구조와 내용 등이 모순됨이 없이 체계와 균형을 유지하여야 한다는 헌법적 원리이지만 곧바로 입법자를 기속하는 것이라고는 볼 수 없다. 21 국가7급 (O / X)

해설

> '체계정당성'(Systemgerechtigkeit)의 원리라는 것은 동일 규범 내에서 또는 상이한 규범 간에 (수평적 관계이건 수직적 관계이건) 그 규범의 구조나 내용 또는 규범의 근거가 되는 원칙면에서 상호배치되거나 모순되어서는 안 된다는 하나의 헌법적 요청(Verfassung-spostulat)이다. 즉, 이는 규범 상호 간의 구조와 내용 등이 모순됨이 없이 체계와 균형을 유지하도록 입법자를 기속하는 헌법적 원리라고 볼 수 있다. 이처럼 규범 상호 간의 체계정당성을 요구하는 이유는 입법자의 자의를 금지하여 규범의 명확성, 예측가능성 및 규범에 대한 신뢰와 법적 안정성을 확보하기 위한 것이고 이는 국가공권력에 대한 통제와 이를 통한 국민의 자유와 권리의 보장을 이념으로 하는 법치주의원리로부터 도출되는 것이라고 할 수 있다. 그러나 일반적으로 일정한 공권력작용이 체계정당성에 위반한다고 해서 곧 위헌이 되는 것은 아니다. (헌재 2004.11.25. 2002헌바66)

정답 X

066

헌법의 기본원리에 대한 설명으로 옳은 것은? (다툼이 있는 경우 판례에 의함)

① 사회보장수급권은 법률상의 권리로서 헌법의 기본권으로 인정될 수는 없고, 입법자의 재량에 의해서 사회·경제적 여건 등을 종합하여 합리적인 수준에서 결정된다.
② 국제연합(UN)의 '인권에 관한 세계선언' 각 조항이 바로 보편적인 법적 구속력을 가지거나 국제법적 효력을 갖는 것으로 볼 것은 아니다.
③ 헌법재판소는 행정소송의 피고나 그 보조참가인인 행정청이 「헌법재판소법」 제68조 제2항의 헌법소원심판을 청구할 수 있는지 여부에 관하여 행정처분의 주체인 행정청은 헌법소원을 제기할 수 없다고 판시하였다.
④ 형벌불소급의 원칙은 행위의 가벌성에 관한 것이 아니고, 형사소추가 얼마 동안 가능한가의 문제에 관한 것이다.

해설

① (✗) 사회보장수급권의 성격에 대하여 기본권으로 인정된다는 판례와 법률에 의한 구체화가 필요하다는 판례가 상반된다. [17 국회8급]
② (○) 국제연합 인권규약은 국내법적 효력이 인정되지만, 세계인권선언은 국내법적 효력이 인정되지 않는다. [23 5급행시]
③ (✗) [16 서울7급]

> 행정청은 행정소송에서 피고가 되므로 소송의 당사자로서 제68조 제2항의 헌법소원심판을 청구할 수 있다. (헌재 2008.4.24. 2004헌바44)
> 헌법재판소법 제68조 제2항에 의한 헌법소원심판은 구체적 규범통제의 헌법소원으로서 기본권의 침해가 있을 것을 그 요건으로 하고 있지 않을 뿐만 아니라 행정처분에 대한 소송절차에서는 그 근거법률의 헌법 적합성까지도 심판대상으로 되는 것이므로, 행정처분의 주체인 행정청도 헌법의 최고규범력에 따른 구체적 규범통제를 위하여 근거법률의 위헌 여부에 대한 심판의 제청을 신청할 수 있고, 헌법재판소법 제68조 제2항의 헌법소원을 제기할 수 있다.

④ (✗) [18 서울7급]

> 공소시효를 사후적으로 연장하는 것은 형벌불소급의 원칙에 위배되지 않는다. (헌재 1996.2.16. 96헌가2 등【합헌】)
> 우리 헌법이 규정한 형벌불소급의 원칙은 형사소추가 '언제부터 어떠한 조건하에서' 가능한가의 문제에 관한 것이고, '얼마 동안' 가능한가의 문제에 관한 것은 아니다. 다시 말하면 헌법의 규정은 '행위의 가벌성'에 관한 것이기 때문에 소추가능성에만 연관될 뿐, 가벌성에는 영향을 미치지 않는 공소시효에 관한 규정은 원칙적으로 그 효력범위에 포함되지 않는다. 행위의 가벌성은 행위에 대한 소추가능성의 전제조건이지만 소추가능성은 가벌성의 조건이 아니므로 공소시효의 정지규정을 과거에 이미 행한 범죄에 대하여 적용하도록 하는 법률이라 하더라도 그 사유만으로 헌법 제12조 제1항 및 제13조 제1항에 규정한 죄형법정주의의 파생원칙인 형벌불소급의 원칙에 언제나 위배되는 것으로 단정할 수는 없다.

정답 ②

067

헌법상 기본원리에 대한 설명으로 옳지 않은 것만을 모두 고르면? (다툼이 있는 경우 판례에 의함)

ㄱ. 자유시장경제질서를 기본으로 하면서도 사회국가원리를 수용하고 있는 우리 헌법의 이념에 비추어 볼 때, 일반불법행위책임에 관하여 과실책임의 원리를 기본원칙으로 하면서도 일정한 영역의 특수한 불법행위책임에 관하여 위험책임의 원리를 수용하는 것은 헌법에 의해 직접적으로 부과되는 명령이므로, 입법자의 재량에 속한다고 볼 수 없다.

ㄴ. 사회국가는 사회적 문제를 해결하는 데에 있어서 개인과 사회의 자율을 우선하며, 이러한 개인과 사회의 노력이 기능하지 않을 때에만 국가는 부차적으로 도움을 제공하고 배려하며 조정한다는 기본적 사고를 바탕으로 하고 있으므로, 사회국가의 실현은 보충성의 원리에 의하여 제한된다.

ㄷ. 보호관찰이나 사회봉사 또는 수강명령의 준수사항이나 명령을 위반하고 그 정도가 무거운 때 집행유예가 취소되어 본형이 부활되는 것은 동일한 사건에 대한 심판의 결과가 아니므로 일사부재리원칙과는 무관하나 이미 수행된 의무 이행 부분이 부활되는 형기에 반영되지 않는 것은 적법절차에 위배된다.

ㄹ. 검사에 대한 징계사유 중 하나인 '검사로서의 체면이나 위신을 손상하는 행위를 하였을 때'의 의미는 그 포섭범위가 지나치게 광범위하므로 명확성의 원칙에 반하여 헌법에 위배된다.

ㅁ. 자기책임의 원리는 인간의 자유와 유책성, 그리고 인간의 존엄성을 진지하게 반영한 원리로서 그것이 비단 민사법이나 형사법에 국한된 원리가 아니라 근대법의 기본이념으로서 법치주의에 당연히 내재하는 원리이며, 이에 반하는 제재는 그 자체로 헌법 위반을 구성한다.

① ㄱ, ㄴ, ㄷ
② ㄱ, ㄷ, ㄹ
③ ㄴ, ㄷ, ㅁ
④ ㄴ, ㄹ, ㅁ

해설

ㄱ. (✕) [10 국회8급]
> 자유시장경제질서를 기본으로 하면서도 사회국가원리를 수용하고 있는 우리 헌법의 이념에 비추어, 일반불법행위책임에 관하여는 과실책임의 원리를 기본원칙으로 하면서 이 사건 법률조항과 같은 특수한 불법행위책임에 관하여 위험책임의 원리를 수용하는 것은 입법정책에 관한 사항으로서 입법자의 재량에 속한다고 할 것이므로, 이 사건 법률조항이 위험책임의 원리에 기하여 무과실책임을 지운 것만으로 자유시장경제질서에 위반된다고 할 수 없다. (헌재 1998.5.28. 96헌가4 등)

ㄴ. (○) 보충성(개인의 노력을 전제로)은 헌법에는 규정이 없으나 국민기초생활 보장법에 명문규정이 있다. [10 국회8급]

ㄷ. (✕) [15 국가7급]
> [1] 보호관찰이나 사회봉사 또는 수강을 명한 집행유예를 선고받은 자가 준수사항이나 명령을 위반하고 그 정도가 무거운 때에 집행유예의 선고를 취소할 수 있도록 한 형법 제64조 제2항은 명확성원칙에 위반되지 않는다.
> [2] 이 사건 법률조항에 의하여 집행유예가 취소되는 경우 사회봉사 등 의무를 이행하였는지 여부와 관계없이 유예되었던 본형 전부를 집행하는 것은 이중처벌금지원칙에 위반되지 않는다. (헌재 2013.6.27. 2012헌바345 등)

ㄹ. (✕) [13 변호사]
> 구 검사징계법 제2조 제3호가 검사에 대한 징계사유로서 '검사로서의 체면이나 위신을 손상하는 행위를 하였을 때'를 규정하고 있는 것은 명확성원칙에 위배되지 않는다. (헌재 2011.12.29. 2009헌바282)

ㅁ. (○) 자기책임의 원칙은 근대법의 대원칙이다. [18 법원직]

정답 ②

068 17 국가7급

헌법의 기본원리에 대한 설명으로 옳지 않은 것은? (다툼이 있는 경우 판례에 의함)

① 헌법 제38조, 제59조가 선언하는 조세법률주의는 실질적 적법절차가 지배하는 법치주의를 뜻하므로, 비록 과세요건이 법률로 명확히 정해진 것일지라도 그것만으로 충분한 것은 아니고 조세법의 목적이나 내용이 기본권 보장의 헌법이념과 이를 뒷받침하는 헌법상 요구되는 제 원칙에 합치되어야 한다.
② 국가가 저소득층 지역가입자를 대상으로 소득수준에 따라 「국민건강보험법」상의 보험료를 차등지원하는 것은 사회국가원리에 의하여 정당화된다.
③ 평화추구이념을 헌법상의 기본원리로 채택하고 있는 우리 헌법하에서 평화적 생존권은 기본권성이 인정된다.
④ 법률의 개정시 구법질서에 대한 당사자의 신뢰가 합리적이고도 정당하며, 법률의 개정으로 야기되는 당사자의 손해가 극심하여 새로운 입법으로 달성하고자 하는 공익적 목적이 그러한 당사자의 신뢰의 파괴를 정당화할 수 없다면, 그러한 새 입법은 신뢰보호의 원칙상 허용될 수 없다.

해설

① (O) 조세법률주의의 내용이다.
② (O) 사회보험과 일반사보험이 다른 점을 정당화시키는 것은 사회국가원리이고, 그중에서도 사회연대의 원리이다.
③ (X) 평화적 생존권은 기본권으로 인정되지 아니한다.
④ (O) 법률의 개정에도 신뢰보호원칙은 적용된다.

정답 ③

069

헌법상 민주주의원리에 대한 설명으로 옳지 않은 것은? (다툼이 있는 경우 판례에 의함)

① 정당의 등록요건으로 5 이상의 시·도당과 각 시·도당 1,000명 이상의 당원을 요구하는 것은 정당설립의 자유를 침해하지 않는다.
② 지역구국회의원 선거 예비후보자의 기탁금반환사유로 예비후보자가 당의 공천심사에서 탈락하고 후보자등록을 하지 않았을 경우를 규정하지 않은 것은 헌법에 위배된다.
③ 정당의 자유는 국민이 개인적으로 갖는 기본권일 뿐만 아니라, 단체로서의 정당이 갖는 기본권이기도 하다.
④ 비례대표국회의원 후보자가 선거운동기간 중 공개장소에서 연설·대담하는 것을 금지하는 조항은 헌법에 위배된다.
⑤ 국회의원 선거에서 선거구구역표의 일부에 위헌적 요소가 있는 경우에는 선거구구역표 전체를 위헌이라고 할 수 있다.

해설

① (O) 헌재 2006.3.30. 2004헌마246【기각】

② (O)

> 지역구국회의원 예비후보자의 기탁금반환사유를 예비후보자의 사망, 당내경선 탈락(공천 탈락 제외)으로 한정하고 있는 공직선거법 제57조 제1항 제1호 다목 중 지역구국회의원 선거와 관련된 부분은 재산권을 침해한다. (헌재 2018.1.28. 2016헌마541【헌법불합치(계속적용)】)
>
> [1] 목적의 정당성 및 수단의 적합성은 인정된다.
> 예비후보자가 후보자로 등록하지 않는 경우에 납부한 기탁금을 국가 또는 지방자치단체에 귀속하는 것을 원칙으로 하되, 예비후보자의 무분별한 난립으로 인한 위와 같은 폐단을 방지하고 그 성실성을 담보하기 위한 것으로서 그 입법목적이 정당하고, 방법의 적정성 또한 인정된다.
>
> [2] 침해의 최소성원칙에 위반된다.
> 예비후보자가 본선거의 정당후보자로 등록하려 하였으나 자신의 의사와 관계없이 정당 공천관리위원회의 심사에서 탈락하여 본선거의 후보자로 등록하지 아니한 것은 후보자 등록을 하지 못할 정도에 이르는 객관적이고 예외적인 사유에 해당한다. 따라서 이러한 사정이 있는 예비후보자가 납부한 기탁금은 반환되어야 함에도 불구하고, 심판대상조항이 예비후보자에게 기탁금을 반환하지 아니하는 것은 입법형성권의 범위를 벗어난 과도한 제한이라고 할 수 있다.

③ (O)

④ (×)

> 공개장소에서 비례대표국회의원 후보자의 연설·대담을 허용하지 아니한 공직선거법 조항들이 비례대표국회의원 후보자인 청구인의 선거운동의 자유 및 정당활동의 자유를 침해하지 아니한다. (헌재 2013.10.24. 2012헌마311)

⑤ (O) 선거구는 전체가 하나로서의 성격을 갖기 때문이다.

정답 ④

070 22 국가7급

사회국가원리에 대한 설명으로 옳지 않은 것은? (다툼이 있는 경우 판례에 의함)

① 사회국가란 사회정의의 이념을 헌법에 수용한 국가로 경제·사회·문화의 모든 영역에서 사회현상에 관여하고 간섭하고 분배하고 조정하는 국가를 말하지만 국가에게 국민 각자가 실제로 자유를 행사할 수 있는 그 실질적 조건을 마련해 줄 의무까지 부여하는 것은 아니다.

② 국가는 복지국가를 실현하기 위하여 가능한 수단을 동원할 책무를 진다고 할 것이나 가능한 여러 가지 수단들 가운데 구체적으로 어느 것을 선택할 것인가는 기본적으로 입법자의 재량에 속한다.

③ 특수한 불법행위책임에 관하여 위험책임의 원리를 수용하는 것은 입법정책에 관한 사항으로서 입법자의 재량에 속한다고 할 것이므로「자동차손해배상 보장법」조항이 운행자의 재산권을 본질적으로 제한하거나 평등의 원칙에 위반되지 아니하는 이상 위험책임의 원리에 기하여 무과실책임을 지운 것만으로 헌법 제119조 제1항의 자유시장경제질서에 위반된다고 할 수 없다.

④ 저소득층 지역가입자에 대하여 국가가 국고지원을 통하여 보험료를 보조하는 것은 경제적 사회적 약자에게도 의료보험의 혜택을 제공해야 할 사회국가적 의무를 이행하기 위한 것으로서 국고지원에 있어서의 지역가입자와 직장가입자의 차별취급은 사회국가원리의 관점에서 합리적인 차별에 해당하여 평등원칙에 위반되지 아니한다.

해설

① (×)

> 사회국가원리의 구체화된 여러 표현을 통하여 사회국가원리를 수용하였다. 사회국가란 한마디로, 사회정의의 이념을 헌법에 수용한 국가, 사회현상에 대하여 방관적인 국가가 아니라 경제·사회·문화의 모든 영역에서 정의로운 사회질서의 형성을 위하여 사회현상에 관여하고 간섭하고 분배하고 조정하는 국가이며, 궁극적으로는 국민 각자가 실제로 자유를 행사할 수 있는 그 실질적 조건을 마련해 줄 의무가 있는 국가이다. (헌재 2002.12.18. 2002헌마52)

② (○)

> 입법자가 사인 간의 약정이자를 제한함으로써 경제적 약자를 보호하려는 직접적인 방법을 선택할 것인가 아니면 이를 완화하거나 폐지함으로써 자금시장의 왜곡을 바로잡아 경제를 회복시키고 자유와 창의에 기한 경제발전을 꾀하는 한편 경제적 약자의 보호문제는 민법상의 일반원칙에 맡길 것인가는 입법자의 위와 같은 재량에 속하는 것이라고 할 것이고, 입법자가 입법 당시의 여러 가지 경제적, 사회적 여건을 고려하여 후자를 선택한 것이 입법재량권을 남용하였거나 입법형성권의 한계를 일탈하여 명백히 불공정 또는 불합리하게 자의적으로 입법형성권을 행사한 것이라고 볼 수 없다. (헌재 2001.1.18. 2000헌바7)

③ (○) 헌재 1998.5.28. 96헌가4 등
④ (○) 헌재 2000.6.29. 99헌마289

정답 ①

071

사회국가원리에 대한 설명으로 옳은 것은? (다툼이 있는 경우 판례에 의함)

① 국가는 노인의 특성에 적합한 주택정책을 복지향상차원에서 개발하여 노인으로 하여금 쾌적한 주거활동을 할 수 있도록 노력하여야 할 의무를 부담한다.
② 우리 헌법은 명문으로 사회국가원리를 천명하고 있다.
③ 헌법상 직업의 자유 또는 근로의 권리, 사회국가원리 등에 근거하여 근로자에게 국가에 대한 직접적인 직장존속보장청구권이 헌법상 인정된다.
④ 헌법 제119조 제2항의 '적정한 소득의 분배를 유지'하기 위해서는 소득에 대한 누진세율에 따른 종합과세를 시행하여야 할 구체적인 헌법적 의무가 조세입법자에게 부과된다.

해설

① (○) [17 지방7급]

> 헌법 제35조 제3항에서 "국가는 주택정책개발을 통하여 모든 국민이 쾌적한 주거생활을 할 수 있도록 노력하여야 한다."라고 규정하고 있으므로 국가는 노인의 특성에 적합한 주택정책을 복지향상차원에서 개발하여 노인으로 하여금 쾌적한 주거활동을 할 수 있도록 노력하여야 할 의무를 부담한다. (헌재 2016.6.30. 2015헌바46)

② (✕) 우리 헌법은 건국헌법부터 지금까지 사회국가원리를 명문으로 규정한 적이 없다. [13 법원직]

> 헌법전문, 사회적 기본권의 보장(헌법 제31조 내지 제36조), 경제영역에서 적극적으로 계획하고 유도하고 재분배하여야 할 국가의 의무를 규정하는 경제에 관한 조항(헌법 제119조 제2항 이하) 등과 같이 사회국가원리의 구체화된 여러 표현을 통하여 사회국가원리를 수용하였다. 사회국가란 한마디로, 사회정의의 이념을 헌법에 수용한 국가, 사회현상에 대하여 방관적인 국가가 아니라 경제·사회·문화의 모든 영역에서 정의로운 사회질서의 형성을 위하여 사회현상에 관여하고 간섭하고 분배하고 조정하는 국가이며, 궁극적으로는 국민 각자가 실제로 자유를 행사할 수 있는 그 실질적 조건을 마련해 줄 의무가 있는 국가이다. (헌재 2002.12.18. 2002헌마52)

③ (✕) 근로의 권리는 일자리제공청구권이나 직장존속청구권이 아니라 사회적·경제적 방법으로 고용의 기회를 늘려달라고 요구하는 권리이다. [17 지방7급]

> 헌법 제15조의 직업의 자유 또는 헌법 제32조의 근로의 권리, 사회국가원리 등에 근거하여 실업방지 및 부당한 해고로부터 근로자를 보호하여야 할 국가의 의무를 도출할 수는 있을 것이나, 국가에 대한 직접적인 직장존속보장청구권을 근로자에게 인정할 헌법상의 근거는 없다. (헌재 2002.11.28. 2001헌바50)

④ (✕) [17 지방7급]

> 헌법 제119조 제2항은 국가가 경제영역에서 실현하여야 할 목표의 하나로서 '적정한 소득의 분배'를 들고 있지만, 이로부터 반드시 소득에 대하여 누진세율에 따른 종합과세를 시행하여야 할 구체적인 헌법적 의무가 조세입법자에게 부과되는 것이라고 할 수 없다. (헌재 1999.11.25. 98헌마55)

정답 ①

기출지문 OX

❶ 건강보험은 사적인 자율영역에 맡겨질 수 있는 성격의 문제가 아니라 경제적인 약자에게도 기본적인 의료서비스를 제공하기 위한 국가의 사회보장·사회복지 증진의무의 일부로서 공공복리를 위한 것이다. 그러므로 국가가 보험자인 국민건강보험공단의 설립을 통하여 달성하고자 하는 과제는 헌법상 정당하며, 소득재분배와 위험분산의 효과를 거두려는 사회보험의 목표는 임의가입의 형식으로 운영하는 한 달성하기 어렵고 법률로써 가입을 강제하고 소득수준에 따라 차등을 둔 보험료를 부과함으로써만 이루어질 수 있다. 13 법원직 (O / X)

해설 건강보험은 사적인 자율영역에 맡겨질 수 있는 성격의 문제가 아니라 경제적인 약자에게도 기본적인 의료서비스를 제공하기 위한 국가의 사회보장·사회복지 증진의무의 일부로서 공공복리를 위한 것이다. 그러므로 국가가 보험자인 국민건강보험공단의 설립을 통하여 달성하고자 하는 과제는 헌법상 정당하며, 소득재분배와 위험분산의 효과를 거두려는 사회보험의 목표는 임의가입의 형식으로 운영하는 한 달성하기 어렵고 법률로써 가입을 강제하고 소득수준에 따라 차등을 둔 보험료를 부과함으로써만 이루어질 수 있는 것이어서, 국민에게 보험가입의무를 강제로 부과하고 경제적 능력에 따른 보험료를 납부하도록 하는 것은 건강보험의 목적을 달성하기 위하여 적합하고도 반드시 필요한 조치라는 점에서 이로 인한 기본권의 제한은 부득이한 것이고, 가입강제와 보험료의 차등 부과로 인하여 달성되는 공익은 그로 인하여 침해되는 사익에 비하여 월등히 크다고 할 수 있으므로 일 반적 행동의 자유권으로서 보험에 가입하지 않을 자유와 재산권에 대한 제한은 정당화된다. (헌재 2003.10.30. 2000헌마801)

🔔 **사보험과 사회보험**

사보험	임의가입, 보험금이 보험급여에 비례
사회보험	• 강제가입, 보험료는 소득이나 재산에 비례, 이질부담(회사가 절반을 부담), 소득재분배 • 사회보험이 사보험과 다른 점을 헌법적으로 정당화하는 것은 사회연대의 원리이다.

정답 O

❷ 복지국가가 그 목적 달성을 위하여 복지정책을 수립하고 실시하는 데 자유권이 제한된다고 하더라도 자유와 권리의 본질적 내용을 침해하는 제한은 허용되지 아니한다. 13 법원직 (O / X)

해설 복지국가의 한계에 해당하는 내용이다. 정답 O

❸ 국가가 인간다운 생활을 보장하기 위한 헌법적인 의무를 다하였는지의 여부가 사법적 심사의 대상이 된 경우에는, 국가가 생계보호에 관한 입법을 전혀 하지 아니하였다든가 그 내용이 현저히 불합리하여 헌법상 용인될 수 있는 재량의 범위를 명백히 일탈한 경우에 한하여 헌법에 위반된다고 할 수 있다. 13 법원직 (O / X)

해설 헌재 2004.10.28. 2002헌마328 정답 O

❹ 헌법 제34조 제5항의 '신체장애자'에 대한 국가보호의무조항은 사회국가원리를 구체화한 것이므로, 이 조항으로부터 장애인을 위하여 저상버스를 도입해야 한다는 구체적 내용의 의무가 도출된다. 16 변호사 (O / X)

해설 헌법재판소는 "우리 헌법은 사회국가원리를 명문으로 규정하고 있지는 않지만, 헌법의 전문, 사회적 기본권의 보장, 경제영역에서 적극적으로 계획하고 유도하고 재분배하여야 할 국가의 의무를 규정하는 경제에 관한 조항(헌법 제119조 제2항 이하) 등과 같이 사회국가원리의 구체화된 여러 표현을 통하여 사회국가원리를 수용하였다."라고 지적하고 있다. (헌재 2002.12.18. 2002헌마52[각하])

저상버스를 도입하여야 할 국가의 의무는 없다는 이유로 각하하였다. 정답 X

072

헌법상 책임주의원칙에 관한 설명 중 옳지 않은 것은? (다툼이 있는 경우 판례에 의함)

① 선박소유자가 고용한 선장이 선박소유자의 업무에 관하여 범죄행위를 하면 그 선박소유자에게도 동일한 벌금형을 과하도록 규정하고 있는 구 「선박안전법」 조항은 선장이 저지른 행위의 결과에 대해 선박소유자의 독자적인 책임에 관하여 전혀 규정하지 않은 채, 단순히 선박소유자가 고용한 선장이 업무에 관하여 범죄행위를 하였다는 이유만으로 선박소유자에 대하여 형사처벌을 과하고 있으므로 책임주의원칙에 위배된다.

② 건설업 등록을 하지 않은 건설공사 하수급인이 근로자에게 임금을 지급하지 못한 경우에, 하수급인의 직상 수급인에 대하여 하수급인과 연대하여 임금을 지급할 의무를 부과하고 직상 수급인이 그 의무를 이행하지 않으면 처벌하도록 한 「근로기준법」 조항은 자기책임원칙에 위배된다고 볼 수 없다.

③ 각 중앙관서의 장이 경쟁의 공정한 집행 또는 계약의 적정한 이행을 해칠 염려가 있는 자 등에 대하여 2년 이내의 범위에서 대통령령이 정하는 바에 따라 입찰참가자격을 제한하도록 한 구 「국가를 당사자로 하는 계약에 관한 법률」 조항은, 부정당업자가 제재처분의 사유가 되는 행위의 책임을 자신에게 돌릴 수 없다는 점 등을 증명하여 제재처분에서 벗어날 수 있게 하므로 자기책임원칙에 위배되지 아니한다.

④ 국민건강보험공단이 사위 기타 부당한 방법으로 보험급여비용을 받은 요양기관에 대하여 급여비용에 상당하는 금액의 전부 또는 일부를 징수할 수 있도록 한 「국민건강보험법」 조항은, 요양기관이 그 피용자를 관리·감독할 주의의무를 다하였다고 하더라도 보험급여비용이 요양기관에 일단 귀속되었고 그 요양기관이 사위 기타 부당한 방법으로 보험급여비용을 지급받은 이상 부당이득반환의무가 있다는 것이므로 책임주의원칙에 어긋난다고 볼 수 없다.

⑤ 법인이 고용한 종업원 등의 일정한 범죄행위에 대하여 곧바로 법인을 종업원 등과 같이 처벌하도록 하고 있는 「산지관리법」 조항은 법인 자신의 지휘·감독의무를 다하지 못한 과실을 처벌하는 것이므로 책임주의원칙에 위배된다고 보기 어렵다.

해설

① (O) 헌재 2013.9.26. 2013헌가15

② (O)

> 직상 수급인의 임금지급의무 불이행을 처벌하도록 하는 것이 입법목적의 달성에 필요한 범위를 넘는 지나친 규제라고 할 수 없다. 또한 이 사건 법률조항에 따라 처벌을 받게 되는 직상 수급인의 불이익이 이 사건 법률조항을 통하여 달성하려는 공익보다 우월하다고 할 수도 없다. 따라서 이 사건 법률조항은 과잉금지원칙에 위배된다고 볼 수 없다. (헌재 2014.4.24. 2013헌가12)

③ (O) 2년의 전제가 없으면 포괄위임금지원칙 위반인데 그 후 법이 개정되어 '2년 이내의 범위에서 대통령령이 정하는 바에 따라'라는 단서가 붙으면 예측가능하므로 위헌이 아니다.

④ (O)

> 요양기관이 그 피용자를 관리·감독할 주의의무를 다하였다고 하더라도, 보험급여비용이 요양기관에게 일단 귀속되었고 그 요양기관이 사위 기타 부당한 방법으로 보험급여비용을 지급받은 이상 부당이득반환의무가 있다는 것이므로 책임주의원칙에 어긋난다고 볼 수 없다. (헌재 2011.6.30. 2010헌바375)

⑤ (✗)

> 형벌에 관한 책임주의는 형사법의 기본원리로서, 헌법상 법치국가의 원리에 내재하는 원리인 동시에, 헌법 제10조의 취지로부터 도출되는 원리이다. 그런데 이 사건 심판대상조항은 법인이 고용한 종업원 등의 범죄행위에 관하여 비난할 근거가 되는 법인의 의사결정 및 행위구조, 즉 종업원 등이 저지른 행위의 결과에 대한 법인의 독자적인 책임에 관하여 전혀 규정하지 않은 채, 단순히 법인이 고용한 종업원 등이 업무에 관하여 범죄행위를 하였다는 이유만으로 법인에 대하여 형사처벌을 과하고 있는바, 이는 다른 사람의 범죄에 대하여 그 책임 유무를 묻지 않고 형벌을 부과함으로써 법치국가의 원리 및 죄형법정주의로부터 도출되는 책임주의원칙에 반하여 헌법에 위반된다. (헌재 2010.9.30. 2010헌가19)

정답 ⑤

073 재구성 22 서울·지방7급, 20 입시

법치국가원리에 대한 설명으로 옳지 않은 것은? (다툼이 있는 경우 판례에 의함)

① 오늘날 법률유보원칙은 국가공동체와 그 구성원에게 기본적이고도 중요한 의미를 갖는 영역, 특히 국민의 기본권 실현과 관련된 영역에 있어서는 국민의 대표자인 입법자가 그 본질적 사항에 대해서 스스로 결정하여야 한다는 요구까지 내포하고 있다.

② 종전의 '친일반민족행위자'의 유형을 개정하면서 '일제로부터 작위를 받거나 계승한 자'까지 친일반민족행위자의 범위에 포함시켜 그 재산을 국가귀속의 대상으로 하면 헌법에 위배된다.

③ 법률이 구체적인 사항을 대통령령에 위임하고 있고, 그 대통령령에 규정되거나 제외된 부분의 위헌성이 문제되는 경우, 헌법의 근본원리인 권력분립주의와 의회주의 내지 법치주의의 원리상, 법률조항의 위임에 따라 대통령령으로 규정한 내용이 헌법에 위반될 경우라도 그로 인하여 정당하고 적법하게 입법권을 위임한 수권법률조항까지도 위헌으로 되는 것은 아니다.

④ 신법이 피적용자에게 유리한 경우에는 시혜적인 소급입법이 가능하지만 이 경우 입법자가 반드시 시혜적인 소급입법을 해야 할 의무를 지는 것은 아니다.

해설

① (○) 헌법재판소가 KBS 수신료 사건에서 중요사항유보설을 취하며 판시한 내용이다. (헌재 1999.5.27. 98헌바70) [22 서울·지방7급]

② (✗) 진정소급입법이지만 예외적으로 소급이 가능한 경우이므로 합헌이다. [20 입시]

> 친일재산을 그 취득·증여 등 원인행위시에 국가의 소유로 하도록 규정한 친일반민족행위자 재산의 국가귀속에 관한 특별법 제3조 제1항 본문 귀속조항은 진정소급입법에 해당하지만, 진정소급입법이라고 할지라도 예외적으로 국민이 소급입법을 예상할 수 있었던 경우와 같이 소급입법이 정당화되는 경우에는 허용될 수 있다. 친일재산의 취득 경위에 내포된 민족배반적 성격, 대한민국임시정부의 법통계승을 선언한 헌법전문 등에 비추어 친일반민족행위자측으로서는 친일재산의 소급적 박탈을 충분히 예상할 수 있었고, 친일재산 환수 문제는 그 시대적 배경에 비추어 역사적으로 매우 이례적인 공동체적 과업이므로 이러한 소급입법의 합헌성을 인정한다고 하더라도 이를 계기로 진정소급입법이 빈번하게 발생할 것이라는 우려는 충분히 불식될 수 있다. 따라서 이 사건 귀속조항은 진정소급입법에 해당하나 헌법 제13조 제2항에 반하지 않는다. (헌재 2011.3.31. 2008헌바141 등【합헌】)

③ (○) 하위법이 위헌이라고 해서 상위법도 위헌이 되는 것은 아니다. [22 서울·지방7급]

④ (○) 시혜적인 소급입법은 국회의 입법형성권의 영역이다. [20 입시]

정답 ②

074

법치주의에 관한 설명 중 가장 적절하지 않은 것은? (다툼이 있는 경우 판례에 의함)

① 실종기간이 구법 시행기간 중에 만료되는 때에도 그 실종이 개정 「민법」 시행일 후에 선고된 때에는 상속에 관하여 개정 「민법」의 규정을 적용하도록 한 「민법」 부칙의 조항은 재산권 보장에 관한 신뢰보호원칙에 위배된다고 볼 수 없다.
② 공소시효제도가 헌법 제12조 제1항 및 제13조 제1항에 정한 죄형법정주의의 보호범위에 바로 속하지 않는다면, 소급입법의 헌법적 한계는 법적 안정성과 신뢰보호원칙을 포함하는 법치주의의 원칙에 따른 기준으로 판단하여야 한다.
③ 신뢰보호원칙은 객관적 요소로서 법질서의 신뢰성·항구성·법적 투명성과 법적 평화를 의미하고, 이와 내적인 상호연관관계에 있는 법적 안정성은 한번 제정된 법규범은 원칙적으로 존속력을 갖고 자신의 행위기준으로 작용하리라는 개인의 주관적 기대이다.
④ 임차인의 계약갱신요구권 행사기간을 10년으로 규정한 「상가건물 임대차보호법」의 개정법조항을 개정법 시행 후 갱신되는 임대차에 대하여도 적용하도록 규정한 동법 부칙의 규정은 신뢰보호원칙에 위배되어 임대인의 재산권을 침해한다고 볼 수 없다.

해설

① (O) 헌재 2016.10.27. 2015헌바203 등
② (O) 헌재 1996.2.16. 96헌가2 등
③ (X)

> 법적 안정성은 객관적 요소로서 법질서의 신뢰성·항구성·법적 투명성과 법적 평화를 의미한다. 이와 내적인 상호연관관계에 있는 법적 안정성의 주관적 측면은 한번 제정된 법규범은 원칙적으로 존속력을 갖고 자신의 행위기준으로 작용하리라는 개인의 신뢰보호원칙이다. (헌재 1996.2.16. 96헌가2 등)

④ (O)

> 이 사건 부칙조항은 개정법조항의 시행 후 최초로 체결되는 임대차뿐 아니라 갱신되는 임대차의 경우에도 개정법조항을 적용하여 상가건물의 임대차에서 상대적으로 불리한 지위에 놓인 임차인의 안정적인 영업을 보호하고 시설투자비와 권리금 등 임차인이 투입한 금액에 대한 회수기회를 보장함으로써 임차인들의 경제생활의 안정을 도모하고 공정한 경제질서를 달성하고자 하는 것이다. (헌재 2021.10.28. 2019헌마106 등)

정답 ③

075 17 법무사

헌법상 법치국가의 원리에 대한 설명으로 옳은 것만을 모두 고르면? (다툼이 있는 경우 판례에 의함)

ㄱ. 실정법이 규율하고자 하는 내용이 명확하여 다의적으로 해석·적용되어서는 안 된다는 명확성의 원칙은 법치국가의 원리에서 파생된 원칙이다.
ㄴ. 헌법 제75조에서 규정된 포괄위임금지의 원칙은 법률의 명확성의 원칙이 행정입법에 관하여 구체화된 특별규정이다.
ㄷ. 과거에 완성된 사실 또는 법률관계를 규율하는 진정소급입법은 특단의 사정이 없는 한 구법에서 이미 얻은 자격 또는 권리를 존중해야 하나, 이미 과거에 시작되었으나 아직 완성되지 아니하고 진행과정에 있는 사실관계 또는 법률관계를 규율하는 부진정소급입법의 경우에는 특단의 사정이 없는 한 구법관계 내지 구법상의 기대이익을 존중하여야 할 입법의무가 없다.

① ㄱ, ㄴ
② ㄱ, ㄷ
③ ㄴ, ㄷ
④ ㄱ, ㄴ, ㄷ

해설

ㄱ. (O) 헌재 2010.3.25. 2009헌바121
ㄴ. (O) 헌재 2007.4.26. 2004헌가29 등
ㄷ. (O) 헌재 1989.3.17. 88헌마1

정답 ④

076 회독 ☐☐☐ 재구성   15 서울7급, 08 국가7급

법치국가원리에 대한 설명으로 옳지 않은 것은? (다툼이 있는 경우 판례에 의함)

① 시행령규정이 법률의 위임 없이 미결수용자의 면회횟수를 매주 2회로 제한하고 있는 것은 접견교통권을 침해하는 것이다.
② 의무사관후보생의 병적에서 제외된 사람의 징집면제연령을 31세에서 36세로 상향 조정한 「병역법」 규정은 신뢰보호원칙에 위반되는 것이다.
③ 특정 규범이 개별사건법률에 해당한다고 해서 곧바로 위헌이 되는 것은 아니다.
④ 형벌법규의 내용은 일반인에게 명확한 고지가 이루어져야 하는 것이나, 수범자가 자신만의 판단에 의해서가 아니라 법률 전문가의 조언이나 전문서적 등을 참고하여 당해 법규에 맞게 자신의 행동방향을 잡을 수 있다면 그 법규는 명확성의 원칙에 위반되지 않는다.

해설

① (O) 이 사건에서는 법령의 효력을 정지시키는 가처분이 허용되었다는 것도 기억하여야 한다. [15 서울7급]
② (X) [15 서울7급]

> 의무사관후보생의 병적에서 제외된 사람의 징집면제연령을 31세에서 36세로 상향 조정한 이 사건 법률조항은 직접적인 병력형성에 관한 영역으로서, 입법자가 급변하는 정세에 따라 탄력적으로 그 징집대상자의 범위를 결정함으로써 적정한 군사력을 유지하여야 하는 강력한 공익상 필요가 있기 때문에, 이에 관한 입법자의 입법형성권의 범위가 매우 넓다. 따라서 국민들은 이러한 영역에 관한 법률이 제반 사정에 따라 언제든지 변경될 수 있다는 것을 충분히 예측할 수 있다고 보아야 한다. (헌재 2002.11.28. 2002헌바45)

③ (O) [08 국가7급]
④ (O) 명확성의 원칙은 최대한의 명확성이 아니라 최소한의 명확성을 요구하기 때문이다. [08 국가7급]

정답 ②

---

077 회독 ☐☐☐   13 서울7급

법치국가의 원리와 관계가 가장 먼 것은?

① 국가권력의 민주적 정당성
② 소급입법금지의 원칙
③ 신뢰보호의 원칙
④ 법률의 명확성의 원칙
⑤ 「형법」상의 책임원칙

해설

① (X) 법치주의는 국가권력의 남용으로부터 국민의 기본권을 보호하려는 것이 주목적이다. 민주적 정당성의 확보는 국민주권의 행사와 관련되는 것으로 법치주의와 직접적인 관련성이 없다.
　　　우리 헌법에 법치주의에 대한 명문규정이 없다는 사실에 주의를 요한다.
② (O)
③ (O) 신뢰보호원칙은 헌법에 명문규정은 없으나, 법치국가원리에 의해 당연히 인정된다.
④ (O)
⑤ (O)

정답 ①

078

헌법이 명시적으로 법률에 위임하고 있는 사항과 가장 거리가 먼 것은?

① 공무원의 신분과 정치적 중립성의 보장
② 국가의 정당 운영에 필요한 자금의 보조
③ 정당의 해산
④ 국선변호인제도
⑤ 저작자와 발명가의 권리

해설

① (O)

> **헌법 제7조**
> ② 공무원의 신분과 정치적 중립성은 법률이 정하는 바에 의하여 보장된다.

② (O)

> **헌법 제8조**
> ③ 정당은 법률이 정하는 바에 의하여 국가의 보호를 받으며, 국가는 법률이 정하는 바에 의하여 정당 운영에 필요한 자금을 보조할 수 있다.

③ (✗) 정당해산요건에 대해서는 헌법이 직접 규정하고 있다.

> **헌법 제8조**
> ④ 정당의 목적이나 활동이 민주적 기본질서에 위배될 때에는 정부는 헌법재판소에 그 해산을 제소할 수 있고, 정당은 헌법재판소의 심판에 의하여 해산된다.

④ (O)

> **헌법 제12조**
> ④ 누구든지 체포 또는 구속을 당한 때에는 즉시 변호인의 조력을 받을 권리를 가진다. 다만, 형사피고인이 스스로 변호인을 구할 수 없을 때에는 법률이 정하는 바에 의하여 국가가 변호인을 붙인다.

⑤ (O)

> **헌법 제22조**
> ② 저작자 · 발명가 · 과학기술자와 예술가의 권리는 법률로써 보호한다.

정답 ③

079 06 법무사

우리 헌법이 명문으로 규정하고 있는 것이 아닌 것은?

① 국민의 근로의 의무
② 국민의 환경보전을 위하여 노력할 의무
③ 국민의 헌법 준수의 의무
④ 군인의 국가배상청구권에 대한 특칙
⑤ 국가의 최저임금제 시행의무

해설

① (O) ② (O) ④ (O)
③ (✗) '국민의 헌법 준수의 의무'에 대한 헌법규정은 없으나 당연히 인정되는 것이다.

정답 ③

080 19 변호사

다음 설명 중 옳지 않은 것은? (다툼이 있는 경우 판례에 의함)

① 헌법 제69조는 단순히 대통령의 취임선서의무만을 규정한 것이 아니라, 헌법 제66조 제2항 및 제3항에 규정된 대통령의 헌법적 책무를 구체화하고 강조하는 실체적 내용을 지닌 규정이다.
② 1952년 개정헌법(제1차 개정헌법)의 주요 개정 내용은 주권의 제약·영토변경을 위한 개헌에 대한 국민투표제와 국무위원에 대한 개별적 불신임제의 도입, 자유경제체제로의 경제체제 전환 등이다.
③ 정당운영에 필요한 자금에 대한 국가보조는 정당의 공적 기능의 중요성을 감안하여 정당의 정치자금 조달을 보완하는 데에 의의가 있으므로, 본래 국민의 자발적 정치조직인 정당에 대한 과도한 국가보조는 국민의 지지를 얻고자 하는 노력이 실패한 정당이 스스로 책임져야 할 위험부담을 국가가 상쇄하는 것으로서 정당 간 자유로운 경쟁을 저해할 수 있다.
④ 개인의 신뢰이익에 대한 보호가치는 법령에 따른 개인의 행위가 국가에 의하여 일정 방향으로 유인된 신뢰의 행사인지, 아니면 단지 법률이 부여한 기회를 활용한 것으로서 원칙적으로 사적 위험부담의 범위에 속하는 것인지 여부에 따라 달라진다.

해설

① (O)
② (✗) 제2차 개정헌법의 내용이다.
③ (O) 운영자금의 국고보조에 대한 역기능이다. 국고보조금은 제8차 개정헌법에 도입되었다.
④ (O) 국가에 의해 유인된 신뢰는 보다 강한 보호를 받지만 절대적인 것은 아니다.

정답 ②

진정소급입법과 부진정소급입법

구분	진정소급입법	부진정소급입법
개념	과거에 이미 완성된 사실이나 법률관계를 대상으로 하는 입법	과거에 시작되었으나 현재 진행 중인 사실관계 또는 법률관계에 적용하게 하는 입법

허용 여부	• 원칙적 금지
	• 예외적 허용
	   – 국민이 소급입법을 예상할 수 있는 경우
	   – 법적 상태가 불확실하고 혼란스러워 보호할 만한 신뢰이익이 적은 경우
	   – 소급입법에 의한 당사자의 손실이 없거나 아주 경미한 경우
	   – 신뢰보호의 요청에 우선하는 심히 중대한 공익상 사유가 소급입법을 정당화하는 경우
		• 원칙적 허용
		• 예외적 금지: 소급효를 요구하는 공익상 사유와 신뢰보호의 요청 사이의 교량과정에서 신뢰보호의 관점이 입법자의 형성권에 제한을 가하게 된다.

081 23 입시

소급입법금지원칙에 대한 설명으로 옳지 않은 것은? (다툼이 있는 경우 판례에 의함)

① 소급입법은 신법이 이미 종료된 사실관계에 작용하는지 아니면 현재 진행 중에 있는 사실관계에 작용하는지에 따라 '진정소급입법'과 '부진정소급입법'으로 구분되며, 헌법 제13조 제2항이 금지하고 있는 소급입법은 진정소급효를 가지는 법률만을 의미한다.

② 진정소급입법은 원칙적으로 금지되지만, 법적 상태가 불확실하고 혼란스러웠거나 하여 보호할 만한 신뢰의 이익이 적은 경우와 신뢰보호의 요청에 우선하는 심히 중대한 공익상의 사유가 소급입법을 정당화하는 경우에는 예외적으로 허용될 수 있다.

③ 공무원 퇴직연금의 연금액 조정기준을 '보수월액의 변동'에서 향후 특정 시점부터 '전전년도와 대비한 전년도 전국소비자물가변동률'으로 변경하면서, 이를 기존의 퇴직연금수급권자에게도 적용하도록 규정하는 것은 진정소급입법에 해당한다.

④ 우리 헌법이 규정한 형벌불소급의 원칙은 '행위의 가벌성'에 관한 것이기 때문에 소추가능성에만 연관된 뿐이고 가벌성에는 영향을 미치지 않는 공소시효에 관한 규정은 원칙적으로 그 효력범위에 포함되지 않는다.

⑤ 노역장유치는 그 실질이 신체의 자유를 박탈하는 것으로서 징역형과 유사한 형벌적 성격을 가지고 있으므로 형벌불소급원칙의 적용대상이 된다.

해설

① (O) 헌재 2008.11.27. 2005헌마161 등

② (O) 그에 비해 부진정소급은 원칙적으로 허용된다.

③ (×)

> 퇴직연금수급권의 내용은 일정 기간 계속적으로 이행기가 도래하는 급부의무자의 계속적 급부를 목적으로 하는 것인데, 이 사건 조정규정 및 경과규정은 개정법이 발효된 이후의 법률관계 즉, 장래 이행기가 도래하는 퇴직연금수급권의 내용을 변경함에 불과하므로 이를 헌법 제13조 제2항이 금하고 있는, 진정소급효를 가지는 법률에 해당한다고 할 수 없다. (헌재 2005.6.30. 2004헌바42)

④ (O) 헌재 1996.2.16. 96헌가2 등

⑤ (○)

[1] 1억 원 이상의 벌금형을 선고하는 경우 노역장유치기간의 하한을 정한 형법 제70조 제2항은 과잉금지원칙에 반하여 청구인들의 신체의 자유를 침해하지 않는다.

[2] **노역장유치조항을 시행일 이후 최초로 공소제기되는 경우부터 적용하도록 한 형법 부칙 제2조 제1항은 형벌불소급원칙에 위반된다.**

형벌불소급원칙에서 의미하는 '처벌'은 형법에 규정되어 있는 형식적 의미의 형벌 유형에 국한되지 않으며, 범죄행위에 따른 제재의 내용이나 실제적 효과가 형벌적 성격이 강하여 신체의 자유를 박탈하거나 이에 준하는 정도로 신체의 자유를 제한하는 경우에는 형벌불소급원칙이 적용되어야 한다. 노역장유치는 그 실질이 신체의 자유를 박탈하는 것으로서 징역형과 유사한 형벌적 성격을 가지고 있으므로 형벌불소급원칙의 적용대상이 된다. 그런데 부칙조항은 노역장유치조항의 시행 전에 행해진 범죄행위에 대해서도 공소제기의 시기가 노역장유치조항의 시행 이후이면 이를 적용하도록 하고 있으므로, 이는 범죄행위 당시보다 불이익한 법률을 소급적용하도록 하는 것으로서 헌법상 형벌불소급원칙에 위반된다. (**헌재 2017.10.26. 2015헌바239**)

정답 ③

082 24 국회8급

신뢰보호원칙에 대한 설명으로 옳지 않은 것은?

① 구 법령에 따라 폐자동차재활용업 등록을 한 자에게도 3년 이내에 등록기준을 갖추도록 한 「전기·전자제품 및 자동차의 자원순환에 관한 법률 시행령」 부칙 제3조 제1항 및 제2항 중 '3년' 부분은 신뢰보호원칙에 위배되어 그 등록을 한 자의 직업의 자유를 침해한다.

② 헌법재판소가 성인대상 성범죄자에 대하여 10년 동안 일률적으로 의료기관에의 취업제한 등을 하는 규정에 대하여 위헌결정을 한 뒤, 개정법 시행일 전까지 성인대상 성범죄로 형을 선고받아 그 형이 확정된 사람에 대해서 형의 종류 또는 형량에 따라 기간에 차등을 두어 의료기관에의 취업 등을 제한하는 「아동·청소년의 성보호에 관한 법률」 부칙 제5조 제1호는 신뢰보호원칙에 위배되지 아니한다.

③ 공익법인이 유예기한이 지난 후에도 보유기준을 초과하여 주식을 보유하는 경우 10년을 초과하지 않는 범위에서 매년 가산세를 부과하도록 정한 구 「상속세 및 증여세법」 제78조 제4항 중 제49조 제1항 제2호에 관한 부분은 신뢰보호원칙에 반하지 아니한다.

④ 무기징역의 집행 중에 있는 자의 가석방 요건을 종전의 '10년 이상'에서 '20년 이상' 형 집행 경과로 강화한 개정 「형법」 제72조 제1항을 「형법」 개정 당시에 이미 수용 중인 사람에게도 적용하는 「형법」 부칙조항이 신뢰보호원칙에 위배되어 신체의 자유를 침해한다고 볼 수 없다.

⑤ 사법연수원의 소정 과정을 마치더라도 바로 판사임용자격을 취득 할 수 없고 일정 기간 이상의 법조경력을 갖추어야 판사로 임용될 수 있도록 「법원조직법」을 개정하면서, 이를 동법 개정 시점에 사법시험에 합격하였으나 아직 사법연수원에 입소하지 않은 자에게 적용하는 것은 신뢰보호원칙에 위반되지 않는다.

해설

① (✗) 이 사건 부칙조항이 정한 3년의 유예기간은 법령의 개정으로 인한 상황변화에 적절히 대처하기에 상당한 기간으로 지나치게 짧은 것이라 할 수 없으므로, 이 사건 부칙조항은 신뢰보호원칙에 위배되어 청구인의 직업의 자유를 침해하지 아니한다. (**헌재 2022.9.29. 2019헌마1352**)

② (O) 이 사건 부칙조항의 입법취지는 헌법재판소의 위헌결정으로 발생한 법적 공백을 메우고, 아동·청소년을 성범죄로부터 보호하며, 아동·청소년 및 그 보호자가 의료기관을 믿고 이용할 수 있도록 하는 것이므로, 그 공익적 가치가 크다. 헌법재판소의 위헌결정 뒤 법원이 취업제한 기간을 정하도록 하는 법률안을 정부가 입법예고하는 등의 절차를 거쳐 국회에서 이 사건 부칙조항의 입법이 이루어졌고, 개정법 시행 후 취업제한대상자나 그 법정대리인이 제1심판결을 한 법원에 취업제한기간의 변경이나 취업제한의 면제를 신청할 수 있도록 불이익을 최소화하고 있는 사정을 종합하면 이 사건 부칙조항은 신뢰보호원칙에 위배되지 아니한다. (헌재 2023.5.25. 2020헌바45)

③ (O) 이미 보유기준을 초과하여 내국법인 주식 등을 보유하지 아니하도록 하는 규정이 적용 중인 상태에서 이에 대한 가산세액만 강화되었고, 이러한 규정에 따른 유예기한이 2년 남아 있었을 뿐 아니라, 청구인 주장과 달리 유예기한이 경과한 뒤라도 초과보유한 주식 등을 처분함으로써 가산세의 부과를 면할 수 있으므로, 추가 유예기한이 설정되지 않았다는 점만을 들어 신뢰보호원칙에 반한다고 볼 수는 없다. (헌재 2023.7.20. 2019헌바223)

④ (O) 헌재 2013.8.29. 2011헌마408

⑤ (O) 2013.1.1.부터 판사임용자격에 일정기간 법조경력을 요구하는 법원조직법 부칙 제1조 단서 중 제42조 제2항에 관한 부분 및 제2조는 신뢰보호원칙에 반하여 2011.7.18. 법원조직법 개정 당시 사법시험에 합격하였으나 아직 사법연수원에 입소하지 않은 청구인들의 공무담임권을 침해하지 않는다. (헌재 2014.5.29. 2013헌마127·199 [병합])

그 당시 사법연수원에 입소중인 장의 경우에는 신뢰보호원칙 위반으로 공무담임권을 침해한다.

정답 ①

083

신뢰보호의 원칙에 대한 설명으로 옳지 않은 것은? (다툼이 있는 경우 판례에 의함)

① 입법자가 반복하여 음주운전을 하는 자를 총포소지허가의 결격사유로 규제하지 않을 것이라는 데 대한 신뢰가 보호가치 있는 신뢰라고 보기 어렵다.

② 조세에 관한 법규·제도는 신축적으로 변할 수밖에 없다는 점에서 납세의무자로서는 구법질서에 의거한 신뢰를 바탕으로 적극적으로 새로운 법률관계를 형성하였다든지 하는 특별한 사정이 없는 한 원칙적으로 현재의 세법이 변함없이 유지되리라고 기대하거나 신뢰할 수는 없다.

③ 부진정소급입법은 원칙적으로 허용되지만 소급효를 요구하는 공익상의 사유와 신뢰보호의 요청 사이의 교량과정에서 신뢰보호의 관점이 입법자의 형성권에 제한을 가하게 된다.

④ 위법건축물에 대하여 이행강제금을 부과하도록 하면서 이행강제금제도 도입 전의 위법건축물에 대하여도 적용의 예외를 두지 아니한 「건축법」(2008.3.21. 법률 제8974호) 부칙규정은 신뢰보호의 원칙에 위반된다.

해설

① (O) 헌재 2018.4.26. 2017헌바341 [22 서울·지방7급]

② (O) [21 국가7급]

③ (O) 헌재 1999.7.22. 97헌바76 [22 서울·지방7급]

④ (X) [22 서울·지방7급]

위법건축물에 대하여 이행강제금을 부과하도록 하면서 이행강제금제도 도입 전의 위법건축물에 대하여도 이행강제금제도 적용의 예외를 두지 아니한 건축법 부칙 제9조는 신뢰보호원칙에 위배되지 않는다. (헌재 2015.10.21. 2013헌바248)

정답 ④

084 재구성

소급입법금지원칙에 대한 설명으로 옳지 않은 것만을 모두 고르면? (다툼이 있는 경우 판례에 의함)

ㄱ. 부당환급받은 세액을 징수하는 근거규정인 개정조항을 개정된 법 시행 후 최초로 환급세액을 징수하는 분부터 적용하도록 규정한 「법인세법」 부칙조항은 이미 완성된 사실·법률관계를 규율하는 진정소급입법에 해당하나, 이를 허용하지 아니하면 위 개정조항과 같이 법인세 부과처분을 통하여 효율적으로 환수하지 못하고 부당이득반환 등 복잡한 절차를 거칠 수밖에 없어 중대한 공익상 필요에 의하여 예외적으로 허용된다.

ㄴ. 형벌불소급원칙이란 형벌법규는 시행된 이후의 행위에 대해서만 적용되고 시행 이전의 행위에 대해서는 소급하여 불리하게 적용되어서는 안 된다는 원칙인바, 개정된 법률 이전의 행위를 소급하여 형사처벌하도록 규정하고 있는 것이 아니라 형사처벌을 규정하고 있던 행위시법이 사후 폐지되었음에도 신법이 아닌 행위시법에 의하여 형사처벌하도록 규정한 것은 헌법 제13조 제1항의 형벌불소급원칙 보호영역에 포섭되지 아니한다.

ㄷ. 디엔에이신원확인정보의 수집·이용은 수형인 등에게 심리적 압박으로 인한 범죄예방효과를 가진다는 점에서 보안처분의 성격을 지니지만, 처벌적인 효과가 없는 비형벌적 보안처분으로서 소급입법금지원칙이 적용되지 않는다.

① ㄱ
② ㄴ
③ ㄱ, ㄴ
④ ㄴ, ㄷ

해설

ㄱ. (×)

> 부당환급받은 세액을 징수하는 근거규정인 개정조항을 개정된 법 시행 후 최초로 환급세액을 징수하는 분부터 적용하도록 규정한 법인세법 부칙 제9조는 진정소급입법으로서 재산권을 침해한다. (헌재 2014.7.24. 2012헌바105)
> 심판대상조항은 개정조항이 시행되기 전 환급세액을 수령한 부분까지 사후적으로 소급하여 개정된 징수조항을 적용하는 것으로서 헌법 제13조 제2항에 따라 원칙적으로 금지되는 이미 완성된 사실·법률관계를 규율하는 진정소급입법에 해당한다. 법인세를 부당환급받은 법인은 소급입법을 통하여 이자상당액을 포함한 조세채무를 부담할 것이라고 예상할 수 없었고, 환급세액과 이자상당액을 법인세로서 납부하지 않을 것이라는 신뢰는 보호할 필요가 있다. 나아가 개정 전 법인세법 아래에서도 환급세액을 부당이득반환청구를 통하여 환수할 수 있었으므로, 신뢰보호의 요청에 우선하여 진정소급입법을 하여야 할 매우 중대한 공익상 이유가 있다고 볼 수도 없다.

ㄴ. (O) 선지는 소급효가 아니라 추급효의 일종으로 논의되는 영역이다.

ㄷ. (O) **보안처분과 소급금지**

형벌		과거의 범죄에 대한 책임. 소급금지의 원칙 적용
보안처분 (장래의 범죄예방)	보호감호(보호감호소에 수용하므로 징역과 유사)	실질적으로 형벌과 유사하므로 소급금지원칙이 적용. 다만 형벌과 병과해도 이중처벌은 아니며, 이미 선고한 보호감호는 사회보호법이 폐지되어도 집행 가능
	신상정보 등록, 보안관찰, 전자장치, 디엔에이검사 보관	• 침해가 경미하므로 소급적용이 가능 • 병과해도 이중처벌이 아니다.

정답 ①

085

소급입법금지원칙에 대한 설명으로 옳지 않은 것은? (다툼이 있는 경우 판례에 의함)

① 시혜적 소급입법은 수익적인 것이어서 헌법상 보장된 기본권을 침해할 여지가 없어 위헌 여부가 문제되지 않는다.
② 「개발이익환수에 관한 법률」 시행 전에 개발에 착수하였지만 아직 개발을 완료하지 아니한 사업, 즉 개발이 진행 중인 사업에 개발부담금을 부과하는 「개발이익환수에 관한 법률」 부칙 제2조는 소급입법금지의 원칙과 신뢰보호의 원칙에 위반되지 않는다.
③ 헌법불합치결정으로 구법조항이 실효되어 이미 전액 지급된 공무원 퇴직연금의 일부를 다시 환수할 수 있도록 규정한 부칙조항은 진정소급입법으로서 국회가 개선입법을 하지 않은 것에 기인함에도 불구하고, 법집행의 책임을 퇴직공무원들에게 전가하는 것으로 소급입법금지원칙에 위반된다.
④ 공무원 임용 당시에는 연령정년에 관한 규정만 있었는데 사후에 계급정년규정을 신설하여 이를 소급적용하였더라도 헌법에 위배되지 않는다.

해설

① (✗) 시혜적 법률이라도 시혜대상에서 제외된 자의 평등권을 침해하는 경우 위헌이 될 수 있다. [14 법원직]
② (○) 부진정소급입법으로 헌법에 위반되지 아니한다. [18 국회8급]
③ (○) [15 국가7급]

> 이 사건 부칙조항은 이미 이행기가 도래하여 청구인들이 퇴직연금을 모두 수령한 부분까지 사후적으로 소급하여 적용되는 것으로서 헌법 제13조 제2항에 의하여 원칙적으로 금지되는 이미 완성된 사실·법률관계를 규율하는 소급입법에 해당한다. 헌법재판소의 위 헌법불합치결정에 따라 개선입법이 이루어질 것이 미리 예정되어 있기는 하였으나 그 결정이 내려진 2007.3.29.부터 잠정적용시한인 2008.12.31.까지 상당한 시간적 여유가 있었는데도 국회에서 개선입법이 이루어지지 아니하였다. 그에 따라 청구인들이 2009.1.1.부터 2009.12.31.까지 퇴직연금을 전부 지급받았는데 이는 전적으로 또는 상당 부분 국회가 개선입법을 하지 않은 것에 기인한 것이다. 그럼에도 이미 받은 퇴직연금 등을 환수하는 것은 국가기관의 잘못으로 인한 법집행의 책임을 퇴직공무원들에게 전가시키는 것이며, 퇴직급여를 소급적으로 환수당하지 않을 것에 대한 청구인들의 신뢰이익이 적다고 할 수도 없다. 따라서 이 사건 부칙조항은 헌법 제13조 제2항에서 금지하는 소급입법에 해당하며 예외적으로 소급입법이 허용되는 경우에도 해당하지 아니하므로, 소급입법금지원칙에 위반하여 청구인들의 재산권을 침해한다. (헌재 2013.8.29. 2011헌바391 등)

④ (○) 헌재 1994.4.28. 91헌바15 등 [14 국회9급]

정답 ①

086

신뢰보호의 원칙에 대한 설명으로 옳지 않은 것만을 모두 고르면? (다툼이 있는 경우 판례에 의함)

ㄱ. 기존의 퇴직연금수급자에게 전년도 평균임금월액을 초과한 소득월액이 있는 경우에 그 초과 액수에 따라 퇴직연금 중 일부의 지급을 정지하는 것은 보호해야 할 퇴직연금수급자의 신뢰의 가치는 매우 큰 반면, 공무원연금 재정의 파탄을 막고 공무원연금제도를 건실하게 유지하려는 공익적 가치는 그리 크지 않으므로 헌법상 신뢰보호의 원칙에 위반된다.

ㄴ. 외국에서 치과대학을 졸업한 대한민국 국민이 국내 치과의사 면허시험에 응시하기 위해서는 기존의 응시요건에 추가하여 새로이 예비시험에 합격할 것을 요건으로 규정한 「의료법」의 '예비시험'조항은 외국에서 치과대학을 졸업한 국민들이 가지는 합리적 기대를 저버리는 것으로서 신뢰보호의 원칙상 허용되지 아니한다.

ㄷ. 사법연수원의 소정 과정을 마치더라도 바로 판사임용자격을 취득할 수 없고 일정 기간 이상의 법조경력을 갖추어야 판사로 임용될 수 있도록 한 「법원조직법」 개정조항의 시행일 및 그 경과조치에 관한 부칙은 동법 개정시점에 이미 사법연수원에 입소하여 사법연수생의 신분을 가지고 있었던 자가 사법연수원을 수료하는 해의 판사 임용에 지원하는 경우에 적용되는 한 신뢰보호의 원칙에 위반된다.

ㄹ. 법률에 따른 개인의 행위가 단지 법률이 반사적으로 부여하는 기회의 활용을 넘어서 국가에 의하여 일정 방향으로 유인된 것이라 하더라도 개인의 신뢰보호가 국가의 법률개정이익에 우선된다고 볼 여지는 없다.

ㅁ. 세무당국에 사업자등록을 하고 운전교습에 종사해 왔음에도 불구하고, 자동차운전학원으로 등록한 경우에만 자동차 운전교습을 영위할 수 있도록 법률을 개정하는 것은 관련자들의 정당한 신뢰를 침해하는 것이 아니다.

① ㄱ, ㄴ, ㄷ
② ㄱ, ㄴ, ㄹ
③ ㄴ, ㄹ, ㅁ
④ ㄷ, ㄹ, ㅁ

해설

ㄱ. (✗) [22 경찰승진]

이 사건 심판대상조항은 직접적으로 퇴직연금수급자의 직업선택의 자유 또는 근로의 권리를 제한하고 있지 않고, 설령 퇴직연금수급자의 재취업이나 근로활동에 다소 부정적인 영향을 끼친다고 하더라도 이는 간접적인 효과 내지 반사적 불이익에 불과하므로, 이 사건 심판대상조항으로 인하여 헌법 제15조가 정한 청구인들의 직업선택의 자유가 침해되었거나 헌법 제32조 제1항이 정한 청구인들의 근로의 권리가 침해되었다고 볼 수 없고, 청구인들의 행복추구권 및 인간으로서의 존엄과 가치가 침해되었다고 볼 수 없다. (헌재 2008.2.28. 2005헌마872 등)

ㄴ. (✗) [22 경찰승진]

청구인들이 장차 치과의사 면허시험을 볼 수 있는 자격요건에 관하여 가진 구법에 대한 신뢰는 합법적이고 정당한 것이므로 보호가치 있는 신뢰에 해당하는 것이지만, 한편 청구인들에게 기존의 면허시험요건에 추가하여 예비시험을 보게 하는 것은 이미 존재하는 여러 가지 면허제도상의 법적 규제에 추가하여 새로운 규제를 하나 더 부가하는 것에 그치고, 이러한 규제가 지나치게 가혹한 것이라고 하기 어려운 반면, 이러한 제도를 통한 공익적 목적은 위에서 본 바와 같이 그 정당성이 인정된다. 따라서 경과규정은 신뢰보호의 원칙에 위배한 것이라고 보기 어렵다. (헌재 2003.4.24. 2002헌마611)

🔔 **치과전문의 사건**

치과전문의 자격시험 불실시	행복추구권과 평등권 침해. 행정입법부작위 위헌
치과전문의 전문과목만 진료	평등권과 직업수행의 자유 침해
외국 의료기관에서 전문의과정 이수한 경우 전문의시험 자격 불인정	
외국 치과대학 졸업 후 국내에서 예비시험 합격 후 국가고시 응시자격 부여	합헌

ㄷ. (O) [22 경찰승진]

> 법원조직법 부칙 제1조 단서 중 제42조 제2항에 관한 부분 및 제2조는 2011.7.18. 당시 사법연수생의 신분을 가지고 있었던 자가 사법연수원을 수료하는 해의 판사 임용에 지원하는 경우에 적용되는 한 헌법에 위반된다. (헌재 2012.11.29. 2011헌마786 등)

ㄹ. (X) 국가에 의해 유인된 신뢰는 국가의 법률개정이익에 우선된다고 볼 여지가 있다. 다만, 언제나 보호되는 것은 아니다. [21 국가7급]

ㅁ. (O) [14 국회9급]

> 세무당국에 사업자등록을 하고 운전교습업을 영위해 오던 운전교습업자의 운전교육행위를 일률적으로 금지하는 것은 일정한 직업과 행위를 금지하거나 제한하는 것일 뿐, 이러한 직업활동의 수행이나 행위로 인하여 얻은 구체적인 재산에 대한 사용·수익 및 처분권한을 제한하는 것은 결코 아니라고 할 것이고, 청구인들이 비록 세무당국에 사업자등록을 하고 운전교습업에 종사하였다고 하더라도, 사업자등록은 과세행정상의 편의를 위하여 납세자의 인적 사항 등을 공부에 등재하는 행위에 불과하므로 운전교습업의 계속에 대하여 국가가 신뢰를 부여하였다고 보기도 어렵다. 따라서 신뢰보호의 전제가 되는 선행하는 법적 상태에 대한 신뢰 자체를 인정할 수 없는 이 사건에 있어 신뢰보호원칙에 위배하여 청구인들의 재산권과 직업의 자유를 침해하였다는 청구인들의 주장 역시, 더 나아가 살필 필요도 없이 이유 없다. (헌재2003.9.25. 2001헌마447 등)

정답 ②

087 회독 ☐☐☐ 재구성
19 변호사, 18 국회8급

신뢰보호원칙에 대한 설명으로 옳은 것만을 모두 고르면? (다툼이 있는 경우 판례에 의함)

ㄱ. 정부가 1976년부터 자도소주구입제도를 시행한 것을 고려할 때, 주류판매업자로 하여금 매월 소주류 총구입액의 100분의 50 이상을 당해 주류판매업자의 판매장이 소재하는 지역과 같은 지역에 소재하는 제조장으로부터 구입하도록 명하는 자도소주구입명령제도에 대한 소주제조업자의 강한 신뢰보호이익이 인정되지만, 이러한 신뢰보호도 '능력경쟁의 실현'이라는 보다 우월한 공익에 직면하여 종래의 법적 상태의 존속을 요구할 수는 없다.

ㄴ. 종전의 법령에 따라 「학교보건법」의 학교환경위생정화구역(이하 '정화구역'이라 한다) 내에서 노래연습장 영업을 적법하게 하였는데, 시행령의 변경으로 이미 설치되어 있던 노래연습장시설을 5년 이내에 폐쇄 또는 이전하도록 하는 것은 시행령 개정 이전부터 정화구역 내에서 노래연습장 영업을 적법하게 한 국민들의 신뢰를 해치는 것으로 이와 같은 시행령조항은 법적 안정성과 신뢰보호원칙에 위배된다.

ㄷ. 1953년부터 시행된 "교사의 신규채용에 있어서는 국립 또는 공립 교육대학·사범대학의 졸업자를 우선하여 채용하여야 한다."라는 「교육공무원법」 조항에 대한 헌법재판소의 위헌결정에도 불구하고 헌법재판소의 위헌결정 당시의 국·공립 사범대학 등의 재학생과 졸업자의 신뢰는 보호되어야 하므로, 입법자가 위헌법률에 기초한 이들의 신뢰이익을 보호하기 위한 법률을 제정하지 않은 부작위는 헌법에 위배된다.

ㄹ. 「택지소유상한에 관한 법률」이 택지를 소유하게 된 경위나 그 목적 여하에 관계없이 법 시행 이전부터 택지를 소유하고 있는 개인에 대하여 일률적으로 소유상한을 적용하도록 한 것은 입법목적을 달성하기 위하여 필요한 정도를 넘어 과도하게 침해하는 것이자 신뢰보호의 원칙 및 평등원칙에 위반되는 것이다.

① ㄱ, ㄴ
② ㄱ, ㄹ
③ ㄴ, ㄷ
④ ㄷ, ㄹ

해설

ㄱ. (O) 자도소주구입명령제도는 헌법상 경제질서에 위반되고 소주판매업자의 직업의 자유, 소비자의 일반적 행동자유권 등을 침해하여 위헌이다. (헌재 1996.12.26. 96헌가18) [19 변호사]

ㄴ. (X) 5년 경과규정을 두면 헌법에 위반되지 않지만, 경과규정을 반드시 두어야 하는 것은 아니다. (헌재 1999.7.22. 98헌마480 등) [19 변호사]

ㄷ. (X) [19 변호사]

> 청구인들이 주장하는 교원으로 우선임용받을 권리는 헌법상 권리가 아니고 단지 구 교육공무원법 제11조 제1항의 규정에 의하여 비로소 인정되었던 권리일 뿐이며, 헌법재판소가 1990.10.8. 위 법률조항에 대한 위헌결정을 하면서 청구인들과 같이 국·공립 사범대학을 졸업하고 아직 교사로 채용되지 아니한 자들에게 교원으로 우선임용받을 권리를 보장할 것을 입법자나 교육부장관에게 명하고 있지도 아니하므로 국회 및 교육부장관에게 청구인들을 중등교사로 우선임용하여야 할 작위의무가 있다고 볼 근거가 없어 국회의 입법불행위 및 교육부장관의 경과조치부작위에 대한 이 사건 헌법소원심판청구 부분은 부적법하다. (헌재 1995.5.25. 90헌마196)

ㄹ. (O) 택지소유상한에 관한 법률 전체가 위헌이다. (헌재 1999.4.29. 94헌바37 등) [18 국회8급]

정답 ②

088

신뢰보호의 원칙에 대한 설명으로 옳지 않은 것은? (다툼이 있는 경우 판례에 의함)

① 「군인연금법」상 퇴역연금수급권자가 「사립학교 교직원 연금법」 제3조의 학교기관으로부터 보수 기타 급여를 지급받는 경우에는 대통령령이 정하는 바에 따라 퇴역연금의 전부 또는 일부의 지급을 정지할 수 있도록 하는 것은 신뢰보호원칙에 위반되지 않는다.

② 헌법재판소는 수급권자 자신이 종전에 지급받던 평균임금을 기초로 산정된 장해보상연금을 수령하고 있던 수급권자에게, 실제의 평균임금이 노동부장관이 고시한 한도금액 이상일 경우 그 한도금액을 실제임금으로 의제하는 내용으로 신설된 최고보상제도를, 2년 6개월의 유예기간 후 적용하는 「산업재해보상보험법」 부칙조항이 신뢰보호원칙에 위배된다고 판시하였다.

③ 현행헌법은 신뢰보호원칙에 대한 명문규정을 두고 있다.

④ 1년 이상의 유예기간을 두고 기존에 자유업종이었던 인터넷컴퓨터게임시설제공업에 대하여 등록제를 도입하고 등록하지 않으면 영업을 할 수 없도록 하는 것은 신뢰보호의 원칙에 위배된다고 할 수 없다.

해설

① (O) [18 지방7급]
② (O) 과거에 신뢰보호원칙 위반이라는 판례와 최근 그렇지 않다는 판례가 상반되는 경우로서 정확하지 않은 선지이다. [15 변호사]
③ (X) 신뢰보호원칙은 헌법에 명문규정은 없고 헌법상의 법치국가원리의 파생원칙으로 인정된다. (헌재 1997.7.16. 97헌마38[기각]) [16 서울7급]
④ (O) [13 변호사]

> **인터넷게임시설제공업의 등록제는 신뢰이익을 침해한 것이 아니다.** (헌재 2009.9.24. 2009헌바28)
> 기존에 자유업종이었던 인터넷컴퓨터게임시설제공업에 대하여 등록제를 도입하고 등록하지 아니하면 영업을 할 수 없도록 한 것이 PC방업자들의 신뢰이익을 침해한 것은 아니다.

정답 ③

089

신뢰보호원칙에 대한 설명으로 옳지 않은 것은? (다툼이 있는 경우 판례에 의함)

① 광명시가 고등학교 비평준화 지역으로 남아 있을 것이라는 신뢰는 헌법상 보호하여야 할 가치나 필요성이 있다고 보기 어려우며, 교육감이 추첨에 의하여 고등학교를 배정하는 지역에 광명시를 포함시킨 것은 신뢰보호원칙에 위반되지 아니한다.

② 저작인접권이 소멸된 음원을 무상으로 이용하여 음반을 제작·판매하는 방식으로 영업을 해오던 사업자가 소멸한 저작인접권을 회복시키는 입법으로 인하여 이를 할 수 없게 되었더라도, 2년의 유예기간을 두어 음반 제작·판매업자로서의 이익을 보호하는 것은 신뢰보호원칙에 위반되지 아니한다.

③ 부진정소급입법의 경우, 일반적으로 과거에 시작된 구성요건사항에 대한 신뢰는 더 보호될 가치가 있는 것이므로, 신뢰보호의 원칙에 대한 심사는 장래 입법의 경우보다 일반적으로 더 강화되어야 한다.

④ 전문과목을 표시한 치과의원은 그 표시한 전문과목에 해당하는 환자만을 진료하여야 한다고 규정한 「의료법」 제77조 제3항은 신뢰보호원칙에 위배되어 직업수행의 자유를 침해한다고 볼 수 없다.

해설

① (O) [16 국가7급]

> 한 지역의 고교평준화 여부는 그 지역의 실정과 주민의 의사에 따라 탄력적으로 운용할 필요성이 있어 광명시가 비평준화 지역으로 남아 있을 것이라는 청구인들의 신뢰는 헌법상 보호하여야 할 가치나 필요성이 있다고 보기 어렵고, 고등학교 지원을 시·도 단위로 하도록 하고 광명시 등 일부 도시를 비평준화 지역으로 유지시킬 경우 경기도 내에서 중학교 교육의 정상화나 학교 간 격차 해소 등 고교평준화 정책의 목적을 실질적으로 달성하기가 어려운 점을 감안하면 청구인들의 신뢰가 공익보다 크다고 볼 수도 없으므로, 광명시를 교육감이 추첨에 의하여 고등학교를 배정하는 지역에 포함시킨 이 사건 조례조항은 신뢰보호의 원칙에 위반되지 아니하며 청구인들의 학교선택권을 침해한다고 할 수 없다. (헌재 2012.11.29. 2011헌마827)

② (O) [16 국가7급]

> 개정된 저작권법이 시행되기 전에 있었던 과거의 음원 사용행위에 대한 것이 아니라 개정된 법률 시행 이후에 음원을 사용하는 행위를 규율하고 있으므로 진정소급입법에 해당하지 않으며, 저작인접권이 소멸한 음원을 무상으로 사용하는 것은 저작인접권자의 권리가 소멸함으로 인하여 얻을 수 있는 반사적 이익에 불과할 뿐이므로, 과거에 소멸한 저작인접권을 회복시키는 저작권법 조항은 헌법 제13조 제2항이 금지하는 소급입법에 의한 재산권 박탈에 해당하지 아니한다. (헌재 2013.11.28. 2012헌마770)

③ (O) 과거에 대한 신뢰가 장래의 입법에 대한 기대보다 더 강한 보호를 받는 것은 당연한 것이다. [14 국가7급]

④ (X) 신뢰보호원칙을 위반한 것은 아니지만, 평등권과 직업의 자유를 침해한다. (헌재 2015.5.28. 2013헌마799 [일부합헌, 일부위헌]) [17 입시]

 ④

090  13 법원직

헌법재판소가 신뢰보호의 원칙에 위배된다고 본 사례는 어느 것인가? (다툼이 있는 경우 헌법재판소 결정에 의함)

① 의료기관시설에서의 약국개설을 금지하는 입법을 하면서 1년의 유예기간을 두어 법 시행 후 1년 뒤에는 기존의 약국을 더 이상 운영할 수 없게 되는 경우
② 「군인연금법」상 퇴역연금 등의 급여액 산정의 기초를 종전의 '퇴직 당시의 보수월액'에서 '평균보수월액'으로 변경한 경우
③ 한약사제도를 신설하면서 그 이전부터 한약을 조제해 온 약사들의 한약조제를 금지하면서 향후 2년간만 한약을 제조할 수 있도록 한 「약사법」의 경과규정
④ 특허청 경력공무원에 대하여 변리사 자격을 부여해 왔던 「변리사법」을 개정하여, 기존 특허청 공무원 중 일부에게만 구법을 적용하여 변리사 자격을 부여하도록 한 「변리사법」 부칙 제3항

> 해설

① (×)
> 의료기관시설에서의 약국개설을 금지하는 입법을 하면서 1년의 유예기간을 두어 법 시행 후 1년 뒤에는 기존의 약국을 더 이상 운영할 수 없게 한 것은 신뢰보호원칙에 위반되지 않는다. (헌재 2003.10.30. 2001헌마700 등)

② (×)
> 20년 이상 군인으로 복무하면서 퇴역연금에 대한 기여금을 납입해 온 사람이 퇴직하는 경우 장차 받게 될 퇴역연금에 대한 기대는 재산권의 성질을 가지고 있으나 확정되지 아니한 형성 중에 있는 권리이므로, 퇴역연금 급여액의 산정기초를 종전의 '퇴직 당시의 보수월액'에서 '최종 3년간 평균보수월액'으로 변경한 것은 부진정소급입법에 해당되는 것이어서 원칙적으로 허용된다. 다만, 종래의 법적 상태의 존속을 신뢰한 청구인들에 대한 신뢰보호만이 문제될 뿐인데, 퇴역연금의 산정을 평균보수월액에 기초하도록 개정한 것은 종국적으로 군인연금 재정의 악화를 개선하여 연금제도의 유지·존속을 도모하려는 데에 목적이 있고, 그와 같은 입법목적의 공익적 가치는 매우 크다고 하지 않을 수 없으므로 신뢰보호의 원칙에 위배된다고 보기 어렵다. (헌재 2003.9.25. 2001헌마194)

③ (×)
> 한약사제도를 신설하면서 그 이전부터 한약을 조제하여 온 약사들에게 향후 2년간만 한약을 조제할 수 있도록 하고 있는 약사법 부칙규정은 신뢰보호원칙에 위배되지 않는다. (헌재 1997.11.27. 97헌바10)

④ (○)
> [1] 특허청 공무원에 대하여 변리사 자격을 부여하지 않도록 개정된 변리사법 제3조 제1항은 직업선택의 자유를 침해하지 않는다. 【기각】
> [2] 기존 특허청 경력공무원 중 일부에게만 구법규정을 적용하여 변리사 자격이 부여되도록 규정한 변리사법 부칙 제3항은 충분한 공익적 목적이 인정되지 아니함에도 청구인들의 기대가치 내지 신뢰이익을 과도하게 침해한 것으로서 헌법에 위반된다. 【헌법불합치】
> (헌재 2001.9.27. 2000헌마208 등)

정답 ④

예상판례

기속력 위반 사례 (헌재 2016.12.29. 2015헌바208 등【헌법불합치(잠정적용)】)
헌법재판소가 2010.6.24. 구 군인연금법 제23조 제1항에 대하여 "공무상 질병 또는 부상으로 퇴직 이후에 폐질상태가 확정된 군인에 대하여 상이연금 지급에 관한 규정을 두지 아니한 것은 헌법에 합치되지 않는다."라는 취지의 헌법불합치결정을 하였고, 2011.5.19. 개정된 군인연금법 제23조 제1항, 2013.3.22. 개정된 군인연금법 제23조 제1항이 '군인이 퇴직 후에 공무상 질병 또는 부상으로 인하여 폐질 또는 장애상태가 된 때'에도 상이연금을 지급하도록 하고 있으나, 신법조항을 소급하여 적용한다는 경과규정은 두지 않은 것은 헌법에 합치되지 아니한다.

기출지문 OX

❶ 구「세무사법」상 일정한 경력 이상의 국세 관련 공무원들에 대한 자동적 세무사 자격 부여제도는 그것이 40년 동안 유지되어 왔다고 하더라도, 특정한 공무원들에 대한 특혜에 불과하여 이에 대한 신뢰는 헌법적으로 보호할 가치가 있는 신뢰에 해당하지 않으므로, 신법 시행일 후 1년까지 구법상의 자격요건을 갖추게 되는 경력공무원에게만 구법규정을 적용하여 세무사 자격이 부여되도록 한「세무사법」부칙조항은 그때까지 동 자격요건을 갖추지 못하는 다른 세무공무원들의 신뢰이익을 침해하는 것이 아니다. 12 변호사 (O / X)

> **해설** 기존 국세 관련 경력공무원 중 일부에게만 구법규정을 적용하여 세무사 자격이 부여되도록 규정한 위 세무사법 부칙 제3항은 충분한 공익적 목적이 인정되지 아니함에도 청구인들의 기대가치 내지 신뢰이익을 과도하게 침해한 것으로서 헌법에 위반된다. 그러나 직업선택의 자유를 침해한 것은 아니다. (헌재 2001.9.27. 2000헌마152【헌법불합치(잠정적용)】)

정답 X

❷ 대통령령은 법률의 위임이 없어도 법률에 위반되지 않는 범위 내에서 국민의 권리·의무에 관한 사항을 규율할 수 있다. 21 법무사 (O / X)

> **해설** 집행명령은 법률의 위임 없이 가능하지만, 국민의 권리·의무에 관한 사항은 법률의 위임이 있어야 한다.

정답 X

❸ 법률유보원칙과 의회유보원칙은 서로 다른 별개의 원리로서 법률유보원칙이 의회유보원칙을 포함하는 것은 아니다. 21 법무사 (O / X)

> **해설** 의회유보(중요사항유보설)는 법률유보의 범위를 결정하는 학설 중 하나이다.

정답 X

❹ 입법자가 형식적 법률로 스스로 규율하여야 하는 사항이 어떤 것인지는 일률적으로 획정되어야 한다. 21 법무사 (O / X)

> **해설** 입법자가 형식적 법률로 스스로 규율하여야 하는 사항이 어떤 것인가는 일률적으로 획정할 수 없고 구체적인 사례에서 관련된 이익 내지 가치의 중요성, 규제 내지 침해의 정도와 방법 등을 고려하여 개별적으로 결정할 수 있을 뿐이나 적어도 헌법상 보장된 국민의 자유나 권리를 제한한 때에는 그 제한의 본질적인 사항에 관한 한 입법자가 법률로써 스스로 규율하여야 할 것이다. (헌재 2009.10.29. 2007헌바63)

정답 X

091　24 변호사

법치행정에 관한 설명 중 옳지 않은 것은? (다툼이 있는 경우 판례에 의함)

① 법률이 공법적 단체 등의 정관에 자치법적 사항을 위임한 경우 헌법 제75조가 정하는 포괄적인 위임입법의 금지가 원칙적으로 적용되며, 위임을 하더라도 그 사항이 국민의 권리·의무에 관련되는 것일 경우 적어도 국민의 권리·의무에 관한 기본적이고 본질적인 사항은 국회가 정하여야 한다.

② 오늘날의 법률유보원칙은 단순히 행정작용이 법률에 근거를 두기만 하면 충분한 것이 아니라, 국가공동체와 그 구성원에게 기본적이고도 중요한 의미를 갖는 영역에 있어서는 국민의 대표자인 입법자 스스로 그 본질적 사항에 대하여 결정하여야 한다는 요구까지 내포하는 것으로 이해되고 있다.

③ 법외노조 통보는 적법하게 설립된 노동조합의 법적 지위를 박탈하는 중대한 침익적 처분으로서 원칙적으로 국민의 대표자인 입법자가 스스로 형식적 법률로써 규정하여야 할 사항이고, 행정입법으로 이를 규정하기 위하여는 반드시 법률의 명시적이고 구체적인 위임이 있어야 한다.

④ 법인세, 종합소득세와 같이 납세의무자에게 조세의 납부의무뿐만 아니라 스스로 과세표준과 세액을 계산하여 신고하여야 하는 의무까지 부과하는 경우에는 신고의무 이행에 필요한 기본적인 사항과 신고의무 불이행시 납세의무자가 입게 될 불이익 등은 납세의무를 구성하는 기본적, 본질적 내용으로서 법률로 정하여야 한다.

⑤ 육군3사관학교 생도는 일반 국민보다 상대적으로 기본권이 더 제한될 수 있으나, 그러한 경우에도 법률유보원칙, 과잉금지원칙 등 기본권 제한의 헌법상 원칙들이 지켜져야 한다.

해설

① (✗) 조례와 정관에 대해서는 포괄위임금지원칙이 적용되지 않는다.

② (○) ④ (○)

> [1] **1차 TV수신료 사건**(헌재 1999.5.27. 98헌바70 [헌법불합치(잠정적용)])
> 오늘날 법률유보원칙은 단순히 행정작용이 법률에 근거를 두기만 하면 충분한 것이 아니라, 국가공동체와 그 구성원에게 기본적이고도 중요한 의미를 갖는 영역, 특히 국민의 기본권 실현과 관련된 영역에 있어서는 국민의 대표자인 입법자가 그 본질적 사항에 대해서 스스로 결정하여야 한다는 요구까지 내포하고 있다(의회유보원칙).
>
> [2] **2차 TV수신료 사건**(헌재 2008.2.28. 2006헌바70 [합헌])
> 위 불합치결정의 취지에 따라 현행 방송법은 수신료의 금액은 한국방송공사의 이사회에서 심의·의결한 후 방송위원회를 거쳐 국회의 승인을 얻도록 규정하고 있으며, … 징수업무를 한국방송공사가 직접 수행할 것인지의 문제는 본질적 사항이 아니고 … 수신료의 부과·징수에 관한 본질적인 요소들은 방송법에 모두 규정되어 있다고 할 것이다. 따라서 법률유보의 원칙에 위배되지 아니한다.

③ (○)

> 법외노조 통보는 적법하게 설립된 노동조합의 법적 지위를 박탈하는 중대한 침익적 처분으로서 원칙적으로 국민의 대표자인 입법자가 스스로 형식적 법률로써 규정하여야 할 사항이고, 행정입법으로 이를 규정하기 위하여는 반드시 법률의 명시적이고 구체적인 위임이 있어야 한다. 그런데 노동조합 및 노동관계조정법 시행령(이하 '노동조합법 시행령'이라 한다) 제9조 제2항은 법률의 위임 없이 법률이 정하지 아니한 법외노조 통보에 관하여 규정함으로써 헌법상 노동3권을 본질적으로 제한하고 있으므로 그 자체로 무효이다. … 노동조합법 시행령 제9조 제2항은 법률이 정하고 있지 아니한 사항에 관하여, 법률의 구체적이고 명시적인 위임도 없이 헌법이 보장하는 노동3권에 대한 본질적인 제한을 규정한 것으로서 법률유보원칙에 반한다. (대판 2020.9.3. 2016두32992 전원합의체)

⑤ (○) 대판 2018.8.30. 2016두60591

정답 ①

092 회독 ☐☐☐

19 법원직

법률유보원칙에 관한 다음 설명 중 가장 옳지 않은 것은?

① 금융기관의 임원이 문책경고를 받은 경우에는 법령에서 정한 바에 따라 일정 기간 동안 임원선임의 자격제한을 받으므로 문책경고는 적어도 그 제한의 본질적 사항에 관한 한 법률에 근거가 있어야 하는데, 금융감독원의 직무범위를 규정한 조직규범은 법률유보원칙에서 말하는 법률의 근거가 될 수는 없다.

② 사법시험의 제2차시험의 합격결정에 관하여 과락제도를 정하는 구 「사법시험령」의 규정은 새로운 법률사항을 정한 것이라고 보기 어려우므로 법률유보의 원칙에 위반되지 않는다.

③ 법률유보원칙은 '법률에 의한' 규율만을 뜻하는 것이 아니라 '법률에 근거한' 규율을 요청하는 것이므로, 법률에 근거를 두면서 헌법 제75조가 요구하는 위임의 구체성과 명확성을 구비하기만 하면 위임입법에 의해서도 기본권을 제한할 수 있다.

④ 경찰청장이 경찰버스들로 서울특별시 서울광장을 둘러싸 통행을 제지한 경우에 경찰 임무의 하나로서 '기타 공공의 안녕과 질서유지'를 규정한 「경찰관 직무집행법」의 규정은 일반적 수권조항으로서 경찰권 발동의 법적 근거가 될 수 있으므로, 통행을 제지한 행위가 법률유보원칙에 위배되는 것은 아니다.

해설

① (O) 법률유보에서 말하는 법적 근거는 조직규범이 아니라 작용법적 근거(수권법적 근거)를 의미한다.
② (O)
③ (O)
④ (X) 일반적 행동자유권을 침해하여 위헌결정되었다. 다만 재판관 3명의 보충의견으로 '이 사건 통행제지행위가 과잉금지원칙에 위반되어 위헌이라는 데 동의하면서도, 그에 앞서 보다 근본적으로 헌법상 법률유보의 원칙에 위배되어 위헌이라고 생각한다'고 판시하였다. (헌재 2011.6.30. 2009헌마406)

정답 ④

예상판례

❶ **아파트 입주자대표회의의 구성에 관한 사항을 대통령령에 위임하도록 한 구 주택법 제43조 제7항 제2호 중 '입주자대표회의의 구성' 부분은 법률유보원칙, 포괄위임입법금지원칙에 위반되지 아니한다.** (헌재 2016.7.28. 2014헌바158 등)
입주자대표회의는 공법상의 단체가 아닌 사법상의 단체로서, 이러한 특정 단체의 구성원이 될 수 있는 자격을 제한하는 것이 재산권 혹은 참정권 등과 비교해 볼 때 국가적 차원에서 형식적 법률로 규율되어야 할 본질적 사항이라고 보기 어렵다. … 입주자대표회의의 구성원인 동별 대표자가 될 수 있는 자격이 반드시 법률로 규율하여야 하는 사항이라고 볼 수 없다. 따라서 법률유보원칙에 위반되지 아니한다.

❷ **한국전력공사가 정한 전기료 누진제는 헌법에 위반되지 않는다.** (헌재 2021.4.29. 2017헌가25)
전기요금의 결정에 관한 내용을 반드시 입법자가 스스로 규율해야 하는 부분이라고 보기 어려우므로, 심판대상조항은 의회유보원칙에 위반되지 아니한다.

093 회독 ☐☐☐   16 법원직

의회유보원칙에 관한 다음 설명 중 가장 옳지 않은 것은? (다툼이 있는 경우 대법원 판례 및 헌법재판소 결정에 의함)

① 법률에서 안마사업은 누구나 종사할 수 있는 업종이 아니라 행정청에 의해 자격 인정을 받아야만 종사할 수 있는 직역이라고 규정하고 그 자격 인정요건을 정할 수 있는 권한을 행정부에 위임하는 것은 의회유보원칙을 준수한 것으로 볼 수 있다.

② 특정 사안과 관련하여 법률에서 하위법령에 위임을 한 경우에 모법의 위임범위를 확정하거나 하위법령이 위임의 한계를 준수하고 있는지 여부를 판단할 때에는 하위법령이 규정한 내용이 입법자가 형식적 법률로 스스로 규율하여야 하는 본질적 사항으로서 의회유보의 원칙이 지켜져야 할 영역인지 여부는 고려되어야 할 사항이라고 볼 수는 없다.

③ 수신료 금액의 결정은 납부의무자의 범위, 징수절차 등과 함께 수신료에 관한 본질적이고도 중요한 사항이므로, 수신료 금액의 결정은 입법자인 국회 스스로 해야 한다.

④ 규율대상이 기본권적 중요성을 가질수록, 그리고 그에 관한 공개적 토론의 필요성 내지 상충하는 이익 간 조정의 필요성이 클수록, 그것이 국회의 법률에 의해 직접 규율될 필요성 및 그 규율밀도의 요구 정도는 그만큼 더 증대되는 것으로 보아야 한다.

해설

① (O) 법률에서 규정하고 위임하면 법률유보에 위반되지 않는다.

> 비맹제외기준을 의료법 시행규칙에 규정한 것은 위헌이지만, 이 기준을 의료법에 규정한 것은 합헌이다.

② (X)

> 특정 사안과 관련하여 법률에서 하위법령에 위임을 한 경우에 모법의 위임범위를 확정하거나 하위법령이 위임의 한계를 준수하고 있는지 여부를 판단할 때에는 하위법령이 규정한 내용이 입법자가 형식적 법률로 스스로 규율하여야 하는 본질적 사항으로서 의회유보의 원칙이 지켜져야 할 영역인지 여부, 당해 법률규정의 입법목적과 규정 내용, 규정의 체계, 다른 규정과의 관계 등을 종합적으로 고려하여야 하고, 위임규정 자체에서 그 의미 내용을 정확하게 알 수 있는 용어를 사용하여 위임의 한계를 분명히 하고 있는데도 그 문언적 의미의 한계를 벗어났는지 여부나 하위법령의 내용이 모법 자체로부터 그 위임된 내용의 대강을 예측할 수 있는 범위 내에 속한 것인지 여부, 수권규정에서 사용하고 있는 용어의 의미를 넘어 그 범위를 확장하거나 축소하여서 위임 내용을 구체화하는 단계를 벗어나 새로운 입법을 한 것으로 평가할 수 있는지 여부 등을 구체적으로 따져 보아야 한다. (대판 2012.12.20. 2011두30878 전원합의체)

③ (O)

④ (O) 규율의 밀도(정도)란 침익적일수록 법률이 자세하여야 하고 수익적일수록 법률이 다소 덜 자세하여도 된다는 의미이다.

정답 ②

제 4 절 대한민국헌법의 기본질서

핵심노트

헌법 제119조	① 대한민국의 경제질서는 개인과 기업의 경제상의 자유와 창의를 존중함을 기본으로 한다. ② 국가는 균형 있는 국민경제의 성장 및 안정과 적정한 소득의 분배를 유지하고, 시장의 지배와 경제력의 남용을 방지하며, 경제주체간의 조화를 통한 경제의 민주화를 위하여 경제에 관한 규제와 조정을 할 수 있다.	• 시장경제적 질서에 관한 원칙 규정 • 적정한 소득의 분배로부터 누진세를 도입해야 할 헌법적 의무는 도출되지 않는다. • 사회시장적 경제질서, 사회국가원리의 도입 • 건국헌법은 통제경제의 성격이 강했다. 제2차 개정헌법에서 자유시장경제로 전환
제120조	① 광물 기타 중요한 지하자원·수산자원·수력과 경제상 이용할 수 있는 자연력은 법률이 정하는 바에 의하여 일정한 기간 그 채취·개발 또는 이용을 특허할 수 있다. ② 국토와 자원은 국가의 보호를 받으며, 국가는 그 균형 있는 개발과 이용을 위하여 필요한 계획을 수립한다.	-
제121조	① 국가는 농지에 관하여 경자유전의 원칙이 달성될 수 있도록 노력하여야 하며, 농지의 소작제도는 금지된다. ② 농업생산성의 제고와 농지의 합리적인 이용을 위하거나 불가피한 사정으로 발생하는 농지의 임대차와 위탁경영은 법률이 정하는 바에 의하여 인정된다.	자경농지에 대해서만 양도소득세 면제 [합헌]
제122조	국가는 국민 모두의 생산 및 생활의 기반이 되는 국토의 효율적이고 균형있는 이용·개발과 보전을 위하여 법률이 정하는 바에 의하여 그에 관한 필요한 제한과 의무를 과할 수 있다.	토지에 대한 제한은 광범위한 입법형성권이 있다.
제123조	① 국가는 농업 및 어업을 보호·육성하기 위하여 농·어촌종합개발과 그 지원 등 필요한 계획을 수립·시행하여야 한다. ② 국가는 지역 간의 균형 있는 발전을 위하여 지역경제를 육성할 의무를 진다. ③ 국가는 중소기업을 보호·육성하여야 한다. ④ 국가는 농수산물의 수급균형과 유통구조의 개선에 노력하여 가격안정을 도모함으로써 농·어민의 이익을 보호한다. ⑤ 국가는 농·어민과 중소기업의 자조조직을 육성하여야 하며, 그 자율적 활동과 발전을 보장한다.	• 입법자가 지역경제를 주장하기 위해서는 지역 간의 심한 경제적 불균형과 같은 구체적이고 합리적인 사유가 있어야 한다. • 중소기업은 원칙적으로 경쟁질서의 범주 내에서 보호 • 자조조직이 제대로 기능하지 못하는 때는 국가가 적극적으로 이를 육성하고 발전시켜야 할 의무가 있다.
제124조	국가는 건전한 소비행위를 계도하고 생산품의 품질향상을 촉구하기 위한 소비자보호운동을 법률이 정하는 바에 의하여 보장한다.	제8차 개정헌법, 소비자의 권리라고 규정하지 않고 소비자보호운동으로 규정
제125조	국가는 대외무역을 육성하며, 이를 규제·조정할 수 있다.	대외무역의 육성과 규제·조정에 관한 명문규정이 있다.
제126조	국방상 또는 국민경제상 긴절한 필요로 인하여 법률이 정하는 경우를 제외하고는, 사영기업을 국유 또는 공유로 이전하거나 그 경영을 통제 또는 관리할 수 없다.	사기업의 예외적 국·공유화는 국방상 또는 국민경제상 긴절한 필요가 있어야 하고 법률이 정하는 경우여야 한다.
제127조	① 국가는 과학기술의 혁신과 정보 및 인력의 개발을 통하여 국민경제의 발전에 노력하여야 한다. ② 국가는 국가표준제도를 확립한다. ③ 대통령은 제1항의 목적을 달성하기 위하여 필요한 자문기구를 둘 수 있다.	• 정보 및 인력개발에 대해서 헌법에 명문규정이 있다. • 과학기술자문회의는 헌법기구가 아니다.

> **예상판례**
>
> ❶ 농지소유자로 하여금 원칙적으로 농지의 위탁경영을 할 수 없도록 한 농지법 제9조는 헌법에 위반되지 않는다. (헌재 2020.5.27. 2018헌마362 【기각】)
> 헌법이 제정시부터 현행헌법에 이르기까지 농지소유에 관한 원칙으로 경자유전의 원칙을 규정한 것은 전근대적인 토지소유관계를 청산하고, 투기자본의 유입으로 인하여 발생할 수 있는 농업경영 불안정과 같은 사회적 폐해를 방지함으로써 건전한 국민경제의 발전을 이루기 위한 것이다. … 그러므로 위탁경영금지조항은 청구인의 재산권을 침해하지 않는다.
>
> ❷ 담보권의 목적인 재산의 매각대금에서 정부가 과세표준과 세액을 결정·경정 또는 수시 부과 결정하는 국세를 징수하는 경우 당해 국세의 납세고지서 발송일 후에 설정된 담보권의 피담보채권에 우선하여 국세를 징수할 수 있도록 한 구 국세기본법 제35조 제1항 제3호 나목 중 '국세'에 관한 부분은 담보권자인 청구인의 재산권을 침해하지 않는다. (헌재 2012.8.23. 2011헌바97)
>
> ❸ 불공정거래행위에 대한 과징금을 파산채권과는 별도의 재단채권으로 하여 우선변제권을 인정하고 있는 구 파산법 규정은 과잉금지원칙에 위반되어 재산권과 평등권을 침해한다. (헌재 2009.11.26. 2008헌가9 【위헌】)

094　23 국가7급

경제질서에 대한 설명으로 옳지 않은 것은?

① 헌법 제119조는 헌법상 경제질서에 관한 일반조항으로서 국가의 경제정책에 대한 하나의 헌법적 지침일 뿐, 그 자체가 기본권의 성질을 가진다거나 독자적인 위헌심사의 기준이 된다고 할 수 없다.

② 헌법 제119조 제2항은 독과점규제라는 경제정책적 목표를 개인의 경제적 자유를 제한할 수 있는 정당한 공익의 하나로 명문화하고 있는데, 독과점규제의 목적이 경쟁의 회복에 있다면 이 목적을 실현하는 수단 또한 자유롭고 공정한 경쟁을 가능하게 하는 방법이어야 한다.

③ '사영기업의 국유 또는 공유로의 이전'은 일반적으로 공법적 수단에 의하여 사기업에 대한 소유권을 국가나 기타 공법인에 귀속시키고 사회정책적·국민경제적 목표를 실현할 수 있도록 그 재산권의 내용을 변형하는 것을 말하며, 또 사기업의 '경영에 대한 통제 또는 관리'라 함은 비록 기업에 대한 소유권의 보유주체에 대한 변경은 이루어지지 않지만 사기업 경영에 대한 국가의 광범위하고 강력한 감독과 통제 또는 관리의 체계를 의미한다고 할 것이다.

④ 구 「상속세 및 증여세법」 제45조의3 제1항은 이른바 일감 몰아주기로 수혜법인의 지배주주 등에게 발생한 이익에 대하여 증여세를 부과함으로써 적정한 소득의 재분배를 촉진하고, 시장의 지배와 경제력의 남용 우려가 있는 일감 몰아주기를 억제하려는 것이지만, 거래의 필요성, 영업외손실의 비중, 손익변동 등 구체적인 사정을 고려하지 않은 채, 특수관계법인과 수혜법인의 거래가 있으면 획일적 기준에 의하여 산정된 미실현 이익을 수혜법인의 지배주주가 증여받은 것으로 보아 수혜법인의 지배주주의 재산권을 침해한다.

해설

① (O)

> 청구인들은 심판대상조항들이 헌법 제119조 등에 위반된다고 주장한다. 그러나 헌법 제119조는 헌법상 경제질서에 관한 일반조항으로서 국가의 경제정책에 대한 하나의 헌법적 지침일 뿐 그 자체가 기본권의 성질을 가진다거나 독자적인 위헌심사의 기준이 된다고 할 수 없으므로, 청구인들의 이러한 주장에 대하여는 더 나아가 살펴보지 않는다. (헌재 2017.7.27. 2015헌바278)

② (O) 헌재 1996.12.26. 96헌가18

③ (O) 헌재 1998.10.29. 97헌마345

④ (X)

> 일감 몰아주기를 통해 수혜법인의 지배주주 등에게 발생한 이익에 관하여 소득세를 부과하는 방식이 증여세를 부과하는 방식에 비하여 일률적으로 납세의무자에게 덜 침해적이라고 단정할 수 없고, 수혜법인의 지배주주 등이 사업기회를 제공한 특수관계법인에 상당한 영향력이 있다는 점 등을 고려하면 증여세를 부과하는 것은 그 입법목적에 비추어 실체에 가장 근접한 과세라 할 수 있다. 미실현이득인 수혜법인의 세후영업이익을 기초로 지배주주 등의 증여의제이익을 계산하도록 규정한 것은 실현이득에 대한 과세로는 입법목적을 달성하기 곤란하기 때문이고, 다른 미실현이득인 수혜법인 주식의 시가상승분 등을 지배주주 등의 증여의제이익의 계산의 기초로 삼는 방식은 특수관계법인과 수혜법인 사이의 거래와 무관한 요소들이 개입할 여지가 크므로 명백히 덜 침해적인 대안이라 보기 어렵다. 소득세법 시행령은 수혜법인 주식의 양도소득을 계산할 때 구 상증세법 제45조의3에 따라 증여세를 과세 받은 증여의제이익 전부를 취득금액에 가산하도록 규정하므로, 수혜법인 주식의 양도시점에 이르러 지배주주 등의 전체 조세부담이 그 담세력에 상응하도록 과세조정이 행해진다. 이상을 종합하면, 납세의무자의 경제적 불이익이 소득의 재분배 촉진 및 일감 몰아주기 억제라는 공익에 비하여 크다고 할 수 없고, 구 상증세법 제45조의3 제1항은 재산권을 침해하지 아니한다. (헌재 2018.6.28. 2016헌바347)

정답 ④

095　회독 ☐☐☐　22 서울·지방7급

헌법상 경제조항에 대한 설명으로 옳은 것은? (다툼이 있는 경우 판례에 의함)

① 헌법 제119조 제2항은 국가가 경제영역에서 실현하여야 할 목표의 하나로서 적정한 소득의 분배를 들고 있지만, 이로부터 반드시 소득에 대하여 누진세율에 따른 종합과세를 시행하여야 할 구체적인 헌법적 의무가 조세입법자에게 부과되는 것이라고 할 수 없다.
② 헌법 제119조 제2항에 규정된 경제주체 간의 조화를 통한 경제민주화의 이념은 경제영역에서 정의로운 사회질서를 형성하기 위하여 추구할 수 있는 국가목표에 그치므로 개인의 기본권을 제한하는 국가행위를 정당화하는 헌법규범이라고 볼 수 없다.
③ 경제적 기본권을 제한하는 법률의 합헌성 여부를 심사하는 경우, 그 법률을 정당화하는 공익은 헌법에 명시적으로 규정된 목표에만 제한된다.
④ 주택재개발사업에서 부과하는 임대주택공급의무는 재개발로 발생하는 세입자들의 주거문제를 해결하기 위한 제도이고, 재건축사업에서 임대주택공급제도는 개발이익의 환수차원에서 부과되는 의무라 할 것이므로, 두 사업 모두에 임대주택공급의무를 부과하는 것은 재건축조합의 조합원 등의 평등권을 침해하고 있다.

해설

① (O) 헌재 1999.11.25. 98헌마55

② (×)

> 헌법 제119조 제2항에 규정된 '경제주체 간의 조화를 통한 경제민주화'의 이념은 경제영역에서 정의로운 사회질서를 형성하기 위하여 추구할 수 있는 국가목표로서 개인의 기본권을 제한하는 국가행위를 정당화하는 헌법규범이다. (헌재 2004.10.28. 99헌바91)

③ (×)

> 경제적 기본권의 제한을 정당화하는 공익이 헌법에 명시적으로 규정된 목표에만 제한되는 것은 아니고, 헌법은 단지 국가가 실현하려고 의도하는 전형적인 경제목표를 예시적으로 구체화하고 있을 뿐이므로 기본권의 침해를 정당화할 수 있는 모든 공익을 아울러 고려하여 법률의 합헌성 여부를 심사하여야 한다. (헌재 1996.12.26. 96헌가18)

④ (×)

> 임대주택공급의무는 이 사건 재건축사업뿐만이 아니라 재개발사업에도 부과되고 있으나, 주택재개발사업에서 부과하는 임대주택공급의무는 재개발로 발생하는 세입자들의 주거문제를 해결하기 위한 제도이고, 이 사건 재건축임대주택공급제도는 개발이익의 환수차원에서 부과되는 의무라고 할 것이므로 두 사업 모두에 임대주택공급의무를 부과하고 있더라도 이것이 평등권을 침해하고 있다고는 볼 수 없다. (헌재 2008.10.30. 2005헌마222 등)

정답 ①

096　회독 ☐☐☐　재구성　　　　　　　　　　　　　　　　22 국회8급

헌법상 경제질서에 대한 설명으로 옳지 않은 것은? (다툼이 있는 경우 헌법재판소 판례에 의함)

① 헌법 제119조 이하의 경제에 관한 장은 국가가 경제정책을 통하여 달성하여야 할 '공익'을 구체화하고, 동시에 헌법 제37조 제2항의 기본권 제한을 위한 법률유보에서의 '공공복리'를 구체화하고 있다.
② 우리나라 헌법상의 경제질서는 사유재산제를 바탕으로 하고 자유경쟁을 존중하는 자유시장경제질서를 근간으로 하는 것이므로, 사회정의를 실현하기 위하여 국가적 규제와 조정을 용인하는 사회적 시장경제질서와는 양립할 수 없다.
③ 특정 의료기관이나 특정 의료인의 기능·진료방법에 관한 광고를 금지하는 것은 새로운 의료인들에게 자신의 기능이나 기술 혹은 진단 및 치료방법에 관한 광고와 선전을 할 기회를 배제함으로써 기존의 의료인과의 경쟁에서 불리한 결과를 초래하므로, 자유롭고 공정한 경쟁을 추구하는 헌법상의 시장경제질서에 부합되지 않는다.
④ 국방상 또는 국민경제상 긴절한 필요로 인하여 법률이 정하는 경우를 제외하고는, 사영기업을 국유 또는 공유로 이전하거나 그 경영을 통제 또는 관리할 수 없다.

해설

① (○)
② (✕) 우리나라 헌법상의 경제질서는 사유재산제를 바탕으로 하고 자유경쟁을 존중하는 자유시장경제질서를 근간으로 하면서 사회정의를 실현하기 위하여 국가적 규제와 조정을 용인하는 사회적 시장경제질서이다.
③ (○)

> 이 사건 조항이 의료인의 기능과 진료방법에 대한 광고를 금지하고 이에 대하여 벌금형에 처하도록 한 것은 입법목적을 달성하기 위하여 필요한 범위를 넘어선 것이므로, '피해의 최소성'원칙에 위반된다. … 결국 이 사건 조항은 헌법 제37조 제2항의 비례의 원칙에 위배하여 표현의 자유와 직업수행의 자유를 침해하는 것이다. (헌재 2005.10.27. 2003헌가3【위헌】)

④ (○) 헌법 제126조

정답 ②

097

헌법상 경제질서에 대한 설명으로 옳지 않은 것은? (다툼이 있는 경우 판례에 의함)

① 농업생산성의 제고와 농지의 합리적인 이용을 위하거나 불가피한 사정으로 발생하는 농지의 임대차와 위탁경영은 법률이 정하는 바에 의하여 인정된다.
② 헌법 제123조 제5항은 국가에게 '농·어민의 자조조직을 육성할 의무'와 '자조조직의 자율적 활동과 발전을 보장할 의무'를 아울러 규정하고 있는데, 국가가 농·어민의 자조조직을 적극적으로 육성하여야 할 의무까지도 수행하여야 한다고 볼 수 없다.
③ 고의나 과실로 타인에게 손해를 가한 경우에만 그 손해에 대한 배상책임을 가해자가 부담한다는 과실책임원칙은 헌법 제119조 제1항의 자유시장경제질서에서 파생된 것이다.
④ 헌법 제119조 제1항에 비추어 보더라도, 개인의 사적 거래에 대한 공법적 규제는 되도록 사전적·일반적 규제보다는 사후적·구체적 규제방식을 택하여 국민의 거래자유를 최대한 보장하여야 할 것이다.

해설

① (O) 헌법 제121조 [20 5급행시]
② (✗) [20 5급행시]

> 헌법 제123조 제5항은 국가에게 '농·어민의 자조조직을 육성할 의무'와 '자조조직의 자율적 활동과 발전을 보장할 의무'를 아울러 규정하고 있는데, 이러한 국가의 의무는 자조조직이 제대로 활동하고 기능하는 시기에는 그 조직의 자율성을 침해하지 않도록 하는 후자의 소극적 의무를 다하면 된다고 할 수 있지만, 그 조직이 제대로 기능하지 못하고 향후의 전망도 불확실한 경우라면 단순히 그 조직의 자율성을 보장하는 것에 그쳐서는 아니 되고, 적극적으로 이를 육성하여야 할 전자의 의무까지도 수행하여야 한다. (헌재 2000.6.1. 99헌마553)

③ (O) 과실책임의 원칙은 자유시장경제질서에 근거가 있고 무과실책임(위험책임)은 사회국가원리에 근거를 두고 있다. [19 변호사]
④ (O) [19 변호사]

정답 ②

098

헌법상 경제질서에 대한 설명으로 옳지 않은 것은? (다툼이 있는 경우 판례에 의함)

① 헌법 제119조는 헌법상 경제질서에 관한 일반조항으로서 국가의 경제정책에 대한 하나의 헌법적 지침일 뿐 그 자체가 기본권의 성질을 가진다고 할 수는 없다.
② 농지소유자가 농지를 농업경영에 이용하지 아니하여 농지처분명령을 받았음에도 불구하고 정당한 사유 없이 이를 이행하지 아니하는 경우, 당해 농지가액의 100분의 20에 상당하는 이행강제금을 그 처분명령이 이행될 때까지 매년 1회 부과할 수 있도록 한 것은 합헌이다.
③ 불매운동의 목표로서 '소비자의 권익'이란 원칙적으로 사업자가 제공하는 물품이나 용역의 소비생활과 관련된 것으로서 상품의 질이나 가격, 유통구조, 안전성 등 시장적 이익에 국한된다.
④ 의약품 도매상 허가를 받기 위해 필요한 창고면적의 최소기준을 규정하고 있는 「약사법」 조항들은 국가의 중소기업 보호·육성의무를 위반하였다.

해설

① (O) 헌재 2017.7.27. 2015헌바278 등 [18 국가7급]
② (O) 이행강제금은 형벌이 아니므로 반복 부과가 가능하다. [20 서울·지방7급]
③ (O) 상반되는 판례가 있으므로 상대적 판단을 요하는 부분이다. [20 서울·지방7급]
④ (X) 헌법 제123조 제1항상 국가의 중소기업 보호·육성의무를 위반하였다고 볼 수 없다. (헌재 2014.4.24. 2012헌마811) [20 서울·지방7급]

정답 ④

099

헌법상 경제질서에 관한 설명 중 옳은 것은? (다툼이 있는 경우 판례에 의함)

① 입법자가 이자제한의 여부를 결정하는 것은 입법 당시의 사회경제적 여건을 고려해야 하는 입법형성권의 행사에 해당되지 아니한다.
② 국가에 대하여 경제에 관한 규제와 조정을 할 수 있도록 규정한 헌법 제119조 제2항이 보유세 부과 그 자체를 금지하는 취지로 보이지 아니하므로 주택 등에 보유세인 종합부동산세를 부과하는 그 자체를 헌법 제119조에 위반된다고 보기 어렵다.
③ 「자동차운수사업법」상의 운송수입금 전액관리제로 인하여 사기업은 그 본연의 목적을 포기할 것을 강요받을 뿐만 아니라, 기업경영과 관련하여 국가의 광범위한 감독과 통제 및 관리를 받게 되므로, 위 전액관리제는 헌법 제126조의 '사영기업을 국유 또는 공유로 이전'하는 것에 해당한다.
④ 현행헌법이 보장하는 소비자보호운동이란 '공정한 가격으로 양질의 상품 또는 용역을 적절한 유통구조를 통해 적절한 시기에 안전하게 구입하거나 사용할 소비자의 제반 권익을 증진할 목적으로 이루어지는 구체적 활동'을 의미하므로, 소비자 권익의 증진을 위한 단체를 조직하고 이를 통하여 활동하는 형태에 이르지 않으면 소비자보호운동에 포함되지 않는다.

해설

① (X) [09 지방7급]

> 이자제한법 중 개정법률 및 이자제한법 폐지법률은 사인 간의 계약 내용에 국가가 관여하여 그 효력을 부인하는 것을 내용으로 하는 이자제한법을 완화하거나 폐지함으로써, 국민의 사적자치권 또는 계약의 자유에 대한 제한을 경감하거나 제거하였다고 할 것이지, 이로써

오히려 국민의 기본권을 제한하는 것이라고 할 수 없다. 입법자가 사인 간의 약정이자를 제한함으로써 경제적 약자를 보호하려는 직접적인 방법을 선택할 것인가 아니면 이를 완화하거나 폐지함으로써 자금시장의 왜곡을 바로잡아 경제를 회복시키고 자유와 창의에 기한 경제발전을 꾀하는 한편 경제적 약자의 보호문제는 민법상의 일반원칙에 맡길 것인가는 입법자의 위와 같은 재량에 속하는 것이라고 할 것이고, 입법자가 입법 당시의 여러 가지 경제적·사회적 여건을 고려하여 후자를 선택한 것이 입법재량권을 남용하였거나 입법형성권의 한계를 일탈하여 명백히 불공정 또는 불합리하게 자의적으로 입법형성권을 행사한 것이라고 볼 수 없다. (헌재 2001.1.18. 2000헌바7)

② (O) 종합부동산세 자체가 위헌은 아니지만, 세대별 합산을 하는 것이 헌법 제36조 제1항을 위반하여 위헌이다. 한편, 종합부동산세를 일률적으로 부과하는 것은 헌법불합치사유이다. (헌재 2008.11.13. 2006헌바112 등) [20 변호사]

③ (✗) [20 변호사]

이 사건 법률조항들이 규정하는 운송수입금 전액관리제로 인하여 청구인들이 기업경영에 있어서 영리추구라고 하는 사기업 본연의 목적을 포기할 것을 강요받거나 전적으로 사회·경제정책적 목표를 달성하는 방향으로 기업활동의 목표를 전환해야 하는 것도 아니고, 그 기업경영과 관련하여 국가의 광범위한 감독과 통제 또는 관리를 받게 되는 것도 아니며, 더구나 청구인들 소유의 기업에 대한 재산권이 박탈되거나 통제를 받게 되어 그 기업이 사회의 공동재산의 형태로 변형된 것도 아니므로, 이 사건 법률조항들이 헌법 제126조에 위반된다고 볼 수 없다. (헌재 1998.10.29. 97헌마345)

④ (✗) [20 변호사]

현행헌법이 보장하는 소비자보호운동이란 '공정한 가격으로 양질의 상품 또는 용역을 적절한 유통구조를 통해 적절한 시기에 안전하게 구입하거나 사용할 소비자의 제반 권익을 증진할 목적으로 이루어지는 구체적 활동'을 의미하고, 단체를 조직하고 이를 통하여 활동하는 형태, 즉 근로자의 단결권이나 단체행동권에 유사한 활동뿐만 아니라, 하나 또는 그 이상의 소비자가 동일한 목표로 함께 의사를 합치하여 벌이는 운동이면 모두 이에 포함된다고 할 것이다. 이 소비자보호운동이 보장됨으로써 비로소 소비자는 단순한 상품이나 정보의 구매자로서가 아니라 상품의 구매 및 소비과정에서 발생하는 생산자 또는 공급자로부터의 부당한 지배와 횡포를 배제하고 소비자의 이익을 수호하는 소비주체로서의 지위를 누릴 수 있게 된다. (헌재 2011.12.29. 2010헌바54 등)

정답 ②

기출지문 OX

❶ 국세 등의 납부기한으로부터 1년 이내에 설정된 전세권·질권·저당권에 의해 담보된 다른 채권이 그 국세채권보다 먼저 성립되었다고 하더라도 그 국세채권을 그 피담보채권들에 우선하여 징수하는 것은 헌법에 반한다. 09 지방7급 (O / ✗)

해설 결국 먼저 성립하고 공시를 갖춘 담보물권이 후에 발생하고 공시를 전혀 갖추고 있지 않은 조세채권에 의하여 그 우선순위를 추월당함으로써, 합리적인 사유 없이 저당권이 전혀 그 본래의 취지에 따른 담보기능을 발휘할 수 없게 된 사정을 엿볼 수 있다. 이는 자금대출 당시 믿고 의지하였던 근저당권이 유명무실하게 되어 결국 담보물권의 존재 의의가 상실되고 있음을 보여 주는 사례로서, 담보물권이 합리적인 사유 없이 담보기능을 수행하지 못하여 담보채권의 실현에 전혀 기여하지 못하고 있다면 그것은 담보물권은 물론, 나아가 사유재산제도의 본질적 내용의 침해가 있는 것이라고 보지 않을 수 없는 것이다. (헌재 1990.9.3. 89헌가95)

정답 O

❷ 법령에 의한 인허가 없이 장래의 경제적 손실을 금전 또는 유가증권으로 보전해 줄 것을 약정하고 회비 등의 명목으로 금전을 수입하는 행위를 금지하고 이에 위반시 형사처벌하는 법률조항은 경제주체 간의 부조화를 방지하고 금융시장의 공정성을 확보하기 위한 것으로 우리 헌법의 경제질서에 위배되는 것이라 할 수 없다. 13 국회8급 (O / ✗)

해설 헌재 2003.7.27. 2002헌바4

정답 O

100 17 서울7급

소비자불매운동에 대한 설명으로 옳지 않은 것은? (다툼이 있는 경우 판례에 의함)

① 소비자불매운동이란 하나 또는 그 이상의 운동주도세력이 소비자의 권익을 향상시킬 목적으로 개별 소비자들로 하여금 시장에서 특정 상품의 구매를 억지하거나 제3자로 하여금 그렇게 하도록 설득하는 조직화된 행위를 의미한다.
② 소비자불매운동은 원칙적으로 공정한 가격으로 양질의 상품 또는 용역을 적절한 유통구조를 통해 적절한 시기에 안전하게 구입하거나 사용할 소비자의 제반 권익을 증진할 목적에서 행해지는 소비자보호운동의 일환으로서 헌법 제124조를 통하여 제도로서 보장된다.
③ 특정한 사회, 경제적 또는 정치적 대의나 가치를 주장·옹호하거나 이를 진작시키기 위한 수단으로 선택한 소비자불매운동은 헌법상 보호를 받을 수 없다.
④ 소비자불매운동은 헌법이나 법률의 규정에 비추어 정당하다고 평가되는 범위를 벗어날 경우에는 형사책임이나 민사책임을 피할 수 없다.

해설

① (O) 소비자불매운동의 개념이다.
② (O) ③ (X)

> 소비자가 구매력을 무기로 상품이나 용역에 대한 자신들의 선호를 시장에 실질적으로 반영하기 위한 집단적 시도인 소비자불매운동은 본래 '공정한 가격으로 양질의 상품 또는 용역을 적절한 유통구조를 통해 적절한 시기에 안전하게 구입하거나 사용할 소비자의 제반 권익을 증진할 목적'에서 행해지는 소비자보호운동의 일환으로서 헌법 제124조를 통하여 제도로서 보장되나, 그와는 다른 측면에서 일반 시민들이 특정한 사회·경제적 또는 정치적 대의나 가치를 주장·옹호하거나 이를 진작시키기 위한 수단으로서 소비자불매운동을 선택하는 경우도 있을 수 있고, 이러한 소비자불매운동 역시 반드시 헌법 제124조는 아니더라도 헌법 제21조에 따라 보장되는 정치적 표현의 자유나 헌법 제10조에 내재된 일반적 행동의 자유의 관점 등에서 보호받을 가능성이 있으므로, 단순히 소비자불매운동이 헌법 제124조에 따라 보장되는 소비자보호운동의 요건을 갖추지 못하였다는 이유만으로 이에 대하여 아무런 헌법적 보호도 주어지지 아니한다거나 소비자불매운동에 본질적으로 내재되어 있는 집단행위로서의 성격과 대상 기업에 대한 불이익 또는 피해의 가능성만을 들어 곧바로 형법 제314조 제1항의 업무방해죄에서 말하는 위력의 행사에 해당한다고 단정하여서는 아니 된다. (대판 2013.3.14. 2010도410)

④ (O) 소비자불매운동은 모든 경우에 있어서 그 정당성이 인정될 수는 없고, 헌법이나 법률의 규정에 비추어 정당하다고 평가되는 범위에 해당하는 경우에만 형사책임이나 민사책임이 면제된다.

> **광우병 파동에서 조·중·동에 대한 광고 중단 압박운동을 한 것에 대해 형법상의 업무방해죄를 적용한 것은 헌법에 위반되지 아니한다.** (헌재 2011.12.29. 2010헌바54 등【각하, 합헌】)
> [1] 헌법이 보장하는 소비자보호운동이란 '공정한 가격으로 양질의 상품 또는 용역을 적절한 유통구조를 통해 적절한 시기에 안전하게 구입하거나 사용할 소비자의 제반 권익을 증진할 목적으로 이루어지는 구체적 활동'을 의미한다.
> [2] 소비자보호운동 가운데서 소비자불매운동이란, '하나 또는 그 이상의 운동주도세력이 소비자의 권익을 향상시킬 목적으로 개별 소비자들로 하여금 시장에서 특정 상품의 구매를 억지하거나 제3자로 하여금 그렇게 하도록 설득하는 조직화된 행위'를 의미한다. 잠재적으로 소비자가 될 가능성이 있다면 누구나 운동의 주체가 될 수 있고, 불매운동목표로서의 '소비자의 권익'이란 원칙적으로 사업자가 제공하는 물품이나 용역의 소비생활과 관련된 것으로서 상품의 질이나 가격, 유통구조, 안전성 등 시장적 이익에 국한된다고 볼 것이다. 그러나 소비자불매운동은 모든 경우에 있어서 그 정당성이 인정될 수는 없고, 헌법이나 법률의 규정에 비추어 정당하다고 평가되는 범위에 해당하는 경우에만 형사책임이나 민사책임이 면제된다고 할 수 있다. 우선, ㉠ 객관적으로 진실한 사실을 기초로 행해져야 하고, ㉡ 소비자불매운동에 참여하는 소비자의 의사결정의 자유가 보장되어야 하며, ㉢ 불매운동을 하는 과정에서 폭행, 협박, 기물파손 등 위법한 수단이 동원되지 않아야 하고, ㉣ 특히 물품 등의 공급자나 사업자 이외의 제3자를 상대로 불매운동을 벌일 경우 그 경위나 과정에서 제3자의 영업의 자유 등 권리를 부당하게 침해하지 않을 것이 요구된다.

정답 ③

101 회독 ☐☐☐   15 법원직

현행헌법이 명문으로 규정하고 있지 않은 것은?

① 경자유전의 원칙
② 농수산물의 수급균형
③ 지속 가능한 국민경제의 성장
④ 중소기업의 보호·육성

해설

① (O)

> **헌법 제121조**
> ① 국가는 농지에 관하여 경자유전의 원칙이 달성될 수 있도록 노력하여야 하며, 농지의 소작제도는 금지된다.

② (O)

> **헌법 제123조**
> ④ 국가는 농수산물의 수급균형과 유통구조의 개선에 노력하여 가격안정을 도모함으로써 농·어민의 이익을 보호한다.

③ (✗) 우리 헌법에 지속 가능한 국민경제의 성장이라는 규정은 없다.

④ (O)

> **헌법 제123조**
> ③ 국가는 중소기업을 보호·육성하여야 한다.

정답 ③

102 15·10 국가7급

경제질서에 대한 설명으로 옳지 않은 것만을 모두 고르면? (다툼이 있는 경우 판례에 의함)

ㄱ. 농지는 원칙적으로 농민에게 분배되어야 하며 그 분배의 방법, 소유의 한도, 소유권의 내용과 한계는 법률로써 정한다.

ㄴ. 소비자단체소송제도는 소비자단체에게만 원고적격을 인정하고 있지만 경쟁질서의 확립보다 소비자보호기능에 중점이 맞추어져 생산자의 침해행위를 금지하거나 중지하도록 요구하고 손해배상까지 청구할 수 있게 되어 있다.

ㄷ. 도시개발구역에 있는 국가나 지방자치단체 소유의 재산으로서 도시개발사업에 필요한 재산에 대한 우선매각대상자를 도시개발사업의 시행자로 한정하고 국·공유지의 점유자에게 우선매수자격을 부여하지 않는 「도시개발법」 관련 규정은 사적자치의 원칙을 기초로 한 자본주의 시장경제질서를 규정한 헌법 제119조 제1항에 위반되지 않는다.

ㄹ. 자경농지의 양도소득세 면제대상자를 '농지소재지에 거주하는 거주자'로 제한하는 것은 외지인의 농지투기를 방지하고 조세부담을 덜어 주어 농업과 농촌을 활성화하기 위한 것이므로 경자유전의 원칙에 위배되지 않는다.

① ㄱ, ㄴ
② ㄱ, ㄹ
③ ㄴ, ㄷ
④ ㄷ, ㄹ

해설

ㄱ. (✗) 경자유전의 원칙은 명문규정이 있으나, 선지와 같은 규정은 우리 헌법에 존재하지 않는다. [10 국가7급]

ㄴ. (✗) 개인정보 보호법상 단체소송은 침해행위의 금지·중지를 구하는 소송이다. 따라서 단체소송으로 손해배상을 청구할 수 없다. [15 국가7급]

> **개인정보 보호법 제51조(단체소송의 대상 등)**
> 다음 각 호의 어느 하나에 해당하는 단체는 개인정보처리자가 제49조에 따른 집단분쟁조정을 거부하거나 집단분쟁조정의 결과를 수락하지 아니한 경우에는 법원에 권리침해행위의 금지·중지를 구하는 소송을 제기할 수 있다.
> 〈각 호 생략〉

미국: 집단소송, 대륙법계: 단체소송

ㄷ. (○) 헌재 2009.11.26. 2008헌마711 [15 국가7급]

ㄹ. (○) 헌재 2003.11.27. 2003헌바2 [15 국가7급]

정답 ①

103 09 국회8급

헌법상 경제질서에 관한 설명으로 옳은 것은? (다툼이 있는 경우 판례에 의함)

① 농지개량사업 시행지역 내의 토지에 관한 권리관계에 변경이 있는 경우 그 사업에 관한 권리·의무도 승계인에게 이전하도록 한 것은 사회적 시장경제원칙에 위배된다.
② 토지거래허가제 자체는 위헌이라 볼 수는 없지만, 무허가토지거래계약의 사법상의 효력을 부인하는 것은 과도한 기본권 제한으로 헌법에 위반된다.
③ 퇴직금을 퇴직일로부터 14일 이내에 지급하도록 한 것과 임금을 매월 1회 이상 정기적으로 지급하도록 한 것은 사용자의 계약의 자유 및 기업활동의 자유를 침해한다.
④ 「유사수신행위의 규제에 관한 법률」에서 금지하는 유사수신행위는 장래에 보전을 약속한 거래상대방의 경제적 손실액이 그 거래상대방으로부터 받은 금전의 액수를 초과하는지 여부를 불문함을 알 수 있으므로 죄형법정주의원칙에 위배되지 않는다.
⑤ 승객이 사망하거나 부상한 경우에 과실 유무와 상관없이 자동차운행자에게 배상책임을 부과하는 것은 헌법 제119조 제1항의 자유시장경제질서와 이로부터 도출되는 과실책임의 원칙에 위반된다.

해설

① (X)
> 우리 헌법의 경제질서원칙에 비추어 보면, 농지개량사업 시행지역 내의 토지에 관한 권리관계에 변경이 있는 경우 그 사업에 관한 권리·의무도 승계인에게 이전되도록 규정한 이 사건 법률조항은 농지개량사업의 계속성과 연속성을 보장하고 궁극적으로는 농촌 근대화의 목적을 달성하기 위한 것으로써 오히려 사회적 시장경제질서에 부합하는 제도라 할 것이므로, 이는 헌법 제119조 제1항의 시장경제원칙에 위배되지 않는다. (헌재 2005.12.22. 2003헌바88)

② (X)
> 토지거래허가제 그 자체는 헌법에 합치되는 제도이며, 무허가토지거래계약의 사법적 효력을 부인함으로써 침해되는 그 당사자의 사적 이익과 투기적 토지거래를 방지함으로써 지가 상승을 억제하여 국민의 경제생활을 안정시키려는 공익을 비교·교량해 보면 침해되는 사적 이익보다 이 제도를 통하여 달성할 수 있는 공익이 훨씬 크다고 할 수 있고, 또 달리 최소침해의 요구를 충족할 수 있는 적절한 방법이 있다고도 볼 수 없으므로 헌법에 위반되지 않는다. (헌재 1997.6.26. 92헌바5)

③ (X)
> 퇴직금을 퇴직일로부터 14일 이내에 지급하도록 한 것과 임금을 매월 1회 이상 정기적으로 지급하도록 한 것은 필요한 범위를 넘어 사용자의 계약의 자유 및 기업활동의 자유를 침해하지 아니한다. (헌재 2005.9.29. 2002헌바11)

④ (O) 헌재 2003.2.27. 2002헌바4
유사수신행위란 은행이 아닌 자가 자금을 수신하는 행위로서 일종의 금융피라미드인 경우를 말한다.

⑤ (X)
> 자유시장경제질서를 기본으로 하면서도 사회국가원리를 수용하고 있는 우리 헌법의 이념에 비추어, 일반불법행위책임에 관하여는 과실책임의 원리를 기본원칙으로 하면서 이 사건 법률조항과 같은 특수한 불법행위책임에 관하여 위험책임의 원리를 수용하는 것은 입법정책에 관한 사항으로서 입법자의 재량에 속한다고 할 것이므로, 이 사건 법률조항이 위험책임의 원리에 기하여 무과실책임을 지운 것만으로 자유시장경제질서에 위반된다고 할 수 없다. (헌재 1998.5.28. 96헌가4 등)

정답 ④

104

헌법상 경제질서에 관한 설명으로 옳은 것은?

① 수력은 법률이 정하는 바에 의하여 일정한 기간 그 이용을 특허할 수 있다.
② 사영기업을 국유로 이전하는 것은 사유재산제도에 대한 본질적 내용의 침해에 해당하므로 어떤 경우에도 허용되지 아니한다.
③ 지방자치단체는 조례로 농지의 임대차와 위탁경영에 관하여 규정할 수 있다.
④ 헌법은 건전한 소비행위를 계도하기 위한 소비자보호운동을 법률과 조례로써 제한할 수 있음을 명시하고 있다.

해설

① (O)

> **헌법 제120조**
> ① 광물 기타 중요한 지하자원·수산자원·수력과 경제상 이용할 수 있는 자연력은 법률이 정하는 바에 의하여 일정한 기간 그 채취·개발 또는 이용을 특허할 수 있다.

② (×)

> **헌법 제126조**
> 국방상 또는 국민경제상 긴절한 필요로 인하여 법률이 정하는 경우를 제외하고는, 사영기업을 국유 또는 공유로 이전하거나 그 경영을 통제 또는 관리할 수 없다.

③ (×)

> **헌법 제121조**
> ② 농업생산성의 제고와 농지의 합리적인 이용을 위하거나 불가피한 사정으로 발생하는 농지의 임대차와 위탁경영은 법률이 정하는 바에 의하여 인정된다.

④ (×)

> **헌법 제124조**
> 국가는 건전한 소비행위를 계도하고 생산품의 품질향상을 촉구하기 위한 소비자보호운동을 법률이 정하는 바에 의하여 보장한다.

정답 ①

105 23 변호사

헌법상 국제질서에 관한 설명 중 옳은 것은? (다툼이 있는 경우 판례에 의함)

① 이른바 한미주둔군지위협정(SOFA)은 비록 그 내용이 외국군대의 지위에 관한 것이고 국민에게 재정적 부담을 지우는 입법사항을 포함하고 있다 하더라도, 그 명칭이 협정으로 되어 있어 국회의 동의 없이 체결될 수 있는 행정협정에 해당한다.

② 헌법에 따라 적법하게 체결되어 공포된 조약은 국내법과 동일한 효력을 갖지만, 죄형법정주의원칙상 조약으로 새로운 범죄를 구성하거나 범죄자에 대한 처벌을 가중할 수 없다.

③ 지급거절될 것을 예견하고 수표를 발행한 사람이 그 수표의 지급제시기일에 수표금이 지급되지 아니하게 한 경우 수표의 발행인을 처벌하는 것은 계약상 의무의 이행불능만을 이유로 구금하는 것을 금지한 「시민적 및 정치적 권리에 관한 국제규약」에 정면으로 배치되지 않아 국제법존중주의에 위배되지 않는다.

④ 헌법에 의하여 체결·공포된 조약과 달리 일반적으로 승인된 국제법규는 헌법절차에 의해서 승인되었다고 볼 수 없으므로 국내법과 같은 효력을 갖지 않는다.

⑤ 이라크 파병결정은 고도의 정치적 결단을 요하는 문제이므로, 그것이 헌법과 법률이 정한 절차를 준수했는지, 그리고 이라크 전쟁이 국제규범에 어긋나는 침략전쟁인지 등에 대하여 사법적 기준으로 심판하는 것은 자제되어야 한다.

해설

① (X)

> 대한민국과 아메리카합중국 간의 상호방위조약 제4조에 의한 시설과 구역 및 대한민국에서의 합중국 군대의 지위에 관한 협정은 그 명칭이 '협정'으로 되어 있어 국회의 관여 없이 체결되는 행정협정처럼 보이기도 하나, 우리나라의 입장에서 볼 때에는 외국 군대의 지위에 관한 것이고, 국가에게 재정적 부담을 지우는 내용과 입법사항을 포함하고 있으므로 국회의 동의를 요하는 조약으로 취급되어야 한다. (헌재 1999.4.29. 97헌가14)

② (X)

> 마라케쉬협정은 적법하게 체결되어 공포된 조약이므로 국내법과 같은 효력을 갖는 것이어서 그로 인하여 새로운 범죄를 구성하거나 범죄자에 대한 처벌이 가중된다고 하더라도 이것은 국내법에 의하여 형사처벌을 가중한 것과 같은 효력을 갖게 되는 것이다. 따라서 마라케쉬협정에 의하여 관세법 위반자의 처벌이 가중된다고 하더라도 이를 들어 법률에 의하지 아니한 형사처벌이라거나 행위시의 법률에 의하지 아니한 형사처벌이라고 할 수 없다. (헌재 1998.11.26. 97헌바65[합헌])

③ (O)

> 지급거절될 것을 예견하고 수표를 발행한 사람이 그 수표의 지급제시기일에 수표금이 지급되지 아니하게 한 경우 수표의 발행인을 처벌하도록 규정한 부정수표단속법 제2조 제2항은 국제법존중주의에 위배되지 않는다. (헌재 2001.4.26. 99헌가13[합헌])
> 이 사건 법률조항에서 규정하고 있는 부정수표 발행행위는 지급제시될 때에 지급거절될 것을 예견하면서도 수표를 발행하여 지급거절에 이르게 하는 것으로 그 보호법익은 수표거래의 공정성이며 결코 '계약상 의무의 이행불능만을 이유로 구금'되는 것이 아니므로 국제법존중주의에 입각한다고 하더라도 국제연합 인권규약 제11조의 명문에 정면으로 배치되는 것이 아니다.

④ (X)

> **헌법 제6조**
> ① 헌법에 의하여 체결·공포된 조약과 일반적으로 승인된 국제법규는 국내법과 같은 효력을 가진다.

⑤ (×)

> **제2차 이라크 파병결정(자이툰 부대 파병): 통치행위(사법자제설)** (헌재 2004.4.29. 2003헌마814[각하])
> 이 사건 파견결정은 그 성격상 국방 및 외교에 관련된 고도의 정치적 결단을 요하는 문제로서, 헌법과 법률이 정한 절차를 지켜 이루어진 것임이 명백하므로, 대통령과 국회의 판단은 존중되어야 하고 헌법재판소가 사법적 기준만으로 이를 심판하는 것은 자제되어야 한다.
> 헌법과 법률이 정한 절차를 지켜 이루어진 것임이 명백하다는 것은 절차 부분에 대해서 헌법재판소가 판단하였다는 의미이다.

정답 ③

106   21 서울·지방7급, 17 입시

국제질서에 대한 설명으로 옳지 않은 것은? (다툼이 있는 경우 판례에 의함)

① 국제법적으로 조약은 국제법주체들이 일정한 법률효과를 발생시키기 위하여 체결한 국제법의 규율을 받는 국제적 합의를 말하며 서면에 의한 경우가 대부분이지만 예외적으로 구두합의도 조약의 성격을 가질 수 있다.
② 자유권규약위원회는 자유권규약의 이행을 위해 만들어진 조약상의 기구이므로, 규약의 당사국은 그 견해를 존중하여야 하며, 우리 입법자는 자유권규약위원회의 견해의 구체적인 내용에 구속되어 그 모든 내용을 그대로 따라야 하는 의무를 부담한다.
③ 중요조약의 국회 동의를 규정한 헌법 제60조 제1항 자체로부터 개별적인 국민들의 특정한 주관적 권리의 보장을 이끌어낼 수는 없다.
④ 조약과 비구속적 합의를 구분함에 있어서는 합의의 명칭, 합의가 서면으로 이루어졌는지 여부 등과 같은 형식적 측면 외에도 합의의 과정과 내용·표현에 비추어 법적 구속력을 부여하려는 당사자의 의도가 인정되는지 여부 등 실체적 측면을 종합적으로 고려하여야 한다.

해설

① (○) 헌재 2019.12.27. 2016헌마253 [21 서울·지방7급]
② (×) [21 서울·지방7급]

> '시민적 및 정치적 권리에 관한 국제규약'(이하 '자유권규약'이라 한다)의 조약상 기구인 자유권규약위원회의 견해는 규약을 해석함에 있어 중요한 참고기준이 되고, 규약 당사국은 그 견해를 존중하여야 한다. 특히 우리나라는 자유권규약을 비준함과 동시에, 자유권규약위원회의 개인통보 접수·심리권한을 인정하는 내용의 선택의정서에 가입하였으므로, 대한민국 국민이 제기한 개인통보에 대한 자유권규약위원회의 견해(Views)를 존중하고, 그 이행을 위하여 가능한 범위에서 충분한 노력을 기울여야 한다. … 따라서 우리나라가 자유권규약의 당사국으로서 자유권규약위원회의 견해를 존중하고 고려하여야 한다는 점을 감안하더라도, 피청구인에게 이 사건 견해에 언급된 구제조치를 그대로 이행하는 법률을 제정할 구체적 입법의무가 발생하였다고 보기는 어려우므로, 이 사건 심판청구는 헌법소원심판의 대상이 될 수 없는 입법부작위를 대상으로 한 것으로서 부적법하다. (헌재 2018.7.26. 2011헌마306 등)

③ (○) [17 입시]
④ (○) [21 서울·지방7급]

> 국가는 경우에 따라 조약과는 달리 법적 효력 내지 구속력이 없는 합의도 하는데, 이러한 합의는 많은 경우 일정한 공동목표의 확인이나 원칙의 선언과 같이 구속력을 부여하기에는 너무 추상적이거나 구체성이 없는 내용을 담고 있으며, 대체로 조약체결의 형식적 절차를 거치지 않는다. 이러한 합의도 합의 내용이 상호준수되리라는 기대하에 체결되므로 합의를 이행하지 않는 국가에 대해 항의나 비판의 근거가 될 수는 있으나, 이는 법적 구속력과는 구분된다. 조약과 비구속적 합의를 구분함에 있어서는 합의의 명칭, 합의가 서면으로 이루

어졌는지 여부, 국내법상 요구되는 절차를 거쳤는지 여부와 같은 형식적 측면 외에도 합의의 과정과 내용·표현에 비추어 법적 구속력을 부여하려는 당사자의 의도가 인정되는지 여부, 법적 효력을 부여할 수 있는 구체적인 권리·의무를 창설하는지 여부 등 실체적 측면을 종합적으로 고려하여야 한다. 이에 따라 비구속적 합의로 인정되는 때에는 그로 인하여 국민의 법적 지위가 영향을 받지 않는다고 할 것이므로, 이를 대상으로 한 헌법소원심판청구는 허용되지 않는다. (헌재 2019.12.27. 2016헌마253)

정답 ②

107 21 변호사

헌법상 국제질서에 관한 설명 중 옳지 않은 것은? (다툼이 있는 경우 판례에 의함)

① 전국의 주한 미군기지를 통폐합하여 평택지역으로 집중 재배치하는 내용의 미군기지이전협정과 이행합의서는 지역주민의 자기결정권을 직접적으로 제한한다.
② 외교관계에 관한 비엔나협약에 의하여 외국의 대사관저에 대해 강제집행이 불가능하게 된 경우 국가가 강제집행신청인의 손실을 보상할 입법의무는 발생하지 않는다.
③ 한미자유무역협정의 경우 헌법 제60조 제1항에 의하여 국회의 동의를 필요로 하는 우호통상항해조약의 하나로서 법률적 효력이 인정되므로, 규범통제의 대상이 됨은 별론으로 하고, 그에 의하여 성문헌법이 개정될 수는 없다.
④ 우리나라가 가입한 개정 교토협약이 국내법과 같은 효력을 가진다고 하더라도, 곧 헌법적 효력을 갖는 것이라고 볼 만한 근거는 없는바, 동 협약이 법률조항의 위헌성 심사척도가 될 수는 없다.
⑤ 소송비용 담보제공명령에 관한 법률규정은 우리나라에 효력이 있는 국제법과 조약 중 국내에 주소 등을 두고 있지 아니한 외국인이 소를 제기한 경우에 소송비용 담보제공명령을 금지하는 것을 찾아 볼 수 없으므로 헌법 제6조 제2항에 위배되지 아니한다.

해설

① (X)

> 미군기지의 이전은 공공정책의 결정 내지 시행에 해당하는 것으로서 인근 지역에 거주하는 사람들의 삶을 결정함에 있어서 사회적 영향을 미치게 되나, 개인의 인격이나 운명에 관한 사항은 아니며 각자의 개성에 따른 개인적 선택에 직접적인 제한을 가하는 것이 아니다. 따라서 그와 같은 사항은 헌법상 자기결정권의 보호범위에 포함된다고 볼 수 없다. (헌재 2006. 2.23. 2005헌마268) 이 사건 조약들에 의해서 청구인들의 환경권, 재판절차진술권, 행복추구권, 평등권, 재산권이 바로 침해되는 것이 아니고, 미군부대 이전 후에 청구인들이 권리침해를 받을 우려가 있다 하더라도 이는 장래에 잠재적으로 나타날 수 있는 것이므로 권리침해의 '직접성'이나 '현재성'을 인정할 수 없다. 청구인들은 이 사건 조약들이 일반헌법규정(제5조, 제60조)에 위반된다는 주장을 하였으나, 기본권 침해의 가능성이 없이 단순히 일반헌법규정이나 헌법원칙에 위반된다는 주장은 기본권 침해에 대한 구제라는 헌법소원의 적법요건을 충족시키지 못하는 것이다.

② (O) 외국정부를 상대로 사법상 법률관계에 대해 민사소송을 제기할 수 있지만, 강제집행은 인정되지 않는다.
③ (O) ④ (O) 조약으로 헌법을 개정할 수는 없다.
⑤ (O) 헌재 2012.11.29. 2011헌바173

정답 ①

108 회독 ☐☐☐

18 5급행시

조약과 일반적으로 승인된 국제법규에 대한 설명으로 옳지 않은 것은? (다툼이 있는 경우 판례에 의함)

① 전 세계적으로 양심적 병역거부권의 보장에 관한 국제관습법이 형성되었다고 할 수 없어 양심적 병역거부가 일반적으로 승인된 국제법규로서 우리나라에 수용될 수는 없다.
② 법률적 효력을 갖는 조약은 헌법재판소의 위헌법률심판의 대상이 될 수 있다.
③ 주권의 제약에 관한 조약은 체결할 수 없다.
④ 조약안은 국무회의의 심의를 거쳐야 한다.

해설

① (O)

> 우리나라가 1990.4.10. 가입한 시민적·정치적 권리에 관한 국제규약(International Covenant on Civil and Political Rights)에 따라 바로 양심적 병역거부권이 인정되거나, 양심적 병역거부에 관한 법적인 구속력이 발생한다고 보기 곤란하고, 양심적 병역거부권을 명문으로 인정한 국제인권조약은 아직까지 존재하지 않으며, 국제관습법이 형성되었다고 할 수 없으므로 이 사건 법률조항에 의하여 양심적 병역거부자를 형사처벌한다고 하더라도 국제법 존중의 원칙을 선언하고 있는 헌법 제6조 제1항에 위반된다고 할 수 없다. (헌재 2011.8.30. 2011헌바16 [합헌])

② (O) 그 외 관습법, 긴급명령 등도 심판의 대상이 된다.
③ (✗) 헌법 제60조에 조약으로 주권의 제약이 가능함을 규정하고 있다.

> **헌법 제60조**
> ① 국회는 상호원조 또는 안전보장에 관한 조약, 중요한 국제조직에 관한 조약, 우호통상항해조약, 주권의 제약에 관한 조약, 강화조약, 국가나 국민에게 중대한 재정적 부담을 지우는 조약 또는 입법사항에 관한 조약의 체결·비준에 대한 동의권을 가진다.
> ② 국회는 선전포고, 국군의 외국에의 파견 또는 외국군대의 대한민국 영역 안에서의 주류에 대한 동의권을 가진다.

④ (O)

> **헌법 제89조**
> 다음 사항은 국무회의의 심의를 거쳐야 한다.
>   3. 헌법개정안·국민투표안·조약안·법률안 및 대통령령안

정답 ③

109 회독 ☐☐☐ 재구성   17·16 국가7급, 17 법무사

조약과 일반적으로 승인된 국제법규에 대한 설명으로 옳은 것은? (다툼이 있는 경우 판례에 의함)

① 헌법 제6조 제1항의 국제법 존중주의에 따라 조약과 일반적으로 승인된 국제법규는 국내법에 우선한다.
② 통상조약의 체결절차 및 이행과정에서 남한과 북한 간의 거래는 「남북교류협력에 관한 법률」 제12조에 따라 국가 간의 거래가 아닌 민족 내부의 거래로 본다.
③ 조약은 '국가·국제기구 등 국제법주체 사이에 권리·의무관계를 창출하기 위하여 서면 또는 구두 형식으로 체결되고 국제법에 의하여 규율되는 합의'라고 할 수 있다.
④ 조약의 체결권한은 대통령에게 있고, 비준권은 국회에 속한다.

해설

① (✗) [16 국가7급]

> **헌법 제6조**
> ① 헌법에 의하여 체결·공포된 조약과 일반적으로 승인된 국제법규는 국내법과 같은 효력을 가진다.

② (O) 대한민국과 북한의 관계는 국가와 국가 간의 관계가 아니라 민족 내부의 문제로 본다. [17 국가7급]
③ (✗) 조약은 문서로 체결되어야 한다. 다만, 구두조약도 가능한 예외가 있다. [17 국가7급]
④ (✗) 조약의 체결·비준권은 대통령에게 있고, 국회는 동의권을 가진다. [17 법무사]

> **헌법 제60조**
> ① 국회는 상호원조 또는 안전보장에 관한 조약, 중요한 국제조직에 관한 조약, 우호통상항해조약, 주권의 제약에 관한 조약, 강화조약, 국가나 국민에게 중대한 재정적 부담을 지우는 조약 또는 입법사항에 관한 조약의 체결·비준에 대한 동의권을 가진다.
>
> **제73조**
> 대통령은 조약을 체결·비준하고, 외교사절을 신임·접수 또는 파견하며, 선전포고와 강화를 한다.

정답 ②

기출지문 OX

❶ 법률적 효력을 갖는 조약은 위헌법률심판의 대상이 될 수 있지만, 헌법소원심판의 대상은 될 수 없다. 14 국가7급   (O/✗)

해설 법률적 효력을 갖는 조약이 재판의 전제성이 있으면 위헌법률심판의 대상이 될 수 있고, 재판의 전제성 없이 직접 기본권을 침해하면 헌법소원심판의 대상이 될 수 있다.

🔸 조약에 대한 사법심사

구분	대법원의 심사	위헌법률심판	헌바 사건	헌마 사건
국회의 동의를 받은 조약	불가	가능	가능	가능
국회의 동의를 받지 않은 조약	가능	불가	불가	가능
위헌결정된 조약의 효력	국내법적으로는 무효, 국제법적으로는 유효			
대법원의 위헌·위법결정	당해 사건에만 적용하지 않는 개별적 효력			
헌법재판소의 위헌결정	법률 자체의 효력을 무효화하는 일반적 효력			

정답 ✗

❷ 우리 헌법상 외국인은 국제법과 조약이 정하는 바에 의하여 그 지위가 보장되기 때문에, 국제법과 조약이 정하는 외에 외국인이 우리 헌법상 기본권의 주체가 될 수 있는 경우는 없다. 11 법원직   (O/✗)

해설 외국인은 기본권의 종류에 따라 기본권 주체성이 인정되기도 하고 부정되기도 한다.

정답 ✗

예상판례

고문범죄와 공소시효의 배제 (헌재 2004.12.14, 2004헌마889 [각하])

[1] 국제형사재판소에 관한 로마규정은 2002.11.13. 우리 정부가 비준하여 헌법 제6조 제1항에 따라 '헌법에 의하여 체결·공포된 조약'으로서 국내법과 같은 효력을 갖게 되었다. 그러나 위 로마규정 제29조에 의하여 시효 적용이 배제되는 국제형사재판소 관할 범죄인 고문범죄는 '민간인 주민에 대한 광범위하거나 체계적인 공격의 일부로서 그 공격에 대한 인식을 가지고 범하여진 행위로서의 고문'을 말하는 것이므로, 위 고소사실에 대하여도 위 로마규정이 적용되어 공소시효 적용이 배제된다고 보기 어렵다.

[2] 고문범죄에 대하여 공소시효의 적용을 배제한 국제법규에 따라 고문범죄에 대하여 공소시효의 적용이 배제되어야 하는 것은 아니다.

[3] 국제연합의 전쟁범죄 및 반인도적 범죄에 대한 국제법상의 시효의 부적용에 관한 협약은 위 협약이 모든 고문범죄에 대하여 공소시효 적용을 배제한다는 취지로 되어 있지도 않을 뿐더러, 청구인들 주장의 국제관습법이 '국제사회의 보편적 규범으로서 세계 대다수 국가가 승인하고 있는 법규'라고 볼 근거가 없어, 국내법적 효력이 인정되지 않는다.

110

조약에 대한 설명으로 옳지 않은 것은? (다툼이 있는 경우 판례에 의함)

① 조약이란 일반적으로 둘 이상의 국가 사이에 합의되는 내용이지만, 국제기구도 국제법주체로서 국가와 조약을 체결할 수 있다.
② 자기집행조약은 법률의 입법이 없이 국내에서 효력을 발생하지만, 비자기집행조약은 이를 집행하기 위한 법률의 제정이 있어야 비로소 국내에서 적용할 수 있다.
③ 세계인권선언의 각 조항은 보편적인 법적 구속력을 가짐과 아울러 국제법적 효력을 갖는다.
④ 우리 헌법은 어떠한 조약에 대해서도 헌법과 동일한 효력을 인정하지 않는다.

해설

① (O) 조약의 개념요소로 추가할 수 있는 것은 문서에 의한 것이고 국제법주체의 권리·의무관계를 내용으로 하는 것이다. [14 국회8급]
② (O) 조약에 따른 국내법적 효력을 가지기 위한 절차이다. [14 국회8급]
③ (X) 세계인권선언은 법적 구속력이 없다. (헌재 2005.10.27, 2003헌바50) [15 서울7급]
 그러나 국제연합 인권규약은 법적 구속력이 있다.
④ (O) [15 서울7급]

> 우리 헌법 제6조 제1항은 "헌법에 의하여 체결·공포된 조약과 일반적으로 승인된 국제법규는 국내법과 같은 효력을 가진다."라고 규정하고, 헌법 부칙 제5조는 "이 헌법 시행 당시의 법령과 조약은 이 헌법에 위배되지 않는 한 그 효력을 지속한다."라고 규정하는바, 우리 헌법은 조약에 대한 헌법의 우위를 전제로 하며, 헌법과 동일한 효력을 가지는 이른바 헌법적 조약을 인정하지 아니한다고 볼 것이다. (헌재 2013.11.28, 2012헌마166)

정답 ③

기출지문 OX

국제인권규약은 법적 구속력은 있으나 법률유보조항을 두고 있고, 대한민국이 가입 당시 유보한 조항의 경우 직접적으로 국내법적 효력을 가지지 아니한다. 12 법원직 (O / X)

정답 O

111

국제법의 국내법적 효력에 관한 설명 중 옳지 않은 것은? (다툼이 있는 경우 판례에 의함)

① '강제노동의 폐지에 관한 국제노동기구(ILO)의 제105호 조약'은 우리나라가 비준한 바 없고, 헌법 제6조 제1항에서 말하는 일반적으로 승인된 국제법규로서 헌법적 효력을 갖는 것이라고 볼 만한 근거도 없다.
② '대한민국과 일본국 간의 어업에 관한 협정'은 헌법 제6조 제1항에 의하여 국내법과 같은 효력을 가진다.
③ 국제연합교육과학문화기구와 국제노동기구가 채택한 '교원의 지위에 관한 권고'는 직접적으로 국내법적 효력을 가지는 것이라고 할 수 없다.
④ '국제통화기금협정'은 국회의 동의를 얻어 체결된 것이므로 헌법 제6조 제1항에 따라 국내법적 효력을 가지지만, 그 효력의 정도는 대통령령에 준하는 효력이다.

해설

① (O)

> 강제노동의 폐지에 관한 국제노동기구(ILO)의 제105호 조약은 우리나라가 비준한 바 없고, 헌법 제6조 제1항에서 말하는 일반적으로 승인된 국제법규로서 헌법적 효력을 갖는 것이라고 볼 만한 근거도 없으므로(규범성 부정), 이 사건 심판대상 규정의 위헌성 심사의 척도가 될 수 없다. (헌재 1998.7.16. 97헌바23【합헌】)

② (O)

> [1] 한일어업협정은 우리나라 정부가 일본 정부와의 사이에서 어업에 관해 체결·공포한 조약으로서 헌법 제6조 제1항에 의하여 국내법과 같은 효력을 가지므로, 그 체결행위는 고권적 행위로서 공권력의 행사에 해당한다.
> [2] **한일어업협정의 합의의사록은 조약이 아니다.**
> 한일 양국 정부의 어업질서에 관한 양국의 협력과 협의 의향을 선언한 것으로서 이러한 것들이 곧바로 구체적인 법률관계의 발생을 목적으로 한 것으로는 보기 어렵다고 할 것이다. … 합의의사록이 이 사건 협정의 불가분적 요소로서 조약에 해당한다고 해석하기는 어렵다. (헌재 2001.3.21. 99헌마139 등)

③ (O)

> '교원의 지위에 관한 권고'는 그 전문에서 교육의 형태와 조직을 결정하는 법규와 관습이 나라에 따라 심히 다양성을 띠고 있어 나라마다 교원에게 적용되는 인사제도가 한결같지 아니함을 시인하고 있듯이 우리사회의 교육적 전통과 현실, 그리고 국민의 법감정과의 조화를 이룩하면서 국민적 합의에 의하여 우리 현실에 적합한 교육제도를 단계적으로 실시·발전시켜 나갈 것을 그 취지로 하는 교육제도의 법정주의와 반드시 배치되는 것이 아니고, 또한 직접적으로 국내법적인 효력을 가지는 것이라고도 할 수 없다. (헌재 1991.7.22. 89헌가106)

④ (X)

> **국제통화기금조약은 법률의 효력을 가진 것으로 위헌법률심판의 대상이 된다.** (헌재 2001.9.27. 2000헌바20)
> [1] 국제통화기금조약은 각 회원국의 동의를 얻어 체결된 것으로서, 헌법 제6조 제1항에 따라 국내법적, 법률적 효력을 가지는바, 가입국의 재판권 면제에 관한 것이므로 성질상 국내에 바로 적용될 수 있는 법규범으로서 위헌법률심판의 대상이 된다.
> [2] 국제통화기금 임직원의 '공적 행위'에 대한 재판권 면제 등을 규정한 이 사건 조항에 대하여, 청구인은 '국제통화기금과 그 직원의 재판권 면제는 필요한 최소한에 그쳐야 하며, 불법행위를 원인으로 손해배상을 구하는 경우까지 면제되는 것으로 해석하면 위헌'이라는 한정위헌청구를 하고 있다. 그런데 규범통제제도에서 한정위헌청구는 법조항 자체의 위헌성 문제로 볼 여지가 있는 경우에만 적법한바, 청구인이 이 사건 조항의 규정이 불명확하다던가 자의적으로 해석될 소지가 있다는 주장을 한다거나 이 사건 조항이 법 해석상 구체화되었다고 볼 수 있을 정도로 사례군이 집적되었다고 볼 수 없고, 달리 법규범 자체에 대한 위헌성 다툼으로 볼 만한 사정이 없다. … 즉, 개별사안에서 국내법상의 불법행위를 구성하는 것인지, 또 그것이 위 '공적 행위'로 인하여 야기된 것인지, 나아가 우리나라 재판권의 면제대상이 될 것인지에 관한 법원의 해석에 의하여 결정될 문제라고 할 것이다.

정답

2025 윤우혁 헌법 기출문제집

기본권론

CHAPTER 01	기본권총론
CHAPTER 02	인간의 존엄과 가치 · 행복추구권 · 평등권
CHAPTER 03	자유권적 기본권
CHAPTER 04	경제적 기본권
CHAPTER 05	정치적 기본권
CHAPTER 06	청구권적 기본권
CHAPTER 07	사회적 기본권
CHAPTER 08	국민의 기본적 의무

CHAPTER 01 기본권총론

 핵심노트

기본권의 개요

			인간의 존엄과 가치 및 행복추구권	헌법의 최고가치
	제10조			
	제11조		평등권	불문법원리
자유권		제12조	신체의 자유	• 원칙적으로 무제한의 자유 • 기본권 제한적 법률유보 • 국가에 대한 소극적 방어권(부작위청구권) • 슈미트가 말하는 진정한 기본권 • 구체적 권리(헌법만으로 효력 인정) • 국가로부터의 자유
		제13조	이중처벌금지, 형법불소급, 연좌제금지	
		제14조	거주 · 이전의 자유	
		제15조	직업의 자유	
		제16조	주거의 자유	
		제17조	사생활의 비밀과 자유	
		제18조	통신의 자유	
		제19조	양심의 자유	
		제20조	종교의 자유	
		제21조	언론 · 출판 · 집회 · 결사의 자유	
		제22조	학문과 예술의 자유	
재산권		제23조	재산권 보장	기본권 형성적 법률유보
참정권		제24조	선거권	• 기본권 구체화적 법률유보 • 능동적 · 구체적 권리
		제25조	공무담임권	
청구권		제26조	청원권	• 기본권 구체화적 법률유보 • 적극적 권리 • 다른 기본권의 보장을 위한 기본권 • 구체적 권리
		제27조	재판청구권	
		제28조	형사보상청구권	
		제29조	국가배상청구권	
		제30조	범죄피해자구조청구권	
사회권		제31조	교육을 받을 권리	• 기본권 구체화적 법률유보 • 국가에 대해 작위를 요구하는 권리 • 추상적 권리(개별법에 의한 구체화가 필요) • 국가를 향한 자유 • 현대사회국가의 기본권
		제32조	근로의 권리	
		제33조	근로3권	
		제34조	인간다운 생활권	
		제35조	환경권	
		제36조	혼인과 가족생활	
제한		제37조	일반적 법률유보	–
납세		제38조	납세의 의무	–
국방		제39조	국방의 의무	–

기본권의 객관적 가치질서를 인정할 때의 특징

기본권의 이중적 성격을 인정하면 ① 기본권의 대사인효(기본권의 제3자적 효력)를 쉽게 긍정할 수 있고, ② 헌법소원에 있어서 심판청구의 이익을 보다 넓게 인정(당사자의 주관적 권리보호이익이 인정되지 않는 사안일지라도 객관적 헌법질서의 유지차원에서 예외적으로 권리보호이익을 인정)할 수 있으며, ③ 공동체질서 형성을 위한 기본원칙으로서의 기능, ④ 국가가 기본권을 적극적으로 보호할 의무를 지게 되며, ⑤ 기본권 포기 불가, ⑥ 기본권의 내재적 한계 긍정 등의 기능을 한다고 본다.

001 회독 ☐☐☐   18 국가7급

제도적 보장에 대한 설명으로 옳은 것은? (다툼이 있는 경우 판례에 의함)

① 제도적 보장은 주관적 권리가 아닌 객관적 법규범이라는 점에서 기본권과 구별되며, 헌법에 의하여 일정한 제도가 보장되더라도 입법자는 그 제도를 설정하고 유지할 입법의무를 지는 것은 아니다.
② 기본권이 입법권·집행권·사법권을 구속하는 법규범인데 반하여, 제도적 보장은 프로그램적 규정으로서 재판규범으로서의 기능을 하지 못한다.
③ 방송의 자유는 주관적 권리로서의 성격과 함께 신문의 자유와 마찬가지로 자유로운 의견형성이나 여론형성을 위해 필수적인 기능을 행하는 객관적 규범질서로서 제도적 보장의 성격을 함께 가진다.
④ 전래의 어떤 가족제도가 헌법 제36조 제1항이 요구하는 양성평등에 반한다고 할지라도, 헌법 제9조의 전통문화와 규범조화적으로 해석하여 그 헌법적 정당성이 인정될 수도 있다.

해설

① (✗) 헌법에 규정된 제도 보장은 국회가 이를 구체화하고 지켜야 할 입법의무가 있다.
② (✗) 제도 보장을 이유로 헌법소원을 할 수는 없지만, 제도 보장도 재판규범의 성격은 인정된다.
③ (○)

> **방송의 자유** (헌재 2003.12.18. 2002헌바49)
> [1] 방송의 자유는 주관적 권리로서의 성격과 함께 자유로운 의견형성이나 여론형성을 위해 필수적인 기능을 행하는 객관적 규범질서로서 제도적 보장의 성격을 함께 가진다. 이러한 방송의 자유의 보호영역에는 단지 국가의 간섭을 배제함으로써 성취될 수 있는 방송프로그램에 의한 의견 및 정보를 표현, 전파하는 주관적인 자유권 영역 외에 그 자체만으로 실현될 수 없고 그 실현과 행사를 위해 실체적, 조직적, 절차적 형성 및 구체화를 필요로 하는 객관적 규범질서의 영역이 존재한다.
> [2] 청구인이 주장하는 협찬고지 그 자체에 대한 방송의 자유, 광고의 자유 및 표현의 자유의 침해는 협찬고지라는 광고방송의 한 형태를 규율하는 방송사업의 운영영역에 관한 형성법률인 이 사건 법률조항이 제한적으로 협찬고지를 허용함으로 인하여 부수된 결과인 바, 앞서 본 바와 같이 방송사업자는 형성법률에 의해 주어진 범위 내에서 주관적인 권리를 갖는데, 그 형성법률에 속하는 이 사건 법률조항이 헌법에 합치되므로 또 다른 헌법적 정당화를 필요로 하지 아니한다.

④ (✗)

> **호주제는 헌법에 합치되지 아니한다.** (헌재 2005.2.3. 2001헌가9 등【헌법불합치(잠정적용)】)
> 헌법 제9조에서 말하는 '전통'이란 역사성과 시대성을 띤 개념으로서 가족제도에 관한 전통·전통문화란 적어도 그것이 가족제도에 관한 헌법이념인 개인의 존엄과 양성의 평등에 반하는 것이어서는 안 된다는 한계가 있으므로, 전래의 어떤 가족제도가 헌법 제36조 제1항이 요구하는 개인의 존엄과 양성평등에 반한다면 헌법 제9조에서의 전통을 근거로 헌법적 정당성을 주장할 수 없다.

정답 ③

> 💡 **제도적 보장(배분의 원리가 적용되지 않는다)**
> 제도적 보장이란 역사적·전통적으로 형성된 일정한 기존의 객관적 제도(예 직업공무원제도, 지방자치제도, 사유재산제도) 그 자체에 착안하여 그 제도의 본질적이고 핵심적인 요소를 입법권의 침해로부터 객관적으로 보장하고 유지하기 위한 특정 제도의 헌법적 보장을 의미한다. 다시 말해 제도적 보장이란 국가존립의 기반이 되는 일정한 제도를 헌법의 수준에서 보장함으로써 해당 제도의 본질을 유지하려는 것을 말한다.

002

제도적 보장에 대한 설명 중 옳지 않은 것은?

① 헌법에는 기본권과 관련이 있으면서 기본권과는 개념적으로 구별될 수 있는 제도를 규정한 것들이 있다.
② 객관적 제도를 헌법상 보장함으로써 그 제도의 본질을 유지하려는 것을 제도 보장이라고 한다.
③ 직업공무원제도, 지방자치제도, 복수정당제도, 혼인제도 등이 이에 해당한다.
④ 제도 보장도 재판규범으로서의 성격을 가진다.
⑤ 제도적 보장에도 헌법 제37조가 적용되므로 기본권 보장과 같이 최대보장의 원칙에 의하여 보장하여야 한다.

해설

① (O) ② (O) ③ (O) ④ (O)
⑤ (✗) 기본권 보장은 최대한의 보장, 제도 보장은 최소한의 보장이다.

구분	기본권 보장	제도 보장
규율대상	자연권으로서 천부인권	역사적으로 형성된 기존의 제도
법적 성격	주관적 공권으로서의 성격	객관적 규범으로서의 성격
보장의 정도·대원칙	• 최대한의 보장원칙 • 헌법 제37조 제2항에 의한 과잉금지원칙 적용	• 최소한의 보장원칙 • 헌법 제37조 제2항에 의한 과잉금지원칙 적용 ×
재판규범성 여부	긍정	긍정
헌법소원가능성	긍정	부정
법적 효력	모든 국가권력과 헌법개정권력을 구속	모든 국가권력을 구속하지만, 헌법개정권력은 구속하지 못한다는 점에서 기본권 보장과 다름.

정답 ⑤

003

세계 각국에서 인권사상이 헌법에 수용되는 과정에 관한 설명으로 옳지 않은 것은?

① 17세기 영국에서는 일련의 권리장전들이 마련되었지만, 천부적 인권의 불가침을 선언하는 내용을 담고 있지는 않았다.
② 1787년 제정 당시의 미국 연방헌법은 인권조항을 담고 있는 세계 최초의 헌법이었다.
③ 1789년 프랑스 '인간과 시민의 권리선언'에서는 소유권을 신성불가침의 권리로 규정하였다.
④ 독일에서 인권보장헌법이 본격적으로 출현한 것은 1849년 독일 제국헌법이라고 하겠으나, 이 헌법은 시행되지 못했다.

해설

① (O)
② (✗) 1787년 미국헌법은 인권조항을 두지 않았다. 그 이유는 인권조항을 두면 규정된 내용 외의 인권에 대해서는 보호받지 못한다고 생각하였기 때문이다. 그 후 1791년 헌법에서 인권조항을 두었고 계속 증보하여 오늘에 이르고 있다.
    미국헌법의 개정은 우리(수정식)와 달리 증보식이다.
③ (O)
④ (O) 독일은 시민혁명을 거치지 않은 외견적 입헌주의이다.

정답 ②

제1절 기본권의 의의

004

21.서울·지방7급

기본권의 보호범위에 대한 설명으로 옳은 것은? (다툼이 있는 경우 판례에 의함)

① 헌법 제20조 제1항에 근거한 종교전파의 자유는 국민에게 그가 선택한 임의의 장소에서 이를 자유롭게 행사할 수 있는 권리까지 보장한다.
② 변호사의 업무와 관련된 수임사건의 건수 및 수임액은 변호사의 내밀한 개인적 영역에 속하는 것이므로 이를 소속 지방변호사회에 보고하도록 한 것은 헌법 제17조의 사생활의 비밀과 자유에 대한 제한에 해당한다.
③ 음란표현은 헌법 제21조가 규정하는 언론·출판의 자유의 보호영역 내에 있다.
④ 헌법 제25조의 공무담임권의 보호영역에는 일반적으로 공직취임의 기회보장, 신분 박탈, 직무의 정지가 포함되는 것일 뿐만 아니라, 여기서 더 나아가 공무원이 특정의 장소에서 근무하는 것 또는 특정의 보직을 받아 근무하는 것을 포함하는 일종의 '공무수행의 자유'까지 포함된다.

해설

① (✕) 종교전파의 자유는 국민에게 그가 선택한 임의의 장소에서 이를 자유롭게 행사할 수 있는 권리까지 보장하는 것은 아니다.
② (✕)

> 변호사의 업무와 관련된 수임사건의 건수 및 수임액이 변호사의 내밀한 개인적 영역에 속하는 것이라고 보기 어렵고, 따라서 이 사건 법률조항이 청구인들의 사생활의 비밀과 자유를 침해하는 것이라고 할 수 없다. (헌재 2009.10.29. 2007헌마667[각하])

③ (○) 헌재 2009.5.28. 2006헌바109 등
④ (✕) 공무담임권은 공직취임권, 신분보유권, 승진의 기회균등을 말하고, 공무원이 특정 장소에서 근무하는 것 또는 특정 보직을 받아 근무하는 것을 포함하지 않는다.

정답 ③

기출지문 OX

구치소의 미결수용자가 일반적으로 접근 가능한 신문을 구독하는 것은 알 권리의 보호영역에 속하지 않는다. 11.법원직 (O / X)

해설
> 국민의 알 권리는 정보에의 접근·수집·처리의 자유를 뜻하며 그 자유권적 성질의 측면에서는 일반적으로 정보에 접근하고 수집·처리함에 있어서 국가권력의 방해를 받지 아니한다고 할 것이므로, 개인은 일반적으로 접근 가능한 정보원, 특히 신문, 방송 등 매스미디어로부터 방해받음이 없이 알 권리를 보장받아야 할 것이다. 미결수용자에게 자비로 신문을 구독할 수 있도록 한 것은 일반적으로 접근할 수 있는 정보에 대한 능동적 접근에 관한 개인의 행동으로서 이는 알 권리의 행사이다. (헌재 1998.10.29. 98헌마4)
>
> 신문기사를 삭제하는 것은 합헌이다.

정답 X

005

기본권에 관한 설명으로 옳지 않은 것은?

① 기본권은 원래 국민 대 국가의 관계에서 인정되는 것으로 주관적 공권으로서의 성격이 원칙적인 것이고 우선한다.
② 그러나 헌법이 국가최고법으로서 모든 법질서를 지도하여야 한다는 측면에서 보면 객관적 질서의 요소로서의 성격을 부인할 수는 없다.
③ 따라서 기본권의 이중성이 인정되어야 하고, 특히 기본권이 사법을 제정하는 입법권을 구속하는 것일 뿐만 아니라 사법의 해석에 있어서도 기준이 되어야 한다는 점에서 객관적 질서의 요소로서의 성격이 강조되고 있다.
④ 기본권의 이중성을 인정하지 않으려는 견해는 기본권의 주관적 공권으로서의 성격이 약화될 것을 우려하기 때문이나, 객관적 질서의 요소로서의 성격을 인정하는 취지가 바로 기본권의 주관적 공권으로서의 성격을 강화하자는 데 있으므로 크게 문제될 것은 없다.
⑤ 그러므로 국가조직법규나 절차법규 제정에 있어서 기준이 되어야 하는 기본권의 성격은 주관적 공권으로서의 성격이 될 수밖에 없다.

해설

① (O) ② (O) ③ (O) ④ (O)
통합주의 헌법관 이전에는 기본권은 주관적 공권성이 강조되었고 객관적 가치질서성에 대해서는 문제가 되지 않았다. 전통적으로 기본권 침해는 국가에 의해 이루어졌고 국가로부터 기본권을 지키는 것이 중요과제였기 때문이다. 미국은 자연권적인 사고가 강한 나라여서 아직도 기본권의 객관적 가치질서성을 인정하는 데 어려움이 있다.
⑤ (✗) 국가조직법규나 절차법규 제정에 있어서 기준이 되어야 하는 기본권의 성격은 객관적 질서의 요소로서의 성격이다. 가치질서는 통합을 강조하고 통합은 조직규범과 연결되는 부분이 많기 때문이다.

정답 ⑤

006  09 법원직

인권 내지 기본권에 관한 설명 중 옳지 않은 것은? (다툼이 있는 경우 판례에 의함)

① 헌법에 열거되지 아니한 국민의 자유와 권리도 헌법소원에 의하여 구제될 수 있는 헌법상 보장된 기본권에 해당할 수 있다.
② 기본권은 국가가 확인하고 보장한다는 점에서 국가가 제정한 법률의 범위 내에서 그 효력이 인정되는 권리이다.
③ '제3세대 인권'이란 평화에 대한 권리, 환경에 대한 권리, 개발에 대한 권리 등을 포함하는 연대권을 말한다.
④ 「국가인권위원회법」은 헌법뿐만 아니라 법률, 대한민국이 가입·비준한 국제인권조약, 국제관습법을 인권의 법원으로 인정하고 있다.

해설

① (O)

> **헌법 제37조**
> ① 국민의 자유와 권리는 헌법에 열거되지 아니한 이유로 경시되지 아니한다.

> 헌법에 열거되지 아니한 기본권을 새롭게 인정하려면, ⊙ 그 필요성이 특별히 인정되고, ⓒ 그 권리 내용(보호영역)이 비교적 명확하여 구체적 기본권으로서의 실체, 즉 권리 내용을 규범 상대방에게 요구할 힘이 있고, ⓒ 그 실현이 방해되는 경우 재판에 의하여 그 실현을 보장받을 수 있는 구체적 권리로서의 실질에 부합하여야 한다. (헌재 2009.5.28. 2007헌마369)

② (X) 기본권을 국가가 확인하고 보장한다는 의미와 국가가 제정한 법률의 범위 내에서 그 효력이 인정된다는 것은 다른 의미이다. 즉, 기본권의 종류에 따라 다르게 해석된다. 자유권적 기본권은 최대한 보장이고 관련 법률은 기본권 제한적 법률유보가 되지만, 사회적 기본권은 법률에 의해 구체화되는 면이 있다.

③ (O) 제3세대 인권(연대권)의 내용과 특색

- 내용: 일반적으로 경제발전권, 평화권, 환경권, 인류공동의 유산에 대한 소유권 및 인간적 도움을 요구할 권리, 서로 다를 수 있는 권리, 의사소통권 등을 그 내용으로 한다.
- 특색: 제1세대 인권의 이념을 자유, 제2세대 인권의 이념을 평등이라 한다면, 제3세대 인권의 이념은 박애(형제애)의 현대적 표현인 연대성이다(프랑스 대혁명의 3대 구호가 자유, 평등, 박애였다).

1·2·3세대 인권

구분	1세대 기본권	2세대 기본권	3세대 기본권
인권의 이념	자유	평등	박애(형제애)
정치적 색채	강하다.	강하다.	약하다(인도적 차원의 성격이 강하다).
인권 실현	국가의 불개입	국가의 개입	국가, 공·사단체, 국제공동체의 연대책임
인권의 범위	국내법적 인정	국내법적 인정	국제법적 차원
인권 주체	개인	개인	민족이든 국가이든 단체
완성도	완성된 권리	완성된 권리	생성 중의 인권

④ (O)

> **국가인권위원회법 제2조(정의)**
> 이 법에서 사용하는 용어의 뜻은 다음과 같다.
> 1. '인권'이란 대한민국헌법 및 법률에서 보장하거나 대한민국이 가입·비준한 국제인권조약 및 국제관습법에서 인정하는 인간으로서의 존엄과 가치 및 자유와 권리를 말한다.

정답 ②

제 2 절　기본권의 분류와 체계

 핵심노트

위헌법률심판(헌가 사건)과 위헌심사형 헌법소원(헌바 사건)

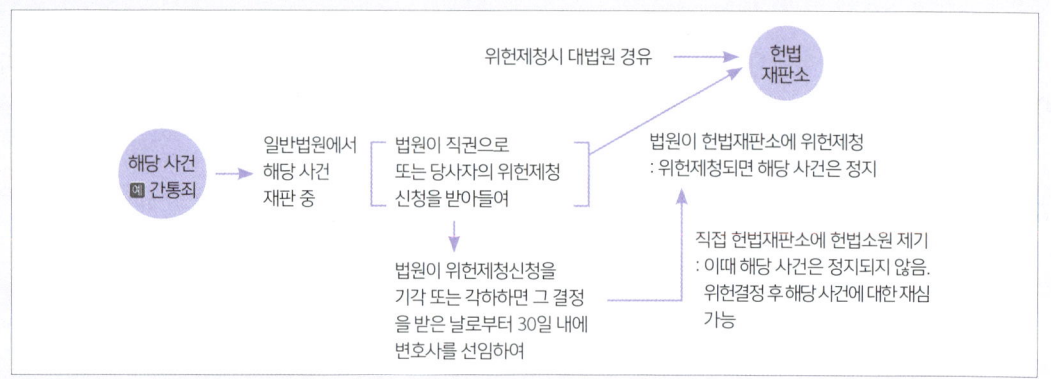

- 구체적 규범통제만 되고 추상적 규범통제는 인정되지 않는다.
- 헌법재판소에 위헌제청할 때는 대법원을 경유하여야 한다.
- 당사자의 위헌제청신청은 당해 사건의 전심급을 통해서 한 번만 할 수 있다.
- 헌바 사건은 행정청도 가능하다.

1. **대상**
   법률 + 법률과 동일한 효력을 가진 ┌ 대통령의 긴급명령, 긴급재정·경제명령
   　　　　　　　　　　　　　　　├ 국회의 동의를 받은 조약
   　　　　　　　　　　　　　　　└ 관습법
   → 헌법조문이나 법규명령 등에 대해서는 불가하다.

2. **재판의 전제성**
   ① 재판: 모든 종류의 재판을 포함한다.
   ② 전제성
   　・해당 사건이 적법하게 계속 중일 것(위 사례에서 간통죄가 취하나 각하되지 않을 것)
   　・해당 조문이 해당 사건에 직접 적용되는 조문일 것. 단, 밀접한 관련이 있으면 간접 적용되는 조문도 가능하다.
   　・위헌결정이 나면 다른 내용의 재판을 하게 되는 경우일 것. 다른 내용의 재판은 판결의 주문이 달라지는 경우와 판결의 이유나 의미를 달리하는 경우를 포함한다(위 사례에서 간통죄가 위헌으로 결정되면 해당 사건은 무죄판결이 난다).

권리구제형 헌법소원(헌마 사건)

1. **청구인능력(기본권 주체성)**
   ① 자연인: 대한민국 국민은 모두 인정한다. ┌ 태아: 생명권의 주체성 인정
   　　　　　　　　　　　　　　　　　　　　└ 배아: 기본권 주체성 부정
   ② 외국인: 기본권에 따라 다르다. ┌ 자유권: 대체로 인정
   　　　　　　　　　　　　　　　├ 정치적 기본권: 부정
   　　　　　　　　　　　　　　　└ 사회적 기본권: 경우에 따라 다름.
   ③ 법인 ┌ 사법인: 원칙적으로 인정, 권리능력 없는 사단·재단도 헌법소원 가능
   　　　　└ 공법인: 원칙적으로 부정(서울대학교, 한국방송공사는 인정되는 경우가 있음)

2. 공권력의 행사 또는 불행사
① 원칙적으로 입법, 행정, 사법의 모든 공권력이 대상이 된다. 다만, 법원의 재판은 헌법재판소법에 의해 헌법소원의 대상이 아니다. 법원의 재판이 헌법소원의 대상이 되는 유일한 예외는 헌법재판소가 위헌으로 결정한 법령을 적용하여 기본권을 침해한 재판이다.
② 법률은 집행행위의 매개 없이 직접 기본권을 침해하면 헌법소원의 대상이 된다.
③ 법규명령도 집행행위의 매개 없이 직접 기본권을 침해하면 헌법소원의 대상이 된다.
④ 행정규칙은 원칙적으로 헌법소원의 대상이 아니지만, 재량준칙과 법령보충적 행정규칙은 집행행위의 매개 없이 직접 기본권을 침해하면 헌법소원의 대상이 된다.
⑤ 입법부작위는 진정입법부작위만 헌법소원의 대상이 된다. 부진정입법부작위는 부작위를 대상으로 하는 헌법소원은 안 되지만, 법률의 내용을 대상으로 하는 헌법소원은 가능하다.
⑥ 행정입법부작위는 헌법소원의 대상이 된다(대법원이 행정입법부작위에 대해 부작위위법확인소송을 인정하지 않기 때문이다).

3. 헌법상 보장된 기본권의 침해가능성
가능성만 있으면 되고, 침해 여부는 본안의 문제이다.

4. 당사자적격
① 자기관련성: 침해되었다고 주장하는 기본권이 청구인 자신의 것이어야 한다. 즉, 다른 사람의 기본권을 대신 주장하는 것은 허용되지 않는다.
② 직접성: 주로 법령을 대상으로 하는 헌법소원에서 집행행위를 매개하지 않고 침해하는 경우여야 한다.
③ 현재성: 기본권 침해는 현재 계속되고 있어야 하는 것이 원칙이나, 예외가 있다.

5. 권리보호이익
재판의 결과 신청인의 법적 지위가 향상될 가능성이 있어야 한다. 행정소송의 소의 이익과 같은 개념이다. 헌법소송의 특성상 주관적 권리보호이익이 없어도 기본권 침해의 반복가능성과 헌법적 해명의 필요성이 있으면 객관적 권리보호이익이 인정되는 경우가 있다.

6. 보충성원칙
헌법소원을 제기하기 전에 다른 법률이 정한 구제절차를 모두 거쳐야 한다. 이때 다른 법률의 구제절차는 해당 공권력을 직접 대상으로 하는 것이어야 한다. 따라서 손해배상 등은 거치지 않아도 된다.

7. 변호사 강제주의

8. 청구기간의 준수
원칙적으로 해당 공권력의 행사가 있음을 안 날로부터 90일, 있은 날로부터 1년 내에 제기하여야 한다.

📖 예상판례

외교부 북미국장이 2017.4.20. 주한미군사령부 부사령관과 사이에 주한미군에 성주 스○○골프장 부지 중 일부의 사용을 공여하는 내용으로 체결한 협정에 대한 심판청구를 모두 각하하는 결정을 선고하였다. (헌재 2024.3.28. 2017헌마372 [각하])
이 사건 협정은 청구인들의 법적 지위에 아무런 영향을 미치지 아니하므로, 이 사건 협정에 대한 심판청구는 기본권침해가능성이 인정되지 아니한다.

007 회독 ☐☐☐ 재구성   16 국회8급

기본권의 보호영역에 대한 설명으로 옳지 않은 것은? (다툼이 있는 경우 헌법재판소 결정에 의함)

① 일반적 행동자유권의 보호영역에는 개인의 생활방식과 취미에 관한 사항이 포함되며, 여기에는 위험한 스포츠를 즐길 권리와 같은 위험한 생활방식으로 살아갈 권리도 포함된다.
② 헌법 제12조 제4항의 변호인의 조력을 받을 권리는 신체의 자유에 관한 영역으로서 가사소송에서 당사자가 변호사를 대리인으로 선임하여 그 조력을 받는 것은 그 보호영역에 포함된다고 보기 어렵다.
③ 국가의 간섭을 받지 아니하고 자유로이 기부행위를 할 수 있는 기회의 보장은 헌법상 보장된 재산권의 보호범위에 포함된다.
④ 지역방언을 자신의 언어로 선택하여 공적 또는 사적인 의사소통과 교육의 수단으로 사용하는 것은 행복추구권에서 파생되는 일반적 행동의 자유 내지 개성의 자유로운 발현의 한 내용이 된다.

해설

① (O) 일반적 행동자유권은 인격적 가치 있는 것만 보호대상으로 하는 것이 아니다.
② (O) 변호인의 조력을 받을 권리는 형사사건과 행정절차에서 구금된 경우에 인정된다. 따라서 민사소송이나 가사소송에서 변호사를 대리인으로 선임하여 그 조력을 받는 것은 그 보호영역에 포함된다고 보기 어렵다.
③ (✗)

> 청구인은 기부금품모집금지법(이하 '법'이라 한다) 제3조가 재산권 행사의 자유를 침해한다고 주장하나, 법 제3조는 기부금품의 모집을 하고자 하는 자의 재산권 행사와는 전혀 무관할 뿐 아니라, 기부를 하고자 하는 자의 재산권 보장이란 관점에서 보더라도 기부를 하고자 하는 자에게는 기부금품의 모집행위와 관계없이 자신의 재산을 기부행위를 통하여 자유로이 처분할 수 있는 가능성은 법 제3조에 의한 제한에도 불구하고 변함없이 남아 있으므로, 법 제3조가 기부를 하고자 하는 자의 재산권 행사를 제한하지 아니한다. 물론, 기부를 하려는 국민도 타인의 모집행위를 통하여 누가 어떤 목적으로 기부금품을 필요로 하는가를 인식함으로써 기부행위의 동기와 기회를 부여받는다는 사실은 인정되지만, 법에 의한 제한은 단지 기부행위를 할 기회만을 제한할 뿐 재산권의 자유로운 처분에 대한 제한을 하는 것은 아니다. 국가의 간섭을 받지 아니하고 자유로이 기부행위를 할 수 있는 기회의 보장은 헌법상 보장된 재산권의 보호범위에 포함되지 않는다. 그렇다면 법 제3조에 의하여 제한되는 기본권은 행복추구권이다. (헌재 1998.5.28. 96헌가5)

④ (O)

> 표준어를 '교양 있는 사람들이 두루 쓰는 현대 서울말로 정함을 원칙'으로 하고 있는 표준어 규정[각하]과 공공기관의 공문서를 표준어 규정에 맞추어 작성하도록 하는 구 국어기본법 제14조 제1항 및 초·중등교육법상 교과용 도서를 편찬하거나 검정 또는 인정하는 경우 표준어 규정을 준수하도록 하고 있는 제18조 규정은 청구인들의 행복추구권을 침해하지 않는다. [기각] (헌재 2009.5.28. 2006헌마618)
> 부모는 어떠한 방향으로 자녀의 인격이 형성되어야 하는가에 관하여 목표를 정하고, 자녀의 개인적 성향, 능력 등을 고려하여 교육목적을 달성하기에 적합한 수단을 선택할 권리를 가진다고 할 것이며, 그러한 인격의 형성과 긴밀한 관련을 가지는 국어교육에 있어 지역공동체의 정서와 문화가 배어 있는 방언에 기초한 교육을 할 것인가, 표준어에 기초한 교육을 할 것인가를 결정할 수 있는 것으로서, 이는 자녀교육권의 한 내용이라고 할 수 있다. … 결국 부모의 자녀교육권을 침해하는 것이라고 보기 어렵다.

정답 ③

제3절 기본권의 주체

008 회독 ☐☐☐ NEW 24 경찰2차

기본권주체성에 관한 설명으로 가장 적절한 것은? (다툼이 있는 경우 헌법재판소 판례에 의함)

① 카자흐스탄 국적의 고려인은 외국국적동포로서 '인간의 권리'뿐 아니라 '국민의 권리'에 대해서도 기본권주체성이 있다.
② 18세 이상으로서 선거인명부작성기준일 현재 영주의 체류자격 취득일 후 3년이 지난 외국인으로서 해당 지방자치단체의 외국인등록대장에 올라 있는 사람에게 그 구역에서 선거하는 지방자치단체 의회의원과 장의 피선거권을 부여하므로 외국인도 피선거권의 주체가 될 수 있다.
③ 공법인이나 이에 준하는 지위를 가진 자라 하더라도 공무를 수행하거나 고권적 행위를 하는 경우가 아닌 사경제 주체로서 활동하는 경우나 조직법상 국가로부터 독립한 고유 업무를 수행하는 경우, 그리고 다른 공권력 주체와의 관계에서 지배복종관계가 성립되어 일반 사인처럼 그 지배하에 있는 경우 등에는 기본권 주체가 될 수 있다.
④ 법인인 서울대학교와 인천대학교를 제외하고 국립대학교는 「정부조직법」 제4조 부속기관의 일종인 교육훈련기관으로서 영조물에 불과하므로 대학의 자율권과 관련하여 기본권 주체가 될 수 없다.

해설

① (✗) 외국국적동포는 국적법상 외국인이므로 인간의 권리가 인정되는 것은 가능하지만 국민의 권리가 인정되는 것은 아니다.
② (✗) 18세 이상으로서 선거인명부작성기준일 현재 영주의 체류자격 취득일 후 3년이 지난 외국인으로서 해당 지방자치단체의 외국인등록대장에 올라 있는 사람에게 그 구역에서 선거하는 지방자치단체 의회의원과 장 선거권이 인정되지만 피선거권이 인정되는 것은 아니다.
③ (○) 국가나 지자체를 제외한 공법인은 지문과 같은 경우 예외적으로 기본권 추제가 될 수 있다.
④ (✗) 강원대학교 세무대학교 등도 기본권 주체로 인정되었다.

정답 ③

009

기본권의 주체성에 대한 설명으로 옳지 않은 것은? (다툼이 있는 경우 판례에 의함)

① 무소속 국회의원으로서 교섭단체 소속 국회의원과 동등하게 대우받을 권리는 입법권을 행사하는 국가기관인 국회를 구성하는 국회의원의 지위에서 향유할 수 있는 권한인 동시에 헌법이 일반국민에게 보장하고 있는 기본권이라고 할 수 있다.

② 국가 정책에 따라 정부의 허가를 받은 외국인은 정부가 허가한 범위 내에서 소득활동을 할 수 있는 것이므로 외국인이 국내에서 누리는 직업의 자유는 법률 이전에 헌법에 의해서 부여된 기본권이라고 할 수는 없고, 법률에 따른 정부의 허가에 의해 비로소 발생하는 권리이다.

③ 정당이 등록이 취소된 이후에도 '등록정당'에 준하는 '권리능력 없는 사단'으로서의 실질을 유지하고 있다고 볼 수 있으면 헌법소원의 청구인능력을 인정할 수 있다.

④ 공법상 재단법인인 방송문화진흥회가 최다출자자인 방송사업자는 「방송법」 등 관련 규정에 의하여 공법상의 의무를 부담하고 있지만, 그 설립목적이 언론의 자유의 핵심영역인 방송사업이므로 이러한 업무수행과 관련해서는 기본권 주체가 될 수 있고, 그 운영을 광고수익에 전적으로 의존하고 있는 만큼 이를 위해 사경제주체로서 활동하는 경우에도 기본권 주체가 될 수 있다.

해설

① (✗) 국회의원의 지위에서 누리는 권한은 일반국민이 누릴 수 없으므로 기본권이 아니다.

② (○)

> 의료인의 면허된 의료행위 이외의 의료행위를 금지하고 처벌하는 의료법 규정에 관한 부분에 대한 심판청구에 대하여 외국인인 청구인의 직업의 자유 및 평등권에 관한 기본권 주체성은 인정되지 않는다. (헌재 2014.8.28. 2013헌마359)
> 심판대상조항이 제한하고 있는 직업의 자유는 국가자격제도정책과 국가의 경제상황에 따라 법률에 의하여 제한할 수 있는 국민의 권리에 해당한다. 국가정책에 따라 정부의 허가를 받은 외국인은 정부가 허가한 범위 내에서 소득활동을 할 수 있는 것이므로, 외국인이 국내에서 누리는 직업의 자유는 법률에 따른 정부의 허가에 의해 비로소 발생하는 권리이다. 따라서 외국인인 청구인에게는 그 기본권 주체성이 인정되지 아니하며, 자격제도 자체를 다툴 수 있는 기본권 주체성이 인정되지 아니하는 이상 국가자격제도에 관련된 평등권에 관하여 따로 기본권 주체성을 인정할 수 없다.

③ (○)

> 청구인(사회당)은 등록이 취소된 이후에도, 취소 전 사회당의 명칭을 사용하면서 대외적인 정치활동을 계속하고 있고, 대내외 조직 구성과 선거에 참여할 것을 전제로 하는 당헌과 대내적 최고의사결정기구로서 당대회와, 대표단 및 중앙위원회, 지역조직으로 시 · 도위원회를 두는 등 계속적인 조직을 구비하고 있는 사실 등에 비추어 보면, 청구인은 등록이 취소된 이후에도 '등록정당'에 준하는 '권리능력 없는 사단'으로서의 실질을 유지하고 있다고 볼 수 있으므로 이 사건 헌법소원의 청구인능력을 인정할 수 있다. (헌재 2006.3.30. 2004헌마246)

④ (○)

> [1] 공법상 재단법인인 방송문화진흥회가 최다출자자인 방송사업자에게 기본권 주체성이 인정된다.
> [2] 방송문화진흥회가 최다출자자인 방송사업자의 경우 한국방송광고공사의 후신인 한국방송광고진흥공사가 위탁하는 방송광고에 한하여 방송광고를 할 수 있도록 한 방송광고판매대행 등에 관한 법률 제5조 제2항 중 '방송문화진흥회법에 따라 설립된 방송문화진흥회가 최다출자자인 방송사업자' 부분은 구 방송법령에 대한 헌법불합치결정(헌재 2008.11.27. 2006헌마352)의 기속력에 반하지 않는다. (헌재 2013.9.26. 2012헌마271)

정답 ①

010

외국인의 기본권 주체성에 대한 설명으로 옳지 않은 것은? (다툼이 있는 경우 헌법재판소 판례에 의함)

① 인간의 존엄과 가치, 행복추구권은 대체로 '인간의 권리'로서 외국인도 주체가 될 수 있다고 보아야 하고, 평등권도 인간의 권리로서 참정권 등에 대한 성질상의 제한 및 상호주의에 따른 제한이 있을 수 있을 뿐이다.
② 외국인에게 직장선택의 자유에 대한 기본권 주체성을 인정한다는 것은 곧바로 이들에게 우리 국민과 동일한 수준의 직장선택의 자유가 보장된다는 것을 의미한다.
③ '일할 환경에 관한 권리'는 인간의 존엄성에 대한 침해를 방어하기 위한 권리로서 외국인에게도 인정되며, 건강한 작업환경, 일에 대한 정당한 보수, 합리적인 근로조건의 보장 등을 요구할 수 있는 권리 등을 포함한다.
④ 불법체류라는 것은 관련 법령에 의하여 체류자격이 인정되지 않는다는 것일 뿐이므로, '인간의 권리'로서 외국인에게도 주체성이 인정되는 일정한 기본권에 관하여 불법체류 여부에 따라 그 인정 여부가 달라지는 것은 아니다.
⑤ 직장선택의 자유는 국민의 권리가 아닌 인간의 권리로 보아야 할 것이므로, 적법하게 고용허가를 받아 우리 사회에서 정당한 노동인력으로서의 지위를 부여받은 외국인에게도 직장선택의 자유에 대한 기본권 주체성을 인정할 수 있다.

해설

① (O) ④ (O)

> 헌법재판소법 제68조 제1항 소정의 헌법소원은 기본권의 주체이어야만 청구할 수 있는데, 단순히 '국민의 권리'가 아니라 '인간의 권리'로 볼 수 있는 기본권에 대해서는 외국인도 기본권의 주체가 될 수 있다. 나아가 청구인들이 불법체류 중인 외국인이라고 하더라도, 불법체류라는 것은 관련 법령에 의하여 체류자격이 인정되지 않는다는 것일 뿐이므로, '인간의 권리'로서 외국인에게도 주체성이 인정되는 일정한 기본권에 관하여 불법체류 여부에 따라 그 인정 여부가 달라지는 것은 아니다. (헌재 2012.8.23. 2008헌마430)

② (X) ⑤ (O)

> 구 외국인근로자의 고용 등에 관한 법률이 외국인근로자에게 사업장 변경을 3회로 제한한 것은 헌법에 위반되지 않는다. (헌재 2011.9.29. 2007헌마1083 등【기각】)
> [1] 직장변경의 횟수를 제한하고 있는 이 사건 법률조항은 위와 같은 근로의 권리를 제한하는 것은 아니라고 할 것이다. 한편, 이 사건 법률조항은 외국인근로자의 사업장 최대변경가능 횟수를 설정하고 있는바, 이로 인하여 외국인근로자는 일단 형성된 근로관계를 포기(직장이탈)하는 데 있어 제한을 받게 되므로 이는 직업선택의 자유 중 직장선택의 자유를 제한하고 있다.
> [2] **자유로운 직업을 선택·결정을 할 자유는 외국인도 누릴 수 있는 인간의 권리로서의 성질을 지닌다고 볼 것이다.**
> 직업의 자유 중 이 사건에서 문제되는 직장선택의 자유는 인간의 존엄과 가치 및 행복추구권과도 밀접한 관련을 가지는 만큼 단순히 국민의 권리가 아닌 인간의 권리로 보아야 할 것이므로 권리의 성질상 참정권, 사회권적 기본권, 입국의 자유 등과 같이 외국인의 기본권 주체성을 전면적으로 부정할 수는 없고, 외국인도 제한적으로라도 직장선택의 자유를 향유할 수 있다고 보아야 한다. 한편, 외국인에게 직장선택의 자유에 대한 기본권 주체성을 인정한다는 것이 곧바로 이들에게 우리 국민과 동일한 수준의 직장선택의 자유가 보장된다는 것을 의미하는 것은 아니라고 할 것이다.

③ (O) 일자리에 관한 권리는 국민에게만 인정되고, 일할 환경에 대한 권리는 외국인에게도 인정된다.

정답 ②

011 21 국회8급

기본권의 주체에 대한 설명으로 옳은 것은? (다툼이 있는 경우 판례에 의함)

① 축협중앙회는 공법인으로서의 성격이 상대적으로 크지만 공법인성과 사법인성을 겸유한 특수한 법인으로서 기본권의 주체가 될 수 있다.
② 인간의 존엄과 가치에서 유래하는 인격권은 성질상 법인에게 적용될 수 없다.
③ 외국인에게 근로관계가 형성되기 전 단계인 특정한 직업을 선택할 수 있는 권리는 헌법상 기본권에서 유래된다.
④ 국회의원은 국회 구성원의 지위에서 질의권·토론권·표결권 등의 기본권 주체가 될 수 있다.
⑤ 대통령은 국민에 대한 봉사자의 지위에서 헌법기관으로서의 기본권 주체가 될 수 있다.

해설

① (O) 동시에 공법인의 성격 때문에 기본권의 보호 정도는 약화된다.
② (X) 인격권에는 성명권, 초상권, 명예권이 포함되며, 법인도 주체가 된다.
③ (X) 외국인에게도 기본적으로 직업의 권리가 인정되지만, 국민과 동일한 수준으로 인정되지는 않는다.

> 의료인의 면허된 의료행위 이외의 의료행위를 금지하고 처벌하는 의료법 규정에 관한 부분에 대한 심판청구에 대하여 외국인인 청구인의 직업의 자유 및 평등권에 관한 기본권 주체성은 인정되지 않는다. (헌재 2014.8.28. 2013헌마359)
> [1] 심판대상조항이 제한하고 있는 직업의 자유는 국가자격제도정책과 국가의 경제상황에 따라 법률에 의하여 제한할 수 있는 국민의 권리에 해당한다. 국가정책에 따라 정부의 허가를 받은 외국인은 정부가 허가한 범위 내에서 소득활동을 할 수 있는 것이므로, 외국인이 국내에서 누리는 직업의 자유는 법률에 따른 정부의 허가에 의해 비로소 발생하는 권리이다. 따라서 외국인인 청구인에게는 그 기본권 주체성이 인정되지 아니하며, 자격제도 자체를 다툴 수 있는 기본권 주체성이 인정되지 아니하는 이상 국가자격제도에 관련된 평등권에 관하여 따로 기본권 주체성을 인정할 수 없다.
> [2] 의료인을 수범자로 한 심판대상조항에 대한 심판청구에 대해 의료소비자인 청구인은 자기관련성이 인정되지 않는다.

④ (X) 국회의원은 국회 구성원의 지위에서는 기본권의 주체가 아니다. 또한 질의권, 토론권, 표결권 등은 기본권이 아니라 국회의원의 권한이다.
⑤ (X) 대통령은 개인의 지위에서는 기본권의 주체가 될 수 있지만, 국민에 대한 봉사자의 지위에서 헌법기관으로서는 기본권 주체가 될 수 없다.

정답 ①

기출지문 OX

공법인으로서의 성격과 사법인으로서의 성격을 겸유한 특수한 법인의 경우 기본권의 주체가 될 수 있다고는 할 것이지만, 공법인적 특성이 기본권의 제약요소로 작용할 수 있다. 13변호사 (O / X)

해설
헌법재판소는 "헌법상 기본권의 주체가 될 수 있는 법인은 원칙적으로 사법인에 한하는 것이고, 공법인은 헌법의 수범자이지 기본권의 주체가 될 수 없다. 또 예외적으로 공법인적 성질을 가지는 법인이 기본권의 주체가 되는 경우에도 그 공법인적 성격으로 인한 제한을 받지 않을 수 없다. … 축협중앙회는 공법인성과 사법인성을 겸유한 특수한 법인으로서 이 사건에서 기본권의 주체가 될 수 있다고는 할 것이지만, 위와 같이 두드러진 공법인적 특성이 축협중앙회가 가지는 기본권의 제약요소로 작용하는 것만은 이를 피할 수 없다고 할 것이다."라고 하여 예외적으로 공법인의 기본권 주체성을 인정하고 있으나, 그 보호의 정도는 다른 기본권 주체에 비하여 낮을 것임을 지적하고 있다. (헌재 2000.6.1. 99헌마553)

정답 O

012

외국인의 기본권과 기본권 주체성에 대한 설명으로 옳지 않은 것만을 모두 고르면? (다툼이 있는 경우 판례에 의함)

ㄱ. 참정권은 '인간의 자유'라기보다는 '국민의 자유'이므로 「공직선거법」은 외국인의 선거권을 인정하지 않고 있다.

ㄴ. 헌법 제31조 제4항이 규정하는 교육의 자주성 및 대학의 자율성은 대학에 부여된 헌법상 기본권인 대학의 자율권이므로, 국립대학도 이러한 대학의 자율권의 주체로서 헌법소원심판의 청구인능력이 인정된다.

ㄷ. 출입국관리에 관한 사항 중 외국인의 입국에 관한 사항은 주권국가로서의 기능을 수행하는 데 필요한 것으로서 광범위한 정책재량의 영역이므로, 국적에 따라 사증발급신청시의 첨부서류에 관해 다르게 정하고 있는 조항이 평등권을 침해하는지 여부는 자의금지원칙 위반 여부에 의하여 판단한다.

ㄹ. 외국인은 자격제도 자체를 다툴 수 있는 기본권 주체성이 인정되지 않지만, 평등권의 주체는 될 수 있으므로, 자격제도와 관련된 평등권의 기본권 주체성은 인정될 수 있다.

① ㄱ, ㄴ
② ㄱ, ㄹ
③ ㄴ, ㄷ
④ ㄷ, ㄹ

해설

ㄱ. (✗) 대통령 선거권, 국회의원 선거권, 국민투표권은 외국인에게 인정되지 않지만, 일정한 요건을 갖춘 외국인에게 지방선거권은 인정된다. 다만, 기본권은 아니고 법률상 권리이다. [20 서울·지방7급]

ㄴ. (○) [17 지방7급]

ㄷ. (○) 헌재 2005.3.31. 2003헌마87 [19 변호사]

ㄹ. (✗) 외국인은 외국인에게 인정되는 기본권에 있어서 평등권의 주체가 되지만, 기본권 자체가 외국인에게 인정되지 않으면 평등권도 인정되지 않는다. (헌재 2014.8.28. 2013헌마359) [21 입시]

정답 ②

013 회독 ☐☐☐ 재구성   21 입시, 20 변호사, 19 지방7급, 17 법원직

기본권의 주체에 대한 설명으로 옳지 않은 것을 모두 고른 것은? (다툼이 있는 경우 판례에 의함)

> ㄱ. 국가기관인 국회의 일부 조직인 노동위원회는 기본권의 주체가 될 수 없다.
> ㄴ. 대학의 자율성은 대학에게 부여된 헌법상의 기본권이지만, 대학의 자치의 주체를 기본적으로 대학으로 본다고 하더라도 교수나 교수회의 기본권 주체성이 반드시 부정된다고 볼 수는 없다.
> ㄷ. 아동은 인격의 발현을 위하여 어느 정도 부모에 의한 결정을 필요로 하는 미성숙한 인격체이므로, 아동에게 자신의 교육환경에 관하여 스스로 결정할 권리가 부여되지 않는다.
> ㄹ. 지방자치단체장은 국민의 기본권을 보호 내지 실현하여야 할 책임과 의무를 가지는 국가기관의 지위를 갖기 때문에 「주민소환에 관한 법률」의 관련 규정으로 인해 자신의 공무담임권이 침해됨을 이유로 헌법소원을 청구할 수 있는 기본권 주체로 볼 수 없다.
> ㅁ. 공법인은 기본권의 수범자로서 국민의 기본권을 보호 내지 실현하여야 할 책임과 의무를 지닐 뿐이므로 기본권의 주체가 될 여지가 없다.

① ㄱ, ㄷ
② ㄴ, ㄷ, ㄹ
③ ㄴ, ㄹ, ㅁ
④ ㄷ, ㄹ, ㅁ

해설

ㄱ. (○) 교섭단체, 노동위원회 등은 기본권의 주체가 아니다. [21 입시]
ㄴ. (○) 헌법재판소는 경우에 따라 대학 전구성원이 자율성을 갖는 경우도 있다고 보아 교수에 한정하지 않는다. (헌재 2006.4.27. 2005헌마1047 등) [21 입시]
ㄷ. (✕) 아동의 경우에도 인격권이 인정된다. [20 변호사]
ㄹ. (✕) 지방자치단체장의 지위에서는 기본권 주체가 되지 않지만, 개인의 지위에서는 기본권 주체가 된다. 지방자치단체장은 주민소환에 관한 법률의 관련 규정으로 인해 자신의 공무담임권이 침해됨을 이유로 헌법소원을 청구할 수 있는 기본권 주체로 볼 수 있다. [19 지방7급]
ㅁ. (✕) 공법인은 원칙적으로 기본권 주체가 아니지만, 예외적으로 기본권 주체가 되는 경우가 있다(예 서울대학교, 강원대학교). [17 법원직]

정답 ④

🔔 공법인의 기본권 주체성

예외적으로 긍정하기 위한 요건으로는, ① 공법인이 기본권에 의하여 보호되는 생활영역에 속해 있을 것, ② 시민의 개인적 기본권을 실현하는 데 기여하고 있을 것, ③ 국가로부터 독립되거나 국가와는 구별되는 실체를 가지고 있는 경우일 것 등이 요구된다. 그리고 예외적으로 법인이 스스로 기본권의 주체가 되는 경우에도 절대로 사인을 상대로 그 효력을 주장할 수 없고, '공법인 대 공법인'의 관계에서만 그 효력이 국한된다고 한다.

014

기본권 주체성에 대한 설명으로 〈보기〉에서 옳은 것(O)과 옳지 않은 것(×)을 올바르게 조합한 것은? (다툼이 있는 경우 판례에 의함)

〈보기〉
ㄱ. 고용허가를 받아 국내에 입국한 외국인근로자의 출국만기보험금을 출국 후 14일 이내에 지급하도록 한 것에 대하여 해당 외국인근로자는 근로의 권리가 침해됨을 주장할 수 없다.
ㄴ. 초기배아는 수정이 된 배아라는 점에서 형성 중인 생명의 첫걸음을 떼었다고 볼 여지가 있기는 하나 인간과 배아 간의 개체적 연속성을 확정하기 어렵다는 점에서 기본권 주체성이 부인된다.
ㄷ. 한국신문편집인협회는 언론인들의 협동단체로서 법인격은 없으나 사단으로서의 실체를 가지고 있으므로 권리능력 없는 사단이라고 할 것이고, 따라서 기본권의 성질상 자연인에게만 인정될 수 있는 기본권이 아닌 한 기본권의 주체가 될 수 있다.
ㄹ. 정당은 국민의 정치적 의사형성에 참여하기 위한 조직으로 성격상 권리능력 없는 단체에 속하지만 구성원과는 독립하여 기본권의 주체가 될 수 있으므로 생명·신체의 안전에 관한 기본권 행사에 있어 그 주체가 될 수 있다.

① ㄱ(O), ㄴ(×), ㄷ(O), ㄹ(×)
② ㄱ(O), ㄴ(O), ㄷ(×), ㄹ(×)
③ ㄱ(×), ㄴ(O), ㄷ(×), ㄹ(×)
④ ㄱ(×), ㄴ(O), ㄷ(O), ㄹ(×)
⑤ ㄱ(×), ㄴ(×), ㄷ(O), ㄹ(O)

해설

ㄱ. (×)

> 헌법상 근로의 권리는 '일할 자리에 관한 권리'만이 아니라 '일할 환경에 관한 권리'도 의미하는데, '일할 환경에 관한 권리'는 인간의 존엄성에 대한 침해를 방어하기 위한 권리로서 외국인에게도 인정되며, 건강한 작업환경, 일에 대한 정당한 보수, 합리적인 근로조건의 보장 등을 요구할 수 있는 권리 등을 포함한다. … 이 사건 출국만기보험금은 퇴직금의 성질을 가지고 있어서 그 지급시기에 관한 것은 근로조건의 문제이므로 외국인인 청구인들에게도 기본권 주체성이 인정된다. (헌재 2016.3.31. 2014헌마367)

ㄴ. (O)

> **배아의 생명권 주체성** (헌재 2010.5.27. 2005헌마346【기각】)
> [1] 초기배아는 수정이 된 배아라는 점에서 형성 중인 생명의 첫걸음을 떼었다고 볼 여지가 있기는 하나 아직 모체에 착상되거나 원시선이 나타나지 않은 이상 현재의 자연과학적 인식 수준에서 독립된 인간과 배아 간의 개체적 연속성을 확정하기 어렵다고 봄이 일반적이라는 점 … 등을 종합적으로 고려할 때, 기본권 주체성을 인정하기 어렵다.
> [2] 배아생성자는 배아에 대해 자신의 유전자정보가 담긴 신체의 일부를 제공하고, 또 배아가 모체에 성공적으로 착상하여 인간으로 출생할 경우 생물학적 부모로서의 지위를 갖게 되므로, 배아의 관리 또는 처분에 대한 결정권을 가진다. 이러한 배아생성자의 배아에 대한 결정권은 헌법상 명문으로 규정되어 있지는 아니하지만, 헌법 제10조로부터 도출되는 일반적 인격권의 한 유형으로서의 헌법상 권리라고 할 것이다. 다만, 배아의 경우 형성 중에 있는 생명이라는 독특한 지위로 인해 국가에 의한 적극적인 보호가 요구된다는 점, … 배아의 법적 보호는 헌법적 가치에 명백히 배치될 경우에는 그 제한의 필요성이 상대적으로 큰 기본권이라고 할 수 있다.
> [3] 잔여배아를 5년간 보존하고 이후 폐기하도록 한 생명윤리 및 안전에 관한 법률 규정은 배아생성자의 배아에 대한 결정권을 침해하지 않는다.
> [4] 법학자, 윤리학자, 철학자, 의사 등의 직업인으로 이루어진 청구인들의 청구는 청구인들이 이 사건 심판대상조항으로 인해 불편을 겪는다고 하더라도 사실적·간접적 불이익에 불과한 것이고, 청구인들에 대한 기본권 침해의 가능성 및 자기관련성을 인정하기 어렵다.

ㄷ. (O)

> **신문편집인협회는 기본권 주체성이 인정된다.** (헌재 1995.7.21. 92헌마177 등)
> 청구인협회는 언론인들의 협동단체로서 법인격은 없으나, 대표자와 총회가 있고, 단체의 명칭, 대표의 방법, 총회 운영, 재산의 관리 기타 단체의 중요한 사항이 회칙으로 규정되어 있는 등 사단으로서의 실체를 가지고 있으므로 권리능력 없는 사단이라고 할 것이고, 따라서 기본권의 성질상 자연인에게만 인정될 수 있는 기본권이 아닌 한 기본권의 주체가 될 수 있으며, 헌법상의 기본권을 향유하는 범위 내에서는 헌법소원심판청구능력도 있다고 할 것이다.
> 신문편집인협회가 그 구성원을 위하여 또는 대신하여 헌법소원을 제기하는 것은 자기관련성이 없어 부적법하다.

ㄹ. (✕) 정당은 권리능력 없는 사단으로 성질상 법인에게 인정될 수 있는 기본권의 경우에는 기본권 주체가 된다. 다만, 생명·신체는 법인에게 인정될 수 없는 기본권이다. (헌재 2008.12.26. 2008헌마419 등)

정답 ④

기출지문 OX

한국신문편집인협회는 언론인들의 협동단체로서 대표자와 총회가 있고, 단체의 명칭, 대표의 방법, 총회 운영, 재산의 관리 기타 단체의 중요한 사항이 회칙으로 규정되어 있지만 법인격이 없어 기본권의 주체가 될 수 없다. 11 국가7급 (O / ✕)
해설 헌재 1995.7.21. 92헌마177 등   정답 ✕

015 재구성

20 국가7급, 17 법원직

법인 또는 단체의 헌법상 지위에 대한 설명으로 옳은 것만을 모두 고르면? (다툼이 있는 경우 판례에 의함)

ㄱ. 인간의 존엄과 가치, 행복추구권은 그 성질상 자연인에게 인정되는 기본권이므로 법인에게는 적용되지 않는다.
ㄴ. 변호사 등록제도는 그 연혁이나 법적 성질에 비추어 보건대, 원래 국가의 공행정의 일부라 할 수 있으나, 국가가 행정상 필요로 인해 대한변호사협회에 관련 권한을 이관한 것이므로 대한변호사협회는 변호사 등록에 관한 한 공법인으로서 공권력 행사의 주체이다.
ㄷ. 국내 단체의 이름으로 혹은 국내 단체와 관련된 자금으로 정치자금을 기부하는 것을 금지한 「정치자금법」 조항은 단체의 정치적 의사표현 등 정치활동의 자유를 침해한다.

① ㄱ
② ㄴ
③ ㄱ, ㄴ
④ ㄱ, ㄴ, ㄷ

해설

ㄱ. (O) 원칙적으로 옳은 선지이지만 예외가 있다. 인간의 존엄과 가치에서 유래하는 인격권은 법인에게도 인정된다. 감정적 의미의 행복추구권은 자연인에게만 인정되지만, 행복추구권의 파생원칙인 계약의 자유와 같은 것은 법인에게 인정된다. [17 법원직]

ㄴ. (O) [20 국가7급]

> 변호사 등록제도는 그 연혁이나 법적 성질에 비추어 보건대, 원래 국가의 공행정의 일부라고 할 수 있으나, 국가가 행정상 필요로 인해 대한변호사협회(이하 '변협'이라 한다)에 관련 권한을 이관한 것이다. 따라서 변협은 변호사 등록에 관한 한 공법인으로서 공권력 행사의 주체이다. 또한 변호사법의 관련 규정, 변호사 등록의 법적 성질, 변호사 등록을 하려는 자와 변협 사이의 법적 관계 등을 고려했을 때 변호사 등록에 관한 한 공법인 성격을 가지는 변협이 등록사무의 수행과 관련하여 정립한 규범을 단순히 내부기준이라거나 사법적인 성질을 지니는 것이라고 볼 수는 없고, 변호사 등록을 하려는 자와의 관계에서 대외적 구속력을 가지는 공권력 행사에 해당한다고 할 것이다. 따라서 변협이 변호사 등록사무의 수행과 관련하여 정립한 규범인 심판대상조항들은 헌법소원대상인 공권력의 행사에 해당한다. (헌재 2019.11.28. 2017헌마759)

ㄷ. (✗) 정치활동의 자유를 침해하지 않는다. (헌재 2010.12.28. 2008헌바89) [20 국가7급]

정답 ③

기출지문 OX

법인의 인격을 자유롭게 발현할 권리가 무엇을 뜻하는지 그 헌법적 근거가 무엇인지 분명하지 않으므로, 선거기사 심의위원회가 불공정한 선거기사를 게재하였다고 판단한 언론사에 대하여 사과문 게재명령을 하도록 한 「공직선거법」상의 사과문 게재조항은 언론사인 법인의 인격권을 침해하는 것이 아니라 소극적 표현의 자유나 일반적 행동의 자유를 제한할 뿐이다. 16 국회8급

(O / X)

해설

> 해당 언론사가 '공정보도의무를 위반하였다는 결정을 선거기사 심의위원회로부터 받았다는 사실을 공표'하도록 하는 방안, 사과의 의사표시가 필요한 경우에도 사과의 '권고'를 하는 방법을 상정할 수 있다. 나아가 이 사건 법률조항들이 추구하는 목적, 즉 선거기사를 보도하는 언론사의 공적인 책임의식을 높임으로써 민주적이고 공정한 여론형성 등에 이바지한다는 공익이 중요하다는 점에는 이론의 여지가 없으나, 언론에 대한 신뢰가 무엇보다 중요한 언론사에 대하여 그 사회적 신용이나 명예를 저하시키고 인격의 자유로운 발현을 저해함에 따라 발생하는 인격권 침해의 정도는 이 사건 법률조항들이 달성하려는 공익에 비해 결코 작다고 할 수 없다. 결국 이 사건 법률조항들은 언론사의 인격권을 침해하여 헌법에 위반된다. (헌재 2015.7.30. 2013헌가8)

정답 ✗

016

기본권 주체에 대한 설명으로 옳지 않은 것은? (다툼이 있는 경우 판례에 의함)

① 헌법재판소는 국가기관이나 공법인의 기본권 주체성을 원칙적으로 부인하는 입장으로 국회노동위원회, 서울시의회, 직장의료보험조합, 농지개량조합에 대하여 기본권 주체성을 인정하지 않은 바 있다.
② 기본권 능력을 가진 사람은 모두 기본권 주체가 되지만, 기본권 주체가 모두 기본권의 행사능력을 가지는 것은 아니다.
③ 외국인의 기본권 주체성은 기본권의 성질에 따라 인정 여부가 결정되어야 하는바, 「공직선거법」상 일정한 요건을 갖춘 외국인에게는 지방자치단체의 장에 대한 선거권이 인정되나, 「주민투표법」에 따른 투표의 경우에는 외국인에게 투표권이 인정되지 않는다.
④ 정당설립의 자유나 정당활동의 자유 등 정당의 자유의 주체는 정당을 설립하려는 개개인과 이를 통해 조직된 정당 모두에게 인정되는 것이다.

해설

① (O) [16 서울7급]
② (O) 기본권 보유능력과 기본권 행위능력은 다르다. 예컨대 미성년자는 기본권 보유능력은 있지만, 선거권과 같은 기본권 행위능력은 제한된다. [17 국회8급]
③ (X) 일정 요건을 갖춘 외국인에게는 지방선거에 대한 선거권, 주민투표권, 주민소환권, 조례의 제정·개정·폐지청구권이 인정된다. [16 서울7급]
④ (O) 헌재 2006.3.30. 2004헌마246 [17 국회8급]

정답 ③

017

기본권 주체에 대한 설명으로 옳지 않은 것은? (다툼이 있는 경우 판례에 의함)

① 국가, 지방자치단체도 다른 공권력주체와의 관계에서 지배복종관계가 성립되어 일반사인처럼 지배하에 있는 경우에는 기본권 주체가 될 수 있다.
② 법인 아닌 사단·재단이 대표자의 정함이 있고 독립된 사회적 조직체로서 활동하는 중에 성질상 법인이 누릴 수 있는 기본권을 침해당한 경우, 그의 이름으로 제기된 헌법소원심판의 청구는 적법하다.
③ 생명권은 비록 헌법에 명문의 규정이 없다 하더라도 인간의 생존본능과 존재목적에 바탕을 둔 선험적이고 자연법적인 권리로서 헌법에 규정된 모든 기본권의 전제로서 기능하는 기본권 중의 기본권이며, 형성 중의 생명인 태아에게도 생명에 대한 권리가 인정된다.
④ 미성년자도 대한민국 국민이기 때문에 당연히 기본권 주체성이 인정되나 기본권 행사가 본인에게 불이익이 될 수 있는 경우에는 친권에 의하여 기본권 행사가 제한될 수 있다.

해설

① (×) [17 국회8급]

> 공권력의 행사자인 국가, 지방자치단체나 그 기관 또는 국가조직의 일부나 공법인은 국민의 기본권을 보호 내지 실현해야 할 '책임'과 '의무'를 지므로 기본권의 주체가 될 수 없다. 다만 국가, 지방자치단체는 예외 없이 기본권의 주체가 될 수 없지만 공법인은 예외적으로 기본권의 주체가 되는 경우가 있다. (헌재 2013.9.26. 2012헌마271)

② (○) 단체의 이름으로 헌법소원을 제기할 수 있다. [11 지방7급]
③ (○) 헌재 2008.7.31. 2004헌바81 [11 국가7급]
④ (○) [13 국회8급]

정답 ①

018

기본권 주체에 대한 설명으로 옳은 것은? (다툼이 있는 경우 판례에 의함)

① 기본권의 성질상 인간의 권리에 해당하는 기본권은 외국인도 그 주체가 될 수 있다고 할 때 그것은 기본권 행사능력을 가짐을 의미한다.
② 헌법재판소는 모든 법인에 대하여 기본권의 주체성을 인정하고 있다.
③ 자연인에게 적용되는 기본권 규정이라도 성질상 법인이 누릴 수 있는 기본권은 당연히 법인에게도 적용되어야 하므로 한국영화인협회와 학교법인의 기본권 향유능력을 긍정할 수 있다.
④ 지방자치단체의 장은 주민의 복리를 증진하기 위하여 활동하는 범위 내에서 기본권을 향유할 수 있다.

해설

① (✗) 기본권 향유(보유)능력을 가짐을 의미한다. [13 국회9급]
② (✗) 헌법재판소는 원칙적으로 공법인의 기본권 주체성을 인정하지 않는다. 예외적으로 서울대학교와 세무대학교, 한국방송공사의 기본권 주체성을 인정한 적이 있다. [09 지방7급]
③ (○) 한국영화인협회는 기본권 주체성이 인정되나, 한국영화인협회 감독위원회는 기본권 주체가 아니다. [13 국회8급]
④ (✗) 지방자치단체장은 기본권의 수범자이지 향유자가 아니다. [08 국가7급]

정답 ③

019

기본권 주체에 대한 설명으로 옳지 않은 것은? (다툼이 있는 경우 판례에 의함)

① 사회권적 기본권, 참정권 등 국가 내적 권리의 성격을 갖는 기본권은 외국인에는 인정되지 않는다.
② 상공회의소는 목적이나 설립, 관리 면에서 자주적인 단체로 사법인이라 할 것이므로 결사의 자유는 보장된다.
③ 검사가 발부한 형집행장에 의하여 검거된 벌금미납자의 신병에 관한 업무는 경찰공무원이 국가기관의 일부 또는 그 구성원으로서 공법상의 권한을 행사하는 공권력 행사의 주체로서 행하는 것이다.
④ 변호사접견권을 악용하는 수형자들로 인한 부작용을 배제하기 위하여, 수용자 일반을 접촉차단시설이 설치된 장소에서 변호인을 접견하게 하는 행위는 정당화된다.
⑤ 서울특별시의회는 기본권의 주체가 될 수 없으므로 헌법소원을 제기할 수 있는 적격이 없다.

해설

① (○) 외국인은 자유권적 기본권이나 국가 외적인 권리의 향유주체가 될 수 있으나, 국가의 내적 생활영역에서의 권리는 기본권의 향유주체가 되지 못하는 것이 원칙이다. 그러나 헌법재판소는 사회적 기본권의 성격을 자유권적 기본권의 성격도 있는 것으로 파악하여 가급적 외국인에게 인정하려는 입장이다. 근로의 권리 중 일할 환경에 관한 권리를 외국인에게 인정하는 것이 대표적이다. [09 법원직]
② (○) [13 법원직]

> 상공회의소는 사업범위, 조직, 회계 등에 있어서 상공회의소법에 따른 규율을 받고 있는 특수성을 가지고 있으나, 기본적으로는 관할 구역의 상공업계를 대표하여 그 권익을 대변하고 회원에게 기술 및 정보 등을 제공하여 회원의 경제적·사회적 지위를 높임으로써 상공업의 발전을 꾀함을 목적으로 하는 조직으로 목적이나 설립, 관리 면에서 자주적인 단체로 사법인이라고 할 것이므로 상공회의소와 관련해서도 결사의 자유는 보장된다고 할 것이다. (헌재 2006.5.25. 2004헌가1)

③ (○) [11 국가7급]

> 검사가 발부한 형집행장에 의하여 검거된 벌금미납자의 신병에 관한 업무와 관련하여 경찰공무원은 헌법소원을 제기할 청구인적격이 인정되지 않는다. (헌재 2009.3.24. 2009헌마118)
> 일반적으로 청구인과 같은 경찰공무원은 기본권의 주체가 아니라 국민 모두에 대한 봉사자로서 공공의 안전 및 질서유지라는 공익을 실현할 의무가 인정되는 기본권의 수범자라 할 것인바, 검사가 발부한 형집행장에 의하여 검거된 벌금미납자의 신병에 관한 업무는 국가 조직영역 내에서 수행되는 공적 과제 내지 직무영역에 대한 것으로 이와 관련해서 청구인은 국가기관의 일부 또는 그 구성원으로서 공법상의 권한을 행사하는 공권력 행사의 주체일 뿐, 기본권의 주체라고 할 수 없으므로 이 사건에서 청구인에게 헌법소원을 제기할 청구인적격을 인정할 수 없다.

④ (✕) [14 국회8급]

> 변호사와 접견하는 경우에도 수용자의 접견은 원칙적으로 접촉차단시설이 설치된 장소에서 하도록 규정하고 있는 형의 집행 및 수용자의 처우에 관한 법률 시행령 제58조 제4항은 재판청구권을 침해한다. (헌재 2013.8.29. 2011헌마122)
> 변호인의 조력을 받을 권리에 대한 헌법과 법률의 규정 및 취지에 비추어 보면, '형사사건에서 변호인의 조력을 받을 권리'를 의미한다고 보아야 할 것이므로 형사절차가 종료되어 교정시설에 수용 중인 수형자나 미결수용자가 형사사건의 변호인이 아닌 민사재판, 행정재판, 헌법재판 등에서 변호사와 접견할 경우에는 원칙적으로 헌법상 변호인의 조력을 받을 권리의 주체가 될 수 없다. 따라서 이 사건 접견조항에 의하여 헌법상 변호인의 조력을 받을 권리가 제한된다고 볼 수는 없다.
> 변호인의 조력을 받을 권리는 이 사건에서 제한되는 기본권이 아니다.

⑤ (○) 헌재 1998.3.26. 96헌마345 [14 국가7급]

정답 ④

기출지문 OX

❶ 「출입국관리법」에 따른 영주의 체류자격 취득일 후 3년이 경과한 18세 이상의 외국인에게는 지방자치단체 의회의원 및 장의 선거권이 부여되어 헌법상의 정치적 기본권이 인정된다. 13 국회8급 (○ / ✕)

해설 지방자치단체의 지방의회의원 선거권은 헌법이 인정하는 기본권이다. 한편, 지방의회의원 선거권이 헌법상 기본권이라고 하더라도 이는 국민을 대상으로 할 때 그렇다는 것이고, 외국인에게 인정되는 것은 지방자치법에 의한 법률상 권리이지 헌법상 기본권이라고 할 수 없다. 그러나 지방자치단체장의 피선거권은 공무담임권의 일종으로 헌법상 기본권이다.

> **공직선거법 제15조(선거권)**
> ② 18세 이상으로서 제37조 제1항에 따른 선거인명부작성기준일 현재 다음 각 호의 어느 하나에 해당하는 사람은 그 구역에서 선거하는 지방자치단체의 의회의원 및 장의 선거권이 있다.
> 1. 주민등록법 제6조 제1항 제1호 또는 제2호에 해당하는 사람으로서 해당 지방자치단체의 관할 구역에 주민등록이 되어 있는 사람
> 2. 주민등록법 제6조 제1항 제3호에 해당하는 사람으로서 주민등록표에 3개월 이상 계속하여 올라 있고 해당 지방자치단체의 관할 구역에 주민등록이 되어 있는 사람
> 3. 출입국관리법 제10조에 따른 영주의 체류자격 취득일 후 3년이 경과한 외국인으로서 같은 법 제34조에 따라 해당 지방자치단체의 외국인등록대장에 올라 있는 사람

정답 ✕

❷ 외국인의 경우 국가배상청구권과 달리 범죄피해자보상청구권은 제한 없이 인정된다. 13 국회8급 (○ / ✕)

해설
> **범죄피해자 보호법 제23조(외국인에 대한 구조)**
> 이 법은 외국인이 구조피해자이거나 유족인 경우에는 해당 국가의 상호보증이 있는 경우에만 적용한다.
>
> ★ 참고 [전문개정 2024.9.20.] [시행일: 2025.3.21.]
> **범죄피해자 보호법 제23조(외국인에 대한 구조)**
> 구조피해자 또는 그 유족이 외국인인 때에는 다음 각 호의 어느 하나에 해당하는 경우에만 이 법을 적용한다.

1. 해당 국가의 상호 보증이 있는 경우
2. 해당 외국인이 구조대상 범죄피해 발생 당시 대한민국 국민의 배우자이거나 대한민국 국민과 혼인관계(사실상의 혼인관계를 포함한다)에서 출생한 자녀를 양육하고 있는 자로서 다음 각 목의 어느 하나에 해당하는 체류자격을 가지고 있는 경우
  가. 출입국관리법 제10조 제2호의 영주자격
  나. 출입국관리법 제10조의2 제1항 제2호의 장기체류자격으로서 법무부령으로 정하는 체류자격

정답 ×

020 재구성   09 국회8급

기본권 주체에 관한 설명으로 옳지 않은 것은?

① 「민법」상의 친권자 거소지정권제도는 법률에 의해서 기본권의 행사능력을 제한하는 방식으로 사인 간의 기본권 갈등을 해결한 경우로 볼 수 있다.
② 현행헌법상 직접 기본권 행사능력이 헌법에 규정된 예로는 대통령과 국회의원의 피선거권을 들 수 있다.
③ 「민법」상의 법인격 인정 여부는 기본권 주체성 인정 여부와는 다른 문제이다.
④ 법실증주의적 관점에서 보면 외국인의 기본권 주체성은 부정되지만, 법인은 공법인이 아닌 한 기본권 주체성이 인정될 수 있다.

해설

① (O) 자의 거주·이전의 자유와 친권자의 보호·교양권과의 문제이다.

> **민법 제914조(거소지정권)**
> 자는 친권자의 지정한 장소에 거주하여야 한다.

② (×) 대통령의 피선거권(40세 이상)은 현행헌법 제67조 제4항에 직접 규정되어 있으나, 국회의원의 피선거권은 공직선거법 제16조에 규정되어 있다. 대통령 피선거권요건으로 '5년 이상 국내 거주'는 공직선거법에 규정되어 있다.
③ (O) 민법상 제한능력자는 민법상 행위능력은 인정되지 않지만, 공직선거법상 선거권 행사능력과 같이 기본권 행사능력은 인정되는 경우가 있다.
④ (O) 법실증주의는 외국인의 기본권 주체성을 부정하지만 공법인과 권리능력 없는 사단을 제외한 법인의 기본권 주체성은 인정한다. 그러나 옐리네크의 경우 제한된 범위 내에서 공법인의 기본권 주체성을 인정하였다. 결단주의는 외국인의 기본권 주체성을 인정하고 법인의 기본권 주체성을 부정하는 반면, 통합주의는 외국인의 기본권 주체성을 부정하고 법인의 기본권 주체성을 인정한다.

정답 ②

🔔 기본권 주체성

구분		법실증주의	결단주의	통합주의
국민		O	O	O
외국인		× (입법정책의 문제)	O (참정권·사회권 제외)	× (예외적 인정: 동화적 통합론)
사법인	법인격 有	O	×	O
	법인격 無	×	×	O
공법인		×	×	O

제4절 기본권의 효력

021　회독 ☐☐☐　23 경찰간부

기본권 경합에 대한 설명으로 가장 적절하지 않은 것은? (다툼이 있는 경우 헌법재판소 판례에 의함)

① 기본권 경합의 경우에는 기본권 침해를 주장하는 청구인의 의도 및 기본권을 제한하는 입법자의 객관적 동기 등을 참작하여 사안과 가장 밀접한 관계에 있고 또 침해의 정도가 큰 주된 기본권을 중심으로 그 제한의 한계를 살핀다.

② 청구인은 의료인이 아니라도 문신시술업을 합법적인 직업으로 영위할 수 있어야 함을 주장하고 있고, 「의료법」조항의 1차적 의도도 보건위생상 위해가능성이 있는 행위를 규율하고자 하는 경우에는 직업선택의 자유를 중심으로 위헌 여부를 살피는 이상 예술의 자유 침해 여부는 판단하지 아니한다.

③ 선거기간 중 모임을 처벌하는 「공직선거법」조항에 대한 입법자의 1차적 의도는 선거기간 중 집회를 금지하는 데 있으며, 헌법상 결사의 자유보다 집회의 자유가 두텁게 보호되고, 위 조항에 의하여 직접 제약되는 자유 역시 집회의 자유이므로 집회의 자유를 침해하는지를 살핀다.

④ 국립대학교 총장임용후보자 선거시 투표에서 일정 수 이상을 득표한 경우에만 기탁금 전액이나 일부를 후보자에게 반환하고, 반환되지 않은 기탁금은 국립대학교 발전기금에 귀속시키는 기탁금귀속조항에 대해서는 재산권보다 공무담임권을 중심으로 살핀다.

> **해설**

① (O) 헌재 1998.4.30. 95헌가16
② (O) 헌재 2022.3.31. 2017헌마1343 등
③ (O) 헌재 2013.12.26. 2010헌가90
④ (✕) 전북대학교 사건에서 1,000만 원의 기탁금은 공무담임권 침해로 보았지만, 대구교육대학교 사건은 논점이 다르다.

> 이 사건 기탁금귀속조항은 후보자가 사망하거나 제1차 투표에서 유효투표수의 100분의 15 이상을 득표한 경우에는 기탁금 전액을, 제1차 투표에서 유효투표수의 100분의 10 이상 100분의 15 미만을 득표한 경우에는 기탁금 반액을 후보자에게 반환하고, 반환되지 않은 기탁금은 경북대학교 발전기금에 귀속되도록 하고 있다. 이하에서는 이 사건 기탁금귀속조항이 후보자의 재산권을 침해하는지 여부에 대하여 살핀다. (헌재 2022.5.26. 2020헌마1219)

정답 ④

022 회독 ☐☐☐ 22 변호사

甲은 ○○새마을금고 이사장 선거에 출마한 자로서 「새마을금고법」 제22조 제3항 제1호 내지 제3호 위반을 이유로 기소되었다. 이에 甲은 위 조항이 자신의 기본권을 침해한다고 주장한다. 이에 관한 설명 중 옳은 것은? (다툼이 있는 경우 판례에 의함)

> 구 「새마을금고법」 제22조(임원의 선거운동 제한)
> ③ 누구든지 임원 선거와 관련하여 다음 각 호의 방법 외의 선거운동을 할 수 없다.
>   1. 금고에서 발행하는 선거공보 제작 및 배부
>   2. 금고에서 개최하는 합동연설회에서의 지지 호소
>   3. 전화(문자메시지를 포함한다) 및 컴퓨터통신(전자우편을 포함한다)을 이용한 지지 호소

① 위 「새마을금고법」 조항은 甲 자신이 원하는 방법으로 자신의 선거공약 등을 자유롭게 표현할 자유를 제한한다.
② 위 「새마을금고법」 조항은 甲의 결사의 자유를 제한하는 것은 아니다.
③ 결사의 자유에 포함되는 단체활동의 자유는 단체 외부에 대한 활동만을 포함하고, 단체의 조직, 의사형성의 절차 등 단체의 내부적 생활을 스스로 결정하고 형성할 권리인 단체 내부활동의 자유는 포함하지 않는다.
④ 새마을금고 임원 선거에서 선거운동을 하는 것은 헌법에 의하여 보호되는 선거권의 범위에 포함된다.
⑤ 공적인 역할을 수행하는 결사 또는 그 구성원들이 결사의 자유의 침해를 주장하는 경우, 과잉금지원칙 위반 여부를 판단함에 있어 순수한 사적인 임의결사의 결사의 자유가 제한되는 경우와 동일한 기준을 적용하여야 한다.

해설

① (O) ② (X) 제한되는 기본권은 표현의 자유와 결사의 자유이다.
③ (X) 결사의 자유에 포함되는 단체활동의 자유는 단체 외부에 대한 활동만이 아니라, 단체의 내부적 생활을 스스로 결정하고 형성할 권리인 단체 내부활동의 자유도 포함된다.
④ (X) 국민 모두가 참여하는 것이 아니므로 선거권은 제한되는 기본권이 아니다.
⑤ (X)

> **공적인 역할을 수행하는 농협 구성원의 결사의 자유와 심사기준** (헌재 2012.12.27. 2011헌마562 등)
> 공적인 역할을 수행하는 결사 또는 그 구성원들이 기본권의 침해를 주장하는 경우에 과잉금지원칙 위배 여부를 판단할 때에는 순수한 사적인 임의결사의 기본권이 제한되는 경우의 심사에 비해서는 완화된 기준을 적용할 수 있다. 이 사건에서도 농협의 공법인적 성격과 조합장 선거 관리의 공공성 등의 특성상 기본권 제한의 과잉금지원칙 위배 여부를 심사함에 있어 농협 및 농협 조합장 선거의 공적인 측면을 고려해야 할 것이다.

정답 ①

023 22 법원직

기본권의 충돌 또는 경합에 관한 다음 설명 중 옳지 않은 것은 모두 몇 개인가?

ㄱ. 흡연권과 혐연권의 관계처럼 상하의 위계질서가 있는 기본권끼리 충돌하는 경우 상위기본권 우선의 원칙에 따라 하위기본권이 제한될 수 있으므로, 흡연권은 혐연권을 침해하지 않는 한에서 인정되어야 한다.

ㄴ. 노동조합이 당해 사업장에 종사하는 근로자의 3분의 2 이상을 대표하고 있을 때에는 근로자가 그 노동조합의 조합원이 될 것을 고용조건으로 하는 단체협약[이른바 유니언 샵(Union Shop)]과 관련하여 근로자의 단결하지 아니할 자유와 노동조합의 적극적 단결권(조직강제권)이 충돌하나, 근로자에게 보장되는 적극적 단결권이 단결하지 아니할 자유보다 특별한 의미를 가지고 있으므로 노동조합의 적극적 단결권은 근로자 개인의 단결하지 않을 자유보다 중시된다.

ㄷ. 채권자취소권에 관한 「민법」 규정으로 인하여 채권자의 재산권과 채무자 및 수익자의 일반적 행동의 자유, 그리고 채권자의 재산권과 수익자의 재산권이 동일한 장에서 충돌한다. 따라서 이러한 경우에는 상충하는 기본권 모두가 최대한으로 그 기능과 효력을 발휘할 수 있도록 이른바 규범조화적 해석방법에 따라 심사하여야 한다.

ㄹ. 기업의 경영에 관한 의사결정의 자유 등 영업의 자유와 근로자들이 누리는 일반적 행동자유권 등이 '근로조건' 설정을 둘러싸고 충돌하는 경우에는 근로조건과 인간의 존엄성 보장 사이의 헌법적 관련성을 염두에 두고 구체적인 사안에서의 사정을 종합적으로 고려한 이익형량과 함께 기본권들 사이의 실제적인 조화를 꾀하는 해석 등을 통하여 이를 해결하여야 한다.

① 0개
② 1개
③ 2개
④ 3개

해설

ㄱ. (O) 이익형량을 한 경우이다.

> 흡연권은 위와 같이 사생활의 자유를 실질적 핵으로 하는 것이고 혐연권은 사생활의 자유뿐만 아니라 생명권에까지 연결되는 것이므로 혐연권이 흡연권보다 상위의 기본권이라고 할 수 있다. 이처럼 상하의 위계질서가 있는 기본권끼리 충돌하는 경우에는 상위기본권 우선의 원칙에 따라 하위기본권이 제한될 수 있으므로, 결국 흡연권은 혐연권을 침해하지 않는 한에서 인정되어야 한다. (헌재 2004.8.26. 2003헌마457)

ㄴ. (O) 이익형량을 한 경우이다.

> 이 사건 법률조항은 노동조합의 조직유지·강화를 위하여 당해 사업장에 종사하는 근로자의 3분의 2 이상을 대표하는 노동조합의 경우 단체협약을 매개로 한 조직강제[이른바 유니언 샵(Union Shop) 협정의 체결]를 용인하고 있다. 이 경우 근로자의 단결하지 아니할 자유와 노동조합의 적극적 단결권(조직강제권)이 충돌하게 되나, 근로자에게 보장되는 적극적 단결권이 단결하지 아니할 자유보다 특별한 의미를 갖고 있고, 노동조합의 조직강제권도 이른바 자유권을 수정하는 의미의 생존권(사회권)적 성격을 함께 가지는 만큼 근로자 개인의 자유권에 비하여 보다 특별한 가치로 보장되는 점 등을 고려하면, 노동조합의 적극적 단결권은 근로자 개인의 단결하지 않을 자유보다 중시된다고 할 것이고, 또 노동조합에게 위와 같은 조직강제권을 부여한다고 하여 이를 근로자의 단결하지 아니할 자유의 본질적인 내용을 침해하는 것으로 단정할 수는 없다. (헌재 2005.11.24. 2002헌바95 등)

ㄷ. (O) 규범조화적 해석을 한 경우이다.

> 이 사건 법률조항은 채권자에게 채권의 실효성 확보를 위한 수단으로서 채권자취소권을 인정함으로써, 채권자의 재산권과 채무자와 수익자의 일반적 행동의 자유 내지 계약의 자유 및 수익자의 재산권이 서로 충돌하게 되는바, 위와 같은 채권자와 채무자 및 수익자의 기본권들이 충돌하는 경우에 기본권의 서열이나 법익의 형량을 통하여 어느 한쪽의 기본권을 우선시키고 다른 쪽의 기본권을 후퇴시킬 수는 없다고 할 것이다. … 따라서 이러한 경우에는 헌법의 통일성을 유지하기 위하여 상충하는 기본권 모두가 최대한으로 그 기능과 효력을 발휘할 수 있도록 조화로운 방법을 모색하되(규범조화적 해석), 법익형량의 원리, 입법에 의한 선택적 재량 등을 종합적으로 참작하여 심사하여야 할 것이다. (헌재 2007.10.25. 2005헌바96)

ㄹ. (O) 복합적인 해석을 한 경우이다.

> 기업의 경영에 관한 의사결정의 자유 등 영업의 자유와 근로자들이 누리는 일반적 행동자유권 등이 '근로조건' 설정을 둘러싸고 충돌하는 경우에는 근로조건과 인간의 존엄성 보장 사이의 헌법적 관련성을 염두에 두고 구체적인 사안에서의 사정을 종합적으로 고려한 이익형량과 함께 기본권들 사이의 실제적인 조화를 꾀하는 해석 등을 통하여 이를 해결하여야 하고, 그 결과에 따라 정해지는 두 기본권 행사의 한계 등을 감안하여 두 기본권의 침해 여부를 살피면서 근로조건의 최종적인 효력 유무 판단과 관련한 법령조항을 해석·적용하여야 한다. (대판 2018.9.13. 2017두38560)

정답 ①

예상판례

국민건강증진법 제9조 제8항 중 제4항 제16호에 관한 부분(광장벤치 흡연금지)은 헌법에 위반되지 아니한다. (헌재 2024.4.25. 2022헌바163 [합헌])
심판대상조항은 과잉금지원칙에 반하여 흡연자의 일반적 행동자유권을 침해한다고 볼 수 없다.

기출지문 OX

❶ 기본권 충돌의 해결방법으로는 상위기본권 우선론, 과잉금지원칙, 대안식해결론, 신뢰보호원칙 등을 들 수 있다. 11 국가7급
(O / X)

해설 신뢰보호의 원칙은 기본권 충돌 또는 경합의 문제를 해결하는 이론이 아니라 부진정소급입법의 헌법적 한계를 심사하는 기준이다.
정답 X

❷ 기본권의 경합과 기본권의 충돌의 문제는 기본권 해석의 문제이지 기본권 제한의 문제는 아니라고 할 수 있다. 10 국가7급
(O / X)

해설 기본권의 경합과 충돌이 기본권 해석의 문제인 것은 타당하다. 그러나 기본권의 충돌은 기본권 제한의 문제가 되기도 한다. 기본권의 충돌은 필연적으로 상대방의 기본권에 대한 제약을 수반하기 때문이다.
정답 X

❸ 조각가가 공사현장에서 대리석을 절취한 행위는 재산권과 예술의 자유의 충돌로 인정할 수 없다. 14 국회9급
(O / X)

해설 기본권의 유사충돌에 해당한다. 즉, 조각가가 공사현장에서 대리석을 절취한 행위는 예술의 자유의 보호범위를 벗어난 것이므로 기본권 충돌이 아니다.
정답 O

024 회독 ☐☐☐ 재구성   17 법무사, 11 지방7급

기본권의 경합과 충돌에 대한 설명으로 옳지 않은 것만을 고르면? (다툼이 있는 경우 판례에 의함)

ㄱ. 학생의 학습권은 교원의 수업권에 대하여 우월한 지위에 있으므로 교원이 고의로 수업을 거부할 자유는 인정되지 아니한다.
ㄴ. 종교단체가 설립한 사립학교에서 특정 종교의 교리를 전파하는 종교행사와 종교과목 수업을 실시하면서 참가거부가 사실상 불가능한 분위기를 조성하고 대체과목을 개설하지 않는 등 다른 신앙을 가진 학생의 기본권을 고려하지 않는 것은 학생의 종교에 관한 인격적 법익을 침해하는 위법행위이다.
ㄷ. 기본권 충돌이란 하나의 기본권 주체가 국가에 대해 동시에 여러 기본권의 적용을 주장하는 경우를 말한다.
ㄹ. 공공기관이 보유·관리하는 개인정보의 공개와 관련하여 국민의 알 권리(정보공개청구권)와 개인정보주체의 사생활의 비밀과 자유가 서로 충돌하는 경우, 국민의 알 권리(정보공개청구권)가 개인정보주체의 사생활의 비밀과 자유보다 상위기본권이므로 기본권의 서열이나 법익의 형량을 통하여 해결할 수 있다. 따라서 국민의 알 권리(정보공개청구권)가 개인정보주체의 사생활의 비밀과 자유보다 우선한다.
ㅁ. 기본권 경합에 관하여 최강효력설은 제한의 가능성이 보다 더 큰 기본권을 우선시켜야 한다는 견해이다.

① ㄱ, ㄴ, ㄷ
② ㄱ, ㄷ, ㅁ
③ ㄴ, ㄷ, ㄹ
④ ㄷ, ㄹ, ㅁ

해설

ㄱ. (O) 이익형량을 적용한 사례이다. (대판 2007.9.20. 2005다25298) [17 법무사]
ㄴ. (O) 대판 2010.4.22. 2008다38288 전원합의체 [17 법무사]
ㄷ. (X) 선지는 기본권 경합의 개념이다. 기본권 경합은 대국가효의 문제이고, 기본권 충돌은 대사인효의 문제이다. [11 지방7급]
ㄹ. (X) 국민의 알 권리(정보공개청구권)와 개인정보주체의 사생활의 비밀과 자유는 어느 것이 더 상위라고 할 수 없다. 이럴 때는 규범조화적 해석을 하여야 한다. [11 지방7급]
ㅁ. (X) 제한의 정도가 상이한 기본권들이 경합하는 경우 그 해결책으로 ⓐ 제한의 가능성이 보다 큰 따라서 효력이 보다 약한 기본권을 우선시켜야 한다는 주장을 최약효력설이라고 하고, ⓑ 제한의 가능성이 보다 작은 따라서 효력이 보다 강한 기본권을 우선시켜야 한다는 주장을 최강효력설이라고 한다. [11 지방7급]

정답 ④

예상판례

[1] 헌법상 기본권은 제1차적으로 개인의 자유로운 영역을 공권력의 침해로부터 보호하기 위한 방어적 권리이지만 다른 한편으로 헌법의 기본적인 결단인 객관적인 가치질서를 구체화한 것으로서, 사법을 포함한 모든 법영역에 그 영향을 미치는 것이므로 사인 간의 사적인 법률관계도 헌법상의 기본권 규정에 적합하게 규율되어야 한다. 다만, 기본권 규정은 성질상 사법관계에 직접 적용될 수 있는 예외적인 것을 제외하고는 관련 법규범 또는 사법상의 일반원칙을 규정한 민법 제2조, 제103조 등의 내용을 형성하고 그 해석기준이 되어 간접적으로 사법관계에 효력을 미치게 된다.
[2] 국내외 항공운송업을 영위하는 甲주식회사가 턱수염을 기르고 근무하던 소속 기장 乙에게 "수염을 길러서는 안 된다."라고 정한 취업규칙인 '임직원 근무복장 및 용모규정' 제5조 제1항 제2호를 위반하였다는 이유로 비행업무를 일시정지시킨 데 대하여, … 甲회사 소속 직원들이 수염을 기른다고 하여 반드시 고객에게 부정적인 인식과 영향을 끼친다고 단정하기 어려운 점, 더욱이 기장의 업무범위에 항공기에 탑승하는 고객들과 직접적으로 대면하여 서비스를 제공하는 것이 당연히 포함되어 있다고 볼 수 없으며, 乙이 자신의 일반적 행동자유권을 지키기 위해서 선택할 수 있는 대안으로는 甲회사에서 퇴사하는 것 외에는 다른 선택이 존재하지 않는데도 수염을 일률적·전면적으로 기르지 못하도록 강제하는 것은 합리적이라고 볼 수 없는 점 등에 비추어 보면, 甲회사가 헌법상 영업의 자유 등에 근거하여 제정한 위 취업규칙조항은 乙의 헌법상 일반적 행동자유권을 침해하므로 근로기준법 제96조 제1항, 민법 제103조 등에 따라서 무효이다. (대판 2018.9.13. 2017두38560)

025

기본권 경합에 대한 헌법재판소 결정으로 옳은 것은?

① 수용자가 작성한 집필문의 외부반출을 불허하고 이를 영치할 수 있도록 한 것은 수용자의 통신의 자유와 표현의 자유를 제한한다.
② 종교단체가 양로시설을 설치하고자 하는 경우 신고하도록 의무를 부담시키는 것은 종교단체의 종교의 자유와 인간다운 생활을 할 권리를 제한한다.
③ 일반음식점영업소에 음식점시설 전체를 금연구역으로 지정하여 운영하여야 할 의무를 부담시키는 것은 음식점 운영자의 직업수행의 자유와 음식점시설에 대한 재산권을 제한한다.
④ 형제·자매에게 가족관계등록부 등의 기록사항에 관한 증명서 교부청구권을 부여하는 것은 본인의 개인정보자기결정권을 제한하는 것으로 개인정보자기결정권 침해 여부를 판단한 이상 인간의 존엄과 가치 및 행복추구권, 사생활의 비밀과 자유는 판단하지 않는다.

해설

① (X)

> 청구인은 수용자가 작성한 집필문의 외부반출을 불허하고 이를 영치할 수 있도록 한 심판대상조항에 의해 표현의 자유 또는 예술창작의 자유가 제한된다고 주장하나, 심판대상조항은 집필문을 창작하거나 표현하는 것을 금지하거나 이에 대한 허가를 요구하는 조항이 아니라 이미 표현된 집필문을 외부의 특정한 상대방에게 발송할 수 있는지 여부에 대해 규율하는 것이므로, 제한되는 기본권은 헌법 제18조에서 정하고 있는 통신의 자유로 봄이 상당하다. (헌재 2016.5.26. 2013헌바98)

② (X)

> 청구인은 종교단체가 양로시설을 설치하고자 하는 경우 신고하도록 의무를 부담시키는 심판대상조항이 노인들의 거주·이전의 자유 및 인간다운 생활을 할 권리를 침해한다고 주장하나, 심판대상조항은 종교단체에서 운영하는 양로시설도 일정 규모 이상의 경우 신고하도록 한 규정일 뿐, 거주·이전의 자유나 인간다운 생활을 할 권리의 제한을 불러온다고 볼 수 없다. 국가 또는 지방자치단체 외의 자가 양로시설을 설치하고자 하는 경우 신고하도록 한 노인복지법 조항으로 인하여, 종교시설에서 운영하는 양로시설이라고 하더라도 일정 규모 이상이라면 설치시 신고하도록 규정한 것은 죄형법정주의의 명확성원칙에 반하지 아니하고, 과잉금지원칙에 위배되어 종교의 자유를 침해하지 아니한다. (헌재 2016.6.30. 2015헌바46)

③ (X)

> 이 사건에서 제한되는 기본권은 직업의 자유이지 재산권이 아니다. 일반음식점영업소를 금연구역으로 지정하여 운영하도록 한 심판대상조항은 청구인이 선택한 직업을 영위하는 방식과 조건을 규율하고 있으므로 청구인의 직업수행의 자유를 제한한다. 한편, 심판대상조항은 청구인으로 하여금 음식점시설과 그 내부장비 등을 철거하거나 변경하도록 강제하는 내용이 아니므로, 이로 인하여 청구인의 음식점시설 등에 대한 권리가 제한되어 재산권이 침해되는 것은 아니다. (헌재 2016.6.30. 2015헌마813)

④ (O)

> 청구인은 형제·자매에게 가족관계등록부 등의 기록사항에 관한 증명서 교부청구권을 부여하는 이 사건 법률조항에 의하여 인간의 존엄과 가치 및 행복추구권, 사생활의 비밀과 자유가 침해된다고 주장하나, 위 기본권들은 모두 개인정보자기결정권의 헌법적 근거로 거론되는 것으로서 청구인의 개인정보에 대한 공개와 이용이 문제되는 이 사건에서 개인정보자기결정권 침해 여부를 판단하는 이상 별도로 판단하지 않는다. 개인정보가 수록된 가족관계등록법상 각종 증명서를 본인의 동의 없이도 형제·자매가 발급받을 수 있도록 하는 것은 과잉금지원칙을 위반하여 개인정보자기결정권을 침해한다. (헌재 2016.6.30. 2015헌마924)

정답 ④

026 회독 ☐☐☐   12 변호사

기본권의 대사인적 효력에 관한 설명 중 옳지 않은 것은? (다툼이 있는 경우 판례에 의함)

① 기본권 규정은 그 성질상 사법관계에 직접 적용될 수 있는 예외적인 것을 제외하고는 사법상의 일반원칙을 규정한 「민법」 제2조, 제103조, 제750조, 제751조 등의 내용을 형성하고 그 해석기준이 되어 간접적으로 사법관계에 효력을 미친다.
② 헌법재판소는 헌법상의 근로3권 조항, 언론·출판의 자유조항, 연소자와 여성의 근로의 특별보호조항을 사인 간의 사적인 법률관계에 직접 적용되는 기본권 규정으로 인정하고, 국가배상청구권과 형사보상청구권은 원칙적으로 국가권력만을 구속한다고 하여 그 대사인적 효력을 부인하고 있다.
③ 헌법상의 기본권은 일차적으로 개인의 자유로운 영역을 공권력의 침해로부터 보호하기 위한 방어적 권리이지만, 다른 한편으로 헌법의 기본적 결단인 객관적 가치질서를 구체화한 것으로서 사법을 포함한 모든 법영역에 그 영향을 미치는 것이므로, 사인 간의 사적인 법률관계도 헌법상의 기본권 규정에 적합하게 규율되어야 한다.
④ 사인이나 사적 단체가 국가의 재정적 원조를 받거나 국가시설을 임차하는 경우 또는 실질적으로 행정적 기능을 수행하는 경우 등 국가와의 밀접한 관련성이 구체적으로 인정될 때, 그 행위를 국가행위와 동일시하여 헌법상의 기본권의 구속을 받게 하는 것이 미국에서의 국가행위의제이론(state action theory)이다.
⑤ 연예인과 연예기획사 간의 부당한 장기간의 전속계약이 연예인의 직업의 자유 내지 행복추구권을 침해하는 것으로 본다면, 이는 기본권의 대사인적 효력을 적용한 예라고 할 수 있다.

> **해설**

① (O) 간접적용설의 개념이다.
② (✕) 헌법재판소는 기본권의 대사인효에 관하여 명시적으로 직접효력설을 취한 적이 없다.
③ (O)
④ (O) 미국은 천부인권적인 자연권사상이 강하여 기본권의 대사인효를 인정하기가 어려워 선지와 같은 이론을 구성한다.
⑤ (O) 부당한 계약이 곧바로 직업의 자유를 침해한다고 보면 직접적용설이고, 권리 남용을 매개로 하여 직업의 자유를 침해한다고 보면 간접적용설이다.

정답 ②

🔔 **직접효력설과 간접효력설**

구분	직접효력설	간접효력설
개념	기본권이 사법의 일반원칙을 매개로 하지 않고 직접 사인 상호 간에 적용	민사재판 중에 사법의 일반원칙(예 권리 남용금지)이라는 매개물을 통하여 간접적으로 적용
주장자	니퍼다이와 라이스너, 독일연방노동법원	크뤼거, 뒤리히, 독일연방헌법재판소, 독일의 다수설
종류	• 직접효력설 중에도 모든 기본권이 사법질서에서 효력을 가져와 한다는 절대적 직접효력설은 없다. • 우리나라는 판례상 인정된 것은 없고 학설상 근로3권, 언론의 자유, 환경권 등이 논의된다.	독일의 경우 뤼트 판결에서 처음으로 기본권의 대사인적 효력이 다루어진다.
비판	기본권을 사법관계에 직접 적용할 경우 전통적인 공·사법의 이원적 법질서나 가치체계 자체에 혼란을 초래할 수 있다.	간접효력설은 법관에게 지나친 재량권을 주고, 법적 안정성을 해친다는 비판이 있다.

제5절 기본권의 한계와 제한

027 NEW
24 경찰2차

법률에 근거한 기본권 제한에 관한 설명으로 가장 적절하지 않은 것은? (다툼이 있는 경우 판례에 의함)

① 법률에서 명시적으로 규정된 제재보다 더 가벼운 것을 하위규칙에서 규정하더라도 만일 그것이 기본권 제한적 효과를 지니게 된다면, 이는 행정법적 법률유보원칙에 어긋나는지와 상관없이 헌법 제37조 제2항에 따라 엄격한 법률적 근거를 지녀야 한다.

② 법률 위임의 구체성·명확성의 요구 정도는 규제대상의 종류와 성격에 따라서 달라지는데, 기본권침해 영역에서는 급부행정영역에서보다는 구체성 요구가 강화되고, 다양한 사실관계를 규율하거나 사실관계가 수시로 변화될 것이 예상되면 위임의 명확성 요건이 완화되어야 한다.

③ 법률의 위임규정 자체가 그 의미 내용을 정확하게 알 수 있는 용어를 사용하여 위임 한계를 분명히 밝히는데도 하위법령이 그 문언적 의미의 한계를 벗어나거나, 위임규정에서 사용하는 용어의 의미를 넘어 그 범위를 확장 혹은 축소함으로써 위임 내용을 구체화하는 단계를 벗어나 새로운 입법으로 평가할 수 있다면 이는 위임 한계를 일탈한 것으로 허용되지 않는다.

④ 법률에서 일부 내용을 하위법령에 위임할 때, 해당 법률에서 사용된 추상적 용어가 하위법령에서 규정될 내용과는 별도로 독자적인 규율 내용을 정하려는 것이라도 포괄위임금지원칙 위반 여부와 별도로 명확성원칙이 문제될 수 없다.

해설

① (○)

> 이 사건 경고의 경우 법률에서 명시적으로 규정된 제재보다 더 가벼운 것을 하위 규칙에서 규정한 경우이므로, 그러한 제재가 행정법에서 요구되는 법률유보원칙에 어긋났다고 단정하기 어려운 측면이 있다. 그러나 만일 그것이 기본권 제한적 효과를 지니게 된다면, 이는 행정법적 법률유보원칙의 위배 여부에도 불구하고 헌법 제37조 제2항에 따라 엄격한 법률적 근거를 지녀야 한다. (헌재 2007.11.29. 2004헌마290)

② (○) 헌재 1997.12.24. 95헌마390

③ (○) 대판 2012.12.20. 2011두30878 전원합의체

④ (×)

> 일반적으로 법률에서 일부 내용을 하위 법령에 위임하고 있는 경우 위임을 둘러싼 법률 규정 자체에 대한 명확성의 문제는 포괄위임금지원칙 위반의 문제가 될 것이다. 다만 위임 규정이 하위 법령에 위임하고 있는 내용과는 무관하게 법률 자체에서 해당 부분을 완결적으로 정하고 있는 경우 포괄위임금지원칙 위반 여부와는 별도로 명확성의 원칙이 문제될 수 있는바, 위임입법에서 사용하고 있는 추상적 용어가 하위 법령에 규정될 내용의 범위를 구체적으로 정해주기 위한 역할을 하는지, 아니면 그와는 별도로 독자적인 규율 내용을 정하기 위한 것인지 여부에 따라 별도로 명확성원칙 위반의 문제가 나타날 수도 있고, 그렇지 않을 수도 있게 된다. (헌재 2011.12.29. 2010헌바385)

정답 ④

028 NEW

과잉금지원칙(비례원칙)에 관한 설명으로 가장 적절한 것은? (다툼이 있는 경우 판례에 의함)

① 보험사기를 이유로 체포된 공인이 아닌 피의자를 수사기관이 기자들에게 경찰서 내에서 수갑을 차고 얼굴을 드러낸 상태에서 조사받는 모습을 촬영할 수 있도록 허용한 행위는 피의자의 재범방지 및 범죄예방을 위한 것으로 목적의 정당성이 인정된다.

② 기본권을 제한하는 규정은 기본권행사의 '방법'과 '여부'에 관한 규정으로 구분할 수 있다. 방법의 적절성의 관점에서, 입법자는 우선 기본권행사의 '방법'에 관한 규제로써 공익을 실현할 수 있는가를 시도하고 이러한 방법으로는 공익달성이 어렵다고 판단되는 경우에 기본권행사의 '여부'에 관한 규제를 선택해야 한다.

③ 변호사시험 성적을 합격자에게 공개하지 않도록 규정한 「변호사시험법」 조항은 법학전문대학원 간의 과다경쟁 및 서열화를 방지하고, 교육과정이 충실하게 이행될 수 있도록 하여 다양한 분야의 전문성을 갖춘 양질의 변호사를 양성하기 위한 것으로 그 입법목적은 정당하나 입법목적을 달성하는 적절한 수단이라고 볼 수는 없다.

④ 형사재판에 피고인으로 출석하는 수형자에 대하여 사복착용을 불허하는 「형의 집행 및 수용자의 처우에 관한 법률」 조항은 형사재판을 받는 수형자의 도주를 방지하기 위한 것으로 목적의 정당성은 인정되나, 재판 과정에서 재소자용 의류를 입게 하는 것이 도주의 방지를 위한 필요하고도 유용한 수단이라고 보기는 어렵다.

해설

① (✕) 피청구인(강동경찰서 사법경찰관)이 언론사 기자들의 취재 요청에 응하여 청구인이 경찰서 내에서 양손에 수갑을 찬 채 조사받는 모습을 촬영할 수 있도록 허용한 행위는 청구인의 인격권을 침해하여 위헌이다(목적의 정당성 부정).

> 피청구인이 청구인에 관한 보도자료를 배포한 행위는 형법 제126조의 피의사실공표죄에 해당하는지가 문제된다. 만약 피청구인의 행위가 피의사실공표죄에 해당하는 범죄행위라면, 수사기관을 상대로 고소하여 행위자를 처벌받게 하거나 처리결과에 따라 검찰청법에 따른 항고를 거쳐 재정신청을 할 수 있으므로, 위와 같은 권리구제절차를 거치지 아니한 채 곧바로 제기한 이 부분 심판청구는 보충성 요건을 갖추지 못하여 부적법하다. (헌재 2014.3.27. 2012헌마652)

② (✕) 침해의 최소성원칙상 여부가 방법보다 더 강한 제한이므로 방법으로 먼저 규제하고 안될 때 여부를 선택해야 한다.

③ (○)

> 변호사시험 성적을 합격자에게 공개하지 않도록 규정한 변호사시험법 제18조 제1항 본문은 청구인들의 알 권리(정보공개청구권)를 침해한다. (헌재 2015.6.25. 2011헌마769 등)
> [1] 변호사시험 성적의 비공개는 기존 대학의 서열화를 고착시키는 등의 부작용을 낳고 있으므로 수단의 적절성이 인정되지 않는다.
> [2] 시험 성적의 비공개가 청구인들의 법조인으로서의 직역 선택이나 직업수행에 있어서 어떠한 제한을 두고 있는 것은 아니므로 심판대상조항이 청구인들의 직업선택의 자유를 제한하고 있다고 볼 수 없다.
> [3] 청구인은 심판대상조항이 일반 국민의 알 권리도 침해한다고 주장하나, 이러한 주장은 위 청구인의 기본권이 침해되었다는 주장이 아니므로 별도로 판단하지 않는다.
> [4] 심판대상조항은 개인정보자기결정권을 제한하고 있다고 보기 어렵다.

④ (✗)

> 수형자가 재소자용 의류가 아닌 사복을 입고 법정에 출석하게 되면 일반 방청객들과 구별이 어려워 도주할 우려가 있고, 실제 도주를 하면 일반인과 구별이 어려워 이를 제지하거나 체포하는 데에도 어려움이 있다. 수형자가 형사재판의 피고인으로 출석할 경우 재소자용 의류를 입게 하는 것은 이와 같은 도주예방과 교정사고 방지에 필요하고도 유용한 수단이므로, 그 목적의 정당성과 수단의 적합성은 인정된다. … 형사재판과 같이 피고인의 방어권 보장이 절실한 경우조차 아무런 예외 없이 일률적으로 사복착용을 금지하는 것은 침해의 최소성 원칙에 위배된다. (헌재 2015.12.23. 2013헌마712)

정답 ③

029   24 경찰1차

부작위에 의한 기본권 침해에 관한 설명으로 가장 적절한 것은? (다툼이 있는 경우 판례에 의함)

① 「가족관계의 등록 등에 관한 법률」이 직계혈족이기만 하면 사실상 자유롭게 그 자녀의 가족관계증명서와 기본증명서의 교부를 청구하여 발급받을 수 있도록 규정함으로써 가정폭력 피해자의 개인정보가 가정폭력 가해자인 전 배우자에게 무단으로 유출될 수 있는 경우, 이는 가정폭력 피해자를 보호하기 위한 구체적 방안을 마련하지 아니한 진정입법부작위에 해당되어 가정폭력 피해자인 청구인의 개인정보자기결정권을 침해한다.

② 「국군포로의 송환 및 대우 등에 관한 법률」에 따라 대통령은 등록포로, 등록하기 전에 사망한 귀환포로, 귀환하기 전에 사망한 국군포로에 대한 예우의 신청, 기준, 방법 등에 필요한 사항을 대통령령으로 제·개정할 의무가 있음에도 상당한 기간 동안 정당한 사유없이 그 예우에 관한 사항을 대통령령에 규정하지 않은 행정입법부작위는 등록포로 등의 가족인 청구인의 명예권을 침해한다.

③ 「진실·화해를 위한 과거사정리 기본법」에 따라 행정안전부장관, 법무부장관 등은 진실규명사건 피해자의 명예회복을 위해 적절한 조치를 취할 의무가 있으나 이는 법령에서 유래하는 작위의무이지 헌법에서 유래하는 작위의무는 아니다.

④ 통일부장관이 2010.5.24. 발표한 북한에 대한 신규투자 불허 및 진행 중인 사업의 투자확대 금지 등을 내용으로 하는 대북조치로 인하여 재산상 손실을 입은 자에 대한 보상입법을 마련하지 않은 경우, 이는 헌법 해석상 보상규정을 두어야 할 입법의무가 도출됨에도 이를 이행하지 아니한 진정입법부작위에 해당하여 개성공단 내의 토지이용권을 사용·수익할 수 없게 된 청구인의 재산권을 침해한다.

해설

① (×)

이 사건 법률조항이 불완전·불충분하게 규정되어, 직계혈족이 가정폭력의 가해자로 판명된 경우 주민등록법 제29조 제6항 및 제7항과 같이 가정폭력 피해자가 가정폭력 가해자를 지정하여 가족관계증명서 및 기본증명서의 교부를 제한하는 등의 가정폭력 피해자의 개인정보를 보호하기 위한 구체적 방안을 마련하지 아니한 부진정입법부작위가 과잉금지원칙을 위반하여 청구인의 개인정보자기결정권을 침해한다. (헌재 2020.8.28. 2018헌마927)

② (○)

'국군포로의 송환 및 대우 등에 관한 법률'에서 대한민국에 귀환하여 등록한 포로에 대한 보수 기타 대우 및 지원만을 규정하고, 대한민국으로 귀환하기 전에 사망한 국군포로에 대하여는 이에 관한 입법조치를 하지 않은 입법부작위에 대한 헌법소원심판 청구는 부적법하다. 한편 같은 법 제15조의5 제2항의 위임에 따른 대통령령을 제정하지 아니한 행정입법부작위는 청구인의 명예권을 침해하여 위헌이다. (헌재 2018.5.31. 2016헌마626 [각하, 위헌])
국군포로법 제15조의5 제2항은 같은 조 제1항에 따른 예우의 신청, 기준, 방법 등에 필요한 사항은 대통령령으로 정한다고 규정하고 있으므로, 피청구인은 예우의 신청, 기준, 방법 등에 필요한 사항을 대통령령으로 제정할 의무가 있다. 국군포로법 제15조의5 제1항이 국방부장관으로 하여금 예우 여부를 재량으로 정할 수 있도록 하고 있으나, 이것은 예우 여부를 재량으로 한다는 의미이지, 대통령령 제정 여부를 재량으로 한다는 의미는 아니다. 따라서 피청구인이 대통령령을 제정하지 아니한 행위는 청구인의 명예권을 침해한다. 다만, 이러한 행정입법부작위가 청구인의 재산권을 침해하는 것은 아니다.

③ (×)

과거사정리법의 제정 경위 및 입법 목적, 과거사정리법의 제규정 등을 종합적으로 살펴볼 때, 과거사정리법 제36조 제1항과 제39조는 '진실규명결정에 따라 규명된 진실에 따라 국가와 피청구인들을 포함한 정부의 각 기관은 피해자의 명예회복을 위해 적절한 조치를 취하고, 가해자와 피해자 사이의 화해를 적극 권유하기 위하여 필요한 조치를 취하여야 할 구체적 작위의무'를 규정하고 있는 조항으로 볼 것이고, 이러한 피해자에 대한 작위의무는 헌법에서 유래하는 작위의무로서 그것이 법령에 구체적으로 규정되어 있는 경우라고 할 것이다. 헌법이나 헌법해석상으로 피청구인들이 진실규명사건의 피해자인 청구인 정○○ 및 피해자의 배우자, 자녀, 형제인 청구인들에게 국가배상법에 의한 배상이나 형사보상법에 의한 보상과는 별개로 배상·보상을 하거나 위로금을 지급하여야 할 작위의무가 도출되지 아니한다. (헌재 2021.9.30. 2016헌마1034)

④ (×)

입법부작위 위헌확인(헌재 2022.5.26. 2016헌마95)
[1] 통일부장관이 2010.5.24. 발표한 북한에 대한 신규투자 불허 및 진행 중인 사업의 투자확대 금지 등을 내용으로 하는 대북조치는 헌법 제23조 제3항 소정의 재산권의 공용제한에 해당하지 않는다. 2010.5.24.자 대북조치로 인하여 재산상 손실을 입은 자에 대한 보상입법을 마련하지 아니한 입법부작위에 대한 심판청구는 부적법하다.
[2] 2010.5.24.자 대북조치로 인한 토지이용권의 제한은 헌법 제23조 제1항, 제2항에 따라 재산권의 내용과 한계를 정한 것인 동시에 재산권의 사회적 제약을 구체화하는 것으로 볼 수 있다.

정답 ②

030 회독 ☐☐☐　　　　　　　　　　　　　　　　　　　　　　　　　　　　23 5급행시

기본권 제한에 대한 설명으로 옳지 않은 것은?

① 도로를 차단하고 불특정 다수인을 상대로 실시하는 일제단속식 음주단속은 그 자체로는 「도로교통법」에 근거를 둔 적법한 경찰작용이다.
② 음주운전금지규정 위반 또는 음주측정거부 전력을 가중요건으로 삼으면서 해당 전력과 관련하여 아무런 시간적 제한도 두지 않은 채 뒤에 행해진 음주운전금지규정 위반행위를 가중처벌하는 것은 책임에 비해 과도한 형벌을 규정한 것이다.
③ 음주운전의 경우 운전의 개념에 '도로 외의 곳'을 포함하도록 한 「도로교통법」 조항은 건전한 일반상식을 가진 사람에 의하여 일의적으로 파악되기 어려우므로 죄형법정주의 명확성원칙에 위배된다.
④ 음주측정거부자에 대해 필요적으로 면허를 취소할 것을 규정한 「도로교통법」 조항은 재산권, 직업선택의 자유, 행복추구권 또는 양심의 자유에 대한 과도한 제한에 해당하지 않는다.

해설

① (O)

> 음주운전으로 인한 피해를 예방하여야 하는 공익은 대단히 중대하며, 그러한 단속방식이 그 공익을 보호함에 효율적인 수단임에 반하여, 일제단속식 음주단속으로 인하여 받는 국민의 불이익은 비교적 경미하다. … 따라서 도로를 차단하고 불특정 다수인을 상대로 실시하는 일제단속식 음주단속은 그 자체로는 도로교통법 제41조 제2항 전단에 근거를 둔 적법한 경찰작용이다. 심판대상행위로 인한 청구인의 기본권 침해는 인정될 수 없다고 할 것이다. (헌재 2004.1.29. 2002헌마293)

② (O)

> 2회 이상 음주운전 금지규정을 위반한 사람을 2년 이상 5년 이하의 징역이나 1천만 원 이상 2천만 원 이하의 벌금에 처하도록 규정한 구 도로교통법 제148조의2 제1항 중 '제44조 제1항을 2회 이상 위반한 사람'에 관한 부분은 헌법에 위반된다. (헌재 2021.11.25. 2019헌바446 등)
> [1] 심판대상조항은 죄형법정주의의 명확성원칙에 위반된다고 할 수 없다.
> [2] 예컨대 10년 이상의 세월이 지난 과거 위반행위를 근거로 재범으로 분류되는 음주운전행위자에 대해서는 책임에 비해 과도한 형벌을 규정하고 있다고 하지 않을 수 없다. 도로교통법 제44조 제1항을 2회 이상 위반한 경우라고 하더라도 죄질을 일률적으로 평가할 수 없고 과거 위반 전력, 혈중알코올농도 수준, 운전한 차량의 종류에 비추어, 교통안전 등 보호법익에 미치는 위험 정도가 비교적 낮은 유형의 재범 음주운전행위가 있다. 그런데 심판대상조항은 법정형의 하한을 징역 2년, 벌금 1천만 원으로 정하여 그와 같이 비난가능성이 상대적으로 낮고 죄질이 비교적 가벼운 행위까지 지나치게 엄히 처벌하도록 하고 있으므로, 책임과 형벌 사이의 비례성을 인정하기 어렵다. 그러므로 심판대상조항은 책임과 형벌 간의 비례원칙에 위반된다.

③ (X)

> 심판대상조항에 규정된 '도로 외의 곳'이란 '도로 외의 모든 곳 가운데 자동차 등을 그 본래의 사용방법에 따라 사용할 수 있는 공간'으로 해석할 수 있다. 따라서 심판대상조항이 죄형법정주의의 명확성원칙에 위배된다고 할 수 없다. (헌재 2016.2.25. 2015헌가11)

④ (O) 헌재 2004.12.16. 2003헌바87

정답 ③

031　회독 ☐☐☐　22 5급행시

기본권 제한 및 한계에 대한 설명으로 옳지 않은 것은? (다툼이 있는 경우 판례에 의함)

① 금치처분을 받은 수형자에 대하여 집필의 목적과 내용 등을 묻지 아니하고 일체의 집필행위를 금지하는 것은 입법목적 달성을 위한 필요최소한의 제한이라는 한계를 벗어난 것으로서 과잉금지의 원칙에 위반된다.

② 방송사업자가 구 「방송법」상 심의규정을 위반한 경우 방송통신위원회로 하여금 전문성과 독립성을 갖춘 방송통신심의위원회의 심의를 거쳐 '시청자에 대한 사과'를 명할 수 있도록 규정한 것은 침해의 최소성원칙에 위배되지 않는다.

③ 정부에 대한 반대 견해나 비판에 대하여 합리적인 홍보와 설득으로 대처하는 것이 아니라 비판적 견해를 가졌다는 이유만으로 국가의 지원에서 일방적으로 배제함으로써 정치적 표현의 자유를 제재하는 공권력의 행사는 헌법의 근본원리인 국민주권주의와 자유민주적 기본질서에 반하는 것으로 그 목적의 정당성을 인정할 수 없다.

④ 육군3사관학교 사관생도는 군 장교를 배출하기 위하여 국가가 모든 재정을 부담하는 특수교육기관인 육군3사관학교의 구성원이므로 그 존립목적을 달성하기 위하여 필요한 한도 내에서 일반국민보다 상대적으로 기본권이 더 제한될 수 있으나, 그러한 경우에도 법률유보원칙, 과잉금지원칙 등 기본권 제한의 헌법상 원칙들을 지켜야 한다.

해설

① (O) 일체의 집필을 금지하는 것은 헌법에 위반되고, 원칙적으로 금지하되 예외적으로 허용하면 헌법에 위반되지 않는다.

② (✕)

> 심의규정을 위반한 방송사업자에게 '주의 또는 경고'만으로도 반성을 촉구하고 언론사로서의 공적 책무에 대한 인식을 제고시킬 수 있고, 위 조치만으로도 심의규정에 위반하여 '주의 또는 경고'의 제재조치를 받은 사실을 공표하게 되어 이를 다른 방송사업자나 일반국민에게 알리게 됨으로써 여론의 왜곡 형성 등을 방지하는 한편, 해당 방송사업자에게는 해당 프로그램의 신뢰도 하락에 따른 시청률 하락 등의 불이익을 줄 수 있다. 또한 '시청자에 대한 사과'에 대하여는 '명령'이 아닌 '권고'의 형태를 취할 수도 있다. 이와 같이 기본권을 보다 덜 제한하는 다른 수단에 의하더라도 이 사건 심판대상조항이 추구하는 목적을 달성할 수 있으므로 이 사건 심판대상조항은 침해의 최소성원칙에 위배된다. (헌재 2012.8.23. 2009헌가27)

③ (O)

> 피청구인 대통령의 지시로 피청구인 대통령 비서실장 등이 야당 소속 후보를 지지하였거나 정부에 비판적 활동을 한 문화예술인이나 단체를 정부의 문화예술 지원사업에서 배제할 목적으로, 문화예술인 지원사업에서 배제하도록 한 일련의 지시행위가 위헌임을 확인한다. (헌재 2020.12.23. 2017헌마416【인용(위헌확인)】)
> [1] 정치적 견해는 개인의 인격주체성을 특징짓는 개인정보에 해당하고, 그것이 지지 선언 등의 형식으로 공개적으로 이루어진 것이라고 하더라도 여전히 개인정보자기결정권의 보호범위 내에 속한다. 국가가 개인의 정치적 견해에 관한 정보를 수집·보유·이용하는 등의 행위는 개인정보자기결정권에 대한 중대한 제한이 되므로 이를 위해서는 법령상의 명확한 근거가 필요하다. 그런데 정부가 문화예술 지원사업에서 배제할 목적으로 문화예술인들의 정치적 견해에 관한 정보를 처리할 수 있도록 수권하는 법령상 근거가 존재하지 않으므로 이 사건 정보수집 등 행위는 법률유보원칙에 위반된다. 나아가 이 사건 정보수집 등 행위는 청구인들의 정치적 견해를 확인하여 야당 후보자를 지지한 이력이 있거나 현 정부에 대한 비판적 의사를 표현한 자에 대한 문화예술 지원을 차단하는 위헌적인 지시를 실행하기 위한 것으로, 그 목적의 정당성도 인정할 여지가 없어 헌법상 허용될 수 없는 공권력 행사이다.
> [2] 이 사건 지원배제지시는 법적 근거가 없으며, 그 목적 또한 정부에 대한 비판적 견해를 가진 청구인들을 제재하기 위한 것으로 헌법의 근본원리인 국민주권주의와 자유민주적 기본질서에 반하므로, 청구인들의 표현의 자유를 침해한다.
> [3] 청구인들의 정치적 견해를 기준으로 이들을 문화예술계 지원사업에서 배제되도록 한 것은 자의적인 차별행위로서 청구인들의 평등권을 침해한다.

④ (O) 특별권력관계의 경우에도 기본권 제한은 법적 근거가 필요하다.

 ②

032

기본권 침해 여부의 심사에서 과잉금지원칙(비례원칙)이 적용된 경우가 아닌 것은? (다툼이 있는 경우 판례에 의함)

① 고졸검정고시 또는 고입검정고시에 합격한 자는 해당 검정고시에 다시 응시할 수 없도록 응시자격을 제한한 것이 해당 검정고시 합격자의 교육을 받을 권리를 침해하는지 여부
② 교육공무원인 대학 교원을 「교원의 노동조합 설립 및 운영 등에 관한 법률」의 적용대상에서 배제한 것이 교육공무원인 대학 교원의 단결권을 침해하는지 여부
③ 세종특별자치시의 특정 구역 내 건물에 입주한 업소에 대해 업소별로 표시할 수 있는 광고물의 총 수량을 원칙적으로 1개로 제한한 것이 업소 영업자의 표현의 자유 및 직업수행의 자유를 침해하는지 여부
④ 자율형 사립고등학교를 지원한 학생에게 평준화지역 후기학교 주간부에 중복 지원하는 것을 금지한 것이 자율형 사립고등학교에 진학하고자 하는 학생의 평등권을 침해하는지 여부

해설

① (O) 교육을 받을 권리 중 자유권적 측면의 제한이므로 과잉금지원칙이 적용된다.
② (X) 공무원의 단결권에 대해서는 과잉금지원칙이 적용되지 않는다.
③ (O) 직업의 자유를 판단할 때는 비례원칙이 적용된다.
④ (O)

> 학교법인은 설립자가 정한 설립취지에 따라 사립학교를 설립하여 자주적·자율적으로 운영할 수 있는 자유를 가지며, 이는 헌법상의 기본권으로 보장된다. 학교법인과 사립학교는 설립자의 특별한 의지와 재산에 의하여 독자적인 교육목적을 구현하기 위하여 설립되는 것이므로 사립학교 교육의 자율성과 독자성을 보장하는 것은 사립학교제도의 본질적 요체이다. 사립학교의 자주성과 자율성은 교육의 자주성과 전문성을 살리기 위하여 보장되어야 하지만, 교육의 다양성을 구체적으로 실현하기 위해서도 보장되어야 한다. 사립학교 교육에 대한 국가의 간섭은 사립학교가 담당하는 공교육, 즉 학력인정에 필요한 교육의 충실을 확보하기 위하여 필요한 한도에 그쳐야 한다. 헌법 제31조 제6항이 사립학교를 포함한 교육제도의 내용 형성을 입법권에 위임하였다고 하더라도, 사립학교에 관한 법령이 학교법인이나 사립학교의 자율적 운영을 제한하기 위해서는 헌법 제37조 제2항의 요건을 갖추어야 하고, 헌법 제31조 제1항이 보장하고 있는 교육받을 권리와 교육선택권을 충실하게 보장하기 위하여 필요한 경우에 최소한도의 제한에 그쳐야 한다. (헌재 2009.4.30. 2005헌바101)

정답

예상판례

집단급식소에 근무하는 영양사의 직무를 규정한 조항을 위반한 자를 처벌하는 식품위생법 제96조 중 '제52조 제2항을 위반한 자'에 관한 부분은 헌법에 위반된다. (헌재 2023.3.23. 2019헌바141【위헌】)
[1] 재판관 5명은 명확성원칙 위반, 4명은 명확성원칙 위반이 아니라고 보았다.
[2] 과잉금지원칙에 위반된다.
　　가. 처벌조항은 목적의 정당성 및 수단의 적합성이 인정된다.
　　나. 집단급식소에 근무하는 영양사는 그 경중 또는 실질적인 사회적 해악의 유무에 상관없이 직무수행조항에서 규정하고 있는 직무를 단 하나라도 불이행한 경우 상시적인 형사처벌의 위험에 노출된다. 따라서 처벌조항은 침해의 최소성 및 법익의 균형성을 충족하지 않는다. 그러므로 직무수행조항에서 정하고 있는 직무 내용을 이행하지 아니한 경우 이를 모두 형사처벌하도록 하는 처벌조항은 과잉금지원칙에 위반된다.

033　회독 ☐☐☐

19 국가7급

기본권 제한에서 요구되는 과잉금지원칙에 대한 설명으로 옳은 것은? (다툼이 있는 경우 판례에 의함)

① 사립학교 교원 또는 사립학교 교원이었던 자가 재직 중의 사유로 금고 이상의 형을 받은 때에는 대통령령이 정하는 바에 의하여 퇴직급여 및 퇴직수당의 일부를 감액하여 지급하도록 한 것은 입법목적을 달성하는 데 적합한 수단이라고 볼 수 없다.
② 민사재판에 당사자로 출석하는 수형자에 대하여 아무런 예외 없이 일률적으로 사복착용을 금지하는 것은 침해의 최소성원칙에 위배된다.
③ 직업수행의 자유에 대하여는 직업선택의 자유와는 달리 공익목적을 위하여 상대적으로 폭넓은 입법적 규제가 가능한 것이므로 과잉금지의 원칙이 적용되는 것이 아니라 자의금지의 원칙이 적용되는 것이다.
④ 「마약류 관리에 관한 법률」을 위반하여 금고 이상의 실형을 선고받고 그 집행이 끝나거나 면제된 날부터 20년이 지나지 아니한 것을 택시운송사업의 운전업무 종사자격의 결격사유 및 취소사유로 정한 것은 사익을 제한함으로써 달성할 수 있는 공익이 더욱 중대하므로 법익의 균형성원칙도 충족하고 있다.

해설

① (O)

> 공무원 또는 공무원이었던 자가 재직 중의 사유로 금고 이상의 형을 받은 때에는 대통령령이 정하는 바에 의하여 퇴직급여 및 퇴직수당의 일부를 감액하여 지급하도록 한 공무원연금법 제64조 제1항 제1호는 재산권을 침해하고 평등의 원칙에 위배된다. (헌재 2007.3.29. 2005헌바33 [헌법불합치])
> 공무원의 신분이나 직무상 의무와 관련이 없는 범죄의 경우에도 퇴직급여 등을 제한하는 것은 공무원범죄를 예방하고 공무원이 재직 중 성실히 근무하도록 유도하는 입법목적을 달성하는 데 적합한 수단이라고 볼 수 없다. 그리고 특히 과실범의 경우에는 공무원이기 때문에 더 강한 주의의무 내지 결과 발생에 대한 가중된 비난가능성이 있다고 보기 어려우므로, 퇴직급여 등의 제한이 공무원으로서의 직무상 의무를 위반하지 않도록 유도 또는 강제하는 수단으로서 작용한다고 보기 어렵다. 입법자로서는 입법목적을 달성함에 반드시 필요한 범죄의 유형과 내용 등으로 그 범위를 한정하여 규정함이 최소침해성의 원칙에 따른 기본권 제한의 적절한 방식이다. 단지 금고 이상의 형을 받았다는 이유만으로 이미 공직에서 퇴출당할 공무원에게 더 나아가 일률적으로 그 생존의 기초가 될 퇴직급여 등까지 반드시 감액하도록 규정한다면 그 법률조항은 침해되는 사익에 비해 지나치게 공익만을 강조한 입법이라고 아니할 수 없다.

② (X) 형사재판에 사복을 입지 못하게 하는 것은 위헌이지만, 민사재판에서 사복을 입지 못하게 하는 것과 운동화를 신지 못하게 하는 것은 합헌이다.
③ (X) 직업행사의 자유를 제한하는 입법을 심사하는 기준도 과잉금지원칙이 적용된다. 다만, 직업결정의 자유를 제한하는 입법에 대한 심사기준보다는 완화된다.
④ (X)

> 반사회적 중범죄의 하나인 '마약류 관리에 관한 법률'을 위반한 자가 택시운송사업의 운전업무에 종사하는 것을 일정 기간 동안 금지하여 국민의 생명, 신체, 재산을 보호하고 시민들의 택시이용에 대한 불안감을 해소하며, 도로교통에 관한 공공의 안전을 확보하고자 하는 입법목적은 정당하며, 이러한 입법목적을 달성하기 위한 적절한 방법이다. 그러나 일정한 자격제도의 일부를 형성하고 있는 법령에서 결격사유 또는 취소사유의 적용기간을 얼마로 할 것인지에 대해서는 기본적으로 입법자의 입법재량이 인정되는 부분임을 감안하더라도, 20년이라는 기간은 좁게는 여객자동차운송사업과 관련된 결격사유 또는 취소사유를 규정하는 법률에서, … 심판대상조항은 구체적 사안의 개별성과 특수성을 고려할 수 있는 여지를 일체 배제하고 그 위법의 정도나 비난가능성의 정도가 미약한 경우까지도 획일적으로 20년이라는 장기간 동안 택시운송사업의 운전업무 종사자격을 제한하는 것이므로 침해의 최소성원칙에 위배되며, 법익의 균형성원칙에도 반한다. 따라서 심판대상조항은 청구인들의 직업선택의 자유를 침해한다. (헌재 2015.12.23. 2014헌바446 등)

정답 ①

034

기본권 제한에 관한 다음 설명 중 가장 옳은 것은?

① 구 「특정 범죄자에 대한 보호관찰 및 전자장치 부착 등에 관한 법률」에 의한 전자장치 부착기간 동안 다른 범죄를 저질러 구금된 경우, 그 구금기간이 부착기간에 포함되지 않는 것으로 규정한 위 법률조항은 과잉금지원칙을 위반하여 사생활의 비밀과 자유, 개인정보자기결정권을 침해한다.

② 이른바 '강제적 셧다운제'를 규정한 구 「청소년 보호법」 조항은 각종 게임 중 인터넷게임만을 적용대상으로 하고 있는바, 인터넷을 이용하지 않는 다른 게임 및 모바일기기를 이용한 인터넷게임과 비교하여 차별에 합리적 이유가 있으므로 인터넷게임제공자들의 평등권을 침해하지 않는다.

③ 피청구인인 부산구치소장이 청구인이 미결수용자 신분으로 구치소에 수용되었던 기간 중 교정시설 안에서 매주 실시하는 종교집회 참석을 제한한 행위는 과잉금지원칙을 위반하여 청구인의 종교의 자유 중 종교적 집회·결사의 자유를 침해한 것이 아니다.

④ 어린이집에 폐쇄회로 텔레비전(CCTV; Closed Circuit Television)을 원칙적으로 설치하도록 정한 「영유아보육법」 조항은 과잉금지원칙을 위반하여 어린이집 보육교사의 사생활의 비밀과 자유 등을 침해한다.

해설

① (×)

> [1] 특정 범죄자에 대한 보호관찰 및 전자장치 부착 등에 관한 법률 시행령 제8조 제1항·제3항은 기본권 침해의 직접성이 인정되지 않는다.
> [2] 특정 범죄자에 대한 보호관찰 및 전자장치 부착 등에 관한 법률에 의한 전자장치 부착기간 동안 다른 범죄를 저질러 구금된 경우, 그 구금기간이 부착기간에 포함되지 않는 것으로 규정한 위 법 제13조 제4항 제1호·제2호 및 제5항 제2호는 과잉금지원칙에 위배되지 않는다. (헌재 2013.7.25. 2011헌마781)

② (○)

> [1] 처벌조항의 고유한 위헌성을 주장하지 않는 경우 처벌조항에 대한 기본권 침해의 직접성은 인정되지 않는다. 【각하】
> [2] 16세 미만 청소년에게 오전 0시부터 오전 6시까지 인터넷게임의 제공을 금지하는 이른바 '강제적 셧다운제'를 규정한 구 청소년 보호법 중 '인터넷게임'의 의미는 죄형법정주의 명확성원칙에 위반되지 않는다. 【기각】
> [3] 이 사건 금지조항은 인터넷게임 제공자의 직업수행의 자유, 16세 미만 청소년의 일반적 행동자유권, 부모의 자녀교육권을 침해하지 않는다. 【기각】
> [4] 이 사건 금지조항이 다른 게임과 달리 인터넷게임만 규제하고, 해외 게임업체와 달리 국내 게임업체만 규율함으로써 평등권을 침해하지 않는다. 【기각】 (헌재 2014.4.24. 2011헌마659 등)

③ (×)

> 피청구인인 부산구치소장이 미결수용자의 신분으로 부산구치소에 수용되었던 기간 중 청구인의 조사수용 내지 징벌(금치)집행 중이었던 기간을 제외한 기간 및 미지정 수형자(예 추가사건이 진행 중인 자)의 신분으로 수용되어 있던 기간 동안, 교정시설 안에서 매주 화요일에 실시하는 종교집회 참석을 제한한 행위는 청구인의 종교의 자유를 침해한다. (헌재 2014.6.26. 2012헌마782)

④ (×)

> [1] 행정관청이 아동학대행위가 발생한 어린이집에 대해 폐쇄명령이라는 중대한 행정처분을 하기에 앞서 아동보호전문기관과 협의절차를 거치도록 한 것은 행정관청 독단으로 이루어지는 위법·부당한 조치를 방지하기 위한 것으로, 이로써 청구인들의 기본권이 침해되거나 침해 위험이 있다고 볼 수 없으므로 기본권 침해가능성이 인정되지 않는다.
> [2] 어린이집에 폐쇄회로 텔레비전(CCTV) 설치를 원칙적으로 의무화하고, 보호자의 CCTV 영상정보 열람요청 및 어린이집 참관에 대해 정한 영유아보육법 조항들은 어린이집 원장이나 보육교사 등의 사생활의 비밀, 직업수행의 자유를 침해하지 아니한다. (헌재 2017.12.28. 2015헌마994)

정답 ②

035 회독 ☐☐☐ 재구성   18·11 법원직

기본권 제한의 한계에 대한 설명으로 옳지 않은 것은? (다툼이 있는 경우 판례에 의함)

① 생명권의 제한은 어떠한 상황에서든 곧바로 개인의 생명권의 본질적인 내용을 침해하는 것으로서 기본권 제한의 한계를 넘는 것으로 본다면, 이는 생명권을 제한이 불가능한 절대적 기본권으로 인정하는 것과 동일한 결과를 가져오게 된다.

② 긴급재정경제명령이 헌법 제76조 소정의 요건과 한계에 부합하는 것이라면 그 자체로 목적의 정당성, 수단의 적정성, 피해의 최소성, 법익의 균형성이라는 기본권 제한의 한계로서의 과잉금지원칙을 준수하는 것이 되는 것이다.

③ 입법자가 정한 전문분야에 관한 자격제도에 대해서는 그 내용이 불합리하고 불공정하지 않은 한 입법자의 정책판단은 존중되어야 하며, 자격요건에 관한 법률조항은 합리적인 근거 없이 현저히 자의적인 경우에만 헌법에 위반된다고 할 수 있다.

④ 범죄의 설정과 법정형의 종류 및 범위의 선택은 입법자가 결정할 사항으로서 광범위한 입법재량이 인정될 수 없는 분야이므로 어느 행위를 범죄로 규정하고 그 법정형을 정한 법률이 헌법상의 평등원칙 및 비례원칙에 위반되는지 여부는 엄격한 심사척도에 의해 심사되어야 한다.

해설

① (O) 기본권의 본질적 내용의 의미에 대해서 헌법재판소는 생명권의 경우에 상대설을 취하고 있다(그 외의 기본권은 절대설 중 핵심영역보장설). 만약 생명권에 대해 절대설을 취하게 되면 사형이 위헌이 되게 된다는 것이 선지의 의미이다. [18 법원직]

② (O) [18 법원직]

> **긴급재정경제명령의 요건** (헌재 1996.2.29. 93헌마186)
> [1] 긴급재정경제명령은 정상적인 재정운용·경제운용이 불가능한 중대한 재정·경제상의 위기가 현실적으로 발생하여(위기가 발생할 우려가 있다는 이유로 사전적·예방적으로 발할 수는 없다) 긴급한 조치가 필요함에도 국회의 폐회 등으로 국회가 현실적으로 집회될 수 없고 국회의 집회를 기다려서는 그 목적을 달할 수 없는 경우에 이를 사후적으로 수습함으로써 기존질서를 유지·회복하기 위하여(공공복리의 증진과 같은 적극적 목적을 위하여 발할 수 없다) 위기의 직접적 원인의 제거에 필수불가결한 최소의 한도 내에서 헌법이 정한 절차에 따라 행사되어야 한다.
> [2] 긴급재정경제명령이 헌법 제76조 소정의 요건과 한계에 부합하는 것이라면 그 자체로 목적의 정당성, 수단의 적정성, 피해의 최소성, 법익의 균형성이라는 기본권 제한의 한계로서의 과잉금지원칙을 준수하는 것이 되는 것이다.

③ (O) 헌재 2001.5.31. 99헌바94 [11 법원직]

④ (×) [11 법원직]

> 법정형의 종류와 범위의 선택은 여러 가지 요소를 종합적으로 고려하여 입법자가 결정할 사항으로서 광범위한 입법재량 내지 형성의 자유가 인정되어야 할 분야이다. 따라서 어느 범죄에 대한 법정형이 그 범죄의 죄질 및 이에 대한 행위자의 책임에 비하여 지나치게 가혹한 것이어서 현저히 형벌체계상의 균형을 잃고 있다거나 그 범죄에 대한 형벌 본래의 목적과 기능을 달성함에 있어 필요한 정도를 일탈하였다는 등 헌법상의 평등의 원칙 및 비례의 원칙 등에 명백히 위배되는 경우가 아닌 한, 쉽사리 헌법에 위반된다고 단정하여서는 아니 된다. (헌재 2006.4.27. 2005헌가2)

정답 ④

036

기본권 제한에 대한 설명으로 옳지 않은 것은? (다툼이 있는 경우 헌법재판소 결정에 의함)

① 대학구성원이 아닌 사람의 도서관 이용에 관하여 대학도서관의 관장이 승인 또는 허가할 수 있도록 규정한 국·공립대학교의 도서관 규정은 대학구성원이 아닌 사람에 대하여 도서 대출이나 열람실 이용을 확정적으로 제한하는 것이다.

② '카메라나 그 밖에 이와 유사한 기능을 갖춘 기계장치를 이용하여 성적 욕망 또는 수치심을 유발할 수 있는 다른 사람의 신체를 그 의사에 반하여 촬영한 자'를 형사처벌하는 법률규정은 행위자의 일반적 행동자유권을 제한하지만 과잉금지원칙에 위배되지는 않는다.

③ 이동통신사업자 등으로부터 이동통신단말장치를 구입하는 경우 이동통신단말장치 구매지원금 상한제를 규정하는 「단말기유통법」은 이동통신단말장치를 구입하여 이동통신서비스를 이용하고자 하는 사람들의 계약의 자유를 제한하지만 과잉금지원칙에 위배되지는 않는다.

④ 생명권도 헌법 제37조 제2항에 의한 일반적 법률유보의 대상이 될 수밖에 없으며, 나아가 생명권의 경우, 다른 일반적인 기본권 제한의 구조와는 달리, 생명의 일부 박탈이라는 것을 상정할 수 없기 때문에 생명권에 대한 제한은 필연적으로 생명권의 완전한 박탈을 의미하게 되는바, 생명권의 제한이 정당화될 수 있는 예외적인 경우에는 생명권의 박탈이 초래된다 하더라도 곧바로 기본권의 본질적인 내용을 침해하는 것이라 볼 수는 없다.

해설

① (×)

> 이 사건 도서관 규정은 대학구성원이 아닌 사람에 대하여 도서 대출이나 열람실 이용을 확정적으로 제한하는 것이 아니고 피청구인들이 승인 또는 허가하면 도서 대출 및 열람실 이용이 가능하도록 규정하고 있다. 청구인은 이 사건 도서관 규정으로 인하여 도서 대출 및 열람실 이용을 하지 못하는 것이 아니고 피청구인들의 승인 거부회신에 따라 비로소 이 사건 도서관 이용이 제한된 것이다. 따라서 이 사건 도서관 규정은 기본권 침해의 직접성이 인정되지 아니하므로 이에 대한 헌법소원심판청구는 부적법하다. (헌재 2016.11.24. 2014헌마977)

② (O)

> 심판대상조항은 최근 사회적으로 물의가 되고 있는 '몰래카메라'의 폐해를 방지하기 위한 것으로서, '자신의 신체를 함부로 촬영당하지 않을 자유' 등 인격권을 보호하는 것을 목적으로 한다. 최근 급격한 기술발전에 따라 카메라 등 이용촬영죄의 피해자가 입는 피해는 매우 심각하므로, 민사상 손해배상청구, 과태료 등은 그 피해를 방지하기 위한 적절한 대체수단으로 볼 수 없다. … 구 성폭력범죄의 처벌 등에 관한 특례법상 다른 범죄의 법정형과 비교해 볼 때 심판대상조항이 입법재량의 한계를 일탈하였다고 보이지는 않고, 심판대상조항은 법정형의 하한을 두고 있지 아니하므로 행위의 개별성에 맞추어 책임에 부합하는 형을 선고하는 것이 가능하다. 심판대상조항으로 행위자는 구성요건의 엄격한 해석하에 일반적 행동자유권을 제한받는 데 반하여, 이를 통해 피해자 개인의 '함부로 촬영당하지 않을 자유'를 보호하고 사회일반의 건전한 성적 풍속 및 성도덕을 보호하며 공공의 혐오감과 불쾌감을 방지할 수 있으므로, 결국 보호하여야 할 공익이 더욱 크다고 할 수 있다. 따라서 심판대상조항이 과잉금지원칙에 위배되어 청구인의 일반적 행동자유권을 침해한다고 볼 수 없다. (헌재 2017.6.29. 2015헌바243)

③ (O)

> 지원금 상한조항으로 인하여 일부 이용자들이 종전보다 적은 액수의 지원금을 지급받게 될 가능성이 있다고 할지라도, 이러한 불이익에 비해 이동통신산업의 건전한 발전과 이용자의 권익을 보호한다는 공익이 매우 중대하다고 할 것이므로, 지원금 상한조항은 법익의 균형성도 갖추었다. 따라서 지원금 상한조항은 청구인들의 계약의 자유를 침해하지 아니한다. (헌재 2017.5.25. 2014헌마844)

④ (○)

> 헌법은 절대적 기본권을 명문으로 인정하고 있지 아니하며, 헌법 제37조 제2항에서는 국민의 모든 자유와 권리는 국가안전보장·질서유지 또는 공공복리를 위하여 필요한 경우에 한하여 법률로써 제한할 수 있도록 규정하고 있어, 비록 생명이 이념적으로 절대적 가치를 지닌 것이라고 하더라도 생명에 대한 법적 평가가 예외적으로 허용될 수 있다고 할 것이므로, 생명권 역시 헌법 제37조 제2항에 의한 일반적 법률유보의 대상이 될 수밖에 없다. 나아가 생명권의 경우, 다른 일반적인 기본권 제한의 구조와는 달리, 생명의 일부 박탈이라는 것을 상정할 수 없기 때문에 생명권에 대한 제한은 필연적으로 생명권의 완전한 박탈을 의미하게 되는바, 위와 같이 생명권의 제한이 정당화될 수 있는 예외적인 경우에는 생명권의 박탈이 초래된다고 하더라도 곧바로 기본권의 본질적인 내용을 침해하는 것이라고 볼 수는 없다. (헌재 2010.2.25. 2008헌가23)

정답 ①

037 재구성 16·10 법원직

기본권 제한에 관한 다음 설명 중 가장 옳은 것은? (다툼이 있는 경우 헌법재판소 결정에 의함)

① 헌법재판소는 구 「형법」상 혼인빙자간음죄에 대해 목적의 정당성은 물론, 수단의 적절성과 피해의 최소성요건도 갖추지 못해 위헌이라고 보았다.
② 죄형법정주의가 요구되는 명확성의 원칙은 적극적으로 범죄성립을 정하는 구성요건규정에는 적용되지만 위법성조각사유와 같이 범죄의 성립을 부정하는 규정에 대하여는 적용되지 않는다.
③ 입법목적을 달성하기 위하여 가능한 여러 수단들 가운데 구체적으로 어느 것을 선택할 것인가의 문제는 기본적으로 입법재량에 속하지만, 반드시 가장 합리적이며 효율적인 수단을 선택해야 한다.
④ 입법자가 임의적 규정으로도 법의 목적을 실현할 수 있는 경우에 구체적 사안의 개별성과 특수성을 고려할 수 있는 가능성을 일체 배제하는 필요적 규정을 두었다고 해서 최소침해성의 원칙에 위배될 여지는 없다.

해설

① (○) 헌재 2009.11.26. 2008헌바58 등 [16 법원직]

② (✗) [10 법원직]

> 정당방위규정은 한편으로는 위법성을 조각시켜 범죄의 성립을 부정하는 기능을 하지만, 다른 한편으로는 정당방위가 인정되지 않는 경우 위법한 행위로서 범죄의 성립을 인정하게 하는 기능을 하므로 적극적으로 범죄성립을 정하는 구성요건규정은 아니라고 하더라도 죄형법정주의가 요구하는 명확성원칙이 적용된다. (헌재 2001.6.28. 99헌바31)

③ (✗) 반드시 가장 합리적인 수단을 선택하여야 하는 것은 아니다. [16 법원직]
④ (✗) 침해의 최소성원칙에 위반된다. [16 법원직]

정답 ①

038 재구성

16 국회8급

기본권 제한의 한계에 대한 설명으로 옳지 않은 것은? (다툼이 있는 경우 헌법재판소 결정에 의함)

① 헌법재판소는 과잉금지의 원칙의 근거를 헌법상의 법치주의와 헌법 제37조 제2항에서 찾고 있다.
② 헌법재판소는 「공직선거법」이 공직선거에 있어서 소액의 기부를 받은 경우에 과태료를 그 가액의 50배로 산정하도록 정한 것은 책임원칙에 부합되지 않게 획일적이고 지나치게 과중하여 입법목적을 달성함에 필요한 정도를 일탈함으로써 과잉금지의 원칙에 위반된다고 판시하였다.
③ 직업을 선택함에 있어 일정한 자격을 요구하는 것은 직업선택의 자유의 제한에 해당하는데, 자격제도에서 그 자격요건을 정함에 있어서는 입법자에게 광범위한 입법재량이 인정된다.
④ 헌법재판소는 복수의 축산업협동조합 간의 경쟁에 따른 폐단을 방지하여 양축인의 자주적 협동조합을 육성하고 축산업의 진흥과 구성원의 경제적·사회적 지위 향상을 도모한다는 이유로 복수의 조합 설립과 가입을 금지하는 것은 과잉금지의 원칙에 위반되지 아니한다고 판시하였다.

해설

① (O) 제37조 제2항의 '필요한 경우에 한하여'가 과잉금지원칙이다.
② (O)

> 공직선거법상 기부금지규정을 위반하여 기부를 받은 자에 대해 그 가액의 50배에 해당하는 과태료를 부과하는 공직선거법 규정은 과잉금지원칙에 위배된다. (헌재 2009.3.26. 2007헌가22【헌법불합치】)
> 이 사건 심판대상조항은 그 의무 위반행위에 대하여 부과되는 과태료의 기준 및 액수가 책임원칙에 부합되지 않게 획일적일 뿐만 아니라 지나치게 과중하여 입법목적을 달성함에 필요한 정도를 일탈함으로써 과잉금지원칙에 위반된다. … 이 사건 심판대상조항에 따른 과태료 제재 자체가 위헌이라고 판단한 것이 아니라, 이 사건 심판대상조항에 따라 위반행위자에 대하여 부과되는 과태료의 기준 및 액수가 책임원칙에 부합되지 않게 획일적일 뿐만 아니라 지나치게 과중하다는 이유에서 비롯된 것인데 … 헌법불합치결정을 선고하기로 하되, 입법자가 개선입법에 의하여 위헌성을 제거할 때까지 법원 기타 국가기관 및 지방자치단체는 헌법불합치결정이 내려진 이 사건 심판대상조항의 적용을 중지하고 위헌성이 제거된 개정조항을 기다려 이를 적용하도록 하는 것이 상당하다.

비교판례

> 공무원의 징계사유가 공금횡령인 경우에는 해당 징계 외에 공금횡령액의 5배 내의 징계부가금을 부과하도록 한 지방공무원법 제69조의2 제1항 중 '공금의 횡령'에 관한 부분은 이중처벌금지원칙에 위배되지 않고 무죄추정원칙에도 위배되지 않으며 과잉금지원칙에도 위배되지 않는다. (헌재 2015.2.26. 2012헌바435)

③ (O)
④ (X) 헌법재판소는 축산업협동조합의 복수 설립을 금지하는 것이 경제질서를 위반하고, 결사의 자유 및 직업수행의 자유를 침해하여 헌법에 위반된다고 결정하였다. (헌재 1996.4.25. 92헌바47【위헌】)

정답 ④

039

기본권 제한에 대한 설명으로 옳은 것은? (다툼이 있는 경우 판례에 의함)

① 과잉금지원칙에서 수단의 적합성의 원칙이 의미하는 수단은 정당한 목적 달성을 위한 최상의 또는 최적의 수단이어야 하는 것은 아니고 목적 달성에 기여하는 것으로 족하다.
② 시각장애인만 안마사 자격 인정을 받을 수 있도록 하는 이른바 비맹제외기준을 설정하고 있는 「의료법」 조항은 시각장애인의 생계보장 및 직업활동 참여기회 제공을 달성할 다른 수단이 없는 것도 아니어서 입법목적 달성을 위한 불가피한 수단이라고 보기 어려우며, 동 법률조항으로 달성하려는 시각장애인의 생계보장 등의 공익이 비시각장애인이 받게 되는 직업선택의 자유보다 우월하다고 할 수 없어 헌법에 위반된다.
③ 학원·교습소·대학(원)생을 제외하고는 과외교습을 원칙적으로 금지하고 이를 위반한 자를 처벌하는 것은 과잉금지원칙에 위반되지 않는다.
④ 식품이나 식품의 용기·포장에 '음주 전후' 또는 '숙취 해소'라는 표시를 금하는 것은 과잉금지원칙에 위반되지 않는다.

해설

① (O) **수단의 적합성(수단과 목적의 관계)** [12 변호사]

- 법률에 규정된 기본권 제한의 방법은 입법목적을 달성하기 위한 방법으로서 효과적이고 적정한 것이어야 한다.
- 수단의 적합성은 유일한 수단일 것을 요하지 않으며 목적을 달성하는 데 유효한 수단이면 된다.

② (X) [12 변호사]

안마사 자격 인정의 비맹제외기준 (헌재 2008.10.30. 2006헌마1098 등【기각】)

[1] 이 사건 법률조항은 시각장애인에게 삶의 보람을 얻게 하고 인간다운 생활을 할 권리를 실현시키려는 데에 그 목적이 있으므로 입법목적이 정당하고, 다른 직종에 비해 공간이동과 기동성을 거의 요구하지 않을 뿐더러 촉각이 발달한 시각장애인이 영위하기에 용이한 안마업의 특성 등에 비추어 시각장애인에게 안마업을 독점시킴으로써 그들의 생계를 지원하고 직업활동에 참여할 수 있는 기회를 제공하는 이 사건 법률조항의 경우 이러한 입법목적을 달성하는 데 적절한 수단임을 인정할 수 있다. … 이 사건 법률조항으로 인해 얻게 되는 시각장애인의 생존권 등 공익과 그로 인해 잃게 되는 일반국민의 직업선택의 자유 등 사익을 비교해 보더라도, 공익과 사익 사이에 법익불균형이 발생한다고 단정할 수도 없다. 따라서 이 사건 법률조항이 헌법 제37조 제2항에서 정한 기본권 제한입법의 한계를 벗어나서 비시각장애인의 직업선택의 자유를 침해하거나 평등권을 침해한다고 볼 수는 없다.

[2] 헌법재판소법 제47조 제1항 및 제75조 제1항에 규정된 법률의 위헌결정 및 헌법소원 인용결정의 기속력과 관련하여, 입법자인 국회에게 기속력이 미치는지 여부, 나아가 결정주문뿐 아니라 결정이유에까지 기속력을 인정할지 여부는 헌법재판소의 헌법재판권 내지 사법권의 범위와 한계, 국회의 입법권의 범위와 한계 등을 고려하여 신중하게 접근할 필요가 있다. 설령 결정이유에까지 기속력을 인정한다고 하더라도, 결정주문을 뒷받침하는 결정이유에 대하여 적어도 위헌결정의 정족수인 재판관 6명 이상의 찬성이 있어야 할 것이고, 이에 미달할 경우에는 결정이유에 대하여 기속력을 인정할 여지가 없는데, 헌법재판소가 2006.5.25. '안마사에 관한 규칙' 제3조 제1항 제1호와 제2호 중 각 '앞을 보지 못하는' 부분에 대하여 위헌으로 결정한 2003헌마715 등 사건의 경우 그 결정이유에서 비맹제외기준이 과잉금지원칙에 위반한다는 점과 관련하여서는 재판관 5명만이 찬성하였을 뿐이므로 위 과잉금지원칙 위반의 점에 대하여 기속력이 인정될 여지가 없다.

> **비교판례**
>
> 검사의 기소유예처분에 대하여 헌법재판소가 취소하였는데 검사가 별도의 수사 없이 죄명만 바꾸어 다시 기소유예한 것은 헌법재판소 결정의 기속력을 규정한 헌법재판소법 제75조 제1항에 위배된 것이라고 볼 것이다. (헌재 2011.3.31. 2010헌마312【인용(취소)】)
>
> [1] 헌법소원의 인용결정의 기속력
>
> 헌법재판소법 제75조 제1항은, 헌법소원의 인용결정은 모든 국가기관과 지방자치단체를 기속한다고 규정하고 있다. 이 규정이 헌법소원의 피청구인에 대하여 가지는 뜻은 헌법소원의 인용결정이 있으면 피청구인은 모름지기 그 인용결정의 취지에 맞도록 공권력을 행사하여야 한다는 데에 있다. 따라서 검사의 불기소처분을 취소하는 헌법재판소의 결정이 있는 때에는 그 결정에 따라 불기소한 사건을 재기수사하는 검사로서는 헌법재판소가 그 결정의 주문 및 이유에서 밝힌 취지에 맞도록 성실히 수사하여 결정을 하여야 한다.
>
> [2] 피청구인이 위와 같은 점에 대하여 아무런 추가 수사를 함이 없이 단지 죄명만을 방조죄로 변경하여 다시 기소유예처분을 한 것은 헌법재판소 결정의 기속력을 규정한 헌법재판소법 제75조 제1항에 위배된 것이라고 볼 것이다.

③ (✗) [16 국회8급]

> 과외교습을 금지하는 학원의 설립·운영에 관한 법률 제3조에 의하여 제기되는 헌법적 문제는 교육의 영역에서의 자녀의 인격발현권·부모의 교육권과 국가의 교육책임의 경계설정에 관한 문제이고, 이로써 국가가 사적인 교육영역에서 자녀의 인격발현권·부모의 자녀교육권을 어느 정도로 제한할 수 있는가에 관한 것이다. … 헌법에 위반된다. (헌재 2000.4.27. 98헌가16 등【위헌】)

④ (✗) [16 국회8급]

> 식품이나 식품의 용기·포장에 '음주 전후' 또는 '숙취 해소'라는 표시를 금지하고 있는 식품 등의 표시기준 부분은 영업의 자유 등의 기본권을 침해한다. (헌재 2000.3.30. 99헌마143【위헌】)
>
> 식품에 숙취 해소작용이 있음에도 불구하고 이러한 표시를 금지하면 숙취 해소용 식품에 관한 정확한 정보 및 제품의 제공을 차단함으로써 숙취 해소의 기회를 국민으로부터 박탈하게 될 뿐만 아니라, 보다 나은 숙취 해소용 식품을 개발하기 위한 연구와 시도를 차단하는 결과를 초래하므로, 위 규정은 숙취 해소용 식품의 제조·판매에 관한 영업의 자유 및 광고 표현의 자유를 과잉금지원칙에 위반하여 침해하는 것이다. 특히 청구인들은 '숙취 해소용 천연차 및 그 제조방법'에 관하여 특허권을 획득하였음에도 불구하고 위 규정으로 인하여 특허권자인 청구인들조차 그 특허발명 제품에 '숙취 해소용 천연차'라는 표시를 하지 못하고 '천연차'라는 표시만 할 수밖에 없게 됨으로써 청구인들의 헌법상 보호받는 재산권인 특허권도 침해되었다.

정답 ①

040 [재구성] 10 국회8급

처분적 법률에 관한 설명으로 옳지 않은 것은? (다툼이 있는 경우 판례에 의함)

① 처분적 법률이라 함은 행정집행이나 사법재판을 매개로 하지 아니하고 직접 국민에게 권리나 의무를 발생하게 하는 법률을 말한다.
② 특정 사안에 한하여 입법자가 법관으로 하여금 최초의 공판기일에 공소사실과 검사의 의견만 듣고 결심하여 형을 선고하도록 법률을 제정하더라도 그 자체로 위헌인 것은 아니다.
③ 연합뉴스사를 주무관청인 문화체육관광부장관의 지정절차도 거치지 아니하고 바로 법률로써 국가기간뉴스통신사로 지정하는 법률은 처분적 법률에 해당한다.
④ 우리 헌법은 처분적 법률의 입법을 금지하는 명문의 규정을 두고 있지 않다.

해설

① (O)

② (×)

> 특정 사안에 있어 법관으로 하여금 증거조사에 의한 사실판단도 하지 말고, 최초의 공판기일에 공소사실과 검사의 의견만을 듣고 결심하여 형을 선고하라는 것은 입법에 의해서 사법의 본질적인 중요 부분을 대체시켜 버리는 것에 다름 아니어서 우리 헌법상의 권력분립원칙에 어긋나는 것이다. 따라서 반국가행위자의 처벌에 관한 특별조치법 제7조 제7항 본문은 사법권의 법원에의 귀속을 명시한 헌법 제101조 제1항에도 위반된다. (헌재 1996.1.25. 95헌가5)

③ (O) 직접적 자기관련성은 없지만, 간접적 자기관련성이 인정된 사례이다. (헌재 2005.6.30. 2003헌마841【기각】)

④ (O)

정답 ②

예상판례

> 시장·군수·구청장이 지방자치단체의 조례로 정하는 바에 따라 일정한 구역을 지정·고시하여 가축의 사육을 제한할 수 있도록 한 '가축분뇨의 관리 및 이용에 관한 법률' 제8조 제1항 본문은 헌법에 위반되지 아니한다. (헌재 2024.1.25. 2020헌바374【합헌】)
> 심판대상조항은 포괄위임금지원칙에 위배되지 아니한다. 심판대상조항은 과잉금지원칙에 위배되지 아니한다.

기출지문 OX

❶ 기본권 제한입법의 명확성의 원칙이란 기본적으로 최대한이 아닌 최소한의 명확성을 요구하는 것이므로 법문언의 해석을 통해서 그 의미 내용을 확인해 낼 수 있고, 그러한 보충적 해석이 해석자의 개인적인 취향에 따라 좌우될 가능성이 없다면 명확성의 원칙에 반한다고 할 수 없다. 10 국회8급 (O/×)
   해설 헌재 1998.4.30. 95헌가16   **정답** O

❷ 기본권 제한과 관련한 법률의 명확성원칙은 법률을 제정함에 있어서 개괄조항이나 불확정 법개념의 사용을 금지하는 것은 아니다. 15 법원직 (O/×)
   해설 헌재 2004.7.15. 2003헌바35 등   **정답** O

❸ 기본권을 제한하는 법률은 원칙적으로 일반성을 가져야 하지만, 합리적인 이유로 정당화되는 경우에는 개별사건법률뿐만 아니라 개인 대상 법률도 허용된다. 10 법원직 (O/×)
   해설 헌재 2005.6.30. 2003헌마841   **정답** O

041 09 국회8급

수형자의 기본권 제한에 관한 헌법재판소의 결정 내용과 합치되지 않는 것은?

① 수용자가 국가기관에 서신을 발송할 경우에 교도소장의 허가를 받도록 하는 것은 통신비밀의 자유의 본질적 내용을 침해하지 아니한다.
② 금치처분을 받은 수형자에 대하여 금치기간 중 운동을 금지하는 「행형법 시행령」 조항은 수형자의 인간의 존엄과 가치·신체의 자유 등을 침해하지 아니한다.
③ 형사절차가 종료되어 교정시설에 수용 중인 수형자는 원칙적으로 변호인의 조력을 받을 권리의 주체가 될 수 없다.
④ 엄중격리대상자의 수용거실에 CCTV를 설치하여 24시간 감시하는 것은 CCTV 설치행위에 대한 특별한 법적 근거가 없더라도 일반적인 계호활동을 허용하는 법률규정에 의하여 허용된다.

해설

① (O) 헌재 2001.11.29. 99헌마713

② (×)

> 금치처분을 받은 수형자에 대한 절대적인 운동의 금지는 징벌의 목적을 고려하더라도 그 수단과 방법에 있어서 필요한 최소한도의 범위를 벗어난 것으로서, 수형자의 헌법 제10조의 인간의 존엄과 가치 및 신체의 안전성이 훼손당하지 아니할 자유를 포함하는 제12조의 신체의 자유를 침해하는 정도에 이르렀다고 판단된다. (헌재 2004.12.16. 2002헌마478)

③ (O) 헌재 1998.8.27. 96헌마39

④ (O)

> **교도소 내 CCTV 설치** (헌재 2008.5.29. 2005헌마137 등 【기각】)
> [1] 교도소 내 엄중격리대상자에 대하여 이동시 계구를 사용하고 교도관이 동행계호하는 행위 및 1인 운동장을 사용하게 하는 처우가 신체의 자유를 과도하게 제한하는 것은 아니다.
> [2] **엄중격리대상자의 수용거실에 CCTV를 설치하여 24시간 감시하는 행위는 법률유보의 원칙에 위배되어 사생활의 자유·비밀을 침해하는 것이 아니다.**
> 이 사건 CCTV 설치행위는 행형법 및 교도관 직무규칙 등에 규정된 교도관의 계호활동 중 육안에 의한 시선계호를 CCTV 장비에 의한 시선계호로 대체한 것에 불과하므로, 이 사건 CCTV 설치행위에 대한 특별한 법적 근거가 없더라도 일반적인 계호활동을 허용하는 법률규정에 의하여 허용된다고 보아야 한다. 한편, CCTV에 의하여 감시되는 엄중격리대상자에 대하여 지속적이고 부단한 감시가 필요하고 자살·자해나 흉기 제작 등의 위험성 등을 고려하면, 제반 사정을 종합하여 볼 때 기본권 제한의 최소성요건이나 법익균형성요건도 충족하고 있다.

정답 ②

042 회독 ☐☐☐

09 국가7급

헌법재판소가 기본권 제한과 관련하여 비례성의 원칙에 위반된다고 결정한 것이 아닌 것은?

① 선거법과 다른 죄의 경합범으로 벌금 100만 원 이상을 선고받아 확정된 경우, 그 전부를 선거법으로 의제함으로써 선거권 및 피선거권이 제한되도록 한 것
② 「부동산 실권리자명의 등기에 관한 법률」을 위반한 명의신탁자에 대하여 일률적으로 부동산 가액의 100분의 30에 해당하는 과징금을 부과한 것
③ 누진과세제도하에서 혼인한 부부에게 조세부담의 증가를 초래하는 부부자산소득 합산과세를 규정한 것
④ 특별시·광역시에 있어서 택지의 소유상한을 200평으로 정한 것

해설

① (×)

> 경합범으로 재판하는 경우에도 법원이 직권 또는 신청에 의하여 변론의 분리결정을 하여 따로 형을 정할 수 있는 등 선고형량으로 인하여 선거권과 피선거권이 제한되는 여부에 대한 모순 내지 문제점을 회피하는 수단이 마련되어 있는 이상 수단의 적정성, 법익의 균형성도 갖추고 있으므로 과잉제한금지원칙에 위반되지 아니한다. (헌재 1997.12.24. 97헌마16)
> 그 후 공직선거법이 개정되어 지금은 선거범과 다른 죄를 경합범으로 심판하지 않는다.

② (○) 비례원칙 위반이다.

③ (○)

> 부부간의 인위적인 자산명의의 분산과 같은 가장행위 등은 상속세 및 증여세법상 증여의제규정 등을 통해서 방지할 수 있고, 부부의 공동생활에서 얻어지는 절약가능성을 담세력과 결부시켜 조세의 차이를 두는 것은 타당하지 않으며, 자산소득이 있는 모든 납세의무자 중에서 혼인한 부부가 혼인하였다는 이유만으로 혼인하지 않은 자산소득자보다 더 많은 조세부담을 하여 소득을 재분배하도록 강요받는 것은 부당하며, 부부자산소득 합산과세를 통해서 혼인한 부부에게 가하는 조세부담의 증가라는 불이익이 자산소득 합산과세를 통하여 달성하는 사회적 공익보다 크다고 할 것이므로, 소득세법 제61조 제1항이 자산소득 합산과세의 대상이 되는 혼인한 부부를 혼인하지 않은 부부나 독신자에 비하여 차별취급하는 것은 헌법상 정당화되지 아니하기 때문에 헌법 제36조 제1항에 위반된다. (헌재 2002.8.29. 2001헌바82)

④ (○)

> 소유상한을 지나치게 낮게 책정하는 것은 개인의 자유실현의 범위를 지나치게 제한하는 것이라고 할 것인데, 소유목적이나 택지의 기능에 따른 예외를 전혀 인정하지 아니한 채 일률적으로 200평으로 소유상한을 제한함으로써, 어떠한 경우에도, 어느 누구라도, 200평을 초과하는 택지를 취득할 수 없게 한 것은, 적정한 택지공급이라고 하는 입법목적을 달성하기 위하여 필요한 정도를 넘는 과도한 제한으로서, 헌법상의 재산권을 과도하게 침해하는 위헌적인 규정이다. (헌재 1999.4.29. 94헌바37 등)
> 택지소유상한에 관한 법률 전체가 위헌결정되었다.

정답 ①

예상판례

❶ [1] 선거범죄로 인하여 100만 원 이상의 벌금형이 선고되면 임원의 결격사유가 됨에도, 새마을금고법 제21조가 선거범죄와 다른 죄가 병합되어 경합범으로 재판하게 되는 경우 선거범죄를 분리심리하여 따로 선고하는 규정을 두지 않은 것을 다투는 것은 부진정입법부작위에 대한 헌법소원심판청구에 해당한다. 헌법재판소법 제68조 제2항에 의한 헌법소원은 '법률'의 위헌성을 적극적으로 다투는 제도이므로 '법률의 부존재', 즉 진정입법부작위를 다투는 것은 그 자체로 허용되지 아니하고, 다만 법률이 불완전·불충분하게 규정되었음을 근거로 법률 자체의 위헌성을 다투는 취지, 즉 부진정입법부작위를 다투는 것으로 이해될 경우에는 그 법률이 당해 사건의 재판의 전제가 된다는 것을 요건으로 허용될 수 있다.
[2] 이 사건 법률조항은 명확성원칙에 위반되지 않는다.
[3] 이 사건 법률조항은 과잉금지원칙에 반하여 새마을금고 임원이나 임원이 되고자 하는 사람의 직업선택의 자유를 침해한다.
[4] 이 사건 법률조항은 헌법상 평등원칙에 위배된다. (헌재 2014.9.25. 2013헌바208)

❷ '거짓이나 그 밖의 부정한 방법으로' 이 법에 따른 보호 또는 지원을 받아 재물이나 재산상의 이익을 받은 경우 이를 필요적으로 몰수·추징하도록 규정하고 있는 북한이탈주민의 보호 및 정착지원에 관한 법률 제33조 제3항 중 제1항의 '거짓이나 그 밖의 부정한 방법으로 이 법에 따른 보호 및 지원을 받은 자' 부분은 과잉금지원칙에 위배되지 아니한다. (헌재 2017.8.31. 2015헌가22)

❸ 임차주택의 양수인은 임대인의 지위를 승계하도록 규정한 구 주택임대차보호법 제3조 제3항은 과잉금지원칙에 위반된다고 볼 수 없다. (헌재 2017.8.31. 2016헌바146)

❹ 폭행 또는 협박으로 13세 미만 미성년자에 대한 강제추행행위는 그 죄질과 범정이 매우 무겁고 비난가능성 또한 매우 높은 행위이므로, 위 행위를 5년 이상의 징역에 처하도록 규정한 것은 명확성원칙, 책임과 형벌 간의 비례원칙, 평등원칙에 위반되지 않는다. (헌재 2017.12.28. 2016헌바368)

> 상관폭행죄에 대한 5년 이하의 징역은 합헌, 공무원의 선거범죄에 대한 5년 이하의 징역은 위헌이다.

❺ 지역축협조합원이 조합원 자격이 없는 경우 당연히 탈퇴되고, 이사회는 그 사유를 확인하여야 한다고 규정하고 있는 농업협동조합법 제29조 제2항 제1호, 제3항 중 제2항 제1호에 관한 부분은 명확성원칙 및 과잉금지원칙에 위배되지 않는다. (헌재 2018.1.28. 2016헌바315)

❻ 선거에 의하여 취임하는 지방자치단체의 장의 선거운동을 금지하는 공직선거법 제60조 제1항 제4호 부분 및 이에 위반한 경우 형사처벌하도록 한 공직선거법 제255조 제1항 제2호 부분이 헌법에 위반되지 않는다. (헌재 2020.3.26. 2018헌바90【합헌】)
'국민 전체에 대한 봉사자'라는 신분과 지위의 특수성에 비추어 공무원에 대해서는 일반국민보다 강화된 기본권 제한이 가능하다.

043

기본권 제한에 관한 설명으로 옳지 않은 것은? (통설·판례에 의함)

① 헌법 제37조 제2항은 기본권 제한에 있어 일반적 법률유보를 규정한 조항이다.
② 기본권의 제한은 원칙적으로 국회에서 제정한 형식적 의미의 법률에 의해서만 가능하다.
③ 과잉금지의 원칙은 국가작용의 한계를 명시하는 것인데 목적의 정당성, 방법의 적정성, 피해의 최소성, 법익의 균형성(보호하려는 공익이 침해되는 사익보다 더 커야 한다는 것으로서 그래야만 수인의 기대가능성이 있다는 것)을 의미하는 것으로서 그 어느 하나에라도 저촉되면 위헌이 된다는 헌법상의 원칙이다.
④ 기본권의 제한에서 과잉금지원칙에 위반되면 당연히 본질적 내용이 침해된다는 것이 헌법재판소의 기본적인 태도이다.

해설

① (○) 일반적 법률유보란 국민의 '모든' 자유와 권리를 법률로써 제한할 수 있다는 것을 의미한다. 우리나라는 일반적 법률유보가 인정되기 때문에 기본권의 내재적 한계를 인정하지 않는 것이 일반적 견해이다. 독일은 일반적 법률유보가 없기 때문에 기본권의 내재적 한계를 인정한다. 우리 헌법재판소는 내재적 한계라는 표현을 쓰지만 독일의 그것과는 의미가 다르다.
② (○) 기본권의 제한은 원칙적으로 국회에서 제정한 형식적 의미의 법률에 의해서만 가능하다. 그러나 법률의 위임이 있으면 법규명령이나 조례에 의해서도 기본권 제한이 가능하다. 따라서 법률에 의한 제한만을 말하는 것이 아니라 법률에 근거한 제한을 의미한다.
③ (○) 헌재 1997.3.27. 95헌가17
④ (×) 과잉금지의 원칙에 위반된다고 해서 당연히 본질적 내용이 침해되는 것은 아니다. 기본권의 본질적 내용이 침해되지 않은 경우에도 과잉금지의 원칙에 위반되면 위헌이 될 수 있다.

정답 ④

🔑 헌법유보와 법률유보의 종류

일반적 헌법유보	• 헌법에서 직접 모든 기본권의 행사에 대한 한계를 규정하는 방식 • 우리 헌법에는 없고, 독일과 일본은 규정이 있다.
개별적 헌법유보	• 헌법의 개별규정에서 직접 특정 기본권의 한계를 규정하는 방식 • 헌법 제21조 제4항에서 언론·출판은 타인의 명예나 권리, 공중도덕, 사회윤리를 침해해서는 안 된다고 규정하는 방식
일반적 법률유보	• 국민의 '모든' 자유와 권리를 법률에 의하여 제한할 수 있다고 규정하는 방식 • 우리 헌법 제37조 제2항은 일반적 법률유보이다. "국민의 모든 자유와 권리는 국가안전보장·질서유지 또는 공공복리를 위하여 필요한 경우에 한하여 법률로써 제한할 수 있으며, 제한하는 경우에도 자유와 권리의 본질적인 내용을 침해할 수 없다."
개별적 법률유보	• 헌법의 개별조문에서 특정 기본권을 법률에 의해서 제한할 수 있음을 규정하는 방식 • 우리 헌법 제38조는 개별적 법률유보이다. "모든 국민은 법률이 정하는 바에 의하여 납세의 의무를 진다."

독일은 일반적 법률유보가 없기 때문에 내재적 한계를 인정한다.

제6절 기본권의 확인과 보장

044 회독 ☐☐☐   22 국회8급

국가의 기본권 보호의무에 대한 설명으로 옳지 않은 것만을 〈보기〉에서 모두 고르면? (다툼이 있는 경우 헌법재판소 판례에 의함)

보기

ㄱ. 검사만 치료감호를 청구할 수 있고 법원은 검사에게 치료감호청구를 요구할 수 있다고만 정하여 치료감호대상자의 치료감호청구권이나 법원의 직권에 의한 치료감호를 인정하지 않은 것은 국민의 보건에 관한 국가의 보호의무에 반한다.

ㄴ. 주거지역에서 출근 또는 등교 이전 및 퇴근 또는 하교 이후 시간대에 확성장치의 최고출력 내지 소음을 제한하는 등 사용시간과 사용지역에 따른 수인한도 내에서 확성장치의 최고출력 내지 소음규제기준에 관한 구체적인 규정을 두어야 함에도 이러한 규정을 두지 아니한 것은 적절하고 효율적인 최소한의 보호조치를 취하지 아니하여 국가의 기본권 보호의무를 과소하게 이행한 것이다.

ㄷ. 자동차 운전자가 업무상 과실 또는 중대한 과실로 인한 교통사고로 말미암아 피해자로 하여금 중상해에 이르게 한 경우, 가해차량이 종합보험 등에 가입되어 있음을 이유로 공소를 제기할 수 없도록 한 것은 형벌까지 동원해야 보호법익을 유효적절하게 보호할 수 있다는 의미에서 교통사고 피해자에 대한 국가의 기본권 보호의무를 위반한 것이다.

ㄹ. 종래 산업단지의 지정을 위한 개발계획단계와 산업단지 개발을 위한 실시계획단계에서 각각 개별적으로 진행하던 주민의견청취절차 또는 주민의견수렴절차를 한 번의 절차에서 동시에 진행하도록 하는 것은 국가가 산업단지계획의 승인 및 그에 따른 산업단지의 조성·운영으로 인하여 초래될 수 있는 환경상 위해로부터 지역주민을 포함한 국민의 생명·신체의 안전을 보호하기 위하여 필요한 최소한의 보호조치를 취하지 아니함으로써 국가의 기본권 보호의무를 과소하게 이행한 것이다.

ㅁ. 가축사육시설의 환경이 지나치게 열악할 경우 그러한 시설에서 사육되고 생산된 축산물을 섭취하는 인간의 건강도 악화될 우려가 있으므로, 국가로서는 건강하고 위생적이며 쾌적한 시설에서 가축을 사육할 수 있도록 필요한 적절하고도 효율적인 조치를 취함으로써 소비자인 국민의 생명·신체의 안전에 관한 기본권을 보호할 구체적인 헌법적 의무가 있다.

① ㄱ, ㄷ
② ㄴ, ㄷ
③ ㄹ, ㅁ
④ ㄱ, ㄷ, ㄹ
⑤ ㄱ, ㄷ, ㄹ, ㅁ

해설

ㄱ. (×)

> **치료감호와 적법절차원칙** (헌재 2010.4.29. 2008헌마622【기각】)
> [1] '피고인 스스로 치료감호를 청구할 수 있는 권리'가 헌법상 재판청구권의 보호범위에 포함된다고 보기는 어렵고, 검사뿐만 아니라 피고인에게까지 치료감호청구권을 주어야만 절차의 적법성이 담보되는 것도 아니므로, 이 사건 법률조항이 청구인의 재판청구권을 침해하거나 적법절차의 원칙에 반한다고 볼 수 없다.
> [2] 평등권과 보건에 관한 권리를 침해한다고 볼 수 없다.

ㄴ. (O)

> 심판대상조항이 선거운동의 자유를 감안하여 선거운동을 위한 확성장치를 허용할 공익적 필요성이 인정된다고 하더라도 정온한 생활환경이 보장되어야 할 주거지역에서 출근 또는 등교 이전 및 퇴근 또는 하교 이후 시간대에 확성장치의 최고출력 내지 소음을 제한하는 등 사용시간과 사용지역에 따른 수인한도 내에서 확성장치의 최고출력 내지 소음규제기준에 관한 규정을 두지 아니한 것은, 국민이 건강하고 쾌적하게 생활할 수 있는 양호한 주거환경을 위하여 노력하여야 할 국가의 의무를 부과한 헌법 제35조 제3항에 비추어 보면, 적절하고 효율적인 최소한의 보호조치를 취하지 아니하여 국가의 기본권 보호의무를 과소하게 이행한 것이다. 따라서 심판대상조항은 국가의 기본권 보호의무를 과소하게 이행한 것으로서, 청구인의 건강하고 쾌적한 환경에서 생활할 권리를 침해한다. (헌재 2019.12.27. 2018헌마730)

ㄷ. (X) 최소한의 보호조치를 하였으므로 기본권 보호의무를 침해한 것은 아니다. 다만, 중상해의 경우에도 공소를 제기하지 못하게 하는 것은 헌법에 위반된다. (헌재 2009.2.26. 2005헌마764 등) – 재판절차진술권, 평등권 침해

ㄹ. (X)

> 환경기준참고조항이 산업단지 조성사업 등 환경영향평가 대상사업의 사업계획 등에 대한 승인 및 그 시행으로 인하여 초래될 수 있는 환경상 위해로부터 국민의 생명·신체의 안전을 보호하기 위하여 필요한 최소한의 보호조치를 취하지 아니한 것이라고 보기 어려우므로, 국가의 기본권 보호의무에 위배되었다고 할 수 없다. (헌재 2016.12.29. 2015헌바280)

ㅁ. (O)

> **가축사육시설의 허가 및 등록기준인 구 축산법 시행령 규정은 국민의 생명·신체의 안전에 대한 국가의 보호의무에 반하지 않는다.** (헌재 2015.9.24. 2013헌마384)
> 가축사육시설의 환경이 지나치게 열악할 경우 그러한 시설에서 사육되고 생산된 축산물을 섭취하는 인간의 건강도 악화될 우려가 있다. 따라서 국가로서는 건강하고 위생적이며 쾌적한 시설에서 가축이 서식할 수 있도록 필요한 적절하고도 효율적인 조치를 취함으로써, 소비자인 국민의 생명·신체의 안전에 관한 기본권을 보호할 구체적인 헌법적 의무가 있다.

정답 ④

기출지문 OX

❶ 국가가 국민의 생명·신체의 안전에 대한 보호의무를 다하지 않았는지 여부를 헌법재판소가 심사할 때에는 '과소보호금지원칙'의 위반 여부를 기준으로 삼아, 국민의 생명·신체의 안전을 보호하기 위한 조치가 필요한 상황인데도 국가가 아무런 보호조치를 취하지 않았든지 아니면 취한 조치가 법익을 보호하기에 전적으로 부적합하거나 매우 불충분한 것임이 명백한 경우에 한하여 국가의 보호의무 위반을 확인하여야 한다. 22 변호사 (O / X)
   해설 기본권 보호의무는 과소보호금지원칙에 따라 판단한다. 정답 O

❷ 개인의 생명·신체의 안전에 관한 기본권 보호의무 위배 여부를 과소보호금지원칙을 기준으로 심사한 결과 동 원칙 위반이 아닌 경우에도 다른 기본권에 대한 과잉금지원칙 위반을 이유로 기본권 침해를 인정하는 것은 가능하다. 22 변호사 (O / X)
   해설 기본권 침해에 대한 심사는 과잉금지원칙에 따라 판단한다. 정답 O

045 회독 ☐☐☐ 재구성

19 국회8급, 17 국가7급(하)

국가의 기본권 보호의무에 대한 설명으로 옳지 않은 것은? (다툼이 있는 경우 판례에 의함)

① 국가의 기본권 보호의무란 사인인 제3자에 의한 생명이나 신체에 대한 침해로부터 이를 보호하여야 할 국가의 의무를 말하는 것으로, 국가가 직접 주방용오물분쇄기의 사용을 금지하여 개인의 기본권을 제한하는 경우에는 국가의 기본권 보호의무 위반 여부가 문제되지 않는다.

② 국가의 기본권 보호의무로부터 국가 자체가 불법적으로 국민의 생명권, 신체의 자유 등 기본권을 침해하는 경우 그에 대한 손해배상을 해 주어야 할 국가의 작위의무가 도출된다고 볼 수 있다.

③ 태평양전쟁 전후 강제동원된 자 중 '국외'로 강제동원된 자에 대해서만 의료지원금을 지급하도록 한 법률규정은 국가가 국내 강제동원자들을 위하여 아무런 보호조치를 취하지 아니하였기 때문에 국민에 대한 국가의 기본권 보호의무에 위배된다.

④ 원전건설을 내용으로 하는 전원개발사업 실시계획에 대한 승인권한을 다른 전원개발과 마찬가지로 산업통상자원부장관에게 부여하는 법률조항은 국민의 생명·신체의 안전에 관한 국가의 보호의무를 위반한 것이 아니다.

⑤ 권리능력의 존재 여부를 출생시를 기준으로 확정하고 태아에 대해서는 살아서 출생할 것을 조건으로 손해배상청구권을 인정한 법률조항은 국가의 생명권 보호의무를 위반한 것이라 볼 수 없다.

해설

① (O) [19 국회8급] ② (O) [19 국회8급]

> [1] 주방용오물분쇄기를 판매하거나 판매하고자 하는 청구인들은 심판대상조항이 주방용오물분쇄기의 판매를 금지하고 있어 이를 직업으로 삼거나 직업활동의 하나로 하고자 하여도 할 수 없으므로, 좁은 의미의 직업선택의 자유와 직업수행의 자유를 포함하는 직업의 자유를 제한받는다.
> [2] 주방용오물분쇄기를 사용하고자 하는 청구인들은 심판대상조항이 주방용오물분쇄기의 사용을 금지하고 있어 이를 이용하여 자유롭게 음식물찌꺼기 등을 처리할 수 없으므로, 행복추구권으로부터 도출되는 일반적 행동자유권을 제한받는다.
> [3] 주방용오물분쇄기를 사용하지 못하면 음식물찌꺼기 등을 음식물류 폐기물로 분리 배출하여야 하므로 그 처리에 다소 불편을 겪을 수는 있으나, 심판대상조항이 음식물찌꺼기 등의 배출 또는 처리 자체를 금지하는 것은 아니다. 뿐만 아니라 국가의 기본권 보호의무란 사인인 제3자에 의한 생명이나 신체에 대한 침해로부터 이를 보호하여야 할 국가의 의무를 말하는 것으로, 이 사건처럼 국가가 직접 주방용오물분쇄기의 사용을 금지하여 개인의 기본권을 제한하는 경우에는 국가의 기본권 보호의무 위반 여부가 문제되지 않는다. 따라서 청구인들의 위 주장에 대해서는 판단하지 않는다. (헌재 2018.6.28. 2016헌마1151)

③ (✗) [17 국가7급(하)]

> 비록 태평양전쟁 관련 강제동원자들에 대한 국가의 지원이 충분하지 못한 점이 있다고 하더라도, 이 사건은 국가가 국내 강제동원자들을 위하여 아무런 보호조치를 취하지 아니하였다거나 아니면 국가가 취한 조치가 전적으로 부적합하거나 매우 불충분한 것임이 명백한 경우라고 단정하기 어려우므로, 이 사건 법률조항이 국민에 대한 국가의 기본권 보호의무에 위배된다고 볼 수 없다. (헌재 2011.2.24. 2009헌마94)

④ (O) 헌재 2016.10.27. 2015헌바358 [19 국회8급]

> **유사판례**
> 발전용원자로 및 관계시설의 건설허가신청시 필요한 방사선환경영향평가서 및 그 초안을 작성하는 데 있어 '중대사고'에 대한 평가를 제외하고 있는 '원자력이용시설 방사선환경영향평가서 작성 등에 관한 규정' 제5조 제항 [별표 1], [별표 2] 중 해당 부분은 국가의 기본권 보호의무를 위반하지 않고 청구인들의 생명·신체의 안전에 대한 권리를 침해하지 않는다. (헌재 2016.10.27. 2012헌마121)

⑤ (O) 헌재 2008.7.31. 2004헌바81 [19 국회8급]

정답 ③

046 회독 ☐☐☐ 재구성　　　　　　　　　　　　　　　　　　　　　　　　13 서울7급, 12 국회9급, 09 국가7급

국가의 기본권 보호의무에 대한 설명으로 옳지 않은 것만을 모두 고르면? (다툼이 있는 경우 판례에 의함)

> ㄱ. 헌법 제10조는 국가의 기본권 보호의무를 명문으로 규정하고 있다.
> ㄴ. 국민의 기본권을 보호하는 것은 국민주권의 원리상 국가의 가장 기본적인 의무이므로 입법자는 기본권 보호의무를 최대한 실현하여야 하며, 헌법재판소는 입법자의 기본권 보호의무를 엄밀하게 심사하여야 한다.
> ㄷ. 범죄피해자는 검사의 불기소처분에 의해 범죄로부터 국민을 보호하여야 할 국가의 의무가 이루어지지 않을 때 국가의 보호의무 위반을 주장할 수 있다.
> ㄹ. 국가가 국민의 기본권을 보호하기 위한 충분한 입법조치를 취하지 아니함으로써 기본권 보호의무를 다하지 못하였다는 이유로 국회의 입법이나 입법부작위가 헌법에 위반된다고 판단함에 있어서는 국가권력에 의해 국민의 기본권이 침해당하는 경우와는 다른 판단기준이 적용되어서는 아니 된다.

① ㄱ, ㄴ　　　　　　　　　　② ㄱ, ㄷ
③ ㄴ, ㄹ　　　　　　　　　　④ ㄷ, ㄹ

해설

ㄱ. (O) [09 국가7급]

> **헌법 제10조**
> 모든 국민은 인간으로서의 존엄과 가치를 가지며, 행복을 추구할 권리를 가진다. 국가는 개인이 가지는 불가침의 기본적 인권을 확인하고 이를 보장할 의무를 진다.

ㄴ. (X) 국민의 기본권을 실현하고 보호하여야 하는 것이 국가의 당연한 의무지만, 입법자에게 기본권 보호의 의무에 대해 광범위한 입법재량이 있다고 보는 것이 헌법재판소의 입장이다. 따라서 헌법재판소는 입법자의 기본권 보호의무를 엄밀하게 심사할 의무는 없다. 즉, 입법자는 기본권 보호의무를 최대한 실현하여야 하지만, 헌법재판소는 최소한의 기준을 지켰는가를 심사한다. [09 국가7급]

ㄷ. (O) [13 서울7급]

> 범죄로부터 국민을 보호하여야 할 국가의 의무가 이루어지지 아니할 때 국가의 의무 위반을 국민에 대한 기본권 침해로 규정할 수 있다. 이 경우 개인의 법익을 직접 침해하는 것은 국가가 아닌 제3자의 범죄행위이므로 위와 같은 원초적인 행위 자체를 기본권 침해행위라고 규정할 수는 없으나, 이와 같은 침해가 있음에도 불구하고 이것을 배제하여야 할 국가의 의무가 이행되지 아니한다면 이 경우 국민은 국가를 상대로 헌법 제10조, 제11조 제1항 및 제30조(이 사건과 같이 생명·신체에 대한 피해를 받은 경우)에 규정된 보호의무 위반 또는 법 앞에서의 평등권 위반이라는 기본권 침해를 주장할 수 있는 것이다. (헌재 1989.4.17. 88헌마3)

ㄹ. (X) [12 국회9급]

> 국민의 기본권에 대한 국가의 적극적 보호의무는 궁극적으로 입법자의 입법행위를 통하여 비로소 실현될 수 있는 것이기 때문에, 입법자의 입법행위를 매로로 하지 아니하고 단순히 기본권이 존재한다는 것만으로 헌법상 광범위한 방어적 기능을 갖게 되는 기본권의 소극적 방어권으로서의 측면과 근본적인 차이가 있다. 즉, 기본권에 대한 보호의무자로서의 국가는 국민의 기본권에 대한 침해자로서의 지위에 서는 것이 아니라 국민과 동반자로서의 지위에 서는 점에서 서로 다르다. 따라서 국가가 국민의 기본권을 보호하기 위한 충분한 입법조치를 취하지 아니함으로써 기본권 보호의무를 다하지 못하였다는 이유로 입법부작위 내지 불완전한 입법이 헌법에 위반된다고 판단하기 위하여는, 국가권력에 의해 국민의 기본권이 침해당하는 경우와는 다른 판단기준이 적용되어야 마땅하다. (헌재 1997.1.16. 90헌마110 등)

정답 ③

기출지문 OX

기본권에 대한 국가의 적극적 보호의무는 궁극적으로 입법자의 입법행위를 통하여 비로소 실현될 수 있는 것이기 때문에, 입법자의 입법행위를 매개로 하지 아니하고 단순히 기본권이 존재한다는 것만으로 헌법상 광범위한 방어적 기능을 갖게 되는 기본권의 소극적 방어권으로서의 측면과 근본적인 차이가 있다. 15 변호사 (O / X)

해설 기본권의 소극적 방어권성은 주관적 공권에서 나오는 것이고, 국가의 기본권 보호의무는 객관적 가치질서성에서 나오는 것이다.

정답 O

---

047 17 국가7급

국가인권위원회에 대한 설명으로 옳은 것만을 모두 고른 것은?

ㄱ. 국가인권위원회는 11명의 인권위원으로 구성되며, 국회가 선출하는 4명, 대통령이 지명하는 4명, 대법원장이 지명하는 3명을 대통령이 임명한다.
ㄴ. 국가인권위원회는 '헌법에 의하여 설치되고 헌법과 법률에 의하여 독자적인 권한을 부여받은 국가기관'이라고 할 수 없어 권한쟁의심판의 당사자능력이 인정되지 않는다.
ㄷ. 국가인권위원회의 진정에 대한 기각결정은 행정처분이 아니고 따라서 항고소송의 대상이 되지 않으므로, 「헌법재판소법」 제68조 제1항에 의한 헌법소원의 대상으로 삼을 수 있다.
ㄹ. 국가인권위원회는 피해자의 권리구제를 위해 필요하다고 인정하면 피해자를 위하여 피해자의 명시한 의사에 관계없이 대한법률구조공단 또는 그 밖의 기관에 법률구조를 요청할 수 있다.

① ㄱ, ㄴ
② ㄱ, ㄷ
③ ㄱ, ㄴ, ㄹ
④ ㄴ, ㄷ, ㄹ

해설

ㄱ. (O) 국가인권위원회법 제5조 제1항·제2항
위원은 특정 성(性)이 10분의 6을 초과하지 아니하도록 하여야 한다. (국가인권위원회법 제5조 제7항)
ㄴ. (O) 권한쟁의심판의 당사자능력이 인정되려면 헌법에 의해 설치된 기관이어야 한다.
ㄷ. (X) 국가인권위원회의 진정에 대한 기각결정은 행정처분으로서 항고소송의 대상이 된다.
ㄹ. (X)

국가인권위원회법 제47조(피해자를 위한 법률구조 요청)
① 위원회는 진정에 관한 위원회의 조사, 증거의 확보 또는 피해자의 권리구제를 위하여 필요하다고 인정하면 피해자를 위하여 대한법률구조공단 또는 그 밖의 기관에 법률구조를 요청할 수 있다.
② 제1항에 따른 법률구조 요청은 피해자의 명시한 의사에 반하여 할 수 없다.

정답 ①

048 회독 ☐☐☐ 재구성

12 국회8급, 11 법원직

국가인권위원회에 대한 설명으로 옳지 않은 것만을 모두 고르면? (다툼이 있는 경우 판례에 의함)

> ㄱ. 국회의 입법 또는 법원·헌법재판소의 재판에 의하여 헌법 제10조 내지 제22조에 보장된 인권을 침해당한 경우, 그 인권침해를 당한 사람이나 단체는 국가인권위원회에 그 내용을 진정할 수 있다.
> ㄴ. 진정의 원인이 된 사실이 범죄행위에 해당된다고 믿을 만한 상당한 이유가 있고 그 혐의자의 도주 또는 증거의 인멸 등을 방지하기 위하여 필요하다고 인정할 경우에, 국가인권위원회는 검찰총장 또는 관할 수사기관의 장에게 수사의 개시와 필요한 조치를 의뢰할 수 있다.
> ㄷ. 국가인권위원회의 진정에 대한 조사·조정 및 심의는 비공개로 한다. 다만, 국가인권위원회의 의결이 있는 때에는 이를 공개할 수 있다.
> ㄹ. 국가인권위원회는 진정을 조사한 결과 인권침해가 있었다고 판단할 때 구제조치의 이행 및 시정명령을 할 수 있다.

① ㄱ, ㄴ
② ㄱ, ㄹ
③ ㄱ, ㄴ, ㄷ
④ ㄴ, ㄷ, ㄹ

해설

ㄱ. (✗) 국회의 입법 및 법원·헌법재판소의 재판은 국가인권위원회에의 진정대상에서 제외된다. (**국가인권위원회법 제30조 제1항 제1호**) 국가인권위원회는 다른 국가기관과 경쟁적으로 인권을 보호하는 것이 아니라 보충적 기능을 수행한다. [12 국회8급]
ㄴ. (○) **국가인권위원회법 제34조 제1항** [12 국회8급]
ㄷ. (○) **국가인권위원회법 제49조** [12 국회8급]
ㄹ. (✗) 시정명령은 할 수 없고, 권고를 할 수 있다. 권고는 구속력이 없다. [11 법원직]

> **국가인권위원회법 제44조(구제조치 등의 권고)**
> ① 위원회가 진정을 조사한 결과 인권침해나 차별행위가 일어났다고 판단할 때에는 피진정인, 그 소속 기관·단체 또는 감독기관(이하 '소속 기관 등'이라 한다)의 장에게 다음 각 호의 사항을 권고할 수 있다.
>   1. 제42조 제4항 각 호에서 정하는 구제조치의 이행
>   2. 법령·제도·정책·관행의 시정 또는 개선

정답 ②

049

국가인권위원회에 관한 설명 중 가장 옳은 것은? (다툼이 있는 경우 헌법재판소 결정에 의함)

① 국가인권위원회 위원은 위원장 1인과 3인의 상임위원을 포함한 11인의 인권위원으로 구성되며, 3인 이상은 반드시 여성이어야 한다.
② 국가인권위원회는 인권의 보호와 향상에 중대한 영향을 미치는 재판이 계속 중인 경우 법원 또는 헌법재판소의 요청이 있으면 의견을 제출하여야 한다.
③ 국가인권위원회의 조사대상에는 법인, 단체 또는 사인에 의한 차별행위도 포함된다.
④ 국가인권위원회 인권위원에 대해 퇴직 후 2년간 「공직선거법」에 의한 선거에 출마할 수 없도록 하였더라도 이는 그 업무의 특수성에 기인한 것으로서 평등원칙에 위배된다고 볼 수 없다.
⑤ 국가기관의 업무수행과 관련하여 헌법상 보장된 기본권을 침해당한 피해자는 기본권의 종류를 막론하고 국가인권위원회에 진정할 수 있다.

해설

① (✕)

> **국가인권위원회법 제5조(위원회의 구성)**
> ① 위원회는 위원장 1명과 상임위원 3명을 포함한 11명의 인권위원(이하 '위원'이라 한다)으로 구성한다.
> ② 위원은 다음 각 호의 사람을 대통령이 임명한다.
>   1. 국회가 선출하는 4명(상임위원 2명을 포함한다)
>   2. 대통령이 지명하는 4명(상임위원 1명을 포함한다)
>   3. 대법원장이 지명하는 3명
> ⑤ 위원장은 위원 중에서 대통령이 임명한다. 이 경우 위원장은 국회의 인사청문을 거쳐야 한다.
> ⑦ 위원은 특정 성(性)이 10분의 6을 초과하지 아니하도록 하여야 한다.

② (✕)

> **국가인권위원회법 제28조(법원 및 헌법재판소에 대한 의견제출)**
> ① 위원회는 인권의 보호와 향상에 중대한 영향을 미치는 재판이 계속 중인 경우 법원 또는 헌법재판소의 요청이 있거나 필요하다고 인정할 때에는 법원의 담당재판부 또는 헌법재판소에 법률상의 사항에 관하여 의견을 제출할 수 있다.
> ② 제4장 및 제4장의2에 따라 위원회 또는 제50조의3 제1항에 따른 군인권보호위원회가 조사하거나 처리한 내용에 관하여 재판이 계속 중인 경우 위원회는 법원 또는 헌법재판소의 요청이 있거나 필요하다고 인정할 때에는 법원의 담당재판부 또는 헌법재판소에 사실상 및 법률상의 사항에 관하여 의견을 제출할 수 있다.

③ (○) 국가인권위원회법 제30조 제1항 제2호
④ (✕) 평등원칙에 위배된다. (헌재 2004.1.29. 2002헌마788)
⑤ (✕) 헌법 제10조 내지 제22조에 해당하는 기본권(인간의 존엄과 가치 및 행복추구권, 평등권, 그 외의 자유권적 기본권을 말한다)에 대해서만 인정된다. (국가인권위원회법 제30조 제1항 제1호)

정답 ③

050

국가인권위원회의 인권침해조사대상에 대한 설명으로 옳은 것은?

① 국립대학교가 대학 교원 모집을 하면서 응시연령을 제한한 것에 대해서 진정할 수 없다.
② 사립대학의 특별전형 입학시험에서 동점자의 경우 연소자순으로 합격 처리한다는 당해 대학 규칙에 대해서 진정할 수 없다.
③ 국내기업에 취업한 외국인은 한국산업규격(KS)상 특정색의 크레파스 색명을 '살색'으로 명명한 것에 대해서 진정할 수 있다.
④ 구금시설에 수용된 특정 종교인들에게 종교집회를 허용하지 않은 것에 대해서는 피해당사자들만이 진정할 수 있다.

해설

① (×) ② (×) 국가인권위원회의 인권침해조사대상은 국가기관의 차별행위와 사인에 의한 차별을 포함한다.
③ (○)
④ (×) 국가인권위원회에 대한 진정은 인권침해 피해자 또는 그 사실을 알고 있는 사람이나 단체의 진정에 의하여 할 수 있고, 국가인권위원회가 직권으로 조사할 수도 있다.

국가인권위원회법 제2조(정의)
이 법에서 사용하는 용어의 뜻은 다음과 같다.
3. '평등권 침해의 차별행위'란 합리적인 이유 없이 성별, 종교, 장애, 나이, 사회적 신분, 출신지역(출생지, 등록기준지, 성년이 되기 전의 주된 거주지 등을 말한다), 출신국가, 출신민족, 용모 등 신체조건, 기혼·미혼·별거·이혼·사별·재혼·사실혼 등 혼인 여부, 임신 또는 출산, 가족형태 또는 가족상황, 인종, 피부색, 사상 또는 정치적 의견, 형의 효력이 실효된 전과, 성적 지향, 학력, 병력 등을 이유로 한 다음 각 목의 어느 하나에 해당하는 행위를 말한다. 다만, 현존하는 차별을 없애기 위하여 특정한 사람(특정한 사람들의 집단을 포함한다. 이하 이 조에서 같다)을 잠정적으로 우대하는 행위와 이를 내용으로 하는 법령의 제정·개정 및 정책의 수립·집행은 평등권 침해의 차별행위(이하 '차별행위'라 한다)로 보지 아니한다.
〈각 목 생략〉

제4조(적용범위)
이 법은 대한민국 국민과 대한민국의 영역에 있는 외국인에 대하여 적용한다. – 외국인도 인권위원회에 진정할 수 있다.

제30조(위원회의 조사대상)
① 다음 각 호의 어느 하나에 해당하는 경우에 인권침해나 차별행위를 당한 사람(이하 '피해자'라 한다) 또는 그 사실을 알고 있는 사람이나 단체는 위원회에 그 내용을 진정할 수 있다.
  1. 국가기관, 지방자치단체, 초·중등교육법 제2조, 고등교육법 제2조와 그 밖의 다른 법률에 따라 설치된 각급 학교, 공직자윤리법 제3조의2 제1항에 따른 공직유관단체 또는 구금·보호시설의 업무수행(국회의 입법 및 법원·헌법재판소의 재판은 제외한다)과 관련하여 대한민국헌법 제10조부터 제22조까지의 규정에서 보장된 인권을 침해당하거나 차별행위를 당한 경우
  2. 법인, 단체 또는 사인으로부터 차별행위를 당한 경우
③ 위원회는 제1항의 진정이 없는 경우에도 인권침해나 차별행위가 있다고 믿을 만한 상당한 근거가 있고 그 내용이 중대하다고 인정할 때에는 직권으로 조사할 수 있다.

정답 ③

CHAPTER 02 인간의 존엄과 가치·행복추구권·평등권

제1절 인간으로서의 존엄과 가치

001 회독 ☐☐☐ NEW
23 서울·지방7급

인간으로서의 존엄과 가치 및 행복추구권에 대한 설명으로 옳지 않은 것은?

① 정당한 사유 없는 예비군 훈련 불참을 형사처벌하는 「예비군법」 제15조 제9항 제1호 중 "제6조 제1항에 따른 훈련을 정당한 사유 없이 받지 아니한 사람"에 관한 부분은 청구인의 일반적 행동자유권을 침해하지 않는다.
② 임신한 여성의 자기낙태를 처벌하는 「형법」 조항은 「모자보건법」이 정한 일정한 예외를 제외하고는 임신기간 전체를 통틀어 모든 낙태를 전면적·일률적으로 금지하고, 이를 위반할 경우 형벌을 부과하도록 정함으로써 임신한 여성에게 임신의 유지·출산을 강제하고 있으므로, 과잉금지원칙을 위반하여 임신한 여성의 자기결정권을 침해한다.
③ 운전 중 휴대용 전화를 사용하지 아니할 의무를 지우고 이에 위반했을 때 형벌을 부과하는 것은 운전자의 일반적 행동자유권을 제한한다고 볼 수 없다.
④ 전동킥보드의 최고속도는 25 km/h를 넘지 않도록 규정한 것은 자전거도로에서 통행하는 다른 자전거보다 속도가 더 높아질수록 사고위험이 증가할 수 있는 측면을 고려한 기준 설정으로서, 전동킥보드 소비자의 자기결정권 및 일반적 행동자유권을 침해하지 아니한다.

해설

① (O)
> 심판대상조항은 법정형에 하한을 두지 않아 양형조건을 고려하여 선고형을 조절할 수 있고, 정당한 사유가 있는 경우는 처벌하지 않는다. 따라서 심판대상조항은 과잉금지원칙에 반하여 청구인의 일반적 행동자유권을 침해하지 아니한다. (헌재 2021.2.25. 2016헌마757)

② (O) 헌재 2019.4.11. 2017헌바127【헌법불합치】
③ (X) 운전 중 휴대용 전화를 사용하지 아니할 의무를 지우고 이에 위반했을 때 형벌을 부과하는 것은 운전자의 일반적 행동자유권을 제한하지만 침해는 아니다.
④ (O)
> [1] 심판대상조항은 청구인의 신체의 자유를 제한하는 것은 아니다. 심판대상조항은 위험성을 가진 재화의 제조·판매조건을 제약함으로써 최고속도 제한이 없는 전동킥보드를 구입하여 사용하고자 하는 소비자의 자기결정권 및 일반적 행동자유권을 제한할 뿐이다.
> [2] 최고속도가 시속 25km라는 것은 자전거도로에서 통행하는 다른 자전거보다 속도가 더 높아질수록 사고위험이 증가할 수 있는 측면을 고려한 기준 설정으로서, 전동킥보드 소비자의 자기결정권 및 일반적 행동자유권을 박탈할 정도로 지나치게 느린 정도라고 보기 어렵다. 심판대상조항은 과잉금지원칙을 위반하여 소비자의 자기결정권 및 일반적 행동자유권을 침해하지 아니한다. (헌재 2020.2.27. 2017헌마1339)

정답 ③

002 회독 ☐☐☐   22 경찰승진

인간의 존엄과 가치 및 행복추구권에 관한 설명 중 가장 적절하지 않은 것은? (다툼이 있는 경우 판례에 의함)

① 헌법 제10조로부터 도출되는 일반적 인격권에는 개인의 명예에 관한 권리도 당연히 포함되며, '명예'에는 사람이나 그 인격에 대한 '사회적 평가', 즉 객관적·외부적 가치평가뿐만 아니라 주관적·내면적인 명예감정도 포함된다.

② 헌법 제10조의 행복추구권은 국민이 행복을 추구하기 위하여 필요한 급부를 국가에게 적극적으로 요구할 수 있는 것을 내용으로 하는 것이 아니라, 국민이 행복을 추구하기 위한 활동을 국가권력의 간섭 없이 자유롭게 할 수 있다는 포괄적인 의미의 자유권으로서의 성격을 가진다.

③ 인수자가 없는 시체를 생전의 본인의 의사와는 무관하게 해부용 시체로 제공될 수 있도록 규정한 「시체 해부 및 보존에 관한 법률」의 조항은 시체의 처분에 대한 자기결정권을 침해한다.

④ 비어업인이 잠수용 스쿠버장비를 사용하여 수산자원을 포획·채취하는 것을 금지하는 「수산자원관리법 시행규칙」의 규정 중 '잠수용 스쿠버장비 사용'에 관한 부분은 일반적 행동의 자유를 침해하지 않는다.

해설

① (✗)

> 헌법 제10조가 보호하는 명예는 사람이나 그 인격에 대한 사회적 평가, 즉 객관적·외부적 가치평가를 가리키며 단순한 주관적·내면적 명예감정은 헌법이 보호하는 명예에 포함되지 않는다. 그런데 제주 4·3사건 진상규명 및 희생자명예회복에 관한 특별법은 제주 4·3사건의 진상규명과 희생자 명예회복을 통해 인권신장과 민주발전 및 국민화합에 이바지함을 목적으로 제정되었고, 위령사업의 시행과 의료지원금 및 생활지원금의 지급 등 희생자들에 대한 최소한의 시혜적 조치를 부여하는 내용을 가지고 있는바, 그에 근거한 이 사건 희생자 결정이 청구인들의 사회적 평가에 부정적 영향을 미쳐 헌법이 보호하고자 하는 명예가 훼손되는 결과가 발생한다고 할 수는 없다. 따라서 이 사건 심판청구는 명예권 등 기본권 침해의 자기관련성을 인정할 수 없어 부적법하다. (헌재 2010.11.25. 2009헌마147)

② (○) 헌법재판소는 자유권적 성격만을 인정하고 있다.

> 헌법 제10조의 행복추구권은 국민이 행복을 추구하기 위하여 필요한 급부를 국가에게 적극적으로 요구할 수 있는 것을 내용으로 하는 것이 아니라, 국민이 행복을 추구하기 위한 활동을 국가권력의 간섭 없이 자유롭게 할 수 있다는 포괄적인 의미의 자유권으로서의 성격을 가지므로 국민에 대한 일정한 보상금 수급기준을 정하고 있는 이 사건 규정이 행복추구권을 침해한다고 할 수 없다. (헌재 1995.7.21. 93헌가14)

③ (○) 헌재 2015.11.26. 2012헌마940

④ (○) 헌재 2016.10.27. 2013헌마450

정답 ①

003

인간으로서의 존엄과 가치 및 행복추구권에 대한 설명으로 옳지 않은 것은? (다툼이 있는 경우 판례에 의함)

① 「성폭력범죄의 처벌 등에 관한 특례법」에 규정된 카메라 등 이용촬영죄는 인격권에 포함된다고 볼 수 있는 '자신의 신체를 함부로 촬영당하지 않을 자유'를 보호하기 위한 것이다.

② 자신이 속한 부분사회의 자치적 운영에 참여하는 것은 사회공동체의 유지, 발전을 위하여 필요한 행위로서 특정한 기본권의 보호범위에 들어가지 않는 경우에는 일반적 행동자유권의 보호대상이 될 수 있다.

③ 교통사고 발생에 고의나 과실이 있는 운전자는 물론, 아무런 책임이 없는 무과실 운전자도 자신이 운전하는 차로 인하여 교통사고가 발생하기만 하면 즉시 정차하여 사상자를 구호하는 등 필요한 조치를 할 의무를 규정하고, 교통사고 발생시 사상자 구호 등 필요한 조치를 하지 않은 자를 형사처벌하는 「도로교통법」 조항은 과잉금지원칙에 위반되어 운전자의 일반적 행동자유권을 침해한다.

④ 운전면허를 받은 사람이 다른 사람의 자동차 등을 훔친 경우에는 운전면허를 필요적으로 취소하도록 하는 것은 임의적 취소 혹은 정지라는 보다 덜 제한적인 수단이 있어 일반적 행동자유권(운전을 업으로 하는 자에 대하여는 직업의 자유)에 대한 과도한 침해가 되어 위헌이다.

해설

① (O) 헌재 2019.11.28. 2017헌바182 등

② (O)

> [1] 자신이 속한 부분사회의 자치적 운영에 참여하는 것은 사회공동체의 유지, 발전을 위하여 필요한 행위로서 특정한 기본권의 보호범위에 들어가지 않는 경우에는 일반적 행동자유권의 대상이 되므로, 사적 자치의 영역에 국가가 개입하여 법령으로 자치활동의 목적이나 절차, 그 방식 또는 내용을 규율함으로써 일부 구성원들의 자치활동에 대한 참여를 제한한다면 해당 구성원들의 일반적 행동자유권이 침해될 가능성이 있다. 그러나 법령에서 공동체의 구성원으로 하여금 대표기관을 선출하여 공동체의 의사결정권한을 위임하는 방식으로 자치활동을 하도록 규율하는 경우, 대표기관을 선출할 권리와 그 선거에 입후보할 기회는 자치활동에 대한 참여로서 보장되지만, 실제로 대표기관의 지위를 취득할 권리까지 구성원의 일반적 행동자유권으로 보장된다고 보기는 어렵고, 주택법령상 의무관리대상 공동주택의 동별 대표자를 선출하는 것은 입주자대표회의의 구성 또는 그 구성원의 변경을 위한 것인데, 심판대상조항은 동별 대표자 선거의 입후보자가 1명인 경우 그 선출요건에 대하여 규정하고 있을 뿐 입주자대표회의의 구성과 운영에의 참여 자체를 제한하거나 동별 대표자를 선출할 권리 또는 그 선거에 입후보할 기회를 제한하고 있지 아니하므로, 청구인의 일반적 행동자유권을 제한한다고 보기 어렵다.
>
> [2] 국회의원 및 지방의회의원은 특정한 공동주택의 입주자를 대표하는 동별 대표자와는 그 지위와 직무의 내용이 본질적으로 다르고, 심판대상조항은 모든 후보자에 대하여 동일하게 적용되므로 심판대상조항으로 인하여 청구인의 평등권이 침해될 가능성도 없다. (헌재 2015.7.30. 2012헌마957)

③ (X)

> 교통사고 발생시 조치의무를 형사처벌로 강제하는 심판대상조항은 교통사고로 인한 사상자의 신속한 구호 및 교통상의 위험과 장해의 방지·제거를 통하여 안전하고 원활한 교통을 확보하기 위한 것으로, 입법목적의 정당성 및 수단의 적합성을 인정할 수 있다. 교통사고 관련 운전자 등이 조치의무를 이행하지 않고 그대로 현장을 벗어날 유인이 많은 점을 고려할 때, 과태료와 같은 행정적 제재만으로는 조치의무의 실효성을 담보할 수 없으므로 최소침해성의 원칙에 위배되지 않으며, 심판대상조항이 운전자 등의 시간적, 경제적 손해를 유발할 가능성이 있는 것은 사실이나 이미 발생한 피해자의 생명·신체에 대한 피해 구호와 안전한 교통의 회복이라는 공익은 운전자 등이 제한당하는 사익보다 크므로, 심판대상조항은 법익균형성을 갖추었다. 따라서 심판대상조항은 청구인의 일반적 행동자유권을 침해하지 않는다. (헌재 2019.4.11. 2017헌가28)

④ (○)

> 자동차 절취행위에 이르게 된 경위, 행위의 태양, 당해 범죄의 경중이나 그 위법성의 정도, 운전자의 형사처벌 여부 등 제반 사정을 고려할 여지를 전혀 두지 아니한 채 다른 사람의 자동차 등을 훔친 모든 경우에 필요적으로 운전면허를 취소하는 것은 그것이 달성하려는 공익의 비중에도 불구하고 운전면허소지자의 직업의 자유 내지 일반적 행동의 자유를 과도하게 제한하는 것이다. 그러므로 심판대상조항은 직업의 자유 내지 일반적 행동의 자유를 침해한다. (헌재 2017.5.25. 2016헌가6)

정답 ③

기출지문 OX

운전은 헌법 제10조의 행복추구권에서 나오는 일반적 행동자유권의 보호영역에 속하지만, 일정한 기준시력 이상만이 1종 면허를 취득하도록 한 것은 일반적 행동자유권을 침해하지 않는다. 10 지방7급 (○/×)

해설 1종 면허는 영업용으로 사용될 수 있는 것이므로 시력요건을 요구하고 있다. 정답 ○

---

004   20 법원직

인간의 존엄과 가치에 관한 다음 설명 중 가장 옳지 않은 것은?

① 죽음에 임박한 환자에게 '연명치료 중단에 관한 자기결정권'은 헌법상 보장된 기본권이므로, 헌법해석상 '연명치료 중단 등에 관한 법률'을 제정할 국가의 입법의무가 명백하다고 볼 수 있다.

② 헌법 제10조로부터 도출되는 일반적 인격권에는 각 개인이 그 삶을 사적으로 형성할 수 있는 자율영역에 대한 보장이 포함되어 있음을 감안할 때, 장래 가족의 구성원이 될 태아의 성별정보에 대한 접근을 국가로부터 방해받지 않을 부모의 권리는 이와 같은 일반적 인격권에 의하여 보호된다고 보아야 한다.

③ 수용자를 교정시설에 수용할 때마다 전자영상 검사기를 이용하여 수용자의 항문 부위에 대한 신체검사를 하는 것이 필요한 최소한도를 벗어나 과잉금지원칙에 위배되어 수용자의 인격권 내지 신체의 자유를 침해한다고 볼 수 없다.

④ 변호사에 대한 징계결정정보를 인터넷 홈페이지에 공개하도록 한 「변호사법」 조항은 전문적인 법률지식, 윤리적 소양, 공정성 및 신뢰성을 갖추어야 할 변호사가 징계를 받은 경우 국민이 이러한 사정을 쉽게 알 수 있도록 하여 변호사를 선택할 권리를 보장하고, 변호사의 윤리의식을 고취시킴으로써 법률사무에 대한 전문성, 공정성 및 신뢰성을 확보하여 국민의 기본권을 보호하며 사회정의를 실현하기 위한 것으로서 청구인의 인격권을 침해하지 아니한다.

해설

① (×)

> **연명치료중단에 대한 입법부작위** (헌재 2009.11.26. 2008헌마385 【각하】)
> [1] 이 사건 심판대상인 '공권력의 불행사'라는 것은 '연명치료 중단 등에 관한 법률의 입법부작위'인바, 위 입법부작위의 직접적인 상대방은 연명치료중단으로 사망에 이르는 환자이고, 그 자녀들은 위 입법부작위로 말미암아 '환자가 무의미한 연명치료로 자연스런 죽음을 뒤로한 채 병상에 누어있는 모습'을 지켜보아야 하는 정신적 고통을 감수하고, 환자의 부양의무자로서 연명치료에 소요되는 의료비 등 경제적 부담을 안을 수 있다는 점에 이해관계를 갖지만, 이와 같은 정신적 고통이나 경제적 부담은 간접적, 사실적 이해관계에 그친다고 보는 것이 타당하므로, 연명치료 중인 환자의 자녀들이 제기한 이 사건 입법부작위에 관한 헌법소원은 자신 고유의 기본권의 침해에 관련되지 아니하여 부적법하다.
> [2] '연명치료 중단에 관한 자기결정권'을 보장하는 방법으로서 '법원의 재판을 통한 규범의 제시'와 '입법' 중 어느 것이 바람직한가는 입법정책의 문제로서 국회의 재량에 속한다고 할 것이다. 그렇다면 헌법해석상 '연명치료 중단 등에 관한 법률'을 제정할 국가의 입법의무가 명백하다고 볼 수 없다. … 결국 환자 본인이 제기한 '연명치료 중단 등에 관한 법률'의 입법부작위의 위헌확인에 관한 헌법소원심판청구는 국가의 입법의무가 없는 사항을 대상으로 한 것으로서 헌법재판소법 제68조 제1항 소정의 '공권력의 불행사'에 대한 것이 아니므로 부적법하다.

② (○) 태아의 성별에 접근할 권리는 인격권의 내용으로 인정된다.

③ (○) 헌재 2011.5.26. 2010헌마775 【기각】

④ (○)

> 징계결정 공개조항은 전문적인 법률지식, 윤리적 소양, 공정성 및 신뢰성을 갖추어야 할 변호사가 징계를 받은 경우 국민이 이러한 사정을 쉽게 알 수 있도록 하여 변호사를 선택할 권리를 보장하고, 변호사의 윤리의식을 고취시킴으로써 법률사무에 대한 전문성, 공정성 및 신뢰성을 확보하여 국민의 기본권을 보호하며 사회정의를 실현하기 위한 것으로서 입법목적의 정당성이 인정된다. 또한 대한변호사협회 홈페이지에 변호사에 대한 징계정보를 공개하여 국민으로 하여금 징계정보를 검색할 수 있도록 하는 것은 그 입법목적을 달성하는 데 있어서 유효·적절한 수단이다. 또한 징계정보 공개조항은 공개되는 정보의 범위, 공개기간, 공개영역, 공개방식 등을 필요한 범위로 제한하고 있고, 입법목적의 달성에 동일한 효과가 있으면서 덜 침해적인 다른 대체수단이 존재하지 아니하므로, 침해 최소성의 원칙에 위배되지 않는다. 나아가 징계결정 공개조항으로 인하여 징계대상 변호사가 입게 되는 불이익이 공익에 비하여 크다고 할 수 없으므로, 법익의 균형성에 위배되지도 아니한다. 따라서 징계결정 공개조항은 과잉금지원칙에 위배되지 아니하므로 청구인의 인격권을 침해하지 아니한다. (헌재 2018.7.26. 2016헌마1029)

정답 ①

005

인간의 존엄과 가치 및 행복추구권에 대한 설명으로 옳지 않은 것만을 모두 고르면? (다툼이 있는 경우 판례에 의함)

ㄱ. 교정시설의 1인당 수용면적이 수형자의 인간으로서의 기본 욕구에 따른 생활조차 어렵게 할 만큼 지나치게 협소하다면, 이는 그 자체로 국가형벌권 행사의 한계를 넘어 수형자의 인간의 존엄과 가치를 침해하는 것이다.

ㄴ. 교도관이 마약류사범에 대해 검사의 취지와 방법을 설명하고 반입금지품을 제출하도록 안내한 후 외부와 차단된 검사실에서 같은 성별의 교도관 앞에서 행해진 것이라고 하더라도 하의를 내린 채 상체를 숙이고 양손으로 둔부를 벌려 항문을 보이게 하는 방법으로 실시한 정밀신체검사는 과잉금지원칙에 위배하여 인격권을 침해한 것이다.

ㄷ. 혼인 종료 후 300일 이내에 출생한 자(子)를 전남편의 친생자로 추정하는「민법」조항은 혼인관계가 해소된 이후에 자가 출생하고 생부가 출생한 자를 인지하려는 경우마저도, 아무런 예외 없이 그 자를 전남편의 친생자로 추정함으로써 친생부인의 소를 거치도록 하는 것은 모가 가정생활과 신분관계에서 누려야 할 인격권을 침해한다.

ㄹ. 법무부훈령인 법무시설 기준규칙은 수용동의 조도 기준을 취침 전 200룩스 이상, 취침 후 60룩스 이하로 규정하고 있는데, 수용자의 도주나 자해 등을 막기 위해서 취침시간에도 최소한의 조명을 유지하는 것은 수용자의 숙면방해로 인하여 인간의 존엄과 가치를 침해한다.

① ㄱ, ㄴ   ② ㄱ, ㄷ   ③ ㄴ, ㄹ   ④ ㄷ, ㄹ

해설

ㄱ. (O) [19 지방7급]

수형자가 인간 생존의 기본조건이 박탈된 교정시설에 수용되어 인간의 존엄과 가치를 침해당하였는지 여부를 판단함에 있어서는 1명당 수용면적뿐만 아니라 수형자 수와 수용거실 현황 등 수용시설 전반의 운영 실태와 수용기간, 국가 예산의 문제 등 제반 사정을 종합적으로 고려할 필요가 있다. 그러나 교정시설의 1명당 수용면적이 수형자의 인간으로서의 기본 욕구에 따른 생활조차 어렵게 할 만큼 지나치게 협소하다면, 이는 그 자체로 국가형벌권 행사의 한계를 넘어 수형자의 인간의 존엄과 가치를 침해하는 것이다. (헌재 2016.12.29. 2013헌마142)

ㄴ. (X) [10 법원직]

다른 사람이 볼 수 없는 차단막이 쳐진 공간에서 같은 성별의 교도관과 1 대 1의 상황에서 짧은 시간 내에 손가락이나 도구를 사용하지 않고 시각적으로 항문의 내부를 보이게 한 후 검사를 마쳤고, 그 검사 전에는 검사를 하는 취지와 방법 등을 설명하면서 미리 소지한 반입금지품을 자진 제출하도록 하였으며(최소침해성), 청구인이 수인하여야 할 모욕감이나 수치심에 비하여 반입금지품을 차단함으로써 얻을 수 있는 수용자들의 생명과 신체의 안전, 구치소 내의 질서유지 등의 공익이 보다 크므로(법익균형성), 과잉금지의 원칙에 위배되었다고 할 수 없다. (헌재 2006.6.29. 2004헌마826)

ㄷ. (O) [19 지방7급]

심판대상조항에 따르면, 혼인 종료 후 300일 내에 출생한 자녀가 전남편의 친생자가 아님이 명백하고, 전남편이 친생추정을 원하지도 않으며, 생부가 그 자를 인지하려는 경우에도, 그 자녀는 전남편의 친생자로 추정되어 가족관계등록부에 전남편의 친생자로 등록되고, 이는 엄격한 친생부인의 소를 통해서만 번복될 수 있다. 그 결과 심판대상조항은 이혼한 모와 전남편이 새로운 가정을 꾸리는 데 부담이 되고, 자녀와 생부가 진실한 혈연관계를 회복하는 데 장애가 되고 있다. 이와 같이 민법 제정 이후의 사회적·법률적·의학적 사정변경을 전혀 반영하지 아니한 채, 이미 혼인관계가 해소된 이후에 자가 출생하고 생부가 출생한 자를 인지하려는 경우마저도, 아무런 예외 없이 그 자를 전남편의 친생자로 추정함으로써 친생부인의 소를 거치도록 하는 심판대상조항은 입법형성의 한계를 벗어나 모가 가정생활과 신분관계에서 누려야 할 인격권, 혼인과 가정생활에 관한 기본권을 침해한다. (헌재 2015.4.30. 2013헌마623)

ㄹ. (×) [19 지방7급]

> 교정시설의 안전과 질서유지를 위해서는 수용거실 안에 일정한 수준의 조명을 유지할 필요가 있다. 수용자의 도주나 자해 등을 막기 위해서는 취침시간에도 최소한의 조명은 유지할 수밖에 없다. 조명점등행위는 법무시설 기준규칙이 규정하는 조도 기준의 범위 안에서 이루어지고 있는데, 이보다 더 어두운 조명으로도 교정시설의 안전과 질서유지라는 목적을 같은 정도로 달성할 수 있다고 볼 수 있는 자료가 없다. 또한 조명점등행위로 인한 청구인의 권익침해가 교정시설 안전과 질서유지라는 공익보호보다 더 크다고 보기도 어렵다. 그렇다면 조명점등행위가 과잉금지원칙에 위배하여 청구인의 기본권을 침해한다고 볼 수 없다. (헌재 2018.8.30. 2017헌마440)

정답 ③

기출지문 OX

성전환자에 해당함이 명백한 사람에 대해서는 호적의 성별란 기재의 성을 전환된 성에 부합하도록 수정할 수 있도록 허용함이 상당하므로, 성전환자임이 명백한 사람에 대하여 호적 정정을 허용하지 않는 것은 인간의 존엄과 가치를 향유할 권리를 온전히 구현할 수 없게 만드는 것이다. 16 변호사   (O / ×)

> **해설** 성전환자도 인간으로서의 존엄과 가치를 향유하며 행복을 추구할 권리와 인간다운 생활을 할 권리가 있고 이러한 권리들은 질서유지나 공공복리에 반하지 아니하는 한 마땅히 보호받아야 한다. 지속적인 성적 귀속감의 형성, 의학적 치료와 나아가 수술을 통하여 전환된 성에 부합하는 성기와 신체 및 외관을 갖추고 사회적인 역할도 그와 동일하게 수행하고 있어 사회통념상 전환된 성을 가진 자로 인식되어 법률적으로 전환된 성으로 평가될 수 있는 성전환자임이 명백함에도 불구하고, 막상 호적의 성별란 기재는 물론 이에 따라 부여된 주민등록번호가 여전히 종전의 성을 따라야 한다면 사회적으로 비정상적인 사람으로 취급되고 취업이 제한됨으로써 결국, 이들의 헌법상 기본권이 침해될 우려가 있다고 할 것이다. 한편, 성전환자의 호적이 정정됨으로써 그 개인이 주변의 멸시 및 신분상의 불이익에서 벗어나서 정상적인 사회구성원으로 받아들여지고 전환된 성에 따라 법률적인 지위를 인정받고 사회적인 활동을 할 수 있는 등 장래에 향유하게 될 이익은 사회적 혼란의 방지 등 호적 정정을 불허함으로써 얻어지는 공공의 이익에 비하여 현저히 크다고 할 것이다. 그런데도 법령상 절차규정의 미비를 이유로 성전환자임이 명백한 사람에 대한 호적의 정정을 허용하지 않는다면 위 헌법정신을 온전히 구현할 수 없게 된다고 할 것이다. (대결 2006.6.22. 2004스42 전원합의체)

정답 O

006

인격권에 대한 설명으로 옳지 않은 것은? (다툼이 있는 경우 판례에 의함)

① 장래 가족의 구성원이 될 태아의 성별정보에 대한 접근을 국가로부터 방해받지 않을 부모의 권리는 일반적 인격권에 의하여 보호된다.
② 이미 출국 수속과정에서 일반적인 보안검색을 마친 승객을 상대로 촉수검색(patdown)과 같은 추가적인 보안검색 실시를 예정하고 있는 국가항공보안계획은 달성하고자 하는 공익에 비해 추가 보안검색으로 인해 대상자가 느낄 모욕감이나 수치심의 정도가 크다고 할 수 있으므로 과잉금지원칙에 위반되어 해당 승객의 인격권을 침해한다.
③ 사자(死者)에 대한 사회적 명예와 평가의 훼손은 사자와의 관계를 통하여 스스로의 인격상을 형성하고 명예를 지켜온 그 후손의 인격권을 제한한다.
④ 변호사 정보제공 웹사이트 운영자가 변호사들의 개인신상정보를 기반으로 한 인맥지수를 공개하는 서비스를 제공하는 행위는 변호사들의 개인정보에 관한 인격권을 침해한다.

해설

① (O)
② (X)

> 이 사건 국가항공보안계획은 민간항공 보안에 관한 국제협약의 준수 및 항공기 안전과 보안을 위한 것으로 입법목적의 정당성 및 수단의 적합성이 인정되고, 항공운송사업자가 다른 체약국의 추가 보안검색 요구에 응하지 않을 경우 항공기의 취항 자체가 거부될 수 있으므로 이 사건 국가항공보안계획에 따른 추가 보안검색 실시는 불가피하며, 관련 법령에서 보안검색의 구체적 기준 및 방법 등을 마련하여 기본권 침해를 최소화하고 있으므로 침해의 최소성도 인정된다. 또한 국내외적으로 항공기 안전사고와 테러 위협이 커지는 상황에서, 민간항공의 보안 확보라는 공익은 매우 중대한 반면, 추가 보안검색 실시로 인해 승객의 기본권이 제한되는 정도는 그리 크지 아니하므로 법익의 균형성도 인정된다. (헌재 2018.2.22. 2016헌마780)

③ (O) 헌재 2010.10.28. 2007헌가23
④ (O)

> 변호사 정보제공 웹사이트 운영자가 변호사들의 개인신상정보를 기반으로 변호사들의 인맥지수를 산출하여 공개하는 서비스를 제공한 사안에서, 인맥지수의 사적·인격적 성격, 산출과정에서 왜곡가능성, 인맥지수 이용으로 인한 변호사들의 이익침해와 공적 폐해의 우려, 그에 반하여 이용으로 달성될 공적인 가치의 보호 필요성 정도 등을 종합적으로 고려하면, 운영자가 변호사들의 개인신상정보를 기반으로 한 인맥지수를 공개하는 표현행위에 의하여 얻을 수 있는 법적 이익이 이를 공개하지 않음으로써 보호받을 수 있는 변호사들의 인격적 법익에 비하여 우월하다고 볼 수 없어, 결국 운영자의 인맥지수 서비스 제공행위는 변호사들의 개인정보에 관한 인격권을 침해하는 위법한 것이다. (대판 2011.9.2. 2008다42430 전원합의체)

정답 ②

007 회독 ☐☐☐ 재구성 [22 경찰1차, 20 국회8급, 18 법원직]

인격권에 대한 설명으로 옳지 않은 것은? (다툼이 있는 경우 판례에 의함)

① 사자(死者)에 대한 사회적 명예와 평가의 훼손은 사자와의 관계를 통하여 스스로의 인격상을 형성하고 명예를 지켜온 그들 후손의 인격권, 즉 유족의 명예 또는 유족의 사자에 대한 경애추모의 정을 침해한다.

② 사법경찰관이 보도자료 배포 직후 기자들의 취재 요청에 응하여 피의자가 경찰서 조사실에서 양손에 수갑을 찬 채 조사받는 모습을 촬영할 수 있도록 허용한 행위는 잠재적인 피해자의 발생을 방지하고 범죄를 예방할 필요성이 크다는 점에서 피의자의 인격권을 침해하지 않는다.

③ 대학수학능력시험의 문항 수 기준 70%를 EBS 교재와 연계하여 출제한다는 대학수학능력시험 시행기본계획은 대학수학능력시험을 준비하는 자의 자유로운 인격발현권을 제한한다.

④ 중혼을 혼인취소의 사유로 정하면서도 그 취소청구권의 제척기간 또는 소멸사유에 관하여 아무런 규정을 두고 있지 않았다 하더라도 입법재량의 범위를 일탈하여 후혼배우자의 인격권을 침해하였다고 볼 수는 없다.

해설

① (O) 헌재 2010.10.28. 2007헌가23 [22 경찰1차]

② (✗) [20 국회8급]

> 피청구인(강동경찰서 사법경찰관)이 언론사 기자들의 취재 요청에 응하여 청구인이 경찰서 내에서 양손에 수갑을 찬 채 조사받는 모습을 촬영할 수 있도록 허용한 행위는 청구인의 인격권을 침해하여 위헌이다(목적의 정당성 부정). (헌재 2014.3.27. 2012헌마652)

③ (O) [20 국회8급]

> 수능시험을 준비하면서 무엇을 어떻게 공부하여야 할지에 관하여 스스로 결정할 자유가 심판대상계획에 따라 제한된다. 이는 자신의 교육에 관하여 스스로 결정할 권리, 즉 교육을 통한 자유로운 인격발현권을 제한받는 것으로 볼 수 있다. 청구인들은 행복추구권도 침해된다고 주장하지만, 행복추구권에서 도출되는 자유로운 인격발현권 침해 여부에 대하여 판단하는 이상 행복추구권 침해 여부에 대해서는 다시 별도로 판단하지 않는다. (헌재 2018.2.22. 2017헌마691)

④ (O) [18 법원직]

> 이 사건 법률조항은 우리 사회의 중대한 공익이며 헌법 제36조 제1항으로부터 도출되는 일부일처제를 실현하기 위한 것이다. 이 사건 법률조항은 중혼을 혼인무효사유가 아니라 혼인취소사유로 정하고 있는데, 혼인취소의 효력은 기왕에 소급하지 아니하므로 중혼이라고 하더라도 법원의 취소판결이 확정되기 전까지는 유효한 법률혼으로 보호받는다. 후혼의 취소가 가혹한 결과가 발생하는 경우에는 구체적 사건에서 법원이 권리 남용의 법리 등으로 해결하고 있다. 따라서 중혼취소청구권의 소멸에 관하여 아무런 규정을 두지 않았다고 하더라도, 이 사건 법률조항이 현저히 입법재량의 범위를 일탈하여 후혼배우자의 인격권 및 행복추구권을 침해하지 아니한다. (헌재 2014.7.24. 2011헌바275)

정답 ②

기출지문 OX

❶ 초등학교 정규교과에서 영어를 배제하거나 영어교육 시수를 제한하는 것은 학생들의 인격의 자유로운 발현권을 제한하나, 이는 균형적인 교육을 통해 초등학생의 전인적 성장을 도모하고 영어과목에 대한 지나친 사교육의 폐단을 막기 위한 것으로 학생들의 기본권을 침해하지 않는다. 19 변호사 (O / X)

해설 헌재 2016.2.25. 2013헌마838 정답 O

❷ 고졸검정고시 또는 고입검정고시에 합격했던 자가 해당 검정고시에 다시 응시할 수 없게 됨으로써 제한되는 주된 기본권은 자유로운 인격발현권인데, 이러한 응시자격제한은 검정고시제도 도입 이후 허용되어온 합격자의 재응시를 경과조치 등 없이 무조건적으로 금지하는 것이어서 과잉금지원칙에 위배된다. 19 변호사 (O / X)

해설 이 사건 응시제한은 기본권 제한의 법률유보원칙에 위반될 뿐만 아니라 과잉금지원칙에도 위반되어 청구인들의 교육을 받을 권리를 침해하는 것이므로 마땅히 취소되어야 할 것이나, 이 사건 공고에 따른 검정고시가 이미 시행·종료되어 이 사건 공고의 효력도 더 이상 존속하지 않게 되었으므로, 동일 또는 유사한 기본권 침해의 반복을 방지하기 위한 선언적 의미에서 그에 대한 위헌확인을 하기로 한다. (헌재2012.5.31. 2010헌마139 등)

정답 X

❸ 성명은 개인의 정체성과 개별성을 나타내는 인격의 상징으로서 개인이 사회 속에서 자신의 생활영역을 형성하고 발현하는 기초가 되는 것이라 할 것이므로 자유로운 성의 사용 역시 헌법상 인격권으로부터 보호된다고 할 수 있다. 18 법원직 (O / X)

해설 **부성주의 자체는 위헌이 아니나 예외를 두지 않는 것이 헌법에 합치되지 아니한다.** (헌재 2005.12.22. 2003헌가5 등) 이 사건 법률조항이 부성주의를 규정한 것 자체는 헌법에 위반된다고 할 수 없으나 가족관계의 변동 등으로 구체적인 상황 하에서는 부성의 사용을 강요하는 것이 개인의 가족생활에 대한 심각한 불이익을 초래하는 것으로 인정될 수 있는 경우에도 부성주의에 대한 예외를 규정하지 않고 있는 것은 인격권을 침해하고 개인의 존엄과 양성의 평등에 반하는 것이어서 헌법 제10조, 제36조 제1항에 위반된다.

정답 O

008 [17 국회8급, 10 법원직]

인격권에 대한 설명으로 옳은 것만을 모두 고르면? (다툼이 있는 경우 판례에 의함)

ㄱ. 포승과 수갑을 채우고 별도의 포승으로 다른 수용자와 연승하는 행위는 청구인의 인격권 내지 신체의 자유를 침해하지 않는다.

ㄴ. 한시적 번호이동을 허용하도록 한 방송통신위원회의 이행명령은 010번호 이외의 식별번호를 사용하는 청구인들의 인격권, 개인정보자기결정권, 재산권을 제한한다고 볼 수 없으며, 이동전화번호를 구성하는 숫자가 개인의 인격 내지 인간의 존엄과 관련성을 가진다고 보기 어렵다.

ㄷ. 초·중등학교에서 한자교육을 선택적으로 받도록 한 초·중등학교 교육과정의 'Ⅱ 학교 급별 교육과정 편성과 운영' 중 한자교육 및 한문 관련 부분은 학생의 자유로운 인격발현권을 침해하지 않는다.

ㄹ. 개명을 엄격하게 제한할 경우 헌법상의 개인의 인격권과 행복추구권을 침해하는 결과를 초래할 우려가 있으므로 남용으로 볼 수 있는 경우가 아니라면, 원칙적으로 개명을 허가함이 상당하다.

① ㄱ, ㄴ
② ㄱ, ㄴ, ㄷ
③ ㄴ, ㄷ, ㄹ
④ ㄱ, ㄴ, ㄷ, ㄹ

해설

ㄱ. (O) [17 국회8급]

교정사고의 예방 등을 통한 공익이 수형자가 입게 되는 자유 제한보다 훨씬 크므로, 이 사건 호송행위는 청구인의 인격권 내지 신체의 자유를 침해하지 아니한다. (헌재 2014.5.29. 2013헌마280)

ㄴ. (O) [17 국회8급]

이동전화번호를 구성하는 숫자가 개인의 인격 내지 인간의 존엄과 관련성을 가진다고 보기 어렵고, 이 사건 이행명령으로 인하여 청구인들의 개인정보가 청구인들의 의사에 반하여 수집되거나 이용되지 않으며, 이동전화번호는 유한한 국가자원으로서 청구인들의 번호이용은 사업자와의 서비스 이용계약관계에 의한 것일 뿐이므로 이 사건 이행명령으로 청구인들의 인격권, 개인정보자기결정권, 재산권이 제한된다고 볼 수 없다. (헌재 2013.7.25. 2011헌마63 등)

ㄷ. (O) [17 국회8급]

한자어는 굳이 한자로 쓰지 않더라도 앞뒤 문맥으로 그 뜻을 이해할 수 있는 경우가 대부분이고, 특정 낱말이 한자로 어떻게 표기되는지를 아는 것이 어휘능력이나 독해력, 사고력 향상에 결정적인 요소가 된다고 보기 어렵다. 특히 요즘에는 인터넷이 상용화되어 한글만 사용하더라도 지식과 정보 습득에 아무런 문제가 없다. 이러한 점들을 종합하면, 한자를 국어과목의 일환이 아닌 독립과목으로 편제하고 학교 재량에 따라 선택적으로 가르치도록 하였다고 하여 학생들의 자유로운 인격발현권이나 부모의 자녀교육권을 침해한다고 볼 수 없다. (헌재 2016.11.24. 2012헌마854)

ㄹ. (O) [10 법원직]

개명과 인격권 (대결 2005.11.16. 2005스26)
개명을 엄격하게 제한할 경우 헌법상의 개인의 인격권과 행복추구권을 침해하는 결과를 초래할 우려가 있는 점 등을 종합하여 보면, 개명을 허가할 만한 상당한 이유가 있다고 인정되고, 범죄를 기도 또는 은폐하거나 법령에 따른 각종 제한을 회피하려는 불순한 의도나 목적이 개입되어 있는 등 개명신청권의 남용으로 볼 수 있는 경우가 아니라면, 원칙적으로 개명을 허가함이 상당하다고 할 것이다. … 개명신청인이 신용불량자로 등록되어 있더라도 법령상의 제한을 회피하기 위한 목적에서 개명신청을 하였다거나 다른 불순한 의도나 목적이 개입되어 있는 등 개명신청권의 남용에 해당한다고 볼 만한 사정도 찾아볼 수 없어 이를 이유로 개명을 불허할 수 없다.

정답 ④

제2절 행복추구권

009 회독 ☐☐☐ NEW   24 입시

일반적 행동자유권에 대한 설명으로 옳지 않은 것은? (다툼이 있는 경우 판례에 의함)

① 일반적 행동자유권에는 적극적으로 자유롭게 행동을 하는 것은 물론 소극적으로 행동을 하지 않을 자유 즉, 부작위의 자유도 포함된다.
② 일반적 행동자유권은 가치 있는 행동만 그 보호영역으로 하는 것이어서, 여기에는 위험한 스포츠를 즐길 권리와 같은 위험한 생활방식으로 살아갈 권리는 포함되지 않는다.
③ 법률행위의 영역에 있어서 계약자유의 원칙은 일반적 행동자유권으로부터 파생되는 것이다.
④ 개인이 대마를 자유롭게 수수하고 흡연할 자유도 일반적 행동자유권의 보호영역에 속한다.
⑤ 지역 방언을 자신의 언어로 선택하여 공적 또는 사적인 의사소통과 교육의 수단으로 사용하는 것은 일반적 행동의 자유 내지 개성의 자유로운 발현의 한 내용이 된다.

> **해설**

① (O) 일반적 행동자유권의 개념이다.
② (X)

> 일반적 행동자유권은 모든 행위를 할 자유와 행위를 하지 않을 자유로 가치있는 행동만 그 보호영역으로 하는 것은 아닌 것으로, 그 보호영역에는 개인의 생활방식과 취미에 관한 사항도 포함되며, 여기에는 위험한 스포츠를 즐길 권리와 같은 위험한 생활방식으로 살아갈 권리도 포함된다. (헌재 2003.10.30. 2002헌마518)

③ (O) 헌재 2002.1.31. 2000헌바35
④ (O)

> 일반적 행동자유권은 적극적으로 자유롭게 행동을 하는 것은 물론 소극적으로 행동을 하지 않을 자유도 포함되고, 가치있는 행동만 보호영역으로 하는 것은 아닌 것인바, 개인이 대마를 자유롭게 수수하고 흡연할 자유도 헌법 제10조의 행복추구권에서 나오는 일반적 행동자유권의 보호영역에 속한다. (헌재 2005.11.24. 2005헌바46)

⑤ (O)

> 이 사건 표준어 규정은 "표준어는 교양 있는 사람들이 두루 쓰는 현대 서울말로 정함을 원칙으로 한다."는 내용인바, 이는 표준어의 개념을 정의하는 조항으로서 그 자체만으로는 아무런 법적 효과를 갖고 있지 아니하여 청구인들의 자유나 권리를 금지·제한하거나 의무를 부과하는 등 청구인들의 법적 지위에 영향을 미치지 아니하므로, 이로 인한 기본권 침해의 가능성이나 위험성을 인정하기 어렵다. 이 사건 법률조항들 중 공문서의 작성에 관하여 규율하는 부분에 관하여 보면, 국민들은 공공기관이 작성하는 공문서에 사용되는 언어의 통일성에 대하여 일정한 신뢰를 가지고 있다 할 것이고, 이는 공문서에 사용되는 국어가 표준어로 통일되지 않는 경우 의사소통상 혼란을 가져올 수 있다는 점에서 필요불가결한 규율이다. (헌재 2009.5.28. 2006헌마618)

정답 ②

기출지문 OX

이동통신사업자가 제공하는 전기통신역무를 타인의 통신용으로 제공하는 것을 원칙적으로 금지하고 위반시에는 형사처벌하는 「전기통신사업법」 조항은 이동통신서비스 이용자의 일반적 행동자유권을 침해한다. 24 경찰승진 (O / ×)

해설
전기통신사업법 제30조 본문 중 '누구든지 전기통신사업자 가운데 이동통신사업자가 제공하는 전기통신역무를 타인의 통신용으로 제공하여서는 아니 된다.' 부분 및 제97조 제7호 중 '전기통신사업자 가운데 이동통신사업자가 제공하는 전기통신역무를 타인의 통신용으로 제공한 자'에 관한 부분은 헌법에 위반되지 아니한다. (헌재 2022.6.30. 2019헌가14)

정답 ×

---

010 NEW 24 경찰1차

일반적 행동의 자유에 관한 설명으로 가장 적절하지 않은 것은? (다툼이 있는 경우 판례에 의함)

① 경찰공무원이 교통의 안전과 위험방지를 위하여 필요하다고 인정하는 경우 운전자가 술에 취하였는지를 호흡조사로 측정할 수 있도록 하고 운전자는 이러한 경찰공무원의 측정에 응하여야 하도록 규정한 「도로교통법」 조항은 운전자인 청구인의 일반적행동의 자유를 제한한다.

② 응급의료종사자의 응급환자에 대한 진료를 폭행, 협박, 위계, 위력, 그 밖의 방법으로 방해하는 것을 금지하고 이에 위반하는 자를 형사처벌하는 「응급의료에 관한 법률」 조항은 해당 응급환자인 청구인의 일반적 행동의 자유를 제한한다.

③ 국내에 도착한 외국물품을 수입통관절차를 거치지 않고 다시 외국으로 반출하려면, 해당 물품의 품명·규격·수량 및 가격 등을 세관장에게 신고하도록 하는 「관세법」 조항은 환승 여행객인 청구인의 일반적 행동자유권을 제한한다.

④ 치료감호가종료시 3년의 보호관찰이 시작되도록 한 「치료감호 등에 관한 법률」 조항은 피보호관찰자인 청구인의 일반적 행동자유권을 제한한다.

해설

① (O)
이 사건 법률조항에 의하여 일반적 행동이 자유가 제한될 수 있으나, 그 입법목적의 중대성, 음주측정의 불가피성, 국민에게 부과되는 부담의 정도, 처벌의 요건과 정도에 비추어 헌법 제37조 제2항의 과잉금지의 원칙에 어긋나는 것이라고 할 수 없으므로, 이 사건 법률조항은 헌법 제10조의 규정된 행복추구권에서 도출되는 일반적 행동의 자유를 침해하는 것이라고도 할 수 없다. (헌재 1997.3.27. 96헌가11 【합헌】)

② (×)
응급환자 본인의 행위가 응급환자의 생명과 건강에 중대한 위해를 가할 우려가 있어 사회통념상 용인될 수 없는 정도의 것으로 '응급진료 방해 행위'로 평가되는 경우 이는 정당한 자기결정권 내지 일반적 행동의 자유의 한계를 벗어난 것이므로, 이를 다른 응급진료 방해 행위와 마찬가지로 금지하고 형사처벌의 대상으로 한다고 하여 자기결정권 내지 일반적 행동의 자유의 제한의 문제가 발생하는 것은 아니다. (헌재 2019.6.28. 2018헌바128【합헌】)

③ (O) 대판 2020.1.30. 2019도11489

④ (○)

> 이 사건 법률조항에 의하여 보호관찰이 개시되면 청구인은 자신의 의사와는 무관하게 치료감호심의위원회나 보호관찰관의 지도·감독에 따라야 하는 등 헌법 제10조의 행복추구권에서 파생되는 일반적 행동의 자유를 제한받게 된다. (헌재 2012.12.27. 2011헌마285) 보호관찰을 부과하지 아니할 정도로 치료가 된 상태라면 가종료가 아닌 치료감호 종료사유에 해당된다는 점, 법은 보호관찰기간이 만료되기 전에라도 보호관찰이 종료될 수 있도록 여러 장치를 두고 있는 점 등을 고려할 때, 침해의 최소성원칙에 위배되지 아니하고, 법익의 균형성도 갖추고 있으므로, 청구인의 일반적 행동의 자유를 침해하지 않는다.

정답 ②

011   회독 □□□   재구성   23 국회8급, 22 경찰1차

헌법 제10조에 대한 헌법재판소의 판시 내용으로 적절하지 않은 것은?

① 누구든지 금융회사 등에 종사하는 자에게 타인의 금융거래 관련 정보를 요구하는 것을 금지하고 이를 처벌조항으로 강제하는 것은 과잉금지원칙에 위배되어 일반적 행동자유권을 침해한 것이다.

② 이륜자동차로 하여금 고속도로 통행을 금지하고 있는 「도로교통법」 제63조는 통행의 자유(일반적 행동의 자유)를 침해한다.

③ 집회의 조건부 허용이나 개별적 집회의 금지나 해산으로는 방지할 수 없는 급박하고 명백하며 중대한 위험이 있는 경우가 아님에도 일반공중에게 개방된 장소인 서울광장의 통행을 금지한 것은 과잉금지원칙에 위배되어 일반적 행동자유권을 침해한 것이다.

④ 의료분쟁 조정신청의 대상인 의료사고가 사망에 해당하는 경우 한국의료분쟁조정중재원의 원장은 지체 없이 조정절차를 개시해야 한다고 규정한 「의료사고 피해구제 및 의료분쟁조정 등에 관한 법률」 제27조 제9항 전문 중 '사망'에 관한 부분이 청구인의 일반적 행동의 자유를 침해한다고 할 수 없다.

[해설]

① (○) 헌재 2022.2.24. 2020헌가5 [23 국회8급]

> 금융회사 등에 종사하는 자에게 거래정보 등의 제공을 요구하는 것을 금지하고 위반시 형사처벌하는 구 금융실명거래 및 비밀보장에 관한 법률 제4조 제1항 본문 중 '누구든지 금융회사 등에 종사하는 자에게 거래정보 등의 제공을 요구하여서는 아니 된다'는 부분 및 제6조 제1항 중 위 해당 부분, 금융실명거래 및 비밀보장에 관한 법률 제4조 제1항 본문 중 '누구든지 금융회사 등에 종사하는 자에게 거래정보 등의 제공을 요구하여서는 아니 된다'는 부분 및 제6조 제1항 중 위 해당 부분은 과잉금지원칙에 반하여 일반적 행동자유권을 침해하므로 헌법에 위반된다. (헌재 2022.2.24. 2020헌가5 [위헌])
> [1] 심판대상조항은 금융거래정보 유출을 막음으로써 금융거래의 비밀을 보장하기 위하여 명의인의 동의 없이 금융기관에게 금융거래정보를 요구하는 것을 금지하고 그 위반행위에 대하여 형사처벌을 가하는 것으로, 입법목적의 정당성과 수단의 적합성이 인정된다.
> [2] 심판대상조항은 정보제공 요구의 사유나 경위, 행위 태양, 요구한 거래정보의 내용 등을 전혀 고려하지 아니하고 일률적으로 금지하고, 그 위반시 형사처벌을 하도록 하고 있다. 이는 입법목적을 달성하기 위하여 필요한 범위를 넘어선 것으로 최소침해성의 원칙에 위반된다.

② (✕) [23 국회8급]

> 이 사건 법률조항은 이륜차의 구조적 특성에서 비롯되는 사고위험성과 사고 결과의 중대성에 비추어 이륜차 운전자의 안전 및 고속도로 등 교통의 신속과 안전을 위하여 이륜차의 고속도로 등 통행을 금지하기 위한 것이므로 … 이 사건 법률조항은 청구인의 고속도로 등 통행의 자유(일반적 행동의 자유)를 헌법 제37조 제2항에 반하여 과도하게 제한한다고 볼 수 없다. (헌재 2007.1.17. 2005헌마1111 등)

③ (○) 헌재 2011.6.30. 2009헌마406 [23 국회8급]

④ (○) 헌재 2021.5.27. 2019헌마321 [22 경찰1차]

정답 ③

012

행복추구권에 대한 설명으로 적절하지 않은 것은 몇 개인가? (다툼이 있는 경우 헌법재판소 판례에 의함)

ㄱ. 협의상 이혼을 하고자 하는 경우 부부가 함께 관할 가정법원에 출석하여 협의이혼의사확인신청서를 제출하도록 하는 「가족관계의 등록 등에 관한 규칙」상 조항은 청구인의 일반적 행동자유권을 침해하지 않는다.
ㄴ. 어린이보호구역에서 제한속도 준수의무 또는 안전운전의무를 위반하여 어린이를 상해에 이르게 한 경우 가중처벌하는 「특정범죄 가중처벌 등에 관한 법률」상 조항은 과잉금지원칙에 위반되어 청구인들의 일반적 행동자유권을 침해한다.
ㄷ. 만성신부전증환자에 대한 외래 혈액투석 의료급여수가의 기준을 정액수가로 규정한 '의료급여수가의 기준 및 일반기준'상 조항은 과잉금지원칙에 반하여 수급권자인 청구인의 의료행위선택권을 침해한다.

① 없음　　　② 1개　　　③ 2개　　　④ 3개

해설

ㄱ. (O) 헌재 2016.6.30. 2015헌마894

ㄴ. (×)

> 어린이보호구역을 설치하고 엄격한 주의의무를 부과하여 위반자를 엄하게 처벌하는 것은 어린이에 대한 교통사고 예방과 보호를 위해 불가피한 조치이다. 심판대상조항에 의할 때 어린이 상해의 경우 죄질이 가벼운 위반행위에 대하여 벌금형을 선택한 경우는 정상참작감경을 통하여, 징역형을 선택한 경우는 정상참작감경을 하지 않고도 집행유예를 선고할 수 있음은 물론, 선고유예를 하는 것도 가능하다. 어린이 사망의 경우 법관이 정상참작감경을 하지 않더라도 징역형의 집행유예를 선고하는 것은 가능하다. 운전자의 주의의무 위반의 내용 및 정도와 어린이가 입은 피해의 정도가 다양하여 불법성 및 비난가능성에 차이가 있다고 하더라도, 이는 법관의 양형으로 충분히 극복될 수 있는 범위 내에 있다. 따라서 심판대상조항은 과잉금지원칙에 위반되어 청구인들의 일반적 행동자유권을 침해한다고 볼 수 없다. (헌재 2023.2.23. 2020헌마460 등)

ㄷ. (×)

> 한정된 의료급여재정의 범위 내에서 적정하고 지속적인 의료서비스를 제공하고, 의료의 질을 유지할 수 있는 방법으로 현행 정액수가제와 같은 정도로 입법목적을 달성하면서 기본권을 덜 제한하는 수단이 명백히 존재한다고 보기 어렵고, 의료급여수급자가 입게 되는 불이익이 공익보다 크다고 볼 수도 없다. 심판대상조항은 수급권자인 청구인의 의료행위선택권을 침해하지 않는다. (헌재 2020.4.23. 2017헌마103)

정답 ③

013 회독 ☐☐☐ 재구성　　　　　　　　　　　　　　　　　　23 입시, 19 법무사

일반적 행동자유권에 대한 설명으로 옳지 않은 것은? (다툼이 있는 경우 판례에 의함)

① 가족에 대한 수형자의 교통접견권은 비록 헌법에 열거되지 아니하였지만 행복추구권에 포함되는 기본권의 하나인 일반적 행동자유권으로부터 나온다.
② 가사소송에서 본인출석주의를 규정한 「가사소송법」 조항은 소송 당사자의 일반적 행동의 자유를 침해하지 않는다.
③ 공무원의 기부금품 모집을 금지하는 「기부금품의 모집 및 사용에 관한 법률」 조항은 과잉금지원칙에 부합하여 일반적 행동자유권을 침해하지 않는다.
④ 일반공중의 사용에 제공된 공공용물을 그 제공목적대로 이용하는 일반사용 내지 보통사용에 관한 권리는 일반적 행동자유권의 보호영역에 포함되지 않는다.

해설

① (O) [19 법무사]
② (O) [23 입시]

> 가사소송의 특성상 당사자 본인의 진술을 직접 들어 적정한 재판을 하여야 하는 공익은 청구인이 변론기일에 출석하지 아니하고 대리인을 출석시킴으로써 생업 등의 시간을 확보하고자 하는 사익에 비하여 결코 작다고 할 수 없어 법익의 균형성도 인정되므로, 이 사건 법률조항은 가사소송 당사자의 일반적 행동의 자유를 침해하지 아니한다. (헌재 2012.10.25. 2011헌마598)

③ (O) 헌재 2019.11.28. 2018헌마579 [23 입시]
④ (X) [23 입시]

> 일반공중의 사용에 제공된 공공용물을 그 제공목적대로 이용하는 것은 일반사용 내지 보통사용에 해당하는 것으로 따로 행정주체의 허가를 받을 필요가 없는 행위이다. 이처럼 일반공중에게 개방된 장소인 서울광장을 개별적으로 통행하거나 서울광장에서 여가활동이나 문화활동을 하는 것은 일반적 행동자유권의 내용으로 보장됨에도 불구하고, 피청구인이 이 사건 통행제지행위에 의하여 청구인들의 이와 같은 행위를 할 수 없게 하였으므로 청구인들의 일반적 행동자유권을 침해한다. (헌재 2011.6.30. 2009헌마406)

정답 ④

기출지문 OX

헌법에 열거되지 아니한 자유와 권리로 새롭게 인정되기 위해서는 구체적 권리로서의 실체뿐만 아니라 그 필요성 또한 특별히 인정되어야 한다. 14 국가7급　　(O / X)

해설

> 헌법에 열거되지 아니한 기본권을 새롭게 인정하려면, ㉠ 그 필요성이 특별히 인정되고, ㉡ 그 권리 내용(보호영역)이 비교적 명확하여 구체적 기본권으로서의 실체, 즉 권리 내용을 규범상대방에게 요구할 힘이 있고, ㉢ 그 실현이 방해되는 경우 재판에 의하여 그 실현을 보장받을 수 있는 구체적 권리로서의 실질에 부합하여야 할 것이다. (헌재 2009.5.28. 2007헌마369)

정답 O

014

헌법 제10조에 대한 설명으로 옳은 것은? (다툼이 있는 경우 판례에 의함)

① 육군 장교가 민간법원에서 약식명령을 받아 확정되면 자진 신고할 의무를 규정한, '2020년도 장교 진급 지시'의 해당 부분 중 '민간법원에서 약식명령을 받아 확정된 사실이 있는 자'에 관한 부분은 청구인인 육군 장교의 일반적 행동의 자유를 침해한다.
② 자동차 운전 중 휴대용 전화를 사용하는 것을 금지하고, 이를 위반시 처벌하도록 규정한 것은 운전자의 일반적 행동자유권을 침해하는 것이다.
③ 버스전용차로로 통행할 수 있는 차가 아닌 차의 버스전용차로 통행을 원칙적으로 금지하고 대통령령으로 정하는 예외적인 경우에만 이를 허용하도록 규정한 것은 일반승용차 소유자의 일반적 행동자유권의 일환인 통행의 자유를 침해한다.
④ 거짓이나 그 밖의 부정한 수단으로 운전면허를 받은 경우 모든 범위의 운전면허를 필요적으로 취소하도록 규정하여 부정취득하지 않은 운전면허까지 필요적으로 취소하도록 한 것은 운전면허소유자의 일반적 행동의 자유를 침해한다.

해설

① (✕) [22 경찰1차]

> 육군 장교가 민간법원에서 약식명령을 받아 확정되면 자진 신고할 의무를 규정한 '2020년도 장교 진급 지시'조항 및 '2021년도 장교 진급 지시'조항은 일반적 행동의 자유를 침해하지 않는다. (헌재 2021.8.31. 2020헌마12 등【기각】)

② (✕) 이 사건 법률조항이 과잉금지원칙에 반하여 일반적 행동자유권을 침해한다고 볼 수 없다. (헌재 2021.6.24. 2019헌바5) [22 변호사]

③ (✕) [22 변호사]

> 전용차로로 통행할 수 있는 차가 아닌 차의 전용차로 통행을 원칙적으로 금지하고 대통령령으로 정하는 예외적인 경우에만 이를 허용하며, 전용차로 통행금지를 위반한 경우 과태료에 처하도록 한 도로교통법 제15조 제3항 및 도로교통법 제160조 제3항 중 제15조 제3항에 관한 부분은 과잉금지원칙에 위반되어 일반적 행동자유권을 침해한다고 볼 수 없다. (헌재 2018.11.29. 2017헌바465【합헌】)

④ (○) [22 변호사]

> 거짓이나 그 밖의 부정한 수단으로 운전면허를 받은 경우 모든 범위의 운전면허를 필요적으로 취소하도록 한 구 도로교통법 제93조 제1항 단서, 구 도로교통법 제93조 제1항 단서, 도로교통법 제93조 제1항 단서 중 각 제8호의 '거짓이나 그 밖의 부정한 수단으로 운전면허를 받은 경우'에 관한 부분 가운데, 각 '거짓이나 그 밖의 부정한 수단으로 받은 운전면허를 제외한 운전면허'를 필요적으로 취소하도록 한 부분은 일반적 행동의 자유 또는 직업의 자유를 침해한다. (헌재 2020.6.25. 2019헌가9 등【위헌】)

정답 ④

015

계약의 자유에 관한 다음 설명 중 가장 옳지 않은 것은? (다툼이 있는 경우 판례에 의함)

① 「도로교통법」상 주취 중 운전금지규정을 3회 위반한 경우 운전면허를 필요적으로 취소하도록 규정한 것은 과잉금지원칙에 반하여 일반적 행동자유권을 침해하지 않는다.
② 결혼식 등의 당사자가 자신을 축하하러 온 하객들에게 주류와 음식물을 접대하는 행위는 인류의 오래된 보편적인 사회생활의 한 모습으로서 개인의 일반적인 행동의 자유영역에 속한다.
③ 최저임금의 적용을 위해 주(週) 단위로 정해진 근로자의 임금을 시간에 대한 임금으로 환산할 때, 해당 임금을 1주 동안의 소정 근로시간 수와 법정 주휴시간 수를 합산한 시간 수로 나누도록 한 규정은 임금의 수준에 관한 사용자의 계약의 자유를 침해하지 않는다.
④ 증여계약의 합의해제에 따라 신고기한 이내에 증여받은 재산을 반환하는 경우 처음부터 증여가 없었던 것으로 보는 대상에서 '금전'을 제외한 규정은 수증자의 계약의 자유를 침해한다.
⑤ 석조, 석회조, 연와조 또는 이와 유사한 견고한 건물 기타 공작물의 소유를 목적으로 하는 토지임대차나 식목, 채염을 목적으로 하는 토지임대차를 제외한 임대차의 존속기간을 예외 없이 20년으로 제한한 조항은 사적 자치에 의한 자율적 거래관계 형성을 왜곡하므로 계약의 자유를 침해한다.

해설

① (O) [11 국가7급]
> 주취 중 운전금지규정을 3회 위반한 경우 운전면허를 필요적으로 취소하도록 규정한 것은 과잉금지의 원칙에 반하여 직업의 자유 내지 일반적 행동의 자유를 침해하지 아니한다. (헌재 2006.5.25. 2005헌바91)

② (O) [11 국가7급]
> 결혼식 등의 당사자가 자신을 축하하러 온 하객들에게 주류와 음식물을 접대하는 행위는 인류의 오래된 보편적인 사회생활의 한 모습으로서 개인의 일반적인 행동의 자유영역에 속하는 행위이므로 이는 헌법 제37조 제1항에 의하여 경시되지 아니하는 기본권이며 헌법 제10조가 정하고 있는 행복추구권에 포함되는 일반적 행동자유권으로서 보호되어야 할 기본권이다. (헌재 1998.10.15. 98헌마168)

③ (O) [22 법원직]
> 비교대상 임금에는 주휴수당이 포함되어 있고, 주휴수당은 근로기준법에 따라 주휴시간에 대하여 당연히 지급해야 하는 임금이라는 점을 감안하면, 비교대상 임금을 시간급으로 환산할 때 소정 근로시간 수 외에 법정 주휴시간 수까지 포함하여 나누도록 하는 것은 그 합리성을 수긍할 수 있다. 근로기준법이 근로자에게 유급주휴일을 보장하도록 하고 있다는 점을 고려할 때, 소정 근로시간 수와 법정 주휴시간 수 모두에 대하여 시간급 최저임금액 이상을 지급하도록 하는 것이 그 자체로 사용자에게 지나치게 가혹하다고 보기는 어렵다. 따라서 이 사건 시행령조항은 과잉금지원칙에 위배되어 사용자의 계약의 자유 및 직업의 자유를 침해한다고 볼 수 없다. (헌재 2020.6.25. 2019헌마15)

④ (X) [22 법원직]
> 증여계약의 합의해제에 따라 신고기한 이내에 증여받은 재산을 반환하는 경우 처음부터 증여가 없었던 것으로 보는 대상에서 '금전'을 제외한 규정은 수증자의 계약의 자유를 침해하지 않는다. (헌재 2015.12.23. 2013헌바117)

⑤ (O) [22 법원직]
> 이 사건 법률조항은 입법취지가 불명확하고, 사회경제적 효율성 측면에서 일정한 목적의 정당성이 인정된다고 하더라도 과잉금지원칙을 위반하여 계약의 자유를 침해한다. (헌재 2013.12.26. 2011헌바234)

정답 ④

016

자기결정권에 대한 설명으로 옳지 않은 것만을 모두 고르면? (다툼이 있는 경우 판례에 의함)

ㄱ. 「형법」상 자기낙태죄 조항은 입법목적을 달성하기 위하여 필요한 최소한의 정도를 넘어 임신한 여성의 자기결정권을 제한하고 있어 침해의 최소성을 갖추지 못하였고, 태아의 생명보호라는 공익에 대하여만 일방적이고 절대적인 우위를 부여함으로써 법익균형성의 원칙도 위반하였으므로 과잉금지원칙을 위반하여 임신한 여성의 자기결정권을 침해한다.

ㄴ. 「성폭력범죄의 처벌 등에 관한 특례법」상 정신적인 장애로 항거불능 또는 항거곤란상태에 있음을 이용하여 사람을 간음한 사람을 무기징역 또는 7년 이상의 징역에 처하도록 규정한 것은 정신적 장애인의 성적 자기결정권을 침해한다.

ㄷ. 전동킥보드의 최고속도를 25km/h 이내로 제한하는 것은 소비자가 그보다 빠른 제품을 구매하지 못하여 겪는 자기결정권 및 일반적 행동자유권의 제약에 비하여, 소비자의 생명·신체에 대한 위해 및 도로교통상의 위험을 방지하고 향후 자전거도로 통행이 가능해질 경우를 대비하여 소비자의 편의를 도모한다는 공익이 중대하므로 과잉금지원칙에 위반되지 않는다.

ㄹ. 법무부장관으로 하여금 합격자가 결정되면 즉시 명단을 공고하고 합격자에게 합격증서를 발급하도록 한 「변호사시험법」 조항은 전체 합격자의 응시번호만을 공고하는 등의 방법으로도 입법목적을 달성할 수 있음에도 변호사시험 응시 및 합격 여부에 관한 사실을 널리 공개되게 함으로써 과잉금지원칙에 위배되어 변호사시험응시자의 개인정보자기결정권을 침해한다.

① ㄱ, ㄴ
② ㄱ, ㄷ
③ ㄴ, ㄹ
④ ㄷ, ㄹ

해설

ㄱ. (O) 목적의 정당성과 수단의 적합성은 인정되지만, 침해의 최소성 위반으로 헌법불합치되었다. (헌재 2019.4.11. 2017헌바127) [22 5급행시]

ㄴ. (✗) [22 5급행시]

> 성적 자기결정권을 행사할 능력이 있는 19세 이상의 정신적 장애인과 정상적인 합의하에 성관계를 한 사람은 심판대상조항에 의하여 처벌되지 아니하므로, 심판대상조항이 정신적 장애인의 성적 자기결정권을 침해하거나 장애인과 비장애인을 차별하지 아니한다. (헌재 2016.11.24. 2015헌바136)

ㄷ. (O) [22 5급행시]

> 심판대상조항은 청구인의 신체의 자유를 제한하는 것은 아니고, 위험성을 가진 재화의 제조·판매조건을 제약함으로써 최고속도 제한이 없는 전동킥보드를 구입하여 사용하고자 하는 소비자의 자기결정권 및 일반적 행동자유권을 제한할 뿐이다. 심판대상조항은 과잉금지원칙을 위반하여 소비자의 자기결정권 및 일반적 행동자유권을 침해하지 아니한다. (헌재 2020.2.27. 2017헌마1339)

ㄹ. (✗) [21 입시]

> 변호사시험 합격자 전체 명단을 매회 공고하여 누구나 이를 열람할 수 있도록 하면 시험관리당국이 더 엄정한 기준과 절차를 통하여 합격자를 선정할 것이 기대된다. 따라서 심판대상조항은 시험관리업무의 투명성 강화에 기여하며, 합격자 선정과 관련한 부당한 특혜 시비의 발생가능성을 낮출 수 있다. 또한 시험관리당국의 합격자 중복 선정 등 오류를 방지하는 데 도움이 될 수 있다. 이상을 종합하면, 입법목적을 달성하는 데 덜 침해적인 수단이 발견되지 아니하며, 청구인들의 침해되는 사익보다 달성되는 공익이 더 크다고 할 수 있다. 따라서 심판대상조항은 침해의 최소성과 법익의 균형성 요건도 충족한다. (헌재 2020.4.6. 2018헌마77 등)

정답 ③

017 회독 ☐☐☐ 재구성   19 국가7급

자기결정권에 대한 설명으로 옳지 않은 것만을 모두 고르면? (다툼이 있는 경우 판례에 의함)

> ㄱ. 집회참가자들에 대한 경찰의 촬영행위는 개인정보자기결정권의 보호대상이 되는 신체, 특정인의 집회·시위 참가 여부 및 그 일시·장소 등의 개인정보를 정보주체의 동의 없이 수집하였다는 점에서 개인정보자기결정권을 제한할 수 있다
> ㄴ. 부모가 자녀의 이름을 지어주는 것은 자녀의 양육과 가족생활을 위하여 필수적인 것이고, 가족생활의 핵심적 요소라 할 수 있으므로, '부모가 자녀의 이름을 지을 자유'는 혼인과 가족생활을 보장하는 헌법 제36조 제1항과 행복추구권을 보장하는 헌법 제10조에 의하여 보호받는다.
> ㄷ. 혼인을 빙자하여 부녀를 간음한 남자를 처벌하는 「형법」 조항은 사생활의 비밀과 자유를 제한하는 것이라고 할 수 있지만, 혼인을 빙자하여 부녀를 간음한 남자의 성적 자기결정권을 제한하는 것은 아니다.
> ㄹ. 장기보존이 가능한 탁주를 제외한 탁주의 공급구역을 주류제조장 소재지의 시·군의 행정구역으로 제한하는 것에 대하여 탁주제조업자나 판매업자의 직업의 자유와 소비자의 자기결정권을 침해하지 않는다고 하였다가 탁주제조업자나 판매업자의 직업의 자유와 소비자의 자기결정권을 침해한다고 하였다.

① ㄱ, ㄴ   ② ㄱ, ㄹ   ③ ㄴ, ㄷ   ④ ㄷ, ㄹ

해설

ㄱ. (○)

> [1] 이 사건 채증규칙(경찰청 예규)은 법률의 구체적인 위임 없이 제정된 경찰청 내부의 행정규칙에 불과하고, 청구인들은 구체적인 촬영행위에 의해 비로소 기본권을 제한받게 되므로, 이 사건 채증규칙이 직접 기본권을 침해한다고 볼 수 없다. 【각하】
> [2] 피청구인이 집회에 참가한 청구인들을 촬영한 행위는 청구인들의 일반적 인격권, 개인정보자기결정권, 집회의 자유를 침해하지 않는다. 【기각】
>> 개인정보자기결정권은 자신에 관한 정보가 언제 누구에게 어느 범위까지 알려지고 또 이용되도록 할 것인지를 그 정보주체가 스스로 결정할 수 있는 권리이다. 개인정보자기결정권의 보호대상이 되는 개인정보는 개인의 신체, 신념, 사회적 지위, 신분 등과 같이 개인의 인격주체성을 특징짓는 사항으로서 개인의 동일성을 식별할 수 있게 하는 일체의 정보라고 할 수 있고, 반드시 개인의 내밀한 영역이나 사사(私事)의 영역에 속하는 정보에 국한되지 않고 공적 생활에서 형성되었거나 이미 공개된 정보까지 포함한다. 또한 이러한 개인정보를 대상으로 한 조사·수집·보관·처리·이용 등의 행위는 원칙적으로 개인정보자기결정권에 대한 제한에 해당한다. 따라서 경찰의 촬영행위는 개인정보자기결정권의 보호대상이 되는 신체, 특정인의 집회·시위 참가 여부 및 그 일시·장소 등의 개인정보를 정보주체의 동의 없이 수집하였다는 점에서 개인정보자기결정권을 제한할 수 있다. (헌재 2018.8.30. 2014헌마843)

ㄴ. (○) 헌재 2016.7.28. 2015헌마964

ㄷ. (×)

> 형법 제304조 중 '혼인을 빙자하여 음행의 상습 없는 부녀를 기망하여 간음한 자' 부분은 헌법 제37조 제2항의 과잉금지원칙을 위반하여 남성의 성적 자기결정권 및 사생활의 비밀과 자유를 침해한다. (헌재 2009.11.26. 2008헌바58 등)
> [1] 이 사건 법률조항의 경우 입법목적에 정당성이 인정되지 않는다.
> [2] 여성을 유아시함으로써 여성을 보호한다는 미명 아래 사실상 국가 스스로가 여성의 성적 자기결정권을 부인하는 것이 되므로, 이 사건 법률조항이 보호하고자 하는 여성의 성적 자기결정권은 여성의 존엄과 가치에 역행하는 것이다. 결국 이 사건 법률조항은 목적의 정당성, 수단의 적절성 및 피해최소성을 갖추지 못하였고 법익의 균형성도 이루지 못하였으므로, 헌법 제37조 제2항의 과잉금지원칙을 위반하여 남성의 성적 자기결정권 및 사생활의 비밀과 자유를 과잉제한하는 것으로 헌법에 위반된다.

ㄹ. (×) 탁주의 공급구역을 주류제조장 소재지의 시·군의 행정구역으로 제한하는 것에 대하여 합헌결정을 하였고 그 후 판례변경은 없다.

정답 ④

018   21 국가7급

행복추구권에 대한 설명으로 옳지 않은 것은? (다툼이 있는 경우 판례에 의함)

① 공정거래위원회의 명령으로「독점규제 및 공정거래에 관한 법률」위반의 혐의자에게 스스로 법 위반사실을 인정하여 공표하도록 강제하고 있는 '법 위반사실 공표명령' 부분은 헌법상 일반적 행동의 자유, 명예권, 무죄추정권 및 양심의 자유를 침해한다.
② 공문서의 한글전용을 규정한「국어기본법」및「국어기본법 시행령」의 해당 조항은 '공공기관 등이 작성하는 공문서'에 대하여만 적용되고, 일반국민이 공공기관 등에 접수·제출하기 위하여 작성하는 문서나 일상생활에서 사적 의사소통을 위해 작성되는 문서에는 적용되지 않으므로 청구인들의 행복추구권을 침해하지 않는다.
③ 「수상레저안전법」상 조종면허를 받은 사람이 동력수상레저기구를 이용하여 범죄행위를 하는 경우에 조종면허를 필요적으로 취소하도록 하는 구「수상레저안전법」상 규정은 직업의 자유 내지 일반적 행동의 자유를 침해한다.
④ 청구인이 공적인 인물의 부당한 행위를 비판하는 과정에서 모욕적인 표현을 사용한 행위가 사회상규에 위배되지 아니하는 행위로서 정당행위에 해당될 여지가 있음에도, 이에 대한 판단 없이 청구인에게 모욕 혐의를 인정한 피청구인의 기소유예처분은 청구인의 행복추구권을 침해한다.

해설

① (✗) '법 위반사실 공표명령' 부분은 헌법상 일반적 행동의 자유, 명예권, 무죄추정원칙을 침해하지만, 양심의 자유를 침해하는 것은 아니다. (헌재 2002.1.31. 2001헌바43)
② (○) 헌재 2009.5.28. 2006헌마618 【기각】
③ (○) 헌재 2015.7.30. 2014헌가13
④ (○) 정당행위가 되면 범죄가 성립하지 않는데 기소유예를 한 것은 헌법에 위반된다. (헌재 2020.9.24. 2019헌마1285)

정답 ①

019 [20 서울·지방7급, 14 국가7급]

일반적 행동자유권에 대한 설명으로 옳지 않은 것은? (다툼이 있는 경우 판례에 의함)

① 사회복지법인의 법인운영의 자유는 헌법 제10조의 행복추구권에서 보장되는 일반적 행동자유권 내지 사적자치권으로 보장되는 것이다.

② 일반적 행동자유권의 보호대상으로서 행동이란 국가가 간섭하지 않으면 자유롭게 할 수 있는 행위를 의미하므로 병역의무 이행으로서 현역병 복무도 국가가 간섭하지 않으면 자유롭게 할 수 있는 행위에 속한다는 점에서, 현역병으로 복무할 권리도 일반적 행동자유권에 포함된다.

③ 헌법 제10조에 의하여 보장되는 행복추구권 속에는 일반적 행동자유권이 포함되고, 이 일반적 행동자유권으로부터 계약체결의 여부, 계약의 상대방, 계약의 방식과 내용 등을 당사자의 자유로운 의사로 결정할 수 있는 계약의 자유가 파생한다.

④ 헌법 제10조가 정하고 있는 행복추구권에서 파생하는 자기결정권 내지 일반적 행동자유권은 이성적이고 책임감 있는 사람의 자기 운명에 대한 결정·선택을 존중하되 그에 대한 책임은 스스로 부담함을 전제로 한다.

해설

① (O) 헌재 2005.2.3. 2004헌바10 [14 국가7급]

② (X) [20 서울·지방7급]

> 헌법 제10조의 행복추구권에서 파생하는 일반적 행동자유권은 모든 행위를 하거나 하지 않을 자유를 내용으로 하나, 그 보호대상으로서의 행동이란 국가가 간섭하지 않으면 자유롭게 할 수 있는 행위 내지 활동을 의미하고, 이를 국가권력이 가로막거나 강제하는 경우 자유권의 침해로서 논의될 수 있다 할 것인데, 병역의무의 이행으로서의 현역병 복무는 국가가 간섭하지 않으면 자유롭게 할 수 있는 행위에 속하지 않으므로, 현역병으로 복무할 권리가 일반적 행동자유권에 포함된다고 할 수도 없다. (헌재 2010.12.28. 2008헌마527)

③ (O) 계약의 자유에 관한 헌법상 명문규정은 없지만, 일반적 행동자유권의 일종으로 인정된다. [20 서울·지방7급]

④ (O) 자기결정권의 내용이다. [20 서울·지방7급]

정답 ②

020

일반적 행동자유권에 대한 설명으로 옳지 않은 것만을 모두 고르면? (다툼이 있는 경우 판례에 의함)

ㄱ. 세월호피해지원에 관한 배상금을 수령하는 경우, 세월호 참사에 관하여 어떤 방법으로도 일체의 이의를 제기하지 않을 것을 서약하도록 하는 것은 일반적 행동의 자유를 침해한다.
ㄴ. 아동·청소년대상 성범죄자에게 1년마다 정기적으로 새로 촬영한 사진을 제출하도록 하고 정당한 사유 없이 사진제출의무를 위반한 경우 형사처벌을 하도록 한 것은 일반적 행동자유권에 대한 침해이다.
ㄷ. 형의 집행유예와 동시에 사회봉사명령을 선고받는 경우, 신체의 자유가 제한될 뿐이지 일반적 행동자유권이 제한되는 것은 아니다.
ㄹ. 「부정청탁 및 금품 등 수수의 금지에 관한 법률」의 부정청탁금지조항 및 금품수수금지조항은 과잉금지원칙을 위반하여 언론인 및 사립학교 관계자의 일반적 행동자유권을 침해한다.

① ㄱ, ㄴ, ㄷ
② ㄱ, ㄷ, ㄹ
③ ㄴ, ㄷ, ㄹ
④ ㄱ, ㄴ, ㄷ, ㄹ

해설

ㄱ. (○) [18 입시]
배상금 등을 지급받으려는 신청인으로 하여금 '세월호 참사에 관하여 일체의 이의를 제기하지 않을 것을 서약한다'는 취지가 기재된 동의서를 제출하도록 규정하고 있는 4·16세월호 참사 피해구제 및 지원 등을 위한 특별법 시행령 제15조 중 별지 제15호 서식 가운데 일체의 이의제기를 금지한 부분은 법률유보원칙에 위반하여 청구인들의 일반적 행동의 자유를 침해하므로 헌법에 위반된다. (헌재 2017.6.29. 2015헌마654)

ㄴ. (×) [17 국가7급(하)]
외모라는 신상정보의 특성에 비추어 보면 변경되는 정보의 보관을 위하여 정기적으로 사진을 제출하게 하는 방법 외에는 다른 대체수단을 찾기 어렵고, 등록의무자에게 매년 새로 촬영된 사진을 제출하게 하는 것이 그리 큰 부담은 아닐 뿐만 아니라, 의무위반시 제재방법은 입법자에게 재량이 있으며 형벌 부과는 입법재량의 범위 내에 있고 또한 명백히 잘못되었다고 할 수는 없으며, 법정형 또한 비교적 경미하므로 침해의 최소성원칙 및 법익균형성원칙에도 위배되지 아니한다. 따라서 이 사건 심판대상조항은 일반적 행동의 자유를 침해하지 아니한다. (헌재 2015.7.30. 2014헌바257)

ㄷ. (×) [17 국가7급(하)]
이 사건 법률조항에 의하여 형의 집행유예와 동시에 사회봉사명령을 선고받은 청구인은 자신의 의사와 무관하게 사회봉사를 하지 않을 수 없게 되어 헌법 제10조의 행복추구권에서 파생하는 일반적 행동의 자유를 제한받게 된다. 청구인은 이 사건 법률조항이 신체의 자유를 제한한다고 주장하나, 이 사건 법률조항에 의한 사회봉사명령은 청구인에게 근로의무를 부과함에 그치고 공권력이 신체를 구금하는 등의 방법으로 근로를 강제하는 것은 아니어서 이 사건 법률조항이 신체의 자유를 제한한다고 볼 수 없다. (헌재 2012.3.29. 2010헌바100)

ㄹ. (×) [18 국회8급]
부정청탁 및 금품 등 수수의 금지에 관한 법률(일명 김영란법)은 헌법에 위반되지 아니한다. (헌재 2016.7.28. 2015헌마236 등)
[1] 청구인 사단법인 한국기자협회의 심판청구의 적법 여부
  사단법인 한국기자협회가 그 구성원인 기자들을 대신하여 헌법소원을 청구할 수도 없으므로, 위 청구인의 심판청구는 기본권 침해의 자기관련성을 인정할 수 없어 부적법하다.
[2] 제한되는 기본권
  가. 심판대상조항은 금지명령의 형태로 청구인들에게 특정 행위를 금지하거나 법적 의무를 부과하여 청구인들이 하고 싶지 않은 일을 강요하고 있으므로, 청구인들의 일반적 행동자유권을 제한한다.

나. 심판대상조항은 언론인과 취재원의 통상적 접촉 등 정보의 획득은 물론 보도와 논평 등 의견의 전파에 이르기까지 자유로운 여론 형성과정에서 언론인의 법적 권리에 어떤 제한도 하고 있지 않다. … 심판대상조항에 의하여 직접적으로 언론의 자유와 사학의 자유가 제한된다고 할 수는 없다.
다. 신고조항과 제재조항은 배우자가 수수금지 금품 등을 받거나 그 제공의 약속 또는 의사표시를 받았다는 객관적 사실 즉, 배우자를 통해 부적절한 청탁을 시도한 사람이 있다는 것을 고지할 의무를 부과할 뿐이므로 청구인들의 양심의 자유를 직접 제한한다고 볼 수 없다.

정답 ③

기출지문 OX

❶ LPG를 연료로 사용할 수 있는 자동차 또는 그 사용자의 범위를 제한하고 있는 「액화석유가스의 안전관리 및 사업법 시행규칙」 조항은 LPG승용자동차를 소유하고 있거나 운행하려는 자의 일반적 행동자유권을 침해한다. 18 국회8급   (O / X)

해설
액화석유가스를 연료로 사용하는 자동차 또는 그 사용자의 범위를 제한하는 액화석유가스의 안전관리 및 사업법 시행규칙 제40조는 LPG승용자동차를 소유하고 있거나 운행하려는 청구인들의 일반적 행동자유권 및 재산권을 침해하지 아니한다. (헌재 2017.12.28. 2015헌마997)

정답 X

❷ 금치기간 중 신문·도서·잡지 외 자비구매물품의 사용을 제한하는 「형의 집행 및 수용자의 처우에 관한 법률」 조항은 수용자의 일반적 행동의 자유를 침해하지 않는다. 17 국회8급   (O / X)

해설
[1] 금치처분을 받은 사람은 소장이 지급하는 음식물, 의류·침구, 그 밖의 생활용품을 통하여 건강을 유지하기 위한 필요 최소한의 생활을 영위할 수 있고, 의사가 치료를 위하여 처방한 의약품은 여전히 사용할 수 있다. 또한 위와 같은 불이익은 규율 준수를 통하여 수용질서를 유지한다는 공익에 비하여 크다고 할 수 없다.
[2] 청구인의 일반적 행동의 자유를 침해하지 아니한다. (헌재 2016.5.26. 2014헌마45)

정답 O

예상판례

교도소 수용자의 동절기 취침시간을 21:00로 정한 행위는 일반적 행동자유권을 제한하지만 헌법에 위반되지 않는다. (헌재 2016.6.30. 2015헌마36)

제3절 평등권

021 NEW

24 입시

헌법상 평등원칙(평등권)에 대한 〈보기〉의 설명 중 옳은 것만을 모두 고르면? (다툼이 있는 경우 판례에 의함)

보기

ㄱ. 「형법」상 모욕죄·사자명예훼손죄와 「정보통신망 이용촉진 및 정보보호 등에 관한 법률」의 명예훼손죄는 사람의 가치에 대한 사회적 평가인 이른바 '외적명예'를 보호법익으로 한다는 점에서 불법성이 유사함에도, 「형법」상 친고죄인 모욕죄·사자명예훼손죄와 달리 정보통신망법이 제70조 제2항의 명예훼손죄를 반의사불벌죄로 규정한 것은 형벌체계상 균형을 상실하여 평등원칙에 위반된다.

ㄴ. 1983.1.1. 이후에 출생한 A형 혈우병 환자에 한하여 유전자재조합제제에 대한 요양급여를 인정하는 보건복지가족부 고시조항은 제도의 단계적인 개선에 해당하므로, 환자의 범위를 한정하는 과정에서 A형 혈우병 환자들의 출생 시기에 따라 이들에 대한 유전자재조합제제의 요양급여 허용 여부를 달리 취급하는 것은 합리적인 이유가 있는 차별이다.

ㄷ. 중혼의 취소청구권자를 어느 범위까지 포함할 것인지 여부에 관하여는 입법자의 입법재량의 폭이 넓은 영역이라는 점에서 자의금지원칙 위반 여부를 심사하는 것으로 충분하다.

ㄹ. 「병역법」 제34조 제3항이 전문연구요원과 달리 공중보건의사가 군사교육에 소집된 기간을 복무기간에 산입하지 않도록 규정하고 있더라도 이는 합리적인 이유가 있는 차별이므로 공중보건의사의 평등권을 침해하지 않는다.

① ㄱ, ㄴ
② ㄱ, ㄷ
③ ㄴ, ㄷ
④ ㄴ, ㄹ
⑤ ㄷ, ㄹ

해설

ㄱ. (✗)

> 국가소추주의의 예외 내지 제한으로서 친고죄·반의사불벌죄가 지니는 의미, 공소권 행사로 얻을 수 있는 이익과 피해자의 의사에 따라 공소권 행사를 제한함으로써 얻을 수 있는 이익의 조화 등을 입법자는 종합적으로 형량하여 그 친고죄·반의사불벌죄 여부를 달리 정한 것이므로, 심판대상조문은 형벌체계상 균형을 상실하지 않아 평등원칙에 위반되지 아니한다. (헌재 2021.4.29. 2018헌바113)

ㄴ. (✗)

> 이 사건 고시 조항이 수혜자 한정의 기준으로 정한 환자의 출생 시기는 그 부모가 언제 혼인하여 임신, 출산을 하였는지와 같은 우연한 사정에 기인하는 결과의 차이일 뿐, 이러한 차이로 인해 A형 혈우병 환자들에 대한 치료제인 유전자재조합제제의 요양급여 필요성이 달라진다고 할 수는 없으므로, A형 혈우병 환자들의 출생 시기에 따라 이들에 대한 유전자재조합제제의 요양급여 허용 여부를 달리 취급하는 것은 합리적인 이유가 있는 차별이라고 할 수 없다. 따라서 이 사건 고시 조항은 청구인들의 평등권을 침해하는 것이다. (헌재 2012.6.27. 2010헌마716)

ㄷ. (O)

> 중혼의 취소청구권자를 규정한 이 사건 법률조항은 그 취소청구권자로 직계존속과 4촌 이내의 방계혈족을 규정하면서도 직계비속을 제외하였는바, 직계비속을 제외하면서 직계존속만을 취소청구권자로 규정한 것은 가부장적·종법적인 사고에 바탕을 두고 있고, 직계비속이 상속권 등과 관련하여 중혼의 취소청구를 구할 법률적인 이해관계가 직계존속과 4촌 이내의 방계혈족 못지않게 크며, 그 취소청구권자의 하나로 규정된 검사에게 취소청구를 구한다고 하여도 검사로 하여금 직권발동을 촉구하는 것에 지나지 않은 점 등을 고려할 때, 합리적인 이유 없이 직계비속을 차별하고 있어, 평등원칙에 위반된다. 자의금지원칙 위반 여부를 심사하는 것으로 족하다고 할 것이다.
> (헌재 2010.7.29. 2009헌가8)

ㄹ. (O) 헌재 2020.9.24. 2019헌마472

정답 ⑤

022 24 국회8급

평등권에 대한 설명으로 옳은 것은?

① 내국인 및 영주(F-5)·결혼이민(F-6)의 체류자격을 가진 외국인과 달리 외국인 지역가입자에 대하여 납부할 월별 보험료의 하한을 전년도 전체 가입자의 평균을 고려하여 정하는 구「장기체류 재외국민 및 외국인에 대한 건강보험 적용기준」제6조 제1항에 의한 [별표 2] 제1호 단서는 합리적인 이유없이 외국인을 내국인 등과 달리 취급한 것으로서 평등권을 침해한다.

② 헌법재판소는 동물약국 개설자가 수의사 또는 수산질병관리사의 처방전 없이 판매할 수 없는 동물용 의약품을 규정한 「처방대상 동물용 의약품 지정에 관한 규정」제3조가 의약분업이 이루어지지 않은 동물 분야에서 수의사가 동물용 의약품에 대한 처방과 판매를 사실상 독점할 수 있도록 하여 동물약국 개설자의 직업수행의 자유를 침해하는지 여부를 판단하는 이상 평등권 침해 여부에 관하여는 따로 판단하지 아니하였다.

③ 확정판결의 기초가 된 민사나 형사의 판결, 그 밖의 재판 또는 행정처분이 다른 재판이나 행정처분에 따라 바뀌어 당사자가 행정소송의 확정판결에 대하여 재심을 제기하는 경우, 재심제기기간을 30일로 정한 「민사소송법」을 준용하는 「행정소송법」제8조 제2항 중 「민사소송법」제456조 제1항 가운데 제451조 제1항 제8호에 관한 부분을 준용하는 부분은 행정소송 당사자의 평등권을 침해한다.

④ 구「감염병의 예방 및 관리에 관한 법률」제70조 제1항에 감염병환자가 방문한 영업장의 폐쇄 등과 달리, 감염병의 예방을 위하여 집합제한조치를 받은 영업장의 손실을 보상하는 규정을 두고 있지 않은 것은 평등권을 침해한다.

⑤ 예비역 복무의무자의 범위에서 일반적으로 여성을 제외하는 구「병역법」제3조 제1항 중 '예비역 복무'에 관한 부분 및 지원에 의하여 현역복무를 마친 여성을 일반적인 여성의 경우와 동일하게 예비역 복무의무자의 범위에서 제외하는 「군인사법」제41조 제4호 및 단서, 제42조는 상근예비역으로 복무 중이던 자의 평등권을 침해한다.

해설

① (×)

외국인 지역가입자에 대하여 ① 보험료 체납시 다음 달부터 곧바로 보험급여를 제한하는 국민건강보험법 제109조 제10항(보험급여제한 조항)은 헌법에 합치되지 아니한다. ② 납부할 월별 보험료하한을 전년도 전체 가입자의 보험료 평균을 고려하여 정하는 구 '장기체류 재외국민 및 외국인에 대한 건강보험 적용기준 제6조 제1항에 의한 [별표 2] 제1호 단서(보험료하한 조항) 및 ③ 보험료 납부단위인 '세대'의 인정범위를 가입자와 그의 배우자 및 미성년 자녀로 한정한 위 보건복지부고시 제6조 제1항에 의한 [별표 2] 제4호(세대구성조항)에 대한 심판청구를 모두 기각한다. (헌재 2023.9.26. 2019헌마1165【①: 헌법불합치, ② · ③: 기각】)

[1] 보험료하한 조항이 외국인에 대하여 내국인등과 다른 보험료하한 산정기준을 적용함으로써 차별취급을 하고 있다고 하더라도 여기에는 합리적인 이유가 있다.

[2] 세대구성조항의 평등권 침해 여부 – 소극

영주(F-5) · 결혼이민(F-6)의 체류자격을 가진 외국인은 체류 기간이나 체류 의사 측면에서 다른 체류자격의 외국인들과는 상당한 차이가 있으므로, 세대구성조항이 일부 체류자격 외국인에 한하여 내국인과 동일한 기준을 적용한 것은 합리적인 이유가 있다. 이를 종합하면, 세대구성조항은 청구인들의 평등권을 침해하지 않는다.

[3] 보험급여제한 조항의 평등권 침해 여부 – 적극

내국인 등 지역가입자의 경우 총 체납횟수가 6회 이상이면, 체납한 보험료를 완납할 때까지 그 가입자 및 피부양자에 대하여 보험급여를 실시하지 아니할 수 있다. 따라서 보험급여제한 조항은 합리적인 이유 없이 외국인인 청구인들을 내국인등과 달리 취급한 것이므로, 청구인들의 평등권을 침해한다.

② (○)

동물약국 개설자가 수의사 또는 수산질병관리사의 처방전 없이 판매할 수 없는 동물용 의약품을 규정한 '처방대상 동물용 의약품 지정에 관한 규정' 제3조에 대한 동물보호자인 청구인들의 심판청구를 모두 각하하고, 동물약국 개설자인 청구인들의 심판청구를 모두 기각하였다. (헌재 2023.6.29. 2021헌마199【각하, 기각】)

④ (×)

'감염병의 예방 및 관리에 관한 법률'상 집합제한 조치로 발생한 손실을 보상하는 규정을 두지 않은 '감염병의 예방 및 관리에 관한 법률' 조항은 헌법에 위반되지 않는다. (헌재 2023.6.29. 2020헌마1669【기각】)

청구인들이 소유하는 영업 시설 · 장비 등에 대한 구체적인 사용 · 수익 및 처분권한을 제한받는 것은 아니므로, 보상규정의 부재가 청구인들의 재산권을 제한한다고 볼 수 없다.

⑤ (×)

이 사건 예비역 조항으로 인한 차별취급을 정당화할 합리적 이유가 인정되므로, 이 사건 예비역 조항은 청구인의 평등권을 침해하지 아니한다. (헌재 2023.10.26. 2018헌마357)

정답 ②

예상판례

❶ 문화재보호법 제27조에 따라 지정된 보호구역에 있는 부동산에 대한 재산세 경감을 규정하고 있는 구 지방세특례제한법 제55조 제2항 제1호 중 '같은 법 제27조에 따라 지정된 보호구역에 있는 부동산'에 관한 부분은 조세평등주의에 위배되지 않는다. (헌재 2024.1.25. 2020헌바479【합헌】)

❷ 전시·사변 등 국가비상사태에 있어서 전투에 종사하는 자에 대하여는 각령이 정하는 바에 의하여 전투근무수당을 지급하도록 한 구 군인보수법 제17조는 명확성원칙 및 평등원칙에 위반되지 않는다. (헌재 2023.8.31. 2020헌바594【합헌】)

❸ **특별교통수단에 있어 표준휠체어만을 기준으로 휠체어 고정설비의 안전기준을 정하고 있는 '교통약자의 이동편의 증진법 시행규칙' 제6조 제3항 [별표 1의2]는 헌법에 합치되지 아니한다.** (헌재 2023.5.25. 2019헌마1234 인용 - 【헌법불합치(잠정적용)】)
심판대상조항은 합리적 이유 없이 표준휠체어를 이용할 수 있는 장애인과 표준휠체어를 이용할 수 없는 장애인을 달리 취급하여 청구인의 평등권을 침해한다. 한편, 청구인은 침해되는 권리로 평등권 이외에 이동권도 들고 있으나 그 취지는 심판대상조항이 표준휠체어만을 기준으로 고정설비의 안전기준을 정하고 있어 합리적 이유 없는 차별이 발생한다는 것이므로 이에 대하여는 별도로 판단하지 아니한다.

❹ ㉠ 서울특별시경찰청장이 서울광역수사대 마약수사계에 장애인전용 주차구역을 설치하지 아니한 부작위, ㉡ 서울고등법원장, 청주지방검찰청 충주지청장, 서울특별시경찰청장, 서울서초경찰서장, 서울구치소장, 인천구치소장이 각각 서울고등법원 서관, 청주지방검찰청 충주지청, 서울광역수사대 마약수사계, 서울서초경찰서, 서울구치소, 인천구치소에 장애인용 승강기를 설치하지 아니한 부작위, ㉢ 청주지방검찰청 충주지청장, 서울특별시경찰청장, 서울서초경찰서장, 서울구치소장, 인천구치소장이 각각 청주지방검찰청 충주지청, 서울광역수사대 마약수사계, 서울서초경찰서, 서울구치소, 인천구치소에 장애인용 화장실을 설치하지 아니한 부작위(이하 이들을 합하여 '이 사건 부작위'라 한다), ㉣ 보건복지부장관이 위 대상시설에 대한 편의시설의 설치·운영에 관한 업무를 총괄하지 아니한 부작위(이하 '보건복지부장관의 부작위'라 한다)를 모두 각하한다는 결정을 선고하였다. (헌재 2023.7.20. 2019헌마709【각하】)
[1] 장애인용 승강기 또는 화장실 등 정당한 편의의 미제공과 관련하여 장애인차별금지법에 따른 차별행위가 존재하는지 여부에 대한 판단과 그러한 차별행위가 존재할 경우에 이를 시정하는 적극적 조치의 이행을 청구하기 위하여 법원의 판결을 구할 수 있다. 그런데 이 사건 기록을 살펴보면 청구인이 위와 같은 구제절차를 거쳤다고 볼 만한 자료가 발견되지 아니하므로, 이 부분 심판청구는 보충성 요건을 흠결하여 부적법하다.
[2] 헌법상 명문 규정이나 헌법의 해석, 법령으로부터 보건복지부장관으로 하여금 위 공공기관들에게 장애인전용 주차구역 등을 설치하거나 시정조치를 하도록 요청할 구체적 작위의무를 도출하기 어렵다. 따라서 이 부분 심판청구는 작위의무 없는 공권력의 불행사에 대한 헌법소원이어서 부적법하다.

023

헌법재판소가 평등권 위반에 대한 심사기준으로 비례원칙을 적용한 것은?

① 「제대군인지원에 관한 법률」에 의하여 공익근무요원의 경우와 달리 산업기능요원의 군 복무기간을 공무원 재직기간으로 산입하지 않은 경우
② 「뉴스통신 진흥에 관한 법률」에 의하여 연합뉴스사만을 국가기간뉴스통신사로 지정하여 각종 지원을 하는 경우
③ 「출입국관리법 시행규칙」에 의하여 단순 노무행위 등 취업활동 종사자 중 불법체류가 많이 발생하는 중국 등 국가의 국민에 대하여 사증발급 신청시 일정한 첨부서류를 제출하도록 한 경우
④ 「공무원임용 및 시험시행규칙」에 따른 국가공무원 7급 시험에서 정보관리기술사, 정보처리기사 자격 소지자에 대해서는 가산점을 부여하고 정보처리기능사 자격 소지자에게는 가산점을 부여하지 않은 경우

해설

① (×)

> 이 사건 법령조항들의 내용은 일정한 군 복무기간을 공무원 재직기간에 산입할 수 있도록 하여 군복무를 마친 자에 대해 일종의 혜택을 부여하는 것이라 할 수 있는바, 그러한 수혜적 성격의 법률에는 입법자에게 광범위한 입법형성의 자유가 인정되므로 그 내용이 합리적인 근거를 가지지 못하여 현저히 자의적일 경우에만 헌법에 위반된다. (헌재 2012.8.23. 2010헌마328 [기각])

② (×)

> 국내 뉴스통신시장의 진흥을 위하여 뉴스통신사에 대한 재정지원 등 혜택을 부여하는 것을 내용으로 하는 시혜적 법률의 경우에는 그 입법형성권의 범위가 더욱 넓어진다고 하겠다. 따라서 이하에서는 자의금지원칙에 입각하여 비교집단으로서 청구인 회사와 연합뉴스사가 국가기간뉴스통신사의 지정 및 뉴스통신사의 진흥을 위한 우선적 처우와 관련하여 본질적으로 어떻게 구별되고, 그러한 차이점이 심판대상조항이 정한 차별취급을 정당화할 정도의 합리적 이유를 가지고 있는지 여부에 관하여 본다. (헌재 2005.6.30. 2003헌마841 [기각])

③ (×)

> 출입국관리에 관한 사항 중 외국인의 입국에 관한 사항은 주권국가로서의 기능을 수행하는데 필요한 것으로서 광범위한 정책재량의 영역이므로(헌재 2005.3.31. 2003헌마87 참조), 심판대상조항들이 청구인 김○철의 평등권을 침해하는지 여부는 자의금지원칙 위반 여부에 의하여 판단하기로 한다. (헌재 2014.4.24. 2011헌마474 [기각])

④ (○)

> 같은 유사한 분야에 관한 자격증의 종류에 따라 가산점에 차이를 둠으로써 청구인과 같은 정보처리기능사 자격을 가진 응시자가 공무담임권을 행사하는데 있어 차별을 가져오는 것이므로, 이 사건에서는 그러한 차별을 정당화할 수 있을 정도로 목적과 수단 간의 비례성이 존재하는지를 검토하여야 할 것이다. (헌재 2003.9.25. 2003헌마30 [기각])

정답 ④

024 회독 ☐☐☐ NEW

24 경찰간부

평등의 원칙 또는 평등권에 대한 설명으로 가장 적절하지 않은 것은? (다툼이 있는 경우 헌법재판소 판례에 의함)

① 전기판매사업자에게 약관의 명시·교부의무를 면제한 「약관의 규제에 관한 법률」해당 조항 중 '전기사업'에 관한 부분은 일반 사업자와 달리 전기판매사업자에 대하여 약관의 명시·교부의무를 면제하고 있더라도 평등원칙에 위반되지 아니한다.

② '국가, 지방자치단체, 공공기관의 운영에 관한 법률에 따른 공공기관'이 시행하는 개발사업과 달리, 학교법인이 시행하는 개발사업은 그 일체를 개발부담금의 제외 또는 경감 대상으로 규정하지 않은 「개발이익 환수에 관한 법률」해당 조항 중 '공공기관의 운영에 관한 법률에 따른 공공기관'에 관한 부분은 평등원칙에 위반된다.

③ 헌법불합치결정에 따라 실질적인 혼인관계가 존재하지 아니한 기간을 제외하고 분할연금을 산정하도록 개정된 「국민연금법」조항을 개정법 시행 후 최초로 분할연금 지급사유가 발생한 경우부터 적용하도록 하는 「국민연금법」부칙 제2조가 분할연금 지급 사유 발생시점이 신법 조항 시행일 전·후인지와 같은 우연한 사정을 기준으로 달리 취급하는 것은 합리적인 이유를 찾기 어렵다.

④ '직계혈족, 배우자, 동거친족, 동거가족 또는 그 배우자' 이외의 친족 사이의 재산범죄를 친고죄로 규정한 「형법」제328조 제2항은 일정한 친족 사이에서 발생한 재산범죄의 경우 피해자의 고소를 소추조건으로 정하여 피해자의 의사에 따라 국가형벌권 행사가 가능하도록 한 것으로서 합리적 이유가 있다.

해설

① (O) 헌재 2024.4.25. 2022헌바65

② (X)

> 해당 개발이익은 학교법인과 사립학교의 학생 및 교직원 등만이 독점적으로 향유할 뿐 공동체 전체가 공평하게 향유할 수도 없으므로, 개발부담금 제외 또는 경감 대상으로 규정할 특별한 이유를 찾을 수 없다. 결국 심판대상조항은 국가 등과 학교법인을 합리적인 이유 없이 차별취급한다고 볼 수 없으므로, 평등원칙에 위반되지 않는다. (헌재 2024.5.30. 2020헌바179)

③ (O)

> 실질적인 혼인관계가 존재하지 아니한 기간을 제외하고 분할연금을 산정하도록 개정된 국민연금법 제64조 제1항, 제4항을 개정법 시행 후 최초로 분할연금 지급사유가 발생한 경우부터 적용하도록 규정한 국민연금법 부칙 제2조는 헌법에 합치되지 아니한다. (헌재 2024.5.30. 2019헌가29【헌법불합치】)
> 이미 이행기에 도달한 분할연금 수급권의 내용을 변경하는 것은 진정소급입법으로서 원칙적으로 금지되므로 신법 조항 시행 당시 이미 이행기에 도달한 분할연금 수급권에 대해 소급 적용하지 아니한 것은 합리적인 이유가 인정된다. 반면 아직 이행기가 도래하지 아니한 분할연금 수급권의 경우에는 소급입법금지원칙이나 신뢰보호원칙 위반이 문제되지 아니하므로 신법 조항의 적용을 배제하는 데에 합리적인 이유가 있다고 볼 수 없다. 입법자는 경과규정을 전혀 두지 아니하여 노령연금 수급권자를 보호하기 위한 최소한의 조치도 취하지 아니하였는바, 분할연금 수급권자의 신뢰보호나 법적 안정성 등을 고려하더라도 그 차별을 정당화할 만한 합리적인 이유가 있는 것으로 보기 어렵고, 종전 헌법 불합치결정의 취지에도 어긋난다. 따라서 심판대상조항은 평등원칙에 위반된다.

④ (O)

> 직계혈족, 배우자, 동거친족, 동거가족 또는 그 배우자간의 권리행사방해죄는 그 형을 면제하도록 한 형법 제328조 제1항은 헌법에 합치되지 아니한다. (헌재 2024.6.27. 2020헌마468【헌법불합치(적용중지)】)
>
> [1] **형사피해자의 재판절차진술권**
>
> 헌법 제27조 제5항은 "형사피해자는 법률이 정하는 바에 의하여 당해 사건의 재판절차에서 진술할 수 있다."라고 규정하여 형사피해자의 재판절차진술권을 보장하고 있다. 다만, 형사피해자의 재판절차진술권을 어떠한 내용으로 구체화할 것인가에 관하여는 입법자에게 입법형성의 자유가 부여되고 있으므로, 그것이 재량의 범위를 넘어 명백히 불합리한 경우에 비로소 위헌의 문제가 생길 수 있다.

> **[2] 심판대상조항이 형사피해자의 재판절차진술권을 침해하는지 여부 – 적극**
> 친족상도례의 규정 취지는, 가정 내부의 문제는 국가형벌권이 간섭하지 않는 것이 바람직하다는 정책적 고려와 함께 가정의 평온이 형사처벌로 인해 깨지는 것을 막으려는 데에 있다. 가족·친족 관계에 관한 우리나라의 역사적·문화적 특징이나 재산범죄의 특성, 형벌의 보충성을 종합적으로 고려할 때, 경제적 이해를 같이하거나 정서적으로 친밀한 가족 구성원 사이에서 발생하는 수인 가능한 수준의 재산범죄에 대한 형사소추 내지 처벌에 관한 특례의 필요성은 수긍할 수 있다. 로마법 전통에 따라 친족상도례의 규정을 두고 있는 대륙법계 국가들의 입법례를 살펴보더라도, 일률적으로 광범위한 친족의 재산범죄에 대해 필요적으로 형을 면제하거나 고소 유무에 관계없이 형사소추할 수 없도록 한 경우는 많지 않으며, 그 경우에도 대상 친족 및 재산범죄의 범위 등이 우리 형법이 규정한 것보다 훨씬 좁다. 위와 같은 점을 종합하면, 심판대상조항은 형사피해자가 법관에게 적절한 형벌권을 행사하여 줄 것을 청구할 수 없도록 하는바, 이는 입법재량을 명백히 일탈하여 현저히 불합리하거나 불공정한 것으로서 형사피해자의 재판절차진술권을 침해한다.

정답 ②

025 [24 경찰간부]

평등 위반 여부를 심사하는 데 있어서 심사기준이 나머지 셋과 다른 하나는? (다툼이 있는 경우 헌법재판소 판례에 의함)

① 임대의무기간이 10년인 공공건설임대주택의 분양전환가격을 임대의무기간이 5년인 공공건설임대주택의 분양전환가격과 다른 기준에 따라 산정하도록 하는 구 「임대주택법 시행규칙」 조항의 해당 부분
② 「교통사고처리특례법」 조항 중 업무상 과실 또는 중대한 과실로 인한 교통사고로 말미암아 피해자로 하여금 중상해에 이르게 한 경우에 공소를 제기할 수 없도록 규정한 부분
③ 상이연금 수급자에 대한 공무원 재직기간 합산방법을 규정하지 않은 구 「공무원연금법」 조항
④ 사망한 가입자 등에 의하여 생계를 유지하고 있지 않은 자녀 또는 25세 이상인 자녀를 유족연금을 받을 수 있는 자녀의 범위에 포함시키지 않은 「국민연금법」 조항 중 해당 부분

[해설]

① [완화된 기준] 공공주택사업자와 임차인이 10년 임대주택을 조기분양전환하는 데 합의하여 10년 임대주택의 실제 임대차기간이 5년에 근접하게 될 가능성이 있다는 사후적 사정만으로, 10년 임대주택에 5년 임대주택과 다른 분양전환가격 산정기준을 적용하는 것이 불합리하다고 볼 수는 없다. (헌재 2022.11.24. 2020헌마636)
② [엄격기준] 국민의 생명·신체의 안전은 다른 모든 기본권의 전제가 되며, 인간의 존엄성에 직결되는 것이므로, 단서조항에 해당하지 않는 교통사고로 중상해를 입은 피해자와 단서조항에 해당하는 교통사고의 중상해 피해자 및 사망사고 피해자 사이의 차별 문제는 단지 자의성이 있었느냐의 점을 넘어서 입법목적과 차별 간에 비례성을 갖추었는지 여부를 더 엄격하게 심사하는 것이 바람직하고, 교통사고 운전자의 기소 여부에 따라 피해자의 헌법상 보장된 재판절차진술권이 행사될 수 있는지 여부가 결정되어 이는 기본권 행사에 있어서 중대한 제한을 구성하기 때문에, 엄격한 심사기준에 의하여 판단하기로 한다. (헌재 2009.2.26. 2005헌마764)
③ [완화된 기준] 입법자가 연금수급권의 구체적 내용을 어떻게 형성할 것인지에 관해서 원칙적으로 광범위한 형성의 자유를 가지고 있는바, 이는 헌법에서 특별히 평등을 요구하고 있는 분야도 아니고, 기본권에 중대한 제한을 초래하는 영역도 아니어서 엄격한 심사가 아닌 완화된 심사척도 즉, 입법재량의 일탈 혹은 남용 여부의 판단에 따른다. (헌재 2013.9.26. 2011헌바272 [합헌])
④ [완화된 기준] 이 사건 유족 범위 조항에 의한 차별은 헌법에서 특별히 평등을 요구하고 있는 영역에 관한 것이거나 관련 기본권에 대한 중대한 제한을 초래하는 것이 아니므로, 이 사건 유족 범위 조항이 청구인들의 평등권을 침해하는지 여부를 심사함에 있어서는 완화된 심사기준에 따라 입법자의 결정에 합리적인 이유가 있는지를 심사하기로 한다. (헌재 2019.2.28. 2017헌마432 [기각])

정답 ②

기출지문 OX

❶ 「산업재해보상보험법」에서 업무상 재해에 통상의 출퇴근 재해를 포함시키는 개정 법률조항을 개정법 시행 후 최초로 발생하는 재해부터 적용하도록 한 것은, 산재보험의 재정상황 등 실무적 여건이나 경제상황 등을 고려한 것으로 헌법상 평등원칙에 위반되지 않는다. 24 경찰승진 (O / X)

> **해설** 업무상 재해에 통상의 출퇴근 재해를 포함시키는 개정 법률조항을 이 법 시행 후 최초로 발생하는 재해부터 적용하도록 하는 산업재해보상보험법 부칙 제2조 중 '제37조의 개정규정'에 관한 부분은 헌법에 합치되지 않는다. (헌재 2019.9.26. 2018헌바218【헌법불합치】)

정답 X

❷ 「향토예비군설치법」에 따라 예비군훈련소집에 응하여 훈련을 받는 것은 국민이 마땅히 하여야 할 의무를 다하는 것일 뿐 국가나 공익목적을 위하여 특별한 희생을 하는 것이라고 할 수 없다. 24 경찰1차 (O / X)

> **해설** 헌법에서 이러한 국방의 의무를 국민에게 부과하고 있는 이상 향토예비군설치법에 따라 예비군훈련소집에 응하여 훈련을 받는 것은 국민이 마땅히 하여야 할 의무를 다하는 것일 뿐, 국가나 공익목적을 위하여 특별한 희생을 하는 것이라고 할 수 없다. 즉, 국민이 헌법에 따라 부과되는 의무를 이행하는 것은 국가의 존속과 활동을 위하여 불가결한 일인데, 그러한 의무를 이행하였다고 하여 이를 특별한 희생으로 보아 일일이 보상하여야 한다고 할 수는 없는 것이다. (헌재 1999.12.23. 98헌바33)

정답 O

❸ 공중보건의사에 편입되어 군사교육에 소집된 사람에게 사회복무요원과 달리 군사교육 소집기간 동안의 보수를 지급하지 않도록 규정한 「군인보수법」 조항은 공중보건의사의 경우 사회복무요원과 같은 보충역으로서 대체복무를 한다는 점에서 양자를 달리 취급할 합리적인 이유가 없으므로 공중보건의사의 평등권을 침해한다. 24 경찰1차 (O / X)

> **해설** 심판대상조항이 공중보건의사로 편입되어 군사교육에 소집된 자에게 군사교육 소집기간 동안의 보수를 지급하지 않도록 규정하였다고 하더라도 이는 한정된 국방예산의 범위 내에서 효율적인 병역 제도의 형성을 위하여 공중보건의사의 신분, 복무 내용, 복무 환경, 전체 복무기간 동안의 보수 수준 및 처우, 군사교육의 내용 및 기간 등을 종합적으로 고려하여 결정한 것이므로, 평등권을 침해한다고 보기 어렵다. (헌재 2020.9.24. 2017헌마643)

정답 X

026 [NEW] 24 경찰1차

평등권에 관한 설명으로 가장 적절하지 않은 것은? (다툼이 있는 경우 판례에 의함)

① 지원에 의하여 현역복무를 마친 여성의 경우 현역복무 과정에서의 훈련과 경험을 통해 예비전력으로서의 자질을 갖추고 있을 것으로 추정할 수 있으므로 지원에 의하여 현역복무를 마친여성을 예비역 복무의무자의 범위에서 제외한 「군인사법」 조항은 예비역복무의무자인 남성인 청구인의 평등권을 침해한다.
② 자율형 사립고등학교를 지원한 학생에게 평준화지역 후기학교에 중복지원 하는 것을 금지한 「초·중등교육법 시행령」 조항은 매우 보편화된 일반교육에 해당하는 고등학교 진학 기회를 제한 하는 것으로 당사자에게 미치는 기본권 제한의 효과가 크다는 점에서 엄격한 심사척도에 의하여 평등원칙 위배 여부를 심사하여야 한다.
③ 독립유공자의 사망시기에 따라 그 손자녀의 보상금 지급요건을 달리하거나 보상금 수급대상을 독립유공자의 손자녀 1명으로 한정한 「독립유공자예우에 관한 법률」 조항은 헌법에서 특히 평등을 요구하는 영역에서의 차별에 해당하지 않고 관련 기본권에 중대한 제한을 초래하지도 않는다.
④ 평등권으로서 교육을 받을 권리는 '취학·진학의 기회균등', 즉 각자의 능력에 상응하는 교육을 받을 수 있도록 학교입학에 있어서 자의적 차별이 금지되어야 한다는 차별금지원칙을 의미한다.

해설

① (X)

> 국가 비상시 요청되는 예비전력의 성격이나 전시 요구되는 장교와 병의 비율, 예비역 인력 운영의 효율성 등을 고려하면, 현역복무를 마친 여성에 대한 예비역 복무의무 부과는 국방력의 유지 및 병역동원의 소요(所要)를 충족할 수 있는 합리적 병력충원제도의 설계와 국방의 의무의 공평한 분담, 건전한 국가 재정, 여군의 역할 확대 및 복무 형태의 다양성 요구 충족 등을 복합적으로 고려하여 결정할 사항으로, 현재의 시점에서 제반 상황을 종합적으로 고려한 입법자의 판단이 현저히 자의적이라고 단정하기 어렵다. 이 사건 예비역 조항으로 인한 차별취급을 정당화할 합리적 이유가 인정되므로, 이 사건 예비역 조항은 청구인의 평등권을 침해하지 아니한다. (헌재 2023.10.26. 2018헌마357)

② (O)

> 학교법인은 설립자가 정한 설립취지에 따라 사립학교를 설립하여 자주적·자율적으로 운영할 수 있는 자유를 가지며, 이는 헌법상의 기본권으로 보장된다. … 헌법 제31조 제6항이 사립학교를 포함한 교육제도의 내용 형성을 입법권에 위임하였다고 하더라도, 사립학교에 관한 법령이 학교법인이나 사립학교의 자율적 운영을 제한하기 위해서는 헌법 제37조 제2항의 요건(과잉금지원칙)을 갖추어야 하고, 헌법 제31조 제1항이 보장하고 있는 교육받을 권리와 교육선택권을 충실하게 보장하기 위하여 필요한 경우에 최소한도의 제한에 그쳐야 한다. (헌재 2019.4.11. 2018헌마221)
> 수단의 적합성은 인정되지만, 침해의 최소성원칙 위반으로 위헌

③ (O)

> 심판대상조항이 독립유공자의 사망시기에 따라 그 손자녀의 보상금 지급 요건을 달리하거나 보상금 수급대상을 독립유공자의 손자녀 1명으로 한정하는 것은 헌법에서 특히 평등을 요구하는 영역에서의 차별에 해당한다고 볼 수 없고, 심판대상조항이 관련 기본권에 중대한 제한을 초래하는 것으로 보기도 어렵다. 독립유공자의 유족에 대한 예우의 제공대상, 범위 및 내용 등은 국가의 경제수준, 재정능력, 전체적인 사회보장 수준, 국민 통합의 필요성 등을 종합적으로 고려하여 결정할 문제로서, 입법자의 광범위한 입법형성의 자유에 속한다. 따라서 심판대상조항의 내용이 현저하게 합리성이 결여되어 있는 것이 아닌 한 평등권을 침해한다고 할 수 없다. (헌재 2011.4.28. 2009헌마610)

④ (O) 헌재 2017.12.28. 2016헌마649

정답 ①

027

평등권에 관한 다음 설명 중 가장 옳지 않은 것은?

① 현역병 및 사회복무요원과 달리 공무원의 초임호봉 획정에 인정되는 경력에 산업기능요원의 경력을 제외하도록 한 「공무원보수규정」은 산업기능요원의 평등권을 침해하지 않는다.
② 근로자가 사업주의 지배관리 아래 출퇴근하던 중 발생한 사고로 부상 등이 발생한 경우만 업무상 재해로 인정하는 「산업재해보상보험법」(2007.12.14. 법률 제8694호로 전부개정된 것) 제37조 제1항 제1호 다목은 평등원칙에 위반된다.
③ 실업급여에 관한 「고용보험법」의 적용에 있어 '65세 이후에 새로이 고용된 자'를 그 적용대상에서 배제한 「고용보험법」(2013.6.4. 법률 제11864호로 개정된 것)은 65세 이후 고용된 사람의 평등권을 침해하지 않는다.
④ 공무원의 시간외·야간·휴일근무수당의 산정방법을 정하고 있는 구 「공무원수당 등에 관한 규정」은 공무원에 대한 수당 지급을 「근로기준법」보다 불리하게 규정하고 있는바, 공무원과 일반근로자를 합리적 이유 없이 차별하는 것으로서 평등권을 침해한다.

해설

① (O)
> 심판대상조항은 이와 같은 실질적 차이를 고려하여 상대적으로 열악한 환경에서 병역의무를 이행한 것으로 평가되는 현역병 및 사회복무요원의 공로를 보상하도록 한 것으로 산업기능요원과의 차별취급에 합리적 이유가 있으므로, 청구인의 평등권을 침해하지 아니한다. (헌재 2016.6.30. 2014헌마192)

② (O)
> 통상의 출퇴근 재해에 대한 보상에 있어 혜택근로자와 비혜택근로자를 구별하여 취급할 합리적 근거가 없는데도, 혜택근로자의 출퇴근 재해만 업무상 재해로 인정하는 심판대상조항은 합리적 이유 없이 비혜택근로자에게 경제적 불이익을 주어 이들을 자의적으로 차별하는 것이므로, 헌법상 평등원칙에 위배된다. (헌재 2016.9.29. 2014헌바254)

③ (O) 헌재 2018.6.28. 2017헌마238

④ (×)
> 공무원의 근무조건은 공무원 근로관계의 특수성과 예산상 한계를 고려하여 독자적인 법률 및 하위법령으로 규율하고 있으며, 이는 근로기준법보다 우선적으로 적용된다. 심판대상조항들은 공무원의 초과근무에 대한 금전적 보상에 관하여 정하고 있으나, 이 역시 예산이 허용하는 범위 내에서 지급될 수밖에 없다. 심판대상조항들이 청구인의 평등권을 침해한다고 할 수 없다. (헌재 2017.8.31. 2016헌마404)

정답 ④

028

평등권 및 평등원칙에 대한 설명으로 가장 적절한 것은? (다툼이 있는 경우 헌법재판소 판례에 의함)

① 국공립어린이집, 사회복지법인어린이집, 법인·단체등어린이집 등과 달리 민간어린이집에는 보육교직원 인건비를 지원하지 않는 '2020년도 보육사업안내(2020.1.10. 보건복지부지침)'상 조항은 합리적 근거 없이 민간어린이집을 운영하는 청구인을 차별하여 청구인의 평등권을 침해한다.
② 국립묘지 안장대상자의 사망 당시의 배우자가 재혼한 경우에는 국립묘지에 안장된 안장대상자와 합장할 수 없도록 규정한 「국립묘지의 설치 및 운영에 관한 법률」상 조항은 재혼한 배우자를 불합리하게 차별한 것으로 평등원칙에 위배된다.
③ 사관생도의 사관학교 교육기간을 현역병 등의 복무기간과 달리 연금 산정의 기초가 되는 군 복무기간으로 산입할 수 있도록 규정하지 아니한 구 「군인연금법」상 조항은 현저히 자의적인 차별이라고 볼 수 없다.
④ 1991년 개정 「농어촌의료법」이 적용되기 전에 공중보건의사로 복무한 사람이 사립학교 교직원으로 임용된 경우 공중보건의사로 복무한 기간을 사립학교 교직원 재직기간에 산입하도록 규정하지 않은 「사립학교교직원 연금법」상 조항은 공중보건의사가 출·퇴근을 하며 병역을 이행한다는 점에서 그 복무기간을 재직기간에 산입하지 않는 것에 합리적 이유가 있다.

해설

① (×)

> 두 유형 사이에는 성격상 차이가 있으므로, 둘을 단순 비교하여 인건비 지원이 자의적으로 이루어지는지 판단하기는 쉽지 않다. … 이상을 종합하여 보면, 심판대상조항이 합리적 근거 없이 민간어린이집을 운영하는 청구인을 차별하여 청구인의 평등권을 침해하였다고 볼 수 없다. (헌재 2022.2.24. 2020헌마177)

② (×)

> 안장대상자의 사망 후 재혼하지 않은 배우자나 배우자 사망 후 안장대상자가 재혼한 경우의 종전 배우자는 자신이 사망할 때까지 안장대상자의 배우자로서의 실체를 유지하였다는 점에서 합장을 허용하는 것이 국가와 사회를 위하여 헌신하고 희생한 안장대상자의 충의와 위훈의 정신을 기리고자 하는 국립묘지 안장의 취지에 부합하고, 안장대상자의 사망 후 그 배우자가 재혼을 통하여 새로운 가족관계를 형성한 경우에 그를 안장대상자와의 합장대상에서 제외하는 것은 합리적인 이유가 있다. 따라서 심판대상조항은 평등원칙에 위배되지 않는다. (헌재 2022.11.24. 2020헌바463)

유사판례

> 재혼을 유족연금수급권 상실사유로 규정한 구 공무원연금법 제59조 제1항 제2호 중 '유족연금'에 관한 부분은 헌법에 위반되지 않는다. (헌재 2022.8.31. 2019헌가31[합헌])

③ (○)

> 사관생도는 병역의무의 이행을 위해 본인의 의사와 상관없이 복무 중인 현역병 등과 달리 자발적으로 직업으로서 군인이 되기를 선택한 점, 사관생도의 교육기간은 장차 장교로서의 복무를 준비하는 기간으로 이를 현역병 등의 복무기간과 동일하게 평가하기는 어려운 점 등 군인연금법상 군 복무기간 산입제도의 목적과 취지, 현역병 등과 사관생도의 신분, 역할, 근무환경 등을 종합적으로 고려하면, 심판대상조항이 사관생도의 사관학교에서의 교육기간을 현역병 등의 복무기간과 달리 연금 산정의 기초가 되는 복무기간으로 산입할 수 있도록 규정하지 아니한 것이 현저히 자의적인 차별이라고 볼 수 없다. (헌재 2022.6.30. 2019헌마150)

④ (✗)

> 공중보건의사는 접적지역, 도서, 벽지 등 의료취약지역에서 복무하면서 그 지역 안에서 거주하여야 하고 그 복무에 관하여 국가의 강력한 통제를 받았던 점 등을 종합하면, 1991년 개정 농어촌의료법 시행 전에 공중보건의사로 복무하였던 사람이 사립학교 교직원으로 임용되었을 경우 현역병 등과 달리 공중보건의사 복무기간을 재직기간에 반영하도록 규정하지 아니한 것은 차별취급에 합리적인 이유가 없다. 따라서 심판대상조항은 평등원칙에 위배된다. (헌재 2016.2.25. 2015헌가15)

정답 ③

029 23 경찰1차

평등권에 관한 설명으로 가장 적절하지 않은 것은? (다툼이 있는 경우 판례에 의함)

① 재산권의 청구는 공법상의 법률관계를 전제로 하는 당사자소송이라는 점에서 민사소송과 본질적으로 달라, 국가를 상대로 한 당사자소송에서 가집행선고를 제한하는 「행정소송법」 조항은 국가만을 차별적으로 우대하는 데 합리적 이유가 있으므로 평등원칙에 위반되지 않는다.

② 애국지사 본인과 순국선열의 유족은 본질적으로 다른 집단이므로 구 「독립유공자예우에 관한 법률 시행령」 조항이 순국선열의 유족보다 애국지사 본인에게 높은 보상금 지급액 기준을 두고 있다고 하여 순국선열의 유족의 평등권이 침해되었다고 볼 수 없다.

③ 보상금의 지급을 신청할 수 있는 자의 범위를 '내부 공익신고자'로 한정함으로써 '외부 공익신고자'를 보상금 지급대상에서 배제하도록 정한 「공익신고자 보호법」 조항 중 '내부 공익신고자' 부분은 평등원칙에 위배되지 않는다.

④ 학생 선발시기 구분에 있어 「초·중등교육법 시행령」 조항이 자율형 사립고등학교를 후기학교로 규정함으로써 과학고와 달리 취급하고, 일반고와 같이 취급하는 데에는 합리적인 이유가 있으므로 자율형 사립고등학교 학교법인의 평등권을 침해하지 아니한다.

해설

① (✗)

> 국가를 상대로 한 당사자소송에는 가집행선고를 할 수 없도록 규정하고 있는 행정소송법 제43조는 헌법에 위반된다. (헌재 2022.2.24. 2020헌가12【위헌】)
> 심판대상조항은 국가가 당사자소송의 피고인 경우 가집행의 선고를 제한하여, 국가가 아닌 공공단체 그 밖의 권리주체가 피고인 경우에 비하여 합리적인 이유 없이 차별하고 있으므로 평등원칙에 반한다.

② (○) 헌재 2018.1.25. 2016헌마319

③ (○) 헌재 2021.5.27. 2018헌바127【합헌】

④ (○)

> [1] 자율형 사립고등학교 지원자에게 평준화지역 후기학교의 중복지원을 금지한 초·중등교육법 시행령 제81조 제5항 중 '제91조의3에 따른 자율형 사립고등학교는 제외한다' 부분은 청구인 학생 및 학부모의 평등권을 침해하여 헌법에 위반된다.
> [2] 재판관 4(합헌) : 5(위헌)의 의견으로 자율형 사립고등학교를 후기학교로 규정한 초·중등교육법 시행령 제80조 제1항은 청구인 학교법인의 사학운영의 자유 및 평등권을 침해하지 아니하여 헌법에 위반되지 아니한다. (헌재 2019.4.11. 2018헌마221)

정답 ①

030　22 국가7급

평등권 또는 평등원칙에 대한 설명으로 옳지 않은 것은? (다툼이 있는 경우 판례에 의함)

① 친일반민족행위자의 후손이라는 점이 헌법 제11조 제1항 후문의 사회적 신분에 해당한다면 헌법에서 특별히 평등을 요구하고 있는 경우에 해당하여 친일반민족행위자의 후손에 대한 차별은 평등권 침해 여부의 심사에서 엄격한 기준을 적용해야 한다.

② 「국민연금법」이 형제자매를 사망일시금수급권자로 규정하고 있는 것과는 달리 「공무원연금법」이 형제자매를 연금수급권자에서 제외하고 있다 하여도 합리적인 이유에 의한 차별로서 「국민연금법」상의 수급권의 범위와 비교하여 헌법상 평등권을 침해하였다고 볼 수 없다.

③ 평등원칙 위반의 특수성은 대상 법률이 정하는 '법률효과' 자체가 위헌이 아니라 그 법률효과가 수범자의 한 집단에만 귀속되어 '다른 집단과 사이에 차별'이 발생한다는 점에 있기 때문에, 평등원칙의 위반을 인정하기 위해서는 우선 법적용과 관련하여 상호배타적인 '두 개의 비교집단'을 일정한 기준에 따라서 구분할 수 있어야 한다.

④ 변호인선임서 등을 공공기관에 제출할 때 소속 지방변호사회를 경유하도록 하는 「변호사법」 조항은 다른 전문직과 비교하여 차별취급의 합리적 이유가 있다고 할 것이므로 변호사의 평등권을 침해하지 아니한다.

해설

① (X)

> 이 사건 귀속조항은 그 차별취급으로 기본권에 대한 중대한 제한을 초래하는 경우라고 할 수 없으므로, 역시 평등권 침해 여부의 심사에서 엄격한 기준을 적용해야 하는 경우에 해당하지 않는다. 따라서 이 사건 귀속조항으로 인한 차별이 청구인들의 평등권을 침해하였는지 여부에 대한 심사는 완화된 기준이 적용되어야 한다. (헌재 2011.3.31. 2008헌바141 등)

② (O)

> [1] 공무원이 유족 없이 사망하였을 경우, 연금수급자의 범위를 직계존·비속으로만 한정하고 있는 공무원연금법 제30조 제1항은 공무원의 형제자매 등 다른 상속권자들의 재산권(상속권)을 침해하지 않는다.
> [2] **이 사건 법률조항은 산업재해보상보험법이나 국민연금법상 형제자매에게 일정한 범위 내에서 연금수급권을 인정하는 것과 비교하여 평등권을 침해하지 않는다.**
> 공무원연금제도와 산재보험제도는 사회보장 형태로서 사회보험이라는 점에 공통점이 있을 뿐, 보험가입자, 보험관계의 성립 및 소멸, 재정조성주체 등에서 큰 차이가 있어, 공무원연금법상의 유족급여수급권자와 산업재해보상보험법상의 유족급여수급권자가 본질적으로 동일한 비교집단이라고 보기 어렵다. (헌재 2014.5.29. 2012헌마555)

③ (O) 비교집단이 없으면 평등권 심사를 할 수 없다.

④ (O) 헌재 2013.5.30. 2011헌마131

정답 ①

031 22 경찰1차

다음 사례에 관한 설명 중 가장 적절한 것은? (다툼이 있는 경우 판례에 의함)

> 청구인 A는 경장으로 근무 중인 사람으로서 「공무원보수규정」의 해당 부분이 「경찰공무원 임용령 시행규칙」상의 '계급환산기준표' 및 '호봉획정을 위한 공무원경력의 상당계급기준표'에 따라 경찰공무원인 자신의 1호봉 봉급월액을 청구인의 계급에 상당하는 군인계급인 중사의 1호봉 봉급월액에 비해 낮게 규정함으로써 자신의 기본권을 침해한다고 주장하면서 2007년 4월 16일 그 위헌확인을 구하는 헌법소원심판을 청구하였다.

① 청구인 A는 「공무원보수규정」의 해당 부분이 자신의 평등권, 재산권, 직업선택의 자유 및 행복추구권 등을 침해한다고 주장하는바, 이는 기본권 충돌에 해당한다.

② 경찰공무원과 군인은 「공무원보수규정」상의 봉급표에 있어서 본질적으로 동일·유사한 지위에 있다고 볼 수 없으므로 청구인 A의 평등권 침해는 문제되지 않는다.

③ 직업의 자유에 '해당 직업에 합당한 보수를 받을 권리'까지 포함되어 있다고 보아야 하므로, 경장의 1호봉 봉급월액을 중사의 1호봉 봉급월액보다 적게 규정한 것은 청구인 A의 직업수행의 자유를 침해한 것이다.

④ 공무원의 보수청구권은 법률 및 법률의 위임을 받은 하위법령에 의해 그 구체적 내용이 형성되면 재산적 가치가 있는 공법상의 권리가 되어 재산권의 내용에 포함되지만, 법령에 의하여 구체적 내용이 형성되기 전의 권리, 즉 공무원이 국가 또는 지방자치단체에 대하여 어느 수준의 보수를 청구할 수 있는 권리는 단순한 기대이익에 불과하여 재산권의 내용에 포함된다고 볼 수 없으므로 「공무원보수규정」의 해당 부분은 청구인 A의 재산권을 침해하지 않는다.

해설

① (×) 사안은 기본권 경합에 해당한다.

② (×)

> 공무원보수규정의 봉급액 책정에 있어서 경찰공무원과 군인을 평등권 침해 여부의 판단에 있어서 의미 있는 비교집단으로 볼 수 있다. (헌재 2008.12.26. 2007헌마444)
> 국가비상사태, 대규모의 테러 또는 소요사태가 발생하였거나 발생할 우려가 있는 경우에는 경찰공무원은 치안유지를 위하여 군인에 상응하는 고도의 위험을 무릅쓰고 부여된 업무를 수행하여야만 한다. 이를 고려하여 볼 때, 직무의 곤란성과 책임의 정도에 따라 결정되는 공무원보수의 책정에 있어서, 경찰공무원과 군인은 본질적으로 동일·유사한 집단이라고 할 것이다. … 경찰공무원 중 경장의 봉급월액이 이에 대응하는 군인계급인 중사의 봉급월액보다 적게 규정되었다고 하여 이를 합리적 이유 없는 차별에 해당한다고 볼 수 없다.

③ (×)

> 직업의 자유에 '해당 직업에 합당한 보수를 받을 권리'까지 포함되어 있다고 보기 어려우므로 이 사건 법령조항이 청구인이 원하는 수준보다 적은 봉급월액을 규정하고 있다고 하여 이로 인해 청구인의 직업선택이나 직업수행의 자유가 침해되었다고 할 수 없고, 위 조항은 경찰공무원인 경장의 봉급표를 규정한 것으로서 개성 신장을 위한 행복추구권의 제한과는 직접적 관련이 없으므로, 청구인의 위 주장들은 모두 이유 없다. (헌재 2008.12.26. 2007헌마444)

④ (○) 헌재 2008.12.26. 2007헌마444

정답 ④

032 22 입시, 17 국가7급(하)

평등권 및 평등원칙에 대한 설명으로 옳지 않은 것은? (다툼이 있는 경우 판례에 의함)

① '수사가 진행 중이거나 형사재판이 계속 중이었다가 그 사유가 소멸한 경우'에는 잔여 퇴직급여 등에 대해 이자를 가산하는 규정을 두면서, '형이 확정되었다가 그 사유가 소멸한 경우'에는 이자 가산규정을 두지 않은 「군인연금법」 규정은 평등원칙에 위반된다.

② 주택재개발사업의 경우 학교용지부담금 부과대상에서 '기존 거주자와 토지 및 건축물의 소유자에게 분양하는 경우'에 해당하는 개발사업분만 제외하고, 현금청산의 대상이 되어 제3자에게 분양됨으로써 기존에 비하여 가구 수가 증가하지 아니하는 개발사업분을 제외하지 아니한 「학교용지 확보 등에 관한 특례법」 규정은 평등원칙에 위반된다.

③ 형의 집행이 종료 또는 면제된 자와 달리 집행유예를 선고받은 소년범에 대하여는 자격 완화 특례규정을 두지 아니하여 자격제한을 함에 있어 「군인사법」 등 해당 법률의 적용을 받도록 한 「소년법」 규정은 평등원칙에 위반되지 않는다.

④ 선거운동에 있어서 후보자의 배우자가 그와 함께 다니는 사람 중에서 지정한 1명도 명함교부를 할 수 있도록 한 「공직선거법」 규정은 배우자의 유무라는 우연한 사정에 근거하여 합리적 이유 없이 배우자 없는 후보자와 배우자 있는 후보자를 차별취급하므로 평등권을 침해한다.

해설

① (O) [22 입시]

> 미지급기간 동안 잔여 퇴직급여에 발생하였을 경제적 가치의 증가를 전혀 반영하지 않고 잔여 퇴직급여 원금만을 지급하는 것은 제대로 된 권리 회복이라고 볼 수 없다. 이러한 점들을 종합하면, 잔여 퇴직급여에 대한 이자 지급 여부에 있어 양자를 달리 취급하는 것은 합리적 이유 없는 차별로서 평등원칙을 위반한다. (헌재 2016.7.28. 2015헌바20)

② (O) 개발사업자에게 학교용지부담금을 부과하는 것은 합헌이지만, 수분양자나 가구 수가 증가하지 아니하는 개발사업분을 제외하지 아니한 학교용지 확보 등에 관한 특례법 규정은 평등원칙에 위반된다. (헌재 2014.4.24. 2013헌가28) [22 입시]

③ (X) [22 입시]

> 집행유예는 실형보다 죄질이나 범정이 더 가벼운 범죄에 관하여 선고하는 것이 보통인데, 이 사건 구법조항은 집행유예보다 중한 실형을 선고받고 집행이 종료되거나 면제된 경우에는 자격에 관한 법령의 적용에 있어 형의 선고를 받지 아니한 것으로 본다고 하여 공무원 임용 등에 자격제한을 두지 않으면서 집행유예를 선고받은 경우에 대해서는 이와 같은 특례조항을 두지 아니하여 불합리한 차별을 야기하고 있다. … 이 사건 구법조항에 따르면 집행유예를 선고받은 자의 자격제한을 완화하지 아니하여 집행유예기간이 경과한 경우에도 그 후 일정 기간 자격제한을 받게 되었으므로, 명백히 자의적인 차별에 해당하여 평등원칙에 위반된다. (헌재 2018.1.25. 2017헌가7 등)

④ (O) [17 국가7급(하)]

> 배우자가 아무런 제한 없이 함께 다닐 수 있는 사람을 지정할 수 있도록 함으로써, 결과적으로 배우자 있는 후보자는 배우자 없는 후보자에 비하여 선거운동원 1명을 추가로 지정하는 효과를 누릴 수 있게 되는바, 이는 헌법 제116조 제1항의 선거운동의 기회균등원칙에도 반한다. (헌재 2016.9.29. 2016헌마287)

정답 ③

033 22 국회8급

〈보기〉에서 평등원칙 위반 여부의 심사기준이 같은 사안끼리 묶인 것은? (다툼이 있는 경우 헌법재판소 판례에 의함)

보기
ㄱ. 국가를 상대로 하는 당사자소송의 경우에는 가집행선고를 할 수 없다고 규정한 것은 평등원칙에 반한다.
ㄴ. 제대군인이 공무원채용시험 등에 응시한 때에 과목별 득점에 과목별 만점의 5% 또는 3%를 가산하는 제대군인가산점제도를 규정한 것은 헌법에 위반된다.
ㄷ. 대한민국 국민인 남자에 한하여 병역의무를 부과한 것은 평등권을 침해하지 않는다.
ㄹ. 혼인한 등록의무자 모두 배우자가 아닌 본인의 직계존·비속의 재산을 등록하도록 법조항이 개정되었음에도 불구하고, 개정 전 조항에 따라 이미 배우자의 직계존·비속의 재산을 등록한 혼인한 여성 등록의무자는 종전과 동일하게 계속해서 배우자의 직계존·비속의 재산을 등록하도록 규정한 것은 평등원칙에 위배된다.

① (ㄱ), (ㄴ, ㄷ, ㄹ)
② (ㄱ, ㄴ), (ㄷ, ㄹ)
③ (ㄱ, ㄷ), (ㄴ, ㄹ)
④ (ㄱ, ㄹ), (ㄴ, ㄷ)
⑤ (ㄱ, ㄴ, ㄹ), (ㄷ)

해설

ㄱ. [자의금지]

> 국가를 상대로 한 당사자소송에는 가집행선고를 할 수 없도록 규정하고 있는 행정소송법 제43조는 헌법에 위반된다. (헌재 2022.2.24. 2020헌가12 【위헌】)
> 심판대상조항은 국가가 당사자소송의 피고인 경우 가집행의 선고를 제한하여, 국가가 아닌 공공단체 그 밖의 권리주체가 피고인 경우에 비하여 합리적인 이유 없이 차별하고 있으므로 평등원칙에 반한다.

ㄴ. [엄격심사] 헌재 1999.12.23. 98헌마363
ㄷ. [자의금지] 헌재 2011.6.30. 2010헌마460
ㄹ. [엄격심사]

> 혼인한 등록의무자 모두 배우자가 아닌 본인의 직계존·비속의 재산을 등록하도록 공직자윤리법이 개정되었음에도 불구하고, 개정 전 공직자윤리법 조항에 따라 이미 배우자의 직계존·비속의 재산을 등록한 혼인한 여성 등록의무자의 경우에만 종전과 동일하게 계속해서 배우자의 직계존·비속의 재산을 등록하도록 규정한 공직자윤리법 부칙 제2조는 평등원칙에 위배되는 것으로 헌법에 위반된다. (헌재 2021.9.30. 2019헌가3)
> 이 사건 부칙조항은 개정 전 공직자윤리법 조항에 따라 이미 재산등록을 한 사실이 있는 혼인한 여성 등록의무자의 경우, 개정 공직자윤리법 조항의 시행에도 불구하고 여전히 배우자의 직계존·비속의 재산을 등록하도록 정함으로써, 혼인한 남성 등록의무자와 이미 개정 전 공직자윤리법 조항에 따라 재산등록을 한 혼인한 여성 등록의무자를 달리 취급하고 있다. 헌법 제11조 제1항은 성별에 의한 차별을 금지하고 있고, 헌법 제36조 제1항은 혼인과 가족생활에 있어서 특별히 양성의 평등대우를 명하고 있으므로, 이 사건 부칙조항이 평등원칙에 위배되는지 여부를 판단함에 있어서는 엄격한 심사척도를 적용하여 비례성원칙에 따른 심사를 하여야 한다.

정답 ③

034   22·20 변호사

평등권 또는 평등원칙에 대한 설명으로 옳은 것은? (다툼이 있는 경우 판례에 의함)

① 교수·연구 분야에 전문성이 뛰어난 교사들로서 교사의 교수·연구활동을 지원하는 임무를 부여받고 있는 수석교사를 성과상여금 등의 지급과 관련하여 교장이나 장학관 등과 달리 취급하고 있지만 이는 이들의 직무 및 직급이 다른 것에서 기인하는 합리적인 차별이다.

② 대한민국 국적을 가지고 있는 영유아 중에서도 재외국민 영유아를 보육료·양육수당 지원대상에서 제외하는 보건복지부지침은 국내에 거주하면서 재외국민인 영유아를 양육하는 부모들을 합리적 이유 없이 차별하는 것이 아니다.

③ 광역자치단체장 선거의 예비후보자를 후원회지정권자에서 제외하여, 국회의원 선거의 예비후보자에게 후원금을 기부하고자 하는 자와 광역자치단체장 선거의 예비후보자에게 후원금을 기부하고자 하는 자를 달리 취급하는 것은 합리적 차별에 해당하고 입법재량의 한계를 일탈한 것은 아니다.

④ 평등원칙은 법 적용상의 평등을 의미하여 행정권과 사법권만을 구속할 뿐이므로, 평등원칙이 입법권까지 구속하는 것은 아니다.

⑤ 헌법 제11조 제1항에서의 사회적 신분이란 사회에서 장기간 점하는 지위로서 일정한 사회적 평가를 수반하는 것을 의미하므로 전과자도 사회적 신분에 해당되고, 따라서 누범을 가중처벌하는 것은 전과자라는 사회적 신분을 이유로 차별대우를 하는 것이어서 평등원칙에 위배된다.

해설

① (O) [20 변호사]

> 교장은 인사관리를 포함하여 교무를 총괄하고 소속 교직원을 지도·감독할 임무를 부여받은 반면, 수석교사는 교사의 교수·연구활동을 지원하는 임무를 부여받고 있다. 교사의 근무성적평정은 교감승진후보자명부 및 교감자격연수대상자명부 작성 등의 인사관리를 위해 실시되므로, 교장 등의 임무와는 관련성이 있지만 수석교사의 임무와는 관련성이 적다. 따라서 교사 근무성적의 평정자·확인자권한을 교장 등에게만 부여하더라도 이러한 차별에는 합리적인 이유가 있으므로, 심판대상조항들은 청구인들의 평등권을 침해하지 않는다. (헌재 2019.4.11. 2017헌마601)

② (X) [20 변호사]

> 단순한 단기체류가 아니라 국내에 거주하는 재외국민, 특히 외국의 영주권을 보유하고 있으나 상당한 기간 국내에서 계속 거주하고 있는 자들은 주민등록법상 재외국민으로 등록·관리될 뿐 '국민인 주민'이라는 점에서는 다른 일반국민과 실질적으로 동일하므로, 단지 외국의 영주권을 취득한 재외국민이라는 이유로 달리 취급할 아무런 이유가 없어 위와 같은 차별은 청구인들의 평등권을 침해한다. (헌재 2018.1.25. 2015헌마1047)

③ (X) [22 변호사]

> 특별시장·광역시장·특별자치시장·도지사·특별자치도지사 선거의 예비후보자를 후원회지정권자에서 제외하고, 자치구의 지역구 의회의원 선거의 예비후보자를 후원회지정권자에서 제외하고 있는 정치자금법 조항에 관한 심판청구사건에서,
> [1] 광역자치단체장 선거의 예비후보자에 관한 부분은 청구인들 평등권을 침해하여 헌법에 위반된다. 【헌법불합치】
> [2] 자치구의회의원 선거의 예비후보자에 관한 부분에 대하여는 재판관들의 의견이 인용의견 5명, 기각의견 4명으로 나뉘어 헌법과 헌법재판소법에서 정한 인용의견을 위한 정족수 6명에 이르지 못하여 기각한다. 【기각】 (헌재 2019.12.27. 2018헌마301 등)

④ (X) **법내용평등설(입법자구속설) - 헌법재판소 입장** [22 변호사]

> 법의 내용이 불평등할 경우 그 법을 아무리 평등하게 적용하더라도 그 결과는 불평등할 것이므로 법의 내용도 평등하여야 한다. 사법과 행정뿐만 아니라 입법자도 구속한다(실질적 법치주의).

⑤ (✗) [22 변호사]

> 누범자에 대한 가중처벌은 평등원칙에 위반되지 않는다. (헌재 2011.5.26. 2009헌바63 등)
> 누범은 전범에 대한 형벌의 경고적 기능을 무시하고 다시 범죄를 저질렀다는 점에서 사회적 비난가능성이 높고, 이러한 누범이 증가하고 있는 추세를 감안하여 범죄예방 및 사회방위의 형사정책적 고려에 기인하여 이를 가중처벌하는 것이어서 합리적 근거 있는 차별이라고 볼 것이므로 이 사건 법률조항이 평등원칙에 위배된다고 할 수 없다.

정답 ①

035 회독 ☐☐☐   22 법원직

다음 설명 중 가장 옳지 않은 것은?

① 혼인한 등록의무자는 배우자가 아닌 본인의 직계존·비속의 재산을 등록하도록 법이 개정되었으나, 개정 전 이미 배우자의 직계존·비속의 재산을 등록한 혼인한 여성 등록의무자는 종전과 동일하게 계속해서 배우자의 직계존·비속의 재산을 등록하도록 한 부칙조항은 그 목적의 정당성을 발견할 수 없다.

② 중혼의 취소권자를 「민법」이 규정하면서 직계비속을 제외한 것은 합리적 이유 없이 직계존속에게는 중혼의 취소청구권을 부여하고 직계비속에게는 부여하지 않았다고 할 것이어서 평등원칙에 반한다.

③ 국채에 대한 소멸시효를 5년 단기로 규정하여 민사 일반채권자나 회사채 채권자에 비하여 국채 채권자를 차별취급한 것은 합리적인 이유 없는 차별에 해당하지 않는다.

④ 우체국보험금 및 환급금청구채권 전액에 대하여 압류를 금지하여 우체국보험 가입자의 채권자와 일반인보험 가입자의 채권자를 차별취급하는 것은 합리적인 사유가 존재하므로 헌법상 평등원칙에 위배되지 아니한다.

해설

① (O)

> 이 사건 부칙조항은 개정 전 공직자윤리법 조항이 혼인관계에서 남성과 여성에 대한 차별적 인식에 기인한 것이라는 반성적 고려에 따라 개정 공직자윤리법 조항이 시행되었음에도 불구하고, 일부 혼인한 여성 등록의무자에게 이미 개정 전 공직자윤리법 조항에 따라 재산등록을 하였다는 이유만으로 남녀차별적 인식에 기인하였던 종전의 규정을 따를 것을 요구하고 있다. 그런데 혼인한 남성 등록의무자와 달리 혼인한 여성 등록의무자의 경우에만 본인이 아닌 배우자의 직계존·비속의 재산을 등록하도록 하는 것은 여성의 사회적 지위에 대한 그릇된 인식을 양산하고, 가족관계에 있어 시가와 친정이라는 이분법적 차별구조를 정착시킬 수 있으며, 이것이 사회적 관계로 확장될 경우에는 남성우위·여성비하의 사회적 풍토를 조성하게 될 우려가 있다. 이는 성별에 의한 차별금지 및 혼인과 가족생활에서의 양성의 평등을 천명하고 있는 헌법에 정면으로 위배되는 것으로 그 목적의 정당성을 인정할 수 없다. 따라서 이 사건 부칙조항은 평등원칙에 위배된다. (헌재 2021.9.30. 2019헌가3)

② (O) 헌재 2010.7.29. 2009헌가8
③ (O) 헌재 2010.4.29. 2009헌바120 등
④ (✗) 일반보험과 우체국보험을 차별하여 평등원칙에 위배된다.

> 이 사건 법률조항은 국가가 운영하는 우체국보험에 가입한다는 사정만으로, 일반보험회사의 인보험에 가입한 경우와는 달리 그 수급권이 사망, 장해나 입원 등으로 인하여 발생한 것인지, 만기나 해약으로 발생한 것인지 등에 대한 구별조차 없이 그 전액에 대하여 무조건 압류를 금지하여 우체국보험 가입자를 보호함으로써 우체국보험 가입자의 채권자를 일반인보험 가입자의 채권자에 비하여 불합리하게 차별취급하는 것이므로, 헌법 제11조 제1항의 평등원칙에 위반된다. (헌재 2008.5.29. 2006헌바5)

정답 ④

036 22 5급행시

평등권에 대한 설명으로 옳은 것은? (다툼이 있는 경우 판례에 의함)

① 초·중등학교 교원에 대하여는 정당가입을 금지하면서 대학 교원에게는 허용하는 것은 기초적인 지식 전달, 연구기능 등 직무의 본질이 서로 다른 점을 고려한 합리적 차별이므로 평등원칙에 반하지 아니한다.
② 국민참여재판 배심원의 자격을 만 20세 이상으로 정한 것은 「민법」상 성년연령이 만 19세로 개정된 점이나 선거권 연령이 만 18세로 개정된 점을 고려해 볼 때, 만 19세 및 만 18세의 국민을 합리적인 이유 없이 차별취급하는 것이다.
③ 형벌체계에 있어서 법정형의 균형은 한치의 오차도 없이 반드시 실현되어야 하는 헌법상 절대원칙이므로, 특정한 범죄에 대한 형벌이 그 자체로서의 책임과 형벌의 비례원칙에 위반되지 않더라도 보호법익과 죄질이 유사한 범죄에 대한 형벌과 비교할 때 형벌체계상의 균형을 상실할 우려가 있는 경우에는 평등원칙에 반한다고 할 수 있다.
④ 근로자의 날을 법정유급휴일로 할 것인지에 있어서 공무원과 일반근로자를 다르게 취급할 이유가 없으므로 근로자의 날을 공무원의 법정유급휴일로 정하지 않은 것은 공무원과 일반근로자를 자의적으로 차별하는 것에 해당하여 평등권을 침해한다.

해설

① (O) 헌재 2014.3.27. 2011헌바42

교원의 정당가입금지는 합헌이고, 정치단체가입금지는 위헌이다.

② (×)

> 국민참여재판 배심원의 자격을 만 20세 이상으로 정한 국민의 형사재판 참여에 관한 법률 제16조 중 '만 20세 이상' 부분은 헌법에 위반되지 않는다. (헌재 2021.5.27. 2019헌가19〔합헌〕)
> 심판대상조항이 우리나라 국민참여재판제도의 취지와 배심원의 권한 및 의무 등 여러 사정을 종합적으로 고려하여 만 20세에 이르기까지 교육 및 경험을 쌓은 자로 하여금 배심원의 책무를 담당하도록 정한 것은 입법형성권의 한계 내의 것으로 자의적인 차별이라고 볼 수 없다.

③ (×)

> 형벌체계에 있어서 법정형의 균형은 한치의 오차도 없이 반드시 실현되어야 하는 헌법상의 절대원칙은 아니다. 중요한 것은 범죄와 형벌 사이의 간극이 너무 커서 형벌 본래의 목적과 기능에 본질적으로 반하고 실질적 법치국가의 원리에 비추어 허용될 수 없을 정도인지가 문제될 뿐이다. (헌재 2006.4.27. 2005헌바36)

④ (×)

> 공무원의 유급휴일을 정할 때에는 공무원의 근로자로서의 지위뿐만 아니라 국민 전체의 봉사자로서 국가 재정으로 봉급을 지급받는 특수한 지위도 함께 고려하여야 하고, 공무원의 경우 유급휴가를 포함한 근로조건이 법령에 의해 정해진다는 사정도 함께 감안하여야 하므로, 단지 근로자의 날과 같은 특정일을 일반근로자에게는 유급휴일로 인정하면서 공무원에게는 유급휴일로 인정하지 않는다고 하여 이를 곧 자의적인 차별이라고 할 수는 없다. (헌재 2015.11.26. 2015헌마756)

정답 ①

037 21 서울·지방7급

평등의 원칙에 대한 설명으로 옳지 않은 것은? (다툼이 있는 경우 판례에 의함)

① 개별사건법률의 위헌 여부는 그 형식만으로 가려지는 것이 아니라, 나아가 평등의 원칙이 추구하는 실질적 내용이 정당한지 아닌지를 따져야 비로소 가려진다.
② 헌법 제11조 제1항의 규범적 의미는 '법 적용의 평등'에서 끝나지 않고, 더 나아가 입법자에 대해서도 그가 입법을 통해서 권리와 의무를 분배함에 있어서 적용할 가치평가의 기준을 정당화할 것을 요구하는 '법 제정의 평등'을 포함한다.
③ 특정한 범죄에 대한 형벌이 그 자체로서의 책임과 형벌의 비례원칙에 위반되지 않더라도 보호법익과 죄질이 유사한 범죄에 대한 형벌과 비교할 때 현저히 불합리하거나 자의적이어서 형벌체계상의 균형을 상실한 것이 명백한 경우에는 평등원칙에 반하여 위헌이라 할 수 있다.
④ 구 「공직선거법」이 고등학교를 졸업한 공직 후보자에 대해서는 수학기간의 기재를 요구하지 않으면서도 고등학교 졸업학력 검정고시에 합격한 공직 후보자에게는 고등학교를 중퇴한 경력에 대해서 그 학력을 기재할 때 그 수학기간을 기재하도록 요구하는 것은 불합리한 차별이므로 평등원칙에 위배된다.

해설

① (O) 개별사건법률이라는 이유만으로 헌법에 위반되는 것은 아니다.
② (O) 입법자구속설이라고도 한다.
③ (O) 어떤 범죄에 어떤 형벌을 부과할 것인가는 원칙적으로 입법재량의 영역이지만, 형벌체계상 균형을 상실한 것이 명백한 경우에는 평등원칙에 반하여 위헌이라고 할 수 있다.
④ (✕)

> 특별한 사정이 없는 한 고등학교를 졸업한 경우는 그 수학기간이 3년이라고 쉽게 예측할 수 있는 반면 고등학교를 중퇴한 경우는 학교명과 중퇴라는 사실만으로는 그 사람이 중퇴한 학교에 다닌 이력을 정확히 알 수 없다. 따라서 고등학교를 졸업한 사람에 대해서는 수학기간의 기재를 요구하지 않으면서도 고등학교 졸업학력 검정고시에 합격한 사람이라고 하더라도 고등학교를 중퇴한 경력에 대해서 그 학력을 기재할 때 그 수학기간을 기재하도록 요구하는 것이 불합리한 차별이라고 볼 수는 없어 중퇴학력 표시규정이 평등원칙에 위배된다고 볼 수 없다. (헌재 2017.12.28. 2015헌바232)

정답 ④

038

평등권에 대한 설명으로 옳은 것만을 모두 고르면? (다툼이 있는 경우 판례에 의함)

ㄱ. 초등교사 임용시험에서 동일 지역 교육대학 출신 응시자에게 제1차 시험 만점의 6% 내지 8%의 지역가산점을 부여하는 것은 다른 지역 교육대학 출신 응시자들의 평등권을 침해한다.
ㄴ. 검정고시로 고등학교 졸업학력을 취득한 사람들의 수시모집 지원을 기초생활수급자·차상위계층, 장애인 등을 대상으로 한 일부 특별전형을 제외하고 일률적으로 제한하는 국립교육대학교 수시모집 입시요강은 검정고시 출신자의 균등하게 교육을 받을 권리를 침해한다.
ㄷ. 치과전문의 자격 인정요건으로 '외국의 의료기관에서 치과의사전문의과정을 이수한 사람'을 포함하지 아니한 것은 외국의 의료기관에서 레지던트 등 소정의 치과전문의과정을 이수한 자를 자의적으로 차별함으로써 평등권을 침해한다.
ㄹ. 전문과목을 표시한 치과의원은 그 표시한 전문과목에 해당하는 환자만을 진료하여야 한다고 규정한 것은 치과전문의를 의사전문의와 한의사전문의에 비하여 합리적 이유 없이 차별하는 것이 아니므로 헌법에 위배되지 않는다.
ㅁ. 독립유공자의 손자녀 중 1명에게만 보상금을 지급하도록 하면서, 독립유공자의 선순위 자녀의 자녀에 해당하는 손자녀가 2명 이상인 경우에 다른 기준을 고려하지 않고 나이가 많은 손자녀를 우선하도록 한 것은 상대적으로 나이가 적은 손자녀의 평등권을 침해하지 않는다.

① ㄱ, ㄴ
② ㄴ, ㄷ
③ ㄱ, ㄴ, ㄷ
④ ㄴ, ㄷ, ㄹ

해설

ㄱ. (✕) [21 입시]

> 노력 여하에 따라서는 가산점의 불이익을 감수하고라도 수도권 지역에 합격할 길이 열려 있는 점 등에 비추어, 이 사건 지역가산점규정이 과잉금지원칙에 위배되어 다른 지역 교대출신 응시자들의 공무담임권, 평등권을 침해한다고 볼 수 없다. (헌재 2014.4.24. 2010헌마747)

ㄴ. (○) [21 입시]

> ○○교육대학교 등 11개 대학교의 '2017학년도 신입생 수시모집 입시요강'이 검정고시로 고등학교 졸업학력을 취득한 사람들의 수시모집 지원을 제한하는 것은 교육을 받을 권리를 침해한다. (헌재 2017.12.28. 2016헌마649)

ㄷ. (○) [20 입시]

> **치과전문의 자격 인정요건으로 '외국의 의료기관에서 치과의사 전문의과정을 이수한 사람'을 포함하지 아니한 '치과의사전문의의 수련 및 자격 인정 등에 관한 규정' 제18조 제1항은 헌법에 합치되지 아니한다.** (헌재 2015.9.24. 2013헌마197)
> 외국의 의료기관에서 치과전문의과정을 이수한 사람에 대해 그 외국의 치과전문의과정에 대한 인정절차를 거치거나 치과전문의 자격시험에 앞서 예비시험제도를 두는 등 직업의 자유를 덜 제한하는 방법으로도 입법목적을 달성할 수 있고, 이미 국내에서 치과의사면허를 취득하고 외국의 의료기관에서 치과전문의과정을 이수한 사람들에게 다시 국내에서 1년의 인턴과 3년의 레지던트과정을 다시 이수할 것을 요구하는 것은 지나친 부담을 지우는 것이므로, 심판대상조항은 침해의 최소성원칙에 위반되고 법익의 균형성도 충족하지 못한다. 1976년부터 2003년까지 의사전문의와 치과전문의를 함께 규율하던 구 전문의규정은 의사전문의 자격 인정요건과 치과전문의 자격 인정요건에 대하여 동일하게 규정하였던 점이나, 의사전문의와 치과전문의 모두 환자의 치료를 위한 전문성을 필요로 한다는 점을 감안하면 치과전문의의 자격 인정요건을 의사전문의의 경우와 다르게 규정할 특별한 사정이 있다고 보기도 어렵다. 따라서 이 사건 심판대상조항은 청구인들의 평등권을 침해한다.

ㄹ. (✕) [20 입시]

> **치과전문의 자격시험 불실시** (헌재 1998.7.16. 96헌마246【인용(위헌확인)】)
> 청구인들은 전공의수련과정을 사실상 마치고도 치과전문의 자격시험의 실시를 위한 제도가 미비한 탓에 치과전문의 자격을 획득할 수 없었고 이로 인하여 형벌의 위험을 감수하지 않고는 전문과목을 표시할 수 없게 되었으므로 행복추구권을 침해받고 있고, 이 점에서 전공의수련과정을 거치지 않은 일반치과의사나 전문의시험이 실시되는 다른 의료분야의 전문의에 비하여 불합리한 차별을 받고 있다.

ㅁ. (✕) [20 입시]

> 독립유공자의 손자녀 중 1명에게만 보상금을 지급하도록 하면서, 독립유공자의 선순위 자녀의 자녀에 해당하는 손자녀가 2명 이상인 경우에 나이가 많은 손자녀를 우선하도록 규정한 독립유공자예우에 관한 법률 제12조 제2항 중 '손자녀 1명에 한정하여 보상금을 지급하는 부분' 및 제4항 제1호 본문 중 '나이가 많은 손자녀를 우선하는 부분'은 청구인의 평등권을 침해한다. (헌재 2013.10.24. 2011헌마724)

정답 ②

039   21 법원직

헌법상 평등의 원칙에 관한 다음 설명 중 가장 옳지 않은 것은?

① 헌법에서 특별히 평등을 요구하고 있는 경우나 차별적 취급으로 인하여 관련 기본권에 대한 중대한 제한을 초래하게 되는 경우에는 입법형성권은 축소되고, 보다 엄격한 심사척도가 적용되어야 할 것이다.
② 사회적 특수계급의 제도는 인정되지 아니하며, 어떠한 형태로도 이를 창설할 수 없다.
③ 훈장 등의 영전은 이를 받은 자에게만 효력이 있고, 어떠한 특권도 이에 따르지 아니한다.
④ 입법자가 전문자격제도의 내용인 결격사유를 정함에 있어 변호사의 경우 변리사나 공인중개사보다 더 가중된 요건을 규정한 것은 평등권을 침해한 것이다.

해설

① (○) 평등권심사의 원칙적 기준은 자의금지이다. 자의금지는 입법형성권이 큰 부분에서의 심사기준이고, 헌법에서 특별히 평등을 요구하고 있는 경우나 차별적 취급으로 인하여 관련 기본권에 대한 중대한 제한을 초래하게 되는 경우에는 엄격심사를 하므로 입법형성권은 축소된다.
② (○) 헌법 제11조 제2항
③ (○) 헌법 제11조 제3항
④ (✕)

> 변리사나 공인중개사의 업무는 법률사무 전반을 직무영역으로 하는 변호사의 경우에 비하여 그 영역범위가 한정적이고 기술적이다. 또한 변호사는 국민의 기본적 인권의 옹호와 사회질서 유지를 사명으로 하며 품위유지, 공익활동, 독직금지행위 등의 의무를 부담하는 등 공공성이 특히 강조되고 법제도 및 준법에 대한 더욱 고양된 윤리성이 강조되는 직역임에 비추어볼 때, 그 직무의 공공성 및 이에 대한 신뢰의 중요성도 변리사 및 공인중개사보다 더 높은 수준이 요구된다. 따라서 입법자가 전문자격제도의 내용인 결격사유를 정함에 있어 변호사의 경우 변리사나 공인중개사보다 더 가중된 요건을 규정하였다고 하더라도 헌법 제11조 제1항에 반하여 청구인의 평등권을 침해하였다고 할 수 없다. (헌재 2009.10.29. 2008헌마432)

정답 ④

040

평등권을 침해한다고 판시한 것만을 모두 고르면? (다툼이 있는 경우 판례에 의함)

> ㄱ. 회원제로 운영하는 골프장 시설의 입장료에 대한 부가금을 규정한 「국민체육진흥법」 조항
> ㄴ. 공중보건의사가 군사교육에 소집된 기간을 복무기간에 산입하지 않도록 규정한 「병역법」 조항
> ㄷ. 「국세징수법」상 공매절차에서 매각결정을 받은 매수인이 기한 내에 대금납부의무를 이행하지 아니하여 매각결정이 취소되는 경우 그가 납부한 계약보증금을 국고에 귀속하도록 규정한 「국세징수법」(2002.2.26. 개정된 것) 조항
> ㄹ. 자격정지 이상의 형을 받은 전과가 있는 자에 대하여 선고유예를 할 수 없도록 규정한 「형법」 조항

① ㄱ, ㄴ
② ㄱ, ㄷ
③ ㄴ, ㄹ
④ ㄷ, ㄹ

해설

ㄱ. (○) [21 국회8급]

> 회원제로 운영하는 골프장 시설의 입장료에 대한 부가금을 국민체육진흥기금의 재원으로 규정한 구 국민체육진흥법 제20조 제1항 제3호 및 위 부가금을 국민체육진흥계정의 재원으로 규정한 국민체육진흥법 제20조 제1항 제3호는 모두 헌법에 위반된다. (헌재 2019.12.27. 2017헌가21 [위헌])
> [1] 재정조달목적 부담금에 해당한다.
> [2] '국민체육의 진흥'은 국민체육진흥법이 담고 있는 체육정책 전반에 관한 여러 규율사항을 상당히 폭넓게 아우르는 것으로서 이를 특별한 공적 과제로 보기에는 무리가 있다. 골프장 부가금 납부의무자와 '국민체육의 진흥'이라는 골프장 부가금의 부과목적 사이에는 특별히 객관적으로 밀접한 관련성이 인정되지 않는다. 심판대상조항이 규정하고 있는 골프장 부가금은 일반국민에 비해 특별히 객관적으로 밀접한 관련성을 가진다고 볼 수 없는 골프장 부가금 징수대상 시설이용자들을 대상으로 하는 것으로서 합리적 이유가 없는 차별을 초래하므로, 헌법상 평등원칙에 위배된다.

ㄴ. (✕) [21 국회8급]

> 공중보건의사에 편입되어 군사교육에 소집된 사람을 군인보수법의 적용대상에서 제외하여 군사교육 소집기간 동안의 보수를 지급하지 않도록 한 군인보수법 제2조 제1항 중 '군사교육소집된 자' 가운데 '병역법 제5조 제1항 제3호 나목 4) 공중보건의사'에 관한 부분이 헌법에 위반되지 않는다. (헌재 2020.9.24. 2017헌마643 [기각])
> 병역의무 이행자들에 대한 보수는 병역의무 이행과 교환적 대가관계에 있는 것이 아니라 병역의무 이행의 원활한 수행을 장려하고 병역의무 이행자들의 처우를 개선하여 병역의무 이행에 전념하게 하려는 정책적 목적으로 지급되는 수혜적 성격의 보상이므로, 병역의무 이행자들에게 어느 정도의 보상을 지급할 것인지는 입법자에게 상당한 재량이 인정된다.

ㄷ. (○) [10 법원직]

> 공매절차에서 계약보증금의 국고귀속은 평등원칙에 위반된다. (헌재 2009.4.30. 2007헌가8 [헌법불합치])
> 국세징수법상 공매절차에서 매각결정을 받은 매수인이 기한 내에 대금납부의무를 이행하지 아니하여 매각결정이 취소되는 경우 그가 납부한 계약보증금을 국고에 귀속하도록 규정한 국세징수법 제78조 제2항 후문은 민사집행법상 경매절차에서의 매수신청보증금을 국고에 귀속하지 않고 배당재원에 포함시키는 것과 비교하여 국세징수절차상 체납자 및 담보권자를 민사집행절차상 집행채무자 및 담보권자에 대하여 합리적 이유 없이 차별함으로써 평등원칙에 위반된다.

ㄹ. (✗) [21 국회8급]

> [1] 임원의 선거운동기간 및 선거운동에 필요한 사항을 정관에서 정할 수 있도록 규정한 신용협동조합법 조항은 헌법에 위반된다.
> [2] 자격정지 이상의 형을 받은 전과가 있는 자에 대하여 선고유예를 할 수 없도록 규정한 형법 조항은 헌법에 위반되지 않는다. (헌재 2020.6.25. 2018헌바278)

정답 ②

041 회독 ☐☐☐ 재구성   21 변호사, 19 지방7급

평등권 또는 평등의 원칙에 대한 설명으로 옳은 것은? (다툼이 있는 경우 판례에 의함)

① 「부마민주항쟁 관련자의 명예회복 및 보상 등에 관한 법률」은 부마민주항쟁이 단기간 사이에 집중적으로 발생한 민주화운동이라는 상황적 특수성을 감안하여 민주화운동에 관한 일반법과 별도로 제정된 것인데, 부마민주항쟁을 이유로 30일 미만 구금된 자를 보상금 또는 생활지원금의 지급대상에서 제외하여 부마민주항쟁 관련자 중 8.1%만 보상금 및 생활지원금을 지급받는 결과에 이르게 한 것은 이 법을 별도로 제정한 목적과 취지에 반하여 평등권을 침해한다.

② 생활수준 등을 고려하여 독립유공자의 손자녀 1명에게 보상금을 지급하도록 하면서 같은 순위의 손자녀가 2명 이상이면 나이가 많은 손자녀를 우선하도록 한 것은 결국 나이를 기준으로 하여 연장자에게 우선하여 보상금을 지급하는 것이어서 보상금수급권이 갖는 사회보장적 성격에 부합하지 아니하므로, 보상금을 받지 못한 손자녀의 평등권을 침해한다.

③ 「형법」이 반의사불벌죄 이외의 죄를 범하고 피해자에게 자복한 사람에 대하여 반의사불벌죄를 범하고 피해자에게 자복한 사람과 달리 임의적 감면의 혜택을 부여하지 않은 것은 자의적인 차별이어서 평등의 원칙에 반한다.

④ 버스운송사업에 있어서는 운송비용전가 문제를 규제할 필요성이 없으므로 택시운송사업에 한하여 「택시운송사업의 발전에 관한 법률」에 운송비용전가의 금지조항을 둔 것은 규율의 필요성에 따른 합리적인 차별이어서 평등원칙에 위반되지 아니한다.

해설

① (✗) [21 변호사]

> 부마민주항쟁 관련자의 명예회복 및 보상 등에 관한 법률(이하 '부마항쟁보상법'이라 한다)은 부마민주항쟁 관련자에 대하여 관련자와 그 유족이 더 간이한 절차를 통하여 일정한 손해배상 내지 손실보상을 받을 수 있도록 특별한 절차를 마련한 것이므로, 부마항쟁보상법에 따라 지급되는 보상금 등의 수급권은 전통적 의미의 국가배상청구권과 달리 위 법률에 의하여 비로소 인정되는 권리로서, 그 수급권에 관한 구체적인 사항을 정하는 것은 입법자의 입법형성의 영역에 속한다. 생활지원금을 비롯한 부마항쟁보상법상 보상금 등은 국가가 관련자의 경제활동이나 사회생활에 미치는 영향, 생활 정도 등을 고려하여 지급대상자와 지원금의 액수를 정하여 지급할 수 있으므로, 이 사건 생활지원금조항이 일정한 요건을 갖춘 자들에 한하여 생활지원금을 지급할 수 있도록 하는 것이 불합리하다고 보기도 어렵다. 따라서 심판대상조항은 청구인의 평등권을 침해하지 아니한다. (헌재 2019.4.11. 2016헌마418 [기각])

② (✗) 생활수준 등을 고려하지 않고 나이 많은 손자녀에게 지급하는 것은 평등권을 침해하지만, 생활수준을 고려하여 지급하면 헌법에 위반되지 않는다. [21 변호사]

③ (✗) [19 지방7급]

> 통상의 경우 자복 그 자체만으로는, 자수와 같이 범죄자가 형사법절차 속으로 스스로 들어왔다거나 국가형벌권의 적정한 행사에 기여하였다고 단정하기 어려우므로, 이 사건 법률조항에서 통상의 자복에 관하여 자수와 동일한 법적 효과를 부여하지 않았다고 하여 자의적이라 볼 수는 없다. 반의사불벌죄에서의 자복은 형사소추권의 행사 여부를 좌우할 수 있는 자에게 자신의 범죄를 알리는 행위란 점에서 자수와 그 구조 및 성격이 유사하므로, 이 사건 법률조항이 청구인과 같이 반의사불벌죄 이외의 죄를 범하고 피해자에게 자복한 사람에 대하여 반의사불벌죄를 범하고 피해자에게 자복한 사람과 달리 임의적 감면의 혜택을 부여하지 않고 있다고 하더라도 이를 자의적인 차별이라고 보기 어렵다. 따라서 이 사건 법률조항은 평등원칙에 위반되지 아니한다. (헌재 2018.3.29. 2016헌바270)

④ (○) [19 지방7급]

> 이 사건 금지조항은 택시업종만을 규제하고 화물자동차나 대중버스 등 다른 운송수단에는 적용되지 않으나, 화물차운수사업은 여객이 아닌 화물을 운송하는 것을 목적으로 하고 있으며, 대중버스의 경우 운송비용전가문제가 발생하고 있지 않다. 따라서 택시운송사업에 한하여 운송비용전가문제를 규제할 필요성이 인정되므로 다른 운송수단에 대하여 동일한 규제를 하지 않는다고 하더라도 평등원칙에 위반되지 아니한다. (헌재 2018.6.28. 2016헌마1153)

정답 ④

042 회독 ☐☐☐   20 법원직

다음 중 헌법재판소가 평등권을 침해한다고 결정한 것을 모두 고른 것은?

> ㄱ. 제대군인이 공무원채용시험 등에 응시한 때에 과목별 득점에 과목별 만점의 5% 또는 3%를 가산하는 제도
> ㄴ. 국·공립학교의 채용시험에 국가유공자와 그 가족이 응시하는 경우 만점의 10%를 가산하도록 한 규정
> ㄷ. 대통령령으로 정하는 공공기관 및 공기업으로 하여금 매년 정원의 100분의 3 이상씩 34세 이하의 청년 미취업자를 채용하도록 한 조항
> ㄹ. 대통령령이 정하는 일정 수 이상의 근로자를 고용하는 사업주는 기준고용률 이상에 해당하는 장애인을 고용해야 한다고 규정한 조항

① ㄱ
② ㄱ, ㄴ
③ ㄱ, ㄴ, ㄷ
④ ㄱ, ㄴ, ㄷ, ㄹ

해설

ㄱ. (O)

> **제대군인가산점제도 헌법소원 사건** (헌재 1999.12.23. 98헌마363【위헌】)
> 평등 위반 여부를 심사함에 있어 엄격한 심사척도에 의할 것인지, 완화된 심사척도에 의할 것인지는 입법자에게 인정되는 입법형성권의 정도에 따라 달라지게 될 것이다. 먼저 헌법에서 특별히 평등을 요구하고 있는 경우 엄격한 심사척도가 적용될 수 있다. 헌법이 스스로 차별의 근거로 삼아서는 아니 되는 기준을 제시하거나 차별을 특히 금지하고 있는 영역을 제시하고 있다면 그러한 기준을 근거로 한 차별이나 그러한 영역에서의 차별에 대하여 엄격하게 심사하는 것이 정당화된다. 다음으로 차별적 취급으로 인하여 관련 기본권에 대한 중대한 제한을 초래하게 된다면 입법형성권은 축소되어 보다 엄격한 심사척도가 적용되어야 할 것이다.

ㄴ. (O) 헌법재판소는 '국가유공자 본인'이 아니라 '국가유공자의 가족'에 대한 공무원시험에서의 10% 가산점 부여제도는 헌법이 직접 요청하고 있는 것이 아니라 입법정책으로서 채택된 것이며, 이처럼 "단지 법률적 차원의 정책적 관점에서 능력주의의 예외를 인정하려면 해당 공익과 일반응시자의 공무담임권의 차별 사이에 엄밀한 법익형량이 이루어져만 할 것이다."라고 하여 비례원칙을 엄격하게 적용하여 국가유공자 가족에 대한 가산점제도의 위헌성을 인정하였다. (헌재 2006.2.23. 2004헌마675 등【헌법불합치(잠정적용)】)

ㄷ. (X)

> 청년할당제는 일정 규모 이상의 기관에만 적용되고, 전문적인 자격이나 능력을 요하는 경우에는 적용을 배제하는 등 상당한 예외를 두고 있다. 더욱이 3년간 한시적으로만 시행하며, 청년할당제가 추구하는 청년실업해소를 통한 지속적인 경제성장과 사회안정은 매우 중요한 공익인 반면, 청년할당제가 시행되더라도 현실적으로 35세 이상 미취업자들이 공공기관 취업기회에서 불이익을 받을 가능성은 크다고 볼 수 없다. 따라서 이 사건 청년할당제가 청구인들의 평등권, 공공기관 취업의 자유를 침해한다고 볼 수 없다. (헌재 2014.8.28. 2013헌마553【합헌】)

ㄹ. (X)

> **장애인 의무고용** (헌재 2003.7.24. 2001헌바96【합헌】)
> 장애인은 그 신체적·정신적 조건으로 말미암아 유형·무형의 사회적 편견 및 냉대를 받기 쉽고 이로 인하여 능력에 맞는 직업을 구하기가 지극히 어려운 것이 현실이므로, 장애인의 근로의 권리를 보장하기 위하여는 사회적·국가적 차원에서의 조치가 요구된다. 이러한 관점에서 볼 때, 자유민주적 기본질서를 지향하는 우리 헌법이 원칙적으로 기업의 경제활동의 자유를 보장(헌법 제119조 제1항)하고 개인의 계약자유의 원칙을 천명(헌법 제10조 전문)하고 있다고 하더라도 일정한 범위에서 이러한 자유를 제약하는 것은 불가피한 조치라고 할 수 있다. … 그로 인하여 사업주의 계약의 자유 및 경제상의 자유가 일정한 범위 내에서 제한된다고 하여 곧 비례의 원칙을 위반하였다고는 볼 수 없다.

정답 ②

043

다음 중 구「제대군인지원에 관한 법률」(1997.12.31. 법률 제5482호로 제정된 것) 제8조에 따른 제대군인 가산점제도에 관한 설명으로 가장 옳지 않은 것은?

① 가산점제도는 제대군인과 제대군인이 아닌 사람을 차별하고, 현역복무나 상근예비역 소집근무를 할 수 있는 신체건장한 남자와 질병이나 심신장애로 병역을 감당할 수 없는 남자인 병역면제자를 차별하며, 보충역으로 편입되어 군복무를 마친 자를 차별하는 제도이므로, 그 입법목적의 정당성이 인정되지 않는다.

② 가산점제도는 공직수행능력과는 아무런 합리적 관련성을 인정할 수 없는 성별 등을 기준으로 여성과 장애인 등의 사회진출기회를 박탈하는 것이므로 정책수단으로서의 적합성과 합리성을 상실한 것이다.

③ 가산점제도는 제대군인에게 채용시험 응시횟수에 무관하게, 가산점제도의 혜택을 받아 채용시험에 합격한 적이 있었는지에 관계없이 제대군인은 계속 가산점혜택을 부여하여, 한 사람의 제대군인을 위하여 몇 사람의 비제대군인의 기회가 박탈당할 수 있는 불합리한 결과를 초래한다.

④ 가산점제도는 승진, 봉급 등 공직 내부에서의 차별이 아니라 공직에의 진입 자체를 어렵게 함으로써 공직선택의 기회를 원천적으로 박탈하는 것이기 때문에 공무담임권에 대한 더욱 중대한 제약으로서 작용하고 있다.

⑤ 여성공무원 채용목표제는 종래부터 차별을 받아 왔고 그 결과 현재 불리한 처지에 있는 여성을 유리한 처지에 있는 남성과 동등한 처지에까지 끌어 올리는 것을 목적으로 하는 제도이지만, 그 효과가 매우 제한적이어서, 이를 이유로 제대군인 가산점제도의 위헌성이 제거된다고 볼 수는 없다.

해설

① (X) ② (O) ③ (O) 입법목적의 정당성은 인정되지만, 수단의 적합성, 침해의 최소성, 법익균형성이 침해되어 평등권 침해이다.

> 인생의 황금기에 해당하는 20대 초·중반의 소중한 시간을 사회와 격리된 채 통제된 환경에서 자기개발의 여지없이 군복무수행에 바침으로써 국가·사회에 기여하였고, 그 결과 공무원채용시험 응시 등 취업준비에 있어 제대군인이 아닌 사람에 비하여 상대적으로 불리한 처지에 놓이게 된 제대군인의 사회복귀를 지원한다는 것은 입법정책적으로 얼마든지 가능하고 또 매우 필요하다고 할 수 있으므로 이 입법목적은 정당하다. (헌재 1999.12.23. 98헌마363)

④ (O) 헌재 1999.12.23. 98헌마363

평등권 심사에 있어 엄격기준을 적용한 사례이다.

⑤ (O) 헌재 1999.12.23. 98헌마363

정답 ①

044 회독 ☐☐☐ 재구성   20 법무사, 17 법원직, 13 지방7급

평등권 및 평등의 원칙에 관한 다음 설명 중 가장 옳지 않은 것은? (다툼이 있는 경우 판례에 의함)

① 헌법은 사회적 신분에 대한 차별금지와 같이 헌법 제11조 제1항 후문에서 예시한 사유가 있는 경우에 절대적으로 차별을 금지할 것을 요구함으로써 입법자에게 인정되는 입법형성권을 제한하는 것은 아니다.
② 평등의 원칙 위반 여부를 심사함에 있어 엄격한 심사척도에 의할 것인지, 완화된 심사척도에 의할 것인지는 입법자에게 인정되는 입법형성권의 정도에 따라 달라지게 된다.
③ 수혜적 성격의 법률에는 입법자에게 광범위한 입법형성의 자유가 인정되므로 그 내용이 합리적인 근거를 가지지 못하여 현저히 자의적일 경우에만 헌법에 위반된다.
④ 연합뉴스사를 국가기간뉴스통신사로 지정하여 뉴스통신사의 진흥을 위한 우선적 처우를 인정하는 경우는 평등원칙 위반 여부 심사시 엄격한 척도를 적용해야 한다.

> **해설**

① (O) 절대적 차별금지가 아니라 합리적 이유가 없는 차별을 금지하는 것이다. [20 법무사]

> 사회적 신분에 대한 차별금지는 헌법 제11조 제1항 후문에서 예시된 것인데, 헌법 제11조 제1항 후문의 규정은 불합리한 차별의 금지에 초점이 있는 것으로서, 예시한 사유가 있는 경우에 절대적으로 차별을 금지할 것을 요구함으로써 입법자에게 인정되는 입법형성권을 제한하는 것은 아니다. (헌재 2011.3.31. 2008헌바141 등)

② (O) [20 법무사]

> 평등 위반 여부를 심사함에 있어 엄격한 심사척도에 의할 것인지, 완화된 심사척도에 의할 것인지는 입법자에게 인정되는 입법형성권의 정도에 따라 달라지게 될 것이다. 먼저 헌법에서 특별히 평등을 요구하고 있는 경우 엄격한 심사척도가 적용될 수 있다. 헌법이 스스로 차별의 근거로 삼아서는 아니 되는 기준을 제시하거나 차별을 특히 금지하고 있는 영역을 제시하고 있다면 그러한 기준을 근거로 한 차별이나 그러한 영역에서의 차별에 대하여 엄격하게 심사하는 것이 정당화된다. 다음으로 차별적 취급으로 인하여 관련 기본권에 대한 중대한 제한을 초래하게 된다면 입법형성권은 축소되어 보다 엄격한 심사척도가 적용되어야 할 것이다. (헌재 2008.11.27. 2006헌가1)

③ (O) [17 법원직]

④ (X) [13 지방7급]

> 다른 뉴스통신사와 그 기능과 역할 및 업무의 영역 측면에서 비교할 수 없을 정도로 큰 차이가 있는 것을 비롯하여 전문뉴스제작인력의 수 등 인력구조의 면이나 매출액 등 물적 측면에서도 뚜렷한 차이가 존재하는 연합뉴스사를 국가기간뉴스통신사로 지정하고 이에 대하여 재정지원 등 여러 가지 혜택을 부여한 심판대상조항에는 수긍할 만한 합리적인 이유가 있다고 할 것이므로, 이를 두고 평등원칙에 어긋나는 자의적 차별이라고 하기는 어렵다. (헌재 2005.6.30. 2003헌마841)

정답 ④

045 회독 ☐☐☐ 재구성
[19 국가7급, 13 국회9급·지방7급]

평등권에 대한 설명으로 옳은 것은? (다툼이 있는 경우 판례에 의함)

① 자치구·시·군의회의원 선거구획정에서 헌법상 허용되는 인구편차의 기준을 상하 50%(인구비례 3:1)에서 상하 33.3%의 기준으로 변경하였다.
② 국회의원 선거에서 득표율 10% 미만인 자에 대하여 선거비용의 보전을 인정하지 않는 경우는 평등원칙 위반 여부심사시 엄격한 척도를 적용해야 한다.
③ 중선거구제에서는 소선거구제에서보다 당선에 필요한 유효득표율이 필연적으로 낮아지므로 양자의 기탁금반환기준을 동일하게 설정하는 것은 불합리한 차별로서 평등원칙에 위배된다.
④ 부재자투표의 투표종료시간을 오후 4시까지로 한정하는 것은 투표관리의 효율성을 제고하기 위한 것으로서 부재자투표자의 평등권을 침해하지 않는다.

> **해설**

① (✕) 자치구·시·군의회의원 선거구획정에서 헌법상 허용되는 인구편차의 기준을 상하 60%(인구비례 4:1)에서 상하 50%의 기준으로 변경하였다. [19 국가7급]

② (✕) **기탁금 반환조건** [13 지방7급]

> - 유효투표 3분의 1 이상 【위헌】
> - 유효투표 20% 이상 【위헌】
> - 유효투표 15% 이상 【합헌】

③ (✕) [13 국회9급]

> 중선거구제인 선거에서 기탁금반환의 기준이 소선거구제인 다른 선거에 적용되는 기준보다 낮을 수도 있으나, 우리의 정치문화와 선거풍토에서 선거의 신뢰성과 공정성을 확보하고 이를 유지하는 것이 무엇보다 중요하고 시급한 점, 국민들의 경제적 부담을 가중시키고, 정국의 불안정이나 정치에 대한 무관심으로 이어지는 등 부작용을 방지하여야 한다는 점 등을 고려하여 중선거구제를 도입하였음에도 불구하고 종전과 마찬가지 수준의 기탁금반환기준을 유지함으로써 상대적으로 이러한 문제점을 완화시키려고 하였던 입법자의 판단에는 합리적인 이유가 있다 할 것이므로, 지역구지방의회의원 선거에서도 대통령 선거나 지역구국회의원 선거와 마찬가지로 유효투표총수의 100분의 15 이상의 득표를 기탁금 및 선거비용 전액의 반환 또는 보전의 기준으로, 유효투표총수의 100분의 10 이상 100분의 15 미만의 득표를 기탁금 및 선거비용 반액의 반환 또는 보전의 기준으로 규정한 공직선거법 규정은 평등권을 침해하지 않는다. (헌재 2011.6.30. 2010헌마542)

④ (○) 부재자투표의 투표종료시간을 오후 4시까지로 정한 것은 선거권이나 평등권을 침해하지 않는다. 그러나 부재자투표의 투표개시시간을 오전 10시부터로 정한 것은 선거권과 평등권을 침해하는 것이다. (헌재 2012.2.23. 2010헌마601) [13 국회9급]

정답 ④

046 회독 ☐☐☐ 재구성   19 국가7급, 17 국회8급, 17·16 지방7급

평등권 및 평등원칙에 대한 설명으로 옳은 것은? (다툼이 있는 경우 판례에 의함)

① 월급근로자로서 6개월이 되지 못한 자를 해고예고제도의 적용에서 배제시키는 것은 평등원칙에 위반되지 않는다고 하였다가 평등원칙에 위반된다고 하였다.
② 흉기 기타 위험한 물건을 휴대하여 「형법」상 폭행죄를 범한 사람에 대하여 징역형의 하한을 기준으로 최대 6배에 이르는 엄한 형을 규정한 구 「폭력행위 등 처벌에 관한 법률」 제3조 제1항은 평등원칙에 합치한다.
③ 일반응시자와 달리 공무원의 근무연수 및 계급에 따라 행정사 자격시험의 제1차시험을 면제하거나 제1차시험의 전 과목과 제2차시험의 일부 과목을 면제하는 것은 평등권을 침해한다.
④ 입양기관을 운영하고 있지 않은 사회복지법인과 달리 입양기관을 운영하는 사회복지법인으로 하여금 '기본생활지원을 위한 미혼모자가족복지시설'을 설치·운영할 수 없게 하는 것은 입양기관을 운영하는 사회복지법인과 그렇지 않는 사회복지법인이 본질적으로 다르므로 입양기관을 운영하는 사회복지법인의 평등권을 제한하는 것이 아니다.

해설

① (○) [19 국가7급]

> 월급근로자로서 6개월이 되지 못한 자를 해고예고제도의 적용예외사유로 규정하고 있는 근로기준법 제35조 제3호는 근무기간이 6개월 미만인 월급근로자의 근로의 권리를 침해하고 평등원칙에도 위배된다. (헌재 2015.12.23. 2014헌바3【위헌】)
> 심판대상조항과 실질적으로 동일한 내용을 규정한 구 근로기준법 제35조 제3호에 대하여 2001.7.19. 헌법에 위반되지 않는다는 결정을 선고하였으나, 이 사건에 있어서는 재판관 전원 일치 의견으로 심판대상조항이 근무기간이 6개월 미만인 월급근로자의 근로의 권리를 침해하고 평등원칙에도 위배되어 헌법에 위반된다.

비교판례

> 해고예고제도의 적용예외사유로서 '일용근로자로서 3개월을 계속 근무하지 아니한 자' 부분은 헌법에 위반되지 아니한다. (헌재 2017.5.25. 2016헌마640)
> 일용근로자는 계약한 1일 단위의 근로기간이 종료되면 해고의 절차를 거칠 것도 없이 근로관계가 종료되는 것이 원칙이므로, … 일용근로계약을 체결한 후 근속기간이 3개월이 안 된 근로자를 해고할 때에도 이를 적용하도록 한다면 사용자에게 지나치게 불리하다는 점에서도 심판대상조항이 입법재량의 범위를 현저히 일탈하였다고 볼 수 없다. 심판대상조항이 근로의 권리를 침해한다고 보기 어렵다.

② (×) [17 국회8급]

> 위 두 조항 중 어느 조항이 적용되는지에 따라 피고인에게 벌금형이 선고될 수 있는지 여부가 달라지고, 징역형의 하한을 기준으로 최대 6배에 이르는 심각한 형의 불균형이 발생한다. 폭력행위 등 처벌에 관한 법률상 폭행죄 조항은 가중적 구성요건의 표지가 전혀 없이 법적용을 오로지 검사의 기소재량에만 맡기고 있으므로, 법집행기관 스스로도 법적용에 대한 혼란을 겪을 수 있고, 이는 결과적으로 국민의 불이익으로 돌아올 수밖에 없다. 법집행기관이 이러한 사정을 피의자나 피고인의 자백을 유도하거나 상소를 포기하도록 하는 수단으로 악용할 소지도 있다. 따라서 폭력행위 등 처벌에 관한 법률상 폭행죄 조항은 형벌체계상의 정당성과 균형을 잃은 것이 명백하므로, 인간의 존엄성과 가치를 보장하는 헌법의 기본원리에 위배될 뿐만 아니라 그 내용에 있어서도 평등원칙에 위배된다. (헌재 2015.9.24. 2015헌가17)

③ (✗) [17 지방7급]

> 경력공무원에 대하여 행정사 자격시험 중 일부를 면제하는 것은 상당기간 행정의 실무경험을 갖춘 공무원의 경우 행정에 관련된 전문지식이나 능력을 이미 갖춘 것으로 볼 수 있기 때문이다. 15년 이상 공무원으로 근무하면서 7급 이상의 직에 근무한 경험이 있거나, 5급 이상 공무원의 지위에서 5년 이상 근무하였다면, 행정절차 및 사무관리에 관하여 상당한 수준의 경험 및 전문지식을 갖춘 것으로 볼 수 있으므로, 제2차시험 중 행정절차론 및 사무관리론을 면제한 시험면제조항은 합리적인 이유가 있다. 국·공립학교 교사나 직업군인을 비롯하여 대부분의 공무원들은 직렬이나 담당 업무를 불문하고 일정한 행정업무를 담당하고 있고, 그와 같은 행정경험이 행정사 업무수행에 기여할 것이라는 입법자의 판단이 현저하게 잘못되었다고 보기 어렵다. 따라서 시험면제조항은 일반응시자인 청구인들의 평등권이나 직업선택의 자유를 침해하지 아니한다. (헌재 2016.2.25. 2013헌마626 등)

④ (✗) [16 지방7급]

> 입양기관을 운영하고 있지 않은 다른 사회복지법인과 달리 입양기관을 운영하는 사회복지법인으로 하여금 '기본생활지원을 위한 미혼모자가족복지시설'을 설치·운영할 수 없게 함으로써 입양기관을 운영하는 사회복지법인과 그렇지 않는 사회복지법인을 다르게 취급하고 있으므로, 청구인들의 평등권을 제한한다. 다만, 미혼모가 스스로 자녀를 양육할 수 있도록 하고 이를 통해 입양 특히 국외입양을 최소화하기 위하여 입양기관을 운영하는 자로 하여금 일정한 유예기간을 거쳐 '기본생활지원을 위한 미혼모자가족복지시설'을 설치·운영할 수 없게 하는 것에는 합리적 이유가 있다고 할 것이므로, 이 사건 법률조항들은 청구인들의 평등권을 침해하지 아니한다. (헌재 2014.5.29. 2011헌마363)

정답 ①

047 [19 서울7급(2월), 18 국가7급·국회8급]

평등권 또는 평등원칙에 대한 설명으로 옳지 않은 것만을 모두 고르면? (다툼이 있는 경우 판례에 의함)

> ㄱ. 고용노동 및 직업상담 직류를 채용하는 경우 직업상담사 자격증 보유자에게 만점의 3% 또는 5%의 가산점을 부여하는 것은 평등권을 침해한다.
> ㄴ. 후보자의 선거운동에서 독자적으로 후보자의 명함을 교부할 수 있는 주체를 후보자의 배우자와 직계존·비속으로 제한한 「공직선거법」 규정은 배우자나 직계존·비속이 있는 후보자와 그렇지 않은 후보자를 합리적 이유 없이 달리 취급하고 있기에 평등권을 침해한다.
> ㄷ. 산업연수생이 연수라는 명목 아래 사업주의 지시·감독을 받으면서 사실상 노무를 제공하고 수당 명목의 금품을 수령하는 등 실질적인 근로관계에 있는 경우에도 예규가 「근로기준법」이 보장한 근로기준 중 주요 사항을 외국인 산업연수생에 대하여만 적용되지 않도록 한 것은 평등원칙에 위반된다.
> ㄹ. 「학교폭력예방 및 대책에 관한 법률」 조항이 학교폭력의 가해학생에 대한 모든 조치에 대해 피해학생측에는 재심을 허용하면서 가해학생측에는 퇴학과 전학의 경우에만 재심을 허용하고 나머지 조치에 대해서는 재심을 허용하지 않도록 한 것은 평등원칙을 위반하지 않는다.

① ㄱ, ㄴ
② ㄱ, ㄹ
③ ㄴ, ㄷ
④ ㄷ, ㄹ

> 해설

ㄱ. (✕) [19 서울7급(2월)]

> 그 가산점 비율은 3% 또는 5%로서 다른 직렬과 자격증 가산점비율에 비하여 과도한 수준이라고 볼 수 없다는 점을 종합하면 이 조항이 피해최소성원칙에 위배된다고 볼 수 없고, 법익의 균형성도 갖추었다. 따라서 심판대상조항이 청구인들의 공무담임권과 평등권을 침해하였다고 볼 수 없다. (헌재 2018.8.30. 2018헌마46)
> [1] 청구인들이 심판대상으로 삼은 이 사건 공고의 내용과 공무원임용시험령 제31조 제2항, [별표 11] 및 [별표 12]가 규정한 가산대상 자격증 및 가산비율의 내용은 실질적으로 동일하며, 이 사건 공고에 의하여 이 사건 가산점 관련 내용이 새로이 결정되거나 확정되는 것이 아니다. 따라서 이 사건 공고는 규율 내용을 변경하거나 청구인들의 법적 지위에 영향을 미친다고 볼 수 없어 헌법소원의 대상이 되는 공권력 행사에 해당하지 않으므로 이 사건 공고에 대한 심판청구는 부적법하다.
> [2] 관련 기본권의 확정
>   가. 가산점제도는 공무담임권 행사에 있어서 가산점 혜택을 받는 자와 받지 못하는 자 간의 차별이 문제될 수 있고, 이는 공무담임기회의 불공정 내지 차별문제를 제기하는 것이므로 기본적으로 평등권 침해 여부에 관한 문제이다. 다만, 차별되는 것이 공직취임에 있어서의 기회균등, 즉 공무담임권 행사에 관련되었다는 점에서 공무담임권과도 관련된다. 청구인들의 주장은 이미 존재하고 있는 법령이 집행되지 않을 것이라는 신뢰를 말하는 것인데, 이러한 신뢰 자체를 인정하기 어렵고, 설사 그러한 신뢰가 있다고 하더라도 이는 신뢰보호원칙에서 말하는 보호가치 있는 신뢰에 해당한다고 볼 수 없으므로 더 나아가 살피지 아니한다.
>   나. 평등권 침해 여부 심사의 경우, 헌법에서 특별히 차별의 근거로 삼아서는 안 되는 기준이나 차별이 금지되는 영역을 제시하고 있는 경우 또는 차별적 취급으로 인하여 관련 기본권에 중대한 제한이 초래되는 경우에는, 단지 차별의 합리적 이유의 유무만을 확인하는 정도를 넘어, 차별의 이유와 차별의 내용 사이의 적절한 균형 여부까지 살피는 비례원칙에 의한 심사를 하여야 한다. 따라서 심판대상조항이 과잉금지원칙에 반하여 청구인들의 공무담임권과 평등권을 침해한다고 보기 어렵다.

ㄴ. (✕) 합리적 이유가 있는 차별이다. (헌재 2016.9.29. 2016헌마287) [18 국가7급]

ㄷ. (○) [18 국회8급]

> 산업연수생이 연수라는 명목하에 사업주의 지시·감독을 받으면서 사실상 노무를 제공하고 수당 명목의 금품을 수령하는 등 실질적인 근로관계에 있는 경우에도, 근로기준법이 보장한 근로기준 중 주요 사항을 외국인 산업연수생에 대하여만 적용되지 않도록 하는 것은 합리적인 근거를 찾기 어렵다. 특히 이 사건 중소기업청 고시에 의하여 사용자의 법 준수능력이나 국가의 근로감독능력 등 사업자의 근로기준법 준수와 관련된 제반 여건이 갖추어진 업체만이 연수업체로 선정될 수 있으므로, 이러한 사업장에서 실질적 근로자인 산업연수생에 대하여 일반근로자와 달리 근로기준법의 일부 조항의 적용을 배제하는 것은 자의적인 차별이라고 아니할 수 없다. 근로기준법 제5조와 국제연합의 경제적·사회적 및 문화적 권리에 관한 국제규약 제4조에 따라 '동등한 가치의 노동에 대하여 동등한 근로조건을 향유할 권리'를 제한하기 위하여는 법률에 의하여만 하는바, 이를 행정규칙에서 규정하고 있으므로 위 법률유보의 원칙에도 위배된다. 그렇다면 이 사건 노동부 예규는 청구인의 평등권을 침해한다고 할 것이다. (헌재 2007.8.30. 2004헌마670)

ㄹ. (○) [18 국회8급]

> 재심에 보통 45일의 시간이 소요되는 것을 감안하면, 신중한 판단이 필요한 전학과 퇴학 이외의 가벼운 조치들에 대해서까지 모두 재심을 허용해서는 신속한 피해구제와 빠른 학교생활로의 복귀를 어렵게 할 것이므로, 재심규정은 학부모의 자녀교육권을 지나치게 제한한다고 볼 수 없다. (헌재 2013.10.24. 2012헌마832)

정답 ①

048   18 서울7급

평등권에 대한 설명으로 가장 옳지 않은 것은?

① 국가가 합리적인 기준에 따라 능력이 허용되는 범위 내에서 법적 가치의 상향적 구현을 위한 제도의 단계적 개선을 추진하는 것은 평등권을 침해하지 않는다.
② 시혜적 법률의 경우에 수혜범위에서 제외된 자는 그 법률에 의하여 평등권이 침해되었다고 주장하는 당사자가 될 수 없다.
③ 재량권 행사의 준칙인 행정규칙이 그 정한 바에 따라 되풀이 시행되어 행정관행이 이룩되면 평등원칙이나 신뢰보호원칙에 따라 행정기관은 그 상대방에 대한 관계에서 그 규칙에 따라야 할 자기구속을 당하게 된다.
④ 차별조항의 위헌성이 그 차별의 효과가 지나치다는 것에 기인할 때에는, 그 위헌성의 제거는 입법부가 행하여야 할 것이므로 헌법재판소는 그 조항에 대하여 헌법불합치결정을 하여야 한다.

해설

① (O)
② (✕) 시혜적 법률의 경우 수혜범위에서 제외된 자는 그 법률에 의하여 평등권이 침해되었다고 주장하는 당사자가 될 수 있다.
③ (O)
④ (O)

정답 ②

049

평등권 및 평등원칙에 대한 설명으로 옳은 것만을 모두 고르면? (다툼이 있는 경우 판례에 의함)

ㄱ. 가구별 인원 수만을 기준으로 최저생계비를 결정한 2002년도 최저생계비 고시는 장애인가구를 비장애인가구에 비하여 차별취급하여 평등권을 침해한다.

ㄴ. 학교급식의 실시에 필요한 시설·설비에 요하는 경비를 학교의 설립경영자에게 부담하도록 하는 것은 사립학교와 국·공립학교를 차별적으로 취급하는 것으로 평등원칙에 위반된다.

ㄷ. 「국가인권위원회법」상 '평등권 침해의 차별행위'에는 합리적인 이유 없이 성적 지향을 이유로 성희롱을 하는 행위도 포함된다.

ㄹ. 글씨를 쓰는 속도가 느리거나 글씨를 고르게 쓸 수 없는 사정은 기본적으로 응시자의 개인적인 사정이라고 할 것인바, 특별한 사정이 없는 한 사법시험에서 그러한 개인적 사정을 고려하지 않고 시험시간을 일률적으로 정하였다고 하더라도 불합리한 차별은 아니다.

① ㄱ, ㄴ
② ㄱ, ㄹ
③ ㄴ, ㄷ
④ ㄷ, ㄹ

해설

ㄱ. (✗) [17 국회8급]

> 보건복지부장관이 2002년도 최저생계비를 고시함에 있어 장애로 인한 추가지출비용을 반영한 별도의 최저생계비를 결정하지 않은 채 가구별 인원 수만을 기준으로 최저생계비를 결정한 것은 생활능력 없는 장애인가구 구성원의 인간의 존엄과 가치 및 행복추구권, 인간다운 생활을 할 권리, 평등권을 침해하였다고 할 수 없다. (헌재 2004.10.28. 2002헌마328)

ㄴ. (✗) [17 국회8급]

> 사립학교의 경우에도 국·공립학교와 마찬가지로 학교급식 시설·경비의 원칙적 부담을 학교의 설립경영자로 하는 것은 합리적이라고 할 것이어서, 평등원칙에 위반되지 않는다. (헌재 2010.7.29. 2009헌바40)

ㄷ. (◯) 국가인권위원회법 제2조 제3호 [16 지방7급]

ㄹ. (◯) 헌재 2008.6.26. 2007헌마917 [12 국가7급]

정답 ④

050 17 변호사

평등심사에 관한 설명 중 옳은 것은? (다툼이 있는 경우 판례에 의함)

① 자기 또는 배우자의 직계존속을 고소하지 못하도록 규정한 「형사소송법」 조항은 친고죄의 경우든 비친고죄의 경우든 헌법상 보장된 재판절차진술권의 행사에 중대한 제한을 초래한다고 보기는 어려우므로, 완화된 자의심사에 따라 차별에 합리적 이유가 있는지를 따져 보는 것으로 족하다.

② 국가유공자 본인이 국가기관이 실시하는 채용시험에 응시하는 경우에 10%의 가점을 주도록 한 「국가유공자 등 예우 및 지원에 관한 법률」 조항은 헌법 제32조 제6항에서 특별히 평등을 요구하고 있는 경우에 해당하므로, 이에 대해서는 엄격한 비례성 심사에 따라 평등권 침해 여부를 심사하여야 한다.

③ 종합부동산세의 과세방법을 '세대별 합산'으로 규정한 「종합부동산세법」 조항이 혼인이나 가족생활을 근거로 부부 등 가족이 있는 자를 혼인하지 아니한 자 등에 비하여 차별취급하더라도, 과세단위를 정하는 것은 입법자의 입법형성의 재량에 속하는 정책적 문제이므로, 그 차별이 헌법 제36조 제1항에 위반되는지 여부는 자의금지원칙에 의한 심사를 통하여 판단하면 족하다.

④ 중등교사임용시험에서 복수전공 및 부전공 교원자격증 소지자에게 가산점을 부여하고 있는 「교육공무원법」 조항에 의해 복수·부전공 가산점을 받지 못하는 자가 불이익을 입는다고 하더라도 이를 공직에 진입하는 것 자체에 대한 제약이라 할 수 없어, 그러한 가산점제도에 대하여는 자의금지원칙에 따른 심사척도를 적용하여야 한다.

해설

① (O) 자의금지원칙을 적용한 사건이다. (헌재 2011.2.24. 2008헌바86 [합헌])

② (X) 본인은 완화된 심사이고, 가족은 엄격심사이다.

> 종전 결정은 국가유공자와 그 가족에 대한 가산점제도는 모두 헌법 제32조 제6항에 근거를 두고 있으므로 평등권 침해 여부에 관하여 보다 완화된 기준을 적용한 비례심사를 하였으나, 국가유공자 본인의 경우는 별론으로 하고, 그 가족의 경우는 위에서 본 바와 같이 헌법 제32조 제6항이 가산점제도의 근거라고 볼 수 없으므로 그러한 완화된 심사는 부적절한 것이다. (헌재 2006.2.23. 2004헌마675 등)

③ (X) 헌법 제36조 제1항에 위반되는지 여부는 엄격심사를 통하여 판단하여야 한다. (헌재 2005.5.26. 2004헌가6)

④ (X)

> 이 사건 복수·부전공 가산점은 헌법이 정하고 있는 차별금지사유나 영역에는 해당하지 아니하므로, 평등실현 요청에 위배되는지 여부를 심사하기 위한 기준을 설정함에 있어서는 이 사건 복수·부전공 가산점으로 인한 차별이 공직취임에 대한 중대한 제한인지 여부가 문제된다. 그런데 중등교사임용시험에서 이 사건 복수·부전공 가산점을 받지 못하는 자가 입을 수 있는 불이익은 공직에 진입하는 것 자체에 대한 제약이라는 점에서 당해 기본권에 대한 중대한 제한이므로 이 사건 복수·부전공 가산점규정의 위헌 여부에 대하여는 엄격한 심사척도를 적용함이 상당하다. (헌재 2006.6.29. 2005헌가13)

정답 ①

예상판례

> 형사소송법 제232조 제1항이 (친고죄 또는 반의사불벌죄의) 고소 취소의 시기를 제1심 판결선고 전까지로 제한하는 법률조항은 헌법에 위반되지 아니한다. (헌재 2013.3.21. 2012헌마501)

051 회독 ☐☐☐ 재구성   16 법원직, 15 지방7급

평등원칙에 대한 설명으로 옳지 않은 것은? (다툼이 있는 경우 판례에 의함)

① 친양자의 양친을 기혼자로 한정하고 독신자는 친양자 입양을 할 수 없도록 규정한 「민법」 제908조의2는 독신자를 기혼자에 비하여 차별하는 것으로 평등원칙에 위배된다.
② 국가공무원 임용결격사유에 해당하여 공중보건의사 편입이 취소된 사람을 현역병으로 입영하게 하거나 공익근무요원으로 소집함에 있어 의무복무기간에 기왕의 복무기간을 반영하지 않은 것은 평등의 원칙에 반한다.
③ 선거범죄를 저지른 낙선자를 제외하고 선거범죄로 당선이 무효로 된 자에게만 이미 반환받은 기탁금과 보전받은 선거비용을 다시 반환하도록 한 구 「공직선거법」 제265조의2 제1항은 평등원칙에 위배되지 않는다.
④ 형사소송절차와 달리 소년심판절차에서 검사에게 상소권이 인정되지 않는 것은 소년심판절차의 특수성을 감안하면 합리적 이유가 있어 피해자의 평등권을 침해했다고 할 수 없다.

> **해설**

① (✕) [15 지방7급]

> 친양자의 양친을 기혼자로 한정하고 독신자는 친양자 입양을 할 수 없도록 규정한 민법 제908조의2는 독신자의 평등권을 침해한다고 볼 수 없다. (헌재 2013.9.26. 2011헌가42)

② (○) 헌재 2010.7.29. 2008헌가28 [16 법원직]

③ (○) [15 지방7급]

> [1] 이 사건 법률조항의 제재는 공직취임을 배제하거나 공무원 신분을 박탈하는 내용이 아니므로 공무담임권의 보호영역에 속하는 사항을 규정한 것이라고 할 수 없고, 선거범죄를 저지르지 않고 선거를 치르는 대부분의 후보자는 제재대상에 포함되지 아니하여 자력이 충분하지 못한 국민의 입후보를 곤란하게 하는 효과를 갖는다고 할 수 없으므로 이 사건 법률조항은 공무담임권을 제한한다고 할 수 없다.
> [2] 공직선거의 후보자들은 모두 당선을 목적으로 하는 이상, 당선자에게만 제재를 부과하는 규정을 두더라도 후보자들은 모두 이를 자신의 제재로 받아들일 것이라서 굳이 낙선자를 제재대상에 포함하지 않더라도 입법목적의 달성의 효과는 동일할 것이므로 낙선자를 제외하고 당선자만 제재대상으로 규정한 이 사건 법률조항이 자의적인 입법으로서 청구인의 평등권을 침해한다고 볼 수 없다. (헌재 2011.4.28. 2010헌바232)

④ (○) [15 지방7급]

> 형사소송절차에서는 일방당사자인 검사가 상소 여부를 결정할 수 있고, 피해자도 간접적으로 검사를 통하여 상소 여부에 관여할 수 있음에 반하여, 소년심판절차에서는 검사에게 상소권이 인정되지 아니하여 소년심판절차에서의 피해자도 상소 여부에 관하여 전혀 관여할 수 있는 방법이 없는데, 양 절차의 피해자는 범죄행위로 인하여 피해를 입었다는 점에서 본질적으로 동일한 집단이라고 할 것임에도 서로 다르게 취급되고 있다. 그런데 소년심판절차의 전 단계에서 검사가 관여하고 있고, 소년심판절차의 제1심에서 피해자 등의 진술권이 보장되고 있다. 또한 소년심판은 형사소송절차와는 달리 소년에 대한 후견적 입장에서 소년의 환경 조정과 품행 교정을 위한 보호처분을 하기 위한 심문절차이며, 보호처분을 함에 있어 범행의 내용도 참작하지만 주로 소년의 환경과 개인적 특성을 근거로 소년의 개선과 교화에 부합하는 처분을 부과하게 되므로 일반형벌의 부과와는 차이가 있다. 그리고 소년심판은 심리의 객체로 취급되는 소년에 대한 후견적 입장에서 법원의 직권에 의해 진행되므로 검사의 관여가 반드시 필요한 것이 아니고 이에 따라 소년심판의 당사자가 아닌 검사가 상소 여부에 관여하는 것이 배제된 것이다. 위와 같은 소년심판절차의 특수성을 감안하면, 차별대우를 정당화하는 객관적이고 합리적인 이유가 존재한다고 할 것이어서 이 사건 법률조항은 청구인의 평등권을 침해하지 않는다. (헌재 2012.7.26. 2011헌마232)

정답 ①

052 회독 ☐☐☐ 재구성
16 변호사·서울7급, 15 국회8급

평등권에 대한 설명으로 옳은 것은? (다툼이 있는 경우 판례에 의함)

① 제1종 운전면허를 받은 사람이 정기적성검사기간 내에 적성검사를 받지 아니한 경우에 행정형벌을 과하도록 규정한 것은 행정법규 위반자에 대한 행정제재의 종류와 범위를 선택하는 문제로서, 자의금지원칙에 위배되는지 여부를 판단하면 될 것이다.
② 「공직선거법」상 기부행위 제한의 적용을 받는 자에 '후보자가 되고자 하는 자'까지 포함하면서 기부행위의 제한기간을 폐지하여 기부행위를 상시 제한하도록 한 것은 '후보자가 되려는 자'를 다른 후보자들과 합리적 이유 없이 동일하게 취급하여 평등권을 침해한다.
③ 행정관서요원으로 근무한 공익근무요원과는 달리, 국제협력요원으로 근무한 공익근무요원을 「국가유공자 등 예우 및 지원에 관한 법률」에 의한 보상에서 제외한 구 「병역법」 조항은 병역의무의 이행이라는 동일한 취지로 소집된 요원임에도 합리적인 이유 없이 양자를 차별하고 있어 평등권을 침해한다.
④ 사법시험에 합격하여 사법연수원의 과정을 마친 자와 달리 변호사 합격자들에게 6개월의 실무수습을 거치도록 한 것은 평등권을 침해한다.

해설

① (O) 법률 위반에 대해서 형벌을 부과할지 과태료를 부과할지는 입법재량의 문제이다. [15 국회8급]

② (X) [16 변호사]

> **'후보자가 되고자 하는 자'의 기부행위 제한** (헌재 2014.2.27. 2013헌바106[합헌] ; 헌재 2009.4.30. 2007헌바29 등[합헌])
> 기부행위 제한의 적용을 받는 자에 '후보자가 되고자 하는 자'까지 포함하면서 기부행위의 제한기간을 폐지하여 상시 제한하도록 한 것은 과잉금지원칙에 위배하여 인격권, 행복추구권, 평등권, 공무담임권을 침해하지 아니한다.

③ (X) [16 변호사]

> **행정관서요원으로 근무한 공익근무요원과는 달리 국제협력요원으로 근무한 공익근무요원을 국가유공자 등 예우 및 지원에 관한 법률**(이하 '국가유공자법'이라 한다)**에 의한 보상에서 제외한 구 병역법 규정은 헌법상 평등권을 침해하지 아니한다. 또한 이 사건 조항은 헌법 제2조 제2항의 재외국민보호의무에 위반되지 아니한다.** (헌재2010.7.29. 2009헌가13)
> 이 사건은 국제협력요원이 병역의무를 이행하기 위하여 개발도상국 등에 파견되어 일정한 봉사업무에 종사하던 중 사망한 경우에 대한민국 내에서 위와 같은 사망자를 국가유공자법에 의하여 보상하여야 하는지에 관련된 것이므로, 국가의 재외국민보호의무를 규정하고 있는 헌법 제2조 제2항의 보호법익이 이 사건에 그대로 적용된다고 보기 어려우므로, 이 사건 조항이 국제협력요원이 복무 중 사망한 경우 국가유공자법에 의한 보상을 하지 않는다고 하여 국가가 헌법 제2조 제2항에 규정한 재외국민을 보호할 의무를 행하지 않은 경우라고는 볼 수 없다.

④ (X) [16 서울7급]

> 사법시험에 합격하여 사법연수원의 과정을 마친 자와 판사나 검사의 자격이 있는 자는 사법연수원의 정형화된 이론과 실무수습을 거치거나 법조실무 경력이 있는 반면, 청구인들과 같은 변호사 합격자들의 실무수습은 법학전문대학원별로 편차가 크고 비정형적으로 이루어지고 있으므로, 변호사시험 합격자들에게 6개월의 실무수습을 거치도록 하는 것을 합리적 이유가 없는 자의적 차별이라고 보기는 어렵다. 따라서 심판대상조항은 청구인들의 평등권을 침해하지 아니한다. (헌재 2014.9.25. 2013헌마424)

정답 ①

053 회독 ☐☐☐ 재구성   16·13 법원직, 13 국가7급

평등권 또는 평등원칙에 대한 설명으로 옳은 것은? (다툼이 있는 경우 판례에 의함)

① 국회의원은 지방공사직원의 직을 겸할 수 있지만 지방의회의원은 지방공사직원의 직을 겸할 수 없게 하는 것은 국회의원과 지방의회의원이 본질적으로 동일한 비교집단이 아니므로 불합리한 차별이 아니다.
② 선거로 취임하는 공무원인 지방자치단체장을 「공무원연금법」의 적용대상에서 제외하는 법률조항은 지방자치단체장도 국민 전체에 대한 봉사자로서 공무원법상 각종 의무를 부담하고 영리업무 및 겸직금지 등 기본권 제한이 수반된다는 점에서 경력직공무원 또는 다른 특수경력직공무원 등과 차이가 없는데도 「공무원연금법」의 적용에 있어 지방자치단체장을 다른 공무원에 비하여 합리적 이유 없이 차별하는 것으로, 지방자치단체장들의 평등권을 침해한다.
③ 지방의회의원은 「지방자치법」의 목적에 비추어 지방자치단체의 장 및 교육감과 유사한 지위에 있는 선출직 공무원임에도 불구하고, 세종시를 신설하면서 세종시장과 세종시교육감은 선출하고 세종시의회의원은 선출하지 않는 것은 양자를 합리적 이유 없이 차별하는 것이므로 세종시의회의원이 되고자 하는 자의 평등권을 침해한다.
④ 공인회계사시험의 응시자격을 대학 등에서 일정 과목에 대하여 일정 학점 이상을 이수하거나 학점인정을 받은 자로 제한하는 것은 법무사, 세무사, 변리사시험 등에서는 이러한 응시자격의 제한규정을 두고 있지 않는 것에 비추어, 법무사시험 등에 응시하려는 사람과 공인회계사시험에 응시하려는 사람을 합리적 이유 없이 차별하는 것으로 독학으로 공인회계사시험을 준비하는 사람의 평등권을 침해한다.
⑤ 의료급여수급자와 건강보험가입자는 사회보장의 한 형태로서 의료보장의 대상인 점에서 공통점이 있고, 그 선정방법, 법적 지위, 재원조달방식, 자기기여 여부 등에서는 차이가 있기는 하지만 본질적으로는 동일한 비교집단으로 볼 수 있으므로 의료급여수급자를 대상으로 선택병·의원제도 및 비급여항목 등을 건강보험의 경우와 달리 규정하고 있는 것은 평등권을 침해하는 것이다.

해설

① (O) [13 국가7급]

> 지방공사와 지방자치단체, 지방의회의 관계에 비추어 볼 때, 지방공사직원의 직을 겸할 수 없도록 함에 있어 지방의회의원과 국회의원은 본질적으로 동일한 비교집단이라고 볼 수 없으므로, 양자를 달리 취급하였다고 할지라도 이것이 지방의회의원의 평등권을 침해한 것이라고 할 수는 없다. (헌재 2012.4.24. 2010헌마605)

② (×) [16 법원직]

> 지방자치단체장은 특정 정당을 정치적 기반으로 할 수 있는 선출직공무원으로 임기가 4년이고 계속재임도 3기로 제한되어 있어, 장기 근속을 전제로 하는 공무원을 주된 대상으로 하고 이들이 재직기간 동안 납부하는 기여금을 일부 재원으로 하여 설계된 공무원연금법의 적용대상에서 지방자치단체장을 제외하는 것에는 합리적 이유가 있다. 선출직공무원의 경우 선출 기반 및 재임가능성이 모두 투표권자에게 달려 있고, 정해진 임기가 대체로 짧으며, 공무원연금의 전체 기금은 기본적으로 기여금 및 국가 또는 지방자치단체의 비용으로 운용되는 것이므로 공무원연금 급여의 종류를 구별하여 기여금 납부를 전제로 하지 않는 급여의 경우 선출직공무원에게 지급이 가능하다고 보기도 어렵다. 따라서 심판대상조항은 청구인들의 평등권을 침해하지 않는다. (헌재 2014.6.26. 2012헌마459)

③ (✗) [13 국가7급]

> 세종시의회의원은 세종시장, 세종시교육감과 마찬가지로 선거에 의해 선출되는 공무원이기는 하나, 세종시 출범시 세종시장, 세종시교육감과 달리 새로운 선거를 하지 아니하기로 한 데에는 합리적인 이유가 있으므로, 세종특별자치시의회를 신설하면서 지방의회의원 선거를 실시하지 아니하고 연기군의회의원 등에게 세종특별자치시의회의원의 자격을 취득하도록 한 것은 평등권을 침해하지 아니한다. (헌재 2013.2.28. 2012헌마131)

④ (✗) [13 국가7급]

> 법무사, 세무사, 변리사 등 다른 전문자격시험들과 공인회계사시험은 본질적으로 서로 같지 아니하므로 다른 시험에서 학점이수제도를 두지 않고 있다는 이유로 공인회계사시험의 응시자격을 대학 등에서 일정 과목에 대하여 일정 학점을 이수하거나 학점인정을 받은 사람으로 제한하는 공인회계사법 규정이 공인회계사시험에 응시하려는 자들을 자의적으로 차별하고 있다고 볼 수는 없다. (헌재 2012.11.29. 2011헌마801)

⑤ (✗) [13 법원직]

> 의료급여수급자와 건강보험가입자는 사회보장의 한 형태인 의료보장의 대상인 점에서만 공통점이 있다고 할 수 있을 뿐 그 선정방법, 법적 지위, 재원조달방식, 자기기여 여부 등에서는 명확히 구분된다. 따라서 의료급여수급자와 건강보험가입자는 본질적으로 동일한 비교집단이라 보기 어렵고 의료급여수급자를 대상으로 선택병의원제 및 비급여항목 등을 달리 규정하고 있는 것을 두고, 본질적으로 동일한 것을 다르게 취급하고 있다고 볼 수는 없으므로 이 사건 개정법령의 규정이 청구인들의 평등권을 침해한다고 볼 수 없다. (헌재 2009.11.26. 2007헌마734)

정답 ①

054 [15 법원직]

적극적 평등실현조치에 관한 설명 중 가장 옳지 않은 것은? (다툼이 있는 경우 헌법재판소 결정에 의함)

① 적극적 평등실현조치는 종래 사회로부터 차별을 받아 온 일정 집단에 대해 그 동안의 불이익을 보상하기 위한 우대적 조치이다.
② 적극적 평등실현조치는 개인의 자격이나 실적보다는 집단의 일원이라는 것을 근거로 하여 우대하는 조치이다.
③ 적극적 평등실현조치는 결과의 평등보다는 기회의 평등을 추구하기 때문에 합헌적 정책이다.
④ 적극적 평등실현조치는 항구적 정책이 아니라 구제목적이 실현되면 종료하는 임시적 조치이다.

해설

① (○) ② (○) ③ (○) ④ (○)

적극적 평등실현조치(잠정적 우대조치)의 특징

- 집단의 권리: 개인이 아니라 집단의 일원이라는 것을 근거로 하여 혜택을 준다.
- 결과의 평등: 기회의 평등보다는 결과의 평등을 추구한다.
- 잠정적 조치: 항구적 정책이 아니라 구제목적이 실현되면 종료하는 임시적 조치이다.

정답 ③

055 15 국가7급

평등권에 대한 헌법재판소 결정으로 옳지 않은 것은?

① 의사 또는 치과의사의 지도하에서만 의료기사가 업무를 할 수 있도록 규정하고, 한의사의 지도하에서는 의료기사인 물리치료사가 물리치료는 물론 한방물리치료를 할 수 없도록 하는 「의료기사 등에 관한 법률」의 조항은 평등권을 침해한다.
② 관광진흥개발기금 관리·운용업무에 종사토록 하기 위해 문화체육관광부장관이 채용한 민간전문가에 대해 「형법」상 뇌물죄의 적용에 있어서 공무원으로 의제하는 「관광진흥개발기금법」 조항은 평등원칙에 위배되지 않는다.
③ 「형법」 조항과 똑같은 구성요건을 규정하면서 법정형만 상향조정한 「특정범죄 가중처벌 등에 관한 법률」 조항은 인간의 존엄성과 가치를 보장하는 헌법의 기본원리에 위배될 뿐만 아니라 그 내용에 있어서도 평등원칙에 위반된다.
④ 「민법」 제847조 제1항 중 '친생부인의 사유가 있음을 안 날부터 2년 이내 부분'은 친생부인의 소의 제척기간에 관한 입법재량의 한계를 일탈하지 않은 것으로서 양성의 평등에 기초한 혼인과 가족생활에 관한 기본권을 침해하지 아니한다.

해설

① (✗)

> [1] 물리치료사가 의사, 치과의사의 지도하에 업무를 할 수 있도록 정한 구 의료기사 등에 관한 법률 제1조 중 '의사 또는 치과의사의 지도하에 진료 또는 의화학적 검사에 종사하는 자' 중 물리치료사에 관한 부분은 한의사를 의사 및 치과의사에 비하여 합리적 이유 없이 차별하여 한의사의 평등권을 침해하지 않는다.
> [2] 이 사건 조항은 한의사가 물리치료사의 조력을 통해 환자들에게 한방물리치료를 하는 것을 제한함으로써 한의사의 직업수행의 자유를 침해하지 않는다. (헌재 2014.5.29. 2011헌마552)

② (○) 헌재 2014.7.24. 2012헌바188

③ (○)

> 심판대상조항은 별도의 가중적 구성요건표지를 규정하지 않은 채 형법 조항과 똑같은 구성요건을 규정하면서 법정형만 상향조정하여 어느 조항으로 기소하는지에 따라 벌금형의 선고 여부가 결정되고, 선고형에 있어서도 심각한 형의 불균형을 초래하게 함으로써 형사특별법으로서 갖추어야 할 형벌체계상의 정당성과 균형을 잃어 인간의 존엄성과 가치를 보장하는 헌법의 기본원리에 위배될 뿐만 아니라 그 내용에 있어서도 평등원칙에 위반된다. (헌재 2015.2.26. 2014헌가16 등【위헌】)

④ (○)

> 헌법재판소 1997.3.27. 95헌가14 등 결정의 취지에 따라 2005.3.31. 법률 제7427호로 개정된 민법 제847조 제1항은 '친생부인의 사유가 있음을 안 날'을 제척기간의 기산점으로 삼음으로써 부가 혈연관계의 진실을 인식할 때까지 기간의 진행을 유보하고, '그로부터 2년'을 제척기간으로 삼음으로써 부의 친생부인의 기회를 실질적으로 보장하고 있다. 또한 2년이란 기간은 자녀의 불안정한 지위를 장기간 방치하지 않기 위한 것으로서 지나치게 짧다고 볼 수 없다. 따라서 민법 제847조 제1항 중 '부가 그 사유가 있음을 안 날부터 2년 내' 부분은 친생부인의 소의 제척기간에 관한 입법재량의 한계를 일탈하지 않은 것으로서 헌법에 위반되지 아니한다. (헌재 2015.3.26. 2012헌바357)

정답 ①

056

평등권 또는 평등의 원칙과 관련된 헌법재판소의 판시 내용에 관한 다음 설명 중 가장 옳지 않은 것은?

① 국내통화를 위조 또는 변조하거나 이를 행사하는 등의 행위를 가중처벌하는 「특정범죄 가중처벌 등에 관한 법률」(2010.3.31. 법률 제10210호로 개정된 것) 제10조 중 「형법」 제207조 제1항 및 제4항에 관한 부분은 「형법」 제207조 제1항 및 제4항 부분과의 관계에서 형벌체계상의 균형을 잃어 평등원칙에 위반된다.

② 경찰에 관한 직무를 행하는 자 등이 그 직무를 행함에 당하여 형사피의자 또는 기타 사람에 대하여 폭행을 가하는 경우 5년 이하의 징역과 10년 이하의 자격정지에 처하도록 한 「형법」 제125조 제1항의 법정형이 폭행죄나 공무집행방해죄의 법정형보다 무겁다고 하더라도 형벌체계의 정당성과 균형을 잃어 평등원칙에 위반된 것이라고 볼 수 없다.

③ 지방공무원이 면직처분에 대해 불복할 경우 행정소송 제기에 앞서 반드시 소청심사를 거치도록 규정한 것은 행정심판의 특수성 등에 기인하는 것이고, 지방공무원에 대하여 합리성을 결여한 자의적인 차별을 하고 있다고 볼 수 없어 평등원칙에 위반되지 않는다.

④ 금고 이상의 실형을 선고받고 그 집행이 끝나거나 집행이 면제된 날로부터 3년이 지나지 아니한 사람은 행정사가 될 수 없다고 규정한 것은 그 결격사유를 공인중개사나 다른 국가자격 직역에 비해 합리적인 이유 없이 엄격하게 규정한 것으로 평등권을 침해하는 것이다.

해설

① (O)

> 심판대상조항은 이 사건 형법 조항과 똑같은 구성요건을 규정하면서 법정형의 상한에 '사형'을 추가하고 하한을 2년에서 5년으로 올려 놓았다. 이러한 경우 검사는 심판대상조항을 적용하여 기소하는 것이 특별법 우선의 법리에 부합할 것이나, 이 사건 형법 조항을 적용하여 기소할 수도 있으므로 어느 법률조항이 적용되는지에 따라 심각한 형의 불균형이 초래된다. 심판대상조항은 이 사건 형법 조항의 구성요건 이외에 별도의 가중적 구성요건 표지 없이 법적용을 오로지 검사의 기소재량에만 맡기고 있어 법집행기관 스스로도 혼란을 겪을 수 있고, 수사과정에서 악용될 소지도 있다. 따라서 심판대상조항은 형벌체계상의 균형을 잃은 것이 명백하므로 평등원칙에 위반된다. (헌재 2014.11.27. 2014헌바224)

② (O)

> 이 사건 법률조항과 폭행죄 및 공무집행방해죄는 구성요건과 보호법익 등을 서로 달리하고 있고, 이 사건 법률조항의 죄질이나 불법의 정도가 폭행죄나 공무집행방해죄보다 결코 가볍다고 볼 수 없다. 따라서 이 사건 법률조항에 해당하는 죄의 법정형을 폭행죄나 공무집행방해죄의 법정형보다 무겁게 정하였다고 하여 형벌체계의 정당성과 균형을 잃어 평등원칙에 위반된 것이라고 볼 수 없다. (헌재 2015.3.26. 2013헌바140)

③ (O) 필요적 행정심판은 위헌이 아니다. 다만, 지방세에 대하여 이의신청과 심사청구라는 이중의 행정심판을 필요적으로 거치게 하고 사법절차가 준용되지 않는 것은 헌법에 위반된다.

④ (X)

> 금고 이상의 실형을 선고받고 그 집행이 끝나거나 집행이 면제된 날로부터 3년이 지나지 아니한 사람은 행정사가 될 수 없도록 규정한 행정사법 제6조 제3호는 청구인의 직업선택의 자유 및 평등권을 침해하지 않는다. (헌재 2015.3.26. 2013헌마131)

📋 **비교판례**

농협 및 축협 조합장이 금고 이상의 형을 선고받고 그 형이 확정되지 아니한 경우 이사가 그 직무를 대행하도록 규정한 농업협동조합법 조항들은 과잉금지원칙에 반하여 조합장인 청구인들의 직업수행의 자유 및 평등권을 침해하여 헌법에 위반된다. (헌재 2013.8.29. 2010헌마562)

정답 ④

📋 **예상판례**

지방공무원이 국회의원 재선거에 출마하는 경우 후보자등록 신청 전까지 그 직에서 사퇴하도록 규정한 공직선거법 제53조 제2항 제2호 중 '지방공무원이 국회의원 재선거에 입후보하는 경우'에 관한 부분은 청구인의 공무담임권 및 평등권을 침해하지 아니한다. (헌재 2014.3.27. 2013헌마185)

057 14 변호사

평등권 또는 평등원칙에 관한 설명 중 옳은 것을 모두 고른 것은? (다툼이 있는 경우 판례에 의함)

ㄱ. 주민투표권은 헌법상의 열거되지 아니한 권리 등 그 명칭의 여하를 불문하고 헌법상의 기본권성이 부정된다. 그러나 비교집단 상호 간에 주민투표권의 차별이 존재할 경우 헌법상의 평등권 심사가 가능하다.

ㄴ. 일정한 교육을 거쳐 시·도지사로부터 자격 인정을 받은 자만이 안마시술소 등을 개설할 수 있도록 한 법률규정은 비시각장애인이 직접 안마사 자격 인정을 받아 안마를 하는 것을 금지하는 것은 수인하더라도 안마시술소를 개설조차 할 수 없도록 한 것으로서, 안마시술소 등을 개설하고자 하는 비시각장애인을 시각장애인과 달리 취급함으로써 비시각장애인의 평등권을 침해한다.

ㄷ. 「병역법 시행규칙」 제110조 제1호에서 국외여행 허가대상을 30세 이하로 정하고 있는 점에 비추어, 제1국민역의 경우 특별한 사정이 없는 한 27세까지만 단기 국외여행을 허용하는 병역의무자 국외여행 업무처리 규정(병무청 훈령)은 체계정당성에 위배되며, 위헌적인 차별이 존재한다.

① ㄱ
② ㄴ
③ ㄱ, ㄴ
④ ㄴ, ㄷ

해설

ㄱ. (O)

우리 헌법은 법률이 정하는 바에 따른 선거권과 공무담임권 및 국가안위에 관한 중요정책과 헌법개정에 대한 국민투표권만을 헌법상의 참정권으로 보장하고 있으므로, 지방자치법 제13조의2에서 규정한 주민투표권은 그 성질상 선거권, 공무담임권, 국민투표권과 전혀 다른 것이어서 이를 법률이 보장하는 참정권이라고 할 수 있을지언정 헌법이 보장하는 참정권이라고 할 수는 없다. (헌재 2001.6.28. 2000헌마735)

ㄴ. (X) ㄷ. (X) 합헌이다.

정답 ①

058 회독 ☐☐☐ 재구성   13 국회9급, 08 국가7급

평등원칙에 대한 설명으로 옳지 않은 것은? (다툼이 있는 경우 판례에 의함)

① 복수면허 의료인이든 단수면허 의료인이든 '하나의' 의료기관만을 개설할 수 있도록 하는 것은 평등원칙에 위반된다.
② 교섭단체 소속 의원의 입법활동을 보좌하기 위하여 정책연구위원을 두도록 하는 것은 교섭단체를 구성한 정당과 그렇지 못한 정당을 불합리하게 차별하여 평등원칙에 위반된다.
③ 직장가입자와는 달리 저소득층 지역가입자에 대하여 국가가 국고지원을 통해 보험료를 보조하여 지역가입자와 직장가입자를 차별적으로 취급하는 것은 평등원칙에 반하지 아니한다.
④ 전상유공자가 보훈급여금을 받는 경우 보훈급여금과 참전명예수당 중 어느 하나만을 선택하여 받도록 하는 것은 평등권을 침해하지 않는다.

해설

① (○) [08 국가7급]

> **복수면허 의사에 대한 하나의 의료기관 개설** (헌재 2007.12.27. 2004헌마1021【헌법불합치】)
> 복수면허 의료인이든, 단수면허 의료인이든 '하나의' 의료기관만을 개설할 수 있다는 점에서는 '같은' 대우를 받는다. 그런데 복수면허 의료인은 의과대학과 한의과대학을 각각 졸업하고, 의사와 한의사 자격 국가고시에 모두 합격하였다. 따라서 단수면허 의료인에 비하여 양방 및 한방의 의료행위에 대하여 상대적으로 지식 및 능력이 뛰어나거나 그가 행하는 양방 및 한방의 의료행위의 내용과 그것이 인체에 미치는 영향 등에 대하여도 상대적으로 더 유용한 지식과 정보를 취득하고 이를 분석하여 적절하게 대처할 수 있다고 평가될 수 있다. 복수면허 의료인들에게 단수면허 의료인과 같이 하나의 의료기관만을 개설할 수 있다고 한 이 사건 법률조항은 '다른 것을 같게' 대우하는 것으로 합리적인 이유를 찾기 어렵다. 이 사건 심판대상 법률조항은 복수면허 의료인인 청구인들의 직업의 자유, 평등권을 침해한다.

② (×) 교섭단체를 구성한 정당에게만 소속 활동을 보좌하기 위하여 정책연구위원을 두도록 하는 것은 교섭단체를 구성한 정당과 그렇지 못한 정당을 불리하게 차별하는 것은 아니다. (헌재 2008.3.27. 2004헌마654) [08 국가7급]
③ (○) 헌재 2000.6.29. 99헌마289 [08 국가7급]
④ (○) [13 국회9급]

> 전상유공자와 비전상유공자는 본질적으로 서로 다른 집단임에도, 이 사건 법률조항은 전상유공자가 보훈급여금을 받는 경우에는 보훈급여금과 참전명예수당 중 어느 하나만을 선택하여 받도록 함으로써, 전상유공자와 비전상유공자를 같게 취급하는 차별이 존재하지만, 이와 같은 차별을 정당화할 객관적이고 합리적인 이유가 존재한다고 볼 수 있으므로, 평등권을 침해한다고 할 수 없다. (헌재 2010.10.28. 2009헌마272)

정답 ②

059 회독 ☐☐☐ 재구성   13 국회8급·변호사

평등권에 대한 설명으로 옳지 않은 것은? (다툼이 있는 경우 판례에 의함)

① 직무 중 사망한 소방공무원에 대해서 경찰공무원과 달리 순직군경으로서의 보훈혜택을 부여하지 않는 것은 합리적 근거 없는 차별이다.
② A형 혈우병 환자들의 출생시기에 따라 이들에 대한 유전자재조합제제의 요양급여 허용 여부를 달리 취급하는 것은 합리적 근거 없는 차별이다.
③ 어음발행인과 달리 부도수표발행인에 대해서만 형사처벌하는 규정을 두었다고 하더라도 수표는 어음과는 본래적 성질을 달리하므로 수표발행인과 어음발행인을 달리 취급하는 것은 합리적 근거 있는 차별이다.
④ 국·공립학교와는 달리 사립학교를 설치·경영하는 학교법인 등이 당해 학교에 운영위원회를 둘 것인지의 여부를 스스로 결정할 수 있도록 한 것은 사립학교의 특수성과 자주성을 존중하기 위한 것이므로 합리적이고 정당한 사유가 있는 차별에 해당한다.

해설

① (✗) [13 국회8급]

> 국가에 대한 공헌과 희생, 업무의 위험성의 정도, 국가의 재정상태 등을 고려하여 화재진압, 구조·구급업무수행 또는 이와 관련된 교육훈련 이외의 사유로 직무수행 중 사망한 소방공무원에 대하여 순직군경으로서의 보훈혜택을 부여하지 않는다고 해서 이를 합리적인 이유 없는 차별에 해당한다고 볼 수 없다. **(헌재 2005.9.29. 2004헌바53)**

② (○) [13 국회8급]

> 1983.1.1. 이후 출생한 A형 혈우병 환자에 한하여 유전자재조합제제에 대한 요양급여를 인정하는 이 사건 고시조항이 수혜자 한정의 기준으로 정한 환자의 출생시기는 우연한 사정에 기인하는 결과의 차이일 뿐, 이러한 차이로 인해 A형 혈우병 환자들에 대한 치료제인 유전자재조합제제의 요양급여 필요성이 달라진다고 할 수는 없으므로, A형 혈우병 환자들의 출생시기에 따라 이들에 대한 유전자재조합제제의 요양급여 허용 여부를 달리 취급하는 것은 합리적인 이유가 있는 차별이라고 할 수 없다. 따라서 이 사건 고시조항은 청구인들의 평등권을 침해하는 것이다. **(헌재 2012.6.27. 2010헌마716)**

③ (○) [13 국회8급]

> 어음발행인과 달리 부도수표발행인에 대하여만 형사처벌하는 규제를 두었다고 하더라도, 수표는 현금의 대용물로서 금전지급증권이라는 수표 고유의 특성 때문에 어음과는 본래적 성질을 달리하므로, 수표발행인과 어음발행인 사이에는 본질적으로 동일한 집단에 대한 차별취급이 인정되지 않거나, 또는 이들에 대한 차별취급에 합리적 이유가 있다고 할 것이다. 따라서 이 사건 법률조항은 평등원칙에 위배되지 아니한다. **(헌재 2011.7.28. 2009헌바267)**

④ (○) [13 변호사]

정답 ①

> 🔔 **학교운영위원회**
> • 처음에 국·공립학교에는 필수적으로 설치하고 사립학교에는 임의적으로 설치 **[합헌]**
> • 그 후 법이 개정되어 사립학교에도 필수적으로 설치 **[합헌]**

060 회독 ☐☐☐ 재구성   13 법원직·지방7급, 11 법원직

평등권 및 평등원칙에 대한 설명으로 옳지 않은 것은? (다툼이 있는 경우 판례에 의함)

① 평등원칙의 위반 여부를 판단함에 있어서는 먼저 본질적으로 동일한 것을 다르게 취급하고 있는가 하는 차별취급의 존재 여부를 판단하여야 하는데, 두 개의 비교집단이 본질적으로 동일한지의 여부에 대한 판단은 일반적으로 당해 법률규정의 의미와 목적에 달려 있다.

② 평등권의 침해 여부에 대한 심사는 그 심사기준에 따라 자의금지원칙에 의한 심사와 비례의 원칙에 의한 심사로 크게 나누어 볼 수 있다. 자의심사의 경우에는 단순히 합리적인 이유의 존부문제가 아니라 차별을 정당화하는 이유와 차별 간의 상관관계에 대한 심사, 즉 비교대상 간의 사실상의 차이의 성질과 비중 또는 입법목적(차별목적)의 비중과 차별의 정도에 적정한 균형관계가 이루어져 있는가를 심사한다.

③ 출생에 의한 국적 취득에 있어서 출생한 당시의 자녀의 국적을 부의 국적에만 맞추고 모의 국적은 단지 보충적인 의미만 부여하는 경우는 평등원칙 위반 여부 심사시 엄격한 척도를 적용해야 한다.

④ 구「국가유공자 예우 등에 관한 법률」제5조 제2항에서 유족의 범위에 사후양자를 제외한 것은 일반양자와 사후양자에 상당한 차이가 있어 불합리하고 자의적인 것으로 볼 수 없다.

해설

① (O) 헌재 2003.12.18. 2002헌바91 등 [11 법원직]

② (X) 선지는 엄격한 비례심사에 대한 내용이다. [13 법원직]

> 평등권의 침해 여부에 대한 심사는 그 심사기준에 따라 자의금지원칙에 의한 심사와 비례의 원칙에 의한 심사로 크게 나누어 볼 수 있다. 자의심사의 경우에는 차별을 정당화하는 합리적인 이유가 있는지만을 심사하기 때문에 그에 해당하는 비교대상 간의 사실상의 차이나 입법목적(차별목적)의 발견·확인에 그치는 반면에, 비례심사의 경우에는 단순히 합리적인 이유의 존부문제가 아니라 차별을 정당화하는 이유와 차별 간의 상관관계에 대한 심사, 즉 비교대상 간의 사실상의 차이의 성질과 비중 또는 입법목적(차별목적)의 비중과 차별의 정도에 적정한 균형관계가 이루어져 있는가를 심사한다. (헌재 2001.2.22. 2000헌마25)

③ (O) [13 지방7급]

> 평등원칙 위반 여부에 대한 심사척도는 입법자에게 인정되는 입법형성권의 정도에 따라 달라지게 될 것이나 헌법에서 특별히 평등을 요구하고 있는 경우와 차별적 취급으로 인하여 관련 기본권에 대한 중대한 제한을 초래하게 된다면 입법형성권은 축소되어 보다 엄격한 심사척도가 적용되어야 한다. 부계혈통주의원칙을 채택한 것은 출생한 당시의 자녀의 국적을 부의 국적에만 맞추고 모의 국적은 단지 보충적인 의미만을 부여하는 차별을 하고 있다. 이렇게 한국인 부와 외국인 모 사이의 자녀와 한국인 모와 외국인 부 사이의 자녀를 차별취급하는 것은 모가 한국인인 자녀와 그 모에게 불리한 영향을 끼치므로 헌법 제11조 제1항의 남녀평등원칙에 어긋난다. (헌재 2000.8.31. 97헌가12)

④ (O) 헌재 2007.4.26. 2004헌바60 [13 법원직]

정답 ②

061 11 국회8급

평등원칙에 위반되지 않는 사례를 모두 고르면? (다툼이 있는 경우 헌법재판소 결정에 의함)

> ㄱ. 국가유공자인 공상공무원에 국·공립학교 교원만을 포함시키고 사립학교 교원은 포함시키지 아니한 것
> ㄴ. 주류·청량음료 제조업자 등 지하수를 다용하는 다른 경우와는 달리 먹는 샘물 제조업자에 대해서만 수질개선부담금을 부과하는 것
> ㄷ. 병으로 의무복무를 마친 후 자원하여 장교로 임관하여 복무한 자가 예비역 병이 아니라 예비역 장교로 취급되어 예비군 훈련기간이 길어진 것
> ㄹ. 정부관리기업체 간부직원은 공무원이 아님에도 직무와 관련한 수재행위에 관하여 공무원으로 의제하여 「형법」상 공무원에 해당하는 뇌물죄로 처벌하는 것
> ㅁ. 사립학교 교·직원 가운데 교원에 대해서만 명예퇴직수당의 지급근거를 두고 사무직원에 대해서는 이에 대한 법적 근거를 두지 않고 학교의 정관 또는 규칙으로 정하도록 하여 구별하는 것

① ㄱ
② ㄱ, ㄴ
③ ㄱ, ㄴ, ㄷ
④ ㄱ, ㄴ, ㄷ, ㄹ
⑤ ㄱ, ㄴ, ㄷ, ㄹ, ㅁ

해설

ㄱ. (O) 헌재 1994.6.30. 91헌마161【합헌】
ㄴ. (O) 헌재 1998.12.24. 98헌가1【합헌】
ㄷ. (O) 헌재 2003.3.27. 2002헌바35【합헌】
ㄹ. (O) 헌재 2002.11.28. 2000헌바75【합헌】
　　대법원은 공무원으로 의제하는 규정이 없음에도 의제해서 처벌하는 것이 가능하다고 보지만, 헌법재판소는 공무원으로 의제하는 규정이 없음에도 의제해서 처벌하는 것은 위헌이라는 입장이다.
ㅁ. (O) 헌재 2007.4.26. 2003헌마533【합헌】

정답 ⑤

062

헌법재판소의 결정 내용 중 옳지 않은 것을 모두 고른 것은?

ㄱ. 교사 신규채용시 국·공립대학 졸업자에게 사립대학 졸업자보다 우선권을 주는 것은 위헌이다.
ㄴ. 누범에 대한 형의 가중은 전과자의 경우와 같이 사회적 신분에 따른 차별적 사유에 해당된다.
ㄷ. 「공직자윤리법 시행령」에 경찰공무원 중 경사 이상의 계급에 해당하는 자를 재산등록의무자로 규정한 것은 평등권을 침해한다.
ㄹ. 선거기간 동안 언론기관이 입후보자를 선별적으로 초청하여 대담토론회를 개최하고 보도하는 것은 자의적인 차별이 아니다.
ㅁ. 제3자 개입금지에 관한 구 「노동쟁의조정법」 제13조의2는 실제로 조력을 구하기 위한 능력의 차이를 무시한 것으로, 근로자와 사용자를 실질적으로 차별하는 불합리한 규정이다.

① ㄱ, ㄴ
② ㄴ, ㄹ
③ ㄴ, ㄷ, ㅁ
④ ㄷ, ㄹ, ㅁ

해설

ㄱ. (O) 국·공립대학 출신자에 대한 교사 우선채용은 평등원칙에 반한다. (헌재 1990.10.8. 89헌마89【위헌】)

ㄴ. (×)

> **누범자에 대한 가중처벌은 평등원칙에 위반되지 않는다.** (헌재 2011.5.26. 2009헌바63 등)
> 누범을 가중처벌하는 것은 형벌의 경고기능을 무시하고 다시 범행을 하여 범죄인의 행위책임이 가중되기 때문이고, … 책임과 형벌 간의 비례원칙에 위배되는 과잉형벌이라고 할 수도 없다. 한편, 누범은 전범에 대한 형벌의 경고적 기능을 무시하고 다시 범죄를 저질렀다는 점에서 사회적 비난가능성이 높고, 이러한 누범이 증가하고 있는 추세를 감안하여 범죄예방 및 사회방위의 형사정책적 고려에 기인하여 이를 가중처벌하는 것이어서 합리적 근거 있는 차별이라 볼 것이므로 이 사건 법률조항이 평등원칙에 위배된다고 할 수 없다.

ㄷ. (×)

> **경찰공무원 중 경사 이상의 계급에 해당하는 자를 재산등록의무자로 규정한 것은 평등권을 침해하지 않는다.** (헌재 2010.10.28. 2009헌마544)
> 경찰공무원은 그 직무범위와 권한이 포괄적인 점, 특히 경사 계급은 현장수사의 핵심인력으로서 직무수행과 관련하여 많은 대민접촉이 이루어지므로 민사분쟁에 개입하거나 금품을 수수하는 등의 비리 개연성이 높다는 점 등을 종합하여 보면, 대민접촉이 거의 전무한 교육공무원이나 군인 등과 달리 경찰업무의 특수성을 고려하여 경사 계급까지 등록의무를 부과한 것은 합리적인 이유가 있는 것이므로 이 사건 시행령조항이 청구인의 평등권을 침해한다고 볼 수 없다.

ㄹ. (O) 헌재 2009.3.26. 2007헌마1327 등

ㅁ. (×) 노동운동에 제3자 개입을 금지하는 것은 헌법에 위반되지 아니한다. (헌재 1990.1.15. 89헌가103)

정답 ③

063 [10 국가7급, 09 법원직]

평등권에 대한 설명으로 옳지 않은 것만을 모두 고르면? (다툼이 있는 경우 판례에 의함)

ㄱ. 다른 전문직 종사자들과는 달리 법무사에 대해서만 사무원 수를 제한하는 것은 위헌이다.
ㄴ. 교도소에 수용된 때에는 국민건강보험급여를 정지하도록 한 것은 위헌이 아니다.
ㄷ. 우리 「형법」 제250조 제2항에서 존속살해죄를 단순살인죄보다 가중처벌하도록 규정하고 있는 것은 헌법상 평등의 원칙에 반한다.
ㄹ. 우리 헌법은 차별금지사유로서 성별, 종교, 사회적 신분을 명시하고 있다.

① ㄱ, ㄴ
② ㄱ, ㄷ
③ ㄴ, ㄹ
④ ㄷ, ㄹ

해설

ㄱ. (X) [10 국가7급]
> 법무사 사무원의 수를 제한하는 것은 법무사 사무원의 업무수행상 특수성으로 인하여 법무사의 사무원에 대한 감독권을 강화하고 업무의 파행적 운영을 막아 사건 의뢰인의 이익을 보호하고 사법운영의 원활화 및 사법에 대한 국민의 신뢰를 구축한다는 입법목적을 달성함에 있어 유효·적절한 수단 중의 하나임이 분명하고 달리 현저하게 불합리하고 불공정한 것이라고 볼 사정이 없으므로 헌법에 위반되지 아니한다. (헌재 1995.4.25. 95헌마331)

ㄴ. (O) [10 국가7급]
> 교도소에 수용되면 건강보험료의 납입의무도 면제되므로 국민건강보험급여를 정지하도록 하는 것은 헌법에 위반되지 아니한다. (헌재 2005.2.24. 2003헌마31 등)

ㄷ. (X) [09 법원직]
> 자기의 직계존속을 살해한 자를 일반살인죄를 저지른 자에 비하여 가중처벌하는 형법 제250조 제2항 중 '자기의 직계존속을 살해한 자' 부분은 평등원칙에 위배되지 않는다. (헌재 2013.7.25. 2011헌바267)

ㄹ. (O) 헌법 제11조 제1항 [09 법원직]
> 위 사유는 예시적이고 그 어떤 이유로도 차별할 수 없다.

정답 ②

064

평등권에 대한 설명으로 옳지 않은 것만을 모두 고르면? (다툼이 있는 경우 판례에 의함)

ㄱ. 일반사인에 해당하는 금융기관 임·직원이 직무와 관련하여 수재행위를 한 경우, 공무원의 뇌물죄와 마찬가지로 별도의 배임행위가 없더라도 이를 처벌하도록 한 것은 평등의 원칙에 위반되지 아니한다.

ㄴ. 「변호사법」 제81조 제4항 내지 제6항이 변호사 징계사건에 대하여 법원에 의한 사실심리의 기회를 배제함으로써, 징계처분을 다투는 의사·공인회계사 등 다른 전문자격 종사자에 비교하여 변호사를 차별대우함은 변호사의 직업적 특성들을 감안할 때 차별을 합리화할 정당한 목적이 있는 것이다.

ㄷ. 중재신청인이 중재기일에 1회 불출석하는 경우, 중재신청을 철회한 것으로 간주하는 구 「정기간행물의 등록 등에 관한 법률」 제18조 제5항은 과잉금지원칙 내지 평등원칙에 위반되지 아니한다.

① ㄱ
② ㄴ
③ ㄴ, ㄷ
④ ㄱ, ㄴ, ㄷ

해설

ㄱ. (O) [09 국가7급]

금융기관의 임·직원에게는 공무원에 버금가는 정도의 청렴성과 업무의 불가매수성이 요구되고, 이들이 직무와 관련하여 금품수수 등의 수재행위를 하였을 경우에는 별도의 배임행위가 있는지를 불문하고 형사제재를 가함으로써 금융업무와 관련된 각종 비리와 부정의 소지를 없애고, 금융기능의 투명성·공정성을 확보할 필요가 있으므로 특정경제범죄 가중처벌 등에 관한 법률 제5조 제1항에서 금융기관의 임·직원의 직무와 관련한 수재행위에 대하여 일반사인과는 달리 공무원의 수뢰죄와 동일하게 처벌한다고 하더라도 거기에는 합리적인 근거가 있다. (헌재 1999.5.27. 98헌바26)

ㄴ. (X) [09 국가7급]

변호사법 제81조 제4항 내지 제6항은 변호사 징계사건에 대하여는 법원에 의한 사실심리의 기회를 배제함으로써, 징계처분을 다투는 의사·공인회계사·세무사·건축사 등 다른 전문자격 종사자에 비교하여 변호사를 차별대우하고 있는데, 변호사의 자유성·공공성·단체자치성·자율성 등 두드러진 직업적 특성들을 감안하더라도 이러한 차별을 합리화할 정당한 목적이 있다고 할 수 없다. (헌재 2000.6.29. 99헌가9)

ㄷ. (O) [09 국가7급]

중재신청인이 중재기일에 1회 불출석하는 경우 중재신청을 철회한 것으로 간주하는 정기간행물의 등록 등에 관한 법률 제18조 제5항은 중재절차의 신속성을 확보함과 동시에 중재재판부의 권한을 강화함으로써 중재절차를 실질화하는 입법목적이 있고, 그 입법목적이 신속한 재판을 받을 권리를 보장한다는 헌법적 정당성을 가진다. 위 법률조항에는 천재·지변 기타 정당한 사유로 출석하지 못하게 된 것을 소명하는 경우의 예외를 규정하고 있고, 중재신청인이 중재절차에 출석하기 어려운 경우에는 대리인을 선임하는 방법이 허용되어 있어서 최소침해성을 갖추고 있을 뿐만 아니라, 제한되는 기본권과 그로 인하여 실현되는 공공이익 사이에 상당한 비례관계를 갖추고 있으므로 재판청구권을 과도하게 침해하였다고 볼 수 없다. 또한 위 법률조항의 입법목적인 중재절차의 신속성이 주로 피해자인 중재신청인의 이익을 위한 것이라는 점에서 중재신청인과 피신청인이 중재절차에서 가지는 법적 지위가 다르고, 중재신청인과 피신청인이 중재기일에 불출석한 경우 중재신청인과 피신청인에게 부여되는 불이익의 내용이 다른 점을 고려하면, 위 법률조항이 불리한 법률효과를 부여하기 위하여 중재신청인에 대하여는 '1회'의 불출석을 요건으로 하는 데 반하여, 피신청인에 대하여는 '2회'의 불출석을 요건으로 한다고 하여 헌법상 평등원칙에 위반된다고 할 수 없다. (헌재 1999.7.22. 96헌바19)

정답 ②

예상판례

❶ 구 아동·청소년의 성보호에 관한 법률 제7조 제5항 중 위력으로써 여자 아동·청소년을 간음한 자를 여자 아동·청소년을 강간한 자에 준하여 처벌하도록 하고 있는 부분은 죄형법정주의의 명확성원칙에 위배되지 않고, 과잉금지원칙에 위배되지 않으며, 형벌체계상의 균형을 상실하여 평등원칙에 위배되지 않는다. (헌재 2015.2.26. 2013헌바107)

❷ 헌법개정 또는 국회의 해산으로 인하여 국회의원의 임기가 단축되거나 종료된 경우를 제외하고 국회의원 재직기간이 1년 미만인 사람에 대하여 연로회원 지원금을 지급하지 않도록 규정한 대한민국헌정회 육성법은 청구인의 평등권을 침해하지 않는다. (헌재 2015.4.30. 2013헌마666)

❸ 비상장주식을 증여세 물납대상에서 제외하는 구 상속세 및 증여세법 제73조 제1항 중 관련 부분은 평등원칙에 위배되지 아니한다. (헌재 2015.4.30. 2013헌바137)

❹ 외국 법원의 확정판결에 기초하여 이루어진 가압류의 피보전채무를 상속재산가액에서 차감되는 채무에 포함시키지 아니한 구 상속세 및 증여세법 제14조 제2항은 과잉금지원칙과 평등원칙에 위배되지 아니한다. (헌재 2015.4.30. 2011헌바177)

❺ 현지개량방식에 의한 주거환경개선사업의 경우에는 공익을 위한 토지 등의 취득 및 보상에 관한 법률(이하 '공익사업법'이라 한다) 제78조 제4항(이주정착지의 생활기본시설 설치비용은 사업시행자의 부담으로 한다)의 적용을 배제하는 도시 및 주거환경정비법(이하 '도시정비법'이라 한다) 제43조 제3항 중 제6조 제1항 제1호의 주거환경개선사업에 관한 부분은 헌법에 위반되지 아니한다. (헌재 2015.5.28. 2012헌가6)
심판대상조항은 현지개량방식에 의한 주거환경개선사업에 대하여 공익사업법 제78조 제4항의 적용을 배제하는 내용이므로, 처음부터 도시정비법 제38조의 수용이 허용되지 아니하여 공익사업법 규정을 준용할 수 없는 '주거환경개선사업 중 환지방식에 의해 택지를 공급받는 자'는 심판대상조항의 평등원칙 위배 여부를 논할 비교집단이 되지 아니한다.

❻ 국민참여재판의 대상사건을 합의부 관할 사건으로 한정한 국민의 형사재판 참여에 관한 법률 제5조 제1항 제1호는 헌법에 위반되지 아니한다. (헌재 2015.7.30. 2014헌바447)
국민참여재판의 대상사건을 제한하는 이 사건 법률조항은 헌법에서 특별히 평등을 요구하고 있다거나, 차별적 취급으로 인하여 관련 기본권에 대한 중대한 제한을 초래하는 경우라고 보기 어려우므로 비례의 원칙이 아닌 자의금지원칙에 의하여 심사한다.

❼ 독립유공자의 유족으로서 보상받을 권리가 유족등록을 신청한 날이 속하는 달부터 발생하도록 정한 독립유공자예우에 관한 법률 제8조는 헌법에 위반되지 아니한다. (헌재 2015.9.24. 2015헌바48)
'5·18민주화운동 관련자 보상 등에 관한 법률'과 '독립유공자예우에 관한 법률'은 입법목적이나 적용대상이 다르고, 보상금의 성격도 다르므로, 위 법률의 적용을 받은 자들과 '독립유공자예우에 관한 법률'의 적용을 받는 자들을 동일한 비교대상으로 볼 수는 없으므로, 이 사건 법률조항이 평등원칙에 위반되지 않는다.

> 🔔 **복무기간 관련 정리**
> - 산업기능요원의 1년 미만 복무기간을 현역복무기간으로 인정하지 않는 것 【위헌】
> - 산업기능요원의 복무기간을 공무원 호봉산정으로 인정하지 않는 것 【합헌】
> - 공중보건의사의 복무기간을 교원연금기간으로 산정하지 않은 것 【위헌】

❽ 현직 국회의원인지 여부를 불문하고 예비후보자가 선거사무소를 설치하고 그 선거사무소에 간판·현판 또는 현수막을 설치·게시할 수 있도록 한 공직선거법 제60조의3 제1항 제1호 중 '지역구국회의원 선거의 예비후보자'에 관한 부분은 청구인의 평등권을 침해할 가능성이 인정되지 아니한다. (헌재 2017.6.29. 2016헌마110)
현직 국회의원이 지역구국회의원 선거의 예비후보자로 등록한 경우에는 심판대상조항과 공직선거법 제90조 제2항 제2호, 구 공직선거관리규칙 제47조의2 제2호 라목에 따라 예비후보자로서 선거운동을 위하여 설치하는 선거사무소에 간판 등을 게시하는 행위 외에도, 현직 국회의원으로서 직무상 설치한 상설사무소에 간판 등을 게시할 수 있게 된다. 이로 인하여 현직 국회의원이 아닌 예비후보자의 선거운동에 불리하게 작용할 여지가 있다고 하더라도, 이는 위 규정들이 다른 직업과 마찬가지로 현직 국회의원의 경우에도 선거의 공정을 해치지 않는 범위 내에서 그 직무수행을 보호하는 결과 발생하는 사실적이고 반사적인 불이익에 불과하다. 따라서 심판대상조항으로 인하여 청구인의 평등권이 침해될 가능성이 있다고 보기 어렵다.

❾ 수석교사 임기 중에 교장 등의 자격을 취득할 수 없도록 한 교육공무원법 제29조의4 제4항은 수석교사로 임용된 청구인들의 평등권을 침해하지 않는다. (헌재 2017.7.27. 2017헌마599)

⑩ 범인이 형사처분을 면할 목적으로 국외에 있는 경우 그 기간 동안 공소시효가 정지되도록 정한 형사소송법 제253조 제3항은 평등원칙에 위반되지 아니한다. (헌재 2017.11.30. 2016헌바157)

⑪ 공무원과 이혼한 배우자에 대한 분할연금제도를 도입하면서 민법상 재산분할청구에 따라 연금분할이 별도로 결정된 경우에는 그에 따르도록 한 공무원연금법 제46조의4는 분할연금수급권자의 사회보장수급권 및 재산권을 침해하지 아니하며, 분할연금을 개정법 시행 후 최초로 지급사유가 발생한 사람부터 지급하도록 한 공무원연금법 부칙 제2조 제1항 전문은 개정법 시행일 이전에 이혼한 배우자의 평등권을 침해하지 않는다. (헌재 2018.4.26. 2016헌마54)

⑫ 6·25전몰군경자녀수당의 지급대상을 전투기간 중 '전사'한 전몰군경의 자녀로 설정한 국가유공자 등 예우 및 지원에 관한 법률 제16조의3 제1항 중 '전투기간 중 전사한 전몰군경의 자녀'에 관한 부분은 헌법에 위반되지 않는다. (헌재 2018.11.29. 2017헌바252【합헌】)

입법자가 이 사건 수당의 지급대상을 '이 사건 전투기간 중 전사한 군경'의 자녀로 설정함으로써 결과적으로 '이 사건 전투기간 중 부상 후 사망한 군경'의 자녀와 사이에 차별적 취급이 발생하였다고 하더라도, 이는 입법자가 6·25전몰군경자녀에 대한 추가보상이라는 법적 가치의 상향적 구현을 단계적으로 추구하기 위하여 정책적 우선순위를 설정하는 과정에서 발생한 결과로서 그 나름의 합리적인 이유를 확인할 수 있으므로, 이를 입법재량을 벗어난 자의적인 재량권 행사라고 보기는 어렵다.

⑬ 의료인이 병원 건물 내부에 지인을 소개한 기존 환자에게 비급여 진료 혜택을 1회 받을 수 있는 상품권을 제공하겠다는 취지의 포스터를 게시한 행위를 의료법 제27조 제3항이 금지하는 환자 유인행위에 해당한다고 보아 피청구인이 청구인에 대하여 한 기소유예처분은 자의적인 검찰권의 행사로 청구인의 평등권과 행복추구권을 침해한다. (헌재 2019.5.30. 2017헌마1217【인용(위헌확인)】)

⑭ 법관의 명예퇴직수당 정년잔여기간 산정에 있어 정년퇴직일 전에 임기만료일이 먼저 도래하는 경우 임기만료일을 정년퇴직일로 보도록 정한 구 '법관 및 법원공무원 명예퇴직수당 등 지급규칙' 제3조 제5항 본문은 위 조항으로 인하여 명예퇴직수당 수급 여부 등에 불이익을 받게 된 퇴직법관인 청구인의 평등권을 침해하지 않는다. (헌재 2020.4.23. 2017헌마321)

⑮ 가족 중 순직자가 있는 경우의 병역감경대상에서 재해사망군인의 가족을 제외하고 있는 병역법 시행령 제130조 제4항 후단 중 순직자 부분은 청구인의 평등권을 침해하지 않는다. (헌재 2019.7.25. 2017헌마323【기각】)

⑯ 배출시설 허가 또는 신고를 마치지 못한 가축 사육시설에 대하여 적법화 이행기간의 특례를 규정하면서, '개 사육시설'을 적용대상에서 제외하고 있는 '가축분뇨의 관리 및 이용에 관한 법률' 부칙조항은 개 사육시설 설치자인 청구인들의 평등권을 침해하지 않는다. (헌재 2019.8.29. 2018헌마297【기각】)

⑰ 교통약자의 이동편의를 위한 특별교통수단에 표준휠체어만을 기준으로 휠체어 고정설비의 안전기준을 정하고 있어 표준휠체어를 사용할 수 없는 장애인은 안전기준에 따른 특별교통수단을 이용할 수 없게 된다. 따라서 심판대상조항은 합리적 이유 없이 표준휠체어를 이용할 수 있는 장애인과 표준휠체어를 이용할 수 없는 장애인을 달리 취급하여 청구인의 평등권을 침해한다. (헌재 2023.5.25. 2019헌마1234【헌법불합치(잠정적용)】)

⑱ 외국거주 외국인유족의 퇴직공제금 수급자격을 인정하지 아니하는 구 건설근로자의 고용개선 등에 관한 법률 제14조 제2항 중 구 산업재해보상보험법 제63조 제1항 가운데 '그 근로자가 사망할 당시 대한민국 국민이 아닌 자로서 외국에서 거주하고 있던 유족은 제외한다'를 준용하는 부분은 합리적 이유 없이 '외국거주 외국인유족'을 '대한민국 국민인 유족' 및 '국내거주 외국인유족'과 차별하는 것이므로 평등원칙에 위반된다. (헌재 2023.3.23. 2020헌바471【위헌】)

예상판례

⟨비교집단이 부정되는 경우⟩

❶ 영장실질심사에서 구속영장이 기각된 피의자와 구속적부심사절차에서 '석방결정'이 있었던 피의자 사이에는 비교집단을 인정할 수 없다. (헌재 2003.12.18. 2002헌마593 [기각])

❷ 자치구의원 선거에서 선거구별 의원 정수가 서로 다른 경우에는 비교집단이 인정되지 않는다. (헌재 2009.3.26. 2006헌마72 [기각])

❸ 미결수용자와 형이 확정된 수형자는 비교집단이 설정되지 않는다. (헌재 2011.2.24. 2009헌마209)
무죄추정의 원칙이 적용되는 미결수용자와 재판을 거쳐 형이 확정된 수형자는 구금되어 있다는 점에서만 유사점이 있을 뿐 본질적으로 동질적인 집단이라고 할 수 없으므로 결국 평등권 침해가 문제되지 않는다고 할 것이다.

❹ 상속세 및 증여세법의 규제를 받는 주식 등의 명의수탁자와 부동산 실권리자명의 등기에 관한 법률의 규제를 받는 부동산의 명의수탁자는 입법목적, 규제방식, 제재유형, 제재를 받는 인적 범위 등이 상이하기 때문에 본질적으로 동일한 두 개의 비교집단이라고 볼 수 없으므로, 이러한 두 집단을 다르게 취급하였다고 하여 평등원칙에 위배된다고 할 수 없다고 판단하였다. (헌재 2013.9.26. 2012헌바259)

⟨비교집단이 인정되는 경우⟩

❶ 기초의회의원 선거 후보자로 하여금 특정 정당으로부터의 지지 또는 추천받음을 표방할 수 없도록 한 공직선거 및 선거부정방지법 제84조 중 '자치구·시·군의회의원 선거의 후보자' 부분은 다른 지방선거 후보자와는 달리 기초의회의원 선거의 후보자에 대해서만 정당표방을 금지하므로 평등원칙에 위배된다. (헌재 2003.1.30. 2001헌가4 [위헌])
공직선거 및 선거부정방지법 제84조의 의미와 목적이 정당의 영향을 배제하고 인물 본위의 선거가 이루어지도록 하여 지방분권 및 지방의 자율성을 확립시키겠다는 것이라면, 이는 기초의회의원 선거뿐만 아니라 광역의회의원 선거, 광역자치단체장 선거 및 기초자치단체장 선거에서도 함께 통용될 수 있다. 그러나 기초의회의원 선거를 그 외의 지방선거와 다르게 취급을 할 만한 본질적인 차이점이 있는가를 볼 때 그러한 차별성을 발견할 수 없다. 그렇다면 위 조항은 아무런 합리적 이유 없이 유독 기초의회의원 후보자만을 다른 지방선거의 후보자에 비해 불리하게 차별하고 있으므로 평등원칙에 위배된다.

❷ 퇴역 후 폐질상태가 확정된 군인에 대한 연금지급 거부 사건 (헌재 2010.6.24. 2008헌바128 [헌법불합치(잠정적용)])
[1] 공무원연금법의 적용을 받는 공무원과 군인연금법의 적용을 받은 군인은 본질적인 차이가 없는 동일한 집단으로서 의미 있는 비교집단이 된다고 할 것이다.
[2] 퇴직 이전 폐질상태가 확정된 군인과의 관계에서 두 비교집단은 본질적으로 동일하다.
[3] **기본권 경합**(평등권으로 경합)
청구인은 주로 공무원연금법에서 정한 장해급여수급권의 혜택을 받는 일반공무원과의 차별을 문제 삼고 있는 점 등을 고려해 볼 때 이 사건 법률조항이 헌법에 위반되는지 여부는 헌법 제11조 제1항의 평등원칙과 가장 밀접한 관계가 있으므로, 이 사건 법률조항이 평등원칙에 위배되거나 청구인의 평등권을 침해하는지 여부를 중심으로 살펴보기로 한다.
　　👓 이 사건 이후 개정법에서 퇴역 후 폐질상태가 확정된 경우에도 연금을 지급하도록 개정된 법을 해당 사건에 소급적용하지 않는 것은 기속력 위반으로 헌법불합치이다.

CHAPTER 03 자유권적 기본권

제1절 인신의 자유권

001 23 법원직
다음 설명 중 가장 옳지 않은 것은? (다툼이 있는 경우 헌법재판소 결정 및 대법원 판례에 의함)

① 절대적 종신형제도는 사형제도와는 또 다른 위헌성 문제를 야기할 수 있고, 현행 형사법령하에서도 가석방제도의 운영 여하에 따라 사회로부터의 영구적 격리가 가능한 절대적 종신형과 상대적 종신형의 각 취지를 살릴 수 있다는 점 등을 고려하면, 현행 무기징역형제도가 상대적 종신형 외에 절대적 종신형을 따로 두고 있지 않은 것이 형벌체계상 정당성과 균형을 상실하여 헌법 제11조의 평등원칙에 반한다거나 형벌이 죄질과 책임에 상응하도록 비례성을 갖추어야 한다는 책임원칙에 반한다고 단정하기 어렵다.

② 헌법은 절대적 기본권을 명문으로 인정하고 있지 아니하며, 헌법 제37조 제2항에서는 국민의 모든 자유와 권리는 국가안전보장·질서유지 또는 공공복리를 위하여 필요한 경우에 한하여 법률로써 제한할 수 있도록 규정하고 있어, 비록 생명이 이념적으로 절대적 가치를 지닌 것이라 하더라도 생명에 대한 법적 평가가 예외적으로 허용될 수 있다.

③ 생명권의 경우, 다른 일반적인 기본권 제한의 구조와는 달리, 생명의 일부 박탈이라는 것을 상정할 수 없고 생명권에 대한 제한은 필연적으로 생명권의 완전한 박탈을 의미하게 되기 때문에 생명권의 제한이 정당화될 수 있는 예외적인 경우라 하더라도 생명권의 박탈이 초래된다면 곧바로 기본권의 본질적인 내용을 침해하는 것이라 볼 수 있다.

④ 헌법 제12조 제1항의 신체의 자유는 신체의 안정성이 외부로부터의 물리적인 힘이나 정신적인 위험으로부터 침해당하지 아니할 자유와 신체활동을 임의적이고 자율적으로 할 수 있는 자유를 말한다. 디엔에이감식시료 채취의 구체적인 방법은 구강점막 또는 모근을 포함한 모발을 채취하는 방법으로 하고, 위 방법들에 의한 채취가 불가능하거나 현저히 곤란한 경우에는 분비물, 체액을 채취하는 방법으로 한다. 그렇다면 디엔에이감식시료의 채취행위는 신체의 안정성을 해한다고 볼 수 있으므로 신체의 자유를 제한한다.

해설

① (O) 헌재 2010.2.25. 2008헌가23

② (O) ③ (X)

> 생명권의 경우, 다른 일반적인 기본권 제한의 구조와는 달리, 생명의 일부 박탈이라는 것을 상정할 수 없기 때문에 생명권에 대한 제한은 필연적으로 생명권의 완전한 박탈을 의미하게 되는바, 위와 같이 생명권의 제한이 정당화될 수 있는 예외적인 경우에는 생명권의 박탈이 초래된다 하더라도 곧바로 기본권의 본질적인 내용을 침해하는 것이라고 볼 수는 없다. (헌재 2010.2.25. 2008헌가23)

④ (O) 제한하지만 침해는 아니다. (헌재 2014.8.28. 2011헌마28)

정답 ③

002 20 입시

생명권에 대한 설명으로 옳은 것은? (다툼이 있는 경우 판례에 의함)

① 태아는 생명의 유지를 모에게 의존하는 형성 중의 생명이라는 점에서 국가가 헌법 제10조 제2문에 따라 태아의 생명을 보호할 의무를 부담한다고 볼 수는 없다.
② 국가가 생명을 보호하는 입법적 조치를 취함에 있어 인간생명의 발달단계에 따라 그 보호 정도나 보호 수단을 달리하는 것은 불가능하지 않다.
③ 헌법재판소는 임신 제1삼분기(임신 14주 무렵까지)에는 사유를 불문하고 낙태가 허용되어야 하므로 자기낙태죄규정에 대하여 단순위헌결정을 하였다.
④ 연명치료의 거부 또는 중단결정은 헌법상 기본권인 자기결정권의 한 내용으로 보장되므로, '연명치료 중단에 관한 법률'을 제정할 국가의 입법의무가 존재한다.
⑤ 상관을 살해한 경우 사형만을 유일한 법정형으로 규정한 「군형법」은 군대 내 명령·지휘체계를 유지하고 유사시 군의 전투력을 확보할 필요성에 비추어 볼 때 헌법에 위반되지 않는다.

해설

① (X) ② (O) ③ (X)

> 임신한 여성의 자기낙태를 처벌하는 형법 제269조 제1항, 의사가 임신한 여성의 촉탁 또는 승낙을 받아 낙태하게 한 경우를 처벌하는 형법 제270조 제1항 중 '의사'에 관한 부분은 모두 헌법에 합치되지 아니하며, 위 조항들은 2020.12.31.을 시한으로 입법자가 개정할 때까지 계속적용된다. (헌재 2019.4.11. 2017헌바127【헌법불합치】)
> 자기낙태죄조항의 존재와 역할을 간과한 채 임신한 여성의 자기결정권과 태아의 생명권의 직접적인 충돌을 해결해야 하는 사안으로 보는 것은 적절하지 않다.
>
> **[1] 자기낙태죄조항에 대한 판단**
>   가. 제한되는 기본권
>   자기낙태죄조항은 모자보건법이 정한 일정한 예외를 제외하고는 임신기간 전체를 통틀어 모든 낙태를 전면적·일률적으로 금지하고, 이를 위반할 경우 형벌을 부과하도록 정함으로써 임신한 여성에게 임신의 유지·출산을 강제하고 있으므로, 임신한 여성의 자기결정권을 제한하고 있다.
>   나. 임신한 여성의 자기결정권 침해 여부
>   ㉠ 입법목적의 정당성 및 수단의 적합성: 태아는 비록 그 생명의 유지를 위하여 모에게 의존해야 하지만, 그 자체로 모와 별개의 생명체이고, 특별한 사정이 없는 한 인간으로 성장할 가능성이 크므로, 태아도 헌법상 생명권의 주체가 되며, 국가는 태아의 생명을 보호할 의무가 있다. 자기낙태죄조항은 태아의 생명을 보호하기 위한 것으로서 그 입법목적이 정당하고, 낙태를 방지하기 위하여 임신한 여성의 낙태를 형사처벌하는 것은 이러한 입법목적을 달성하는 데 적합한 수단이다.
>   ㉡ 침해의 최소성 및 법익의 균형성: 국가가 생명을 보호하는 입법적 조치를 취함에 있어 인간생명의 발달단계에 따라 그 보호 정도나 보호수단을 달리하는 것은 불가능하지 않다. 산부인과 학계에 의하면 현 시점에서 최선의 의료기술과 의료인력이 뒷받침될 경우 태아는 마지막 생리기간의 첫날부터 기산하여 22주(이하 '임신 22주'라 한다) 내외부터 독자적인 생존이 가능하다고 한다. 이처럼 태아가 모체를 떠난 상태에서 독자적인 생존을 할 수 있는 경우에는, 그렇지 않은 경우와 비교할 때 훨씬 인간에 근접한 상태에 도달하였다고 볼 수 있다. 이러한 점들을 고려하면, 태아가 모체를 떠난 상태에서 독자적으로 생존할 수 있는 시점인 임신 22주 내외에 도달하기 전이면서 동시에 임신 유지와 출산 여부에 관한 자기결정권을 행사하기에 충분한 시간이 보장되는 시기(이하 착상시부터 이 시기까지를 '결정가능기간'이라 한다)까지의 낙태에 대해서는 국가가 생명보호의 수단 및 정도를 달리 정할 수 있다고 봄이 타당하다. 따라서 자기낙태죄조항은 입법목적을 달성하기 위하여 필요한 최소한의 정도를 넘어 임신한 여성의 자기결정권을 제한하고 있어 침해의 최소성을 갖추지 못하였고, 태아의 생명보호라는 공익에 대하여만 일방적이고 절대적인 우위를 부여함으로써 법익균형성의 원칙도 위반하였다고 할 것이므로, 과잉금지원칙을 위반하여 임신한 여성의 자기결정권을 침해하는 위헌적인 규정이다.
>
> **[2] 의사낙태죄조항에 대한 판단**
>   동일한 목표를 실현하기 위하여 임신한 여성의 촉탁 또는 승낙을 받아 낙태하게 한 의사를 처벌하는 의사낙태죄조항도 같은 이유에서 위헌이라고 보아야 한다.

④ (×)

> **연명치료중단에 대한 입법부작위** (헌재 2009.11.26. 2008헌마385 [각하])
> [1] 정신적 고통이나 경제적 부담은 간접적, 사실적 이해관계에 그친다고 보는 것이 타당하므로, 연명치료 중인 환자의 자녀들이 제기한 이 사건 입법부작위에 관한 헌법소원은 자신 고유의 기본권의 침해에 관련되지 아니하여 부적법하다.
> [2] '연명치료 중단에 관한 자기결정권'을 보장하는 방법으로서 '법원의 재판을 통한 규범의 제시'와 '입법' 중 어느 것이 바람직한가는 입법정책의 문제로서 국회의 재량에 속한다고 할 것이다. 그렇다면 헌법해석상 '연명치료 중단 등에 관한 법률'을 제정할 국가의 입법의무가 명백하다고 볼 수 없다. … 결국 환자 본인이 제기한 '연명치료 중단 등에 관한 법률'의 입법부작위의 위헌확인에 관한 헌법소원심판청구는 국가의 입법의무가 없는 사항을 대상으로 한 것으로서 헌법재판소법 제68조 제1항 소정의 '공권력의 불행사'에 대한 것이 아니므로 부적법하다.

⑤ (×) 사형이 위헌인 것은 아니지만, 유일한 법정형으로 규정한 것은 헌법에 위반된다. (헌재 2007.11.29. 2006헌가13)

정답 ②

비교판례

무의미한 생명연장장치를 제거하는 것은 환자의 자기결정권의 행사로 볼 수 있다. (대판 2009.5.21. 2009다17417 전원합의체)
[1] 이미 의식의 회복가능성을 상실하여 더 이상 인격체로서의 활동을 기대할 수 없고 자연적으로는 이미 죽음의 과정이 시작되었다고 볼 수 있는 회복불가능한 사망의 단계에 이른 후에는, 의학적으로 무의미한 신체 침해행위에 해당하는 연명치료를 환자에게 강요하는 것이 오히려 인간의 존엄과 가치를 해하게 되므로, 이와 같은 예외적인 상황에서 죽음을 맞이하려는 환자의 의사결정을 존중하여 환자의 인간으로서의 존엄과 가치 및 행복추구권을 보호하는 것이 사회상규에 부합되고 헌법정신에도 어긋나지 아니한다. 그러므로 회복불가능한 사망의 단계에 이른 후에 환자가 인간으로서의 존엄과 가치 및 행복추구권에 기초하여 자기결정권을 행사하는 것으로 인정되는 경우에는 특별한 사정이 없는 한 연명치료의 중단이 허용될 수 있다.
[2] 환자가 회복불가능한 사망의 단계에 이르렀을 경우에 대비하여 미리 의료인에게 자신의 연명치료 거부 내지 중단에 관한 의사를 밝힌 경우(이하 '사전의료지시'라 한다)에는 비록 진료중단시점에서 자기결정권을 행사한 것은 아니지만 사전의료지시를 한 후 환자의 의사가 바뀌었다고 볼 만한 특별한 사정이 없는 한 사전의료지시에 의하여 자기결정권을 행사한 것으로 인정할 수 있다.
[3] 환자의 사전의료지시가 없는 상태에서 회복불가능한 사망의 단계에 진입한 경우에는 환자에게 의식의 회복가능성이 없으므로 더 이상 환자 자신이 자기결정권을 행사하여 진료행위의 내용 변경이나 중단을 요구하는 의사를 표시할 것을 기대할 수 없다. 그러나 환자의 평소 가치관이나 신념 등에 비추어 연명치료를 중단하는 것이 객관적으로 환자의 최선의 이익에 부합한다고 인정되어 환자에게 자기결정권을 행사할 수 있는 기회가 주어지더라도 연명치료의 중단을 선택하였을 것이라고 볼 수 있는 경우에는 그 연명치료중단에 관한 환자의 의사를 추정할 수 있다고 인정하는 것이 합리적이고 사회상규에 부합된다. 이러한 환자의 의사 추정은 객관적으로 이루어져야 한다. 따라서 환자의 의사를 확인할 수 있는 객관적인 자료가 있는 경우에는 반드시 이를 참고하여야 하고, 환자가 평소 일상생활을 통하여 가족, 친구 등에 대하여 한 의사표현, 타인에 대한 치료를 보고 환자가 보인 반응, 환자의 종교, 평소의 생활태도 등을 환자의 나이, 치료의 부작용, 환자가 고통을 겪을 가능성, 회복불가능한 사망의 단계에 이르기까지의 치료과정, 질병의 정도, 현재의 환자상태 등 객관적인 사정과 종합하여, 환자가 현재의 신체상태에서 의학적으로 충분한 정보를 제공받는 경우 연명치료중단을 선택하였을 것이라고 인정되는 경우라야 그 의사를 추정할 수 있다.
[4] 환자측이 직접 법원에 소를 제기한 경우가 아니라면, 환자가 회복불가능한 사망의 단계에 이르렀는지 여부에 관하여는 전문의사 등으로 구성된 위원회 등의 판단을 거치는 것이 바람직하다.

기출지문 OX

연명치료 중단에 관한 환자의 의사 추정은 주관적으로 이루어져야 한다. 따라서 환자가 평소 일상생활을 통하여 가족, 친구 등에 대하여 한 의사표현, 타인에 대한 치료를 보고 환자가 보인 반응, 환자의 종교, 평소의 생활태도 등을 통해 그 의사를 추정할 수 있다. 12 국회8급   (O / ×)

해설 의사 추정은 객관적으로 이루어져야 한다.   정답 ×

003 19 법무사

다음 설명 중 가장 옳은 것은?

① 「형법」제269조 제1항은 부녀가 약물 기타 방법으로 낙태한 때에는 1년 이하의 징역 또는 200만 원 이하의 벌금에 처하도록 규정하고 있다. 이러한 자기낙태죄조항의 위헌 여부는 임신한 여성의 자기결정권과 태아의 생명권의 직접적인 충돌이 문제되므로 헌법을 규범조화적으로 해석하여 사안을 해결하여야 한다.

② 이른바 임신 제1삼분기(대략 마지막 생리기간의 첫날부터 14주 무렵까지)에는 어떠한 사유를 요구함이 없이 임신한 여성이 자신의 숙고와 판단 아래 낙태할 수 있도록 하여야 한다.

③ 업무상 동의낙태죄와 자기낙태죄는 대향범이므로, 임신한 여성의 자기낙태를 처벌하는 것이 위헌이라고 판단되는 경우에는 동일한 목표를 실현하기 위해 부녀의 촉탁 또는 승낙을 받아 낙태하게 한 의사를 형사처벌하는 의사낙태죄조항도 당연히 위헌이 되는 관계에 있다.

④ 「모자보건법」상의 정당화사유에는 사회적·경제적 사유도 포함되는데, 이에 해당하더라도 임신 24주 이내에만 낙태가 가능하므로 임신한 여성의 자기결정권을 보장하기에는 불충분하다.

해설

① (X) ② (X) ③ (O) 헌재 2019.4.11. 2017헌바127
④ (X) 경제적 사유는 모자보건법상 정당화사유가 아니다. (헌재 2019.4.11. 2017헌바127)

정답 ③

기출지문 OX

시민적 및 정치적 권리에 관한 국제규약(B규약)은 생명권에 대해서 명시적으로 규정하고 있으나, 사형제도에 대해서는 명시적으로 규정하고 있지 않다. 14 지방7급 (O / X)

해설 시민적 및 정치적 권리에 관한 국제규약(B규약)은 사형제도에 대해서는 명시적으로 규정하고 있다. 다만, 중대한 범죄에만 사형을 가능하도록 하여 가급적 사형을 하지 말 것을 권고하고 있다. **정답** X

004 회독 ☐☐☐
11 국가7급

법률로 정하는 경우 헌법에 위반되는 것은?

① 경비계엄이 선포된 경우 구속영장의 발부절차를 간소화하는 특별한 조치
② 단결권·단체교섭권 및 단체행동권을 가지는 공무원의 범위
③ 신문의 기능을 보장하기 위하여 필요한 사항
④ 대법원에 대법관이 아닌 법관을 두는 것

해설

① (O) 비상계엄이 선포된 때에는 법률이 정하는 바에 의하여 영장제도, 언론·출판·집회·결사의 자유, 정부나 법원의 권한에 관하여 특별한 조치를 할 수 있으나, 경비계엄이 선포된 경우 구속영장의 발부절차를 간소화하는 특별한 조치를 하는 것은 위헌이다. (헌재 2012. 12.27. 2011헌가5)

② (×)

> **헌법 제33조**
> ② 공무원인 근로자는 법률이 정하는 자에 한하여 단결권·단체교섭권 및 단체행동권을 가진다.

③ (×)

> **헌법 제21조**
> ③ 통신·방송의 시설기준과 신문의 기능을 보장하기 위하여 필요한 사항은 법률로 정한다.

④ (×)

> **헌법 제102조**
> ② 대법원에 대법관을 둔다. 다만, 법률이 정하는 바에 의하여 대법관이 아닌 법관을 둘 수 있다.

정답 ①

예상판례

❶ 건축법 제25조 제2항 본문은 소규모 건축물로서 건축주가 직접 시공하는 건축물의 경우 허가권자가 해당 건축물의 설계에 참여하지 아니한 자 중에서 공사감리자를 지정하도록 하고, 신설된 같은 조 제12항은 허가권자가 감리비용에 관한 기준을 해당 지방자치단체의 조례로 정할 수 있도록 규정하고 있는데 이 조항은 계약의 자유 등 기본권을 침해하지 않는다. (헌재 2017.5.25. 2016헌마516)

❷ 국군포로의 송환 및 대우 등에 관한 법률에서 대한민국에 귀환하여 등록된 포로에 대한 보수 기타 대우 및 지원만을 규정하고, 대한민국으로 귀환하기 전에 사망한 국군포로에 대하여는 이에 관한 입법조치를 하지 않은 입법부작위에 대한 헌법소원심판청구는 부적법하다. 한편 같은 법 제15조의5 제2항의 위임에 따른 대통령령을 제정하지 아니한 행정입법부작위는 청구인의 명예권을 침해한다. (헌재 2018.5.31. 2016헌마626【인용(위헌확인)】)

> 피청구인이 대통령령을 제정하지 아니한 행위는 청구인의 명예권을 침해한다. 다만, 이러한 행정입법부작위가 청구인의 재산권을 침해하는 것은 아니다.

005 회독 ☐☐☐ NEW   24 국회8급

죄형법정주의에 대한 설명으로 옳지 않은 것은?

① 구 「소방시설공사업법」 제39조 중 '제36조 제3호에 해당하는 위반행위를 하면 그 행위자를 벌한다'에 관한 부분이 처벌대상으로 규정하고 있는 '행위자'에는 감리업자 이외에 실제 감리업무를 수행한 감리원도 포함되는지 여부가 불명확하므로 죄형법정주의의 명확성원칙에 위배된다.

② 형벌불소급원칙에서 의미하는 '처벌'은 형법에 규정되어 있는 형식적 의미의 형벌 유형에 국한되지 않으며, 범죄행위에 따른 제재의 내용이나 실제적 효과가 형벌적 성격이 강하여 신체의 자유를 박탈하거나 이에 준하는 정도로 신체의 자유를 제한하는 경우에는 형벌불소급원칙이 적용되어야 한다.

③ 납세의무자가 체납처분의 집행을 면탈할 목적으로 그 재산을 은닉·탈루하거나 거짓 계약을 하였을 때 형사처벌하는 「조세범처벌법」 제7조 제1항 중 '납세의무자가 체납처분의 집행을 면탈할 목적으로' 부분은 죄형법정주의의 명확성원칙에 위배되지 않는다.

④ 종합문화재수리업을 하려는 자에게 요구되는 기술능력의 등록요건을 대통령령에 위임하고 있는 「문화재수리 등에 관한 법률」 제14조 제1항 문화재수리업 중 '종합문화재수리업'을 하려는자의 '기술능력'에 관한 부분은 죄형법정주의에 위배되지 않는다.

⑤ 자산유동화계획에 의하지 아니하고 여유자금을 투자한 자를 처벌하는 「자산유동화에 관한 법률」 제40조 제2호 중 '제22조의 규정에 위반하여 자산유동화계획에 의하지 아니하고 여유자금을 투자한 자' 부분은 죄형법정주의의 명확성원칙에 위배되지 않는다.

해설

① (✗)

> '법 제36조 제3호에 해당하는 위반행위가 있는 경우에 그 행위자'란 감리업자 이외에, 그의 사용인 등으로서 감리업무를 실제 수행하며 위반행위를 한 자를 의미한다고 봄이 타당하다. 결국 이 사건 양벌규정은 보충적인 가치판단을 통해서 그 의미내용을 확인할 수 있다고 할 것이므로, 죄형법정주의의 명확성원칙에 위배된다고 볼 수 없다. (헌재 2023.2.23. 2020헌바314)

② (O) 보호감호는 형벌이 아니라 보안처분이지만 감호소에 구금되므로 형벌적 보안처분에 해당하여 형벌불소급원칙이 적용된다. 보호감호 외의 보안처분은 비형벌적 보안처분이므로 형벌불소급원칙이 적용되지 아니한다.

③ (O) 헌재 2023.8.31. 2020헌바498

④ (O) 헌재 2023.6.29. 2020헌바109

⑤ (O) 헌재 2023.10.26. 2023헌가1

정답 ①

006 회독 ☐☐☐   21 법원직

신체의 자유 및 죄형법정주의에 관한 다음 설명 중 가장 옳지 않은 것은?

① 과태료는 행정상 의무 위반자에게 부과하는 행정질서벌로서 그 기능과 역할이 형벌에 준하는 것이므로 죄형법정주의의 규율대상에 해당한다.
② 모든 국민은 고문을 받지 아니하고, 형사상 자기에게 불리한 진술을 강요당하지 아니한다.
③ 체포·구속·압수 또는 수색을 할 때에는 적법한 절차에 따라 검사의 신청에 의하여 법관이 발부한 영장을 제시하여야 한다. 다만, 현행범인인 경우와 장기 3년 이상의 형에 해당하는 죄를 범하고 도피 또는 증거인멸의 염려가 있을 때에는 사후에 영장을 청구할 수 있다.
④ 누구든지 체포 또는 구속을 당한 때에는 즉시 변호인의 조력을 받을 권리를 가진다. 다만, 형사피고인이 스스로 변호인을 구할 수 없을 때에는 법률이 정하는 바에 의하여 국가가 변호인을 붙인다.

해설

① (✕) 죄형법정주의는 범죄와 형벌의 관계이므로 질서벌인 과태료는 죄형법정주의의 대상이 아니다.
② (○) ③ (○) ④ (○)

헌법 제12조
① 모든 국민은 신체의 자유를 가진다. 누구든지 법률에 의하지 아니하고는 체포·구속·압수·수색 또는 심문을 받지 아니하며, 법률과 적법한 절차에 의하지 아니하고는 처벌·보안처분 또는 강제노역을 받지 아니한다.
② 모든 국민은 고문을 받지 아니하며, 형사상 자기에게 불리한 진술을 강요당하지 아니한다.
③ 체포·구속·압수 또는 수색을 할 때에는 적법한 절차에 따라 검사의 신청에 의하여 법관이 발부한 영장을 제시하여야 한다. 다만, 현행범인인 경우와 장기 3년 이상의 형에 해당하는 죄를 범하고 도피 또는 증거인멸의 염려가 있을 때에는 사후에 영장을 청구할 수 있다.
④ 누구든지 체포 또는 구속을 당한 때에는 즉시 변호인의 조력을 받을 권리를 가진다. 다만, 형사피고인이 스스로 변호인을 구할 수 없을 때에는 법률이 정하는 바에 의하여 국가가 변호인을 붙인다.
⑤ 누구든지 체포 또는 구속의 이유와 변호인의 조력을 받을 권리가 있음을 고지받지 아니하고는 체포 또는 구속을 당하지 아니한다. 체포 또는 구속을 당한 자의 가족 등 법률이 정하는 자에게는 그 이유와 일시·장소가 지체 없이 통지되어야 한다.
⑥ 누구든지 체포 또는 구속을 당한 때에는 적부의 심사를 법원에 청구할 권리를 가진다.
⑦ 피고인의 자백이 고문·폭행·협박·구속의 부당한 장기화 또는 기망 기타의 방법에 의하여 자의로 진술된 것이 아니라고 인정될 때 또는 정식재판에 있어서 피고인의 자백이 그에게 불리한 유일한 증거일 때에는 이를 유죄의 증거로 삼거나 이를 이유로 처벌할 수 없다.

정답 ①

기출지문 OX

「인신보호법」상 구제청구를 할 수 있는 피수용자의 범위에서 「출입국관리법」에 따라 보호된 외국인을 제외하는 것은 「인신보호법」에 따른 보호의 적부를 다툴 기회를 배제하고 있어 신체의 자유를 침해한다. 24 변호사   (○/✕)

해설

출입국관리법은 보호기간의 제한, 보호명령서의 제시, 보호의 일시·장소 및 이유의 서면 통지 등 엄격한 사전적 절차규정을 마련하고 있고, 법무부장관에게 보호에 대한 이의신청을 할 수 있도록 하여 행정소송절차를 통한 구제가 가지는 한계를 충분히 보완하고 있다. 따라서 심판대상조항은 헌법 제12조 제6항의 요청을 충족한 것으로 청구인들의 신체의 자유를 침해하지 아니한다. (헌재 2014.8.28. 2012헌마686)

정답 ✕

007

죄형법정주의와 일사부재리의 원칙에 관한 다음 설명 중 가장 옳지 않은 것은? (다툼이 있는 경우 헌법재판소 결정에 의함)

① 법률의 구체적 위임에 의한 조례의 벌칙규정은 죄형법정주의에 반하지 않는다.
② 당국의 허가 없이 한 건축행위에 대해서 형사처벌을 가하고 이러한 위법건축물에 대한 시정명령에 응하지 않은 경우 다시 과태료를 부과한다고 해서 이것이 이중처벌의 원칙에 반하는 것은 아니다.
③ 누범이나 상습범을 가중처벌하는 것은 헌법의 일사부재리에 위반하는 것이 아니다.
④ '가정의례의 참뜻에 비추어 합리적인 범위 내'라는 소극적 범죄구성요건은 죄형법정주의의 명확성원칙을 위배하지 아니하였다.

해설

① (O) 법률의 구체적 위임이 있으면 조례로도 형벌을 정할 수 있다.
② (O) 이중처벌금지는 형벌을 두 번 부과하지 못한다는 것이다. 따라서 형벌과 과태료·과징금은 병과할 수 있다.
③ (O) 이중처벌금지는 판결이 확정된 후 다시 형벌을 부과하지 못한다는 것이다. 즉, 기판력의 효력인 것이다. 따라서 가중처벌은 이중처벌이 아니다.
④ (X)

> 명확성원칙은 범죄의 성립요건뿐만 아니라 범죄의 불성립사유인 위법성조각사유와 같은 소극적 요건에도 적용된다. 죄형법정주의의 명확성원칙은 법률이 처벌하고자 하는 행위가 무엇이며 그에 대한 형벌이 어떠한 것인지를 누구나 예견할 수 있고, 그에 따라 자신의 행위를 결정할 수 있게끔 구성요건을 명확하게 규정할 것을 요구한다. 하객들에 대한 음식접대에 있어서 '가정의례의 참뜻'이란 개념은 결혼식 혹은 회갑연의 하객들에게 어떻게 음식이 접대되는 것이 그 참뜻에 맞는 것인지는 종래 우리 관습상 혼례식의 성격 등을 볼 때 쉽게 예상되기 어렵고, 그간 가정의례에 관한 법률이 오랫동안 시행되어 가정의례의 참뜻에 대한 인식은 확립되었다고 볼 수도 없어, 결국 그 대강의 범위를 예측하여 이를 행동의 준칙으로 삼기에 부적절하다. 또한 '합리적인 범위 안'이란 개념도 가정의례 자체가 우리나라의 관습 내지 풍속에 속하고, 성격상 서구적 의미의 '합리성'과 친숙할 수 있는 것도 아니며, 또한 양과 질과 가격에 있어 편차가 많고 접대받을 사람의 범위가 다양하므로 주류 및 음식물을 어떻게 어느만큼 접대하는 것이 합리적인 범위인지를 일반국민이 판단하기란 어려울 뿐 아니라 그 대강을 예측하기도 어렵다. 이 사건 규정은 결국 죄형법정주의의 명확성원칙을 위배하여 청구인의 일반적 행동자유권을 침해하였다. (헌재 1998.10.15. 98헌마168)

정답 ④

기출지문 OX

정신성적 장애인을 치료감호시설에 수용하는 기간은 15년을 초과할 수 없다고 규정한 구 「치료감호 등에 관한 법률」 제16조 제2항 제1호 중 제2조 제1항 제3호에 해당하는 자에 관한 부분은 과잉금지원칙을 위반하여 정신성적 장애인의 신체의 자유를 침해한다. 24 국회8급 (O / X)

해설

> 구 치료감호법은 구체적·개별적 사안마다 치료감호시설의 수용 계속 여부를 적절히 심사·결정할 수 있는 장치를 마련하여 기본권 제한을 최소화하고 있다. 이런 사정을 종합하여 보면, 치료감호기간 조항이 치료감호기간 상한을 15년으로 정한 것이 지나치게 오랜 기간이어서 침해의 최소성 원칙에 반한다고 보기 어렵다. 치료감호기간 조항은 과잉금지원칙을 위반하여 청구인들의 신체의 자유를 침해하지 않는다. (헌재 2017.4.27. 2015헌마989)

정답 X

008

죄형법정주의에 대한 설명으로 옳지 않은 것은? (다툼이 있는 경우 헌법재판소 결정에 의함)

① 형벌 구성요건의 실질적 내용을 법률이 아닌 새마을금고의 정관에 위임한 것은 죄형법정주의의 원칙에 위반된다.

② 형벌 구성요건의 실질적 내용을 노동조합과 사용자 간의 근로조건에 관한 계약에 지나지 않는 단체협약에 위임하는 것은 죄형법정주의의 기본적 요청인 법률주의에 위배된다.

③ 일사부재리의 원칙이란 실체판결이 확정되어 기판력이 발생하면 그 후 동일한 사건에 대해서 거듭 처벌할 수 없다는 원칙을 말한다. 여기서 '처벌'은 원칙적으로 범죄에 대한 국가의 형벌권 실행으로서의 '과벌'을 의미하는 것이고, 국가가 행하는 일체의 제재나 불이익처분을 모두 그 '처벌'에 포함시킬 수는 없다. 일사부재리의 원칙은 죄형법정주의에 포함되는 원칙이다.

④ 「지방자치법」이 노동운동을 하더라도 형사처벌에서 제외되는 공무원의 범위를 당해 지방자치단체의 조례로 정하도록 한 것은 헌법에 위반되지 않는다.

⑤ 호별방문 등이 금지되는 기간과, 금지되는 선거운동방법을 중소기업중앙회 정관에서 정하도록 위임하고 있는 「중소기업협동조합법」은 죄형법정주의에 위배된다.

해설

① (O) [18 국회8급]

> 형벌 구성요건의 실질적 내용을 법률에서 직접 규정하지 아니하고 금고의 정관에 위임한 것은 범죄와 형벌에 관하여는 입법부가 제정한 형식적 의미의 '법률'로써 정하여야 한다는 죄형법정주의원칙에 위반된다. (헌재 2001.1.18. 99헌바112【위헌】)

② (O) [18 국회8급]

> 구 노동조합법 제46조의3은 그 구성요건을 '단체협약에 … 위반한 자'라고만 규정함으로써 범죄구성요건의 외피만 설정하였을 뿐 구성요건의 실질적 내용을 직접 규정하지 아니하고 모두 단체협약에 위임하고 있어 죄형법정주의의 기본적 요청인 법률주의에 위배되고, 그 구성요건도 지나치게 애매하고 광범위하여 죄형법정주의의 명확성의 원칙에 위배된다. (헌재 1998.3.26. 96헌가20)

③ (X) 일사부재리의 원칙과 죄형법정주의는 별개의 원칙이다. 일사부재리는 영미법상 이중위험금지에서 유래된 원칙이다. [14 국회8급]

④ (O) 헌재 2005.10.27. 2003헌바50 등 [18 국회8급]

> 사실상 노무에 종사하는 공무원의 범위를 조례로 위임하는 것은 합헌, 조례를 제정하지 않은 행정입법부작위는 위헌이다. (헌재 2009.7.30. 2006헌마358)

⑤ (O) [18 국회8급]

> 중소기업중앙회 임원 선거와 관련하여 '정관으로 정하는 기간에는' 선거운동을 위하여 정회원에 대한 호별방문 등의 행위를 한 경우 이를 처벌하도록 규정한 구 중소기업협동조합법 제137조 제2항 중 '제125조에서 준용하는 제53조 제3항'에 관한 부분(이하 '이 사건 호별방문금지조항'이라 한다)은 죄형법정주의에 위배된다. (헌재 2016.11.24. 2015헌가29【위헌】)
> 이 사건 호별방문금지조항은 중소기업중앙회 임원 선거와 관련하여 '정관으로 정하는 기간에는' 선거운동을 위하여 정회원에 대한 호별방문 등의 행위를 한 경우 이를 형사처벌하도록 하고 있는바, 이때 '정관으로 정하는 기간'은 구성요건의 중요 부분에 해당한다. 한편, 정관은 법인의 조직과 활동에 관하여 단체 내부에서 자율적으로 정한 자치규범으로서, 대내적으로만 효력을 가질 뿐 대외적으로 제3자를 구속하지는 않는 것이 원칙이고, 그 생성과정 및 효력발생요건에 있어 법규명령과 성질상 차이가 크다. 그럼에도 불구하고 이 사건 호별방문금지조항은 형사처벌과 관련한 주요 사항을 헌법이 위임입법의 형식으로 예정하고 있지도 않은 특수법인의 정관에 위임하고 있는데, 이는 사실상 그 정관 작성권자에게 처벌법규의 내용을 형성할 권한을 준 것이나 다름없으므로 죄형법정주의에 비추어 허용되기 어렵다.

정답 ③

009 회독 ☐☐☐   17 법원직

죄형법정주의 또는 명확성의 원칙에 관한 다음 설명 중 가장 옳지 않은 것은? (다툼이 있는 경우 헌법재판소 결정에 의함)

① 행위 당시의 판례에 의하면 처벌대상이 되지 아니하는 것으로 해석되었던 행위를 판례의 변경에 따라 확인된 내용의 「형법」조항에 근거하여 처벌한다고 하여 그것이 형벌불소급원칙에 위반된다고 할 수 없다.
② 처벌법규의 구성요건이 다소 광범위하여 어떤 범위에서 법관의 보충적인 해석이 있어야 하는 개념을 사용하였다면 헌법이 요구하는 처벌법규의 명확성원칙에 배치된다고 보아야 한다.
③ 형사처벌을 동반하는 처벌법규의 위임은 중대한 기본권의 침해를 가져오므로 긴급한 필요가 있거나 미리 법률로써 자세히 정할 수 없는 부득이한 사정이 있는 경우에 한정되어야 한다.
④ 처벌을 규정하고 있는 법률조항이 구성요건이 되는 행위를 같은 법률조항에서 직접 규정하지 않고 다른 법률조항에서 이미 규정한 내용을 원용하였다는 사실만으로 명확성원칙에 위반된다고 할 수는 없다.

해설

① (O) 헌재 2014.5.29. 2012헌바390 등
 형사처벌의 근거가 되는 것은 법률이지 판례가 아니고, 형법 조항에 관한 판례의 변경은 그 법률조항의 내용을 확인하는 것에 지나지 아니하여 이로써 그 법률조항 자체가 변경된 것으로 볼 수 없기 때문이다.
② (✗) 법관의 보충적 해석에 의해 의미가 밝혀질 수 있다면 명확성원칙에 위반되지 않는다.

> **최소한의 명확성** (헌재 1998.4.30. 95헌가16)
> 모든 법규범의 문언을 순수하게 기술적 개념만으로 구성하는 것은 입법기술적으로 불가능하고 또 바람직하지도 않기 때문에 어느 정도 가치개념을 포함한 일반적, 규범적 개념을 사용하지 않을 수 없다. 따라서 명확성의 원칙이란 기본적으로 <u>최대한이 아닌 최소한의 명확성을 요구하는 것이다. 그러므로 법문언이 해석을 통해서, 즉 법관의 보충적인 가치판단을 통해서 그 의미 내용을 확인해낼 수 있고, 그러한 보충적 해석이 해석자의 개인적인 취향에 따라 좌우될 가능성이 없다면 명확성의 원칙에 반한다고 할 수 없다고 할 것이다.</u>

③ (O) 형벌에 대한 위임은 위 선지의 조건 외에도 구성요건을 미리 정해서 위임하여야 하고 형벌의 종류와 상한을 정해서 위임하여야 한다.
④ (O)

> 처벌을 규정하고 있는 법률조항이 구성요건이 되는 행위를 같은 법률조항에서 직접 규정하지 않고 다른 법률조항에서 이미 규정한 내용을 원용하였다거나 그 내용 중 일부를 괄호 안에 규정하였다는 사실만으로 명확성원칙에 위반된다고 할 수는 없다. (헌재 2010.3.25. 2009헌바121)

정답 ②

010

죄형법정주의원칙 또는 책임주의에 관한 다음 설명 중 가장 옳지 않은 것은? (다툼이 있는 경우 헌법재판소 결정에 의함)

① 건전한 상식과 통상적인 법감정을 가진 사람으로 하여금 그 적용대상자가 누구이며 구체적으로 어떠한 행위가 금지되고 있는지를 충분히 알 수 있도록 규정되어 있다면 죄형법정주의의 명확성원칙에 위배되지 않는다고 보아야 한다.
② 뇌물죄의 적용에 있어 공무원으로 의제되는 정부출연 연구기관의 직원을 직접 법률에 열거하여 규정하지 않은 것은 포괄위임에 해당하여 죄형법정주의에 반한다.
③ 종업원 등의 무면허의료행위사실이 인정되면 그 범죄행위에 가담 여부나 종업원행위에 대한 감독의무 위반 여부 등을 불문하고 영업주를 종업원과 같이 처벌하는 규정은 형벌에 관한 책임주의에 반한다.
④ 의사 아닌 자가 영리목적의 업으로 문신시술하는 것을 의료행위로 보아 금지하는 것은 명확성의 원칙에 위배된다고 할 수 없다.

해설

① (O) 명확성원칙은 최소한의 명확성을 요구하는 것이다.

② (X)

> 정부출연 연구기관의 업무영역 및 조직상의 특성은 각 기관별로 상이하고 유동적이므로, 입법자가 국회제정의 형식적 법률에 비하여 더 탄력성이 있는 대통령령 등 하위법규에 의제 범위를 위임할 입법기술상의 필요성이 인정된다. 또한 이 사건 법률조항이 '간부직원 중 대통령령이 정하는 직원'과 같이 한정적으로 명시하고 있지 않다고 하더라도 그 규정형식상 '임원'과 같이 주요 업무에 종사하는 직원에 한정하여 규정될 것임을 충분히 예측할 수 있다. 따라서 이 사건 법률조항이 포괄위임에 해당되어 죄형법정주의 위반이라고 볼 수는 없다. (헌재 2006.11.30. 2004헌바86 등)

비교판례

> 벌칙적용 등에 있어서 공무원으로 의제하는 법률조항이 없음에도 국가 또는 지방자치단체 및 이에 준하는 공법인의 사무에 종사한다는 이유만으로 이 사건 법률조항의 '공무원'에 해당한다고 보는 법원의 기존의 해석·적용은 죄형법정주의의 원칙에 위배되는 것이다. … 제주자치도 위촉위원은 그 자체 국가공무원법이나 지방공무원법상의 공무원이 아닐 뿐만 아니라 이 사건 특별법상 벌칙적용에 있어서 공무원으로 의제되고 있지 아니함에도 청구인을 이 사건 법률조항의 '공무원'에 포함되는 것으로 해석·적용한 것은 헌법상의 죄형법정주의에 위반된다고 아니할 수 없는 것이다. (헌재 2012.12.27. 2011헌바117)

③ (O)

> 이 사건 법률조항은 개인이 고용한 종업원 등의 무면허의료행위사실이 인정되면 종업원 등의 범죄행위에 대한 영업주의 가담 여부나 종업원 등의 행위를 감독할 주의의무의 위반 여부 등을 전혀 묻지 않고 곧바로 영업주인 개인을 종업원 등과 같이 처벌하도록 규정하고 있는바, 이는 아무런 비난받을 만한 행위를 한 바 없는 자에 대해서까지 다른 사람의 범죄행위를 이유로 처벌하는 것으로서 형벌에 관한 책임주의에 반하므로 헌법에 위반된다. (헌재 2009.10.29. 2009헌가6)

④ (O)

> 의료법의 입법목적, 의료인의 사명에 관한 의료법상의 여러 규정, 의료행위의 개념에 관한 대법원 판례 등을 종합하여 보면, 이 사건 법률조항들 중 '의료행위'는 사람의 생명, 신체 또는 일반공중위생에 밀접하고 중대한 관계가 있는 행위로서 질병의 치료와 예방에 관한 행위는 물론, 의학상의 기능과 지식을 가진 의료인이 하지 아니하면 보건위생상 위해를 가져올 우려가 있는 일체의 행위라고 할 것이고, 이는 건전한 일반상식을 가진 자에 의하여 일의적으로 파악되기 어렵다거나 법관에 의한 적용단계에서 다의적으로 해석될 우려가 있다고 보기 어려우므로, 죄형법정주의의 명확성원칙에 위배된다고 할 수 없다. (헌재 2007.4.26. 2003헌바71)

정답 ②

011

죄형법정주의에 대한 설명 중 옳은 것은? (다툼이 있는 경우 판례에 의함)

① 죄형법정주의는 형벌조항을 신설할 때에 한해서 적용된다.
② 특별한 경우에는 관습법에 의해 처벌할 수 있다.
③ 모든 국민은 행위시의 법률에 의하여 범죄를 구성하지 아니하는 행위로 소추되지 아니한다.
④ 보호감호처분과 형벌의 부과는 이중처벌금지의 원칙에 반하므로 위헌이다.

해설

① (✗) 죄형법정주의는 이미 제정된 정의로운 법률에 의하지 아니하고는 처벌되지 아니한다는 원칙이다. (헌재 1991.7.8. 91헌가4) 따라서 형벌조항을 신설할 때에 한해 적용되는 것이 아니다.

② (✗) 관습법에 의한 유리한 적용은 가능하지만 불리한 처벌은 할 수 없다.

③ (○)

> **헌법 제13조**
> ① 모든 국민은 행위시의 법률에 의하여 범죄를 구성하지 아니하는 행위로 소추되지 아니하며, 동일한 범죄에 대하여 거듭 처벌받지 아니한다.

④ (✗)

> 보호감호와 형벌은 비록 다같이 신체의 자유를 박탈하는 수용처분이라는 점에서 집행상 뚜렷한 구분이 되지 않는다고 하더라도 그 본질, 추구하는 목적과 기능이 전혀 다른 별개의 제도이므로 형벌과 보호감호를 서로 병과하여 선고한다 하여 헌법 제13조 제1항에 정한 이중처벌금지의 원칙에 위반되는 것은 아니라 할 것이다. (헌재 1989.7.14. 88헌가5 등)
> 보호감호를 소급적용하는 것은 위헌이다.

정답 ③

012 [NEW] 24 변호사

소급입법금지원칙에 관한 설명 중 옳지 않은 것은? (다툼이 있는 경우 판례에 의함)

① 구 「수도권 대기환경개선에 관한 특별법」 조항은, 특정경유자동차에 배출가스저감장치를 부착하여 운행하고 있는 소유자에 대하여 위 조항의 개정 이후 '폐차나 수출 등을 위한 자동차등록의 말소'라는 별도의 요건사실이 충족되는 경우에 배출가스저감장치를 반납하도록 하고 있는데, 이는 부진정소급입법에 해당한다.

② 상가건물 임차인의 계약갱신요구권 행사 기간을 5년에서 10년으로 연장한 「상가건물 임대차보호법」 조항을 개정법 시행 이전에 체결되었더라도 개정법 시행 이후 갱신되는 임대차에 적용하도록 한 동법 부칙조항은 진정소급입법에 해당하여 소급입법금지원칙에 위배된다.

③ 공무원이 '직무와 관련 없는 과실로 인한 경우' 및 '소속상관의 정당한 직무상의 명령에 따르다가 과실로 인한 경우'를 제외하고 재직 중의 사유로 금고 이상의 형을 받은 경우, 퇴직급여 등을 감액하도록 규정한 구 「공무원연금법」 조항을 다음 해부터 적용하도록 규정한 동법 부칙조항은 진정소급입법에 해당하지 않는다.

④ 1945.9.25. 및 1945.12.6. 각각 공포된 재조선미국육군사령부군정청 법령 중, 1945.8.9. 이후 일본인 소유의 재산에 대하여 성립된 거래를 전부 무효로 한 조항과 그 대상이 되는 재산을 1945.9.25.로 소급하여 전부 미군정청의 소유가 되도록 한 조항은 모두 소급입법금지원칙에 대한 예외에 해당하므로 헌법에 위반되지 않는다.

⑤ 1억 원 이상의 벌금형을 선고받는 자에 대하여 노역장유치기간의 하한을 중하게 변경한 「형법」 조항을 시행일 이후 최초로 공소제기되는 경우부터 적용하여 범죄행위 당시보다 불이익하게 소급 적용한 동법 부칙조항은 형벌불소급원칙에 위배된다.

해설

① (O)

> 심판대상조항은 이미 종료된 사실·법률관계가 아니라, 현재 진행 중인 사실관계, 즉 특정경유자동차에 배출가스저감장치를 부착하여 운행하고 있는 소유자에 대하여 심판대상조항의 신설 또는 개정 이후에 '폐차나 수출 등을 위한 자동차등록의 말소'라는 별도의 요건사실이 충족되는 경우에 배출가스저감장치를 반납하도록 한 것으로서 **부진정소급입법에 해당하며**, 이 조항이 신설되기 전에 이미 배출가스저감장치를 부착하였던 소유자들이 자동차 등록 말소 후 경제적 잔존가치가 있는 장치의 사용 및 처분에 관한 신뢰를 가졌다고 하더라도, 위와 같은 공익의 중요성이 더 크다고 할 것이므로, 이 조항이 신뢰보호원칙을 위반하여 재산권을 침해한다고 보기도 어렵다. (헌재 2019.12.27. 2015헌바45)

② (×)

> 개정법 조항은 구법 조항에서 5년으로 정하고 있던 임차인의 계약갱신요구권 행사 기간을 10년으로 연장하였고, 이 사건 부칙조항은 개정법 조항을 개정법 시행 후 갱신되는 임대차에도 적용한다고 규정하고 있으며, '개정법 시행 후 갱신되는 임대차'에는 구법 조항에 따른 의무임대차기간이 경과하여 임대차가 갱신되지 않고 기간만료 등으로 종료되는 경우는 제외되고 구법 조항에 따르더라도 여전히 갱신될 수 있는 경우만 포함되므로, 이 사건 부칙조항은 아직 진행과정에 있는 사안을 규율대상으로 하는 **부진정소급입법에 해당한다**. … 이 사건 부칙조항은 신뢰보호원칙에 위배되어 임대인인 청구인들의 재산권을 침해한다고 볼 수 없다. (헌재 2021.10.28. 2019헌마106)

③ (O)

이 사건 부칙조항은 이미 발생하여 이행기에 도달한 퇴직연금수급권의 내용을 변경함이 없이 이 사건 부칙조항의 시행 이후의 법률관계, 다시 말해 장래에 이행기가 도래하는 퇴직연금수급권의 내용을 변경함에 불과하므로, 진정소급입법에는 해당하지 아니한다. 따라서 소급입법에 의한 재산권 침해는 문제될 여지가 없다. (헌재 2016.6.30. 2014헌바365【합헌】)

④ (O)

1945.8.9. 이후 성립된 거래를 전부 무효로 한 재조선미국육군사령부군정청 법령 제2호 제4조 본문과 1945.8.9. 이후 일본 국민이 소유하거나 관리하는 재산을 1945.9.25.자로 전부 미군정청이 취득하도록 정한 재조선미국육군사령부군정청 법령 제33호 제2조 전단 중 '일본 국민'에 관한 부분은 진정소급입법이지만 헌법 제13조 제2항에 반하지 않는다. (헌재 2021.1.28. 2018헌바88)

⑤ (O)

1억원 이상의 벌금형을 선고하는 경우 노역장유치기간의 하한을 정한 형법 제70조 제2항은 과잉금지원칙에 반하여 청구인들의 신체의 자유를 침해하지 않는다. 노역장유치조항을 시행일 이후 최초로 공소제기되는 경우부터 적용하도록 한 형법 부칙 제2조 제1항은 형벌불소급원칙에 위반된다. (헌재 2017.10.26. 2015헌바239)

형벌불소급원칙에서 의미하는 '처벌'은 형법에 규정되어 있는 형식적 의미의 형벌 유형에 국한되지 않으며, 범죄행위에 따른 제재의 내용이나 실제적 효과가 형벌적 성격이 강하여 신체의 자유를 박탈하거나 이에 준하는 정도로 신체의 자유를 제한하는 경우에는 형벌불소급원칙이 적용되어야 한다. 노역장유치는 그 실질이 신체의 자유를 박탈하는 것으로서 징역형과 유사한 형벌적 성격을 가지고 있으므로 형벌불소급원칙의 적용대상이 된다. 그런데 부칙조항은 노역장유치조항의 시행 전에 행해진 범죄행위에 대해서도 공소제기의 시기가 노역장유치조항의 시행 이후이면 이를 적용하도록 하고 있으므로, 이는 범죄행위 당시보다 불이익한 법률을 소급적용하도록 하는 것으로서 헌법상 형벌불소급원칙에 위반된다.

정답 ②

013

헌법상 죄형법정주의, 형벌불소급원칙 또는 소급입법금지원칙에 대한 설명으로 가장 적절하지 않은 것은? (다툼이 있는 경우 헌법재판소 판례에 의함)

① '이 법 시행 전의 행위에 대한 벌칙의 적용에 있어서는 종전의 규정에 따른다'는 「도로교통법」부칙 (2010.7.23. 법률 제10382호) 조항은 헌법 제13조 제1항의 형벌불소급원칙 보호영역에 포섭된다.

② 「군형법」제47조에서 말하는 '정당한 명령 또는 규칙'은 군의 특성상 그 내용을 일일이 법률로 정할 수 없어 법률의 위임에 따라 군통수기관이 불특정 다수인을 대상으로 발하는 일반적 효력이 있는 명령이나 규칙 중 그 위반에 대하여 형사처벌의 필요가 있는 것, 즉 법령의 범위 내에서 발해지는 군통수작용상 필요한 중요하고도 구체성 있는 특정한 사항에 관한 것을 의미한다고 보아야 할 것이며, 위 법률규정이 불명확하여 죄형법정주의원칙에 위배된다고 할 수 없다.

③ 디엔에이신원확인정보의 수집·이용이 범죄의 예방효과를 가지는 보안처분으로서의 성격을 일부 지닌다고 하더라도 이는 비형벌적 보안처분으로서 소급입법금지원칙이 적용되지 않는다.

④ 「아동·청소년의 성보호에 관한 법률」이 정하고 있는 아동·청소년대상 성범죄자의 아동·청소년 관련 교육기관 등에의 취업제한제도는 「형법」이 규정하고 있는 형벌에 해당되지 않으므로 헌법 제13조 제1항 전단의 형벌불소급원칙이 적용되지 않는다.

해설

① (X) [23 경찰간부]

> 청구인은 이 사건 부칙조항이 죄형법정주의 파생원칙인 형벌불소급원칙에 위반된다고 주장하나, 형벌불소급원칙이란 형벌법규는 시행된 이후의 행위에 대해서만 적용되고 시행 이전의 행위에 대해서는 소급하여 불리하게 적용되어서는 안 된다는 원칙인바, 이 사건 부칙조항은 개정된 법률 이전의 행위를 소급하여 형사처벌하도록 규정하고 있는 것이 아니라 형사처벌을 규정하고 있던 행위시법이 사후 폐지되었음에도 신법이 아닌 행위시법에 의하여 형사처벌하도록 규정한 것으로서, 헌법 제13조 제1항의 형벌불소급원칙 보호영역에 포섭되지 아니한다. (헌재 2015.2.26. 2012헌바268)

② (O) 헌재 2011.3.31. 2009헌가12 [17 법무사]

③ (O) [23 경찰간부]

> 이 사건 법률의 소급적용으로 인한 공익적 목적이 당사자의 손실보다 더 크므로, 이 사건 부칙조항이 법률 시행 당시 디엔에이감식시료 채취대상범죄로 실형이 확정되어 수용 중인 사람들까지 이 사건 법률을 적용한다고 하여 소급입법금지원칙에 위배되는 것은 아니다. (헌재 2014.8.28. 2011헌마28)

④ (O) 헌재 2016.3.31. 2013헌마585 등 [23 경찰간부]

정답 ①

기출지문 OX

❶ 법 시행일 이후에 이행기가 도래하는 퇴직연금에 대하여 소득과 연계하여 그 일부의 지급을 정지할 수 있도록 한 「공무원연금법」 조항을 이미 확정적으로 연금수급권을 취득한 자에게도 적용하도록 한 것은 이미 종료된 과거의 사실관계 또는 법률관계에 새로운 법률이 소급적으로 적용되어 과거를 법적으로 새로이 평가하는 진정소급입법에 해당한다. 18 변호사 (O / X)

> **해설** 법 시행일 이후에 이행기가 도래하는 퇴직연금에 대하여 소득과 연계하여 그 일부의 지급을 정지할 수 있도록 하는 것은 부진정소급에 해당한다.

정답 X

❷ 과세기간 진행 도중 과세요건을 납세자에게 불리하게 개정한 법령을 당해 과세기간 전체에 대하여 적용하는 것은 당해 과세기간 시작일부터 개정법령 시행일까지의 규율범위에서는 진정소급입법에 해당한다. 12 법원직 (O / X)

> 해설 과세기간 진행 도중 과세요건을 납세자에게 불리하게 개정한 법령을 당해 과세기간 전체에 대하여 적용하는 것은 부진정소급입법이다.
>
> 정답 X

❸ 개정된 신법이 피적용자에게 유리한 경우에 이른바 시혜적인 소급입법을 하여야 한다는 입법자의 의무가 헌법상의 원칙들로부터 도출되지는 아니한다. 이러한 소급입법을 할 것인가를 결정함에 있어서 입법자의 입법재량범위는 국민의 권리를 제한하거나 새로운 의무를 부과하는 경우와 달리 판단할 것은 아니다. 10 지방7급 (O / X)

> 해설 신법이 피적용자에게 유리한 경우에는 이른바 시혜적인 소급입법이 가능하지만 이를 입법자의 의무라고는 할 수 없고, 그러한 소급입법을 할 것인지의 여부는 입법재량의 문제로서 그 판단은 일차적으로 입법기관에 맡겨져 있으며, 이와 같은 시혜적 조치를 할 것인가 하는 문제는 국민의 권리를 제한하거나 새로운 의무를 부과하는 경우와는 달리 입법자에게 보다 광범위한 입법형성의 자유가 인정된다. (헌재 1995.12.28. 95헌마196)
>
> 정답 X

014 20 법원직

보안처분에 관한 다음 설명 중 가장 옳지 않은 것은?

① 전자장치 부착명령은 범죄행위를 한 사람에 대한 응보를 주된 목적으로 그 책임을 추궁하는 사후적 처분인 형벌과 구별되는 비형벌적 보안처분으로서 소급효금지원칙이 적용되지 아니한다.
② 노역장유치란 벌금 납입의 대체수단이자 납입강제기능을 갖는 벌금형의 집행방법이며, 벌금형에 대한 환형처분이라는 점에서 형벌과 구별된다. 따라서 노역장유치기간의 하한을 정한 것은 벌금형을 대체하는 집행방법을 강화한 것에 불과하며, 이를 소급적용한다고 하여 형벌불소급의 문제가 발생한다고 보기 어렵다.
③ 보안처분이라 하더라도 형벌적 성격이 강하여 신체의 자유를 박탈하거나 박탈에 준하는 정도로 신체의 자유를 제한하는 경우에는 소급입법금지원칙을 적용하는 것이 법치주의 및 죄형법정주의에 부합한다.
④ 디엔에이감식시료의 채취행위 및 디엔에이신원확인정보의 수집, 수록, 검색, 회보라는 일련의 행위는 보안처분으로서의 성격을 지닌다.

> 해설
> ① (O) ③ (O) 소급입법금지원칙은 형벌에 적용되고 보안처분에는 적용되지 않는다. 다만, 보호감호와 같이 사실상 형벌과 유사한 경우에는 적용된다.
> ② (X) 헌재 2017.10.26. 2015헌바239 등
> ④ (O) 장래의 범죄예방이므로 보안처분에 해당한다.
>
> 정답 ②

015

책임과 형벌의 비례원칙에 위반되지 않는 것은? (다툼이 있는 경우 헌법재판소 판례에 의함)

① 음주운항 전력이 있는 사람이 다시 음주운항을 한 경우 2년 이상 5년 이하의 징역이나 2천만 원 이상 3천만 원 이하의 벌금에 처하도록 규정한 「해사안전법」상 조항
② 예비군대원의 부재시 예비군훈련 소집통지서를 수령한 같은 세대 내의 가족 중 성년자가 정당한 사유 없이 소집통지서를 본인에게 전달하지 아니한 경우 6개월 이하의 징역 또는 500만 원 이하의 벌금에 처하도록 규정한 「예비군법」상 조항
③ 주거침입강제추행죄 및 주거침입준강제추행죄에 대하여 무기징역 또는 7년 이상의 징역에 처하도록 한 「성폭력범죄의 처벌 등에 관한 특례법」상 조항
④ 금융회사 등의 임직원이 그 직무에 관하여 금품이나 그 밖의 이익을 수수, 요구 또는 약속한 경우 5년 이하의 징역 또는 10년 이하의 자격정지에 처하도록 규정한 「특정경제범죄 가중처벌 등에 관한 법률」상 조항

해설

① (O)
> 심판대상조항은 가중요건이 되는 과거의 위반행위와 처벌대상이 되는 재범 음주운항 사이에 시간적 제한을 두지 않고 있다. 그런데 과거의 위반행위가 상당히 오래 전에 이루어져 그 이후 행해진 음주운항을 '해상교통법규에 대한 준법정신이나 안전의식이 현저히 부족한 상태에서 이루어진 반규범적 행위' 또는 '반복적으로 사회구성원에 대한 생명·신체 등을 위협하는 행위'라고 평가하기 어렵다면, 이를 가중처벌할 필요성이 인정된다고 보기 어렵다. 따라서 심판대상조항은 책임과 형벌 간의 비례원칙에 위반된다. (헌재 2022.8.31. 2022헌가10)

② (O)
> 심판대상조항은 행정절차적 협력의무에 불과한 소집통지서 전달의무의 위반에 대하여 과태료 등의 행정적 제재가 아닌 형사처벌을 부과하고 있는데, 이는 형벌의 보충성에 반하고, 책임에 비하여 처벌이 지나치게 과도하여 비례원칙에도 위반된다. 위와 같은 사정들에 비추어 보면, 심판대상조항은 책임과 형벌 간의 비례원칙에 위반된다. (헌재 2022.5.26. 2019헌가12)

③ (O)
> 심판대상조항은 법정형의 '상한'을 무기징역으로 높게 규정함으로써 불법과 책임이 중대한 경우에는 그에 상응하는 형을 선고할 수 있도록 하고 있다. 그럼에도 불구하고 법정형의 '하한'을 일률적으로 높게 책정하여 경미한 강제추행 또는 준강제추행의 경우까지 모두 엄하게 처벌하는 것은 책임주의에 반한다. 또한 그 법정형이 형벌 본래의 목적과 기능을 달성함에 있어 필요한 정도를 일탈하였고, 각 행위의 개별성에 맞추어 그 책임에 알맞은 형을 선고할 수 없을 정도로 과중하므로, 책임과 형벌 간의 비례원칙에 위배된다. (헌재 2023.2.23. 2021헌가9 등)

④ (X)
> 금융회사 등의 업무는 국가경제와 국민생활에 중대한 영향을 미치므로 금융회사 등 임직원의 직무 집행의 투명성과 공정성을 확보하는 것은 매우 중요하고, 이러한 필요성에 있어서는 임원과 직원 사이에 차이가 없다. 그리고 금융회사 등 임직원이 금품 등을 수수, 요구, 약속하였다는 사실만으로 직무의 불가매수성은 심각하게 손상되고, 비록 그 시점에는 부정행위가 없었다고 할지라도 장차 실제 부정행위로 이어질 가능성도 배제할 수 없다. 따라서 부정한 청탁이 있었는지 또는 실제 배임행위로 나아갔는지를 묻지 않고 금품 등을 수수·요구 또는 약속하는 행위를 처벌하고 있는 수재행위처벌조항은 책임과 형벌 간의 비례원칙에 위배되지 아니한다. (헌재 2020.3.26. 2017헌바129 등)

정답 ④

016 [재구성]

책임과 형벌 간의 관계에 있어서 준수되어야 할 비례원칙에 대한 헌법재판소의 판시 내용으로 적절하지 않은 것은?

① 법인의 대리인·사용인 기타의 종업원이 그 법인의 업무에 관하여 근로자가 노동조합을 조직 또는 운영하는 것을 지배하거나 이에 개입하는 행위를 한 때에는 그 법인에 대하여도 벌금형을 과하도록 한 「노동조합 및 노동관계조정법」 조항은 종업원 등이 저지른 행위의 결과에 대한 법인의 독자적인 책임에 관하여 전혀 규정하지 않은 채, 단순히 법인이 고용한 종업원 등이 업무에 관하여 범죄행위를 하였다는 이유만으로 법인에 대하여 형벌을 부과하도록 정하고 있는바, 헌법상 법치국가원리로부터 도출되는 책임주의원칙에 위배된다.

② 자동차의 운전자는 고속도로 등에서 자동차의 고장 등 부득이한 사정이 있는 경우를 제외하고는 갓길(「도로법」에 따른 길어깨를 말한다)로 통행하여서는 아니 된다고 규정하고 이를 위반한 사람은 20만 원 이하의 벌금이나 구류 또는 과료에 처한다고 규정한 구 「도로교통법」 조항은 책임과 형벌 사이의 비례원칙에 위배된다.

③ 무신고 수출입의 경우 법인을 범인으로 보고 필요적으로 몰수·추징하도록 규정한 구 「관세법」 조항은 법인이 그 위반행위를 방지하기 위하여 주의와 감독을 게을리하지 아니한 경우에는 몰수·추징대상에서 제외되므로, 책임과 형벌 간의 비례원칙에 위반된다고 할 수 없다.

④ 밀수입 예비행위를 본죄에 준하여 처벌하도록 규정한 「특정범죄 가중처벌 등에 관한 법률」 조항은 구체적 행위의 개별성과 고유성을 고려한 양형판단의 가능성을 배제하는 가혹한 형벌로서 책임과 형벌 사이의 비례의 원칙에 위배된다.

해설

① (O)
> 심판대상조항은 종업원 등의 범죄행위에 관하여 비난할 근거가 되는 법인의 의사결정 및 행위구조, 즉 종업원 등이 저지른 행위의 결과에 대한 법인의 독자적인 책임에 관하여 전혀 규정하지 않은 채, 단순히 법인이 고용한 종업원 등이 업무에 관하여 범죄행위를 하였다는 이유만으로 법인에 대하여 형벌을 부과하도록 정하고 있는바, 이는 다른 사람의 범죄에 대하여 그 책임 유무를 묻지 않고 형사처벌하는 것이므로 헌법상 법치국가원리로부터 도출되는 책임주의원칙에 위배된다. **(헌재 2019.4.11. 2017헌가30)**

② (X)
> [1] 구 도로교통법 제60조 제1항 본문 중 "자동차의 운전자는 고속도로 등에서 자동차의 고장 등 부득이한 사정이 있는 경우를 제외하고는 갓길(「도로법」에 따른 길어깨를 말한다)로 통행하여서는 아니 된다." 부분 중 '부득이한 사정' 부분은 죄형법정주의의 명확성원칙에 위배되지 않는다.
> [2] 금지조항을 위반한 사람은 20만 원 이하의 벌금이나 구류 또는 과료에 처한다고 규정한 구 도로교통법 제156조 제3호 중 제60조 제1항 본문 가운데 위 해당 부분은 책임과 형벌 사이의 비례원칙에 위배되지 않는다. **(헌재 2021.8.31. 2020헌바100)**

③ (O)
> 법인의 업무와 관련된 무신고 수출입행위는 법인의 관리·감독형태 등 구조적인 문제로 인하여도 발생할 수 있으므로, 무신고 수출입업무의 귀속주체인 법인을 행위자와 동일하게 몰수·추징대상으로 하여 위반행위의 발생을 방지하고 관련 조항의 규범력을 확보할 필요가 있으며, 법인이 그 위반행위를 방지하기 위하여 주의와 감독을 게을리하지 아니한 경우에는 몰수·추징대상에서 제외되므로, 이 사건 법인적용조항은 책임과 형벌 간의 비례원칙에 위반된다고 할 수 없다. **(헌재 2021.7.15. 2020헌바201)**

④ (○)

> 예비행위란 아직 실행의 착수조차 이르지 아니한 준비단계로서, 실질적인 법익에 대한 침해 또는 위험한 상태의 초래라는 결과가 발생한 기수와는 그 행위태양이 다르고, 법익침해가능성과 위험성도 다르므로, 이에 따른 불법성과 책임의 정도 역시 다르게 평가되어야 한다. 그럼에도 예비행위를 본죄에 준하여 처벌하도록 하고 있는 심판대상조항은 그 불법성과 책임의 정도에 비추어 지나치게 과중한 형벌을 규정하고 있는 것이다. … 따라서 심판대상조항은 구체적 행위의 개별성과 고유성을 고려한 양형판단의 가능성을 배제하는 가혹한 형벌로서 책임과 형벌 사이의 비례성의 원칙에 위배된다. (헌재 2019.2.28. 2016헌가13)

정답 ②

017

형벌과 책임주의원칙에 대한 설명으로 옳지 않은 것은? (다툼이 있는 경우 판례에 의함)

① 「형법」 제129조 제1항의 수뢰죄를 범한 사람에게 수뢰액의 2배 이상 5배 이하의 벌금을 병과하도록 규정한 「특정범죄 가중처벌 등에 관한 법률」 조항은 책임과 형벌의 비례원칙에 위반되지 않는다.
② 단체나 다중의 위력으로써 「형법」상 상해죄를 범한 사람을 가중처벌하는 구 「폭력행위 등 처벌에 관한 법률」 조항은 책임과 형벌의 비례원칙에 위반되지 않는다.
③ 독립행위가 경합하여 상해의 결과를 발생하게 한 경우 원인된 행위가 판명되지 아니한 때에는 공동정범의 예에 의하도록 규정한 「형법」 제263조는 책임주의원칙에 위반된다.
④ 법인의 대표자 등이 법인의 재산을 국외로 도피한 경우 행위자를 벌하는 외에 그 법인에도 도피액의 2배 이상 10배 이하에 상당하는 벌금형을 과하는 「특정경제범죄 가중처벌 등에 관한 법률」 제4조 제4항 본문 중 '법인에 대한 처벌'에 관한 부분은 책임주의에 위반되지 않는다.
⑤ 종업원이 고정조치의무를 위반하여 화물을 적재하고 운전한 경우 그를 고용한 법인을 면책사유 없이 형사처벌하도록 규정한 구 「도로교통법」 제116조 중 '법인의 대리인, 사용인 그 밖의 종업원이 그 법인의 업무에 관하여 제113조 제1호 중 제35조 제3항을 위반한 때에는 그 법인에 대하여도 해당 조항의 벌금 또는 과료의 형을 과한다'는 부분은 자기책임원칙에 위반된다.

해설

① (O)

> 수뢰액은 죄의 경중을 가늠하는 중요한 기준 가운데 하나이며, 불법의 정도를 드러낼 수 있는 가장 보편적인 징표인바, 수뢰액이 증가하면 범죄에 대한 비난가능성도 일반적으로 높아진다고 할 수 있으므로 수뢰액을 기준으로 벌금을 산정하는 것 역시 책임을 벗어난 형벌이라고 보기 어렵다. (헌재 2017.7.27. 2016헌바42)

② (O)

> 단체나 다중의 위력으로써 상해죄를 범하는 경우에는 이미 그 행위 자체에 내재되어 있는 불법의 정도가 크고, 중대한 법익침해를 야기할 가능성이 높다. 심판대상조항의 법정형은 징역 3년 이상으로서 법관이 작량감경을 하지 않더라도 집행유예선고가 가능하여 피고인의 책임에 상응하는 형을 선고할 수 있다. 따라서 특별법인 폭력행위 등 처벌에 관한 법률에 있던 심판대상조항이 삭제되고 형법에 편입되면서 법정형이 하향 조정되었다는 사정만으로 심판대상조항이 책임과 형벌의 비례원칙에 위반된 것이라고 할 수 없다. (헌재 2017.7.27. 2015헌바450)

③ (X) 독립행위의 경합이란 예컨대 甲이 丙에게 폭행을 하고 乙이 또 丙을 폭행한 경우 甲과 乙은 공범이 아닌 상황에서 丙에게는 상해의 결과가 발생했는데 그 상해가 누구의 행위인지 밝혀지지 않은 경우 둘 다 상해죄의 공동정범으로 처벌하는 것이다.

> 신체에 대한 가해행위는 그 자체로 상해의 결과를 발생시킬 위험을 내포하고 있으므로, 독립한 가해행위가 경합하여 상해가 발생한 경우 상해의 발생 또는 악화에 전혀 기여하지 않은 가해행위의 존재라는 것은 상정하기 어렵고, 각 가해행위가 상해의 발생 또는 악화에 어느 정도 기여하였는지를 계량화할 수 있는 것도 아니다. 이에 입법자는 피해자의 법익보호와 일반예방적 효과를 높일 필요성을 고려하여 다른 독립행위가 경합하는 경우와 구분하여 심판대상조항을 마련한 것이다. … 이러한 점을 종합하여 보면, 심판대상조항은 책임주의원칙에 반한다고 볼 수 없다. (헌재 2018.3.29. 2017헌가10)

④ (O)

> **법인의 대표자가 법인의 업무에 관하여 일정한 범죄행위를 할 경우 그 법인도 함께 처벌하는 구 외국환거래법 제31조는 헌법에 위반되지 않는다.** (헌재 2011.12.29. 2010헌바117[합헌])
> 법인의 대표자가 법인의 업무에 관하여 일정한 범죄행위를 할 경우 그 법인도 함께 처벌하는 이 사건 구 외국환거래법상 양벌규정은 법인 대표자의 법규 위반행위에 대한 법인의 책임은 법인 자신의 법규 위반행위로 평가될 수 있는 행위에 대한 법인의 직접책임으로서, 대표자의 고의에 의한 위반행위에 대하여는 법인 자신의 고의에 의한 책임을, 대표자의 과실에 의한 위반행위에 대하여는 법인 자신의 과실에 의한 책임을 부담하는 것이므로 책임주의원칙에 반하지 아니한다.

⑤ (O)

> 심판대상조항은 종업원이 법인의 업무에 관하여 운전 중 실은 화물이 떨어지지 아니하도록 덮개를 씌우거나 묶는 등 확실하게 고정될 수 있도록 필요한 조치를 하지 아니한 채 운전한 사실이 인정되면, 곧바로 법인에 대해서도 형벌을 부과하도록 정하고 있다. 그 결과 종업원의 고정조치의무 위반행위와 관련하여 선임·감독상 주의의무를 다하여 아무런 잘못이 없는 법인도 형사처벌되게 되었는바, 이는 다른 사람의 범죄에 대하여 그 책임 유무를 묻지 않고 형사처벌하는 것이므로 헌법상 법치국가원리 및 죄형법정주의로부터 도출되는 책임주의원칙에 위배된다. (헌재 2016.10.27. 2016헌가10)

> 종업원 등의 행위에 대해 법인의 고의·과실과 관계없이 법인을 처벌하는 것은 책임주의 위반이지만, 대표자의 행위에 대해 법인을 처벌하는 것은 위헌이 아니다.

정답 ③

018 24 법원직

명확성원칙에 관한 다음 설명 중 옳지 않은 것은 모두 몇 개인가? (다툼이 있는 경우 헌법재판소 결정 및 대법원 판례에 의함)

ㄱ. '공공의 안녕질서' 또는 '미풍양속'은 '모든 국민이 준수하고 지킬 것이 요구되는 최소한도의 질서 또는 도덕률'을 의미한다고 보아야 할 것이므로, 공공의 안녕질서 또는 미풍양속을 해하는 통신을 금지하는 구 「전기통신사업법」해당 조항은 명확성원칙에 위배되지 아니한다.

ㄴ. 명확성원칙은 헌법상 내재하는 법치국가원리로부터 파생될 뿐만 아니라, 국민의 자유와 권리를 보호하는 기본권 보장으로부터도 나온다.

ㄷ. 임대인이 실제 거주를 이유로 임대차 계약의 갱신을 거절한 후 '정당한 사유 없이' 제3자에게 임대한 경우의 손해배상책임을 규정한 주택임대차보호법 해당 조항은, 임대인이 손해배상책임을 면할 수 있는 '정당한 사유'가 임대인이 갱신거절 당시에는 예측할 수 없었던 것으로서 제3자에게 목적 주택을 임대할 수밖에 없었던 불가피한 사정을 의미하는 것으로 해석되는 점 등에 비추어 명확성원칙에 반하지 아니한다.

ㄹ. 명확성원칙의 엄격한 적용이 요구되는 경우에는 그 적용대상자와 금지 행위를 구체적으로 알 수 있도록 구체적이고 서술적인 개념에 의하여 규정하여야 하고, 다소 광범위하여 법관의 보충적인 해석을 필요로 하는 개념을 사용해서는 아니된다.

① 0개 ② 1개 ③ 2개 ④ 3개

해설

ㄱ. (✗)

> '공공의 안녕질서 또는 미풍양속을 해하는'이라는 불온통신의 개념은 너무나 불명확하고 애매하다. (헌재 2002.6.27. 99헌마480)

ㄴ. (○)

> 의료법 제5조 제3호 중 '보건복지부장관이 인정하는 외국의 제2호에 해당하는 학교' 부분, 의료법 부칙 제4조 중 '보건사회부장관이 인정하는 외국의 해당 대학' 부분, 구 의료법 제5조 제3호 중 '보건사회부장관이 인정하는 외국의 제2호에 해당하는 학교' 부분은 헌법상 포괄위임입법금지원칙에 위배되지 않는다. (헌재 2001.6.28. 99헌바34)

ㄷ. (○)

> 주택 임차인이 계약갱신요구를 할 경우 임대인이 정당한 사유 없이 거절하지 못하도록 하고, 임대인이 실제 거주를 이유로 갱신을 거절한 후 정당한 사유 없이 제3자에게 임대한 경우 손해배상책임을 부담시키는 주택임대차보호법 제6조의3 제1항, 제3항 본문, 제5항, 제6항, 계약갱신시 차임이나 보증금 증액청구의 상한을 제한하는 제6조의3 제3항 단서 중 제7조 제2항에 관한 부분, 보증금을 월 단위 차임으로 전환하는 경우 그 산정률을 정한 제7조의2, 개정 법 시행 당시 존속 중인 임대차에도 개정조항을 적용하도록 한 부칙 제2조는 헌법에 위반되지 않고 【합헌, 기각】, 개정 주택임대차보호법 해설집의 발간·배포행위에 대한 심판청구는 부적법하다. (헌재 2024.2.28. 2020헌마1343【각하】)

ㄹ. (✗)

> **최소한의 명확성** (헌재 1998.4.30. 95헌가16)
> 모든 법규범의 문언을 순수하게 기술적 개념만으로 구성하는 것은 입법기술적으로 불가능하고 또 바람직하지도 않기 때문에 어느 정도 가치개념을 포함한 일반적, 규범적 개념을 사용하지 않을 수 없다. 따라서 명확성의 원칙이란 기본적으로 최대한이 아닌 최소한의 명확성을 요구하는 것이다. 그러므로 법문언이 해석을 통해서, 즉 법관의 보충적인 가치판단을 통해서 그 의미내용을 확인해낼 수 있고, 그러한 보충적 해석이 해석자의 개인적인 취향에 따라 좌우될 가능성이 없다면 명확성의 원칙에 반한다고 할 수 없다 할 것이다.

정답 ③

019

죄형법정주의 명확성원칙에 대한 설명으로 가장 적절한 것은? (다툼이 있는 경우 헌법재판소 판례에 의함)

① 의약외품이 아닌 것을 용기·포장 또는 첨부 문서에 의학적 효능·효과 등이 있는 것으로 오인될 우려가 있는 표시를 하거나, 이와 같은 의약외품과 유사하게 표시된 것을 판매하는 것을 금지하는 구 「약사법」 조항 가운데 '표시' 및 '표시된 것의 판매'에 관한 부분을 준용하는 부분의 '의학적 효능·효과 등'이라는 표현은 명확성원칙에 위배된다.

② 「회계관계직원 등의 책임에 관한 법률」 제2조 제1호 카목의 '그밖에 국가의 회계사무를 처리하는 사람'은 그 의미가 불명확하므로 명확성원칙에 위배된다.

③ 허위재무제표작성 및 허위감사보고서작성을 처벌하는 「주식회사 등의 외부감사에 관한 법률」 조항 중 '그 위반행위로 얻은 이익 또는 회피한 손실액의 2배 이상 5배 이하의 벌금'은 명확성원칙에 위배되지 않는다.

④ 누구든지 선박의 감항성의 결함을 발견한 때에는 해양수산부령이 정하는 바에 따라 그 내용을 해양수산부장관에게 신고하여야 한다고 규정한 구 「선박안전법」 조항 중 '선박의 감항성의 결함'에 관한 부분은 명확성원칙에 위배된다.

해설

① (X)

> 식품이 의약품과 동일한 성분을 함유하였다고 하더라도 식품이라는 본질적 한계로 인하여 그 효능·효과의 광고에 있어서 의약품과 같은 효능·효과가 있다는 표시·광고를 금지해야할 합리적인 이유가 있으므로 이 사건 법률조항은 죄형법정주의에 위반되지 않는다. (헌재 2004.11.25. 2003헌바104)

② (X)

> '특정범죄 가중처벌 등에 관한 법률' 제5조 중 '회계관계직원 등의 책임에 관한 법률' 제2조 제1호 카목에 규정된 사람이 국고에 손실을 입힐 것을 알면서 그 직무에 관하여 형법 제355조 제1항의 죄를 범한 경우에 관한 부분, '회계관계직원 등의 책임에 관한 법률' 제2조 제1호 카목, 형법 제355조 제1항 중 횡령에 관한 부분이 헌법에 위반되지 않는다. (헌재 2024.4.25. 2021헌바21【합헌】)

③ (O)

> 허위재무제표작성죄와 허위감사보고서작성죄에 대하여 배수벌금형을 규정하면서도, '그 위반행위로 얻은 이익 또는 회피한 손실액이 없거나 산정하기 곤란한 경우'에 관한 벌금 상한액을 규정하지 아니한 주식회사 등의 외부감사에 관한 법률 제39조 제1항 중 '그 위반행위로 얻은 이익 또는 회피한 손실액의 2배 이상 5배 이하의 벌금' 가운데 '그 위반행위로 얻은 이익 또는 회피한 손실액이 없거나 산정하기 곤란한 경우'에 관한 부분은 헌법에 합치되지 아니한다. (헌재 2024.7.18. 2022헌가6【헌법불합치】)

[1] **죄형법정주의의 명확성원칙 위배 여부 – 소극**
  가. 심판대상조항에서 사용된 '위반행위', '얻은', '이익', '회피', '손실액' 등의 개념 자체는 건전한 상식과 통상적인 법감정을 가진 수범자라면 손쉽게 그 의미를 파악할 수 있다.
  나. 이러한 사정을 종합하면, 심판대상조항은 죄형법정주의의 명확성원칙에 위배되지 않는다.

[2] **책임과 형벌간의 비례원칙 위배 여부 – 적극**
  심판대상조항은, 허위재무제표작성죄나 허위감사보고서작성죄에서 그와 같이 이익 또는 회피한 손실액이 없거나 산정이 곤란한 경우에 법원으로 하여금 그 죄질과 책임에 비례하는 벌금형을 선고할 수 없도록 하여 책임과 형벌 간의 비례원칙에 위배된다고 할 것이다.

④ (×)

> 누구든지 선박의 감항성의 결함을 발견한 때에는 그 내용을 해양수산부장관에게 신고하여야 한다고 규정한 구 선박안전법 제74조 제1항 중 '선박의 감항성의 결함'에 관한 부분과, 선박소유자, 선장 또는 선박직원이 위와 같은 신고의무를 위반한 경우 처벌하도록 하는 같은 법 제84조 제1항 제11호 중 제74조 제1항의 '선박의 감항성의 결함'에 관한 부분은 헌법에 위반되지 않는다. (헌재 2024.5.30. 2020헌바234[합헌])
> 신고의무조항의 '선박의 감항성의 결함'이란 '선박안전법에서 규정하고 있는 각종 검사 기준에 부합하지 아니하는 상태로서, 선박이 안전하게 항해할 수 있는 성능인 감항성과 직접적인 관련이 있는 흠결'이라는 의미로 명확하게 해석할 수 있다. 따라서 신고의무조항은 죄형법정주의의 명확성원칙에 위배되지 아니한다.

정답 ③

020 NEW 23 국가7급

명확성원칙에 대한 설명으로 옳지 않은 것은?

① 「전기통신사업법」 제83조 제3항에 규정된 '국가안전보장에 대한 위해를 방지하기 위한 정보수집'은 국가의 존립이나 헌법의 기본질서에 대한 위험을 방지하기 위한 목적을 달성함에 있어 요구되는 최소한의 범위 내에서의 정보수집을 의미하는 것으로 명확성원칙에 위배되지 않는다.

② 선거운동기간 중 당해 홈페이지 게시판 등에 정당·후보자에 대한 지지·반대 등의 정보를 게시하는 경우 실명을 확인받는 기술적 조치를 하도록 정한 「공직선거법」 조항 중 '인터넷언론사'는 「공직선거법」 및 관련 법령이 구체적으로 '인터넷언론사'의 범위를 정하고 있고, 중앙선거관리위원회가 설치·운영하는 인터넷선거보도심의위원회가 심의대상인 인터넷언론사를 결정하여 공개하는 점 등을 종합하면 명확성원칙에 반하지 않는다.

③ 「국가공무원법」 조항 중 초·중등교원인 교육공무원의 가입 등이 금지되는 '그 밖의 정치단체'에 관한 부분은 '특정 정당이나 특정 정치인을 지지·반대하는 단체로서 그 결성에 관여하거나 가입하는 경우 공무원의 정치적 중립성 및 교육의 정치적 중립성을 훼손할 가능성이 높은 단체'로 한정할 수 있어 명확성원칙에 반하지 않는다.

④ 의료인이 아닌 자의 문신시술업을 금지하고 처벌하는 「의료법」 조항 중 '의료행위'는, 의학적 전문지식을 기초로 하는 경험과 기능으로 진찰, 검안, 처방, 투약 또는 외과적 시술을 시행하여 하는 질병의 예방 또는 치료행위 이외에도 의료인이 행하지 아니하면 보건위생상 위해가 생길 우려가 있는 행위로 분명하게 해석되어 명확성원칙에 위배된다고 할 수 없다.

해설

① (O)

'국가안전보장에 대한 위해를 방지하기 위한 정보수집'은 국가의 존립이나 헌법의 기본질서에 대한 위험을 방지하기 위한 목적을 달성함에 있어 요구되는 최소한의 범위 내에서의 정보수집을 의미하는 것으로 해석되므로, 명확성원칙에 위배되지 않는다. (헌재 2022.7.21. 2016헌마388)

② (O)

실명확인 조항을 비롯하여, 행정안전부장관 및 신용정보업자는 실명인증자료를 관리하고 중앙선거관리위원회가 요구하는 경우 지체 없이 그 자료를 제출해야 하며, 실명확인을 위한 기술적 조치를 하지 아니하거나 실명인증의 표시가 없는 정보를 삭제하지 않는 경우 과태료를 부과하도록 정한 공직선거법 조항은 게시판 등 이용자의 익명표현의 자유 및 개인정보자기결정권과 인터넷언론사의 언론의 자유를 침해한다. (헌재 2021.1.28. 2018헌마456)
인터넷언론사는 선거운동기간 중 당해 홈페이지 게시판 등에 정당·후보자에 대한 지지·반대 등의 정보를 게시하는 경우 실명을 확인받는 기술적 조치를 하도록 정한 공직선거법 조항 중 "인터넷언론사" 및 "지지·반대" 부분은 명확성원칙에 위배되지 않는다.

③ (×)

초·중등학교의 교육공무원이 정치단체의 결성에 관여하거나 이에 가입하는 행위를 금지한 국가공무원법 제65조 제1항 중 '국가공무원법 제2조 제2항 제2호의 교육공무원 가운데 초·중등교육법 제19조 제1항의 교원은 그 밖의 정치단체의 결성에 관여하거나 이에 가입할 수 없다.' 부분은 청구인들의 정치적 표현의 자유 및 결사의 자유를 침해한다. (헌재 2020.4.23. 2018헌마551)
국가공무원법 조항 중 '그 밖의 정치단체'에 관한 부분은 가입 등이 금지되는 '정치단체'가 무엇인지 그 규범 내용이 확정될 수 없을 정도로 불분명하여, 헌법상 그 가입 등이 마땅히 보호받아야 할 단체까지도 수범자인 나머지 청구인들이 가입 등의 행위를 하지 못하게 위축시키고 있고, 법 집행 공무원이 지나치게 넓은 재량을 행사하여 금지되는 '정치단체'와 금지되지 않는 단체를 자의적으로 판단할 위험이 있다. 따라서 국가공무원법 조항 중 '그 밖의 정치단체'에 관한 부분은 명확성원칙에 위배되어 나머지 청구인들의 정치적 표현의 자유, 결사의 자유를 침해한다.

④ (O)

의료법 제27조 제1항 본문 전단 위헌확인 등 (헌재 2022.3.31. 2021헌마1213, 1385)
[1] 의료인이 아닌 사람도 문신시술을 업으로 행할 수 있도록 그 자격 및 요건을 법률로 정할 입법의무는 인정되지 않는다.
[2] 의료인이 아닌 자의 문신시술업을 금지하고 처벌하는 의료법 제27조 제1항 본문 전단과 '보건범죄 단속에 관한 특별조치법' 제5조 제1호 중 의료법 제27조 제1항 본문 전단에 관한 부분은 청구인들의 직업선택의 자유를 침해하지 않는다.

정답 ③

기출지문 OX

❶ 게임물 관련사업자에 대하여 '경품 등의 제공을 통한 사행성 조장'을 원칙적으로 금지시키고 있는 「게임산업진흥에 관한 법률」 조항에서, '경품' 및 '조장'과는 달리 '사행성'은 다른 법률에서도 정의규정을 두고 있지 않아 지나치게 불명확하여 법집행기관의 자의적인 해석을 가능하게 하므로 죄형법정주의의 명확성원칙에 위배된다. 24 경찰승진 (O / X)

> **해설** 건전한 상식과 통상적인 법감정을 가진 사람들은 어떠한 행위가 이 사건 의무조항이 정하는 구성요건에 해당되는지 여부를 충분히 파악할 수 있다고 판단되고, 그것이 지나치게 불명확하여 법 집행기관의 자의적인 해석을 가능하게 한다고 보기는 어려우므로, 이 사건 의무조항은 죄형법정주의의 명확성원칙에 위배되지 아니한다. (헌재 2020.12.23. 2017헌바463)

정답 X

❷ 약식명령에 대한 정식재판청구권 회복청구시 필요적 집행정지가 아닌 임의적 집행정지로 규정한 「형사소송법」 조항은 약식명령에 의한 벌금형을 납부하지 않아 노역장에 유치된 자의 신체의 자유를 침해한 것이다. 24 경찰승진·법원직 (O / X)

> **해설** 정식재판청구권 회복청구를 하는 자는 약식명령의 확정력을 다투는 자이긴 하나 여전히 약식명령의 확정력을 받고 있는 자이므로 재판의 집행을 받았다고 하여 부당하다고 볼 수 없고, 설령 회복된 정식재판에서 무죄판결을 받는다고 하더라도 형사보상을 받을 수 있으며, 재판의 부당한 집행으로부터 피고인을 보호하면서 국가형벌권의 적정한 실현을 조화롭게 달성하기 위해서는 일률적으로 재판의 집행을 정지하는 것보다 법원이 구체적 사정을 고려하여 재판의 집행정지 여부를 결정하도록 하는 것이 바람직하다. 따라서 이 사건 법률조항이 신체의 자유를 침해한다고 볼 수 없다. (헌재 2014.5.29. 2012헌마104)

정답 X

❸ 한국의료분쟁조정중재원이 의료사고 피해자에게 대불한 손해배상금 대불비용을 보건의료기관개설자 등이 부담하도록 하면서 그 금액과 납부방법 및 관리 등에 관한 사항을 대통령령에 위임한 법률규정은, 대불 재원의 충당 자체가 변동성을 가지기 때문에 부담금을 추가로 부과·징수하기 위한 구체적인 요건과 범위를 미리 확정하는 것은 적절하다고 볼 수 없다는 점을 고려하면, 부담금 부과·징수의 구체적 요건이나 산정기준, 부담금액의 한도 등을 법률에서 규정하지 않았다고 하더라도 포괄위임금지원칙이 요구하는 위임입법의 구체성과 명확성의 한계를 벗어났다고 볼 수 없다. 24 법원직 (O / X)

> **해설** [1] 의료사고 피해구제 및 의료분쟁 조정 등에 관한 법률 제47조 제2항 후단 중 '그 금액' 부분이 헌법에 합치되지 아니한다. **【헌법불합치】**
> [2] 의료사고 피해구제 및 의료분쟁 조정 등에 관한 법률 제47조 제2항 전단, 같은 항 후단 중 '납부방법 및 관리 등' 부분, 의료사고 피해구제 및 의료분쟁 조정 등에 관한 법률 제47조 제4항은 각 헌법에 위반되지 아니한다. **【합헌】**
> [3] **이 사건 위임조항 중 '그 금액' 부분 【헌법불합치】**
> 이 사건 위임조항은 부담금의 액수를 어떻게 산정하고 이를 어떤 요건 하에 추가로 징수하는지에 관하여 그 대강조차도 정하지 않고 있고, 관련조항 등을 살펴보더라도 이를 예측할 만한 단서를 찾을 수 없다. (헌재 2022.7.21. 2018헌바504)

정답 X

021 22 서울·지방7급

명확성원칙에 대한 설명으로 옳은 것은? (다툼이 있는 경우 판례에 의함)

① 공중도덕상 유해한 업무에 취업시킬 목적으로 근로자를 파견한 사람을 형사처벌하도록 규정한 구 「파견근로자보호 등에 관한 법률」 조항 중 '공중도덕상 유해한 업무' 부분은 그 행위의 의미가 문언상 불분명하다고 할 수 없으므로 죄형법정주의의 명확성원칙에 위배되지 않는다.

② 외국인이 귀화허가를 받기 위해서는 '품행이 단정할 것'의 요건을 갖추도록 한 구 「국적법」 조항은 그 해석이 불명확하여 수범자의 예측가능성을 해하고, 법 집행기관의 자의적인 집행을 초래할 정도로 불명확하다고 할 수 있으므로, 명확성원칙에 위배된다.

③ 혈액투석 정액수가에 포함되는 비용의 범위를 정한 '의료급여수가의 기준 및 일반기준' 제7조 제2항 본문의 정액범위조항에 사용된 '등'은 열거된 항목 외에 같은 종류의 것이 더 있음을 나타내는 의미로 해석할 수 있으나, 다른 조항과의 유기적·체계적 해석을 통해 그 적용범위를 합리적으로 파악할 수는 없으므로 명확성원칙에 위배된다.

④ 형의 선고와 함께 소송비용 부담의 재판을 받은 피고인이 '빈곤'을 이유로 해서만 집행면제를 신청할 수 있도록 한 「형사소송법」 규정에 따른 소송비용에 관한 부분 중 '빈곤'은 경제적 사정으로 소송비용을 납부할 수 없는 경우를 지칭하는 것으로 해석될 수 있으므로 명확성원칙에 위배되지 않는다.

해설

① (✕)

'공중도덕'은 시대상황, 사회가 추구하는 가치 및 관습 등 시간적·공간적 배경에 따라 그 내용이 얼마든지 변할 수 있는 규범적 개념이므로, 그것만으로는 구체적으로 무엇을 의미하는지 설명하기 어렵다. 심판대상조항에 관한 이해관계기관의 확립된 해석기준이 마련되어 있다거나, 법관의 보충적 가치판단을 통한 법문 해석으로 심판대상조항의 의미 내용을 확인할 수 있다는 사정을 발견하기도 어렵다. 심판대상조항은 건전한 상식과 통상적 법감정을 가진 사람으로 하여금 자신의 행위를 결정해 나가기에 충분한 기준이 될 정도의 의미 내용을 가지고 있다고 볼 수 없으므로 죄형법정주의의 명확성원칙에 위배된다. (헌재 2016.11.24. 2015헌가23)

② (✕)

외국인이 귀화허가를 받기 위하여서는 '품행이 단정할 것'이라는 요건을 갖추도록 규정한 국적법 제5조 제3호는 헌법에 위반되지 않는다. (헌재 2016.7.28. 2014헌바421)
미국은 '선량한 도덕적 인격(good moral character)'을, 영국은 '선량한 인격(good character)'을, 프랑스는 '건전한 생활태도와 품행(bonnes vie et moeurs)'을, 일본은 '소행이 선량할 것(素行善良)'을 규정하는 등 여러 입법례에서 귀화허가요건 중 하나로 인격이나 품성과 관련된 불확정개념을 사용하고 있는 것도 귀화제도의 이러한 특성에 기인한 것이라 볼 수 있다.

③ (✕)

의료급여수가기준은 정액범위조항에 더하여 제7조 제2항 단서와 제7조 제3항을 통하여 정액수가와 별도로 산정되는 급여비용의 범위에 관하여 구체적으로 규정하고 있으므로, 정액범위조항에 포함되는 급여비용의 범위는 제7조 제2항 단서와 제7조 제3항에 규정된 별도로 산정되는 급여비용의 범위와의 유기적·체계적 해석을 통하여 합리적으로 파악할 수 있다고 할 것이다. 이러한 사정을 종합하여 보면 정액범위조항은 명확성원칙에 위배되지 아니한다. (헌재 2020.4.23. 2017헌마103【합헌】)

④ (〇) 헌재 2021.2.25. 2019헌바64

정답 ④

022

죄형법정주의의 명확성원칙에 대한 설명으로 옳지 않은 것은? (다툼이 있는 경우 판례에 의함)

① '여러 사람의 눈에 뜨이는 곳에서 공공연하게 알몸을 지나치게 내놓거나 가려야 할 곳을 내놓아 다른 사람에게 부끄러운 느낌이나 불쾌감을 준 사람'을 처벌하는 「경범죄 처벌법」 조항은 죄형법정주의의 명확성원칙에 위반되지 않는다.

② '운행 중인 자동차의 운전자를 폭행하거나 협박한 사람'을 처벌하는 「특정범죄 가중처벌 등에 관한 법률」 조항 가운데 '운행 중' 부분은 죄형법정주의의 명확성원칙에 위반되지 않는다.

③ 카메라 등을 이용하여 성적 욕망 또는 수치심을 유발할 수 있는 다른 사람의 신체를 촬영한 촬영물을 그 의사에 반하여 반포한 경우 등을 처벌하는 「성폭력범죄의 처벌 등에 관한 특례법」 조항은 죄형법정주의의 명확성원칙에 위반되지 않는다.

④ 「응급의료에 관한 법률」 조항 중 '누구든지 응급의료종사자의 응급환자에 대한 진료를 폭행, 협박, 위계, 위력, 그 밖의 방법으로 방해하여서는 아니 된다'는 부분 가운데 '그 밖의 방법' 부분은 죄형법정주의의 명확성원칙에 위반되지 않는다.

해설

① (✗)

> '여러 사람의 눈에 뜨이는 곳에서 공공연하게 알몸을 지나치게 내놓거나 가려야 할 곳을 내놓아 다른 사람에게 부끄러운 느낌이나 불쾌감을 준 사람'을 처벌하는 경범죄 처벌법 제3조 제1항 제33호는 죄형법정주의의 명확성원칙에 위배된다. (헌재 2016.11.24. 2016헌가3【위헌】)
> 심판대상조항은 알몸을 '지나치게 내놓는' 것이 무엇인지 그 판단기준을 제시하지 않아 무엇이 지나친 알몸노출행위인지 판단하기 쉽지 않고, '가려야 할 곳'의 의미도 알기 어렵다. … 심판대상조항의 불명확성을 해소하기 위해 노출이 허용되지 않는 신체부위를 예시적으로 열거하거나 구체적으로 특정하여 분명하게 규정하는 것이 입법기술상 불가능하거나 현저히 곤란하지도 않다. 예컨대 이른바 '바바리맨'의 성기노출행위를 규제할 필요가 있다면 노출이 금지되는 신체부위를 '성기'로 명확히 특정하면 될 것이다. 따라서 심판대상조항은 죄형법정주의의 명확성원칙에 위배된다.

② (O)

> 이 사건 운행조항의 입법취지, 규정형식 등을 종합하여 보면, '운행 중'이란 '운행 중 또는 일시 주·정차한 경우로서 운전자에 대한 폭행으로 인하여 운전자, 승객 또는 보행자 등의 안전을 위협할 수 있는 상황'을 의미한다고 해석될 수 있다. 반면 그 보호법익을 해칠 우려가 없는 경우로서 '공중의 교통안전과 질서를 저해할 우려가 없는 장소에서 계속적인 운행의 의사 없이 자동차를 주·정차한 경우'는 법관의 해석에 의하여 '운행 중'의 의미에서 배제된다. 따라서 이 사건 운행조항은 건전한 상식과 통상적인 법감정을 가진 일반인이 구체적으로 어떠한 경우가 이에 해당하는지 알 수 있고, 법관의 자의적인 해석으로 확대될 염려가 없다고 할 것이므로 죄형법정주의에서 요구하는 형벌법규의 명확성원칙에 위배된다고 볼 수 없다. (헌재 2017.11.30. 2015헌바336)

③ (O) 헌재 2019.11.28. 2017헌바182 등

④ (O) 헌재 2019.6.28. 2018헌바128

정답 ①

023 회독 ☐☐☐ 재구성   22 법원직, 19 서울7급(2월)

명확성원칙에 관한 다음 설명 중 가장 옳지 않은 것은? (다툼이 있는 경우 판례에 의함)

① 술에 취한 상태에서의 운전을 금지하는 「도로교통법」 조항을 2회 이상 위반한 음주운전자를 가중처벌하는 조항은 죄형법정주의의 명확성원칙에 위배되지 않는다.
② 공공의 질서 및 선량한 풍속을 문란하게 할 염려가 있는 상표는 등록받을 수 없다고 규정한 구 「상표법」 제7조 제1항 제4호가 명확성의 원칙에 위반된다고 할 수 없다.
③ 방송편성에 관하여 간섭을 금지하는 조항의 '간섭'에 관한 부분은 명확성의 원칙에 위배되지 않는다.
④ 「상법」 제635조 제1항에 규정된 자, 그 외의 회사의 회계업무를 담당하는 자, 감사인 등으로 하여금 감사보고서에 기재하여야 할 사항을 기재하지 아니하거나 허위의 기재를 한 때를 처벌하는 조항은 명확성의 원칙에 위배되지 않는다.

해설

① (O) 명확성원칙 위반은 아니지만, 비례원칙 위반으로 위헌이다. [22 법원직]

> 2회 이상 음주운전 금지규정을 위반한 사람을 2년 이상 5년 이하의 징역이나 1천만 원 이상 2천만 원 이하의 벌금에 처하도록 규정한 구 도로교통법 제148조의2 제1항 중 '제44조 제1항을 2회 이상 위반한 사람'에 관한 부분은 헌법에 위반된다. (헌재 2021.11.25. 2019헌바446 등)
> [1] 심판대상조항은 죄형법정주의의 명확성원칙에 위반된다고 할 수 없다.
> [2] 예컨대 10년 이상의 세월이 지난 과거 위반행위를 근거로 재범으로 분류되는 음주운전행위자에 대해서는 책임에 비해 과도한 형벌을 규정하고 있다고 하지 않을 수 없다. 도로교통법 제44조 제1항을 2회 이상 위반한 경우라고 하더라도 죄질을 일률적으로 평가할 수 없고 과거 위반 전력, 혈중알코올농도 수준, 운전한 차량의 종류에 비추어, 교통안전 등 보호법익에 미치는 위험 정도가 비교적 낮은 유형의 재범 음주운전행위가 있다. 그런데 심판대상조항은 법정형의 하한을 징역 2년, 벌금 1천만 원으로 정하여 그와 같이 비난가능성이 상대적으로 낮고 죄질이 비교적 가벼운 행위까지 지나치게 엄히 처벌하도록 하고 있으므로, 책임과 형벌 사이의 비례성을 인정하기 어렵다. 그러므로 심판대상조항은 <u>책임과 형벌 간의 비례원칙에 위반된다</u>.

② (O) [19 서울7급(2월)]

> 상표는 형태가 다양하고 사회 환경의 변화에 따라 그 표현도 달라지기 마련이므로, 변화하는 사회에 대한 법규범의 적응력을 확보하기 위하여는 어느 정도 망라적인 의미를 가지는 내용으로 입법하는 것이 필요하고, 그 의미를 법관의 보충적 해석에 맡기는 것이 불가피하다. 따라서 어떠한 상표가 '공공의 질서'나 '선량한 풍속'을 문란하게 할 염려가 있는지를 합리적인 해석기준을 통하여 판단할 수 있는 이상, 보다 구체적이고 명확한 입법이 가능하다는 이유만으로 곧바로 명확성원칙에 위반된다고 할 수 없다. (헌재 2006.11.30. 2006헌바53)

③ (O) 헌재 2021.8.31. 2019헌바439【합헌】 [22 법원직]

④ (X) [22 법원직]

> [1] 이 사건 <u>법률조항 중 '감사보고서에 기재하여야 할 사항'</u> 부분은 그 의미가 법률로서 확정되어 있지 아니하고, 법률 문언의 전체적, 유기적인 구조와 구성요건의 특수성, 규제의 여건 등을 종합하여 고려하여 보더라도 수범자가 자신의 행위를 충분히 결정할 수 있을 정도로 내용이 명확하지 아니하여 동 조항 부분은 죄형법정주의에서 요구하는 명확성의 원칙에 위배된다.
> [2] 이 사건 법률조항 중 '감사보고서에 허위의 기재를 한 때'라고 한 부분은 그것이 형사처벌의 구성요건을 이루는 개념으로서 수범자가 법률의 규정만으로 충분히 그 내용의 대강을 파악할 만큼 명확한 것이라고 할 것이므로 죄형법정주의의 한 내용인 형벌법규의 명확성의 원칙에 반한다고 할 수 없다. (헌재 2004.1.29. 2002헌가20 등)

정답 ④

024　21변호사

명확성원칙에 관한 설명 중 옳은 것(○)과 옳지 않은 것(×)을 올바르게 조합한 것은? (다툼이 있는 경우 판례에 의함)

ㄱ. 금융투자업자가 '투자권유'를 함에 있어서 '불확실한 사항'에 대하여 '단정적 판단을 제공'하거나 '확실하다고 오인하게 할 소지가 있는 내용을 알리는 행위'를 한 경우 형사처벌하는 「자본시장과 금융투자업에 관한 법률」 조항은 통상의 주의력을 가진 평균적 투자자를 기준으로 보더라도 그 의미를 알기 어려울 뿐만 아니라 그 의미를 확정하기도 곤란하므로 명확성원칙에 위배된다.

ㄴ. 다른 사람 또는 단체의 집이나 그 밖의 공작물에 '함부로 광고물 등을 붙이거나 거는 행위'를 한 경우 형사처벌하는 구 「경범죄 처벌법」 조항은 입법취지, 사전적 의미, 옥외광고물표시·설치 금지 등 관련 법조항과의 관계를 고려하더라도 법적용자의 주관에 의해 의미가 달라질 수 있어 명확성원칙에 위배된다.

ㄷ. 형사법에서는 불명확한 내용의 법률용어가 허용될 수 없으며, 만일 불명확한 용어의 사용이 불가피한 경우라면 용어의 개념 정의, 한정적 수식어의 사용, 적용한계조항의 설정 등 제반 방법을 강구하여 동 법규가 자의적으로 해석될 수 있는 소지를 봉쇄해야 한다.

ㄹ. 아동·청소년이용음란물을 제작한 자를 형사처벌하는 「아동·청소년의 성보호에 관한 법률」 조항 중 '제작' 부분은 객관적으로 아동·청소년이용음란물을 촬영하여 재생이 가능한 형태로 저장할 것을 전체적으로 기획하고 구체적인 지시를 하는 등으로 책임을 지는 것으로 해석되므로 명확성원칙에 위배되지 않는다.

ㅁ. 범죄의 성립과 처벌은 법률에 의하여야 한다는 죄형법정주의 본래의 취지에 비추어 볼 때 정당방위와 같은 위법성조각사유 규정에도 죄형법정주의의 명확성원칙은 적용된다.

① ㄱ(○), ㄴ(○), ㄷ(×), ㄹ(×), ㅁ(×)
② ㄱ(○), ㄴ(×), ㄷ(×), ㄹ(○), ㅁ(×)
③ ㄱ(×), ㄴ(○), ㄷ(○), ㄹ(○), ㅁ(○)
④ ㄱ(×), ㄴ(×), ㄷ(○), ㄹ(○), ㅁ(○)
⑤ ㄱ(○), ㄴ(×), ㄷ(○), ㄹ(○), ㅁ(○)

해설

ㄱ. (×) 명확성원칙에 위배되지 않는다. (헌재 2017.5.25. 2014헌바459)
ㄴ. (×) 명확성원칙에 위배되지 않는다. (헌재 2015.5.28. 2013헌바385)
ㄷ. (○) 불명확한 개념의 사용으로 인해 명확성원칙에 위배되지 않기 위한 요건이다.
ㄹ. (○) 헌재 2019.12.27. 2018헌바46

비교판례

청소년의 성보호에 관한 법률상의 '청소년이용음란물' 부분은 실제인물인 청소년이 등장하여야 한다고 보아야 함이 명백하므로 명확성원칙에 위배되지 않는다. (헌재 2002.4.25. 2001헌가27【합헌】)

ㅁ. (○) 위법성조각사유가 명확하지 않으면 처벌받지 않게 되는 경우가 처벌되므로 위법성조각사유와 같은 범죄의 소극적 요건에도 명확성원칙은 적용된다.

정답 ④

025 20 국회8급·변호사

명확성원칙에 대한 설명으로 옳지 않은 것만을 모두 고르면? (다툼이 있는 경우 판례에 의함)

ㄱ. 구 「군형법」 조항에서 금지하는 연설, 문서 또는 그 밖의 방법으로 '정치적 의견을 공표'하는 행위는 법집행 당국의 자의적인 해석과 집행을 가능하게 한다고 보기 어려우므로 명확성원칙에 위배되지 않는다.

ㄴ. 「군사기밀 보호법」 조항 중 '외국인을 위하여 제12조 제1항에 규정된 죄를 범한 경우에는 그 죄에 해당하는 형의 2분의 1까지 가중처벌한다'는 부분(이하, '외국인 가중처벌조항'이라 한다) 중 '외국인을 위하여'라는 의미는 '외국인 가중처벌조항'에 의하여 금지된 행위가 무엇인지 명확하다고 볼 수 없기 때문에 명확성원칙에 위배된다.

ㄷ. 허가받은 지역 밖에서의 이송업의 영업을 금지하고 처벌하는 「응급의료에 관한 법률」 조항은 영업의 일반적 의미와 위 법률의 관련 규정을 유기적·체계적으로 종합하여 보더라도 허가받은 지역 밖에서 할 수 없는 이송업에 환자이송과정에서 부득이 다른 지역을 지나가는 경우 또는 허가받지 아니한 지역에서 실시되는 운동경기·행사를 위하여 부근에서 대기하는 경우 등도 포함되는지 여부가 불명확하여 명확성원칙에 위배된다.

ㄹ. 선거운동을 위한 호별방문금지규정에도 불구하고 '관혼상제의 의식이 거행되는 장소와 도로·시장·점포·다방·대합실 기타 다수인이 왕래하는 공개된 장소'에서의 지지 호소를 허용하는 「공직선거법」 조항 중 '기타 다수인이 왕래하는 공개된 장소' 부분은 해당 장소의 구조와 용도, 외부로부터의 접근성 및 개방성의 정도 등을 종합적으로 고려할 때 '관혼상제의 의식이 거행되는 장소와 도로·시장·점포·다방·대합실'과 유사하거나 이에 준하여 일반인의 자유로운 출입이 가능한 개방된 곳을 의미한다고 충분히 해석할 수 있으므로 명확성원칙에 위반된다고 할 수 없다.

① ㄱ, ㄴ   ② ㄱ, ㄹ   ③ ㄴ, ㄷ   ④ ㄷ, ㄹ

해설

ㄱ. (O) [20 국회8급]

> 심판대상조항에서 금지하는 '정치적 의견을 공표'하는 행위는 '군무원이 그 지위를 이용하여 특정 정당이나 특정 정치인 또는 그들의 정책이나 활동 등에 대한 지지나 반대 의견 등을 공표하는 행위로서 군조직의 질서와 규율을 무너뜨리거나 민주헌정체제에 대한 국민의 신뢰를 훼손할 수 있는 의견을 공표하는 행위'로 한정할 수 있다. … 이상을 종합하여 보면, 심판대상조항이 죄형법정주의의 명확성원칙에 위반된다고 할 수 없다. (헌재 2018.7.26. 2016헌바139)

ㄴ. (X) [20 국회8급]

> 건전한 상식과 통상적인 법감정을 가진 사람이라면 외국인 가중처벌조항 중 '외국인을 위하여'의 의미는 '외국인에게 군사적이거나 경제적이거나를 불문하고 일체의 유·무형의 이익 내지는 도움이 될 수 있다는, 즉 외국인을 이롭게 할 수 있다는 인식 내지는 의사'를 의미한다고 충분히 알 수 있으므로, 외국인 가중처벌조항에 의하여 금지된 행위가 무엇인지 불명확하다고 볼 수 없다. (헌재 2018.1.25. 2015헌바367)

ㄷ. (X) [20 변호사]

> 허가받은 지역 밖에서 응급환자이송업의 영업을 하면 처벌하는 '응급의료에 관한 법률' 제51조 제1항 후문, 구 '응급의료에 관한 법률' 제60조 제1항 제3호 중 제51조 제1항 후문 부분은 명확성의 원칙, 평등원칙에 위배되지 않으며, 직업수행의 자유를 침해하지 않는다. (헌재 2018.2.22. 2016헌바100【합헌】)
>
> 이 사건 심리 중 사망한 청구인에 대한 심판절차는 사망한 때 종료되었다(심판종료선언).

ㄹ. (O) [20 변호사]

> 이 사건 지지호소조항의 문언과 입법취지에 비추어 보면, 이 사건 호별방문조항에도 불구하고 예외적으로 선거운동을 위하여 지지호소를 할 수 있는 '기타 다수인이 왕래하는 공개된 장소'란 해당 장소의 구조와 용도, 외부로부터의 접근성 및 개방성의 정도 등을 종합적으로 고려할 때 '관혼상제의 의식이 거행되는 장소와 도로·시장·점포·다방·대합실'과 유사하거나 이에 준하여 일반인의 자유로운 출입이 가능한 개방된 곳을 의미한다고 충분히 해석할 수 있다. 따라서 이 사건 지지호소조항은 죄형법정주의 명확성원칙에 위반된다고 할 수 없다. (헌재 2019.5.30. 2017헌바458)

정답 ③

026 회독 ☐☐☐ 20 법무사

명확성의 원칙에 관한 다음 설명 중 가장 옳지 않은 것은?

① 법치국가원리의 한 표현인 명확성의 원칙은 기본적으로 모든 기본권 제한입법에 대하여 요구된다.
② 규범의 의미 내용으로부터 무엇이 금지되는 행위이고 무엇이 허용되는 행위인지를 수범자가 알 수 없다면 법적 안정성과 예측가능성은 확보될 수 없게 될 것이고, 법집행 당국에 의한 자의적 집행을 가능하게 만들 수 있다.
③ 명확성의 원칙은 모든 법률에 있어서 동일한 정도로 요구되는 것은 아니고 개개의 법률이나 법조항의 성격에 따라 요구되는 정도에 차이가 있을 수 있으며 각각의 구성요건의 특수성과 그러한 법률이 제정되게 된 배경이나 상황에 따라 달라질 수 있다.
④ 일반론으로는 어떠한 규정이 부담적 성격을 가지는 경우에는 수익적 성격을 가지는 경우에 비하여 명확성의 원칙이 더욱 엄격하게 요구되고, 죄형법정주의가 지배하는 형사 관련 법률에서는 명확성의 정도가 강화되어 더 엄격한 기준이 적용되지만, 일반적인 법률에서는 명확성의 정도가 그리 강하게 요구되지 않기 때문에 상대적으로 완화된 기준이 적용된다.
⑤ 명확성의 원칙은 입법자가 법률을 제정함에 있어서 개괄조항이나 불확정 법개념의 사용을 금지한다.

해설

① (O) ③ (O) 명확성의 원칙은 기본적으로 모든 기본권 제한입법에 대하여 요구된다. 다만, 명확성의 정도는 같지 않으며 침익적 법률일수록 명확성이 강하게 요구된다.
② (O) 명확성원칙이 필요한 이유이다. (헌재 2002.1.31. 2000헌가8)
④ (O) 헌재 2002.7.18. 2000헌바57
⑤ (×)

> 법률이란 그 구성요건을 충족시키는 모든 사람과 모든 개별적인 경우에 대하여 적용되는 일반·추상적 규범으로서 그 본질상 규율하고자 하는 생활관계에서 발생 가능한 모든 법적 상황에 대하여 구체적이고 서술적인 방식으로 법률의 내용을 규정하는 것은 불가능하며, 어느 정도 추상적이고 개괄적인 개념 또는 변화하는 사회현상을 수용할 수 있는 개방적인 개념을 사용하는 것이 불가피하다. … 그러므로 법률의 명확성원칙은 입법자가 법률을 제정함에 있어서 개괄조항이나 불확정 법개념의 사용을 금지하는 것이 아니다. (헌재 2004.7.15. 2003헌바35 등)

정답 ⑤

027

명확성원칙에 대한 설명으로 옳지 않은 것은? (다툼이 있는 경우 판례에 의함)

① 모의총포의 기준을 구체적으로 정한 「총포·도검·화약류 등의 안전관리에 관한 법률 시행령」 조항에서 '범죄에 악용될 소지가 현저한 것'은 진정한 총포로 오인·혼동되어 위협 수단으로 사용될 정도로 총포와 모양이 유사한 것을 의미하므로 죄형법정주의의 명확성원칙에 위반되지 않는다.

② 취소소송 등의 제기시 「행정소송법」 조항의 집행정지의 요건으로 규정한 '회복하기 어려운 손해'는 건전한 상식과 통상적인 법감정을 가진 사람이 심판대상조항의 의미 내용을 파악하기 어려우므로 명확성원칙에 위배된다.

③ 어린이집이 시·도지사가 정한 수납한도액을 초과하여 보호자로부터 필요경비를 수납한 경우, 해당 시·도지사는 「영유아보육법」에 근거하여 시정 또는 변경명령을 발할 수 있는데, 이 시정 또는 변경명령 조항의 내용으로 환불명령을 명시적으로 규정하지 않았다고 하여 명확성원칙에 위배된다고 볼 수 없다.

④ 정당한 이유 없이 이 법에 규정된 범죄에 공용(供用)될 우려가 있는 흉기나 그 밖의 위험한 물건을 휴대한 사람을 처벌하도록 규정한 「폭력행위 등 처벌에 관한 법률」 조항에서 '공용(供用)될 우려가 있는'은 흉기나 그 밖의 위험한 물건이 '사용될 위험성이 있는'의 뜻으로 해석할 수 있으므로 죄형법정주의의 명확성원칙에 위배되지 않는다.

해설

① (○)
> 모의총포란 '총포는 아니지만 총포와 같은 위협 수단이 될 수 있을 정도로 총포와 모양이 매우 유사하여 충분히 범죄에 악용될 소지가 있거나(모양의 유사성) 총포와 같이 인명이나 신체에 충분히 위해를 가할 정도의 성능을 갖춘 것(기능의 유사성)'이라고 충분히 예측할 수 있으므로 이 사건 법률조항이 죄형법정주의의 명확성원칙에 위반된다고 볼 수 없다. (헌재 2011.11.24. 2011헌바18)

② (×)
> 이 사건 집행정지요건조항에서 집행정지요건으로 규정한 '회복하기 어려운 손해'는 대법원 판례에 의하여 '특별한 사정이 없는 한 금전으로 보상할 수 없는 손해로서 이는 금전보상이 불능인 경우 내지는 금전보상으로는 사회관념상 행정처분을 받은 당사자가 참고 견딜 수 없거나 또는 참고 견디기가 현저히 곤란한 경우의 유형, 무형의 손해'를 의미한 것으로 해석할 수 있고, … 명확성원칙에 위배되지 않는다. (헌재 2018.1.25. 2016헌바208)

③ (○)
> 심판대상조항이 규정하고 있는 '시정 또는 변경'명령은 '영유아보육법 제38조 위반행위에 대하여 그 위법사실을 시정하도록 함으로써 정상적인 법질서를 회복하는 것을 목적으로 행해지는 행정작용'으로, 여기에는 과거의 위반행위로 인하여 취득한 필요경비 한도 초과액에 대한 환불명령도 포함됨을 어렵지 않게 예측할 수 있다. 따라서 심판대상조항은 명확성원칙에 위배되지 않는다. (헌재 2017.12.28. 2016헌바249)

④ (○)
> 심판대상조항의 문언, 헌법재판소의 결정, 폭력행위 등 처벌에 관한 법률의 입법연혁과 규율 내용, 법규범의 체계적 구조에 비추어 '이 법에 규정된 범죄'는 '폭력행위 등 처벌에 관한 법률에 규정되어 있는 범죄'로 해석할 수 있고, 그 의미 또한 법관의 보충적 해석에 따라 확정될 수 있다. '공용될 우려가 있는'은 '사용될 위험성이 있는'의 뜻으로, 역시 흉기나 그 밖의 위험한 물건의 종류, 그 물건을 휴대한 이유, 휴대하게 된 경위, 휴대 전후의 정황 등에 따라 판단할 수 있다. 그렇다면 심판대상조항은 죄형법정주의의 명확성원칙에 위배되지 않는다. (헌재 2018.5.31. 2016헌바250)

정답 ②

028

명확성원칙에 대한 설명으로 옳지 않은 것은? (다툼이 있는 경우 판례에 의함)

① '판결에 영향을 미칠 중요한 사항에 관하여 판단을 누락한 때'를 재심사유로 규정한 「민사소송법」 제451조 제1항 제9호는 명확성원칙에 위배되지 않는다.
② 상습으로 절도죄를 범한 자를 가중처벌하는 「형법」 제332조 중 '상습' 부분은 명확성원칙에 위배되지 않는다.
③ 옥외집회 및 시위의 경우 관할 경찰관서장으로 하여금 '최소한의 범위'에서 질서유지선을 설정할 수 있도록 하고, 질서유지선의 효용을 해친 경우 형사처벌하도록 하는 「집회 및 시위에 관한 법률」 제13조 제1항 중 '최소한의 범위' 부분은 명확성원칙에 위배되지 않는다.
④ 법률사건의 수임에 관하여 알선의 대가로 금품을 제공하거나 이를 약속한 변호사를 형사처벌하는 구 「변호사법」 조항 중 '법률사건'과 '알선'은 처벌법규의 구성요건으로 그 의미가 불분명하기에 명확성원칙에 위배된다.

해설

① (O) 헌재 2016.12.29. 2016헌바43 [19 국회8급]
② (O) 헌재 2016.10.27. 2016헌바31 [19 국회8급]
③ (O) 헌재 2016.11.24. 2015헌바218 [19 국회8급]
④ (X) [15 국가7급]

> 이 사건 법률조항이 규정하는 '법률사건'이란 '법률상의 권리·의무의 발생·변경·소멸에 관한 다툼 또는 의문에 관한 사건'을 의미하고, '알선'이란 법률사건의 당사자와 그 사건에 관하여 대리 등의 법률사무를 취급하는 상대방(변호사 포함) 사이에서 양자 간에 법률사건이나 법률사무에 관한 위임계약 등의 체결을 중개하거나 그 편의를 도모하는 행위를 말하는바, 이 사건 법률조항에 의하여 금지되고, 처벌되는 행위의 의미가 문언상 불분명하다고 할 수 없으므로 이 사건 법률조항은 죄형법정주의의 명확성원칙에 위배되지 않는다. (헌재 2013.2.28. 2012헌바62)

정답 ④

예상판례

❶ '선량한 풍속 기타 사회질서에 위반한 사항을 내용으로 하는 법률행위'를 무효로 하는 민법 제103조는 명확성원칙에 위반되지 않아 헌법에 위반되지 않는다. (헌재 2023.9.26. 2020헌바552 [합헌])

❷ 관세법상 반송의 의미를 정의하는 관세법 제2조 제3호 중 '국내에 도착한' 부분, 물품을 반송하려면 세관장에게 신고하도록 하는 관세법 제241조 제1항 중 '반송'에 관한 부분, 미신고 반송행위를 처벌하는 관세법 제269조 제3항 제1호 중 '관세법 제241조 제1항에 따른 신고를 하지 아니하고 물품을 반송한 자'에 관한 부분, 반송물품원가 5억 원 이상의 미신고 반송행위를 가중처벌하는 '특정범죄 가중처벌 등에 관한 법률' 제6조 제3항 중 '관세법 제269조 제3항 제1호 가운데 제241조 제1항에 따른 신고를 하지 아니하고 물품을 반송한 자'에 관한 부분, 위와 같은 가중처벌 시에 반송물품원가에 따른 벌금을 필요적으로 병과하는 '특정범죄 가중처벌 등에 관한 법률' 제6조 제6항 제3호 중 '관세법 제269조 제3항 제1호 가운데 제241조 제1항에 따른 신고를 하지 아니하고 물품을 반송한 자'에 관한 부분은 헌법에 위반되지 않는다. (헌재 2023.6.29. 2020헌바177 [합헌])
이 사건 정의조항은 죄형법정주의의 명확성원칙에 위배되지 아니한다.

029 회독 ☐☐☐ 재구성
17 서울7급, 15 국회8급

명확성원칙에 대한 설명으로 옳은 것은? (다툼이 있는 경우 판례에 의함)

① 육로, 수로 또는 교량을 손괴 또는 불통하게 하거나 기타 방법으로 교통을 방해한 자를 처벌하는 「형법」 제185조(일반교통 방해)의 '기타 방법으로' 부분은 교통을 방해하는 행위의 태양에 대하여 어떠한 제한도 두지 아니하여 법률 문언 자체로 구성요건이 명확하다고 볼 수 없고, 건전한 상식과 통상적 법감정을 가진 사람이 통상의 해석방법에 의하여 보더라도 그 내용이 일의적으로 파악되지 않으므로 명확성원칙에 위배된다.

② 전문과목을 표시한 치과의원에게 그 표시한 전문과목에 해당하는 환자만을 진료하도록 한 「의료법」 조항은 명확성원칙에 위배된다.

③ 「학원법」에 따른 등록을 하지 아니하고 학원을 설립·운영한 자를 처벌하도록 한 「학원법」 조항은 명확성원칙에 위배된다.

④ 공공수역에 다량의 토사를 유출하거나 버려 상수원 또는 하천·호소를 현저히 오염되게 한 자를 처벌하는 「수질 및 수생태계 보전에 관한 법률」 조항 중 다량, 토사, 현저히 오염 부분은 명확성원칙에 위배된다.

해설

① (X) [15 국회8급]

> 형법 제185조 중 육로를 불통하게 하거나 기타 방법으로 교통을 방해한 자를 형사처벌하도록 규정한 부분은 죄형법정주의 명확성원칙에 반하지 않는다. (헌재 2010.3.25. 2009헌가2)

② (X) 명확성원칙 위반은 아니지만(신뢰보호원칙 위반도 아니다), 직업의 자유와 평등권을 침해하여 위헌이다. [17 서울7급]

> 치과전문의가 되기 위해서는 치과의사 면허를 받은 자가 치과전공의 수련과정을 거쳐 치과전문의 자격시험에 합격해야 하므로, 심판대상조항의 수범자인 치과전문의는 각 전문과목의 진료 내용과 진료영역 및 전문과목 간의 차이점 등을 알 수 있다. 따라서 심판대상조항은 명확성원칙에 위배되어 직업수행의 자유를 침해한다고 볼 수 없다. (헌재 2015.5.28. 2013헌마799)

③ (X) [17 서울7급]

> 학원의 설립·운영 및 과외교습에 관한 법률 제6조에 따른 등록을 하지 아니하고 학원을 '설립·운영한 자'를 처벌하도록 규정한 학원의 설립·운영 및 과외교습에 관한 법률 조항은 죄형법정주의의 명확성원칙에 반하지 아니한다. (헌재 2014.1.28. 2011헌바252)

④ (O) [17 서울7급]

> 이 사건 벌칙규정이나 관련 법령 어디에도 '토사'의 의미나 '다량'의 정도, '현저히 오염'되었다고 판단할 만한 기준에 대하여 아무런 규정도 하지 않고 있으므로, 일반국민으로서는 자신의 행위가 처벌대상인지 여부를 예측하기 어렵고, 감독행정관청이나 법관의 자의적인 법 해석과 집행을 초래할 우려가 매우 크므로 이 사건 벌칙규정은 죄형법정주의의 명확성원칙에 위배된다. (헌재 2013.7.25. 2011헌가26 등)

정답 ④

030 명확성의 원칙에 대한 설명으로 옳은 것만을 모두 고르면? (다툼이 있는 경우 판례에 의함)

ㄱ. 행정청이 행정계획을 수립함에 있어서는 일반재량행위의 경우에 비하여 더욱 광범위한 판단여지 내지는 형성의 자유, 즉 계획재량이 인정되는데, 이 경우 일반적인 행정행위의 요건을 규정하는 경우보다 추상적이고 불확정적인 개념을 사용하여야 할 필요성이 더욱 커진다.

ㄴ. '전기통신회선을 통하여 일반에게 공개되어 유통되는 정보 중 건전한 통신윤리의 함양을 위하여 필요한 사항'을 심의위원회의 직무로 규정한 「방송통신위원회의 설치 및 운영에 관한 법률」 조항 중 '건전한 통신윤리'라는 개념은 전기통신회선을 이용하여 정보를 전달함에 있어 우리 사회가 요구하는 최소한의 질서 또는 도덕률을 의미하고, 정보통신영역의 광범위성과 빠른 변화속도, 그리고 다양하고 가변적인 표현 형태를 문자화하기에 어려운 점을 감안할 때, '건전한 통신윤리' 부분이 명확성의 원칙에 반한다고 할 수 없다.

ㄷ. 구 「증권거래법」이 금지하는 시세조종행위 등을 처벌하는 조항에서 '위반행위로 얻은 이익'은 위반행위가 개입된 거래에서 얻은 총수입에서 총비용을 공제한 액수(시세차익)로 파악하는 데 어려움이 없으므로 명확성원칙에 위배되지 않는다.

ㄹ. 직접 진찰한 의료인이 아니면 진단서 등을 교부 또는 발송하지 못하도록 규정한 구 「의료법」 조항에서 '직접 진찰한'은 의료인이 '대면하여 진료를 한'으로 해석되는 외에는 달리 해석의 여지가 없으므로 명확성의 원칙에 위배되지 않는다.

① ㄱ, ㄴ, ㄷ
② ㄱ, ㄴ, ㄹ
③ ㄴ, ㄷ, ㄹ
④ ㄱ, ㄴ, ㄷ, ㄹ

해설

ㄱ. (O) 헌재 2007.10.4. 2006헌바91 [13 변호사]
ㄴ. (O) 건전한 통신윤리는 더 명확하게 규정하기 어렵다는 취지이다. [13 변호사]
ㄷ. (O) 헌재 2003.9.25. 2002헌바69 등 [15 국회8급]
ㄹ. (O) 헌재 2012.3.29. 2010헌바83 [15 국회8급]

정답 ④

031 회독 ☐☐☐ 재구성   13 변호사, 12 국회8급

명확성의 원칙에 대한 설명으로 옳지 않은 것은? (다툼이 있는 경우 헌법재판소 결정에 의함)

① '청소년이용음란물'에는 실제 인물인 청소년이 등장하여야 한다고 보아야 함이 명백하고, 따라서 법률 적용단계에서 다의적으로 해석될 우려가 없이 건전한 법관의 양식이나 조리에 따른 보충적인 해석에 의하여 그 의미가 구체화되어 해결될 수 있는 이상 죄형법정주의에 있어서의 명확성의 원칙을 위반하였다고 볼 수 없다.

② 구 「전기통신사업법」상 '타인의 통신을 매개하거나 타인의 통신용에 제공'한다는 법규정은 처벌의 대상에서 제외되는 대상행위가 어떤 것일지는 법률에서 도저히 예상할 수 없고 국민들로서는 어떠한 행위가 금지되고 어떠한 행위가 허용되는지를 알 수 없어 명확성의 원칙에 위배된다.

③ '운전면허를 받은 사람이 자동차 등을 이용하여 범죄행위를 한 때'라는 법규정은 범죄의 중함 정도나 고의성 여부 측면을 전혀 고려하지 않고 자동차 등을 범죄행위에 이용하기만 하면 운전면허를 취소하도록 하고 있으므로 명확성의 원칙에 위반된다.

④ 「친일반민족행위자 재산의 국가귀속에 관한 특별법」 조항 중 '독립운동에 적극 참여한 자' 부분은 참여정도가 판단하는 자에 따라 상이해질 수 있으며, 다른 법규정들과의 체계조화적인 이해 내지 당해 법률의 입법목적과 제정취지에 따른 해석으로 충분히 해소될 수 없고, 건전한 상식과 통상적인 법감정을 가진 사람이라도 그 의미를 충분히 예측할 수 없다고 할 것이므로 명확성원칙에 위배된다.

해설

① (O) 헌재 2002.4.25. 2001헌가27 [12 국회8급]

② (O) 헌재 2002.6.27. 99헌마480 [12 국회8급]

③ (O) [12 국회8급]

> 범죄행위를 행함에 있어 자동차 등이 당해 범죄행위에 어느 정도로 기여했는지 등에 대한 아무런 고려 없이 무조건 운전면허를 취소하도록 하고 있으므로 이는 구체적 사안의 개별성과 특수성을 고려할 수 있는 여지를 일체 배제하고 그 위법의 정도나 비난의 정도가 극히 미약한 경우까지도 운전면허를 취소할 수밖에 없도록 하는 것으로 최소침해성의 원칙에 위반된다 할 것이다. 한편, 이 사건 규정에 의해 운전면허가 취소되면 2년 동안은 운전면허를 다시 발급받을 수 없게 되는바, 이는 지나치게 기본권을 제한하는 것으로서 법익균형성원칙에도 위반된다. 그러므로 이 사건 규정은 직업의 자유 내지 일반적 행동자유권을 침해하여 헌법에 위반된다. (헌재 2005.11.24. 2004헌가28)

④ (X) [13 변호사]

> 러·일전쟁 개전시부터 1945년 8월 15일까지 친일반민족행위자가 취득한 재산을 친일행위의 대가로 취득한 재산으로 추정하는 친일반민족행위자 재산의 국가귀속에 관한 특별법 제2조 제2호 후문은 재판청구권을 침해하지 아니하고 적법절차원칙에 반하지 아니한다. (헌재 2011.3.31. 2008헌바141 등)
> 기타 평등권과 재산권, 명확성원칙, 연좌제 금지원칙에 반하지 않는다고 본 사례이다.

정답 ④

기출지문 OX

❶ 「국가를 당사자로 하는 계약에 관한 법률」 제27조 제1항 중 '입찰참가자격의 제한기간을 대통령령이 정하는 일정 기간으로 규정하고 있는 부분'은 명확성의 원칙에 위배된다. 13 국회8급 (O / ×)
  해설 일정 기간에 대한 상한선이 없기 때문이다. (헌재 2005.6.30. 2005헌가1)   정답 O

❷ 어떤 법률조항이 형사처벌의 대상이 되는 해고의 기준을 일반추상적 개념인 '정당한 이유'의 유무에 두고 있다고 하여 반드시 명확성원칙에 반한다고 볼 수는 없다. 14 국회8급 (O / ×)
  해설 헌재 2005.3.31. 2003헌바12   정답 O

예상판례

❶ 보험모집인의 등록취소 또는 업무정지사유의 하나로 '모집에 관하여 현저하게 부적당한 행위'를 한 경우를 규정하고 있는 보험업법 제147조 제2항 제2호가 명확성의 원칙에 위반되지 않는다. (헌재 2002.1.31. 2000헌가8【합헌】)

❷ '미풍양속을 해할' 부분은 전기통신사업법에서는 명확성원칙에 위반되지만, (헌재 2010.12.28. 2008헌바157 등) 학교환경위생정화구역 내에서는 명확성원칙에 위반되지 않는다. (헌재 1999.7.22. 98헌마480 등)

❸ 현저한 지리적 명칭이나 기술적 표장에 해당하여 상표법의 보호를 받지 못하는 표지를 이용한 부정경쟁행위를 처벌하는 구 부정경쟁방지 및 영업비밀보호에 관한 법률 제18조 제3항 제1호 중 제2조 제1호 나목에 관한 부분은 죄형법정주의 명확성원칙에 위배되지 않는다. (헌재 2015.2.26. 2013헌바73)

❹ [1] 정비사업 시행자로 하여금 토지 등 소유자에게 개략적인 부담금 내역을 통지하도록 한 도시 및 주거환경정비법 제46조 제1항 중 '개략적인 부담금 내역' 부분은 명확성원칙에 위배되지 아니한다.
  [2] 청구인들은 '개략적인 부담금 내역'보다 더 확대·구체화된 부담금 내역의 통지를 주장하는바, 적극적으로 새로운 정보의 생성을 구하는 것은 알 권리의 보호대상에 포함된다고 볼 수 없고, 청구인들이 구체적 부담금 내역을 통지받을 경우 얻을 수 있었던 재산상 이익의 기대는 재산권 보장의 대상이 아니다. (헌재 2015.12.23. 2015헌바66)

❺ 군인의 대통령에 대한 모욕행위를 상관모욕죄로 처벌하는 군형법 제64조 제2항의 상관 중 '명령·복종관계에서 명령권을 가진 사람'에 관한 부분은 명확성원칙에 위배되지 않으며, 표현의 자유도 침해하지 아니한다. (헌재 2016.2.25. 2013헌바111【합헌】)

❻ [1] 공무원이 지위를 이용하여 선거에 영향을 미치는 행위를 금지하는 공직선거법 제85조 제1항 중 '공무원이 지위를 이용하여 선거에 영향을 미치는 행위' 부분은 죄형법정주의 명확성원칙에 위배되지 않아 헌법에 위반되지 않는다. 【합헌】
  [2] 그에 관한 처벌규정인 공직선거법 제255조 제5항 중 제85조 제1항의 '공무원이 지위를 이용하여 선거에 영향을 미치는 행위' 부분은 형벌체계상의 균형에 현저히 어긋난다. 【위헌】
  공직선거법은 공무원의 지위를 이용한 '선거운동'에 대하여 5년 이하의 징역에 처하도록 하고 있다. … 따라서 이 사건 처벌조항은 공직선거법상 다른 조항과의 상호관련성 및 형벌체계상의 균형에 대한 진지한 고민 없이 중한 법정형을 규정하여 형의 불균형 문제를 야기하고 있으므로, 형벌체계상의 균형을 현저히 상실하였다. (헌재 2016.7.28. 2015헌바6)

❼ 상관을 폭행한 사람을 5년 이하의 징역으로 처벌하도록 규정한 군형법 제48조 제2호 중 '폭행'에 관한 부분은 책임과 형벌 간의 비례원칙 및 평등원칙에 위배되지 않는다. (헌재 2016.6.30. 2015헌바132)

❽ [1] 민법 제1008조의3 중 '금양임야' 부분은 명확성원칙에 위배되지 않는다.
  [2] 민사소송법 제202조 중 '변론 전체의 취지' 및 '자유로운 심증으로' 부분은 헌법 제27조 제1항의 법률에 의한 재판을 받을 권리를 침해하지 않는다. (헌재 2012.12.27. 2011헌바155)

❾ 자유형 형기의 '연월'을 역수에 따라 계산하도록 하면서 윤달이 있는 해에 형집행대상이 되는 경우에 관하여 형기를 감하여 주는 보완규정을 두지 않은 형법 제83조는 과잉금지원칙에 위반하여 신체의 자유를 침해하지 않는다. (헌재 2013.5.30. 2011헌마861)

❿ [1] '기타 특히 신용할 만한 정황에 의하여 작성된 문서'를 당연히 증거능력 있는 서류로 규정하고 있는 형사소송법 제315조 제3호는 명확성원칙에 위배되지 않는다.
  [2] 이 사건 법률조항이 규정한 문서에 공범이 다른 사건에서 피고인으로서 한 진술을 기재한 공판조서가 포함된다고 보는 것은 피고인의 공정한 재판을 받을 권리를 침해하지 않는다. (헌재 2013.10.24. 2011헌바79)

⓫ 사해행위 이후에 성립한 조세채권도 구 국세징수법 제30조가 규정하는 사해행위 취소권의 피보전채권이 될 수 있다고 해석하는 것이 헌법에 위반되지 않는다. (헌재 2013.11.28. 2012헌바22)
  헌법재판소는 조세채권이 법적으로 성립하기 이전이라도 당사자가 이미 당해 조세채권의 성립을 확정적으로 예견할 수 있고, 이러한 경우 조세채권이 사해행위 당시 성립하지 않았다고 해서 사해행위 취소권을 행사할 수 없다고 하면 형평에 부합되지 않고, 또한 이 사건 법률조항은 법관의 법보충적 해석을 통해 그 의미가 충분히 구체화될 수 있다.

⓬ 신고범위를 뚜렷이 벗어난 옥외집회를 금지 및 처벌하는 집회 및 시위에 관한 법률 제22조 제3항의 제16조 제3호 중 '뚜렷이' 부분은 명확성원칙에 위배되지 않는다. (헌재 2013.12.26. 2013헌바24)

⓭ 영업으로 유사성교행위를 알선하는 행위를 처벌하는 성매매알선 등 행위의 처벌에 관한 법률 제19조 제2항 제1호 중 제2조 제1항 제1호 나목의 성매매를 알선하는 행위에 관한 부분은 명확성원칙에 위반되지 않는다. (헌재 2018.12.27. 2017헌바519【합헌】)

032   18 입시

일사부재리원칙에 대한 설명으로 옳지 않은 것은? (다툼이 있는 경우 헌법재판소 결정에 의함)

① 헌법 제13조 제1항에서 말하는 '처벌'이란 국가가 행하는 일체의 제재나 불이익처분을 모두 포함한다.
② 이중처벌금지는 징계절차나 민사상 손해배상절차 또는 「형법」에 근거하지 않는 다른 절차가 개시되는 것을 금지하지 않는다.
③ 이중처벌금지의 원칙은 처벌 또는 제재가 '동일한 행위'를 대상으로 행해질 때에 적용될 수 있는 것이므로, 행위가 서로 다를 경우에는 이 원칙이 적용되지 않는다.
④ 이중처벌금지원칙이 적용되는 대상이 동일한 행위인지 여부는 기본적 사실관계가 동일한지 여부에 의하여 판단된다.
⑤ 무허가건축행위에 대한 형사처벌 외에 위법건축물에 대한 시정명령의 이행을 강제하기 위하여 과태료나 이행강제금을 부과하는 것은 이중처벌에 해당하지 않는다.

해설
① (✗) 헌법 제13조 제1항은 이중처벌금지원칙인데, 여기서의 '처벌'은 형사처벌만을 의미한다.
② (O)
③ (O) 이중처벌금지는 동일 행위를 대상으로 하는 것이고 법원에 의한 판결이 확정되어 기판력이 발생하여야 인정된다.
④ (O)
⑤ (O)

정답 ①

033

죄형법정주의와 일사부재리원칙에 대한 설명으로 옳지 않은 것은? (다툼이 있는 경우 판례에 의함)

① 죄형법정주의는 법치주의, 국민주권 및 권력분립의 원리에 입각한 것으로서 일차적으로 무엇이 범죄이며 그에 대한 형벌이 어떠한 것인가는 반드시 국민의 대표로 구성된 입법부가 제정한 성문의 법률로써 정하여야 한다는 원칙인바, 여기서 말하는 '법률'이란 입법부에서 제정한 형식적 의미의 법률을 의미한다.
② 헌법 제13조 제1항 후문의 일사부재리의 원칙에서 처벌이라 함은 원칙적으로 범죄에 대한 국가의 형벌권 실행으로서의 과벌을 의미하는 것이고, 국가가 행하는 일체의 제재나 불이익처분이 모두 그에 포함된다고 할 수 없다.
③ 공무원 또는 공무원이었던 자가 재직 중의 사유로 인해 형을 선고받거나 파면 등의 징계처분을 받았을 때 퇴직급여를 감액시키는 경우 이중처벌금지의 원칙에 위반된다.
④ 양심적 예비군 훈련거부자에 대하여 유죄의 판결이 확정되었더라도, 동일인이 새로이 부과된 예비군 훈련을 또 다시 거부하는 경우 그에 대한 형사처벌을 가하는 것은 이중처벌금지원칙에 위반된다고 할 수 없다.

해설

① (O) 법률은 형식적 의미의 법률만을 의미하지만, 법률만으로 기본권을 제한할 수 있는 것은 아니다. [16 법원직]
② (O) 일사부재리에서 말하는 처벌은 형벌만을 의미한다. [17 입시]
③ (X) [10 국회8급]

> 재직 중의 사유로 인하여 형을 선고받거나 파면되는 경우에 퇴직급여를 감액한다고 하더라도 그것이 곧 헌법이 금하고 있는 이중적인 처벌에 해당하는 것이라고는 볼 수 없다. (헌재 1995.6.29. 91헌마50)

④ (O) 별개의 행위이기 때문이다. [14 국가7급]

정답 ③

034 회독 □□□ NEW   23 국가7급

적법절차원리에 대한 설명으로 옳지 않은 것은?

① 농림수산식품부장관 등 관련 국가기관이 국민의 생명·신체의 안전에 영향을 미치는 고시 등의 내용을 결정함에 있어서 이해관계인의 의견을 사전에 충분히 수렴하는 것이 바람직하기는 하지만, 그것이 헌법의 적법절차 원칙상 필수적으로 요구되는 것이라고 할 수는 없다.

② 강제퇴거명령을 받은 사람을 보호할 수 있도록 하면서 보호기간의 상한을 마련하지 아니한 「출입국관리법」 조항에 의한 보호는 형사절차상 '체포 또는 구속'에 준하는 것으로 볼 수 있는 점을 고려하면, 보호의 개시 또는 연장 단계에서 그 집행기관인 출입국관리공무원으로부터 독립되고 중립적인 지위에 있는 기관이 보호의 타당성을 심사하여 이를 통제할 수 있어야 한다.

③ 형사재판에 계속 중인 사람에 대하여 출국을 금지할 수 있다고 규정한 「출입국관리법」에 따른 법무부장관의 출국금지결정은 성질상 신속성과 밀행성을 요하므로, 출국금지 대상자에게 사전통지를 하거나 청문을 실시하도록 한다면 국가 형벌권 확보라는 출국금지제도의 목적을 달성하는데 지장을 초래할 우려가 있으며, 출국금지 후 즉시 서면으로 통지하도록 하고 있고, 이의신청이나 행정소송을 통하여 출국금지결정에 대해 사후적으로 다툴 수 있는 기회를 제공하여 절차적 참여를 보장해 주고 있으므로 적법절차원칙에 위배된다고 보기 어렵다.

④ 효율적인 수사와 정보수집의 신속성, 밀행성 등을 고려하여 사전에 정보주체인 이용자에게 그 내역을 통지하는 것이 적절하지 않기 때문에, 수사기관 등이 통신자료를 취득한 이후에도 수사 등 정보수집의 목적에 방해가 되지 않도록 「전기통신사업법」 조항이 통신자료 취득에 대한 사후 통지절차를 두지 않은 것은 적법절차원칙에 위배되지 아니한다.

해설

① (O)

> 원래 국민의 생명·신체의 안전 등 기본권을 보호할 의무를 어떠한 절차를 통하여 실현할 것인가에 대하여도 국가에게 폭 넓은 형성의 자유가 인정된다 할 것이므로, 농림수산식품부장관 등 관련 국가기관이 국민의 생명·신체의 안전에 영향을 미치는 고시 등의 내용을 결정함에 있어서 이해관계인의 의견을 사전에 충분히 수렴하는 것이 바람직하기는 하지만, 그것이 헌법의 적법절차 원칙상 필수적으로 요구되는 것이라고 할 수는 없다. (헌재 2008.12.26. 2008헌마419)

② (O)

> **강제퇴거명령을 받은 사람을 보호할 수 있도록 하면서 보호기간의 상한을 마련하지 아니한 출입국관리법 제63조 제1항은 과잉금지원칙 및 적법절차원칙에 위배되어 피보호자의 신체의 자유를 침해하는 것으로, 헌법에 합치되지 아니한다.** (헌재 2023.3.23. 2020헌가1【잠정적용 헌법불합치】)
>
> [1] **과잉금지원칙 위반**
> 입법목적의 정당성과 수단의 적합성은 인정된다. 그러나 보호기간의 상한을 두지 아니함으로써 강제퇴거대상자를 무기한 보호하는 것을 가능하게 하는 것은 보호의 일시적·잠정적 강제조치로서의 한계를 벗어나는 것이라는 점, … 등을 고려하면, 심판대상조항은 침해의 최소성과 법익균형성을 충족하지 못한다. 따라서 심판대상조항은 과잉금지원칙을 위반하여 피보호자의 신체의 자유를 침해한다.
>
> [2] **적법절차원칙 위반**
> 당사자에게 의견 및 자료 제출의 기회를 부여하는 것은 적법절차원칙에서 도출되는 중요한 절차적 요청이므로, 심판대상조항에 따라 보호를 하는 경우에도 피보호자에게 위와 같은 기회가 보장되어야 하나, 심판대상조항에 따른 보호명령을 발령하기 전에 당사자에게 의견을 제출할 수 있는 절차적 기회가 마련되어 있지 아니하다. 따라서 심판대상조항은 적법절차원칙에 위배되어 피보호자의 신체의 자유를 침해한다.

③ (○)

> 심판대상조항에 따른 법무부장관의 출국금지결정은 형사재판에 계속 중인 국민의 출국의 자유를 제한하는 행정처분일 뿐이고, 영장주의가 적용되는 신체에 대하여 직접적으로 물리적 강제력을 수반하는 강제처분이라고 할 수는 없다. 따라서 심판대상조항이 헌법 제12조 제3항의 영장주의에 위배된다고 볼 수 없다. (헌재 2015.9.24. 2012헌바302)

④ (×)

> 수사기관 등에 의한 통신자료 취득행위에 대한 심판청구에 대하여는 각하하는 한편, 그 근거조항인 전기통신사업법 제83조 제3항 중 '검사 또는 수사관서의 장(군 수사기관의 장을 포함한다), 정보수사기관의 장의 수사, 형의 집행 또는 국가안전보장에 대한 위해 방지를 위한 정보수집을 위한 통신자료 제공요청'에 관한 부분에 대하여는 사후통지절차를 마련하지 않은 것이 적법절차원칙에 위배된다는 이유로 2023.12.31.을 시한으로 입법자가 개정할 때까지 계속 적용을 명하는 헌법불합치 결정을 선고하였다. (헌재 2022.7.21. 2016헌마388【헌법불합치】)
>
> [1] 영장주의 위배 여부 - 위배 ×
>   헌법상 영장주의는 체포·구속·압수·수색 등 기본권을 제한하는 강제처분에 적용되므로, 강제력이 개입되지 않은 임의수사에 해당하는 수사기관 등의 통신자료 취득에는 영장주의가 적용되지 않는다.
> [2] 명확성원칙 위배 여부 - 위배 ×
>   '국가안전보장에 대한 위해를 방지하기 위한 정보수집'은 국가의 존립이나 헌법의 기본질서에 대한 위험을 방지하기 위한 목적을 달성함에 있어 요구되는 최소한의 범위 내에서의 정보수집을 의미하는 것으로 해석되므로, 명확성원칙에 위배되지 않는다.
> [3] 과잉금지원칙 위배 여부 - 위배 ×
>   침해의 최소성 및 법익균형성에 위배되지 않는다.
> [4] 적법절차원칙 위배 여부 - 위배 ○
>   효율적인 수사와 정보수집의 신속성, 밀행성 등의 필요성을 고려하여 사전에 정보주체인 이용자에게 그 내역을 통지하도록 하는 것이 적절하지 않다면 수사기관 등이 통신자료를 취득한 이후에 수사 등 정보수집의 목적에 방해가 되지 않는 범위 내에서 통신자료의 취득사실을 이용자에게 통지하는 것이 얼마든지 가능하다. 그럼에도 이 사건 법률조항은 통신자료 취득에 대한 사후통지절차를 두지 않아 적법절차원칙에 위배되어 개인정보자기결정권을 침해한다.

정답 ④

035 20 국회8급

적법절차원칙에 대한 설명으로 옳지 않은 것만을 〈보기〉에서 모두 고른 것은? (다툼이 있는 경우 판례에 의함)

보기

ㄱ. 법원의 구속집행정지결정에 대하여 검사가 즉시항고할 수 있도록 한 「형사소송법」 조항은 법원의 구속집행정지결정을 무의미하게 할 수 있는 권한을 검사에게 부여한 것이라는 점에서 적법절차원칙에 위배된다.

ㄴ. 구 「친일반민족행위자 재산의 국가귀속에 관한 특별법」(이하 '친일재산귀속법'이라 한다) 제2조 제1호에 따라 친일반민족행위자로 결정한 경우에는 현행 친일재산귀속법 제2조 제1호에 따라 결정한 것으로 보는 현행 친일재산귀속법 부칙조항은 친일재산귀속법의 입법목적을 관철하기 위하여 불가피한 입법적 결단을 한 것으로 보이므로 적법절차원칙에 위반된다고 볼 수 없다.

ㄷ. 교도소·구치소의 수용자가 교정시설 외부로 나갈 경우 도주방지를 위하여 해당 수용자의 발목에 전자장치를 부착하도록 한 수용자 도주방지를 위한 위치추적전자장치 운영방안에 따른 전자장치 부착행위는 적법절차원칙에 위반된다.

ㄹ. 연락운송 운임수입의 배분에 관한 협의가 성립하지 아니한 때에는 당사자의 신청을 받아 국토교통부장관이 결정하도록 한 「도시철도법」 조항 중 "제1항에 따른 운임수입의 배분에 관한 협의가 성립되지 아니한 때에는 당사자의 신청을 받아 국토교통부장관이 결정한다." 부분은 국토교통부장관의 결정에 의해 이루어지므로 적법절차원칙에 위배된다.

① ㄱ
② ㄴ, ㄷ
③ ㄷ, ㄹ
④ ㄱ, ㄴ, ㄷ
⑤ ㄱ, ㄷ, ㄹ

해설

ㄱ. (O) 구속의 계속 여부가 검사의 의견에 따라 결정되므로 영장주의에 위반된다.

> 구속집행정지결정에 대한 검사의 즉시항고를 인정하는 이 사건 법률조항은 검사의 불복을 그 피고인에 대한 구속집행을 정지할 필요가 있다는 법원의 판단보다 우선시킬 뿐만 아니라, 사실상 법원의 구속집행정지결정을 무의미하게 할 수 있는 권한을 검사에게 부여한 것이라는 점에서 헌법 제12조 제3항의 영장주의원칙에 위배된다. 또한 헌법 제12조 제3항의 영장주의는 헌법 제12조 제1항의 적법절차원칙의 특별규정이므로, 헌법상 영장주의원칙에 위배되는 이 사건 법률조항은 헌법 제12조 제1항의 적법절차원칙에도 위배된다. (헌재 2012.6.27. 2011헌가36)

ㄴ. (O)

> 친일반민족행위자 재산의 국가귀속에 관한 특별법(이하 '친일재산귀속법'이라 한다) 자체가 태생적으로 과거의 행위를 역사적·법적으로 재평가하기 위한 진정소급입법에 해당하는 점과 현행 친일재산귀속법 제2조 제1호의 개정경위를 아울러 종합하여 보면, 입법자는 친일재산귀속법의 입법목적을 관철하기 위하여 과거의 행위를 법적으로 재평가하는 매우 특수하고 이례적인 공동체적 과업을 계속해서 수행해 나가는 과정에서 불가피한 입법적 결단을 한 것으로 보인다. 따라서 이 사건 경과조치조항이 적법절차원칙 등에 위반된다고 볼 수 없다. (헌재 2018.4.26. 2016헌바454)

ㄷ. (×)

> 전자장치 부착은 도주 우려 등의 사유가 있어 관심대상수용자로 지정된 수용자를 대상으로 하는 점, 형의 집행 및 수용자의 처우에 관한 법률상 소장에 대한 면담신청이나 법무부장관 등에 대한 청원절차가 마련되어 있는 점을 종합해 보면, 이 사건 부착행위는 적법절차원칙에 위반되어 수용자인 청구인들의 인격권과 신체의 자유를 침해하지 아니한다. (헌재 2018.5.31. 2016헌마191 등)

ㄹ. (✗)

> 심판대상조항이 국토교통부장관이 운임수입 배분에 관한 결정을 하기 전에 거쳐야 하는 일반적인 절차에 대해 따로 규정하고 있지는 않지만, 행정절차법은 처분의 사전통지, 의견제출의 기회, 처분의 이유제시 등을 규정하고 있고, 이는 국토교통부장관의 결정에도 적용되어 절차적 보장이 이루어지므로, 심판대상조항은 적법절차원칙에 위배되지 아니한다. (헌재 2019.6.28. 2017헌바135)

정답 ③

036 19 국회8급

적법절차원칙에 대한 설명으로 옳지 않은 것은? (다툼이 있는 경우 판례에 의함)

① 현행헌법은 제12조 제1항의 처벌, 보안처분, 강제노역 등과 관련하여 적법절차의 원칙을 규정하고 있지만 이는 그 대상을 한정적으로 열거하고 있는 것이 아니라 그 적용대상을 예시한 것에 불과하다고 해석해야 한다.
② 공정거래위원회로 하여금 부당내부거래를 한 사업자에 대하여 그 매출액의 2% 범위 내에서 과징금을 부과할 수 있도록 한 것은 적법절차원칙에 위배되지 않는다.
③ 징계시효 연장을 규정하면서 징계절차를 진행하지 아니함을 통보하지 아니한 경우에는 징계시효가 연장되지 않는다는 예외규정을 두지 않았다고 하더라도 적법절차원칙에 위배되지 않는다.
④ 「범죄인 인도법」 제3조가 법원의 범죄인 인도심사를 서울고등법원의 전속관할로 하고 그 심사결정에 대한 불복절차를 인정하지 않은 것은 재판절차로서의 형사소송절차에서 상급심에의 불복절차를 자의적으로 배제하는 것으로 적법절차원칙에 위배된다.
⑤ 징벌혐의의 조사를 위하여 14일간 청구인을 조사실에 분리 수용하고 공동행사참가 등 처우를 제한한 교도소장의 행위에 대하여 법원에 의한 개별적인 통제절차를 두고 있지 않은 것만으로는 적법절차원칙에 위배되지 않는다.

해설

① (O) 적법절차는 제9차 개정헌법에 도입된 것이지만, 창설적 규정이 아니라 확인적 규정이다.
② (O) 헌재 2003.7.24. 2001헌가25
③ (O)

> 심판대상조항이 수사 중인 사건에 대해 징계절차를 진행하지 아니하는 경우 징계시효가 연장되도록 한 것은 적정한 징계를 위해 징계절차를 진행하지 아니할 수 있도록 한 것이 오히려 징계를 방해하게 되는 불합리한 결과를 막기 위해서이다. 수사 중인 사건에 대하여 징계절차를 진행하지 아니하더라도 징계혐의자는 수사가 종료되는 장래 어느 시점에서 징계절차가 진행될 수 있다는 점을 충분히 예측하여 대비할 수 있고, 수사가 종료되어 징계절차가 진행되는 경우에도 징계혐의자는 관련 법령에 따라 방어권을 충분히 보호받을 수 있다. 심판대상조항을 통해 달성되는 공정한 징계제도 운용이라는 이익은 징계혐의자가 징계절차를 진행하지 아니함을 통보받지 못하여 징계시효가 연장되었음을 알지 못함으로써 입는 불이익보다 크다. 그렇다면 심판대상조항이 징계시효 연장을 규정하면서 징계절차를 진행하지 아니함을 통보하지 아니한 경우에는 징계시효가 연장되지 않는다는 예외규정을 두지 않았다고 하더라도 적법절차원칙에 위배되지 아니한다. (헌재 2017.6.29. 2015헌바29)

④ (✗)

> 법원에 의한 범죄인 인도심사는 국가형벌권의 확정을 목적으로 하는 형사절차와 같은 전형적인 사법절차의 대상에 해당되는 것은 아니며, 법률(범죄인 인도법)에 의하여 인정된 특별한 절차라고 볼 것이다. 그렇다면 심급제도에 대한 입법재량의 범위와 범죄인 인도심사의 법적 성격, 그리고 범죄인 인도법에서의 심사절차에 관한 규정 등을 종합할 때, 이 사건 법률조항이 범죄인 인도심사를 서울고등법원의 단심제로 하고 있다고 해서 적법절차원칙에서 요구되는 합리성과 정당성을 결여한 것이라고 볼 수 없다. (헌재 2003.1.30. 2001헌바95)

⑤ (○) 헌재 2014.9.25. 2012헌마523

정답 ④

예상판례

> 특정 공무원범죄의 범인에 대한 추징판결을 범인 외의 자가 그 정황을 알면서 취득한 불법재산 및 그로부터 유래한 재산에 대하여 그 범인 외의 자를 상대로 집행할 수 있도록 한 '공무원범죄에 관한 몰수 특례법' 제9조의2는 헌법에 위반되지 않는다. (헌재 2020.2.27. 2015헌가4 [합헌])
> 심판대상조항은 제3자에게 범죄가 인정됨을 전제로 제3자에 대하여 형사적 제재를 가하는 것이 아니라, 특정공무원범죄를 범한 범인에 대한 추징판결의 집행대상을 제3자가 취득한 불법재산 등에까지 확대하여 제3자에게 물적 유한책임을 부과하는 것이다. 확정된 형사판결의 집행에 관한 절차를 어떻게 정할 것인지는 입법자의 입법형성권에 속하는 사항이므로, 심판대상조항에 따라 추징판결을 집행함에 있어서 형사소송절차와 같은 엄격한 절차가 요구된다고 보기는 어렵다. 따라서 심판대상조항은 적법절차원칙에 위배된다고 볼 수 없다.

037 18 법원직

적법절차의 원칙에 관한 다음 설명 중 가장 옳지 않은 것은? (다툼이 있는 경우 헌법재판소 결정에 의함)

① 적법절차의 원칙은 미국 연방대법원의 판례를 통하여 확립된 원칙으로서 미국 연방헌법에는 그 규정이 없다.
② 영미법계의 국가에서 국민의 인권을 보장하기 위한 기본원리의 하나로 발달되어 온 적법절차의 원칙을 처음으로 도입하여 명문화한 것은 제9차 개정한 현행헌법이다.
③ 적법절차의 원칙은 탄핵소추절차에는 직접 적용될 수 없다.
④ 보안처분에도 적법절차의 원칙이 적용되어야 함은 당연한 것이지만 보안처분에는 다양한 형태와 내용이 존재하므로 각 보안처분에 적용되어야 할 적법절차의 범위 내지 한계에도 차이가 있어야 할 것이다.

해설

① (✗) 미국 연방헌법에도 규정이 있다.
② (○)
③ (○) 적법절차원칙은 기본적으로 모든 국가작용에 적용이 되지만, 국회의 탄핵소추절차와 선거관리위원회의 결정을 거치는 사항에 대해서는 적용되지 않는다.
④ (○) 보안처분이 기본권을 제한하는 정도에 따라 다르다.

정답 ①

038 17 국회8급, 15 법무사, 13 국가7급

적법절차의 원칙에 대한 설명으로 옳지 않은 것은? (다툼이 있는 경우 판례에 의함)

① 적법절차의 원칙은 기본권 제한이 있음을 전제로 하여 적용된다.
② 적법절차의 원칙은 단순히 입법권의 유보제한이라는 한정적인 의미에 그치는 것이 아니라, 모든 국가작용을 지배하는 독자적인 헌법의 기본원리로서 해석되어야 할 원칙이라는 점에서, 입법권의 유보적 한계를 선언하는 과잉입법금지의 원칙과는 구별된다.
③ 압수·수색에서의 사전통지와 참여권 보장은 헌법상 명문으로 규정된 권리는 아니다.
④ 국회 입법에 대하여는 원칙적으로 일반국민에 대하여 적법절차에서 파생되는 청문권은 인정되지 않는다.

해설

① (✗) [15 법무사] ② (O) [13 국가7급]

> 적법절차의 원칙은 단순히 입법권의 유보제한이라는 한정적인 의미에 그치는 것이 아니라 모든 국가작용을 지배하는 독자적인 헌법의 기본원리로서 해석되어야 할 원칙이라는 점에서 입법권의 유보적 한계를 선언하는 과잉입법금지의 원칙과는 구별된다고 할 것이다. 따라서 적법절차의 원칙은 헌법조항에 규정된 형사절차상의 제한된 범위 내에서만 적용되는 것이 아니라 국가작용으로서 기본권 제한과 관련되든 관련되지 않든 모든 입법작용 및 행정작용에도 광범위하게 적용된다고 해석하여야 할 것이고, 나아가 형사소송절차와 관련시켜 적용함에 있어서는 형벌권의 실행 절차인 형사소송의 전반을 규율하는 기본원리로 이해하여야 하는 것이다. (헌재 1992.12.24. 92헌가8)

③ (O) [17 국회8급]

> 우리 헌법은 압수·수색에 관한 통지절차 등을 따로 규정하고 있지 않으므로 압수·수색의 사전통지나 집행 당시의 참여권의 보장은 압수·수색에 있어 국민의 기본권을 보장하고 헌법상의 적법절차원칙의 실현을 위한 구체적인 방법의 하나일 뿐 헌법상 명문으로 규정된 권리는 아니다. (헌재 2012.12.27. 2011헌바225)

④ (O) 국회의 입법과정에서 국민에 대하여 청문권은 인정되지 않는다. 다만, 국회 내부의 입법절차는 적법절차를 지켜야 한다. [17 국회8급]

🔔 입법절차에 있어서 적법절차의 적용

국회와 국민의 관계	적법절차 적용 ×
국회 내부절차	적법절차 적용(날치기 통과하면 안 됨)

정답 ①

039 적법절차의 원칙에 대한 설명으로 옳지 않은 것만을 모두 고르면? (다툼이 있는 경우 판례에 의함)

ㄱ. 「출입국관리법」은 출국금지 후 즉시 서면으로 통지하도록 하고 있고 이의신청이나 행정소송을 통하여 출국금지결정에 대해 사후적으로 다툴 수 있는 기회를 제공하여 절차적 참여를 보장해 주고 있으므로, 형사재판에 계속 중인 사람에 대하여 출국을 금지할 수 있다고 규정한 「출입국관리법」은 적법절차원칙에 위배되지 않는다.

ㄴ. 헌법 제12조 제1항의 적법절차원칙은 형사소송절차에 국한되지 않으므로 전투경찰순경의 인신구금을 내용으로 하는 영창처분에 있어서도 적법절차원칙이 준수되어야 한다.

ㄷ. 범칙금 통고처분을 받고도 납부기간 이내에 범칙금을 납부하지 아니한 사람에 대하여 행정청에 대한 이의제기나 의견진술 등의 기회를 주지 않고 경찰서장이 곧바로 즉결심판을 청구하도록 한 구 「도로교통법」 조항은 적법절차원칙에 위배된다.

ㄹ. 관계 행정청이 등급분류를 받지 아니하거나 등급분류를 받은 게임물과 다른 내용의 게임물을 발견한 경우 관계 공무원으로 하여금 이를 수거·폐기하게 할 수 있도록 하는 경우, 수거·폐기에 앞서 청문이나 의견제출 등 절차보장에 관한 규정을 두고 있지 않으면, 적법절차의 원칙에 위반된다.

① ㄱ, ㄴ
② ㄱ, ㄹ
③ ㄴ, ㄷ
④ ㄷ, ㄹ

해설

ㄱ. (○) [16 지방7급]
> 심판대상조항에 따른 출국금지결정은 성질상 신속성과 밀행성을 요하므로, 출국금지대상자에게 사전통지를 하거나 청문을 실시하도록 한다면 국가형벌권 확보라는 출국금지제도의 목적을 달성하는 데 지장을 초래할 우려가 있다. 나아가 출국금지 후 즉시 서면으로 통지하도록 하고 있고, 이의신청이나 행정소송을 통하여 출국금지결정에 대해 사후적으로 다툴 수 있는 기회를 제공하여 절차적 참여를 보장해주고 있으므로 적법절차원칙에 위배된다고 보기 어렵다. (헌재 2015.9.24. 2012헌바302)

ㄴ. (○) 헌재 2016.3.31. 2013헌바190 [16 지방7급]

ㄷ. (✕) [16 지방7급]
> 도로교통법상 범칙금 납부통고는 위반행위에 대한 제재를 신속·간편하게 종결할 수 있게 하는 제도로서, 이에 불복하여 범칙금을 납부하지 아니한 자에게는 재판절차라는 완비된 절차적 보장이 주어진다. 도로교통법 위반사례가 격증하고 있는 현실에서 통고처분에 대한 이의제기 등 행정청 내부절차를 추가로 둔다면 절차의 중복과 비효율을 초래하고 신속한 사건처리에 저해가 될 우려도 있다. 따라서 이 사건 즉결심판 청구조항에서 의견진술 등의 별도의 절차를 두지 않은 것이 현저히 불합리하여 적법절차원칙에 위배된다고 보기 어렵다. (헌재 2014.8.28. 2012헌바433)

ㄹ. (✕) 행정상 즉시강제에는 적법절차와 영장주의가 적용되지 아니한다. [10 국회8급]
> 관계 공무원이 당해 게임물 등을 수거한 때에는 그 소유자 또는 점유자에게 수거증을 교부하도록 하고 있고, 수거 등 처분을 하는 관계 공무원이나 협회 또는 단체의 임·직원은 그 권한을 표시하는 증표를 지니고 관계인에게 이를 제시하도록 하는 등의 절차적 요건을 규정하고 있으므로, 이 사건 법률조항이 적법절차의 원칙에 위배되는 것으로 보기도 어렵다. (헌재 2002.10.31. 2000헌가12)

정답 ④

 **핵심노트**

영장주의의 개념

영장주의의 적용대상인 경우	영장주의의 적용대상이 아닌 경우
• 신체에 대한 물리적·직접적 강제력의 행사 • 지방의회의장이 동행명령장을 발부하고 불응시 강제구인(물리적·직접적)하는 것은 영장주의 위반	• 신체에 대한 심리적·간접적 강제 • 국회에서 증인에 대한 동행명령장을 발부하고 불응시 국회모독죄로 형사고발(심리적·간접적)하는 것은 영장주의의 문제가 아니다.

040   회독 ☐☐☐ NEW   24 경찰간부

영장주의에 대한 설명으로 가장 적절한 것은? (다툼이 있는 경우 헌법재판소 판례에 의함)

① 강제퇴거명령을 받은 사람을 보호할 수 있도록 하면서 보호기간의 상한을 마련하지 아니한 「출입국관리법」 제63조 제1항에 따른 보호는 형사절차상 '체포 또는 구속'에 준하는 것으로서 신체의 자유를 제한하므로 영장주의에 위배된다.

② 「형의 집행 및 수용자의 처우에 관한 법률」 조항 중 '미결수용자의 접견내용의 녹음·녹화'에 관한 부분은 청구인에 대하여 직접적으로 어떠한 물리적 강제력을 행사하는 강제처분을 수반하는 것이 아니므로 영장주의의 적용대상이 아니다.

③ 수사기관 등이 전기통신사업자에게 이용자의 성명 등 통신자료의 열람이나 제출을 요청할 수 있도록 한 「전기통신사업법」 조항 중 해당 부분은 영장주의에 위배된다.

④ 병(兵)에 대한 징계처분으로 일정기간 부대나 함정(艦艇) 내의 영창, 그 밖의 구금장소에 감금하는 영창처분이 가능하도록 규정한 구 「군인사법」 조항 중 '영창'에 관한 부분은 영장주의에 위반된다.

해설

① (×)

> 심판대상조항에 의한 보호는 강제퇴거명령의 집행 확보를 목적으로 하면서도 신체의 자유를 제한하는 정도가 박탈에 이르러 형사절차상 '체포 또는 구속'에 준하는 것으로 볼 수 있는 점을 고려하면, 적법절차원칙상 보호의 개시 또는 연장 단계에서 그 집행기관인 출입국관리공무원으로부터 독립되고 중립적인 지위에 있는 기관이 보호의 타당성을 심사하여 이를 통제할 수 있어야 한다. (헌재 2023.3.23. 2020헌가1 [헌법불합치(잠정적용)])

② (○)

> 이 사건 녹음조항에 따라 접견내용을 녹음·녹화하는 것은 직접적으로 물리적 강제력을 수반하는 강제처분이 아니므로 영장주의가 적용되지 않아 영장주의에 위배된다고 할 수 없다. 또한, 미결수용자와 불구속 피의자·피고인을 본질적으로 동일한 집단이라고 할 수 없고, 불구속 피의자·피고인과는 달리 미결수용자에 대하여 법원의 허가 없이 접견내용을 녹음·녹화하도록 하는 것도 충분히 합리적 이유가 있으므로 이 사건 녹음조항은 평등원칙에 위배되지 않는다. (헌재 2016.11.24. 2014헌바401)

③ (✗)

> [1] 수사의 필요성이 있는 경우 기지국수사를 허용한 통신비밀보호법 제13조 제1항 중 '검사 또는 사법경찰관은 수사를 위하여 필요한 경우 전기통신사업법에 의한 전기통신사업자에게 제2조 제11호 가목 내지 라목의 통신사실 확인자료의 열람이나 제출을 요청할 수 있다.' 부분은 개인정보자기결정권과 통신의 자유를 침해한다. 【헌법불합치(잠정적용)】
> [2] **이 사건 허가조항은 영장주의에 위반되지 않는다.** 【기각】 (헌재 2018.6.28. 2012헌마538)
> 이 사건 허가조항은 수사기관이 전기통신사업자에게 통신사실 확인자료 제공을 요청함에 있어 관할 지방법원 또는 지원의 허가를 받도록 규정하고 있다. 따라서 이 사건 허가조항은 헌법상 영장주의에 위배되지 아니한다.

④ (✗) 병(兵)에 대한 징계처분으로 영창을 보내는 것에 대하여 법정의견은 영장주의가 적용되지 않는다는 입장이다. 다만, 침해의 최소성 위반으로 위헌 결정되었다.

정답 ②

041 23 경찰간부, 22 변호사

적법절차 및 영장주의에 대한 설명으로 가장 적절하지 않은 것은? (다툼이 있는 경우 헌법재판소 판례에 의함)

① 구「도시 및 주거환경정비법」조항이 정비예정구역 내 토지 등 소유자의 100분의 30 이상의 해제요청이라는 비교적 완화된 요건만으로 정비예정구역 해제절차에 나아갈 수 있도록 하였다고 하여 적법절차원칙에 위반된다고 보기는 어렵다.

② 서울용산경찰서장이 국민건강보험공단에 청구인들의 요양급여내역의 제공을 요청한 사실조회행위는 임의수사에 해당하나, 이에 응해 이루어진 정보제공행위에 대해서는 헌법상 영장주의가 적용된다.

③ 체포영장을 발부받아 피의자를 체포하는 경우에 필요한 때에는 영장 없이 타인의 주거 등 내에서 피의자 수색을 할 수 있도록 규정한 것은 수색에 앞서 영장을 발부받기 어려운 긴급한 사정이 인정되지 않는 경우에도 영장 없이 피의자 수색을 할 수 있다는 것이므로 영장주의에 위반된다.

④ 범죄피의자로 입건된 사람에게 검사의 신문을 받으면서 자신의 신원을 밝히지 않고 지문채취에 불응하는 경우 형사처벌을 통하여 지문채취를 강제하더라도 이를 영장주의에 의하여야 할 강제처분이라고 할 수 없다.

해설

① (○) [23 경찰간부]

정비예정구역으로 지정되어 있을 뿐인 단계에서부터 토지 등 소유자의 100분의 30 이상이 정비예정구역 해제를 요구하고 있는 상황이라면 추후 정비사업의 시행이 지연되거나 좌초될 가능성이 큰 점, 토지 등 소유자에게는 정비계획의 입안을 제안할 수 있는 방법이 있는 점, 정비예정구역 해제를 위해서는 지방도시계획위원회의 심의를 거쳐야 하고, 정비예정구역의 해제는 해제권자의 재량적 행위인 점, 정비예정구역 해제에 관한 위법이 있는 경우 항고소송을 통하여 이를 다툴 수 있는 점 등을 종합적으로 고려하면, 심판대상조항이 적법절차원칙에 위반된다고 볼 수 없다. (헌재 2023.6.29. 2020헌바63)

② (×) [23 경찰간부]

국민건강보험공단이 2013.12.20. 서울용산경찰서장에게 청구인들의 요양급여내역을 제공한 행위는 청구인들의 개인정보자기결정권을 침해한 것으로 위헌임을 확인한다. (헌재 2018.8.30. 2014헌마368【인용(위헌확인)】)

[1] 영장주의원칙 위배 여부

이 사건 사실조회조항은 수사기관에 사실조회의 권한을 부여하고 있을 뿐이고, 이에 근거한 이 사건 사실조회행위에 대하여 국민건강보험공단이 응하거나 협조하여야 할 의무를 부담하는 것이 아니다. 따라서 이 사건 사실조회행위는 강제력이 개입되지 아니한 임의수사에 해당하므로, 이에 응하여 이루어진 이 사건 정보제공행위에도 영장주의가 적용되지 않는다. 그러므로 이 사건 정보제공행위는 영장주의원칙에 위배되지 않는다.

[2] 과잉금지원칙 위배 여부

이 사건에서 서울용산경찰서장에게 제공된 요양기관명에는 전문의 병원도 포함되어 있으므로 이러한 요양기관명으로 청구인들의 질병의 종류를 예측할 수 있는 점, 2년 또는 3년 동안의 요양급여정보는 청구인들의 건강상태에 대한 총체적인 징보를 구성할 수 있는 점 등에 비추어 볼 때, 이 사건 정보제공행위로 인한 청구인들의 개인정보자기결정권에 대한 침해는 매우 중대하다. 그렇다면 이 사건 정보제공행위는 침해의 최소성에 위배된다.

③ (○) [22 변호사]

체포영장을 집행하는 경우 필요한 때에는 타인의 주거 등 내에서 피의자 수색을 할 수 있도록 한 형사소송법 제216조 제1항 제1호 중 제200조의2에 관한 부분은 영장주의에 위반된다. (헌재 2018.4.26. 2015헌바370【헌법불합치】)

[1] '필요한 때에는' 부분은 명확성원칙 위반은 아니다.

[2] 심판대상조항은 체포영장을 발부받아 피의자를 체포하는 경우에 '필요한 때'에는 영장 없이 타인의 주거 등 내에서 피의자 수사를 할 수 있다고 규정함으로써, 별도로 영장을 발부받기 어려운 긴급한 사정이 있는지 여부를 구별하지 아니하고 피의자가 소재할 개연성이 있으면 영장 없이 타인의 주거 등을 수색할 수 있도록 허용하고 있다. 이는 체포영장이 발부된 피의자가 타인의 주거 등에 소재할 개연성은 인정되나, 수색에 앞서 영장을 발부받기 어려운 긴급한 사정이 인정되지 않는 경우에도 영장 없이 피의자 수색을 할 수 있다는 것이므로, 위에서 본 헌법 제16조의 영장주의 예외요건을 벗어 나는 것으로서 영장주의에 위반된다.

④ (○) 형사처벌을 하는 것은 심리적·간접적 강제이므로 영장주의가 적용되지 않는다. (헌재 2004.9.23. 2002헌가17 등) [22 변호사]

정답 ②

042

영장주의 및 적법절차원칙에 대한 설명으로 옳지 않은 것은? (다툼이 있는 경우 판례에 의함)

① 헌법 제12조 제3항이 영장의 발부에 관하여 '검사의 신청'에 의할 것을 규정한 취지는 모든 영장의 발부에 검사의 신청이 필요하다는 데에 있는 것이 아니라 수사단계에서 영장의 발부를 신청할 수 있는 자를 검사로 한정함으로써 검사 아닌 다른 수사기관의 영장신청에서 오는 인권유린의 폐해를 방지하고자 함에 있다.

② 전투경찰순경에 대한 징계처분을 규정하고 있는 구「전투경찰대 설치법」의 조항 중 '전투경찰순경에 대한 영창' 부분은 그 사유의 제한, 징계대상자의 출석권과 진술권의 보장 및 법률에 의한 별도의 불복절차가 마련되어 있으므로 헌법 제12조 제1항의 적법절차원칙에 위배되지 않는다.

③ 피의자를 긴급체포하여 조사한 결과 구금을 계속할 필요가 없다고 판단하여 48시간 이내에 석방하는 경우까지도 수사기관이 반드시 체포영장 발부절차를 밟게 하는 것은 인권침해적 상황을 예방하는 적절한 방법이다.

④ 헌법 제12조 제3항의 영장주의는 법관이 발부한 영장에 의하지 아니하고는 수사에 필요한 강제처분을 하지 못한다는 원칙으로, 교도소장이 마약류 관련 수형자에게 소변을 받아 제출하도록 한 것은 교도소의 안전과 질서유지를 위한 것으로 수사에 필요한 처분이 아닐 뿐만 아니라 검사대상자들의 협력이 필수적이어서 강제처분이라고 할 수도 없어 영장주의의 원칙이 적용되지 않는다.

해설

① (O)

> **법원의 직권에 의한 구속영장 발부** (헌재 1997.3.27. 96헌바28 등 [합헌])
> 헌법 제12조 제3항이 영장의 발부에 관하여 '검사의 신청'에 의할 것을 규정한 취지는 모든 영장의 발부에 검사의 신청이 필요하다는 데에 있는 것이 아니라 수사단계에서 영장의 발부를 신청할 수 있는 자를 검사로 한정함으로써 검사 아닌 다른 수사기관의 영장신청에서 오는 인권유린의 폐해를 방지하고자 함에 있으므로, 공판단계에서 법원이 직권에 의하여 구속영장을 발부할 수 있음을 규정한 형사소송법 제70조 제1항 및 제73조 중 "피고인이 … 구인 또는 구금함에는 구속영장을 발부하여야 한다."라는 부분은 헌법 제12조 제3항에 위반되지 아니한다.

② (O) 전투경찰순경의 인신구금을 내용으로 하는 영창처분에 대하여 영장주의가 적용될 여지는 없으나, 적법절차원칙은 준수되어야 한다.

> 청구인은 이 사건 영창조항이 헌법상 영장주의에 위배된다는 주장도 하나, 헌법 제12조 제3항에서 규정하고 있는 영장주의란 형사절차와 관련하여 체포·구속·압수·수색의 강제처분을 할 때 신분이 보장되는 법관이 발부한 영장에 의하지 않으면 안 된다는 원칙으로, 형사절차가 아닌 징계절차에도 그대로 적용된다고 볼 수 없다. 따라서 이 사건 영창조항이 헌법상 영장주의에 위반되는지 여부는 더 나아가 판단하지 아니한다. (헌재 2016.3.31. 2013헌바190)

③ (X)

> 이 사건 영장청구조항이 피의자를 긴급체포한 경우에 사후체포영장을 청구하도록 규정하지 아니하고 수사기관으로 하여금 피의자를 구속하고자 할 때에 한하여 구속영장을 청구하도록 규정하였다고 하여, 그것이 헌법상 영장주의에 위반된다고 단정할 수 없다. 더욱이 피의자를 긴급체포하여 조사한 결과 구금을 계속할 필요가 없다고 판단하여 48시간 이내에 석방하는 경우까지도 수사기관으로 하여금 반드시 체포영장 발부절차를 밟게 한다면, 이는 피의자, 수사기관 및 법원 모두에게 비효율을 초래할 가능성이 있고, 경우에 따라서는 오히려 인권침해적인 상황을 발생시킬 우려도 있다. (헌재 2021.3.25. 2018헌바212)

④ (○)

> **마약류 수용자에 대한 소변채취는 영장주의의 적용대상이 아니다.** (헌재 2006.7.27. 2005헌마277[기각])
> [1] 교도소 수형자에게 소변을 받아 제출하게 한 것은 … 응하지 않을 경우 직접적인 징벌 등의 제재는 없다고 하여도 불리한 처우를 받을 수 있다는 심리적 압박이 존재하리라는 것을 충분히 예상할 수 있는 점에 비추어, 권력적 사실행위로서 헌법재판소법 제68조 제1항의 공권력의 행사에 해당한다.
> [2] 청구인이 출소하여 소변채취의 침해행위가 종료되었다고 하더라도, 마약류 수형자에 대한 정기적인 소변채취는 현재 및 앞으로 계속하여 반복적으로 행하여질 것이므로, 헌법적으로 그 해명이 중대한 의미를 가지고 있어 심판청구의 이익을 인정할 수 있다.
> [3] 헌법 제12조 제3항의 영장주의는 법관이 발부한 영장에 의하지 아니하고는 수사에 필요한 강제처분을 하지 못한다는 원칙으로 소변을 받아 제출하도록 한 것은 교도소의 안전과 질서유지를 위한 것으로 수사에 필요한 처분이 아닐 뿐만 아니라 검사대상자들의 협력이 필수적이어서 강제처분이라고 할 수도 없어 영장주의의 원칙이 적용되지 않는다.

정답 ③

043 회독 ☐☐☐ 재구성   23 경찰간부, 22 법원직

영장주의에 관한 다음 설명 중 가장 옳은 것은? (다툼이 있는 경우 판례에 의함)

① 헌법 제12조 제3항이 정한 영장주의는 수사기관이 강제처분을 함에 있어 중립적 기관인 법원의 허가를 얻는 것뿐만 아니라 법원에 의한 사후통제까지 마련되어야 함을 의미한다.
② 기지국 수사를 허용하는 통신사실 확인자료 제공요청의 경우 관할 지방법원 또는 지원의 허가를 받도록 규정한 「통신비밀보호법」상 조항은 헌법상 영장주의에 위배되지 않는다.
③ 각급 선거관리위원회 위원·직원의 선거범죄조사에 있어서 피조사자에게 자료제출 요구를 하는 것은 범죄와 관련한 수사의 성격을 가지므로 영장주의의 적용대상에 해당한다.
④ 형식적으로 영장주의를 준수하였다면 실질적인 측면에서 입법자가 합리적인 선택범위를 일탈하는 등 그 입법형성권을 남용하였더라도 그러한 법률이 자의금지원칙에 위배되어 위헌이라고 볼 수는 없다.

해설

① (✕) [22 법원직]

> 헌법 제12조 제3항이 정한 영장주의가 수사기관이 강제처분을 함에 있어 중립적 기관인 법원의 허가를 얻어야 함을 의미하는 것 외에 법원에 의한 사후통제까지 마련되어야 함을 의미한다고 보기 어렵고, 청구인의 주장은 결국 인터넷회선 감청의 특성상 집행단계에서 수사기관의 권한 남용을 방지할 만한 별도의 통제장치를 마련하지 않는 한 통신 및 사생활의 비밀과 자유를 과도하게 침해하게 된다는 주장과 같은 맥락이므로, 이 사건 법률조항이 과잉금지원칙에 반하여 청구인의 기본권을 침해하는지 여부에 대하여 판단하는 이상, 영장주의 위반 여부에 대해서는 별도로 판단하지 아니한다. (헌재 2018.8.30. 2016헌마263)

② (○) [23 경찰간부]

> 이 사건 허가조항은 수사기관이 전기통신사업자에게 통신사실 확인자료 제공을 요청함에 있어 관할 지방법원 또는 지원의 허가를 받도록 규정하고 있으므로 헌법상 영장주의에 위배되지 아니한다. (헌재 2018.6.28. 2012헌마538)

③ (✕) 영장주의 적용대상이 아니다. (헌재 2019.9.26. 2016헌바381) [22 법원직]

④ (X) [22 법원직]

> 우리 헌법제정권자가 제헌헌법(제9조) 이래 현행헌법(제12조 제3항)에 이르기까지 채택하여 온 영장주의의 본질은 신체의 자유를 침해하는 강제처분을 함에 있어서는 인적·물적 독립을 보장받는 제3자인 법관이 구체적 판단을 거쳐 발부한 영장에 의하여야만 한다는 데에 있으므로, 우선 형식적으로 영장주의에 위배되는 법률은 곧바로 헌법에 위반되고, 나아가 형식적으로는 영장주의를 준수하였더라도 실질적인 측면에서 입법자가 합리적인 선택범위를 일탈하는 등 그 입법형성권을 남용하였다면 그러한 법률은 자의금지원칙에 위배되어 헌법에 위반된다고 보아야 한다. (헌재 2012.12.27. 2011헌가5)

정답 ②

044 회독 ☐☐☐ 재구성   22 국회8급

영장주의에 대한 설명으로 옳은 것만을 모두 고르면? (다툼이 있는 경우 판례에 의함)

> ㄱ. 헌법재판소의 법정의견에 따르면 병(兵)에 대한 징계처분으로 법관의 판단 없이 인신구금이 이루어질 수 있도록 한 영창처분은 영장주의에 위배된다.
> ㄴ. 헌법에 규정된 영장신청권자로서의 검사는 검찰권을 행사하는 국가기관인 검사로서 공익의 대표자이자 수사단계에서의 인권옹호기관으로서의 지위에서 그에 부합하는 직무를 수행하는 자를 의미하는 것이지, 「검찰청법」상 검사만을 지칭하는 것으로 보기 어렵다.
> ㄷ. 「출입국관리법」상의 외국인 강제퇴거명령 및 보호는 형사절차상 '체포 또는 구속'에 준하는 것으로서 외국인의 신체의 자유를 박탈하는 것이므로 검사의 신청, 판사의 발부를 거치지 않은 외국인 보호는 영장주의에 위배된다.

① ㄱ   ② ㄴ
③ ㄱ, ㄷ   ④ ㄴ, ㄷ

해설

ㄱ. (X)

병	• 과잉금지원칙: 수단의 적합성까지는 인정되지만, 침해의 최소성 위반으로 위헌임. • 영장주의: 법정의견은 영장주의가 적용되지 않는다고 보지만, 보충의견은 영장주의가 적용된다고 봄.
전투경찰	• 적법절차: 적법절차원칙이 적용되고 이를 지켰으므로 헌법에 위반되지 않음. • 영장주의: 영장주의는 형사절차에만 적용되므로 징계절차인 영창에는 영장주의가 적용되지 않음.

🔔 병과 전투경찰의 영창

ㄴ. (○)

> [1] 수사처의 권한 행사에 대해서는 여러 기관으로부터의 통제가 이루어질 수 있으므로, 단순히 수사처가 독립된 형태로 설치되었다는 이유만으로 권력분립원칙에 위배된다고 볼 수 없다.
> [2] 법률에 근거하여 수사처라는 행정기관을 설치하는 것이 헌법상 금지되지 않는바, … 그 판단에는 본질적으로 국회의 폭넓은 재량이 인정된다. 또한 수사처의 설치로 말미암아 수사처와 기존의 다른 수사기관과의 관계가 문제된다고 하더라도 동일하게 행정부 소속인 수사처와 다른 수사기관 사이의 권한배분의 문제는 헌법상 권력분립원칙의 문제라고 볼 수 없다. 구 고위공직자범죄수사처 설치 및 운영에 관한 법률 제2조 및 고위공직자범죄수사처 설치 및 운영에 관한 법률 제3조 제1항은 권력분립원칙에 반하여 청구인들의 평등권, 신체의 자유 등을 침해하지 않는다. (헌재 2021.1.28. 2020헌마264 등)

ㄷ. (X) 청구인들(불법체류 외국인)이 강제퇴거명령에 대하여 취소소송과 집행정지신청을 제기하였음에도 피청구인이 강제퇴거명령을 집행한 것은 청구인들의 재판청구권을 침해하지 아니한다. (헌재 2012.8.23. 2008헌마430)

정답 ②

045

영장주의에 대한 설명으로 옳지 않은 것만을 모두 고르면? (다툼이 있는 경우 판례에 의함)

> ㄱ. 법원이 직권으로 발부하는 영장과 수사기관의 청구에 의하여 발부하는 구속영장의 법적 성격은 같다.
> ㄴ. 헌법은 주거에 대한 압수나 수색 또는 통신제한조치를 할 때에는 검사의 신청에 의하여 법관이 발부한 영장을 제시하도록 명시하고 있다.
> ㄷ. 음주측정은 당사자의 자발적 협조가 필수적이어서 영장을 필요로 하는 강제처분이라 할 수 없다.
> ㄹ. 헌법 제12조 제3항과는 달리 헌법 제16조 후문은 "주거에 대한 압수나 수색을 할 때에는 검사의 신청에 의하여 법관이 발부한 영장을 제시하여야 한다."라고 규정하고 있을 뿐 영장주의에 대한 예외를 명문화하고 있지 않으므로 영장주의가 예외 없이 반드시 관철되어야 함을 의미하는 것이다.

① ㄱ, ㄴ
② ㄴ, ㄷ
③ ㄱ, ㄴ, ㄹ
④ ㄴ, ㄷ, ㄹ

해설

ㄱ. (✗) 법관이 직권으로 발부하는 영장은 명령장의 성격이고 검사의 신청에 의하여 발부하는 영장은 허가장의 성격이다. [08 국가7급]

ㄴ. (✗) 헌법은 주거에 대한 압수나 수색에는 영장을 규정하고 있으나, 통신제한조치를 할 때에의 영장은 헌법이 아니라 통신비밀보호법이 규정하고 있다. [15 국회8급]

ㄷ. (○) [08 국가7급]

> **음주측정불응에 음주측정불응죄를 적용하여도 영장주의 위반은 아니다.** (헌재 1997.3.27. 96헌가11 [합헌])
> 음주측정은 성질상 강제될 수 있는 것이 아니며 궁극적으로 당사자의 자발적 협조가 필수적인 것이므로 이를 두고 법관의 영장을 필요로 하는 강제처분이라고 할 수 없다. 따라서 이 사건 법률조항이 주취운전의 혐의자에게 영장 없는 음주측정에 응할 의무를 지우고 이에 불응한 사람을 처벌한다고 하더라도 헌법 제12조 제3항에 규정된 영장주의에 위배되지 아니한다.

ㄹ. (✗) [19 국가7급]

> **체포영장을 집행하는 경우 필요한 때에는 타인의 주거 등 내에서 피의자 수색을 할 수 있도록 한 형사소송법 제216조 제1항 제1호 중 제200조의2에 관한 부분은 헌법에 합치되지 않는다.** (헌재 2018.4.26. 2015헌바370 등 [헌법불합치])
> [1] 영장주의의 예외요건
> 　헌법 제12조 제3항과는 달리 헌법 제16조 후문은 "주거에 대한 압수나 수색을 할 때에는 검사의 신청에 의하여 법관이 발부한 영장을 제시하여야 한다."라고 규정하고 있을 뿐 영장주의에 대한 예외를 명문화하고 있지 않다. 그러나 헌법 제12조 제3항과 헌법 제16조의 관계, 주거 공간에 대한 긴급한 압수·수색의 필요성, 주거의 자유와 관련하여 영장주의를 선언하고 있는 헌법 제16조의 취지 등을 종합하면, 헌법 제16조의 영장주의에 대해서도 그 예외를 인정하되, 이는 ⊙ 그 장소에 범죄혐의 등을 입증할 자료나 피의자가 존재할 개연성이 소명되고, ⓒ 사전에 영장을 발부받기 어려운 긴급한 사정이 있는 경우에만 제한적으로 허용될 수 있다고 보는 것이 타당하다.
> [2] 영장주의 위반 여부
> 　심판대상조항은 체포영장을 발부받아 피의자를 체포하는 경우에 필요한 때에는 영장 없이 타인의 주거 등 내에서 피의자 수사를 할 수 있다고 규정함으로써, 앞서 본 바와 같이 별도로 영장을 발부받기 어려운 긴급한 사정이 있는지 여부를 구별하지 아니하고 피의자가 소재할 개연성만 소명되면 영장 없이 타인의 주거 등을 수색할 수 있도록 허용하고 있다. 이는 체포영장이 발부된 피의자가 타인의 주거 등에 소재할 개연성은 소명되나, 수색에 앞서 영장을 발부받기 어려운 긴급한 사정이 인정되지 않는 경우에도 영장 없이 피의자 수색을 할 수 있다는 것이므로, 헌법 제16조의 영장주의 예외요건을 벗어나는 것으로서 영장주의에 위반된다.

정답 ③

046

영장제도에 대한 설명으로 옳지 않은 것은? (다툼이 있는 경우 판례에 의함)

① 현행범인을 체포한 때부터 48시간 이내를 사후영장의 청구기간으로 정한 것은 헌법상 영장주의에 반하지 않는다.
② 현행범인인 경우와 장기 3년 이상의 형에 해당하는 죄를 범하고 도피 또는 증거인멸의 염려가 있을 때에는 사후에 영장을 청구할 수 있다.
③ 영장주의는 구속의 개시시점에 한하여 법관의 판단에 의하여 결정되어야 한다는 것을 의미하고, 구속영장의 효력을 계속 유지할 것인지 여부와는 관련이 없다.
④ 공판단계에서는 검사의 신청이 없더라도 법관이 직권으로 영장을 발부할 수 있다.

해설

① (○) 헌재 2012.5.31. 2010헌마672 [13 서울7급]
② (○) 48시간 이내에 영장을 청구하여야 한다. [18 5급행시]
③ (✕) 구속의 지속 여부도 법관에 의하여야 한다. 따라서 1심에서 무죄 또는 집행유예를 선고했을 때 즉시 석방하지 않고 검사의 구형이 10년 이상일 때 계속 구속하는 것은 영장주의 위반이다. [18 5급행시]
④ (○) 수사단계에서는 검사의 신청이 있어야 하고, 공판단계에서는 검사의 신청이 없어도 직권 발부가 가능하다. [18 5급행시]

정답 ③

047

공정거래위원회의 '법 위반사실의 공표명령'과 관련된 헌법재판소의 결정 내용으로서 옳은 것(○)과 옳지 않은 것(×)을 올바르게 조합하면?

[보기]

ㄱ. '법 위반사실의 공표명령'은 '특정한 내용의 행위를 함으로써 「독점규제 및 공정거래에 관한 법률」을 위반한 사실'을 공표하라는 것이지 행위자에게 사죄 내지 사과를 요구하는 것은 아니다. 따라서 이 사건 법률조항의 경우 사죄 내지 사과를 강요함으로써 인격발현 혹은 사회적 신용유지를 위하여 보호되어야 할 명예권에 대한 제한의 문제는 발생하지 않는다.

ㄴ. 만약 행위자가 자신의 법 위반 여부에 관하여 사실인정 혹은 법률적용의 면에서 공정거래위원회와는 판단을 달리하고 있음에도 불구하고 불합리하게 법률에 의하여 이를 공표할 것을 강제당한다면 이는 행위자가 자신의 행복추구를 위하여 내키지 아니하는 일을 하지 아니할 일반적 행동자유권을 침해하는 것이다.

ㄷ. 헌법상 무죄추정의 원칙은 형사절차와 관련하여 공소가 제기되지 아니한 피의자는 물론 공소가 제기된 피고인이라 할지라도 유죄판결 확정 때까지는 죄가 없는 자로 다루어져야 한다는 원칙을 말하는바, 이 사건 공표명령은 행정처분의 하나로서 형사절차 내에서 행하여진 처분은 아니므로 관련 행위자를 유죄로 추정하는 불이익한 처분이라고 할 수는 없다.

ㄹ. 헌법상 보장된 진술거부권은 형사절차뿐만 아니라 행정절차나 법률에 의한 진술강요에서도 인정되는 것인바, 이 사건 공표명령은 "특정의 행위를 함으로써 「독점규제 및 공정거래에 관한 법률」을 위반하였다."라는 취지의 행위자의 진술을 공표하게 하는 것으로서 행위자로 하여금 형사절차에 들어가기 전에 법 위반행위를 일단 자백하게 하는 것이 되어 진술거부권을 침해하는 것이다.

① ㄱ(○), ㄴ(○), ㄷ(×), ㄹ(○)
② ㄱ(○), ㄴ(×), ㄷ(×), ㄹ(×)
③ ㄱ(×), ㄴ(○), ㄷ(×), ㄹ(○)
④ ㄱ(×), ㄴ(○), ㄷ(○), ㄹ(○)
⑤ ㄱ(×), ㄴ(×), ㄷ(○), ㄹ(○)

[해설]

ㄱ. (×) ㄴ. (○) ㄹ. (○) '법 위반사실의 공표명령'은 무죄추정원칙, 진술거부권, 일반적 행동자유권(인격권의 일종)을 침해한다. 다만, 양심의 자유를 침해하는 것은 아니다.

ㄷ. (×) 무죄추정원칙은 형사사건에만 적용되는 원칙이 아니라, 선지와 같은 행정사건에도 적용된다.

정답 ③

048 18 법원직

다음 중 헌법재판소가 무죄추정의 원칙에 반하지 않는다고 결정한 것을 모두 고른 것은?

ㄱ. 형사기소된 국가공무원을 직위해제할 수 있도록 한 것
ㄴ. 상소제기 후 상소취하시까지의 미결구금일수를 본형 형기 산입의 대상에서 제외되도록 한 것
ㄷ. 군사법경찰관에게 10일의 범위 내에서 구속기간 연장을 허용한 것
ㄹ. 소년보호사건에서 제1심 결정에 의한 소년원 수용기간을 항고심 결정의 보호기간에 산입하지 아니하도록 한 것
ㅁ. 형사재판에 계속 중인 사람에 대하여 출국을 금지할 수 있도록 한 것

① ㄱ, ㄴ, ㄷ
② ㄱ, ㄹ, ㅁ
③ ㄴ, ㄷ, ㅁ
④ ㄱ, ㄷ, ㄹ

해설

ㄱ. (✗) 임의적 직위해제는 합헌이지만, 필요적 직위해제는 무죄추정원칙에 위반된다.
ㄴ. (○) 미결구금일수를 본형에 산입하지 않는 것은 무죄추정원칙에 위반된다.
ㄷ. (○) 군사법경찰의 단계에서 구속기간을 연장하는 것은 무죄추정원칙에 위반된다.
ㄹ. (✗)

> 소년원 수용기간을 항고심 결정에 의한 보호기간에 산입하는 규정을 두지 아니한 소년법 제33조는 청구인의 신체의 자유 등 기본권을 침해하지 아니한다. (헌재 2015.12.23. 2014헌마768)
> [1] 소년보호사건은 소년의 개선과 교화를 목적으로 하는 것으로서 형사사건과는 구별되어야 하고, 법원의 결정에 따라 소년원 송치처분을 즉시 집행하는 것은 비행을 저지른 소년에 대한 보호의 필요성이 시급하다고 판단하였기 때문이지 소년에게 불이익을 주거나 처벌을 하기 위한 것이 아니다. 또한 항고심에서는 1심 결정과 그에 따른 집행을 감안하여 항고심 판단시를 기준으로 소년에 대한 보호의 필요성과 그 정도를 판단하여 새로이 처우를 결정하는 것이다. 따라서 이 사건 법률조항이 1심 결정 집행에 의한 소년원 수용기간을 항고심 결정에 의한 보호기간에 산입하지 아니하더라도 이는 무죄추정원칙과는 관련이 없으므로, 이 사건 법률조항은 무죄추정원칙에 위반되지 아니한다.
> [2] 소년보호사건에서 소년은 피고인이 아닌 피보호자이고, 소년원은 구금시설이 아닌 소년보호기관으로서 소년의 보호와 교육에 주안점을 둔 학교로서 기능하고, 소년원학교는 초·중등교육법에 의한 정규학교로 인정된다. 따라서 1심 결정에 의한 소년원 수용기간을 항고심 결정에 의한 보호기간에 산입하는 것은 보호처분의 본질에 비추어 오히려 부적절한 측면이 있다. … 위와 같은 점을 종합적으로 검토할 때 이 사건 법률조항이 침해의 최소성원칙을 위반하였다고 보기 어렵다. 따라서 청구인의 신체의 자유를 침해하지 아니한다.
> [3] 이 사건 법률조항에 의하여 청구인과 형사사건에서 미결구금일수가 본형에 산입되는 자와의 차별취급이 존재하나, 소년원 수용이라는 보호처분은 도망이나 증거인멸을 방지하여 수사, 재판 또는 형의 집행을 원활하게 진행하기 위한 것이 아니라 반사회성 있는 소년을 교화하고 건전한 성장을 돕기 위한 것으로서 그 차별대우를 정당화하는 합리적 이유가 존재하므로 청구인의 평등권도 침해하지 아니한다.

ㅁ. (✗)

정답 ②

049

헌법상의 무죄추정의 원칙에 관한 설명으로 옳지 않은 것은?

① 무죄추정의 원칙은 프랑스 인권선언과 세계인권선언에서 명문화되었다.
② 무죄추정의 원칙은 우리나라에서는 제5공화국 헌법에서 신설된 후, 현행헌법에서는 공소제기된 형사피고인에 적용되는 것으로 규정되어 있지만, 형사피의자에 대한 무죄추정 역시 인정된다는 것이 판례의 입장이다.
③ 무죄추정의 원칙은 비록 기소된 피고인이라고 할지라도 유죄로 확정되기 전에는 죄가 없는 자로 취급되어야 하며, 유죄인 것을 전제로 한 어떤 불이익도 입혀서는 안 되며, 불가피하게 불이익을 입힌 경우에도 필요한 최소한도에 그쳐야 한다는 것이 판례의 입장이다.
④ 유죄에 관한 입증이 없으면 '의심스러울 때에는 피고인의 이익'의 원칙에 따라 무죄가 선고되어야 하므로, 유죄의 입증책임은 국가, 즉 검사에게 있다는 의미에서 무죄추정의 원칙은 수사절차에서만 적용된다는 것이 판례의 입장이다.

해설

① (O)
② (O) 무죄추정의 원칙은 형사사건뿐만 아니라 일반사건에도 적용된다.
③ (O) 무죄추정의 원칙에서 불구속수사의 원칙과 미결구금일수의 형기산입원칙이 도출된다.
④ (X) 무죄추정의 원칙은 수사의 개시부터 판결의 확정까지의 전체 사법절차에서 적용된다. 다만, 판결이 확정된 이후의 재심절차에서는 인정되지 않는다. 한편, 판례의 입장은 무죄추정원칙을 형사 관련 사건에만 한정하지 않고 더 넓게 인정한다. 즉, 헌재 2010.9.2. 2010헌마418 결정에서 보듯이 지방자치단체장이 금고 이상의 형을 선고받고 확정되지 않은 경우에 부단체장으로 하여금 권한을 대행하게 하는 것은 무죄추정원칙에 위반되고 공무담임권을 침해하며 평등권을 침해한다고 판시하였는데 권한대행의 문제는 형사처벌과는 관계없는 것이기 때문이다.

정답 ④

050

헌법 제27조 제4항의 무죄추정의 원칙 또는 무죄추정권에 관한 설명으로 옳지 않은 것은?

① 무죄추정의 원칙은 수사기관 이외에 법관까지도 기속한다.
② 무죄추정권은 자기부죄거부특권의 또 다른 표현이다.
③ 헌법재판소는 형사사건으로 기소되면 필요적으로 직위해제처분을 하도록 한 구 「국가공무원법」 규정(제73조의2 제1항 단서)에 대해 무죄추정의 원칙 위반으로 보아 위헌이라고 선고하였다.
④ 헌법재판소는 「사립학교법」 제58조의2 제1항 단서에 대한 위헌심판사건에서 형사사건으로 기소되었다는 사실만 가지고 직위해제하도록 한 것은 무죄추정의 원칙에 위반된다고 하였다.

해설

- 무죄추정원칙은 형사판결이 확정될 때까지 피고인(또는 피의자)을 유죄로 취급하여 불리한 취급을 하여서는 아니 된다는 원칙이다. 무죄추정원칙에서 불구속수사의 원칙과 미결구금일수의 형기산입원칙이 나온다.
- 자기부죄거부특권은 진술거부권(묵비권)과 동일한 개념으로 표현상 차이에 불과하다.

정답 ②

기출지문 OX

❶ 수사 및 재판단계에서 미결수용자에게 재소자용 의류를 입게 하는 것은 무죄추정의 원칙에 반한다. 09 법원직 (O / X)

해설 구치소 밖에서 재소자용 수의 착용 (헌재 1999.5.27. 97헌마137 【위헌】)
수사 및 재판단계에서 유죄가 확정되지 아니한 미결수용자에게 재소자용 의류를 입게 하는 것은 미결수용자로 하여금 모욕감이나 수치심을 느끼게 하고, 심리적인 위축으로 방어권을 제대로 행사할 수 없게 하여 실체적 진실의 발견을 저해할 우려가 있으므로, 도주방지 등 어떠한 이유를 내세우더라도 그 제한은 정당화될 수 없어 헌법 제37조 제2항의 기본권 제한에서의 비례원칙에 위반되는 것으로서, 무죄추정의 원칙에 반하고 인간으로서의 존엄과 가치에서 유래하는 인격권과 행복추구권, 공정한 재판을 받을 권리를 침해하는 것이다.
※ 구치소 내에서의 수의 착용은 합헌이다.

정답 O

❷ 「공정거래법」상 불공정거래행위에 해당하는 부당내부거래를 했다고 하더라도 아직 법원의 유·무죄 판단이 가려지지 않은 상태라면 과징금을 부과할 수 없다. 11 국회8급 (O / X)

해설 공정거래위원회로 하여금 부당내부거래를 한 사업자에 대하여 그 매출액의 2% 범위 내에서 부과하도록 한 과징금은 형사처벌이 아닌 행정상의 제재이고, 행정소송에 관한 판결이 확정되기 전에 행정청의 처분에 대하여 공정력과 집행력을 인정하는 것은 이 사건 과징금에 국한되는 것이 아니라 우리 행정법체계에서 일반적으로 채택되고 있는 것이므로, 과징금 부과처분에 대하여 공정력과 집행력을 인정한다고 하여 이를 확정판결 전의 형벌집행과 같은 것으로 보아 무죄추정의 원칙에 위반된다고 할 수 없다. (헌재 2003.7.24. 2001헌가25)

정답 X

❸ 헌법 제27조 제4항에서 말하는 유죄의 판결에는 실형의 판결, 형의 면제, 선고유예와 집행유예 등이 모두 포함된다. 12 국회9급 (O / X)

해설 유죄의 판결에는 실형의 판결은 물론, 형의 면제, 선고유예와 집행유예판결도 포함된다. 그러나 실체적인 문제에 대한 판단 없이 재판을 형식적으로 종결하는 공소기각판결, 공소기각결정, 면소판결에는 무죄추정이 유지된다. 다만, 재심청구에는 무죄추정이 인정되지 않는다. 재심은 유죄판결이 확정된 이후의 절차이기 때문이다.

정답 O

051 23 국가7급

변호인의 조력을 받을 권리에 대한 설명으로 옳지 않은 것은?

① 접촉차단시설이 설치되지 않은 장소에서의 수용자 접견 대상을 소송사건의 대리인인 변호사로 한정한 구 「형의 집행 및 수용자의 처우에 관한 법률 시행령」 조항은, 그로 인해 접견의 상대방인 수용자의 재판청구권이 제한되는 효과도 함께 고려하면 수용자의 대리인이 되려는 변호사의 직업수행의 자유와 수용자의 변호인의 조력을 받을 권리를 침해한다.

② '변호인이 되려는 자'의 접견교통권은 피의자 등을 조력하기 위한 핵심적인 부분으로서, 피의자 등이 가지는 헌법상의 기본권인 '변호인이 되려는 자'와의 접견교통권과 표리의 관계에 있어, 피의자 등이 가지는 '변호인이 되려는 자'의 조력을 받을 권리가 실질적으로 확보되기 위해서는 '변호인이 되려는 자'의 접견교통권 역시 헌법상 기본권으로서 보장되어야 한다.

③ 수사서류에 대한 법원의 열람·등사 허용 결정이 있음에도 검사가 열람·등사를 거부하는 경우 수사서류 각각에 대하여 검사가 열람·등사를 거부할 정당한 사유가 있는지를 심사할 필요 없이 그 거부행위 자체로써 청구인의 변호인의 조력을 받을 권리를 침해하는 것이 되고, 이는 법원의 수사서류에 대한 열람·등사 허용 결정이 있음에도 검사가 해당 서류에 대한 열람만을 허용하고 등사를 거부하는 경우에도 마찬가지이다.

④ 교도소장이 금지물품 동봉 여부를 확인하기 위하여 미결수용자와 같은 지위에 있는 수형자의 변호인이 위 수형자에게 보낸 서신을 개봉한 후 교부한 행위는 교정사고를 미연에 방지하고 교정시설의 안전과 질서 유지를 위한 것으로, 금지물품이 들어 있는지를 확인하기 위하여 서신을 개봉하는 것만으로는 미결수용자와 같은 지위에 있는 수형자의 변호인의 조력을 받을 권리를 침해하지 않는다.

해설

① (×)

접촉차단시설이 설치되지 않은 장소에서 수용자와 접견할 수 있는 예외 대상의 범위에 소송대리인이 되려는 변호사를 포함시키지 않은 구 '형의 집행 및 수용자의 처우에 관한 법률 시행령' 제58조 제4항 제2호는 변호사인 청구인의 직업수행의 자유를 침해하지 않으므로 헌법에 위반되지 않는다. (헌재 2022.2.24. 2018헌마1010【각하, 기각】)

② (○)

체포되어 구속영장이 청구된 피의자를 신문하는 과정에서 변호사인 청구인이 위 피의자 가족의 의뢰를 받아 접견신청을 하였음에도 검사가 이를 허용하기 위한 조치를 취하지 않은 것은, 변호인이 되려는 청구인의 접견교통권을 침해한 것이고, 위 접견교통권은 헌법상 보장된 기본권에 해당하여 그 침해를 이유로 헌법소원심판을 청구할 수 있다는 취지로, 청구인의 심판 청구를 인용하는 결정을 선고하였다. (헌재 2019.2.28. 2015헌마1204【인용】)
피의자 등이 가지는 '변호인이 되려는 자'의 조력을 받을 권리가 실질적으로 확보되기 위해서는 '변호인이 되려는 자'의 접견교통권 역시 헌법상 기본권으로서 보장되어야 한다(기본권 침해 가능성 인정).

③ (○)

법원의 수사서류 열람·등사 허용결정에도 불구하고 해당 수사서류의 등사를 거부한 검사의 행위는 피고인인 청구인들의 신속하고 공정한 재판을 받을 권리 및 변호인의 조력을 받을 권리를 침해하여 헌법에 위반된다. (헌재 2017.12.28. 2015헌마632)
수사서류에 대한 법원의 열람·등사 허용결정이 있음에도 검사가 열람·등사를 거부하는 경우 수사서류 각각에 대하여 검사가 열람·등사를 거부할 정당한 사유가 있는지를 심사할 필요 없이 그 거부행위 자체로써 청구인들의 기본권을 침해하는 것이 된다. (헌재 2010.6.24. 2009헌마257 참조) 이는 이 사건과 같이 법원의 수사서류에 대한 열람·등사 허용결정이 있음에도 검사인 피청구인이 해당

서류에 대한 열람만을 허용하고 등사를 거부하는 경우에도 마찬가지이다. 따라서 피청구인의 수사서류 등사 거부행위에 정당한 사유가 존재하는지 여부를 별도로 심사할 필요 없이 청구인들의 기본권이 침해되었다고 볼 것이다.

④ (O) 헌재 2012.2.23. 2009헌마333

정답 ①

052 회독 □□□ 23 5급행시

변호인의 조력을 받을 권리에 대한 설명으로 옳지 않은 것은?

① 형사절차가 종료되어 교정시설에 수용 중인 수형자는 원칙적으로 변호인의 조력을 받을 권리의 주체가 된다.
② 변호인의 조력을 받을 권리는 체포 또는 구속을 당하지 아니한 불구속 피의자나 피고인에게도 인정된다.
③ 행정절차에서 구속된 사람에게도 변호인의 조력을 받을 권리가 인정된다.
④ 변호인이 피의자신문에 자유롭게 참여할 수 있는 권리는 피의자가 가지는 변호인의 조력을 받을 권리를 실현하는 수단이므로 헌법상 기본권인 변호인의 변호권으로서 보호되어야 한다.

해설

① (X)
> 변호인의 조력을 받을 권리는 형사절차에서 피의자 또는 피고인이 검사 등 수사·공소기관과 대립되는 당사자의 지위에서 변호인 또는 변호인이 되려는 자와 사이에 충분한 접견교통에 의하여 피의사실이나 공소사실에 대하여 충분하게 방어할 수 있도록 함으로써 피고인이나 피의자의 인권을 보장하려는 데 그 제도의 취지가 있는 점에 비추어 보면, 형사절차가 종료되어 교정시설에 수용 중인 수형자는 원칙적으로 변호인의 조력을 받을 권리의 주체가 될 수 없다. (헌재 1998.8.27. 96헌마398)

② (O) ③ (O) 변호인의 조력을 받을 권리는 형사사건과 행정절차에서 구금된 경우에 인정된다.
④ (O) 헌재 2017.11.30. 2016헌마503

정답 ①

기출지문 OX

헌법 해석상 변호인의 조력을 받을 권리로부터 70세 이상인 불구속 피의자에 대하여 피의자신문을 할 때 법률구조 제도에 대한 안내 등을 통해 피의자가 변호인의 조력을 받을 권리를 행사하도록 조치할 법무부장관의 작위의무가 곧바로 도출된다고 볼 수 없다. 24 국회8급   (O / X)

해설
> 헌법 제12조 제4항이 70세 이상인 불구속 피의자에 대하여 국선변호인의 조력을 받을 권리가 있음을 천명한 것이라고 볼 수 없으며, 그 밖에 헌법상의 다른 규정을 살펴보아도 위와 같은 권리나 이를 보장하기 위한 입법의무를 명시적으로나 해석상으로 인정할 근거가 없다. 따라서 청구인 주장과 같은 법률을 제정할 입법의무가 헌법의 명문 규정이나 해석으로부터 도출된다고 볼 수 없다. (헌재 2023.2.23. 2020헌마1030)

정답 O

053 21 국가7급

변호인의 조력을 받을 권리에 대한 설명으로 옳지 않은 것은? (다툼이 있는 경우 판례에 의함)

① 변호인이 피의자신문에 자유롭게 참여할 수 있는 권리는 피의자가 가지는 변호인의 조력을 받을 권리를 실현하는 수단이라고 할 수 있어 헌법상 기본권인 변호인의 변호권으로서 보호되어야 하므로, 검찰수사관인 피청구인이 피의자신문에 참여한 변호인인 청구인에게 피의자 후방에 앉으라고 요구한 행위는 변호인인 청구인의 변호권을 침해한다.

② 「형사소송법」은 차폐시설을 설치하고 증인신문절차를 진행할 경우 피고인으로부터 의견을 듣도록 하는 등 피고인이 받을 수 있는 불이익을 최소화하기 위한 장치를 마련하고 있으므로, '피고인 등'에 대하여 차폐시설을 설치하고 신문할 수 있도록 한 것이 변호인의 조력을 받을 권리를 침해한다고 할 수는 없다.

③ 헌법 제12조 제4항 본문에 규정된 변호인의 조력을 받을 권리는 형사절차에서 피의자 또는 피고인의 방어권을 보장하기 위한 것으로서 「출입국관리법」상 보호 또는 강제퇴거의 절차에는 적용되지 않는다.

④ 변호인의 수사서류 열람·등사권은 피고인의 신속·공정한 재판을 받을 권리 및 변호인의 조력을 받을 권리라는 헌법상 기본권의 중요한 내용이자 구성요소이며 이를 실현하는 구체적인 수단이 된다.

해설

① (O) 후방착석 요구는 권력적 사실행위로서 헌법소원의 대상이고 변호인의 변호권을 침해한다. 목적의 정당성이 인정되지 않은 경우이다. (헌재 2017.11.30. 2016헌마503)

② (O)

> 피고인 등과 증인 사이에 차폐시설을 설치한 경우에도 피고인 및 변호인에게는 여전히 반대신문권이 보장되고, 증인신문과정에서 증언의 신빙성에 대한 최종 판단권한을 가진 재판부가 증인의 진술태도를 충분히 관찰할 수 있으며, 형사소송법은 차폐시설을 설치하고 증인신문절차를 진행할 경우 피고인으로부터 의견을 듣도록 하는 등 피고인이 받을 수 있는 불이익을 최소화하기 위한 장치를 마련하고 있다. 따라서 심판대상조항은 과잉금지원칙에 위배되어 청구인의 공정한 재판을 받을 권리 및 변호인의 조력을 받을 권리를 침해한다고 할 수 없다. (헌재 2016.12.29. 2015헌바221)

③ (×)

> **인천공항출입국·외국인청장이 인천국제공항 송환대기실에 수용된 난민에 대한 변호인접견신청을 거부한 행위는 청구인의 변호인의 조력을 받을 권리를 침해한 것이므로 헌법에 위반된다.** (헌재 2018.5.31. 2014헌마346)
> 헌법 제12조 제4항 본문에 규정된 변호인의 조력을 받을 권리가 행정절차에서 구속된 사람에게도 즉시 보장된다. 종래 이와 견해를 달리하여 헌법 제12조 제4항 본문에 규정된 변호인의 조력을 받을 권리는 형사절차에서 피의자 또는 피고인의 방어권을 보장하기 위한 것으로서 출입국관리법상 보호 또는 강제퇴거의 절차에도 적용된다고 보기 어렵다고 판시한 우리 재판소 결정(헌재 2012.8.23. 2008헌마430)은 이 결정 취지와 저촉되는 범위 안에서 변경한다.

④ (O) 변호인의 변호권 내용 중 하나이다.

정답 ③

기출지문 OX

❶ 변호인과의 자유로운 접견은 신체구속을 당한 사람에게 보장된 변호인의 조력을 받을 권리의 가장 중요한 내용이어서 국가안전보장, 질서유지, 공공복리 등 어떠한 명분으로도 제한될 수 없다. 20 입시 (O / X)

해설 상대적으로 봐야 하는 선지이다.

변호인과의 대화 내용을 녹음하는 것	국가안전보장·질서유지·공공복리 등 어떤 이유로도 제한하지 못함. (헌재 1992.1.28. 91헌마111)
접견시간이나 장소를 제한하는 것	가능

정답 O

❷ 가사소송에서는 헌법 제12조 제4항의 변호인의 조력을 받을 권리가 보장되지 않는다. 20 입시 (O / X)

해설	형사절차	구속 여부와 관계없이 피내사자, 피의자, 피고인 모두에게 인정
	행정절차	행정절차에서 구금된 경우에 인정(공항입국절차에서 구금된 경우)

정답 O

❸ 누구든지 체포 또는 구속을 당한 때에는 즉시 변호인의 조력을 받을 권리를 가지는데, 헌법은 형사피의자와 형행시사피고인이 스스로 변호인을 구할 수 없을 때에는 법률이 정하는 바에 의하여 국가가 변호인을 붙인다고 규정하고 있다. 24 5급행시

(O / X)

해설 피고인에 대한 국선변호는 헌법규정이지만, 피의자에 대한 국선변호는 형사소송법 규정이다.

헌법 제12조
④ 누구든지 체포 또는 구속을 당한 때에는 즉시 변호인의 조력을 받을 권리를 가진다. 다만, 형사피고인이 스스로 변호인을 구할 수 없을 때에는 법률이 정하는 바에 의하여 국가가 변호인을 붙인다.

정답 X

❹ 피고인의 피해자에 대한 공탁은 형사재판에서 피고인에게 유리한 양형사유로 기능할 수 있으며, 소송절차 밖에서 이루어지는 공탁과정에서 변호인의 역할이 필수적으로 요구되므로, 피고인의 형사공탁에 관한 변호인의 조력은 피고인을 조력할 변호인의 권리 중 그것이 보장되지 않으면 피고인이 변호인의 조력을 받는다는 것이 유명무실하게 되는 핵심적인 부분이라고 보아야 한다. 24 경찰간부 (O / X)

해설 형사재판에 있어 '사실, 법리, 양형'과 관련하여 피고인이 자신에게 유리한 주장 및 자료를 제출할 수 있는 기회를 보장하는 것은, 헌법이 보장한 '공정한 재판을 받을 권리'의 보호영역에 포함된다.
형사공탁에서도 피공탁자의 특정을 일반 공탁제도와 동일하게 정하고 있는 심판대상조항은, 입법형성권의 한계를 일탈하여 피고인의 공정한 재판을 받을 권리를 침해하지 아니한다. (헌재 2021.8.31. 2019헌마516)

정답 X

054 [22·19 법원직, 19 지방7급]

변호인 및 변호인의 조력을 받을 권리에 대한 설명으로 옳은 것만을 모두 고르면? (다툼이 있는 경우 판례에 의함)

ㄱ. 변호사인 변호인에게는 「변호사법」이 정하는 바에 따라서 이른바 진실의무가 인정되는 것이지만, 변호인이 신체구속을 당한 사람에게 법률적 조언을 하는 것은 그 권리이자 의무이므로 변호인이 적극적으로 피고인 또는 피의자로 하여금 허위진술을 하도록 하는 것이 아니라 단순히 헌법상 권리인 진술거부권이 있음을 알려 주고 그 행사를 권고하는 것을 가리켜 변호사로서의 진실의무에 위배되는 것이라고는 할 수 없다.

ㄴ. 변호인 또는 변호인이 되려는 자가 구체적인 시간적·장소적 상황에 비추어 현실적으로 보장할 수 있는 한계를 벗어나 피고인 또는 피의자를 접견하려고 하는 것은 정당한 접견교통권의 행사에 해당하지 아니하여 허용될 수 없다.

ㄷ. 피의자·피고인의 구속 여부를 불문하고 변호인과 상담하고 조언을 구할 권리는 변호인의 조력을 받을 권리의 내용 중 구체적인 입법형성이 필요한 다른 절차적 권리의 필수적인 전제요건으로서 변호인의 조력을 받을 권리 그 자체에서 막바로 도출되는 것이다.

ㄹ. 경찰서장이 구속적부심사 중에 있는 피구속자의 변호인에게 고소장과 피의자신문조서에 대한 열람 및 등사를 거부한 것은 변호인의 피구속자를 조력할 권리 및 알 권리를 침해한 것이다.

① ㄱ, ㄴ, ㄷ
② ㄱ, ㄴ, ㄹ
③ ㄴ, ㄷ, ㄹ
④ ㄱ, ㄴ, ㄷ, ㄹ

해설

ㄱ. (O) [19 법원직]
ㄴ. (O) 변호인접견권도 시간상 제한 등 제한이 가능한 경우가 있다. [19 법원직]
ㄷ. (O) 헌법규정만으로 인정되는 기본권이다. [19 지방7급]
ㄹ. (O) 헌재 2003.3.27. 2000헌마474 [22 법원직]

정답 ④

055 회독 ☐☐☐ 재구성　　　　　　　　　　　　　　　　　　　　　14 법원직, 13 국회9급

변호인의 조력을 받을 권리에 대한 설명으로 옳지 않은 것은? (다툼이 있는 경우 판례에 의함)

① 필요적 변호사건에서 피고인이 재판 거부의 의사표시 후 재판장의 허가 없이 퇴정하고 변호인마저 이에 동조하여 퇴정해 버린 경우 법원으로서는 피고인이나 변호인의 재정 없이도 심리판결할 수 있다.
② 변호인의 조력을 받을 권리는 신체구속당한 사람에게 변호인과의 사이에 충분한 접견교통권을 허용함은 물론, 변호인과 미결수용자 사이의 서신에도 적용되어 그 비밀이 보장되어야 한다.
③ 변호인선임권은 변호인의 조력을 받을 권리의 출발점이기는 하나, 법률로써 제한할 수 있다.
④ 법원은 피고인이 빈곤이나 그 밖의 사유로 변호인을 선임할 수 없는 경우에 피고인이 청구하면 변호인을 선정하여야 한다.
⑤ 헌법상 명문의 규정은 없지만, 불구속 피의자의 경우에도 변호인의 조력을 받을 권리를 가진다.

해설

① (O) [13 국회9급]

> 필요적 변호사건이라고 하여도 피고인이 재판 거부의 의사를 표시하고 재판장의 허가 없이 퇴정하고 변호인마저 이에 동조하여 퇴정해 버린 것은 모두 피고인 측의 방어권의 남용 내지 변호권의 포기로 볼 수밖에 없는 것이므로 수소법원으로서는 형사소송법 제330조에 의하여 피고인이나 변호인의 재정 없이도 심리판결할 수 있다. (대판 1991.6.28. 91도865)

② (O) 헌재 1995.7.21. 92헌마144 [13 국회9급]

③ (X) [13 국회9급]

> 변호인의 조력을 받을 권리의 출발점은 변호인선임권에 있고, 이는 변호인의 조력을 받을 권리의 가장 기초적인 구성 부분으로서 법률로써도 제한할 수 없다. (헌재 2004.9.23. 2000헌마138)
>
> 변호인의 조력을 받을 권리 중 시간적 제한이나 장소적 제한은 가능하다.

④ (O) 형사소송법 제33조 제1항 [14 법원직]

신청 필요 없이 직권으로 선임하는 경우	신청이 있어야 하는 경우	필요적 변호사건
• 피고인이 구속된 때 • 미성년자 • 70세 이상인 자 • 심신장애의 의심 있는 자	빈곤 기타의 사유로 변호인을 선임할 수 없는 자	• 사형, 무기, 단기 3년 이상의 징역·금고에 해당하는 사건 • 보호감호, 치료감호 등의 청구사건 • 영장실질심사와 체포·구속적부심사청구사건

⑤ (O) [14 법원직]

> 우리 헌법은 변호인의 조력을 받을 권리가 불구속 피의자·피고인 모두에게 포괄적으로 인정되는지 여부에 관하여 명시적으로 규율하고 있지는 않지만, 불구속 피의자의 경우에도 변호인의 조력을 받을 권리는 우리 헌법에 나타난 법치국가원리, 적법절차원칙에서 인정되는 당연한 내용이고, 헌법 제12조 제4항도 이를 전제로 특히 신체구속을 당한 사람에 대하여 변호인의 조력을 받을 권리의 중요성을 강조하기 위하여 별도로 명시하고 있다. 피의자·피고인의 구속 여부를 불문하고 조언과 상담을 통하여 이루어지는 변호인의 조력자로서의 역할은 변호인선임권과 마찬가지로 변호인의 조력을 받을 권리의 내용 중 가장 핵심적인 것이고, 변호인과 상담하고 조언을 구할 권리는 변호인의 조력을 받을 권리의 내용 중 구체적인 입법형성이 필요한 다른 절차적 권리의 필수적인 전제요건으로서 변호인의 조력을 받을 권리 그 자체에서 막바로 도출되는 것이다. (헌재 2004.9.23. 2000헌마138)

정답 ③

056 [13 법원직, 09 국회8급]

변호인의 조력을 받을 권리에 대한 설명으로 옳지 않은 것은? (다툼이 있는 경우 판례에 의함)

① 변호인의 조력을 받을 권리의 내용 중 하나인 미결수용자의 변호인접견권은 어떠한 경우에도 제한될 수 없다.
② 피고인의 신속·공정한 재판을 받을 권리 및 변호인의 조력을 받을 권리는 헌법이 보장하고 있는 기본권이다.
③ 변호인의 접견교통권은 법령에 의한 제한이 없는 한 수사기관의 처분에 의해서는 물론 법원의 결정에 의해서도 제한할 수 없다.
④ 변호인의 조력을 받을 권리는 접견교통권에 그치지 아니하고 더 나아가 피고인이 그의 변호인을 통하여 수사서류를 포함한 소송관계서류를 열람·등사하고 이에 대한 검토 결과를 토대로 공격과 방어의 준비를 할 수 있는 권리도 포함한다.

해설

① (✕) [13 법원직]

> 헌법재판소가 91헌마111 결정에서 미결수용자와 변호인과의 접견에 대해 어떠한 명분으로도 제한할 수 없다고 한 것은 구속된 자와 변호인 간의 접견이 실제로 이루어지는 경우에 있어서의 '자유로운 접견', 즉 '대화 내용에 대하여 비밀이 완전히 보장되고 어떠한 제한, 영향, 압력 또는 부당한 간섭 없이 자유롭게 대화할 수 있는 접견'을 제한할 수 없다는 것이지, 변호인과의 접견 자체에 대해 아무런 제한도 가할 수 없다는 것을 의미하는 것이 아니므로 미결수용자의 변호인접견권 역시 국가안전보장·질서유지 또는 공공복리를 위해 필요한 경우에는 법률로써 제한될 수 있음은 당연하다. (헌재 2011.5.26. 2009헌마341)

② (○) 헌재 2010.6.24. 2009헌마257 [13 법원직]

> 신속한 재판과 공개재판은 헌법에 명문규정이 있으나, 공정한 재판을 받을 권리에 대한 명문규정은 없다.

③ (○) [09 국회8급]

> 접견교통권은 피고인 또는 피의자나 피내사자의 인권보장과 방어준비를 위하여 필수불가결한 권리이므로 법령에 의한 제한이 없는 한 수사기관의 처분은 물론 법원의 결정으로도 이를 제한할 수 없다. (대결 1996.6.3. 96모18)
> 변호인선임권은 법률로써도 제한할 수 없다.

④ (○) [09 국회8급]

> 변호인의 조력을 받을 권리는 변호인과의 자유로운 접견교통권에 그치지 아니하고 더 나아가 변호인을 통하여 수사서류를 포함한 소송관계서류를 열람·등사하고 이에 대한 검토 결과를 토대로 공격과 방어의 준비를 할 수 있는 권리도 포함된다고 보아야 할 것이므로 변호인의 수사기록 열람·등사에 대한 지나친 제한은 결국 피고인에게 보장된 변호인의 조력을 받을 권리를 침해하는 것이다. (헌재 1997.11.27. 94헌마60)

정답 ①

비교판례

법정의 피고인 대기실에서의 변호인접견신청 거부는 피고인의 조력을 받을 권리를 침해하지 않는다. (헌재 2009.10.29. 2007헌마992)
법정 옆 피고인 대기실에서 재판을 기다리던 피고인이 재판 시작 전 20분경에 변호인과의 면담을 요구한 경우, … 청구인의 면담 요구는 변호인과의 면접·교섭권의 한계범위 밖이라고 아니할 수 없다.

057 회독 ☐☐☐ 재구성   11 국회8급

헌법재판소의 입장에서 볼 때 위헌(헌법불합치결정 포함)인 사항들을 모두 고르면?

> ㄱ. 무죄, 면소, 형의 면제, 형의 선고유예, 형의 집행유예, 공소기각 또는 벌금이나 과료를 과하는 판결이 선고된 때에는 구속영장의 효력을 잃도록 하면서 검사로부터 사형, 무기 또는 10년 이상의 징역이나 금고의 형에 해당한다는 취지의 의견 진술이 있는 사건에 대하여는 예외로 하는 것
> ㄴ. 보석을 허가하는 결정 및 구속을 취소하는 결정에 대하여는 검사가 즉시항고를 할 수 있도록 하는 것
> ㄷ. 구속된 피의자가 적부심사청구권을 행사한 다음 검사가 전격기소를 한 경우 법원으로부터 구속의 헌법적 정당성에 대하여 실질적 심사를 받고자 하는 청구인의 절차적 기회가 제한되도록 하는 것

① ㄱ, ㄴ
② ㄱ, ㄷ
③ ㄴ, ㄷ
④ ㄱ, ㄴ, ㄷ

해설

ㄱ. (O) 위헌의 이유는 검사의 의사에 의하여 구속영장의 효력이 지속되기 때문이다. 영장의 발부 및 효력의 지속도 법원이 결정할 사항이다. (헌재 1992.12.24. 92헌가8)

ㄴ. (O) 보석은 구속피고인이 보증금을 내고 석방될 수 있는 제도로서 법원의 결정에 의한다. 이때 검사의 항고를 허용하면 검사의 의사에 의하여 구속영장의 효력이 지속되기 때문이다. (헌재 1993.12.23. 93헌가2)

ㄷ. (O) 전격기소된 피의자의 적부심청구권을 부정하는 것은 헌법에 합치되지 않는다.

> 우리 형사소송법상 구속적부심사의 청구인적격을 피의자 등으로 한정하고 있어서 청구인이 구속적부심사청구권을 행사한 다음 검사가 법원의 결정이 있기 전에 기소하는 경우(이른바 전격기소), 영장에 근거한 구속의 헌법적 정당성에 대하여 법원이 실질적인 판단을 하지 못하고 그 청구를 기각할 수밖에 없다. 그러나 구속된 피의자가 적부심사청구권을 행사한 경우 검사는 그 적부심사절차에서 피구속자와 대립하는 반대 당사자의 지위만을 가지게 됨에도 불구하고 헌법상 독립된 법관으로부터 심사를 받고자 하는 청구인의 '절차적 기회'가 반대 당사자의 '전격기소'라고 하는 일방적 행위에 의하여 제한되어야 할 합리적인 이유가 없고, 검사가 전격기소를 한 이후 청구인에게 '구속취소'라는 후속절차가 보장되어 있다고 하더라도 그에 따르는 적지 않은 시간적, 정신적, 경제적 부담을 청구인에게 지워야 할 이유도 없으며, 기소 이전단계에서 이미 행사된 적부심사청구권의 당부에 대하여 법원으로부터 실질적인 심사를 받을 수 있는 청구인의 절차적 기회를 완전히 박탈하여야 하는 합리적인 근거도 없기 때문에, 입법자는 그 한도 내에서 적부심사청구권의 본질적 내용을 제대로 구현하지 아니하였다고 보아야 한다. (헌재 2004.3.25. 2002헌바104【헌법불합치】)

정답 ④

기출지문 OX

「가정폭력범죄의 처벌 등에 관한 특례법」이 정한 보호처분 중의 하나인 사회봉사명령은 보안처분의 성격을 가지는 것이 사실이나, 한편으로 이는 가정폭력범죄행위에 대하여 형사처벌 대신 부과되는 것으로서 가정폭력범죄를 범한 자에게 의무적 노동을 부과하고 여가시간을 박탈하여 실질적으로는 신체적 자유를 제한하게 되므로, 이에 대하여는 원칙적으로 형벌불소급의 원칙에 따라 행위시법을 적용함이 상당하다. 19 법무사   (O / X)

정답 O

058 22 법원직·입시, 18 국가7급

신체의 자유에 대한 설명으로 옳지 않은 것은? (다툼이 있는 경우 판례에 의함)

① 징역형의 집행유예를 선고하면서 부과된 사회봉사명령은 대상자에게 근로의무를 부과함에 그치고 공권력이 신체를 구금하는 등의 방법으로 근로를 강제하는 것이 아니므로 신체의 자유를 제한한다고 볼 수 없다.
② 동일인을 구 「석유 및 석유대체연료 사업법」 규정에 따라 유사석유제품 제조행위로 처벌하고, 구 「조세범처벌법」 규정에 근거하여 유사석유제품을 제조하여 조세를 포탈한 행위로도 처벌하는 것은 기본적 사실관계로서의 행위가 동일하여 이중처벌금지원칙에 위배된다.
③ 직장 변경을 제한하거나 특정한 직장에서 계속 근로를 강제하는 것이 곧바로 신체의 안전성을 침해한다거나 신체의 자유로운 이동과 활동을 제한하는 것이라고 볼 수는 없다.
④ 전동킥보드의 최고속도는 25km/h를 넘지 않아야 한다고 규정한 조항은 소비자의 자기결정권 및 일반적 행동자유권을 제한할 뿐, 신체의 자유를 제한하는 것은 아니다.

해설

① (O) 헌법재판소는 사회봉사명령이 일반적 행동자유권을 제한하는 것으로 보고, 대법원은 가정폭력에 대한 사회봉사명령이 신체의 자유를 제한하므로 소급해서는 안 된다는 입장이다. [22 입시]
② (✗) 유사석유제품 제조행위와 조세를 포탈한 행위는 별개의 행위로 별개의 범죄가 성립하는 것이므로 기본적 사실관계로서의 행위가 동일하지 않으므로 이중처벌이 아니다. (헌재 2017.7.27. 2012헌바323) [18 국가7급]
③ (O) [22 법원직]

> 직장 변경을 제한하거나 특정한 직장에서 계속 근로를 강제하는 것이 곧바로 신체의 안전성을 침해한다거나 신체의 자유로운 이동과 활동을 제한하는 것이라고 볼 수는 없다. 또한 청구인들은 본안 심판대상조항들의 사업장 변경제한이 법률과 적법한 절차에 따르지 않은 것이라 볼 만한 주장도 하지 않고 있다. 따라서 본안 심판대상조항들은 신체의 자유를 제한하지 아니한다. (헌재 2021.12.23. 2020헌마395)

④ (O) [22 법원직]

> 심판대상조항은 전동킥보드의 최고속도 제한을 규정하는 내용이고, 소비자 신체·생명의 안전성을 보호법익으로 한다. 그렇다고 하여 심판대상조항이 청구인의 신체의 자유를 제한하는 것은 아니다. 심판대상조항은 위험성을 가진 재화의 제조·판매조건을 제약함으로써 소비자의 자기결정권 및 일반적 행동자유권을 제한할 뿐이다. (헌재 2020.2.27. 2017헌마1339)

정답 ②

059 회독 □□□ 재구성   21 국가7급, 18 국회8급

신체의 자유에 대한 설명으로 옳지 않은 것은? (다툼이 있는 경우 판례에 의함)

① 성폭력범죄를 저지른 성도착증 환자로서 재범의 위험성이 인정되는 19세 이상의 사람에 대해 법원이 15년의 범위에서 치료명령을 선고할 수 있도록 한 법률조항은 장기형이 선고되는 경우 치료명령의 선고시점과 집행시점 사이에 상당한 시간적 간극이 있어서, 집행시점에서 발생할 수 있는 불필요한 치료와 관련한 부분에 대하여는 침해의 최소성과 법익균형성을 인정하기 어려우므로 피치료자의 신체의 자유를 침해한다.

② 구 「미성년자보호법」의 해당 조항 중 '잔인성'과 '범죄의 충동을 일으킬 수 있게'라는 부분은 그 적용범위를 법집행기관의 자의적인 판단에 맡기고 있으므로 죄형법정주의에서 파생된 명확성의 원칙에 위배된다.

③ 군인 아닌 자가 유사군복을 착용함으로써 군인에 대한 국민의 신뢰가 실추되는 것을 방지하기 위해 유사군복의 착용을 금지하는 것은 허용되지만, 유사군복을 판매목적으로 소지하는 것까지 금지하는 것은 과잉금지원칙에 위반된다.

④ 디엔에이신원확인정보의 수집·이용은 수형인 등에게 심리적 압박으로 인한 범죄예방효과를 가진다는 점에서 보안처분의 성격을 지니지만, 처벌적인 효과가 없는 비형벌적 보안처분으로서 소급입법금지원칙이 적용되지 않는다.

해설

① (O) [18 국회8급]

> 심판대상조항들은 성폭력범죄를 저지른 성도착증 환자의 동종 재범을 방지하기 위한 것으로서 그 입법목적이 정당하고, 성충동 약물치료는 성도착증 환자의 성적 환상이 충동 또는 실행으로 옮겨지는 과정의 핵심에 있는 남성호르몬의 생성 및 작용을 억제하는 것으로서 수단의 적절성이 인정된다. 또한 성충동 약물치료는 전문의의 감정을 거쳐 성도착증 환자로 인정되는 사람을 대상으로 청구되고, 한정된 기간 동안 의사의 진단과 처방에 의하여 이루어지며, 부작용 검사 및 치료가 함께 이루어지고, 치료가 불필요한 경우의 가해제제도가 있으며, 치료중단시 남성호르몬의 생성과 작용의 회복이 가능하다는 점을 고려할 때, 심판대상조항들은 원칙적으로 침해의 최소성 및 법익균형성이 충족된다. 다만, 장기형이 선고되는 경우 치료명령의 선고시점과 집행시점 사이에 상당한 시간적 간극이 있어 집행시점에서 발생할 수 있는 불필요한 치료와 관련한 부분에 대해서는 침해의 최소성과 법익균형성을 인정하기 어렵다. 따라서 이 사건 청구조항은 과잉금지원칙에 위배되지 아니하나, 이 사건 명령조항은 집행시점에서 불필요한 치료를 막을 수 있는 절차가 마련되어 있지 않은 점으로 인하여 과잉금지원칙에 위배되어 치료명령 피청구인의 신체의 자유 등 기본권을 침해한다. (헌재 2015.12.23. 2013헌가9)

② (O) 음란성은 명확성원칙에 위배되지 않지만, 저속성·잔인성·범죄의 충동은 명확성원칙에 위배된다. (헌재 2002.2.28. 99헌가8) [21 국가7급]

③ (X) [21 국가7급]

> [1] 군인 아닌 자가 유사군복을 입고 군인에 대한 국민의 신뢰를 실추시키는 행동을 함으로써 국민들의 신뢰가 저하되면, 향후 유사시에 군 작전을 수행할 때 국민의 협력이 원활하게 이루어지지 않을 수 있다. 이러한 부작용을 방지하기 위해서는 단지 유사군복의 착용을 금지하는 것으로는 부족하고 판매목적으로 소지하는 것까지 금지하여 유사군복이 유통되지 않도록 하는 사전적 규제조치가 불가피하다.
> [2] 심판대상조항은 과잉금지원칙을 위반하여 직업의 자유 내지 일반적 행동의 자유를 침해하지 아니한다. (헌재 2019.4.11. 2018헌가14)

④ (O) **보안처분과 소급금지** [21 국가7급]

형벌			과거의 범죄에 대한 책임. 소급금지의 원칙 적용
보안처분 (장래의 범죄예방)	형벌적 보안처분	보호감호 (보호감호소에 수용하므로 징역과 유사)	실질적으로 형벌과 유사하므로 소급금지원칙이 적용된다. 다만 형벌과 병과해도 이중처벌은 아니며, 이미 선고한 보호감호는 사회보호법이 폐지되어도 집행 가능

보안처분 (장래의 범죄예방)	비형벌적 보안처분	신상정보등록	침해가 경미하므로 소급적용이 가능하다. 병과해도 이중처벌이 아니다.
		보안관찰	
		전자장치	
		디엔에이 검사 보관	

정답 ③

060

22. 소방간부·입시, 20 서울·지방7급, 13 국가7급

신체의 자유 및 적법절차의 원칙에 대한 설명으로 옳지 않은 것은 모두 몇 개인가? (다툼이 있는 경우 판례에 의함)

ㄱ. 형벌법규는 문언에 따라 엄격하게 해석·적용하여야 하고 피고인에게 불리한 방향으로 지나치게 확장해석하거나 유추해석하여서는 아니 되지만, 형벌법규의 해석에서도 법률문언의 통상적인 의미를 벗어나지 않는 한 그 법률의 입법취지와 목적, 입법연혁 등을 고려한 목적론적 해석이 배제되는 것은 아니다.

ㄴ. 영장주의는 형사절차와 관련하여 체포·구속·압수·수색의 강제처분을 할 때 신분이 보장되는 법관이 발부한 영장에 의하지 않으면 안 된다는 원칙으로서 형사절차뿐만 아니라 징계절차에도 적용된다.

ㄷ. 신체의 자유를 최대한으로 보장하려는 헌법정신, 특히 영장주의원칙으로 인하여 불구속수사·불구속재판을 원칙으로 하고 예외적으로 피의자 또는 피고인이 도피할 우려가 있거나 증거를 인멸할 우려가 있는 때에 한하여 구속수사 또는 구속재판이 인정된다.

ㄹ. 압수물에 대한 소유권 포기가 있다면, 사법경찰관이 법에서 정한 압수물 폐기의 요건과 상관없이 임의로 압수물을 폐기하였어도, 이것이 적법절차원칙을 위반한 것은 아니다.

① 1개　　② 2개　　③ 3개　　④ 4개

해설

ㄱ. (○) 피고인에게 불리한 유추해석은 금지되지만, 유리한 유추해석이나 목적론적 해석은 가능하다. [20 서울·지방7급]

ㄴ. (✕) 징계절차(영창)에는 영장주의가 적용되지 않는다. [22 입시]

ㄷ. (✕) 영장주의가 아니라 무죄추정의 원칙에 의해 불구속수사가 인정된다. [22 소방간부]

형사소송법 제70조(구속의 사유)
① 법원은 피고인이 죄를 범하였다고 의심할 만한 상당한 이유가 있고 다음 각 호의 1에 해당하는 사유가 있는 경우에는 피고인을 구속할 수 있다.
　1. 피고인이 일정한 주거가 없는 때
　2. 피고인이 증거를 인멸할 염려가 있는 때
　3. 피고인이 도망하거나 도망할 염려가 있는 때
② 법원은 제1항의 구속사유를 심사함에 있어서 범죄의 중대성, 재범의 위험성, 피해자 및 중요 참고인 등에 대한 위해 우려 등을 고려하여야 한다.

ㄹ. (✕) [13 국가7급]

> 경찰관은 이 사건 압수물을 보관하는 것 자체가 위험하다고 볼 수 없을 뿐만 아니라 이를 보관하는 데 아무런 불편이 없는 물건임이 명백함에도 압수물에 대하여 소유권 포기가 있다는 이유로 이를 사건종결 전에 폐기하였는바, 위와 같은 경찰관의 행위는 적법절차의 원칙을 위반하고, 공정한 재판을 받을 권리를 침해한 것이다. (헌재 2012.12.27. 2011헌마351)

정답 ③

061

신체의 자유에 대한 설명으로 옳은 것만을 모두 고르면? (다툼이 있는 경우 판례에 의함)

ㄱ. 법관으로 하여금 미결구금일수를 형기에 산입하되, 그 산입범위는 재량에 의하여 결정하도록 한 「형법」 조항은 헌법상 무죄추정의 원칙 및 적법절차의 원칙을 위배하여 신체의 자유를 침해한다.
ㄴ. 동일한 범죄사실로 외국에서 형의 전부 또는 일부의 집행을 받은 자에 대하여 우리 「형법」에 의한 처벌시 외국에서 받은 형의 집행을 전혀 반영하지 아니할 수도 있도록 한 「형법」 규정은 과잉금지원칙에 위배되어 신체의 자유를 침해한다.
ㄷ. 경찰서장이 최루액을 물에 혼합한 용액을 살수차를 이용하여 살수한 행위는 신체의 자유를 침해하는 것이다.
ㄹ. 전자우편에 대한 압수수색 집행의 경우에 급속을 요하는 때에는 사전통지를 생략할 수 있도록 한 것은 적법절차원칙에 위배되지 않는다.

① ㄱ, ㄴ, ㄷ
② ㄱ, ㄷ, ㄹ
③ ㄴ, ㄷ, ㄹ
④ ㄱ, ㄴ, ㄷ, ㄹ

해설

ㄱ. (O) 무죄추정의 원칙은 불구속수사의 원칙과 미결구금일수의 본형 산입을 말한다. 그렇다면 미결구금일수는 본형에 다 산입하여야 하는데, 법관의 재량으로 산입하지 않을 수 있게 하는 것은 무죄추정원칙에 위반된다. [20 법무사]

> 헌법상 무죄추정의 원칙에 따라 유죄판결이 확정되기 전에 피의자 또는 피고인을 죄 있는 자에 준하여 취급함으로써 법률적·사실적 측면에서 유형·무형의 불이익을 주어서는 아니 되고, 특히 미결구금은 신체의 자유를 침해받는 피의자 또는 피고인의 입장에서 보면 실질적으로 자유형의 집행과 다를 바 없으므로, 인권보호 및 공평의 원칙상 형기에 전부 산입되어야 한다. 따라서 형법 제57조 제1항 중 '또는 일부 부분'은 헌법상 무죄추정의 원칙 및 적법절차의 원칙 등을 위배하여 합리성과 정당성 없이 신체의 자유를 침해한다. (헌재 2009.6.25. 2007헌바25)

ㄴ. (O) [20 법무사]

> **예상판례**
>
> **외국에서 형의 전부 또는 일부의 집행을 받은 자에 대하여 형을 감경 또는 면제할 수 있도록 규정한 형법 제7조는 이중처벌금지원칙에 위배되지 않지만, 신체의 자유를 침해한다.** (헌재 2015.5.28. 2013헌바129【헌법불합치(잠정적용)】)
> [1] 형사판결은 국가주권의 일부분인 형벌권 행사에 기초한 것으로서, 외국의 형사판결은 원칙적으로 우리 법원을 기속하지 않으므로 동일한 범죄행위에 관하여 다수의 국가에서 재판 또는 처벌을 받는 것이 배제되지 않는다. 따라서 이중처벌금지원칙은 동일한 범죄에 대하여 대한민국 내에서 거듭 형벌권이 행사되어서는 안 된다는 뜻으로 새겨야 할 것이므로 이 사건 법률조항은 헌법 제13조 제1항의 이중처벌금지원칙에 위배되지 아니한다.
> [2] 입법자는 외국에서 형의 집행을 받은 자에게 어떠한 요건 아래, 어느 정도의 혜택을 줄 것인지에 대하여 일정 부분 재량권을 가지고 있으나, 신체의 자유는 정신적 자유와 더불어 헌법이념의 핵심인 인간의 존엄과 가치를 구현하기 위한 가장 기본적인 자유로서 모든 기본권 보장의 전제조건이므로 최대한 보장되어야 하는바, 외국에서 실제로 형의 집행을 받았음에도 불구하고 우리 형법에 의한 처벌시 이를 전혀 고려하지 않는다면 신체의 자유에 대한 과도한 제한이 될 수 있으므로 그와 같은 사정은 어느 범위에서든 반드시 반영되어야 하고, 이러한 점에서 입법형성권의 범위는 다소 축소될 수 있다. 입법자는 국가형벌권의 실현과 국민의 기본권 보장의 요구를 조화시키기 위하여 형을 필요적으로 감면하거나 외국에서 집행된 형의 전부 또는 일부를 필요적으로 산입하는 등의 방법을 선택하여 청구인의 신체의 자유를 덜 침해할 수 있음에도, 이 사건 법률조항과 같이 우리 형법에 의한 처벌시 외국에서 받은 형의 집행을 전혀 반영하지 아니할 수도 있도록 한 것은 과잉금지원칙에 위배되어 신체의 자유를 침해한다.

ㄷ. (○) [20 입시]

> 서울종로경찰서장이 2015.5.1. 22:13경부터 23:20경까지 사이에 최루액을 물에 혼합한 용액을 살수차를 이용하여 청구인들에게 살수한 행위는 헌법에 위반된다. (헌재 2018.5.31. 2015헌마476 [인용(위헌확인)])
> '경찰관 직무집행법'이나 이 사건 대통령령 등 법령의 구체적 위임 없이 혼합살수방법을 규정하고 있는 이 사건 지침은 법률유보원칙에 위배되고, 이 사건 지침만을 근거로 한 이 사건 혼합살수행위는 청구인들의 신체의 자유와 집회의 자유를 침해한 공권력 행사로 헌법에 위반된다.

ㄹ. (○) [20 입시]

> [1] 이 사건 법률조항의 '급속을 요하는 때'라 함은 압수수색 집행사실을 피의자에게 미리 통지하여 줄 경우 압수수색의 대상이 된 증거를 인멸하거나 훼손하여 압수수색의 목적을 달성할 수 없게 되는 때를 의미하는 것으로 합리적으로 해석할 수 있고, 그와 같이 압수수색의 목적을 달성할 수 없게 되는 예외사유를 구체적으로 나열하거나 세부적으로 특정하는 것은 압수수색의 집행과 관련하여 다양하게 나타날 수 있는 사실관계에 비추어 바람직하다고 할 수 없으므로, 위 조항이 명확성원칙에 위배된다고 할 수 없다.
> [2] 이 사건 법률조항에 의하여 피의자 등이 압수수색사실을 사전통지받을 권리 및 이를 전제로 한 참여권을 일정 정도 제한받게 되기는 하지만, 그 제한은 '사전통지에 의하여 압수수색의 목적을 달성할 수 없는 예외적인 경우'로 한정되어 있고, 전자우편의 경우에도 사용자가 그 계정에서 탈퇴하거나 메일 내용을 삭제·수정함으로써 증거를 은닉·멸실시킬 가능성을 배제할 수 없으며, 준항고제도나 위법수집증거의 증거능력 배제규정 등 조항 적용의 남용을 적절히 통제할 수 있는 방법이 마련되어 있는 점, 반면에 이와 같은 제한을 통해 압수수색제도가 전자우편에 대하여도 실효적으로 기능하도록 함으로써 실체적 진실 발견 및 범죄수사의 목적을 달성할 수 있도록 하여야 할 공익은 매우 크다고 할 수 있는 점 등을 종합해 보면, 이 사건 법률조항에 의하여 형성된 절차의 내용이 적법절차원칙에서 도출되는 절차적 요청을 무시하였다거나 비례의 원칙이나 과잉금지원칙을 위반하여 합리성과 정당성을 상실하였다고 볼 수 없다. (헌재 2012.12.27. 2011헌바225)

정답 ④

기출지문 OX

❶ 헌법상 보장된 변호인과의 접견교통권이 위법하게 제한된 상태에서 얻어진 피의자의 자백은 그 증거능력을 부인하여 유죄의 증거에서 실질적이고 완전하게 배제되어야 한다는 것이 대법원의 판례이다. 10 국회8급 (○ / ×)

해설 이를 위법수집증거배제의 법칙이라고 한다. 한편, 위법수집증거에서 다시 나온 증거를 '독수의 과실이론'이라고 하며 증거능력이 부정된다. 정답 ○

❷ 제헌헌법 이래 신체의 자유 보장규정에서 '구금'이라는 용어를 사용해 오다가 현행헌법 개정시에 이를 '구속'으로 바꾸었는데, '국민의 신체와 생명에 대한 보호를 강화'하는 것이 현행헌법의 주요 개정이유임을 고려하면, '구금'을 '구속'으로 바꾼 것은 헌법에 규정된 신체의 자유의 보장범위를 구금된 사람뿐 아니라 구인된 사람에게까지 넓히기 위한 것으로 해석하는 것이 타당하다. 19 변호사 (○ / ×)

해설 우리 헌법은 제헌헌법 이래 신체의 자유를 보장하는 규정을 두었는데, 원래 '구금'이라는 용어를 사용해 오다가 현행헌법 개정시에 이를 '구속'이라는 용어로 바꾸었다. 현행헌법 개정시에 종전의 '구금'을 '구속'으로 바꾼 이유를 정확히 확인할 수 있는 자료를 찾기는 어렵다. 다만 '국민의 신체와 생명에 대한 보호를 강화'하는 것이 현행헌법의 주요 개정이유임을 고려하면, 현행헌법이 종래의 '구금'을 '구속'으로 바꾼 것은 헌법 제12조에 규정된 신체의 자유의 보장범위를 구금된 사람뿐 아니라 구인된 사람에게까지 넓히기 위한 것으로 해석하는 것이 타당하다. 위와 같은 점을 종합해 보면, 헌법 제12조 제4항 본문에 규정된 '구속'을 형사절차상 구속뿐 아니라 행정절차상 구속까지 의미하는 것으로 보아도 문언해석의 한계를 넘지 않는다. 다음으로, 변호인의 조력을 받을 권리가 그 속성상 형사절차에서 구속된 사람에게만 부여될 수밖에 없는 것인지 살펴본다. 구속된 사람에게 변호인 조력권을 즉시 보장하는 이유는 구속이라는 신체적 자유 제한의 특성상 구속된 사람의 자유와 권리를 보장하려면 변호인의 조력이 필수적이기 때문이다. 즉, 구속을 당한 사람은 자연권적 속성을 가지는 신체의 자유가 심각하게 제한된 상황에 처하고, 구속에 따른 육체적·정신적 제약이 커서 스스로의 힘만으로는 자신의 자유와 권리를 제대로 방어하기 어려울 뿐만 아니라, 구속의 당부를 다투려면 법적 절차를 거쳐야 하므로, 그에게는 법률전문가인 변호인의 조력이 즉시 제공되어야 한다. 이러한 속성들은 형사절차에서 구속된 사람이나 행정절차에서 구속된 사람이나 아무런 차이가 없다. 이와 같이 행정절차에서 구속된 사람에게 부여되어야 하는 변호인의 조력을 받을 권리는 형사절차에서 구속된 사람에게 부여되어야 하는 변호인의 조력을 받을 권리와 그 속성이 동일하다. 따라서 변호인의 조력을 받을 권리는 그 성질상 형사절차에서만 인정될 수 있는 기본권이 아니다. 결국 헌법 제12조 제4항 본문은 형사절차뿐 아니라 행정절차에도 적용된다고 해석하는 것이 헌법 제12조 제4항 본문 자체의 문리해석의 측면에서 타당하고, 변호인 조력권의 속성에도 들어맞으며, 우리 헌법이 제12조 제1항 제1문에 명문으로 신체의 자유에 관한 규정을 두어 신체의 자유를 두텁게 보호하는 취지에도 부합할 뿐 아니라, 헌법 제12조의 체계적 해석 및 목적론적 해석의 관점에서도 정당하다. 종래 이와 견해를 달리하여, 헌법 제12조 제4항 본문에 규정된 변호인의 조력을 받을 권리는 형사절차에서 피의자 또는 피고인의 방어권을 보장하기 위한 것으로서 출입국관리법상 보호 또는 강제퇴거의 절차에도 적용된다고 보기 어렵다고 판시한 우리 재판소 결정(헌재 2012.8.23. 2008헌마430)은, 이 결정 취지와 저촉되는 범위 안에서 변경한다. (헌재 2018.5.31. 2014헌마346)

정답 ○

062 20 국회8급

형의 집행 및 수용자의 처우에 대한 설명으로 옳지 않은 것은? (다툼이 있는 경우 판례에 의함)

① 「형의 집행 및 수용자의 처우에 관한 법률」상 징벌은 수사 및 재판 등의 절차 확보를 위해 미결구금 및 형벌의 집행이라는 불이익을 받고 있는 자들에 대하여 부과되므로, 규율 위반에 대한 제재로서의 불이익은 형벌에 포함된 통상의 구금 및 수용생활이라는 불이익보다 더욱 자유와 권리를 제한하게 된다.
② 청구인인 금치처분을 받은 사람에게 최장 30일 이내의 기간 동안 공동행사에 참가할 수 없게 하였으나, 서신수수·접견을 통해 외부와 통신할 수 있게 하였고 종교상담을 통해 종교활동을 할 수 있도록 한 것은 청구인의 통신의 자유, 종교의 자유를 침해하지 않는다.
③ 징벌대상자로서 조사를 받고 있는 수형자가 변호인 아닌 자와 접견할 때 교도관이 참여하여 대화 내용을 기록하게 한 교도소장의 행위는 수형자의 사생활의 비밀과 자유를 침해하지 않는다.
④ 청구인인 금치처분을 받은 사람이 최장 30일 이내의 기간 동안 의사가 치료를 위하여 처방한 의약품을 제외한 자비구매물품의 사용을 제한받았다 하더라도, 소장이 지급하는 물품을 통하여 건강을 유지하기 위한 필요최소한의 생활을 영위할 수 있도록 하였다면 청구인의 일반적 행동의 자유를 침해하였다고 할 수 없다.
⑤ 미결수용자와 변호인이 되려고 하는 자와의 접견에는 교도관이 참여하지 못한다. 다만, 형사법령에 저촉되는 행위를 할 우려가 있는 경우에는 그러하지 아니하다.

해설

① (○)

교정시설은 수용자를 강제로 수용하는 장소이므로 시설 내의 질서유지와 안전을 확보할 필요성이 크고, 형의 집행 및 수용자의 처우에 관한 법률상 징벌은 이미 수사 및 재판 등의 절차 확보를 위한 미결구금 등의 불이익을 받고 있는 자들에 대하여 부과되는 것이라는 점에서, 규율 위반에 대한 제재로서의 불이익은 형벌에 포함된 통상의 구금 및 수용생활이라는 불이익보다 더욱 자유와 권리를 제한하는 것이 될 것임을 예상할 수 있다. (헌재 2016.4.28. 2012헌마549 등)

② (O)

> 형의 집행 및 수용자의 처우에 관한 법률 제112조 제3항 본문 중 제108조 제4호에 관한 부분은 금치의 징벌을 받은 사람에 대해 금치기간 동안 공동행사 참가정지라는 불이익을 가함으로써, 규율의 준수를 강제하여 수용시설 내의 안전과 질서를 유지하기 위한 것으로서, 목적의 정당성 및 수단의 적합성이 인정된다. 금치처분을 받은 사람은 최장 30일 이내의 기간 동안 공동행사에 참가할 수 없으나, 서신 수수, 접견을 통해 외부와 통신할 수 있고, 종교상담을 통해 종교활동을 할 수 있다. 또한 위와 같은 불이익은 규율 준수를 통하여 수용질서를 유지한다는 공익에 비하여 크다고 할 수 없다. 따라서 위 조항은 청구인의 통신의 자유, 종교의 자유를 침해하지 아니한다. (헌재 2016.5.26. 2014헌마45)

③ (O) 변호인과의 대화를 녹음하는 것은 위헌이지만, 배우자 등 변호인 아닌 자와의 대화를 녹음하는 것은 헌법에 위반되지 않는다.

> 접견 내용을 녹음·녹화하는 경우 수용자 및 그 상대방에게 그 사실을 말이나 서면 등으로 알려주어야 하고 취득된 접견기록물은 법령에 의해 보호·관리되고 있으므로 사생활의 비밀과 자유에 대한 침해를 최소화하는 수단이 마련되어 있다는 점, 청구인이 나눈 접견 내용에 대한 사생활의 비밀로서의 보호가치에 비해 증거인멸의 위험을 방지하고 교정시설 내의 안전과 질서유지에 기여하려는 공익이 크고 중요하다는 점에 비추어 볼 때, 이 사건 접견참여·기록이 청구인의 사생활의 비밀과 자유를 침해하였다고 볼 수 없다. (헌재 2014.9.25. 2012헌마523)

④ (O)

> 금치처분을 받은 사람은 소장이 지급하는 음식물, 의류·침구, 그 밖의 생활용품을 통하여 건강을 유지하기 위한 필요최소한의 생활을 영위할 수 있고, 의사가 치료를 위하여 처방한 의약품은 여전히 사용할 수 있다. 또한 위와 같은 불이익은 규율 준수를 통하여 수용질서를 유지한다는 공익에 비하여 크다고 할 수 없다. 따라서 위 조항은 청구인의 일반적 행동의 자유를 침해하지 아니한다. (헌재 2016.5.26. 2014헌마45)

⑤ (X)

> **형의 집행 및 수용자의 처우에 관한 법률 제84조(변호인과의 접견 및 편지수수)**
> ① 제41조(접견) 제4항에도 불구하고 미결수용자와 변호인과의 접견에는 교도관이 참여하지 못하며 그 내용을 청취 또는 녹취하지 못한다. 다만, 보이는 거리에서 미결수용자를 관찰할 수 있다.
>
> **제41조(접견)**
> ④ 소장은 다음 각 호의 어느 하나에 해당하는 사유가 있으면 교도관으로 하여금 수용자의 접견 내용을 청취·기록·녹음 또는 녹화하게 할 수 있다.
>   1. 범죄의 증거를 인멸하거나 형사법령에 저촉되는 행위를 할 우려가 있는 때
>   2. 수형자의 교화 또는 건전한 사회복귀를 위하여 필요한 때
>   3. 시설의 안전과 질서유지를 위하여 필요한 때

정답 ⑤

기출지문 OX

흉기를 휴대하여 피해자에게 강간상해를 가하였다는 범죄사실 등으로 징역 13년을 선고받아 형 집행 중인 수형자를 교도소장이 다른 교도소로 이송함에 있어 4시간 정도에 걸쳐 상체승의 포승과 앞으로 수갑 2개를 채운 것은 과잉금지원칙에 위배되지않는다. 20 국회8급   (O / X)

해설
> 이 사건 보호장비 사용행위로 인하여 제한되는 신체의 자유 등에 비하여 도주 등의 교정사고를 예방함으로써 수형자를 이송함에 있어 안전과 질서를 보호할 수 있는 공익이 더 크다고 할 것이므로 법익의 균형성도 갖추었다. (헌재 2012.7.26. 2011헌마426)

정답 X

063 회독 ☐☐☐ 18 변호사

수용자의 기본권에 관한 설명 중 옳지 않은 것은? (다툼이 있는 경우 판례에 의함)

① 금치처분을 받은 자에 대한 집필제한은 표현의 자유를 제한하는 것이며, 서신수수제한은 통신의 자유에 대한 제한에 속한다.
② 구치소장이 변호인접견실에 CCTV를 설치하여 미결수용자와 변호인 간의 접견을 관찰한 행위는 금지물품의 수수나 교정사고를 방지하기 위한 것으로 미결수용자의 변호인의 조력을 받을 권리를 침해한다고 할 수 없다.
③ 금치처분은 금치처분을 받은 사람을 징벌거실 속에 구금하여 반성에 전념하게 하려는 목적을 가지고 있으므로, 금치기간 중 텔레비전 시청을 제한하는 것은 수용자의 알 권리를 침해하지 아니한다.
④ 금치처분을 받은 사람에 대하여 실외운동을 원칙적으로 금지하고 소장의 재량에 의하여 이를 예외적으로 허용하는 것은 수용자의 정신적·신체적 건강에 필요 이상의 불이익을 가하고 있으므로 신체의 자유를 침해한다.
⑤ 민사재판을 받는 수형자에게 재소자용 의류를 착용하게 하는 것은 재판부나 소송관계자들에게 불리한 심증을 줄 수 있으므로, 수형자의 공정한 재판을 받을 권리를 침해한다.

해설

① (O) 금치처분을 받은 자에 대한 집필제한은 표현의 자유를 제한하는 것이고 헌법에 위반된다. (헌재 2005.2.24. 2003헌마289) 서신수수제한은 통신의 자유에 대한 제한이지만 헌법에 위반되지 않는다. (헌재 2014.8.28. 2012헌마623)
② (O) 변호인과의 대화 내용을 녹음하는 것은 위헌이지만, 관찰하는 행위는 위헌이 아니다.

> 구치소 내의 변호인접견실에 CCTV를 설치하여 미결수용자와 변호인 간의 접견을 관찰한 행위와 교도관이 미결수용자와 변호인 간에 주고받는 서류를 확인하고, 소송관계서류처리부에 그 제목을 기재하여 등재한 행위는 청구인의 변호인의 조력을 받을 권리와 개인정보자기결정권을 침해하지 않으므로 헌법에 위반되지 않는다. (헌재 2016.4.28. 2015헌마243)

③ (O) ④ (O)

> **금치처분을 받은 수용자에 대한 처우제한 사건** (헌재 2016.5.26. 2014헌마45)
> [1] 조사기간 중 다른 사람과의 접촉이 가능한 처우를 제한할 수 있도록 한 형의 집행 및 수용자의 처우에 관한 법률(이하 '형집행법'이라 한다) 제110조 제2항, 금치기간 중 신문열람, 자비구매물품 중 신문·도서·잡지 사용, 전화통화, 집필, 서신수수, 접견을 제한하도록 한 형집행법 제112조 제3항 본문 중 제108조 제5호, 제7호의 신문·도서·잡지에 관한 부분에 대한 심판청구는 모두 부적법하다.
> [2] 금치기간 중 공동행사 참가, 신문·도서·잡지 외 자비구매물품 사용을 제한하도록 한 형집행법 제112조 제3항 중 제108조 제4호, 제7호의 신문·도서·잡지 외 자비구매물품에 관한 부분은 모두 헌법에 위반되지 아니한다.
> [3] 금치기간 중 실외운동을 제한하도록 한 형집행법 제112조 제3항 중 제108조 제13호에 관한 부분은 기본권을 침해하여 헌법에 위반된다.
> [4] 금치기간 중 텔레비전 시청을 제한하는 형집행법 제112조 제3항 중 제108조 제6호에 관한 부분은 헌법에 위반되지 아니한다.

⑤ (✗) 형사재판에서 재소자용 의류를 착용하게 하는 것은 위헌이지만, 민사재판에서 재소자용 의류를 착용하게 하는 것은 헌법에 위반되지 않는다.

정답

📑 예상판례

❶ 가집행선고가 실효되는 경우 가집행을 한 자에 대하여 원상회복의무와 손해배상의무를 인정하는 것은 헌법에 위반되지 아니한다. (헌재 2017.5.25. 2014헌바360)

심판대상조항은 자기가 결정하지 아니한 것이나 결정할 수 없는 것에 대하여 책임을 지게 한 것이라고 할 수 없고, 책임부담의 범위도 스스로 결정한 결과 내지 그와 상관관계에 있는 부분을 넘지 아니하므로 자기책임원리에 위반된다고 볼 수 없다.

❷ 외국항행선박에서 사용된다는 이유로 교통세를 환급 또는 공제받은 물품이 외국항행선박에 반입되지 아니한 사실이 확인된 때 반출자로부터 환급 또는 공제된 교통세를 징수하는 구 교통세법 제17조 제8항의 제2항 제4호 중 '외국항행선박'에 관한 부분이 자기책임의 원리에 위배되지 않는다. (헌재 2013.5.30. 2011헌바360 등)

---

064 재구성

17 서울7급, 11 법원직

신체의 자유에 대한 설명으로 가장 옳지 않은 것은? (다툼이 있는 경우 판례에 의함)

① 마약의 단순매수를 영리매수와 동일한 법정형으로 처벌하는 것은 위헌이다.
② 구체적 행위태양이나 적법한 보유권한의 유무 등에 관계없이 은닉, 보유·보관된 당해 문화재의 필요적 몰수를 규정한 것은 책임과 형벌 간의 비례원칙에 위배된다.
③ 교도소 내 엄중격리대상자에 대한 동행계호행위는 신체의 자유 등을 침해하는 것이 아니다.
④ 구 「사회보호법」에서 치료감호기간의 상한을 정하지 아니한 것, 법관 아닌 사회보호위원회가 치료감호의 종료 여부를 결정하도록 한 것은 위헌이다.

해설

① (O) 마약의 단순매수를 영리매수와 동일한 법정형으로 처벌하는 것은 다른 것을 같게 처벌하는 것이므로 평등원칙 위반이다. (헌재 2003.11.27. 2002헌바24) [17 서울7급]

② (O) 헌재 2007.7.26. 2003헌마377 [17 서울7급]

③ (O) [11 법원직]

> **교도소 내 CCTV 설치** (헌재 2008.5.29. 2005헌마137 등 [기각])
> [1] 교도소 내 엄중격리대상자에 대하여 이동시 계구를 사용하고 교도관이 동행계호하는 행위 및 1인 운동장을 사용하게 하는 처우가 신체의 자유를 과도하게 제한하는 것은 아니다.
> [2] 엄중격리대상자의 수용거실에 CCTV를 설치하여 24시간 감시하는 행위는 법률유보의 원칙에 위배되어 사생활의 자유·비밀을 침해하는 것이 아니다.
> 이 사건 CCTV 설치행위는 행형법 및 교도관직무규칙 등에 규정된 교도관의 계호활동 중 육안에 의한 시선계호를 CCTV 장비에 의한 시선계호로 대체한 것에 불과하므로, 이 사건 CCTV 설치행위에 대한 특별한 법적 근거가 없더라도 일반적인 계호활동을 허용하는 법률규정에 의하여 허용된다고 보아야 한다. 한편 CCTV에 의하여 감시되는 엄중격리대상자에 대하여 지속적이고 부단한 감시가 필요하고 자살·자해나 흉기 제작 등의 위험성 등을 고려하면, 제반 사정을 종합하여 볼 때 기본권 제한의 최소성요건이나 법익균형성의 요건도 충족하고 있다.

④ (X) [17 서울7급]

> 치료감호기간의 상한을 정하지 아니한 사회보호법 제9조 제2항은 신체의 자유를 침해하지 않으며, 법관 아닌 사회보호위원회가 치료감호의 종료 여부를 결정하도록 한 것은 재판청구권을 침해하거나 적법절차의 원칙에 위반되지 않는다. (헌재 2005.2.3. 2003헌바1)

정답 ④

065 NEW

연좌제금지에 대한 설명으로 가장 적절한 것은? (다툼이 있는 경우 헌법재판소 판례에 의함)

① 직계존속이 외국에서 영주할 목적 없이 체류한 상태에서 출생한 자는 병역의무를 해소한 경우에만 국적이탈을 신고할 수 있도록 하는 구 「국적법」 제12조 제3항은 헌법상 연좌제금지원칙의 규율 대상이다.

② 「고위공직자범죄수사처 설치 및 운영에 관한 법률」 제2조 및 같은 법 제3조 제1항에 따라 고위공직자의 가족은 고위공직자의 직무와 관련하여 죄를 범한 경우 수사처의 수사대상이 되는데, 이는 헌법상 연좌제금지원칙에서 규율하고자 하는 대상이다.

③ 학교법인의 이사장과 특정관계에 있는 사람의 학교장 임명을 제한하는 「사립학교법」 해당 조항은 배우자나 직계가족이라는 인적 관계의 특성상 당연히 예상할 수 있는 일체성 내지 유착가능성을 근거로 일정한 제약을 가하는 것이다.

④ 「변호사법」 해당 조항 중 법무법인에 관하여 합명회사 사원의 무한연대책임을 정한 「상법」 제212조, 신입사원에게 동일한 책임을 부과하는 「상법」 제213조, 퇴사한 사원에게 퇴사등기 후 2년 내에 동일한 책임을 부과하는 「상법」 제225조 제1항을 준용하는 부분은 연좌제 금지원칙이 적용된다.

해설

① (✕)

심판대상조항은 '직계존속이 외국에서 영주할 목적 없이 체류한 상태에서 출생한 자'에 대해서는 병역의무를 해소한 경우에만 대한민국 국적이탈을 신고할 수 있도록 하므로, 위와 같이 출생한 사람의 국적이탈의 자유를 제한한다. 다만 거주·이전의 자유를 규정한 헌법 제14조는 국적이탈의 자유의 근거조항이고 심판대상조항은 출입국 등 거주·이전 그 자체에 어떠한 제한을 가한다고 보기 어려운바, 출입국에 관련하여 거주·이전의 자유가 침해된다는 청구인의 주장에 대해서는 판단하지 아니한다. 선천적 복수국적자가 지닌 대한민국 국민으로서의 지위는 혈통에 의하여 출생과 동시에 국적법에 따라 자동적으로 취득하는 것으로, 복수국적의 선천적 취득과 이로 인한 국적이탈의 문제는 헌법상 연좌제금지원칙에서 규율하고자 하는 대상이라 볼 수 없다. (헌재 2023.2.23. 2019헌바462)

② (✕)

고위공직자의 가족은 고위공직자의 직무와 관련하여 스스로 범한 죄에 대해서만 수사처의 수사를 받거나 기소되므로, 친족의 행위와 본인 간에 실질적으로 의미 있는 아무런 관련성을 인정할 수 없음에도 불구하고 오로지 친족이라는 사유 그 자체만으로 불이익한 처우를 가하는 경우에만 적용되는 연좌제금지 원칙이나 자기책임의 원리 위반 여부는 문제되지 않는다. (헌재 2021.1.28. 2020헌마264)

③ (○)

법 제54조의3 제3항은 그 제한이 이루어지는 영역이 공공성과 함께 학교법인으로부터의 자주성도 담보되어야 하는 사립학교의 장이라는 직책이라는 점에서, 가족 간에 실질적으로 의미 있는 아무런 관련성을 인정할 수 없음에도 불구하고 오로지 배우자 등의 관계에 있다는 사유 자체만으로 불이익을 주는 것이 아니라, 아래에서 보는 바와 같이 배우자나 직계가족이라는 인적 관계의 특성상 당연히 예상할 수 있는 일체성 내지 유착가능성을 근거로 일정한 제약을 가하는 것이다. (헌재 2013.11.28. 2007헌마1189【기각】)

④ (✕)

친족관계의 존부를 필요조건으로 하지 아니하는 법무법인 구성원변호사 사이의 관계에 연좌제 금지 원칙이 적용될 여지가 없고, 행복추구권 침해 여부는 보다 밀접한 기본권인 재산권 침해여부에 대하여 판단하는 이상 따로 판단하지 아니한다. (헌재 2016.11.24. 2014헌바203【합헌】)

정답 ③

기출지문 OX

후보자의 배우자가 「공직선거법」 소정의 범죄를 범함으로 인하여 징역형 또는 300만 원 이상의 벌금형의 선고를 받은 때에는 그 후보자의 당선을 무효로 하는 것은 헌법 제13조 제3항에서 금지하고 있는 연좌제에 해당한다. 13 국회9급 (O / X)

> **해설**
>
> 배우자는 후보자와 일상을 공유하는 자로서 선거에서는 후보자의 분신과도 같은 역할을 하게 되는바, 배우자의 중대 선거범죄를 이유로 후보자의 당선을 무효로 하는 이 사건 법률조항은 배우자가 죄를 저질렀다는 이유만으로 후보자에게 불이익을 주는 것이 아니라, 후보자와 불가분의 선거운명공동체를 형성하여 활동하게 마련인 배우자의 실질적 지위와 역할을 근거로 후보자에게 연대책임을 부여한 것이므로 헌법 제13조 제3항에서 금지하고 있는 연좌제에 해당하지 아니한다. (헌재 2005.12.22. 2005헌마19) 그 외에 사무장이나 회계책임자의 선거범죄로 당선무효가 되는 것도 합헌이다.

정답 X

066 16 서울7급

다음 중 신체의 자유에 대한 설명으로 옳은 것을 모두 고르면?

ㄱ. 교도소 측에서 상대방이 변호인이라는 사실을 확인할 수 없더라도 미결수용자와 변호인 사이의 서신은 원칙적으로 그 비밀을 보장받을 수 있다.

ㄴ. 미결수용자와 변호인 사이의 서신으로서 그 비밀을 보장받기 위하여는 서신을 통하여 마약 등 소지금지품의 반입을 도모한다든가 그 내용에 도주·증거인멸 등에 관한 내용이 기재되어 있다고 의심할 만한 합리적인 이유가 있는 경우가 아니어야 한다.

ㄷ. 특별검사가 참고인에게 지정된 장소까지 동행할 것을 명령할 수 있게 하고 참고인이 정당한 이유 없이 위 동행명령을 거부한 경우 천만 원 이하의 벌금형에 처하도록 규정한 동행명령조항은 영장주의 또는 과잉금지원칙에 위배하여 참고인의 신체의 자유를 침해하는 것이다.

ㄹ. 헌법상 변호인의 조력을 받을 권리 중 특히 국선변호인의 조력을 받을 권리는 피고인에게만 인정되는 것으로 해석함이 상당하다.

① ㄱ, ㄴ
② ㄴ, ㄷ
③ ㄱ, ㄷ, ㄹ
④ ㄴ, ㄷ, ㄹ

해설

ㄱ. (X) ㄴ. (O) 변호인 아닌 자와의 서신검열은 합헌(기각), 변호인과의 서신검열은 변호인의 조력을 받을 권리를 침해한 것이다.

> 미결수용자와 변호인 사이의 서신으로서 그 비밀을 보장받기 위하여는, 첫째 교도소 측에서 상대방이 변호인이라는 사실을 확인할 수 있어야 하고, 둘째 서신을 통하여 마약 등 소지금지품의 반입을 도모한다든가 그 내용에 도주·증거인멸·수용시설의 규율과 질서의 파괴·기타 형벌법령에 저촉되는 내용이 기재되어 있다고 의심할 만한 합리적인 이유가 있는 경우가 아니어야 한다. (헌재 1995.7.21. 92헌마144)

ㄷ. (O) 헌법재판관 5명은 다음과 같이 판시하였고, 재판관 2명은 영장주의의 적용대상은 아니지만 과잉금지원칙에 위반된다는 이유로 위헌결정하였다.

> 특별검사가 참고인에게 지정된 장소까지 동행할 것을 명령할 수 있게 하고 참고인이 정당한 이유 없이 동행명령을 거부한 경우 천만 원 이하의 벌금형에 처하도록 규정한 것은 영장주의 또는 과잉금지원칙에 위배하여 평등권과 신체의 자유를 침해한다. (헌재 2008.1.10. 2007헌마1468)

ㄹ. (O) 피고인의 국선변호는 헌법이 직접 규정하고 있고, 피의자의 국선변호는 형사소송법, 헌법소원에서의 국선변호는 헌법재판소법에 규정이 있다.

일반적으로 형사사건에 있어 변호인의 조력을 받을 권리는 피의자나 피고인을 불문하고 보장되나, 그중 특히 국선변호인의 조력을 받을 권리는 피고인에게만 인정된다. (헌재 2008.9.25. 2007헌마1126)

정답 ④

067 재구성   16 법무사

다음 설명 중 가장 옳지 않은 것은? (다툼이 있는 경우 헌법재판소 결정에 의함)

① 수형자인 청구인이 헌법소원 사건의 국선대리인인 변호사를 접견함에 있어서 그 접견 내용을 녹음, 기록한 피청구인의 행위는 청구인의 재판을 받을 권리를 침해한다.
② 수용거실의 지정은 교도소장의 재량적 판단사항이며 수용자에게 수용거실의 변경을 신청할 권리 내지 특정 수용거실에 대한 신청권이 있다고 볼 수 없으므로, 교도소장의 독거수용거부는 헌법소원심판의 대상이 되는 공권력의 행사에 해당하지 아니한다.
③ 금치처분을 받은 수형자에 대한 절대적인 운동의 금지는 징벌의 목적을 고려하더라도 그 수단과 방법에 있어서 필요한 최소한도의 범위를 벗어난 것으로서, 수형자의 헌법 제10조의 인간의 존엄과 가치 및 제12조의 신체의 자유를 침해하는 정도에 이르렀다.
④ 외부 재판에 출정할 때 운동화를 착용하게 해달라는 청구인의 신청에 대하여 이를 불허하고 고무신의 착용을 강제하는 것은 효과적인 도주방지수단이 될 수도 없고, 오히려 수형자의 신분을 일반인에게 노출시켜 모욕감과 수치심을 갖게 할 뿐으로서 기본권 제한의 한계를 벗어나 청구인의 인격권과 행복추구권을 침해하였다.

해설

① (O) 변호인과의 접견을 녹음하는 것은 위헌이다. 다만, 형사사건이 아닌 헌법재판이므로 변호인의 조력을 받을 권리가 아니라 재판청구권을 침해하는 것이다. (헌재 2013.9.26. 2011헌마398)

② (O)
교정시설을 어떻게 활용할 것인지의 문제는 수용자와 교도인력의 숫자와 비율, 교정시설의 규모와 수준, 교도행정의 효율성 등 제반 사정을 고려하여 교정시설의 장이 결정할 것이라고 할 것이고, 수용자가 사용되지 않고 있는 독거실의 사용을 요청하는 경우 소장이 이를 허용해야 할 작위의무가 헌법의 문언이나 해석에서 도출된다고 할 수 없다. 나아가 소장에게 청구인의 독거수용요청을 허용해야 할 작위의무가 있다고 보기 어렵기 때문에, 설사 사용되지 않던 독거실이 운영된다고 하여도 청구인이 독거수용되는 이익을 누리게 될 것이라고 단정할 수 없으므로, 청구인은 이 사건 부작위라는 공권력작용과 간접적, 사실적 이해관계로만 관련될 뿐 직접적 이해관계를 가진다고 볼 수도 없다. (헌재 2013.5.21. 2013헌마339)

③ (O) 헌재 2004.12.16. 2002헌마478

④ (X)
이 사건 운동화 착용 불허행위는 이미 종료된 행위로서 헌법소원심판을 청구하는 외에는 달리 효과적인 구제방법이 있다고 보기 어려우므로 보충성의 원칙에 대한 예외에 해당하며, 수용자들이 외부 재판에 출정할 때 이와 같은 행위가 반복될 소지가 있어 그 헌법적 해명이 헌법질서의 수호·유지를 위하여 중요한 의미를 가지므로 심판청구의 이익을 인정할 수 있다. … 이 사건 운동화 착용 불허행위는 시설 바깥으로의 외출이라는 기회를 이용한 도주를 예방하기 위한 것으로서 그 목적이 정당하고, 위와 같은 목적을 달성하기 위한 적합한 수단이라고 할 것이다. 또한 신발의 종류를 제한하는 것에 불과하여 법익침해의 최소성과 균형성도 갖추었다 할 것이므로, 이 사건 운동화 착용 불허행위가 기본권 제한에 있어서의 과잉금지원칙에 반하여 청구인의 인격권과 행복추구권을 침해하였다고 볼 수 없다. (헌재 2011.2.24. 2009헌마209)

정답 ④

068

헌법규정에 관한 다음 설명 중 옳지 않은 것은 모두 몇 개인가?

ㄱ. 모든 국민은 신체의 자유를 가진다. 누구든지 법률이나 대통령령에 의하지 아니하고는 체포·구속·압수·수색 또는 심문을 받지 아니하며, 법률과 적법한 절차에 의하지 아니하고는 처벌·보안처분 또는 강제노역을 받지 아니한다.

ㄴ. 모든 국민은 고문을 받지 아니하며, 형사상 자기에게 불리한 진술을 강요당하지 아니한다.

ㄷ. 체포·구속·압수 또는 수색을 할 때에는 적법한 절차에 따라 검사의 신청에 의하여 법관이 발부한 영장을 제시하여야 한다. 다만, 현행범인인 경우와 장기 1년 이상의 형에 해당하는 죄를 범하고 도피 또는 증거인멸의 염려가 있을 때에는 사후에 영장을 청구할 수 있다.

ㄹ. 누구든지 체포 또는 구속을 당한 때에는 48시간 이내에 변호인의 조력을 받을 권리를 가진다. 다만, 형사피고인이 스스로 변호인을 구할 수 없을 때에는 법률이 정하는 바에 의하여 국가가 변호인을 붙인다.

ㅁ. 누구든지 체포 또는 구속의 이유와 변호인의 조력을 받을 권리가 있음을 고지받지 아니하고는 체포 또는 구속을 당하지 아니한다. 체포 또는 구속을 당한 자의 가족 등 법률이 정하는 자에게는 그 이유와 일시·장소가 지체 없이 통지되어야 한다.

ㅂ. 누구든지 체포 또는 구속을 당한 때에는 적부의 심사를 법원이나 검찰에 청구할 권리를 가진다.

① 1개 ② 2개
③ 3개 ④ 4개
⑤ 5개

해설

ㄱ. (X), ㄴ. (O), ㄷ. (X), ㄹ. (X), ㅁ. (O), ㅂ. (X)

헌법 제12조

① 모든 국민은 신체의 자유를 가진다. 누구든지 법률에 의하지 아니하고는 체포·구속·압수·수색 또는 심문을 받지 아니하며, 법률과 적법한 절차에 의하지 아니하고는 처벌·보안처분 또는 강제노역을 받지 아니한다.

② 모든 국민은 고문을 받지 아니하며, 형사상 자기에게 불리한 진술을 강요당하지 아니한다.

③ 체포·구속·압수 또는 수색을 할 때에는 적법한 절차에 따라 검사의 신청에 의하여 법관이 발부한 영장을 제시하여야 한다. 다만, 현행범인인 경우와 장기 3년 이상의 형에 해당하는 죄를 범하고 도피 또는 증거인멸의 염려가 있을 때에는 사후에 영장을 청구할 수 있다.

④ 누구든지 체포 또는 구속을 당한 때에는 즉시 변호인의 조력을 받을 권리를 가진다. 다만, 형사피고인이 스스로 변호인을 구할 수 없을 때에는 법률이 정하는 바에 의하여 국가가 변호인을 붙인다.

⑤ 누구든지 체포 또는 구속의 이유와 변호인의 조력을 받을 권리가 있음을 고지받지 아니하고는 체포 또는 구속을 당하지 아니한다. 체포 또는 구속을 당한 자의 가족 등 법률이 정하는 자에게는 그 이유와 일시·장소가 지체 없이 통지되어야 한다.

⑥ 누구든지 체포 또는 구속을 당한 때에는 적부의 심사를 법원에 청구할 권리를 가진다.

⑦ 피고인의 자백이 고문·폭행·협박·구속의 부당한 장기화 또는 기망 기타의 방법에 의하여 자의로 진술된 것이 아니라고 인정될 때 또는 정식재판에 있어서 피고인의 자백이 그에게 불리한 유일한 증거일 때에는 이를 유죄의 증거로 삼거나 이를 이유로 처벌할 수 없다.

정답 ④

069

신체의 자유에 대한 설명으로 옳은 것은? (다툼이 있는 경우 판례에 의함)

① 헌법상 진술거부권의 보호대상이 되는 '진술'이란 개인의 생각이나 지식, 경험사실을 정신작용의 일환인 언어를 통하여 표출하는 것을 의미하고, 정당의 회계책임자가 불법정치자금의 수수내역을 회계장부에 기재한 행위는 당사자가 자신의 경험을 말로 표출한 것의 등가물로 평가될 수 있으므로 진술거부권의 보호대상이 되는 '진술'의 범위에 포함된다.

② 「폭력행위 등 처벌에 관한 법률」 제3조 제1항에서는 '다중의 위력으로써' 주거침입의 범죄를 범한 자를 형사처벌하고 있는데, 이 사건 규정의 '다중'이 몇 명의 사람을 의미하는지 그 기준을 일률적으로 말할 수 없으므로, 죄형법정주의의 명확성원칙에 위반된다.

③ 특별검사의 출석 요구에 정당한 사유 없이 응하지 아니한 참고인에게 지정한 장소까지 동행할 것을 명령할 수 있도록 하고, 그 동행명령을 정당한 사유 없이 거부한 자를 1천만 원 이하의 벌금에 처하도록 규정하고 있는 조항(동행명령조항)은 참고인의 신체를 직접적·물리적으로 강제하여 동행시키는 것이 아니라, 형벌을 수단으로 하여 일정한 행동을 심리적·간접적으로 강제한다. 따라서 위 조항은 신체의 자유를 제한하는 것이 아니라 일반적 행동의 자유를 제한하는 것이다.

④ 검사조사실에 소환되어 피의자신문을 받을 때 포승으로 팔과 상반신을 묶고 양손에 수갑을 채운 상태에서 피의자조사를 받도록 한 것은 신체의 자유를 침해하는 것은 아니다.

해설

① (O) 진술은 언어적 표현과 등가물을 말한다. 따라서 정치자금의 수수내역을 회계장부에 기재한 행위는 진술에 해당한다. 그러나 영수증의 보관행위는 진술이 아니다. [14 변호사]
② (X) '다중'이란 여러 명이 상대방에게 위협이 될 수 있는 경우를 말하므로 명확성원칙에 위배되지 않는다. [14 변호사]
③ (X) 신체의 자유를 과잉제한한다는 이유로 위헌결정되었다. [14 변호사]
④ (X) 헌재 2005.5.26. 2001헌마728 [11 법원직]

정답 ①

070 NEW   23 서울·지방7급

진술거부권에 대한 설명으로 옳지 않은 것은?

① '2020년도 장교 진급지시' Ⅳ. 제4장 5. 가. 2) 나) 중 '민간법원에서 약식명령을 받아 확정된 사실이 있는 자'에 관한 부분은 육군 장교가 민간법원에서 약식명령을 받아 확정된 사실만을 자진신고 하도록 하고 있는바, 위 사실 자체는 형사처벌의 대상이 아니고 약식명령의 내용이 된 범죄사실의 진위 여부를 밝힐 것을 요구하는 것도 아니므로, 범죄의 성립과 양형에서의 불리한 사실 등을 말하게 하는 것이라 볼 수 없다.
② 교통·에너지·환경세의 과세물품 및 수량을 신고하도록 한 「교통·에너지·환경세법」 제7조 제1항은 진술거부권을 제한하는 것이다.
③ 「민사집행법」상 재산명시의무를 위반한 채무자에 대하여 법원이 결정으로 20일 이내의 감치에 처하도록 규정하는 것은 감치의 제재를 통해 이를 강제하는 것이 형사상 불이익한 진술을 강요하는 것이라고 할 수 없으므로, 위 채무자의 양심의 자유 및 진술거부권을 침해하지 아니한다.
④ 헌법 제12조 제2항은 "모든 국민은 형사상 자기에게 불리한 진술을 강요당하지 아니한다."라고 하여 진술거부권을 보장하였는바, 이러한 진술거부권은 형사절차뿐만 아니라 행정절차나 국회에서의 조사절차에서도 보장된다.

해설

① (O) 육군 장교가 민간법원에서 약식명령을 받아 확정되면 자진신고할 의무를 규정한 '2020년도 장교 진급 지시' 조항 및 '2021년도 장교 진급 지시' 조항은 일반적 행동의 자유를 침해하지 않는다. (헌재 2021.8.31. 2020헌마12【기각, 각하】)
 양심의 자유나 진술거부권은 제한되지 않는다.
② (X) 대체유류에는 적법하게 제조되어 석유사업법상 처벌대상이 되지 않는 석유대체연료를 포함하는 것이므로 '대체유류'를 제조하였다고 신고하는 것이 곧 석유사업법을 위반하였음을 시인하는 것과 마찬가지라고 할 수 없고, 신고의무 이행시 진행되는 과세절차가 곧바로 석유사업법위반죄 처벌을 위한 자료의 수집·획득 절차로 이행되는 것도 아니다. 따라서 교통·에너지·환경세법 제7조 제1항은 형사상 불이익한 사실의 진술을 강요한 것으로 볼 수 없으므로 진술거부권을 제한하지 아니한다. (헌재 2014.7.24. 2013헌바177)
③ (O) 재산목록을 제출하고 그 진실함을 법관 앞에서 선서하는 것은 개인의 인격형성에 관계되는 내심의 가치·윤리적 판단에 해당하지 않아 양심의 자유의 보호대상이 아니고, 감치의 제재를 통해 이를 강제하는 것이 형사상 불이익한 진술을 강요하는 것이라고 할 수 없으므로, 심판대상조항은 청구인의 양심의 자유 및 진술거부권을 침해하지 아니한다. (헌재 2014.9.25. 2013헌마11)
④ (O) 진술거부권의 보장범위이다.

정답 ②

기출지문 OX

명의신탁이 증여로 의제되는 경우 명의신탁의 당사자에게 '증여세의 과세가액 및 과세표준을 납세지 관할 세무서장에게 신고할 의무'를 부과하는 구 「상속세 및 증여세법」 제68조 제1항 본문의 '제4조의 규정에 의하여 증여세 납세의무가 있는 자' 가운데 제4조 제1항 본문 중 해당 부분은 형사상 불리한 진술을 강요하는 것이라고 볼 수 없다. 24 경찰간부 (O / X)

해설 신고의무 이행시 곧바로 조세포탈행위의 처벌을 위한 자료의 수집·획득 절차로 이어지는 것도 아니다. 위와 같은 점들에 비추어 보면, 심판대상조항이 형사상 불리한 진술을 강요하는 것이라고 볼 수 없으므로, 심판대상조항으로 인하여 헌법 제12조 제2항에 규정된 진술거부권이 제한된다고 볼 수 없다. 따라서 진술거부권 침해여부와 관련된 주장은 더 나아가 판단하지 아니한다. (헌재 2022.2.24. 2019헌바225)

정답 O

제2절 사생활의 자유권

 **핵심노트**

사생활 자유의 내용(제8차 개정헌법)

사생활 비밀의 자유	사생활의 내용을 공개당하지 아니할 권리(소극적 권리) - 자유권
사생활의 자유	사생활의 형성과 전개를 방해받지 아니할 권리(소극적 권리) - 자유권
개인정보자기결정권	자신의 정보를 관리·통제할 수 있는 권리(적극적 권리) - 청구권

071 회독 ☐☐☐ NEW   24 경찰2차

사생활의 비밀과 자유에 관한 설명으로 가장 적절한 것은? (다툼이 있는 경우 헌법재판소 판례에 의함)

① 어린이집에 폐쇄회로 텔레비전(CCTV)을 원칙적으로 설치하도록 정한 「영유아보호법」 조항은 보호자 전원이 반대하지 않는 한 어린이집에 의무적으로 CCTV를 설치하도록 정하고 있으므로 어린이집 보육교사(원장 포함) 및 영유아의 사생활의 비밀과 자유를 침해한다.

② 대체복무요원 생활관 내부의 공용공간에 CCTV를 설치하여 촬영하는 행위는 군부대와 달리 대체복무요원들의 모든 사적 활동의 동선을 촬영하여, 개인의 행동과 심리에 심각한 제약을 느끼게 하므로 대체복무요원들의 사생활의 비밀과 자유를 침해한다.

③ 교도소장이 수형자의 정신과진료 현장과 정신과 화상진료 현장에 각각 간호직교도관을 입회시킨 것은, 수형자에게 사생활 노출 염려로 솔직한 증세를 의사에게 전달하지 못하게 함으로써 해당 수형자의 사생활의 비밀과 자유를 침해한다.

④ 헌법 제17조가 보호하고자 하는 기본권은 '사생활영역'의 자유로운 형성과 비밀유지라고 할 것이며, 공적인 영역의 활동은 다른 기본권에 의한 보호는 별론으로 하고 사생활의 비밀과 자유가 보호하는 것은 아니라고 할 것이다.

해설

① (✕)

> CCTV 설치 조항의 입법목적의 효과적인 달성을 위하여 달리 덜 제약적인 수단이 있다고 보기 어렵고, CCTV 설치 조항은 입법목적 달성을 위하여 필요한 범위 내에서 기본권을 제한하고 있다고 할 수 있으므로 침해의 최소성이 인정된다. CCTV 설치 조항은 과잉금지원칙을 위반하여 청구인들의 기본권을 침해하지 않는다. **(헌재 2017.12.28. 2015헌마994)**

② (✕)

> ㉠ 대체복무요원의 복무기간을 '36개월'로 한 '대체역의 편입 및 복무 등에 관한 법률' 제18조 제1항, ㉡ 대체복무요원으로 하여금 '합숙'하여 복무하도록 한 같은 법 제21조 제2항, ㉢ 대체복무기관을 '교정시설'로 한정한 같은 법 시행령 제18조에 대한 심판청구를 모두 기각하는 결정을 선고하였다. **(헌재 2024.5.30. 2021헌마117【기각】)**

③ (✕)

> 이 사건 동행계호행위는 교정사고를 예방하고 수용자 및 진료 담당 의사의 신체 등을 보호하기 위한 것이다. 청구인이 상습적으로 교정질서 문란행위를 저지른 전력이 있는 점, 정신질환의 증상으로 자해 또는 타해 행동이 나타날 우려가 있는 점, 교정시설은 수형자의 교

교화와 건전한 사회복귀를 도모하기 위한 시설로서 정신질환자의 치료 중심 수용 환경 조성에는 한계가 있는 점 등을 고려하면 이 사건 동행계호행위는 과잉금지원칙에 반하여 청구인의 사생활의 비밀과 자유를 침해하지 않는다. (헌재 2024.1.25. 2020헌마1725)

④ (O)

공적인 영역의 활동은 다른 기본권에 의한 보호는 별론으로 하고 사생활의 비밀과 자유가 보호하는 것은 아니라고 할 것이다. (헌재 2003.10.30. 2002헌마518)

정답 ④

072 24 소방간부

사생활의 비밀과 자유 및 개인정보자기결정권에 관한 설명으로 옳지 않은 것은? (다툼이 있는 경우 헌법재판소 판례에 의함)

① 사생활의 자유는 사회공동체의 일반적인 생활규범의 범위 내에서 사생활을 자유롭게 형성해 나가고 그 설계 및 내용에 대해서 외부로부터 간섭을 받지 아니할 권리이다.
② 사생활의 비밀과 자유에 의해 보호되는 대상에서 공적인 영역의 활동이 배제되는 것은 아니다.
③ 흡연권은 인간의 존엄과 행복추구권을 규정한 헌법 제10조와 사생활의 자유를 규정한 헌법 제17조에 의하여 뒷받침된다.
④ 개인정보자기결정권의 보호대상이 되는 개인정보는 개인의 신체, 신념, 사회적 지위, 신분 등과 같이 개인의 인격주체성을 특징짓는 사항으로서 그 개인의 동일성을 식별할 수 있게 하는 일체의 정보라고 할 수 있다.
⑤ 개인정보의 종류와 성격, 정보처리의 방식과 내용 등에 따라 수권법률의 명확성 요구의 정도는 달라지고, 일반적으로 볼 때 개인의 인격에 밀접히 연관된 민감한 정보일수록 규범명확성의 요청은 더 강해진다고 할 수 있다.

해설

① (O) 사생활의 비밀의 내용이다.
② (X)

비교판례

공적인 영역의 활동은 다른 기본권에 의한 보호는 별론으로 하고 사생활의 비밀과 자유가 보호하는 것은 아니라고 할 것이다. (헌재 2003.10.30. 2002헌마518)

③ (O) 흡연권은 헌법에 규정은 없지만 지문과 같이 기본권으로 보장된다.
④ (O)

개인정보자기결정권의 보호대상이 되는 개인정보는 개인의 신체, 신념, 사회적 지위, 신분 등과 같이 인격주체성을 특징짓는 사항으로서 개인의 동일성을 식별할 수 있게 하는 일체의 정보를 의미하며, 반드시 개인의 내밀한 영역에 속하는 정보에 국한되지 않고 공적 생활에서 형성되었거나 이미 공개된 개인정보까지도 포함한다. (헌재 2005.5.26. 99헌마513)

⑤ (O) 명확성은 모든 법률에 동일하게 요구되는 것은 아니다.

정답 ②

> **예상판례**
> 감염병 예방 및 감염 전파의 차단을 위하여 감염병의심자 등에 관한 인적사항 수집을 허용하는 구 감염병의 예방 및 관리에 관한 법률 제76조의2 제1항 제1호가 개인정보자기결정권을 침해하지 않으므로 이에 대한 심판청구를 기각하고, 나머지 심판청구는 모두 각하한다는 결정을 선고하였다. (헌재 2024.4.25. 2020헌마1028[기각, 각하])

073 NEW

24 경찰승진

사생활의 비밀과 자유에 관한 설명 중 가장 적절하지 않은 것은? (다툼이 있는 경우 판례에 의함)

① 법무부 훈령인 구 「계호업무지침」에 따라 교도소장이 수용자가 없는 상태에서 거실 및 작업장을 검사한 행위는 비록 교도소의 안전과 질서를 유지하고, 수형자의 교화·개선에 지장을 초래할 수 있는 물품을 차단하기 위한 것이라 하더라도, 보다 덜 제한적인 대체수단을 찾을 수 있으므로 수용자의 사생활의 비밀과 자유를 침해한다.

② 일반 교통에 사용되고 있는 도로는 국가와 지방자치단체가 그 관리책임을 맡고 있는 영역이며, 수많은 다른 운전자 및 보행자 등의 법익 또는 공동체의 이익과 관련된 영역으로, 그 위에서 자동차를 운전하는 행위는 더 이상 개인적인 내밀한 영역에서의 행위가 아니다.

③ 보호자 전원이 반대하지 않는 한 어린이집에 의무적으로 CCTV를 설치하도록 정한 「영유아보육법」 조항은 어린이집 보육교사의 사생활의 비밀과 자유를 침해하는 것은 아니다.

④ 변호사의 업무는 다른 어느 직업적 활동보다도 강한 공공성을 내포한다는 점 등을 감안하여 볼 때, 변호사의 업무와 관련된 수임사건의 건수 및 수임액이 변호사의 내밀한 개인적 영역에 속하는 것이라고 보기 어렵다.

해설

① (×)
> 이 사건 검사행위는 교도소의 안전과 질서를 유지하고, 수형자의 교화·개선에 지장을 초래할 수 있는 물품을 차단하기 위한 것으로서 그 목적이 정당하고, 수단도 적절하며, 검사의 실효성을 확보하기 위한 최소한의 조치로 보이고, 달리 덜 제한적인 대체수단을 찾기 어려운 점 등에 비추어 보면 이 사건 검사행위가 과잉금지원칙에 위배하여 사생활의 비밀 및 자유를 침해하였다고 할 수 없다. (헌재 2011.10.25. 2009헌마691)

② (○) 헌재 2003.10.30. 2002헌마518

③ (○) 헌재 2017.12.28. 2015헌마994

④ (○)
> 일반적으로 경제적 내지 직업적 활동은 복합적인 사회적 관계를 전제로 하여 다수 주체 간의 상호작용을 통하여 이루어지는 것이고, 특히 변호사의 업무는 다른 어느 직업적 활동보다도 강한 공공성을 내포한다는 점 등을 감안하여 볼 때, 변호사의 업무와 관련된 수임사건의 건수 및 수임액이 변호사의 내밀한 개인적 영역에 속하는 것이라고 보기 어렵고, 따라서 이 사건 법률조항이 청구인들의 사생활의 비밀과 자유를 침해하는 것이라 할 수 없다. (헌재 2009.10.29. 2007헌마667)

정답 ①

074

사생활의 비밀과 자유에 대한 설명으로 가장 적절하지 않은 것은? (다툼이 있는 경우 헌법재판소 판례에 의함)

① 청소년유해물건 중 청소년의 심신을 심각하게 손상시킬 우려가 있는 성관련 물건을 대통령령으로 정하는 기준에 따라 청소년보호위원회가 결정하고 여성가족부장관이 고시하도록 하여, 요철식특수콘돔(GAT-101) 등을 청소년에게 판매하지 못하도록 한 「청소년보호법」 조항은 청소년의 사생활의 비밀과 자유를 침해하지 않는다.

② 공직자의 자질·도덕성·청렴성에 관한 사실은 그 내용이 개인적인 사생활에 관한 것이라 할지라도 순수한 사생활의 영역에 있다고 보기 어려워, 이에 대한 문제제기 내지 비판은 허용되어야 한다.

③ 4급 이상 공무원들의 병역 면제사유인 질병명을 관보와 인터넷을 통해 공개하도록 하는 것은, 공적 관심의 정도가 약한 4급 이상의 공무원들까지 대상으로 삼아 모든 질병명을 아무런 예외 없이 공개토록 한것으로, 해당 공무원들의 사생활의 비밀과 자유를 침해하는 것이다.

④ 인체면역결핍 바이러스에 감염된 사람이 혈액 또는 체액을 통하여 다른 사람에게 전파매개행위를 하는 것을 처벌하는 「후천성면역결핍증 예방법」 조항은, 감염인 중에서도 의료인의 처방에 따른 치료법을 성실히 이행하는 감염인의 전파매개행위까지도 예외 없이 처벌함으로써 이들의 사생활의 자유를 침해한다.

해설

① (O) 헌재 2021.6.24. 2017헌마408

② (O) 헌재 2013.12.26. 2009헌마747

③ (O)

> **4급 이상 공무원의 병역면제사유인 질병명 공개는 사생활의 비밀과 자유를 침해하는 것이다.** (헌재 2007.5.31. 2005헌마1139【헌법불합치(잠정적용)】)
> 공직자 등의 병역사항 신고 및 공개에 관한 법률 제8조 제1항 본문 가운데 '4급 이상의 공무원 본인의 질병명에 관한 부분에 의하여 그 공개가 강제되는 질병명은 내밀한 사적 영역에 근접하는 민감한 개인정보로서, 특별한 사정이 없는 한 타인의 지득(知得), 외부에 대한 공개로부터 차단되어 개인의 내밀한 영역 내에 유보되어야 하는 정보이다. 이러한 성격의 개인정보를 공개함으로써 사생활의 비밀과 자유를 제한하는 국가적 조치는 엄격한 기준과 방법에 따라 섬세하게 행하여지지 않으면 아니된다. … 결론적으로, 이 사건 법률조항이 공적 관심의 정도가 약한 4급 이상의 공무원들까지 대상으로 삼아 모든 질병명을 아무런 예외 없이 공개토록 한 것은 입법목적 실현에 치중한 나머지 사생활 보호의 헌법적 요청을 현저히 무시한 것이고, 이로 인하여 청구인들을 비롯한 해당 공무원들의 헌법 제17조가 보장하는 기본권인 사생활의 비밀과 자유를 침해하는 것이다.

④ (×)

> 인체면역결핍바이러스에 감염된 사람이 혈액 또는 체액을 통하여 다른 사람에게 전파매개행위를 하는 것을 금지하고 이를 위반한 경우 3년 이하의 징역형으로 처벌한다고 규정한 '후천성면역결핍증 예방법' 제19조, 제25조 제2호는 모두 헌법에 위반되지 아니한다. (헌재 2023.10.26. 2019헌가30【합헌】)

정답 ④

075 [NEW] 23 국가7급

경찰이 경찰청예규인 「채증활동규칙」에 따라 집회참가자를 촬영한 행위에 대한 설명으로 옳지 않은 것은?

① 「채증활동규칙」은 집회·시위 현장에서 불법행위의 증거자료를 확보하기 위해 행정조직의 내부에서 상급행정기관이 하급행정기관에 대하여 발령한 내부기준으로 행정규칙이지만 직접 집회참가자들의 기본권을 제한하므로 이에 대한 헌법소원심판청구는 기본권 침해의 직접성 요건을 충족하였다.

② 경찰의 촬영행위는 개인정보자기결정권의 보호대상이 되는 신체, 특정인의 집회·시위 참가 여부 및 그 일시·장소 등의 개인정보를 정보주체의 동의 없이 수집하였다는 점에서 개인정보자기결정권을 제한할 수 있다.

③ 근접촬영과 달리 먼 거리에서 집회·시위 현장을 전체적으로 촬영하는 소위 조망촬영이 기본권을 덜 침해하는 방법이라는 주장도 있으나, 최근 기술의 발달로 조망촬영과 근접촬영 사이에 기본권 침해라는 결과에 있어서 차이가 있다고 보기 어려워, 경찰이 집회·시위에 대해 조망촬영이 아닌 근접촬영을 하였다는 이유만으로 헌법에 위반되는 것은 아니다.

④ 옥외집회·시위에 대한 경찰의 촬영행위에 의해 취득한 자료는 '개인정보'의 보호에 관한 일반법인 「개인정보 보호법」이 적용될 수 있다.

해설

① (✕) ② (○) ③ (○) ④ (○)

> 채증활동규칙(경찰청 예규)에 대한 심판청구는 [각하] / 피청구인이 집회에 참가한 청구인들을 촬영한 행위는 청구인들의 일반적 인격권, 개인정보자기결정권, 집회의 자유를 침해하지 않으므로 그에 관한 심판청구는 [기각] (헌재 2018.8.30. 2014헌마843 [합헌])
>
> **[1] 이 사건 채증규칙은 직접 기본권을 침해하지 않는다.**
> 이 사건 채증규칙은 법률의 구체적인 위임 없이 제정된 경찰청 내부의 행정규칙에 불과하고, 청구인들은 구체적인 촬영행위에 의해 비로소 기본권을 제한받게 되므로, 이 사건 채증규칙이 직접 기본권을 침해한다고 볼 수 없다.
>
> [2] 이 사건 촬영행위는 청구인들의 기본권을 침해하지 않는다.
>
> **[3] 제한되는 기본권 – 개인정보자기결정권**
> 경찰의 촬영행위는 개인정보자기결정권의 보호대상이 되는 신체, 특정인의 집회·시위 참가 여부 및 그 일시·장소 등의 개인정보를 정보주체의 동의 없이 수집하였다는 점에서 개인정보자기결정권을 제한할 수 있다.

정답 ①

076 23 국회8급

개인정보자기결정권에 대한 헌법재판소의 판시 내용으로 적절하지 않은 것은?

① 정보주체의 배우자나 직계혈족이 정보주체의 위임 없이도 정보주체의 가족관계 상세증명서의 교부청구를 할 수 있도록 한 것은 현재의 혼인 외에서 얻은 자녀 등에 관한 내밀한 개인정보를 정보주체의 의사에 반하여 배우자나 직계혈족에게 공개 당하게 되므로 개인정보자기결정권을 침해한다.

② 인간의 존엄과 가치, 행복추구권, 인격권, 사생활의 비밀과 자유는 그 보호영역이 개인정보자기결정권의 보호영역과 중첩되는 범위에서 관련되어 있고 특별한 사정이 없는 이상 개인정보자기결정권에 대한 침해 여부를 판단함으로써 이에 대한 판단이 함께 이루어진다.

③ 전기통신역무제공에 관한 계약을 체결하는 경우 전기통신사업자로 하여금 가입자에게 본인임을 확인할 수 있는 증서 등을 제시하도록 요구하고 부정가입방지시스템 등을 이용하여 본인인지 여부를 확인하도록 하였더라도 잠재적 범죄피해방지 및 통신망 질서유지라는 더욱 중대한 공익의 달성 효과가 있으므로 개인정보자기결정권을 침해하지 않는다.

④ 거짓이나 그 밖의 부정한 방법으로 보조금을 교부받거나 보조금을 유용한 어린이집에 대하여 그 어린이집 대표자 또는 원장의 의사와 관계없이 어린이집의 명칭, 종류, 주소, 대표자 또는 어린이집 원장의 성명 등을 불특정 다수인이 알 수 있도록 공표하는 것은 공표대상자의 개인정보자기결정권을 제한한다.

해설

① (×)

> 심판대상조항은 정보주체의 배우자나 직계혈족이 스스로의 정당한 법적 이익을 지키기 위하여 정보주체 본인의 위임 없이도 가족관계 상세증명서를 간편하게 발급받을 수 있게 해 주는 것이므로, 상세증명서 추가 기재 자녀의 입장에서 보아도 자신의 개인정보가 공개되는 것을 중대한 불이익이라고 평가하기는 어렵다. 나아가 가족관계 관련 법령은 가족관계증명서 발급청구에 관한 부당한 목적을 파악하기 위하여 '청구사유 기재'라는 나름의 소명절차를 규정하는 점 등을 아울러 고려하면 심판대상조항은 그 입법목적과 그로 인해 제한되는 개인정보자기결정권 사이에 적절한 균형을 달성한 것으로 평가할 수 있다. 심판대상조항은 과잉금지원칙에 위배되어 청구인의 개인정보자기결정권을 침해하지 아니한다. (헌재 2022.11.24. 2021헌마130)

② (○) 기본권 경합의 결과이다. (헌재 2005.5.26. 99헌마513 등)
③ (○) 헌재 2019.9.26. 2017헌마1209
④ (○) 심판대상조항은 과잉금지원칙을 위반하여 인격권 및 개인정보자기결정권을 침해하지 아니한다. (헌재 2022.3.31. 2019헌바520)

정답 ①

077 22 국회8급

개인정보자기결정권에 대한 설명으로 옳지 않은 것은? (다툼이 있는 경우 헌법재판소 판례에 의함)

① 개인정보자기결정권의 보호대상이 되는 개인정보는 반드시 개인의 내밀한 영역이나 사사(私事)의 영역에 속하는 정보에 국한되지 않고 공적 생활에서 형성되었거나 이미 공개된 개인정보까지 포함한다.

② 법무부장관은 변호사시험 합격자가 결정되면 즉시 명단을 공고하여야 한다고 규정한 것은 과잉금지원칙에 위배되어 변호사시험 응시자의 개인정보자기결정권을 침해한다고 볼 수 없다.

③ 보안관찰처분대상자가 교도소 등에서 출소한 후 기존에 신고한 거주예정지 등 정보에 변동이 생길 때마다 7일 이내에 이를 신고하도록 정한 법률조항은 대상자에게 보안관찰처분의 개시 여부를 결정하기 위함이라는 공익을 위하여 지나치게 장기간 형사처벌의 부담이 있는 신고의무를 지도록 하므로, 이는 과잉금지원칙을 위반하여 대상자의 개인정보자기결정권을 침해한다.

④ 소년에 대한 수사경력자료의 삭제와 보존기간에 대하여 규정하면서 법원에서 불처분결정된 소년부송치 사건에 대하여 규정하지 않은 것은 과잉금지원칙을 위반하여 소년부송치 후 불처분결정을 받은 자의 개인정보자기결정권을 침해한다.

⑤ 보안관찰처분대상자가 교도소 등에서 출소한 후 7일 이내에 출소사실을 신고하도록 하고 이를 위반할 경우 처벌하도록 정한 법률조항은 보다 완화된 방법으로도 입법목적을 충분히 달성할 수 있다는 점에서 과잉금지원칙에 반하여 그 대상자의 개인정보자기결정권을 침해하는 것이다.

해설

① (O)

> 개인정보자기결정권은 자신에 관한 정보가 언제 누구에게 어느 범위까지 알려지고 또 이용되도록 할 것인지를 그 정보주체가 스스로 결정할 수 있는 권리이다. 개인정보자기결정권의 보호대상이 되는 개인정보는 개인의 신체, 신념, 사회적 지위, 신분 등과 같이 개인이 인격주체성을 특징짓는 사항으로서 개인의 동일성을 식별할 수 있게 하는 일체의 정보라고 할 수 있고, 반드시 개인의 내밀한 영역이나 사사(私事)의 영역에 속하는 정보에 국한되지 않고 공적 생활에서 형성되었거나 이미 공개된 정보까지 포함한다. 또한 이러한 개인정보를 대상으로 한 조사·수집·보관·처리·이용 등의 행위는 원칙적으로 개인정보자기결정권에 대한 제한에 해당한다. 따라서 경찰의 촬영행위는 개인정보자기결정권의 보호대상이 되는 신체, 특정인의 집회·시위 참가 여부 및 그 일시·장소 등의 개인정보를 정보주체의 동의 없이 수집하였다는 점에서 개인정보자기결정권을 제한할 수 있다. (헌재 2018.8.30. 2014헌마843)

② (O)

> 법무부장관으로 하여금 변호사시험 합격자의 성명을 공개하도록 하는 변호사시험법 제11조 중 명단 공고는 헌법에 위반되지 않는다. (헌재 2020.3.26. 2018헌마77 등【기각】)
> 합격자 명단이 공고되면 누구나, 언제든지 이를 검색할 수 있으므로, 심판대상조항은 공공성을 지닌 전문직인 변호사 자격 소지에 대한 일반국민의 신뢰를 형성하는 데 기여하며, 변호사에 대한 정보를 얻는 수단이 확보되어 법률서비스 수요자의 편의가 증진된다. 합격자 명단을 공고하는 경우, 시험관리당국이 더 엄정한 기준과 절차를 통해 합격자를 선정할 것이 기대되므로 시험관리업무의 공정성과 투명성이 강화될 수 있다.

③ (O) ⑤ (×)

> [1] 보안관찰처분대상자가 교도소 등에서 출소한 후 7일 이내에 출소사실을 신고하도록 정한 구 보안관찰법 제6조 제1항 전문 중 출소 후 신고의무에 관한 부분 및 이를 위반할 경우 처벌하도록 정한 보안관찰법 제27조 제2항 중 구 보안관찰법 제6조 제1항 전문 가운데 출소 후 신고의무에 관한 부분은 헌법에 위반되지 않는다.
> [2] 보안관찰처분대상자가 교도소 등에서 출소한 후 기존에 보안관찰법 제6조 제1항에 따라 신고한 거주예정지 등 정보에 변동이 생길 때마다 7일 이내에 이를 신고하도록 한 보안관찰법 제6조 제2항 전문 및 이를 위반할 경우 처벌하도록 정한 보안관찰법 제27조 제2항 중 제6조 제2항 전문에 관한 부분은 과잉금지원칙을 위반하여 청구인의 사생활의 비밀과 자유 및 개인정보자기결정권을 침해한다. (헌재 2021.6.24. 2017헌바479)

④ (O) 헌재 2021.6.24. 2018헌가2 [헌법불합치]

정답 ⑤

078 21 법원직

개인정보자기결정권에 관한 다음 설명 중 가장 옳지 않은 것은?

① '형제자매'에게 가족관계등록부 등의 기록사항에 관한 증명서 교부청구권을 부여하는 「가족관계의 등록 등에 관한 법률」 조항은 과잉금지원칙에 반하여 정보주체의 개인정보자기결정권을 침해한다.
② '직계혈족'에게 가족관계증명서 및 기본증명서의 교부청구권을 부여하는 「가족관계의 등록 등에 관한 법률」 조항은 가정폭력 피해자의 개인정보가 가정폭력 가해자인 전 배우자에게 무단으로 유출될 수 있는 가능성을 열어놓고 있으므로 가정폭력 피해자의 개인정보자기결정권을 침해한다.
③ 공개되지 아니한 타인 간의 대화를 녹음 또는 청취하여 그 내용을 공개하거나 누설한 자를 처벌하는 「통신비밀보호법」 조항은 불법감청·녹음 등으로 생성된 정보를 합법적으로 취득한 자가 이를 공개 또는 누설하는 경우에도 그것이 진실한 사실로서 오로지 공공의 이익을 위한 경우에는 이를 처벌하지 아니한다는 특별한 위법성조각사유를 두지 아니하는 이상 통신비밀만을 과도하게 보호하고 표현의 자유 보장을 소홀히 한 것이므로 그 범위에서는 헌법에 위반된다.
④ 송·수신이 완료된 전기통신에 대한 압수·수색사실을 수사대상이 된 가입자에게만 통지하도록 하고, 그 상대방에 대하여는 통지하지 않도록 한 「통신비밀보호법」 조항은 청구인들의 개인정보자기결정권을 침해하지 아니한다.

해설

① (O)

> 가족관계등록부 등의 기록사항에 관한 증명서 교부청구권자를 규정한 '가족관계의 등록 등에 관한 법률' 제14조 제1항 본문 중 '형제자매'에 이부 또는 이복형제자매가 포함되는 것으로 해석한 한 헌법에 위반된다고 주장하며 이 사건 헌법소원심판을 청구하였다. 가족관계의 등록 등에 관한 법률은 이 사건 법률조항이 아니더라도 본인과 형제자매의 편익을 달성하기 위한 수단을 갖추고 있다. 본인은 인터넷을 이용하거나 위임을 통해 각종 증명서를 발급받을 수 있으므로 형제자매를 통해 증명서를 발급받을 필요성이 크지 않다. 또한 가족관계의 등록 등에 관한 법률 제14조 제1항 단서 각 호는 일정한 경우에는 제3자도 각종 증명서의 교부를 청구할 수 있다고 규정하고 있으므로 형제자매는 이를 통해 본인에 대한 각종 증명서를 충분히 발급받을 수 있다. 따라서 이 사건 법률조항은 과잉금지원칙을 위반하여 청구인의 개인정보자기결정권을 침해한다. (헌재 2016.6.30. 2015헌마924)

② (○) 헌재 2020.8.28. 2018헌마927
③ (✕) 특별한 규정이 없어도 위법성이 조각될 수 있다. (헌재 2011.8.30. 2009헌바42)
④ (○)

> 송·수신이 완료된 전기통신에 대한 압수·수색사실을 수사대상이 된 가입자에게만 통지하도록 하고, 그 상대방에 대하여는 통지하지 않도록 한 심판대상조항은 적법절차원칙에 위배되어 청구인들의 개인정보자기결정권을 침해하지 않는다. 다만, 입법자로서는 압수된 전기통신의 내용에 관련자들의 중대하거나 민감한 개인정보가 포함된 경우에는 그 개인정보주체가 수집사실을 알 수 있도록 하는 절차를 둘 것인지 여부 또는 수집된 개인정보의 수집·보관 필요성이 소멸한 경우나 일정한 기간이 경과한 경우 등에는 이를 삭제·폐기하는 제도를 도입할 것인지 여부 등을 검토할 필요가 있다. (헌재 2018.4.26. 2014헌마1178)

정답 ③

079 21 국가7급

사생활의 비밀과 자유에 대한 설명으로 옳은 것은? (다툼이 있는 경우 판례에 의함)

① 피고인이나 변호인에 의한 공판정에서의 녹취는 진술인의 인격권 또는 사생활의 비밀과 자유에 대한 침해를 수반하고, 실체적 진실발견 등 다른 법익과 충돌할 개연성이 있으므로, 녹취를 금지해야 할 필요성이 녹취를 허용함으로써 달성하고자 하는 이익보다 큰 경우에는 녹취를 금지 또는 제한함이 타당하다.
② 자동차를 도로에서 운전하는 중에 좌석안전띠를 착용할 것인가 여부의 생활관계는 개인의 전체적 인격과 생존에 관계되는 '사생활의 기본조건'이라 할 수 있으므로, 운전할 때 운전자가 좌석안전띠를 착용할 의무는 청구인의 사생활의 비밀과 자유를 침해한다.
③ 헌법 제17조의 사생활의 비밀과 자유 및 헌법 제18조의 통신의 자유에 의하여 보장되는 개인정보자기결정권의 보호대상이 되는 개인정보는 개인의 신체, 신념, 사회적 지위, 신분 등과 같이 개인의 사적 영역에 국한된 사항으로서 그 개인의 동일성을 식별할 수 있게 하는 일체의 정보라고 할 수 있다.
④ 지문은 그 정보주체를 타인으로부터 식별 가능하게 하는 개인정보가 아니므로, 경찰청장이 이를 보관·전산화하여 범죄수사목적에 이용하는 것은 정보주체의 개인정보자기결정권을 제한하는 것이 아니다.

해설

① (○) 헌법에 위반되지 않는다. (헌재 1995.12.28. 91헌마114)
② (✕) 좌석안전띠는 일반적 행동자유권의 범위이고, 사생활과는 관계가 없다. (헌재 2003.10.30. 2002헌마518)
③ (✕) 개인정보자기결정권의 보호대상은 개인의 내밀한 영역에 국한되지 않고 공적 생활에서 형성되었거나 이미 공개된 개인정보까지 포함한다. (헌재 2005.5.26. 99헌마513)
④ (✕) 지문은 보호대상정보에는 해당하나, 주민등록발급을 위해 수집된 지문을 경찰청장이 보관하여 범죄수사목적에 이용하는 것은 개인정보자기결정권을 침해하는 것이 아니다. (헌재 2005.5.26. 99헌마513)

정답 ①

080

개인정보자기결정권에 관한 다음 설명 중 가장 옳지 않은 것은? (다툼이 있는 경우 대법원 판례 및 헌법재판소 결정에 의함)

① 개인정보자기결정권은 자신에 관한 정보가 언제 누구에게 어느 범위까지 알려지고 또 이용되도록 할 것인지를 그 정보주체가 스스로 결정할 수 있는 권리로서, 헌법 제10조 제1문에서 도출되는 일반적 인격권 및 헌법 제17조의 사생활의 비밀과 자유에 의하여 보장된다.

② 개인정보를 대상으로 한 조사·수집·보관·처리·이용 등의 행위는 모두 원칙적으로 개인정보자기결정권에 대한 제한에 해당한다.

③ 정보주체가 직접 또는 제3자를 통하여 이미 공개한 개인정보라고 하더라도 공개 당시 정보주체가 자신의 개인정보에 대한 수집이나 제3자 제공 등의 처리에 대하여 동의를 하였다고 단정할 수 없으므로, 그 정보를 수집·이용·제공 등 처리하고자 하는 자는 정보주체로부터 별도의 동의를 받아야 한다.

④ 법률정보 제공 사이트를 운영하는 회사가 공립대학교 법학과 교수의 사진, 성명, 성별, 출생연도, 직업, 직장, 학력, 경력 등 개인정보를 위 법학과 홈페이지 등을 통해 수집하여 위 사이트 내 '법조인' 항목에서 유료로 제공한 경우, 위 회사가 영리목적으로 개인정보를 수집하여 제3자에게 제공하였더라도 그에 의하여 얻을 수 있는 법적 이익이 정보처리를 막음으로써 얻을 수 있는 정보주체의 인격적 법익에 비하여 우월하므로, 개인정보자기결정권을 침해하는 위법한 행위로 평가할 수 없다.

해설

① (O) ② (O) 헌재 2018.8.30. 2014헌마368

③ (X)

> 정보주체가 직접 또는 제3자를 통하여 이미 공개한 개인정보는 공개 당시 정보주체가 자신의 개인정보에 대한 수집이나 제3자 제공 등의 처리에 대하여 일정한 범위 내에서 동의를 하였다고 할 것이다. 따라서 이미 공개된 개인정보를 정보주체의 동의가 있었다고 객관적으로 인정되는 범위 내에서 수집·이용·제공 등 처리를 할 때는 정보주체의 별도의 동의는 불필요하다고 보아야 하고, 별도의 동의를 받지 아니하였다고 하여 개인정보 보호법 제15조나 제17조를 위반한 것으로 볼 수 없다. (대판 2016.8.17. 2014다235080)

④ (O) 대판 2016.8.17. 2014다235080

법률소비자의 선택의 자료를 제공하기 위한 공익을 고려한 판례로 보인다.

정답 ③

081 [회독] [재구성] 21·13 법원직

사생활의 비밀과 자유 내지 개인정보자기결정권에 대한 설명으로 옳은 것은? (다툼이 있는 경우 판례에 의함)

① 교육감이 졸업생 관련 증명업무를 위해 졸업생의 성명, 생년월일 및 졸업일자에 대한 정보를 교육정보시스템에 보유하는 행위는 개인정보 보호법제가 완비되지 않은 상황에서 그 보유의 목적과 수단의 적정성을 인정할 수 없어 졸업생의 개인정보자기결정권을 침해한다.
② 개인정보자기결정권은 헌법에 명시된 기본권이다.
③ 사생활의 비밀과 자유가 보호하는 것은 개인의 내밀한 내용의 비밀을 유지할 권리, 개인이 자신의 사생활의 불가침을 보장받을 수 있는 권리, 개인의 양심영역이나 성적 영역과 같은 내밀한 영역에 대한 보호, 인격적인 감정세계의 존중의 권리와 정신적인 내면생활이 침해받지 아니할 권리 등이다.
④ 대법원은 헌법 제17조는 개인의 사생활 활동이 타인으로부터 침해되거나 사생활이 함부로 공개되지 아니할 소극적인 권리를 보장하는 것에 국한되고, 자신에 대한 정보를 자율적으로 통제할 수 있는 적극적인 권리까지 보장하는 것은 아니라고 판시한 바 있다.

해설

① (✕) [21 법원직]

> 서울특별시 교육감 등이 졸업생의 성명, 생년월일 및 졸업일자 정보를 교육정보시스템(NEIS)에 보유하는 행위는 그 정보주체의 **개인정보자기결정권을 침해하지 않는다.** (헌재 2005.7.21. 2003헌마282 등)
> 개인정보의 종류 및 성격, 수집목적, 이용형태, 정보처리방식 등에 따라 개인정보자기결정권의 제한이 인격권 또는 사생활의 자유에 미치는 영향이나 침해의 정도는 달라지므로 개인정보자기결정권의 제한이 정당한지 여부를 판단함에 있어서는 위와 같은 요소들과 추구하는 공익의 중요성을 헤아려야 하는바, 피청구인들이 졸업증명서 발급업무에 관한 민원인의 편의 도모, 행정효율성의 제고를 위하여 개인의 존엄과 인격권에 심대한 영향을 미칠 수 있는 민감한 정보라고 보기 어려운 성명, 생년월일, 졸업일자 정보만을 NEIS에 보유하고 있는 것은 목적의 달성에 필요한 최소한의 정보만을 보유하는 것이라고 할 수 있고, 공공기관의 개인정보보호에 관한 법률에 규정된 개인정보 보호를 위한 법규정들의 적용을 받을 뿐만 아니라 피청구인들이 보유목적을 벗어나 개인정보를 무단 사용하였다는 점을 인정할 만한 자료가 없는 한 NEIS라는 자동화된 전산시스템으로 그 정보를 보유하고 있다는 점만으로 피청구인들의 적법한 보유행위 자체의 정당성마저 부인하기는 어렵다.

② (✕) 헌법에 명문규정은 없지만 기본권으로 인정된다. [21 법원직]

> 개인정보자기결정권의 헌법상 근거로는 헌법 제17조의 사생활의 비밀과 자유, 헌법 제10조 제1문의 인간의 존엄과 가치 및 행복추구권에 근거를 둔 일반적 인격권 또는 위 조문들과 동시에 우리 헌법의 자유민주적 기본질서규정 또는 국민주권원리와 민주주의원리 등을 고려할 수 있으나, 개인정보자기결정권으로 보호하려는 내용을 위 각 기본권들 및 헌법원리들 중 일부에 완전히 포섭시키는 것은 불가능하다고 할 것이므로, 그 헌법적 근거를 굳이 어느 한두 개에 국한시키는 것은 바람직하지 않은 것으로 보이고, 오히려 개인정보자기결정권은 이들을 이념적 기초로 하는 독자적 기본권으로서 헌법에 명시되지 아니한 기본권이라고 보아야 할 것이다. (헌재 2005.5.26. 99헌마513 등)

③ (○) 사생활의 비밀과 보호에 의해 보호되는 영역이다. [21 법원직]

④ (✕) [13 법원직]

> 헌법 제10조는 "모든 국민은 인간으로서의 존엄과 가치를 가지며, 행복을 추구할 권리를 가진다. 국가는 개인이 가지는 불가침의 기본적 인권을 확인하고 이를 보장할 의무를 진다."라고 규정하고, 헌법 제17조는 "모든 국민은 사생활의 비밀과 자유를 침해받지 아니한다."라고 규정하고 있는바, 이들 헌법규정은 개인의 사생활 활동이 타인으로부터 침해되거나 사생활이 함부로 공개되지 아니할 소극적인 권리는 물론, 오늘날 고도로 정보화된 현대사회에서 자신에 대한 정보를 자율적으로 통제할 수 있는 적극적인 권리까지도 보장하려는 데에 그 취지가 있는 것으로 해석된다. (대판 1998.7.24. 96다42789)

정답 ③

기출지문 OX

❶ 개인정보자기결정권의 헌법상 근거를 헌법의 한두 개의 조항에 국한시키는 것은 바람직하지 않으며, 개인정보자기결정권은 이들을 이념적 기초로 하는 독자적 기본권으로서 헌법에 명시되지 아니한 기본권이라고 보아야 할 것이다. 17 국회8급 (O / X)

> **해설** 개인정보자기결정권의 헌법상 근거로는 헌법 제17조의 사생활의 비밀과 자유, 헌법 제10조 제1문의 인간의 존엄과 가치 및 행복추구권에 근거를 둔 일반적 인격권 또는 위 조문들과 동시에 우리 헌법의 자유민주적 기본질서규정 또는 국민주권원리와 민주주의원리 등을 고려할 수 있으나, 개인정보자기결정권으로 보호하려는 내용을 위 각 기본권들 및 헌법원리들 중 일부에 완전히 포섭시키는 것은 불가능하다고 할 것이므로, 그 헌법적 근거를 굳이 어느 한두 개에 국한시키는 것은 바람직하지 않은 것으로 보이고, 오히려 개인정보자기결정권은 이들을 이념적 기초로 하는 독자적 기본권으로서 헌법에 명시되지 아니한 기본권이라고 보아야 할 것이다. (헌재 2005.5.26. 2004헌마190)

정답 O

❷ 개인정보자기결정권의 보호대상이 되는 정보는 개인의 인격주체성을 특징짓는 사항으로서 그 개인의 동일성을 식별할 수 있게 하는 일체의 정보를 말한다. 10 법무사 (O / X)

정답 O

❸ 야당 소속 후보자 지지 혹은 정부 비판은 정치적 견해로서 개인의 인격주체성을 특징짓는 개인정보에 해당하지만, 그것이 지지 선언 등의 형식으로 공개적으로 이루어진 것이라면 개인정보자기결정권의 보호범위 내에 속하지 않는다. 21 국가7급

(O / X)

> **해설** 피청구인 대통령의 지시로 피청구인 대통령 비서실장, 정무수석비서관, 교육문화수석비서관, 문화체육관광부장관이 야당 소속 후보를 지지하였거나 정부에 비판적 활동을 한 문화예술인이나 단체를 정부의 문화예술 지원사업에서 배제할 목적으로, 문화예술인 지원사업에서 배제하도록 한 일련의 지시행위는 위헌임을 확인한다. (헌재 2020.12.23. 2017헌마416 [인용(위헌확인)])
>
> [1] 이 사건 정보수집 등 행위에 대한 판단(목적의 정당성 위반)
> 이 사건 정보수집 등 행위는 청구인 윤OO, 정△△이 과거 야당 후보를 지지하거나 세월호 참사에 대한 정부의 대응을 비판한 의사표시에 관한 정보를 대상으로 한다. 이러한 정치적 견해는 개인의 인격주체성을 특징짓는 개인정보에 해당하고, <u>그것이 지지 선언 등의 형식으로 공개적으로 이루어진 것이라고 하더라도 여전히 개인정보자기결정권의 보호범위 내에 속한다</u>. 국가가 개인의 정치적 견해에 관한 정보를 수집 · 보유 · 이용하는 등의 행위는 개인정보자기결정권에 대한 중대한 제한이 되므로 이를 위해서는 법령상의 명확한 근거가 필요하다. 그런데 정부가 문화예술 지원사업에서 배제할 목적으로 문화예술인들의 정치적 견해에 관한 정보를 처리할 수 있도록 수권하는 법령상 근거가 존재하지 않으므로 <u>이 사건 정보수집 등 행위는 법률유보원칙에 위반된다</u>.
>
> [2] 이 사건 지원배제지시에 대한 판단
> 가. 집권세력의 정책 등에 대하여 정치적인 반대의사를 표시하는 것은 헌법이 보장하는 정치적 자유의 가장 핵심적인 부분이며, 화자의 특정 견해, 이념, 관점에 근거한 제한은 표현의 자유에 대한 제한 중에서도 가장 심각하고 해로운 제한이다. 그런데 이 사건 지원배제지시는 법적 근거가 없으며, 그 목적 또한 정부에 대한 비판적 견해를 가진 청구인들을 제재하기 위한 것으로 헌법의 근본원리인 국민주권주의와 자유민주적 기본질서에 반하므로, 청구인들의 표현의 자유를 침해한다.
> 나. 청구인들의 정치적 견해를 기준으로 이들을 문화예술계 지원사업에서 배제되도록 한 것은 자의적인 차별행위로서 청구인들의 평등권을 침해한다.

정답 X

082

개인정보자기결정권에 대한 설명으로 옳지 않은 것은? (다툼이 있는 경우 판례에 의함)

① 구치소장이 검사의 요청에 따라 미결수용자와 그 배우자의 접견녹음파일을 미결수용자의 동의 없이 제공하더라도, 이러한 제공행위는 형사사법의 실체적 진실을 발견하고 이를 통해 형사사법의 적정한 수행을 도모하기 위한 것으로 미결수용자의 개인정보자기결정권을 침해하는 것은 아니다.
② '각급 학교 교원의 교원단체 및 교원노조 가입현황 실명자료'를 인터넷을 통하여 일반대중에게 공개하는 국회의원의 행위는 해당 교원들의 개인정보자기결정권을 침해한다.
③ 선거운동기간 중 모든 익명표현을 사전적·포괄적으로 규율하는 것은 표현의 자유보다 행정편의와 단속편의를 우선함으로써 익명표현의 자유와 개인정보자기결정권 등을 지나치게 제한한다.
④ 수형인 등이 재범하지 않고 상당 기간을 경과하는 경우에는 재범의 위험성이 그만큼 줄어든다고 할 것임에도 일률적으로 이들 대상자가 사망할 때까지 디엔에이신원확인정보를 보관하는 것은 과잉금지원칙에 위반하여 수형인 등의 개인정보자기결정권을 침해한다.

[해설]

① (O) 헌재 2012.12.27. 2010헌마153 [18 국가7급]

② (O) [21 5급행시]

> 국회의원인 甲 등이 '각급 학교 교원의 교원단체 및 교원노조 가입현황 실명자료'를 인터넷을 통하여 공개한 사안에서, 위 정보는 개인정보자기결정권의 보호대상이 되는 개인정보에 해당하므로 이를 일반 대중에게 공개하는 행위는 해당 교원들의 개인정보자기결정권과 전국교직원노동조합의 존속, 유지, 발전에 관한 권리를 침해하는 것이고, 甲 등이 위 정보를 공개한 표현행위로 인하여 얻을 수 있는 법적 이익이 이를 공개하지 않음으로써 보호받을 수 있는 해당 교원 등의 법적 이익에 비하여 우월하다고 할 수 없으므로, 甲 등의 정보공개행위는 위법하다. (대판 2014.7.24. 2012다49933)

③ (O) [21 국가7급]

> 실명확인조항을 비롯하여, 행정안전부장관 및 신용정보업자는 실명인증자료를 관리하고 중앙선거관리위원회가 요구하는 경우 지체 없이 그 자료를 제출해야 하며, 실명확인을 위한 기술적 조치를 하지 아니하거나 실명인증의 표시가 없는 정보를 삭제하지 않는 경우 과태료를 부과하도록 정한 공직선거법 조항은 게시판 등 이용자의 익명표현의 자유 및 개인정보자기결정권과 인터넷언론사의 언론의 자유를 침해한다. (헌재 2021.1.28. 2018헌마456 등)

④ (X) [21 5급행시]

> 디엔에이신원확인정보를 범죄수사 등에 이용함으로써 달성할 수 있는 공익의 중요성에 비하여 청구인의 불이익이 크다고 보기 어려워 법익균형성도 갖추었다. 따라서 이 사건 삭제조항이 과도하게 개인정보자기결정권을 침해한다고 볼 수 없다. (헌재 2014.8.28. 2011헌마28 등)

정답 ④

083

甲은 2014.5.경 신용카드 회사의 개인정보 유출사고로 인해 주민등록번호가 불법유출되었다는 이유로 관할 지방자치단체장에게 주민등록번호 변경신청을 하였으나, 구「주민등록법」(이하 '주민등록법'이라 한다)상 주민등록번호 불법유출을 원인으로 한 주민등록번호 변경은 허용되지 않는다는 이유로 주민등록번호 변경을 거부하는 취지의 통지를 받았다. 이에 甲은 2014.6.경 개인별로 주민등록번호를 부여하면서 주민등록번호 변경에 관한 규정을 두고 있지 않은 「주민등록법」 제7조가 자신의 기본권을 침해한다고 주장하면서 「헌법재판소법」 제68조 제1항에 의한 헌법소원심판을 청구하였다. 다음 설명 중 옳지 않은 것은? (다툼이 있는 경우 판례에 의함)

① 甲의 주장은 주민등록번호 부여제도에 대하여 입법을 하였으나 주민등록번호 변경에 대하여는 아무런 규정을 두지 아니한 부진정입법부작위가 위헌이라는 것이어서, 「주민등록법」 제7조가 甲의 기본권을 침해하는지 여부가 심판대상이다.

② 국가가 주민등록번호를 부여·관리·이용하면서 「주민등록법」에 그 변경에 관한 규정을 두지 않은 것은 주민등록번호 불법유출 등을 원인으로 자신의 주민등록번호를 변경하고자 하는 甲의 개인정보자기결정권을 제한하고 있다.

③ 위 사례에서 위헌성은 주민등록번호 변경에 관하여 규정하지 아니한 부작위에 있으므로, 「주민등록법」에 대하여 단순위헌결정을 할 경우 주민등록번호제도 자체에 관한 근거규정이 사라지게 되어 법적 공백이 생기게 된다는 점 등을 고려하면, 헌법불합치결정을 선고하면서 입법자가 개선입법을 할 때까지 계속적용을 명할 수 있다.

④ 모든 주민에게 고유한 주민등록번호를 부여하면서 이를 변경할 수 없도록 한 것은 주민생활의 편익을 증진시키고 행정사무를 신속하고 효율적으로 처리하기 위한 것으로 입법목적의 정당성과 수단의 적합성을 인정할 수 있다.

⑤ 「주민등록법」 제7조가 국가나 지방자치단체로 하여금 국방, 치안, 조세, 사회복지 등의 행정사무를 신속하고 효율적으로 처리할 수 있도록 주민등록의 대상자인 국민에게 주민등록번호 변경을 허가하지 아니함으로써 달성할 수 있게 되는 공익이 그로 인한 정보주체의 불이익에 비하여 더 작다고 보기는 어려워 법익균형성의 원칙에 반하지 않는다.

해설

① (○) ② (○) ③ (○) ④ (○) ⑤ (×)

> 주민등록번호 변경이 필요한 경우가 있음에도 그 변경에 관하여 규정하지 아니한 채 일률적으로 주민등록번호를 부여하는 제도는 과잉금지원칙을 위반하여 개인정보자기결정권을 침해하여 헌법에 합치되지 아니하고, 위 조항은 2017.12.31.을 시한으로 입법자가 개정할 때까지 계속적용된다. (헌재 2015.12.23. 2013헌바68 등 【헌법불합치(잠정적용)】)
>
> [1] 주민등록번호제도는 주민생활의 편익을 증진시키고, 행정사무의 적정한 처리를 도모하기 위한 것으로, 모든 주민에게 고유한 주민등록번호를 부여하면서 이를 변경할 수 없도록 하는 것은 이러한 목적을 달성하기 위한 적합한 수단이 될 수 있다.
>
> [2] 주민등록번호는 단순한 개인식별번호에서 더 나아가 표준식별번호로 기능함으로써, 결과적으로 개인정보를 통합하는 연결자(key data)로 사용되고 있는바, 개인에 대한 통합관리의 위험성을 높이고, 종국적으로 개인을 모든 영역에서 국가의 관리대상으로 전락시킬 위험성이 있으므로 주민등록번호의 관리나 이용에 대한 제한의 필요성이 크다. 또한 현대사회는 개인의 각종 정보가 타인의 수중에서 무한대로 집적, 이용 또는 공개될 수 있으므로 연결자 기능을 하는 주민등록번호가 불법유출 또는 오·남용되는 경우 개인의 사생활뿐만 아니라 생명·신체·재산까지 침해될 소지가 크고, 실제 유출된 주민등록번호가 범죄에 악용되는 등 해악이 현실화되고 있다. 이러한 현실에서 주민등록번호 유출 또는 오·남용으로 인하여 발생할 수 있는 피해 등에 대한 아무런 고려 없이 주민등록번호 변경을 일률적으로 허용하지 않은 것은 그 자체로 개인정보자기결정권에 대한 과도한 침해가 될 수 있다.

정답 ⑤

084 회독 ☐☐☐ 재구성   19 5급행시, 18 지방7급

개인정보 보호에 대한 설명으로 옳은 것만을 모두 고르면?

> ㄱ. 개인정보란 살아 있는 개인에 관한 정보로서 성명, 주민등록번호 및 영상 등을 통하여 개인을 알아볼 수 있는 정보(해당 정보만으로는 특정 개인을 알아볼 수 없더라도 다른 정보와 쉽게 결합하여 알아볼 수 있는 것을 포함한다)를 말한다.
> ㄴ. 정보주체는 자신의 개인정보 처리로 인하여 발생한 피해를 신속하고 공정한 절차에 따라 구제받을 권리를 가진다.
> ㄷ. 개인정보처리자는 정보주체가 필요한 최소한의 정보 외의 개인정보 수집에 동의하지 아니한다는 이유로 정보주체에게 재화 또는 서비스의 제공을 거부하여서는 아니 된다.
> ㄹ. 개별 교원의 교원단체 및 노동조합 가입 정보는 「개인정보 보호법」 제23조의 노동조합의 가입·탈퇴에 관한 정보로서 민감정보에 해당한다.

① ㄱ, ㄴ, ㄷ   ② ㄱ, ㄴ, ㄹ   ③ ㄴ, ㄷ, ㄹ   ④ ㄱ, ㄴ, ㄷ, ㄹ

해설

ㄱ. (O) [19 5급행시]

> **개인정보 보호법 제2조(정의)**
> 이 법에서 사용하는 용어의 뜻은 다음과 같다.
> 1. "개인정보"란 살아 있는 개인에 관한 정보로서 다음 각 목의 어느 하나에 해당하는 정보를 말한다.
>   가. 성명, 주민등록번호 및 영상 등을 통하여 개인을 알아볼 수 있는 정보
>   나. 해당 정보만으로는 특정 개인을 알아볼 수 없더라도 다른 정보와 쉽게 결합하여 알아볼 수 있는 정보. 이 경우 쉽게 결합할 수 있는지 여부는 다른 정보의 입수 가능성 등 개인을 알아보는 데 소요되는 시간, 비용, 기술 등을 합리적으로 고려하여야 한다.
>   다. 가목 또는 나목을 제1호의2에 따라 가명처리함으로써 원래의 상태로 복원하기 위한 추가 정보의 사용·결합 없이는 특정 개인을 알아볼 수 없는 정보(이하 "가명정보"라 한다)

ㄴ. (O) [19 5급행시]

> **개인정보 보호법 제4조(정보주체의 권리)**
> 정보주체는 자신의 개인정보 처리와 관련하여 다음 각 호의 권리를 가진다.
> 1. 개인정보의 처리에 관한 정보를 제공받을 권리
> 2. 개인정보의 처리에 관한 동의 여부, 동의범위 등을 선택하고 결정할 권리
> 3. 개인정보의 처리 여부를 확인하고 개인정보에 대한 열람(사본의 발급을 포함한다. 이하 같다) 및 전송을 요구할 권리
> 4. 개인정보의 처리 정지, 정정·삭제 및 파기를 요구할 권리
> 5. 개인정보의 처리로 인하여 발생한 피해를 신속하고 공정한 절차에 따라 구제받을 권리
> 6. 완전히 자동화된 개인정보 처리에 따른 결정을 거부하거나 그에 대한 설명 등을 요구할 권리

ㄷ. (O) 개인정보 보호법 제16조 제3항 [19 5급행시]

ㄹ. (O) [18 지방7급]

> 개별교원의 교원단체 및 노동조합 가입 정보는 위 '개인정보 보호법' 제23조상의 노동조합의 가입·탈퇴에 관한 정보로서 '민감정보'에 해당하므로, 그 공개에는 최대한의 신중과 자제가 요청된다. 또한 교육관계는 학교와 교사, 학부모 그리고 학생이라는 주체들 사이의 단순한 계약관계에 그치는 것이 아니라 고도의 신뢰를 바탕으로 하는 관계이므로, 그러한 교육관계에서 비롯되는 교육정보의 공개에는 일반정보의 공개와는 다른 세심한 배려와 보호가 필요하다. (헌재 2011.12.29. 2010헌마293)

정답 ④

085

사생활의 비밀의 자유와 개인정보자기결정권에 대한 설명으로 옳은 것(○)과 옳지 않은 것(×)을 올바르게 조합한 것은? (다툼이 있는 경우 판례에 의함)

> ㄱ. 통계청장이 인구주택총조사의 방문 면접조사를 실시하면서, 담당 조사원을 통해 조사대상자에게 통계청장이 작성한 인구주택총조사 조사표의 조사항목들에 응답할 것을 요구한 행위는 조사대상자의 개인정보자기결정권을 침해하지 않는다.
> ㄴ. 통신매체이용음란죄로 유죄판결이 확정된 자는 신상정보등록대상자가 된다고 규정한 「성폭력범죄의 처벌 등에 관한 특례법」 조항은 신상정보등록대상자의 개인정보자기결정권을 침해한다.
> ㄷ. 공직자의 자질·도덕성·청렴성에 관한 사실은 그 내용이 개인적인 사생활에 관한 것이라 할지라도 순수한 사생활의 영역에 있다고 보기 어렵다.
> ㄹ. 통신의 자유를 기본권으로서 보장하는 것은 사적 영역에 속하는 개인 간의 의사소통을 사생활의 일부로서 보장하겠다는 취지에서 비롯된 것이다.
> ㅁ. 정보통신망을 통해 청소년유해매체물을 제공하는 자에게 이용자의 본인확인의무를 부과하고 있는 「청소년 보호법」 조항은 관계자의 개인정보자기결정권을 침해하지 않는다.

① ㄱ(○), ㄴ(○), ㄷ(○), ㄹ(○), ㅁ(○)
② ㄱ(○), ㄴ(○), ㄷ(×), ㄹ(×), ㅁ(○)
③ ㄱ(×), ㄴ(×), ㄷ(×), ㄹ(○), ㅁ(○)
④ ㄱ(×), ㄴ(×), ㄷ(○), ㄹ(○), ㅁ(×)

해설

ㄱ. (○) 헌재 2017.7.27. 2015헌마1094 [18 지방7급]

ㄴ. (○) [18 지방7급]

> 통신매체이용음란죄의 경우 다른 성폭력범죄와 달리 개별행위유형에 따라 재범의 위험성 및 신상정보등록 필요성은 현저히 다르다. 소아성기호증 등 성적 성벽이 발현된 것으로 재범이 예견되거나 혹은 공격적 성범죄로 발전할 가능성이 예견되는 행위는 재범을 방지하고 재범시 범죄자를 조속히 체포하기 위하여 신상정보등록대상으로 삼아 엄격하게 관리할 필요가 있다. 반면, 단순한 성적 호기심이나 음주상태에서의 일회적 범행으로 위험성이 크지 않은 행위까지 필요적 신상정보등록대상으로 삼는 것은 국가가 개입하여 관리하지 않아도 재범의 위험성이 크지 않은 성범죄자들의 개인정보자기결정권에 대한 지나친 제한이 된다. 그런데 심판대상조항은 통신매체이용음란 행위의 특성이나 불법성의 정도를 고려하여 그중 죄질이 무겁고 재범의 위험성이 인정되는 범죄로 등록대상을 축소하는 등 기본권 침해를 줄일 수 있는 다른 수단을 채택하지 않고, 통신매체이용음란죄로 유죄판결이 확정된 사람은 일률적으로 신상정보등록대상자가 되도록 하고 있는 점에서 침해의 최소성에 위배된다. (헌재 2016.3.31. 2015헌마688)

ㄷ. (○) 공적 인물이론이다. [17 국가7급]
ㄹ. (○) 통신의 자유를 보장하는 취지이다. [17 국가7급]
ㅁ. (○) 헌재 2015.3.26. 2013헌마354 [17 국회8급]

정답 ①

086

사생활의 비밀의 자유와 개인정보자기결정권에 대한 설명으로 가장 옳지 않은 것은? (다툼이 있는 경우 판례에 의함)

① '혐의 없음'의 불기소처분 등에 관한 수사경력자료의 수집 및 보존은 당사자의 개인정보자기결정권을 침해하지 않는다.
② 보험회사 직원이 보험회사를 상대로 손해배상청구소송을 제기한 교통사고 피해자들의 장해 정도에 관한 증거자료를 수집할 목적으로 피해자들의 일상생활을 촬영한 행위는 불법이다.
③ 금융감독원의 4급 이상 직원에 대하여 「공직자윤리법」상 재산등록의무를 부과하는 조항은 해당 업무에 대한 권한과 책임이 부여되지 아니한 3급 또는 4급 직원까지 재산등록의무자로 규정하여 재산등록의무자의 범위를 지나치게 확대하고, 등록대상 재산의 범위도 지나치게 광범위하며, 직원 본인뿐 아니라 배우자, 직계존비속의 재산까지 등록하도록 하는 등 이들의 사생활의 비밀과 자유를 침해한다.
④ 공직선거에 후보자로 등록하려는 자가 제출하여야 하는 '금고 이상의 형의 범죄경력'에 이미 실효된 형까지 포함시키는 법률규정은 공직선거후보자의 사생활의 비밀과 자유를 침해하지 않는다.

해설

① (O) [18 서울7급]

> 이 사건 수사경력자료 정리조항에서 '혐의 없음'의 불기소처분에 관한 개인정보를 보존하도록 하는 것은 재수사에 대비한 기초자료를 보존하고 수사의 반복을 피하기 위한 것으로서 그 목적이 정당하고 수단의 적합성이 인정된다. 또한 해당 범죄의 공소시효를 고려할 때 이 사건 수사경력자료 정리조항이 규정한 수사경력자료의 보존기간이 필요 이상으로 긴 것으로 보기도 어려우므로 침해의 최소성을 갖추고 있고, 수사경력자료의 보존으로 청구인이 현실적으로 입게 되는 불이익이 그다지 크지 않으므로 법익의 균형성도 갖추고 있다. 따라서 이 사건 수사경력자료 정리조항에서 '혐의 없음'의 불기소처분에 관한 개인정보를 보존하도록 하는 것은 청구인의 개인정보자기결정권을 침해하지 아니한다. (헌재 2012.7.26. 2010헌마446)

② (O) [18 입시]

> **보험회사의 불법촬영** (대판 2006.10.13. 2004다16280)
> [1] 사람은 누구나 자신의 얼굴 기타 사회통념상 특정인임을 식별할 수 있는 신체적 특징에 관하여 함부로 촬영 또는 그림 묘사되거나 공표되지 아니하며 영리적으로 이용당하지 않을 권리를 가지는데, 이러한 초상권은 우리 헌법 제10조 제1문에 의하여 헌법적으로 보장되는 권리이다.
> [2] 초상권 및 사생활의 비밀과 자유에 대한 부당한 침해는 불법행위를 구성하는데, 위 침해는 그것이 공개된 장소에서 이루어졌다거나 민사소송의 증거를 수집할 목적으로 이루어졌다는 사유만으로 정당화되지 아니한다.
> [3] 보험회사 직원이 보험회사를 상대로 손해배상청구소송을 제기한 교통사고 피해자들의 장해 정도에 관한 증거자료를 수집할 목적으로 피해자들의 일상생활을 촬영한 행위가 초상권 및 사생활의 비밀과 자유를 침해하는 불법행위에 해당한다.

③ (X) [20 국가7급]

> [1] 금융감독원의 4급 이상 직원에 대하여 공직자윤리법상 재산등록의무를 부과하는 공직자윤리법 제3조 제1항 제13호 중 공직자윤리법 시행령 제3조 제4항 제15호에 관한 부분은 금융감독원의 4급 직원인 청구인들의 사생활의 비밀의 자유 및 평등권을 침해하지 않는다.
> [2] 금융감독원의 4급 이상 직원에 대하여 퇴직일로부터 2년간 사기업체 등에의 취업을 제한하는 구 공직자윤리법 제17조 제1항 중 공직자윤리법 시행령 제31조에 의하여 적용되는 제3조 제4항 제15호에 관한 부분은 청구인들의 직업의 자유 및 평등권을 침해하지 않는다. (헌재 2014.6.26. 2012헌마331)

④ (○) [18 서울7급]

> 금고 이상의 범죄경력에 실효된 형을 포함시키는 이유는 선거권자가 공직후보자의 자질과 적격성을 판단할 수 있도록 하기 위한 점, 전과기록은 통상 공개재판에서 이루어진 국가의 사법작용의 결과라는 점, 전과기록의 범위와 공개시기 등이 한정되어 있는 점 등을 종합하면, 이 사건 법률조항은 피해최소성의 원칙에 반한다고 볼 수 없고, 공익적 목적을 위하여 공직선거후보자의 사생활의 비밀과 자유를 한정적으로 제한하는 것이어서 법익균형성의 원칙도 충족한다. 따라서 이 사건 법률조항은 청구인들의 사생활의 비밀과 자유를 침해한다고 볼 수 없다. (헌재 2008.4.24. 2006헌마402 등)

정답 ③

기출지문 OX

❶ 사생활의 비밀과 자유는 인격권적인 성격과 자유권적 성격 및 참정권적 성격을 동시에 갖는 권리이다. 10 법원직 (O / X)

해설 사생활의 비밀과 자유는 개인의 사생활 활동이 타인으로부터 침해되거나 사생활이 함부로 공개되지 아니할 소극적인 자유권적 성격과 현대사회에서 자신에 대한 정보를 자율적으로 통제할 수 있는 적극적인 청구권적 성격을 아울러 가지는 권리이다. 참정권적인 성격을 가진다고 할 수는 없다. 정답 X

❷ 언론의 자유와 사생활의 비밀과 자유나 명예훼손과의 상충관계에 대한 미국의 판례이론은 권리포기의 이론, 공적인물의 이론, 인격영역이론 등이 있다. 10 법원직 (O / X)

해설 권리포기의 이론, 공적인물의 이론, 인격영역이론 모두 독일의 판례이론이다. 정답 X

❸ 국가기관이 행정상 공표의 방법으로 의무 위반자의 실명을 공개하여 명예를 훼손한 경우 적시된 사실의 내용이 진실이라는 증명이 없더라도 국가기관이 공표 당시 이를 진실이라고 믿었고 또 그렇게 믿을 만한 상당한 이유가 있다면 위법성이 없다.
13 지방7급 (O / X)

해설 대판 1993.6.22. 92도3160 정답 O

087

개인정보자기결정권에 대한 설명으로 옳지 않은 것만을 모두 고르면? (다툼이 있는 경우 판례에 의함)

ㄱ. 근로소득자의 연말정산 간소화를 위하여 의료기관에게 환자들의 의료비내역에 관한 정보를 국세청에 제출하도록 의무를 부과하고 있는 「소득세법」 관련 규정은 환자들의 개인정보자기결정권을 침해하지 않는다.
ㄴ. 학교폭력 가해학생에 대한 조치사항을 학교생활기록부에 기재하고 졸업할 때까지 보존하는 것은 과잉금지원칙에 위배되어 가해학생의 개인정보자기결정권을 침해한다.
ㄷ. 가축전염병의 발생 예방 및 확산 방지를 위해 축산관계시설 출입차량에 차량무선인식장치를 설치하여 이동경로를 파악할 수 있도록 한 구 「가축전염병 예방법」 제17조의3 제2항은 축산관계시설에 출입하는 자의 개인정보자기결정권을 침해한다.

① ㄱ, ㄴ
② ㄱ, ㄷ
③ ㄴ, ㄷ
④ ㄱ, ㄴ, ㄷ

해설

ㄱ. (O) [09 법원직]

> **의료비내역 정보를 국세청에 제출하는 것은 헌법에 위반되지 아니한다.** (헌재 2008.10.30. 2006헌마1401)
> [1] 연말정산 간소화를 위하여 의료기관에게 환자들의 의료비내역에 관한 정보를 국세청에 제출하는 의무를 부과하고 있는 소득세법 규정은 의사인 청구인들의 양심의 자유를 제한하지만 침해하지 아니한다.
> [2] 이 사건 소득공제 증빙서류에 기재될 내용은 누가, 언제, 어디서 진료를 받고 얼마를 지불했는가라는 의료비의 지급 및 영수에 관한 것으로 병명이나 구체적인 진료내역과 같은 인격의 내적 핵심에 근접하는 의료정보는 아니다. 그러나 누가, 언제, 어디서 진료를 받고 얼마를 지불했는가라는 사실은 그 자체만으로도 보호되어야 할 사생활의 비밀일 뿐 아니라, 이러한 정보를 통합하면 구체적인 신체적·정신적 결함이나 진료의 내용까지도 유추할 수 있게 되므로, 개인정보자기결정권에 의하여 보호되어야 할 의료정보라고 아니 할 수 없다. 따라서 근로소득자인 청구인들의 진료정보가 본인들의 동의 없이 국세청 등으로 제출·전송·보관되는 것은 위 청구인들의 개인정보자기결정권을 제한하는 것으로서, 그 제한에 있어서는 헌법 제37조 제2항의 과잉금지원칙이 준수되어야 한다. … 이 사건 법령조항은 환자인 청구인들의 개인정보자기결정권을 침해하지 아니한다.

ㄴ. (✕) [16 국가7급]

> 학교폭력 관련 조치사항을 학교생활기록의 '행동특성 및 종합의견'에 입력하도록 규정한 것과 이렇게 입력된 조치사항을 졸업과 동시에 삭제하도록 규정한 것은 법률유보원칙이나 과잉금지원칙에 반하여 개인정보자기결정권을 침해하지 않는다. (헌재 2016.4.28. 2012헌마630)

ㄷ. (✕) [17 입시]

> 구제역 등 가축전염병 예방 및 확산 방지를 위해 축산관계시설에 출입하는 차량의 소유자에게 차량무선인식장치 장착 및 유지의무를 부과한 구 가축전염병 예방법 제17조의3 제2항은 청구인들의 개인정보자기결정권 등 기본권을 침해하지 아니한다. (헌재 2015.4.30. 2013헌마81)

정답 ③

088

수용자에 대한 설명으로 옳지 않은 것만을 모두 고르면? (다툼이 있는 경우 판례에 의함)

ㄱ. 유치인들이 경찰서 유치장에 수용되어 있는 동안 차폐시설이 불충분하여 사용과정에서 신체부위가 다른 유치인들이나 경찰관들에게 관찰될 수 있고, 냄새가 유출되는 유치실 내 화장실을 사용하도록 강제되었더라도 이는 유치인들의 자살이나 자해방지, 환자의 신속한 발견 등 감시와 보호목적을 달성하기 위한 것이므로 인격권을 침해하는 것이 아니다.

ㄴ. 수용자의 기본권 제한을 최소화하기 위하여 특정 부분을 확대하거나 정밀하게 촬영할 수 없는 CCTV를 설치하고, 화장실 문의 창에 불투명재질의 종이를 부착하였으며, 녹화된 영상정보의 무단유출방지를 위한 시스템을 설치하였더라도 교정시설 내 수용자를 상시적으로 시선계호할 목적으로 CCTV가 설치된 거실에 수용하는 것은 인간으로서의 존엄과 가치 및 사생활의 비밀과 자유를 침해하는 것이다.

ㄷ. 수용자가 밖으로 내보내는 서신을 봉함하지 않은 상태로 교정시설에 제출하도록 규정하고 있는 관련 규정의 본래의 목적은 교도관이 수용자의 면전에서 서신에 금지물품이 들어 있는지를 확인하고 수용자로 하여금 서신을 봉함하게 하는 방법, 봉함된 상태로 제출된 서신을 X-ray 검색기 등으로 확인한 후 의심이 있는 경우에만 개봉하여 확인하는 방법, 서신에 대한 검열이 허용되는 경우에만 무봉함상태로 제출하도록 하는 방법 등으로도 얼마든지 달성할 수 있다고 할 것이므로 수용자인 청구인의 통신비밀의 자유를 침해하는 것이다.

① ㄱ
② ㄱ, ㄴ
③ ㄴ, ㄷ
④ ㄱ, ㄴ, ㄷ

해설

ㄱ. (✗)

> 이 사건 청구인들로 하여금 유치기간 동안 위와 같은 구조의 화장실을 사용하도록 강제한 피청구인의 행위는 인간으로서의 기본적 품위를 유지할 수 없도록 하는 것으로서, 수인하기 어려운 정도라고 보여지므로 전체적으로 볼 때 비인도적·굴욕적일 뿐만 아니라 동시에 비록 건강을 침해할 정도는 아니라고 할지라도 헌법 제10조의 인간의 존엄과 가치로부터 유래하는 인격권을 침해하는 정도에 이르렀다고 판단된다. (헌재 2001.7.19. 2000헌마546)

ㄴ. (✗)

> 교정시설 내 수용자를 상시적으로 시선계호할 인력 확보가 불가능한 현실에서 응급상황이 발생하는 경우 신속하게 이를 파악하고 응급조치를 실행하기 위하여는 CCTV를 이용한 계호 외에 다른 효과적인 방법을 찾기 어렵다. 나아가 교정시설 내 자살·자해 등의 사고는 수용자 본인 및 다른 수용자들에게 중대한 부정적 영향을 끼칠 수 있고, 교정정책 전반에 대한 불신을 야기할 수도 있다는 점에서 이를 방지할 필요성이 매우 크다. 따라서 이 사건 CCTV 계호가 청구인의 사생활의 비밀과 자유를 과도하게 제한하는 것으로 볼 수 없다. (헌재 2016.4.28. 2012헌마549 등)

ㄷ. (〇) 헌재 2012.2.23. 2009헌마333

정답 ②

089   NEW   24 경찰2차

거주·이전의 자유에 관한 설명으로 가장 적절한 것은? (다툼이 있는 경우 헌법재판소 판례에 의함)

① 아프가니스탄 등 전쟁이나 테러위험이 있는 해외 위난지역에서 여권 사용을 제한하거나 방문 또는 체류를 금지한 외교통상부 고시는 거주·이전의 자유를 침해한다.

② 입국의 자유는 인간의 존엄과 가치 및 행복추구권과 밀접한 관련이 있는 인간의 권리에 속하므로, 입국의 자유에 대한 외국인의 기본권주체성은 인정된다.

③ 국민의 거주·이전의 자유는 국외에서 체류지와 거주지를 자유롭게 정할 수 있는 '해외여행 및 해외이주의 자유'와 외국에서 체류하거나 거주하려고 대한민국을 떠날 수 있는 '출국의 자유'를 포함하지만, 외국체류나 거주를 중단하고 다시 대한민국으로 돌아올 수 있는 '입국의 자유'는 포함하지 않는다.

④ 누구든지 주민등록 여부와 무관하게 거주지를 자유롭게 이전할 수 있어서, 주민등록 여부가 거주·이전의 자유와 직접적인 관계가 있다고 보기도 어렵고, 영내 기거하는 현역병은 「병역법」으로 말미암아 거주·이전의 자유를 제한받게 된다. 따라서 군인이 영내에 거주할 때 그가 속한 세대의 거주지에 주민등록을 하게 할지라도 그의 거주·이전의 자유는 제한되지 않는다.

해설

① (✗) 이 사건 처벌조항은 과잉금지원칙에 반하여 청구인의 거주·이전의 자유를 침해하지 않는다. (헌재 2020.2.27. 2016헌마945)

② (✗) 외국인은 입국의 자유는 인정되지 않고 출국의 자유는 보장된다.

③ (✗)

> 거주·이전의 자유는 국가의 간섭 없이 자유롭게 거주와 체류지를 정할 수 있는 자유로서 정치·경제·사회·문화 등 모든 생활영역에서 개성신장을 촉진함으로써 헌법상 보장되고 있는 다른 기본권들의 실효성을 증대시켜주는 기능을 한다. 구체적으로는 국내에서 체류지와 거주지를 자유롭게 정할 수 있는 자유영역뿐 아니라 나아가 국외에서 체류지와 거주지를 자유롭게 정할 수 있는 '해외여행 및 해외이주의 자유'를 포함하고 덧붙여 대한민국의 국적을 이탈할 수 있는 '국적변경의 자유' 등도 그 내용에 포섭된다고 보아야 한다. 따라서 해외여행 및 해외이주의 자유는 필연적으로 외국에서 체류 또는 거주하기 위해서 대한민국을 떠날 수 있는 '출국의 자유'와 외국체류 또는 거주를 중단하고 다시 대한민국으로 돌아올 수 있는 '입국의 자유'를 포함한다. (헌재 2004.10.28. 2003헌가18)

④ (○)

> 현역병으로 근무하는 자인 영내에 기거하는 군인은 그가 속한 세대의 거주지에서 등록하여야 한다고 규정하고 있는 주민등록법 규정은 헌법에 위반되지 아니한다. (헌재 2011.6.30. 2009헌마59)
> 주민등록은 행정법상의 제도로서 주민등록을 하는 것 자체를 거주하는 사람의 권리로 인정할 수 없고, 한편 누구든지 주민등록 여부와 무관하게 거주지를 자유롭게 이전할 수 있으므로 주민등록 여부가 거주·이전의 자유와 직접적인 관계가 있다고 보기도 어렵다. 더욱이 영내로의 주민등록 가능 여부가 해당 현역병의 거주·이전의 자유에 영향을 미친다고 보기 어렵다. 따라서 이 사건 법률조항은 영내 기거하는 현역병의 거주·이전의 자유를 제한하지 않는다 할 것이다.

정답 ④

기출지문 OX

❶ 여권발급 신청인이 북한 고위직 출신의 탈북 인사로서 신변에 대한 위해 우려가 있다는 이유로 신청인의 미국 방문을 위한 여권발급을 거부한 것은 거주·이전의 자유를 과도하게 제한하는 것으로서 위법하다. 23 서울·지방7급 (○/✗)
해설 대판 2008.1.24. 2007두10846   정답 ○

❷ 경찰청장이 경찰버스들로 서울광장을 둘러싸 일반시민들의 통행을 제지한 행위는 시민들의 거주·이전의 자유를 제한한다. 21 국회8급 (○/✗)
해설 거주·이전의 자유가 아니라 일반적 행동자유권을 침해한다.   정답 ✗

090

거주·이전의 자유에 대한 설명으로 옳은 것은? (다툼이 있는 경우 판례에 의함)

① 주거로 사용하던 건물이 수용될 경우 그 효과로 거주지도 이전하여야 하는 것은 사실이나 이는 토지 및 건물 등의 수용에 따른 부수적 효과로서 간접적·사실적 제약에 해당하므로, 정비사업조합에 수용권한을 부여하여 주택재개발사업에 반대하는 청구인의 토지 등을 강제로 취득할 수 있도록 한 「도시 및 주거환경정비법」 조항이 청구인의 재산권을 침해하였는지 여부를 판단하는 이상 거주·이전의 자유 침해 여부는 별도로 판단하지 않는다.

② 거주·이전의 자유는 성질상 법인이 누릴 수 있는 기본권이 아니므로, 법인의 대도시 내 부동산 취득에 대하여 통상보다 높은 세율인 5배의 등록세를 부과함으로써 법인의 대도시 내 활동을 간접적으로 억제하는 것은 법인의 직업수행의 자유를 제한할 뿐이다.

③ 이른바 세입자입주권의 매매계약에 있어 "매도자는 어떠한 경우에도 현 거주지에서 세입자 카드가 발급될 때까지 살아야 한다."라는 조건을 붙였다면 계약당사자의 자유로운 의사에 기하여 약정되었다 하더라도 거주·이전의 자유를 제한하여 헌법에 위반된다.

④ 한약업사의 허가 및 영업행위에 대하여 지역적 제한을 가하는 것은 평등의 원칙과 거주·이전의 자유를 침해한다.

해설

① (O) 이 사건에서 가장 침해가 크고 밀접한 관계가 있는 기본권은 재산권이다. [20 법원직]

② (X) [20 법원직]

> **법인은 거주·이전의 자유의 주체이다.** (헌재 1998.2.27. 97헌바79 [합헌])
> 지방세법 제138조 제1항 제3호가 법인의 대도시 내의 부동산등기에 대하여 통상세율의 5배를 규정하고 있다 하더라도 그것이 대도시 내에서 업무용 부동산을 취득할 정도의 재정능력을 갖춘 법인의 담세능력을 일반적으로 또는 절대적으로 초과하는 것이어서 그 때문에 법인이 대도시 내에서 향유하여야 할 직업수행의 자유나 거주·이전의 자유가 형해화할 정도에 이르러 그 기본적인 내용이 침해되었다고 볼 수 없다.

③ (X) [16 국가7급]

> 세입자입주권의 매매계약에 있어 매도자는 어떠한 경우에도 현 거주지에서 세입자카드가 발급될 때까지 살아야 한다는 조건을 붙였다고 하더라도 그 계약상의 조건이 계약당사자의 자유로운 의사에 기하여 약정된 것인 이상 그러한 조건이 거주·이전의 자유를 제한하는 약정으로서 헌법에 위반되고 사회질서에 반하는 약정으로서 무효로 된다고 할 수 없다. (대판 1991.5.28. 90다19770)

④ (X) [16 국가7급]

> 한약업사의 허가 및 영업행위에 대하여 지역적으로 제한을 가한 것은 오로지 국민 건강의 유지·향상이라는 공공의 복리를 위하여 마련된 것이고, 그 제한의 정도 또한 목적을 달성하기 위하여 적정한 것이라고 할 것이므로 헌법 제11조의 평등의 원칙에 위배된다거나 헌법 제14조의 거주·이전의 자유 및 헌법 제15조의 직업선택의 자유 등 기본권을 침해하는 것으로 볼 수 없다. (헌재 1991.9.16. 89헌마231)

정답 ①

091 회독 ☐☐☐ 재구성   19 5급행시 · 국가7급

주거 · 이전의 자유에 대한 설명으로 옳지 않은 것은? (다툼이 있는 경우 판례에 의함)

① 헌법 제16조가 보장하는 주거의 자유는 개방되지 않은 사적 공간인 주거를 공권력이나 제3자에 의해 침해당하지 않도록 함으로써 국민의 사생활영역을 보호하기 위한 권리이다.
② 주거의 자유와 관련한 영장주의는 1962년 제5차 헌법개정에서 처음으로 헌법에 명시되었다.
③ 「출입국관리법」에 의한 보호에 있어서 용의자에 대한 긴급보호를 위해 그의 주거에 들어간 것이라면 그 긴급보호가 적법한 이상 주거의 자유를 침해한 것으로 볼 수 없다.
④ 법인이 과밀억제권역 내에 본점의 사업용 부동산으로 건축물을 신축하여 이를 취득하는 경우, 취득세를 중과세하는 구 「지방세법」 조항은 법인의 영업의 자유를 제한하는 것으로서 법인의 거주 · 이전의 자유를 제한하는 것은 아니다.

해설

① (○) [19 5급행시]
② (○) [19 5급행시]
③ (○) [19 5급행시]

> 출입국관리법에 의한 보호에 있어서 용의자에 대한 긴급보호를 위해 그의 주거에 들어간 것이라면 그 긴급보호가 적법한 이상 주거의 자유를 침해한 것으로 볼 수 없으므로 청구인에 대한 긴급보호가 적법한 이상 그 긴급보호과정에서 청구인의 주거에 들어갔다고 하더라도 주거의 자유를 침해하였다고 볼 수 없다. (헌재 2012.8.23. 2008헌마430)

④ (✕) [19 국가7급]

> 법인이 과밀억제권역 내에 본점의 사업용 부동산으로 건축물을 신축하여 이를 취득하는 경우 취득세를 중과세하는 구 지방세법(2005.12.31. 법률 제7843호로 개정되고, 2010.3.31. 법률 제10221호로 전부개정되기 전의 것) 제112조 제3항 본문 중 '본점의 사업용 부동산을 취득하는 경우'에 관한 부분(이하 '이 사건 법률조항'이라 한다)이 거주 · 이전의 자유 및 영업의 자유를 침해하지 **않는다.** (헌재 2014.7.24. 2012헌바408)
> 이 사건 법률조항은 수도권 내의 과밀억제권역 안에서 법인의 본점의 사업용 부동산, 특히 본점용 건축물을 신축 또는 증축하는 경우에 취득세를 중과세하는 조항이므로, 이 사건 법률조항에 의하여 청구인의 거주 · 이전의 자유와 영업의 자유가 침해되는지 여부가 문제된다.

정답 ④

092  24 5급 행시

통신의 자유에 대한 설명으로 옳지 않은 것은?

① 감청을 헌법 제18조에서 보장하고 있는 통신의 비밀에 대한 침해행위 중의 한 유형으로 이해해서는 안 되며, 감청의 대상으로서의 전기통신을 헌법상의 '통신'개념을 전제로 하고 있다고 보아서도 안 된다.
② 사생활의 비밀과 자유에 포섭될 수 있는 사적 영역에 속하는 통신의 자유를 헌법이 별개의 조항을 통해 기본권으로 보장하는 이유는 우편이나 전기통신의 운영이 전통적으로 국가독점에서 출발하였기 때문에 개인 간의 의사소통을 전제로 하는 통신은 국가에 의한 침해가능성이 여타의 사적 영역보다 크기 때문이다.
③ 자유로운 의사소통은 통신내용의 비밀을 보장하는 것만으로는 충분하지 아니하고 구체적인 통신으로 발생하는 외형적인 사실관계, 특히 통신관여자의 인적 동일성·통신시간·통신장소·통신횟수 등 통신의 외형을 구성하는 통신이용의 전반적 상황의 비밀까지도 보장해야 한다.
④ 헌법 제18조에서 그 비밀을 보호하는 '통신'의 일반적인 속성으로는 '당사자간의 동의', '비공개성', '당사자의 특정성' 등을 들 수 있다.

해설

① (×)
> 감청이라는 것은 헌법 제18조에서 보장하고 있는 통신의 비밀에 대한 침해행위 중의 유형으로 이해하여야 할 것이며 감청의 대상으로서의 전기통신은 앞서 본 헌법상의 '통신'개념을 전제로 하고 있다고 보아야 할 것이다. 통신비밀보호법은 '통신 및 대화의 비밀과 자유에 대한 제한은 그 대상을 한정하고 엄격한 법적 절차를 거치도록 함으로써 통신비밀을 보호하고 통신의 자유를 신장함을 목적으로' 제정된 것으로서(법 제1조), 통신의 비밀을 보장하려는 헌법 제18조의 취지를 구체적으로 실현하기 위한 입법적 수단이라 할 수 있기 때문이다. (헌재 2001.3.21. 2000헌바25)

② (○) ③ (○) ④ (○) 헌재 2018.6.28. 2012헌마191

정답 ①

기출지문 OX

❶ 인터넷개인방송의 방송자가 비밀번호를 설정하는 등으로 비공개조치를 취한 후 방송을 송출하는 경우, 방송자로부터 허가를 받지 못한 제3자가 비공개 조치가 된 인터넷개인방송을 비정상적인 방법으로 시청·녹화한 것은 「통신비밀보호법」상의 감청에 해당하지 않는다. 24 경찰간부 (O / X)

> **해설** 인터넷개인방송의 방송자가 비밀번호를 설정하는 등 그 수신 범위를 한정하는 비공개 조치를 취하지 않고 방송을 송출하는 경우, 누구든지 시청하는 것을 포괄적으로 허용하는 의사라고 볼 수 있으므로, 그 시청자는 인터넷개인방송의 당사자인 수신인에 해당하고, 이러한 시청자가 방송 내용을 지득·채록하는 것은 통신비밀보호법에서 정한 감청에 해당하지 않는다. 그러나 인터넷개인방송의 방송자가 비밀번호를 설정하는 등으로 비공개 조치를 취한 후 방송을 송출하는 경우에는, 방송자로부터 허가를 받지 못한 사람은 당해 인터넷개인방송의 당사자가 아닌 '제3자'에 해당하고, 이러한 제3자가 비공개 조치가 된 인터넷개인방송을 비정상적인 방법으로 시청·녹화하는 것은 통신비밀보호법상의 감청에 해당할 수 있다. (대판 2022.10.27. 2022도9877)

정답 X

❷ 방송통신심의위원회가 정보통신서비스제공자 등에 대하여 특정 웹사이트에 대한 접속차단의 시정을 요구한 것은, 불법정보 등의 유통을 차단함으로써 정보통신에서의 건전한 문화를 창달하고 정보통신의 올바른 이용환경을 조성하고자 하는 것으로서, 정보통신서비스제공자의 통신의 비밀과 자유를 침해하지 아니한다. 24 경찰간부 (O / X)

> **해설** 방송통신심의위원회가 2019.2.11. 주식회사 케이티 외 9개 정보통신서비스제공자 등에 대하여 895개 웹사이트에 대한 이용자들의 접속을 차단하도록 시정을 요구한 행위에 대한 심판청구를 기각한다. (헌재 2023.10.26. 2019헌마158[기각])
> 이 사건 시정요구는 청구인들의 통신의 비밀과 자유 및 알 권리를 침해하지 아니한다.

정답 O

093 NEW

통신의 자유에 대한 설명으로 옳지 않은 것은?

① 3인 간의 대화에 있어서 그 중 한 사람이 그 대화를 녹음하는 경우에 다른 두 사람의 발언은 그 녹음자에 대한 관계에서 '타인간의 대화'라고 볼 수 없어 이런 녹음은 「통신비밀보호법」 제3조 제1항에 위배되지 않는다.

② 자유로운 의사소통은 통신내용의 비밀을 보장하는 것만으로는 충분하지 아니하고 구체적인 통신관계의 발생으로 야기된 모든 사실관계, 특히 통신관여자의 인적 동일성·통신장소·통신횟수·통신시간 등 통신의 외형을 구성하는 통신이용의 전반적 상황의 비밀까지도 보장한다.

③ 전기통신사업자는 검사, 사법경찰관 또는 정보수사기관의 장에게 통신사실 확인자료를 제공한 때에는 자료제공현황 등을 연 2회 과학기술정보통신부장관에게 보고하고, 해당 통신사실 확인자료 제공사실 등 필요한 사항을 기재한 대장과 통신사실확인자료제공요청서 등 관련자료를 통신사실확인자료를 제공한 날부터 7년간 비치하여야 한다.

④ 「통신비밀보호법」상 국가안전보장을 위한 통신제한조치를 하는 경우에 대통령령이 정하는 정보수사기관의 장은 고등법원장의 허가를 받아야 감청할 수 있다.

해설

① (O)

> 통신비밀보호법 제3조 제1항이 "공개되지 아니한 타인 간의 대화를 녹음 또는 청취하지 못한다."라고 정한 것은, 대화에 원래부터 참여하지 않는 제3자가 그 대화를 하는 타인들 간의 발언을 녹음해서는 아니 된다는 취지이다. 3인 간의 대화에 있어서 그중 한 사람이 그 대화를 녹음하는 경우에 다른 두 사람의 발언은 그 녹음자에 대한 관계에서 '타인 간의 대화'라고 할 수 없으므로, 이와 같은 녹음행위가 통신비밀보호법 제3조 제1항에 위배된다고 볼 수는 없다. (대판 2006.10.12. 2006도4981)

② (O) 통신의 비밀의 내용이다.

③ (O) 통신비밀보호법 제13조

④ (×)

> **통신비밀보호법 제7조(국가안보를 위한 통신제한조치)**
> ① 대통령령이 정하는 정보수사기관의 장(이하 "정보수사기관의 장"이라 한다)은 국가안전보장에 대한 상당한 위험이 예상되는 경우에 한하여 그 위해를 방지하기 위하여 이에 관한 정보수집이 특히 필요한 때에는 다음 각호의 구분에 따라 통신제한조치를 할 수 있다.
> 1. 통신의 일방 또는 쌍방당사자가 내국인인 때에는 고등법원 수석판사의허가를 받아야 한다. 다만, 군용전기통신법 제2조의 규정에 의한군용전기통신(작전수행을 위한 전기통신에 한한다)에 대하여는 그러하지 아니하다.
> 2. 대한민국에 적대하는 국가, 반국가활동의 혐의가 있는 외국의 기관·단체와 외국인, 대한민국의 통치권이 사실상 미치지 아니하는 한반도 내의 집단이나 외국에 소재하는 그 산하단체의 구성원의 통신인때 및 제1항 제1호 단서의 경우에는 서면으로 대통령의 승인을 얻어야 한다.

정답 ④

094

통신의 자유에 대한 헌법재판소의 판시 내용으로 적절하지 않은 것은?

① 교도소장이 수용자에게 온 서신을 개봉한 행위는 구 「형의 집행 및 수용자의 처우에 관한 법률」 및 구 「형의 집행 및 수용자의 처우에 관한 법률 시행령」 조항에 근거하여 수용자에게 온 서신의 봉투를 개봉하여 내용물을 확인한 행위로서 수용자의 통신의 자유를 침해하지 아니한다.

② 통신제한조치기간의 연장을 허가함에 있어 총 연장기간 또는 총 연장횟수의 제한을 두지 아니한 「통신비밀보호법」 조항은 통신의 비밀을 침해하여 헌법에 위반된다 할 것이다.

③ 전기통신역무제공에 관한 계약을 체결하는 경우 전기통신사업자로 하여금 가입자에게 본인임을 확인할 수 있는 증서 등을 제시하도록 요구하고 부정가입방지시스템 등을 이용하여 본인인지 여부를 확인하도록 한 「전기통신사업법」 조항은, 가입자의 인적 사항이라는 정보는 통신의 내용·상황과 관계없는 '비 내용적 정보'이며 휴대전화 통신계약체결단계에서는 아직 통신수단을 통하여 어떠한 의사소통이 이루어지는 것이 아니므로 통신의 비밀에 대한 제한이라 할 수는 없다.

④ '육군 신병교육 지침서'(육군본부 2006.12.18. 교육참고 25-3) 중 전화 사용의 통제에 관한 부분은 신병교육훈련생들의 통신의 자유 등 기본권을 필요한 정도를 넘어 과도하게 제한하는 것이다.

⑤ 국가기관의 감청설비 보유·사용에 대한 관리와 통제를 위한 법적, 제도적 장치가 마련되어 있으므로, 국가기관이 인가 없이 감청설비를 보유, 사용할 수 있다는 사실만 가지고 바로 국가기관에 의한 통신비밀침해행위를 용이하게 하는 결과를 초래함으로써 통신의 자유를 침해한다고 볼 수는 없다.

해설

① (O)

> 피청구인 교도소장이 대한법률구조공단으로부터 청구인에게 발송된 총 7건의 서신 및 국가인권위원회로부터 청구인에게 발송된 1건의 서신을 개봉한 행위, 피청구인 교도소장이 교도소에 송달된 수원지방검찰청의 정보공개결정통지서 및 수원지방법원의 판결문 등 총 5건의 문서를 열람한 행위는 청구인의 통신의 자유를 침해하지 않는다. (헌재 2021.9.30. 2019헌마919 【기각】)
> [1] 형의 집행 및 수용자의 처우에 관한 법률(이하 '형집행법'이라 한다) 시행령 제67조에 따라 문서를 열람한 후에는 예외 없이 본인에게 전달하여야 하고, 문서의 내용을 심사하여 전달 여부를 결정할 권한은 갖지 못하므로, 형집행법 시행령 제67조의 '열람'은 구 형집행법 제43조 제4항 단서에 따라 예외적으로 허용되는 '검열'과는 차이가 있다.
> [2] 수용시설의 안전과 질서 유지라는 공익은 매우 중대한 반면, 서신을 개봉하더라도 그 내용에 대한 검열은 원칙적으로 금지되어 사익 침해가 크지 않으므로, 서신개봉행위는 법익의 균형성도 갖추었다. 따라서 서신개봉행위는 청구인의 통신의 자유를 침해하지 않는다.

② (O) 헌재 2010.12.28. 2009헌가30 【헌법불합치(잠정적용)】

③ (O)

> 심판대상조항은 휴대전화를 통한 문자·전화·모바일 인터넷 등 통신기능을 사용하고자 하는 자에게 반드시 사전에 본인확인절차를 거치는 데 동의해야만 이를 사용할 수 있도록 하므로, 익명으로 통신하고자 하는 청구인들의 통신의 자유를 제한한다. … 통신의 비밀이란 서신·우편·전신의 통신수단을 통하여 개인 간에 의사나 정보의 전달과 교환(의사소통)이 이루어지는 경우, 통신의 내용과 통신이용의 상황이 개인의 의사에 반하여 공개되지 아니할 자유를 의미한다. 그러나 가입자의 인적 사항이라는 정보는 통신의 내용·상황과 관계없는 '비 내용적 정보'이며 휴대전화 통신계약체결단계에서는 아직 통신수단을 통하여 어떠한 의사소통이 이루어지는 것이 아니므로 통신의 비밀에 대한 제한이 이루어진다고 보기는 어렵다. (헌재 2019.9.26. 2017헌마1209)

④ (X) 필요한 정도를 넘어 과도하게 제한하는 것이라고 보기 어렵다. (헌재 2010.10.28. 2007헌마890)

⑤ (O) 헌재 2001.3.21. 2000헌바25

정답 ④

095 회독 ☐☐☐ 재구성   23 법원직, 22 경찰1차, 19 지방7급

통신의 자유에 관한 다음 설명 중 가장 옳지 않은 것은? (다툼이 있는 경우 판례에 의함)

① 인터넷회선 감청은 서버에 저장된 정보가 아니라, 인터넷상에서 발신되어 수신되기까지의 과정 중에 수집되는 정보, 즉 전송 중인 정보의 수집을 위한 수사이므로, 압수·수색에 해당된다.

② 「통신비밀보호법」(2005.5.26. 법률 제7503호로 개정된 것) 제13조 제1항 중 '검사 또는 사법경찰관은 수사를 위하여 필요한 경우 「전기통신사업법」에 의한 전기통신사업자에게 제2조 제11호 가목 내지 라목의 통신사실 확인자료의 열람이나 제출을 요청할 수 있다'는 부분은 과잉금지원칙에 위반되어 개인정보자기결정권과 통신의 자유를 침해한다.

③ 「통신비밀보호법」상 '통신'이라 함은 우편물 및 전기통신을 말한다.

④ A구치소장이 당시 A구치소에 수용 중인 甲 앞으로 온 서신 속에 허가받지 않은 물품인 사진이 동봉되어 있음을 이유로 甲에게 해당 서신수수를 금지하고 해당 서신을 발신자로서 당시 B교도소에 수용 중인 乙에게 반송한 행위는 과잉금지원칙에 위반하여 乙의 통신의 자유를 침해하지 않는다.

> **해설**

① (✗) [19 지방7급]

> 인터넷회선 감청은 검사가 법원의 허가를 받으면, 피의자 및 피내사자에 해당하는 감청대상자나 해당 인터넷회선의 가입자의 동의나 승낙을 얻지 아니하고도, 전기통신사업자의 협조를 통해 해당 인터넷회선을 통해 송·수신되는 전기통신에 대해 감청을 집행함으로써 정보주체의 기본권을 제한할 수 있으므로, 법이 정한 강제처분에 해당한다. 또한 인터넷회선 감청은 서버에 저장된 정보가 아니라, 인터넷상에서 발신되어 수신되기까지의 과정 중에 수집되는 정보, 즉 전송 중인 정보의 수집을 위한 수사이므로, 압수·수색과 구별된다. (헌재 2018.8.30. 2016헌마263)

② (O) [23 법원직]

> 수사기관이 수사의 필요성 있는 경우 전기통신사업자에게 위치정보 추적자료를 제공요청할 수 있도록 한 통신비밀보호법 제13조 제1항 중 "검사 또는 사법경찰관은 수사를 위하여 필요한 경우 전기통신사업법에 의한 전기통신사업자에게 제2조 제11호 바목, 사목의 통신사실 확인자료의 열람이나 제출을 요청할 수 있다." 부분, 수사종료 후 위치정보 추적자료를 제공받은 사실 등을 통지하도록 한 통신비밀보호법 제13조의3 제1항 중 제2조 제11호 바목, 사목의 통신사실 확인자료에 관한 부분은 개인정보자기결정권과 통신의 자유를 침해한다. (헌재 2018.6.28. 2012헌마191 등【헌법불합치(잠정적용)】)
> [1] 이 사건 요청조항은 명확성원칙에 위반되지 아니한다.
> [2] 입법목적의 정당성과 수단의 적정성이 인정된다. '수사의 필요성'만을 그 요건으로 하고 있어 절차적 통제마저도 제대로 이루어지기 어려운 현실인 점 등을 고려할 때, 이 사건 요청조항은 침해의 최소성과 법익의 균형성이 인정되지 아니한다.
> [3] 이 사건 허가조항은 수사기관이 전기통신사업자에게 위치정보 추적자료 제공을 요청함에 있어 관할 지방법원 또는 지원의 허가를 받도록 규정하고 있다. 따라서 이 사건 허가조항은 헌법상 영장주의에 위배되지 아니한다.
> [4] 수사의 밀행성 확보는 필요하지만, 헌법상 적법절차원칙을 통하여 수사기관의 권한 남용을 방지하고 정보주체의 기본권을 보호하기 위해서는 위치정보 추적자료 제공과 관련하여 정보주체에게 적절한 고지와 실질적인 의견진술의 기회를 부여해야 한다. 이러한 점들을 종합할 때, 이 사건 통지조항은 헌법상 적법절차원칙에 위배되어 청구인들의 개인정보자기결정권을 침해한다.【헌법불합치】

③ (O) 통신은 격지자 간의 매체에 의한 의사전달을 말한다. [22 경찰1차]

④ (○) [23 법원직]

> 청구인은 관심대상수용자로 지정된 자이고, 서신에 동봉된 녹취서는 청구인이 원고인 민사사건 증인의 증언을 녹취한 소송서류로서 타인의 실명과 개인정보가 기재되어 있다. 한편, 수용자 사이에 사진을 자유롭게 교환할 수 있도록 하는 경우 각종 교정사고가 발생할 가능성이 있다. 이와 같은 점을 종합적으로 고려하면, 이 사건 반송행위는 과잉금지원칙에 위반되어 청구인의 통신의 자유를 침해하지 않는다. (헌재 2019.12.27. 2017헌마413 등)

정답 ①

기출지문 OX

❶ 수형자가 수발하는 서신에 대한 검열로 인하여 수형자의 통신의 비밀이 일부 제한되는 것은 국가안전보장·질서유지 또는 공공복리라는 정당한 목적을 위하여 부득이할 뿐만 아니라 유효적절한 방법에 의한 최소한의 제한이며 통신의 자유의 본질적 내용을 침해하는 것이 아니므로 헌법에 위반된다고 할 수 없다. 22 서울·지방7급 (○ / ×)

해설 헌재 1998.8.27. 96헌마398

정답 ○

❷ 통신의 자유란 통신수단을 자유로이 이용하여 의사소통할 권리이고, 이러한 '통신수단의 자유로운 이용'에는 자신의 인적 사항을 누구에게도 밝히지 않는 상태로 통신수단을 이용할 자유, 즉 통신수단의 익명성 보장도 포함된다. 22 서울·지방7급 (○ / ×)

해설
[1] 헌법 제18조로 보장되는 기본권인 통신의 자유란 통신수단을 자유로이 이용하여 의사소통할 권리이다. '통신수단의 자유로운 이용'에는 자신의 인적 사항을 누구에게도 밝히지 않는 상태로 통신수단을 이용할 자유, 즉 통신수단의 익명성 보장도 포함된다. 심판대상조항은 휴대전화를 통한 문자·전화·모바일 인터넷 등 통신기능을 사용하고자 하는 자에게 반드시 사전에 본인확인절차를 거치는 데 동의해야만 이를 사용할 수 있도록 하므로, 익명으로 통신하고자 하는 청구인들의 통신의 자유를 제한한다. 반면, 심판대상조항이 통신의 비밀을 제한하는 것은 아니다. 가입자의 인적 사항이라는 정보는 통신의 내용·상황과 관계없는 '비 내용적 정보'이며 휴대전화 통신계약체결단계에서는 아직 통신수단을 통하여 어떠한 의사소통이 이루어지는 것이 아니므로 통신의 비밀에 대한 제한이 이루어진다고 보기는 어렵기 때문이다.
[2] 심판대상조항이 청구인들의 통신의 자유, 개인정보자기결정권을 침해하는지 여부를 판단하는 이상 사생활의 비밀과 자유 침해 여부에 관하여는 별도로 판단하지 아니한다.
[3] 개인정보자기결정권, 통신의 자유가 제한되는 불이익과 비교했을 때, 명의도용피해를 막고, 차명휴대전화의 생성을 억제하여 보이스피싱 등 범죄의 범행도구로 악용될 가능성을 방지함으로써 잠재적 범죄피해방지 및 통신망 질서유지라는 더욱 중대한 공익의 달성효과가 인정된다. 따라서 심판대상조항은 청구인들의 개인정보자기결정권 및 통신의 자유를 침해하지 않는다. (헌재 2019.9.26. 2017헌마1209)

정답 ○

❸ 수용자가 집필한 문서의 내용이 사생활의 비밀 또는 자유를 침해하는 등 우려가 있을 때 교정시설의 장이 문서의 외부반출을 금지하도록 규정한 법률조항은 집필문을 창작하거나 표현하는 것을 금지하거나 이에 대한 허가를 요구하는 조항이므로, 제한되는 기본권은 통신의 자유가 아니라 표현의 자유로 보아야 한다. 22 서울·지방7급 (○ / ×)

해설 청구인은 수용자가 작성한 집필문의 외부반출을 불허하고 이를 영치할 수 있도록 한 심판대상조항에 의해 표현의 자유 또는 예술창작의 자유가 제한된다고 주장하나, 심판대상조항은 집필문을 창작하거나 표현하는 것을 금지하거나 이에 대한 허가를 요구하는 조항이 아니라 이미 표현된 집필문을 외부의 특정한 상대방에게 발송할 수 있는지 여부에 대해 규율하는 것이므로, 제한되는 기본권은 헌법 제18조에서 정하고 있는 통신의 자유로 봄이 상당하다. (헌재 2016.5.26. 2013헌바98)

정답 ×

096

통신의 자유에 대한 설명으로 옳은 것은? (다툼이 있는 경우 판례에 의함)

① 금치처분을 받은 수형자에 대하여 서신수수를 제한하는 것은 징벌실 수용에 따른 격리에 추가하여 통신의 제한을 더하는 것이므로 이는 수형자의 통신의 자유를 침해한다.
② 화상접견시스템이라는 전기통신수단을 이용하여 마약류사범인 미결수용자와 변호인이 아닌 접견인 사이의 접견 내용을 모두 녹음·녹화하는 것은 미결수용자의 통신의 비밀을 침해하지 않는다.
③ 「통신비밀보호법」상의 감청은 그 대상이 되는 전기통신의 송·수신과 동시에 이루어지는 경우뿐 아니라 이미 수신이 완료된 전기통신의 내용을 지득하는 등의 행위를 포함한다.
④ 불법감청에 의하여 지득 또는 채록된 전기통신의 내용은 재판절차에서 증거로 사용될 수 없으나 징계절차에서는 증거로 사용할 수 있다.
⑤ 수사기관의 인터넷회선 감청을 다른 감청과 달리 별도의 제한절차 없이 허용하는 것은 오늘날 정보화사회에서 날로 지능화되는 범죄수사를 위해 불가피하므로 헌법에 위반된다고 할 수 없다.

해설

① (X)

> 금치 징벌의 목적 자체가 징벌실에 수용하고 엄중한 격리에 의하여 개전을 촉구하고자 하는 것이므로 접견·서신수발의 제한은 불가피하며, 행형법 시행령 제145조 제2항은 금치기간 중의 접견·서신수발을 금지하면서도, 그 단서에서 소장으로 하여금 '교화 또는 처우상 특히 필요하다고 인정되는 때'에는 금치기간 중이라도 접견·서신수발을 허가할 수 있도록 예외를 둠으로써 과도한 규제가 되지 않도록 조치하고 있으므로, 금치 수형자에 대한 접견·서신수발의 제한은 수용시설 내의 안전과 질서 유지라는 정당한 목적을 위하여 필요·최소한의 제한이다. (헌재 2004.12.16. 2002헌마478)

② (O) 변호인 아닌 자와의 대화를 녹음하는 것은 헌법에 위반되지 않는다. (헌재 2016.11.24. 2014헌바401)

③ (X)

> 통신비밀보호법 제2조 제3호 및 제7호에 의하면 같은 법상 '감청'은 전자적 방식에 의하여 모든 종류의 음향·문언·부호 또는 영상을 송신하거나 수신하는 전기통신에 대하여 당사자의 동의 없이 전자장치·기계장치 등을 사용하여 통신의 음향·문언·부호·영상을 청취·공독하여 그 내용을 지득 또는 채록하거나 전기통신의 송·수신을 방해하는 것을 말한다. 그런데 해당 규정의 문언이 송신하거나 수신하는 전기통신행위를 감청의 대상으로 규정하고 있을 뿐 송·수신이 완료되어 보관 중인 전기통신 내용은 대상으로 규정하지 않은 점, 일반적으로 감청은 다른 사람의 대화나 통신 내용을 몰래 엿듣는 행위를 의미하는 점 등을 고려하여 보면, 통신비밀보호법상 '감청'이란 대상이 되는 전기통신의 송·수신과 동시에 이루어지는 경우만을 의미하고, 이미 수신이 완료된 전기통신의 내용을 지득하는 등의 행위는 포함되지 않는다. (대판 2012.10.25. 2012도4644)

④ (X) 불법검열에 의하여 취득한 우편물이나 그 내용 및 불법감청에 의하여 지득 또는 채록된 전기통신의 내용은 재판 또는 징계절차에서 증거로 사용할 수 없다.

⑤ (X)

> 통신비밀보호법 제5조 제2항 중 인터넷회선 감청(인터넷통신망에서 정보 전송을 위해 쪼개어진 단위인 전기신호 형태의 '패킷'(packet)을 수사기관이 중간에 확보하여 그 내용을 지득하는 이른바 '패킷감청')에 관한 부분은 집행단계 이후 객관적 통제수단이 제대로 마련되어 있지 않아 청구인의 통신 및 사생활의 비밀과 자유를 침해한다. (헌재 2018.8.30. 2016헌마263 [헌법불합치(잠정적용)])
> 이 사건 법률조항은 입법목적의 정당성과 수단의 적합성이 인정된다. 이상을 종합하면, 이 사건 법률조항은 인터넷회선 감청의 특성을 고려하여 그 집행단계나 집행 이후에 수사기관의 권한 남용을 통제하고 관련 기본권의 침해를 최소화하기 위한 제도적 조치가 제대로 마련되어 있지 않은 상태에서, 범죄수사목적을 이유로 인터넷회선 감청을 통신제한조치 허가대상 중 하나로 정하고 있으므로 침해의 최소성 요건을 충족한다고 할 수 없다.

정답 ②

097 [16 국가7급, 14 국회8급, 13 서울7급, 09 법원직]

통신의 자유에 대한 설명으로 옳지 않은 것만을 모두 고르면? (다툼이 있는 경우 판례에 의함)

ㄱ. 헌법 제18조의 '통신'의 일반적인 속성으로는 '당사자 간의 동의', '비공개성', '당사자의 특정성' 등을 들 수 있다.

ㄴ. 교도소장으로 하여금 수용자가 주고받는 서신에 금지물품이 들어 있는지를 확인할 수 있도록 규정하고 있는 「형의 집행 및 수용자의 처우에 관한 법률」 제43조 제3항은 청구인의 기본권을 직접 침해한다고 볼 수 있다.

ㄷ. 검사, 사법경찰관 또는 정보수사기관의 장은 중대한 범죄의 계획이나 실행 등 긴박한 상황에 있는 경우 반드시 법원의 허가를 받아 통신제한조치를 하여야 한다.

ㄹ. 수사기관이 아닌 사인이 공개되지 아니한 타인 간의 대화를 비밀 녹음한 녹음테이프에 대한 검증조서의 증거능력은 인정되지 않는다.

① ㄱ, ㄴ
② ㄱ, ㄹ
③ ㄴ, ㄷ
④ ㄷ, ㄹ

해설

ㄱ. (O) 헌재 2001.3.21. 2000헌바25 [14 국회8급]

ㄴ. (X) [13 서울7급]

> 교도소장으로 하여금 수용자가 주고받는 서신에 금지물품이 들어 있는지를 확인할 수 있도록 규정하고 있는 형의 집행 및 수용자의 처우에 관한 법률 제43조 제3항은 수용자의 서신에 금지물품이 들어 있는지 여부에 대한 확인을 교도소장의 재량에 맡기고 있으므로 교도소장의 금지물품 확인이라는 구체적인 집행행위를 매개로 하여 수용자인 청구인의 권리에 영향을 미치게 되는바, 위 법률조항이 청구인의 기본권을 직접 침해한다고 할 수 없다. (헌재 2012.2.23. 2009헌마333)

ㄷ. (X) 통신제한은 원칙적으로 법원의 허가를 받아야 한다. 그러나 긴급통신제한조치는 법원의 허가 없이 할 수 있다. **(통신비밀보호법 제8조 제1항)** [09 법원직]

ㄹ. (O) 위법수집증거이므로, 증거능력이 인정되지 않는다. [16 국가7급]

정답 ③

기출지문 OX

❶ 헌법 제18조는 "모든 국민은 통신의 비밀과 자유를 침해받지 아니한다."라고 규정하고 있다. [14 국회8급] (O/X)

> **해설**
> **헌법 제18조**
> 모든 국민은 통신의 비밀을 침해받지 아니한다.

정답 X

❷ 「통신비밀보호법」상 통신이란 우편물, 전기통신 및 대화를 말한다. [14 국회8급] (O/X)

> **해설** 통신은 격지자 간의 매체에 의한 의사소통을 말한다. 따라서 대화는 통신이 아니다.

정답 X

❸ 불법감청·녹음 등에 의하여 취득한 타인 간의 대화 내용을 어떠한 경로로 알게 되었는지 그 지득경위를 묻지 않고 그 대화 내용을 공개한 자를 처벌하는 것은 과잉금지의 원칙에 위반된다. 14 국회8급 (O / ×)

> **해설**
> 이 사건 법률조항이 불법감청·녹음 등에 의하여 취득한 타인 간의 대화 내용을 어떠한 경로로 알게 되었는지 그 지득경위를 묻지 않고 그 대화 내용을 공개한 자를 처벌하는 이유는 대화 내용을 공개함으로써 대화의 비밀이 침해되는 정도가 그 대화 내용을 알게 된 경우에 따라서 달라지는 것은 아니기 때문이다. … 이와 같이 이 사건 법률조항이 불법취득한 타인 간의 대화 내용을 공개한 자를 처벌함에 있어 형법 제20조(정당행위)의 일반적 위법성조각사유에 관한 규정을 적정하게 해석·적용함으로써 공개자의 표현의 자유도 적절히 보장될 수 있는 이상, 이 사건 법률조항에 형법상의 명예훼손죄와 같은 위법성조각사유에 관한 특별규정을 두지 아니하였다는 점만으로 기본권 제한의 비례성을 상실하였다고는 볼 수 없다. (헌재 2011.8.30. 2009헌바42)

정답 ×

🔔 통신비밀보호법상 통신의 자유의 제한

구분	주체	대상인	제한내용
범죄수사를 위한 통신제한 (2개월+2개월)	검사	각 피의자별 또는 각 피내사자별로	• 법원의 허가 필요 • 긴급시 허가 불요(36시간 내 허가 필요)
	사법경찰관은 검사에 대하여 각 피의자별 또는 각 피내사자별로 통신제한조치에 대한 허가를 신청하고, 검사는 법원에 대하여 그 허가를 청구할 수 있다.		
국가안보를 위한 통신제한 (4월+4월)	정보수사 기관의 장	내국인(일방 또는 쌍방이 내국인인 경우)	• 정보수사기관의 장이 신청 • 고등법원 수석판사의 허가
		• 대한민국에 적대하는 국가, 반국가활동의 혐의가 있는 외국의 기관·단체와 외국인, 대한민국의 통치권이 사실상 미치지 아니하는 한반도 내의 집단이나 외국에 소재하는 그 산하 단체의 구성원의 통신인 때 • 군용전기통신법 제2조의 규정에 의한 군용전기통신(작전수행을 위한 전기통신에 한한다.)	대통령 승인
긴급통신제한	사법경찰관, 검사, 정보수사 기관의 장	검사, 사법경찰관 또는 정보수사기관의 장은 국가안보를 위협하는 음모행위, 직접적인 사망이나 심각한 상해의 위험을 야기할 수 있는 범죄 또는 조직범죄 등 중대한 범죄의 계획이나 실행 등 긴박한 상황에 있고 제5조 제1항 또는 제7조 제1항 제1호의 규정에 의한 요건을 구비한 자에 대하여 제6조 또는 제7조 제1항 및 제3항의 규정에 의한 절차를 거칠 수 없는 긴급한 사유가 있는 때에는 법원의 허가 없이 통신제한조치를 할 수 있다.	36시간 내 법원의 허가를 받지 못하면 즉시 중지
		정보수사기관의 장은 국가안보를 위협하는 음모행위, 직접적인 사망이나 심각한 상해의 위험을 야기할 수 있는 범죄 또는 조직범죄 등 중대한 범죄의 계획이나 실행 등 긴박한 상황에 있고 제7조 제1항 제2호에 해당하는 자에 대하여 대통령의 승인을 얻을 시간적 여유가 없거나 통신제한조치를 긴급히 실시하지 아니하면 국가안전보장에 대한 위해를 초래할 수 있다고 판단되는 때에는 소속 장관(국가정보원장을 포함)의 승인을 얻어 통신제한조치를 할 수 있다.	36시간 이내에 대통령의 승인을 얻지 못한 때에는 즉시 그 긴급통신제한조치를 중지하여야 한다.

검사 또는 사법경찰관이 통신제한조치의 연장을 청구하는 경우에 통신제한조치의 총 연장기간은 1년을 초과할 수 없다. 다만, 내란죄 등의 중대한 범죄의 경우에는 통신제한조치의 총 연장기간이 3년을 초과할 수 없다.

제3절 정신적 자유권

핵심노트

양심실현의 자유의 종류

침묵의 자유	• 형성된 양심을 언어로 외부에 표명하도록 강제되지 아니하는 자유를 말한다. - 양심을 표명하도록 강제되지 아니하는 자유 • 불리한 진술거부권이나 취재원 묵비권 혹은 증언거부 등은 객관적 사실에 관한 진술거부이므로 가치적 판단을 그 내용으로 하는 침묵의 자유에 포함되지 않는다.
양심추지의 금지	양심을 일정한 행동에 의해 간접적으로 표명하도록 강제받지 아니할 자유를 말한다. 예 사상조사나 십자가 밟기
부작위에 의한 양심실현의 자유	• 자신의 양심에 반하는 행위를 강제당하지 아니하거나 양심에 반하는 작위의무로부터의 해방을 말한다. • 병역을 강제하는 것은 부작위에 의한 양심실현의 자유를 제한하지만, 침해는 아니다.
작위에 의한 양심실현의 자유	• 양심상 행위명령과 그에 대한 법적인 금지명령이 충돌하는 경우를 말함. 작위에 의한 양심실현의 자유는 상대적으로 많은 제한이 가능하다. • 대법원은 보안사의 민간인 정치사찰을 폭로하기 위해 양심선언을 하기 위해 부대를 빠져나간 경우 군무이탈죄로 처벌하는 것이 적법하다고 본다. (대판 1993.6.8. 93도766)

098 [NEW]
24 경찰간부

양심의 자유에 대한 설명으로 가장 적절하지 않은 것은? (다툼이 있는 경우 판례에 의함)

① 법원의 판결에 의한 사죄광고의 강제는 양심도 아닌 것이 양심인 것처럼 표현할 것의 강제로 인간양심의 왜곡·굴절이고 겉과 속이 다른 이중 인격형성의 강요인 것으로서 침묵의 자유의 파생인 양심에 반하는 행위의 강제금지에 저촉되는 것이다.

② 방송사업자가 심의규정을 위반한 경우 '시청자에 대한 사과'를 명할 수 있도록 규정한 구「방송법」 조항은 방송사업자의 양심의 자유를 침해한다.

③ 「병역법」 위반 사건에서 피고인이 양심적 병역거부를 주장할 경우 인간의 내면에 있는 양심을 직접 객관적으로 증명할 수는 없으므로 사물의 성질상 양심과 관련성이 있는 간접사실 또는 정황사실을 증명하는 방법으로 판단하여야 한다.

④ 가해학생에 대한 조치로 피해학생에 대한 서면사과를 규정한 구「학교폭력예방 및 대책에 관한 법률」 조항은 가해학생에게 반성과 성찰의 기회를 제공하고 피해학생의 피해회복과 정상적인 학교생활로의 복귀를 돕기 위한 것으로 가해학생의 양심의 자유와 인격권을 과도하게 침해한다고 보기 어렵다.

해설

① (○)
> 사죄광고의 강제는 양심도 아닌 것이 양심인 것처럼 표현할 것의 강제로 인간양심의 왜곡·굴절이고 겉과 속이 다른 이중인격형성의 강요인 것으로서 침묵의 자유의 파생인 양심에 반하는 행위의 강제금지에 저촉되는 것이며 따라서 우리 헌법이 보호하고자 하는 정신적 기본권의 하나인 양심의 자유의 제약(법인의 경우라면 그 대표자에게 양심표명의 강제를 요구하는 결과가 된다)이라고 보지 않을 수 없다. (헌재 1994.4.1. 89헌마160)

② (×) 양심의 자유가 아니라 인격권 침해이다. (헌재 2012.8.23. 2009헌가27)

③ (O)

> 구체적인 병역법위반 사건에서 피고인이 양심적 병역거부를 주장할 경우, 그 양심이 과연 위와 같이 깊고 확고하며 진실한 것인지 가려내는 일이 무엇보다 중요하다. 인간의 내면에 있는 양심을 직접 객관적으로 증명할 수는 없으므로 사물의 성질상 양심과 관련성이 있는 간접사실 또는 정황사실을 증명하는 방법으로 판단하여야 한다. (대판 2018.11.1. 2016도10912 전원합의체)

④ (O)

> 가해학생에 대한 조치로 피해학생에 대한 서면사과를 규정한 구 '학교폭력예방 및 대책에 관한 법률'(이하 '구 학교폭력예방법'이라 한다) 제17조 제1항 제1호는 가해학생의 양심의 자유와 인격권을 침해하지 않는다. (헌재 2023.2.23. 2019헌바93 [합헌])

정답 ②

099

양심의 자유에 대한 헌법재판소의 판시 내용으로 적절하지 않은 것은?

① 양심의 자유에는 널리 사물의 시시비비나 선악과 같은 윤리적 판단에 국가가 개입해서는 안 되는 내심적 자유는 물론, 이와 같은 윤리적 판단을 국가권력에 의하여 외부에 표명하도록 강제받지 아니할 자유까지 포괄한다.

② 육군참모총장이 상벌사항을 파악하는 일환으로 육군 장교에게 민간법원에서 약식명령을 받아 확정된 사실을 자진신고하도록 명령하는 것은 개인의 인격형성에 관계되는 내심의 가치적·윤리적 판단이 개입될 여지가 없는 단순한 사실관계의 확인에 불과하다.

③ 보안관찰처분은 보안관찰처분 대상자가 보안관찰 해당 범죄를 다시 저지를 위험성이 내심의 영역을 벗어나 외부에 표출되는 경우에 재범의 방지를 위하여 내려지는 특별예방적 목적의 처분이므로 양심의 자유를 침해한다고 할 수 없다.

④ 특정한 내적인 확신 또는 신념이 양심으로 형성된 이상 그 내용 여하를 떠나 양심의 자유에 의해 보호되는 양심이 될 수 있으므로, 헌법상 양심의 자유에 의해 보호받는 양심으로 인정할 것인지의 판단은 그것이 깊고, 확고하며, 진실된 것인지 여부에 따르면 된다. 따라서 양심적 병역거부를 주장하는 사람은 자신의 양심을 외부로 표명하여 증명할 의무를 지지 않는다.

해설

① (O) 침묵의 자유도 양심의 자유의 한 내용이다.
② (O) 양심의 자유나 진술거부권은 제한되지 않는다.

> 육군 장교가 민간법원에서 약식명령을 받아 확정되면 자진신고할 의무를 규정한 '2020년도 장교 진급 지시' 조항 및 '2021년도 장교 진급 지시' 조항은 일반적 행동의 자유를 침해하지 않는다. (헌재 2021.8.31. 2020헌마12 [기각, 각하])

③ (O) 헌재 1997.11.27. 92헌바28
④ (X)

> 특정한 내적인 확신 또는 신념이 양심으로 형성된 이상 그 내용 여하를 떠나 양심의 자유에 의해 보호되는 양심이 될 수 있으므로, 헌법상 양심의 자유에 의해 보호받는 '양심'으로 인정할 것인지의 판단은 그것이 깊고, 확고하며, 진실된 것인지 여부에 따르게 된다. 그리하여 양심적 병역거부를 주장하는 사람은 자신의 '양심'을 외부로 표명하여 증명할 최소한의 의무를 진다. (헌재 2018.6.28. 2011헌바379 등)

정답 ④

> **기출지문 OX**
>
> 침묵의 자유는 사실에 관한 지식 또는 기술적 지식의 진술을 거부하는 자유도 포함한다. 18 입시 (O / X)
>
> 해설 침묵의 자유는 내심의 양심을 공표하지 않을 자유를 말하는 것이므로 단순한 지식과 같은 것은 대상이 아니다. 정답 X

100 회독 ☐☐☐ 22 법원직

양심의 자유에 관한 다음 설명 중 옳지 않은 것은 모두 몇 개인가? (다툼이 있는 경우 헌법재판소 결정 및 대법원 판례에 의함)

ㄱ. 양심적 병역거부자에 대한 대체복무제를 규정하지 아니한 병역종류조항은 과잉금지원칙에 위배하여 양심적 병역거부자의 양심의 자유를 침해한다.
ㄴ. 양심의 자유는 옳고 그른 것에 대한 판단을 추구하는 가치적·도덕적 마음가짐으로 인간의 윤리적 내심영역인바, 세무사가 행하는 성실신고확인은 확인대상사업자의 소득금액에 대하여 심판대상조항 및 관련 법령에 따라 확인하는 것으로 단순한 사실관계의 확인에 불과한 것이어서 헌법 제19조에 의하여 보장되는 양심의 영역에 포함되지 않는다.
ㄷ. 내심적 자유, 즉 양심형성의 자유와 양심적 결정의 자유는 내심에 머무르는 한 절대적 자유라고 할 수 있지만, 양심실현의 자유는 타인의 기본권이나 다른 헌법적 질서와 저촉되는 경우 헌법 제37조 제2항에 따라 국가안전보장·질서유지 또는 공공복리를 위하여 법률에 의하여 제한될 수 있는 상대적 자유라고 할 수 있다.
ㄹ. 누구라도 자신이 비행을 저질렀다고 믿지 않는 자에게 본심에 반하여 사죄 내지 사과를 강요한다면 이는 윤리적·도의적 판단을 강요하는 것으로서 양심의 자유를 침해하는 행위에 해당하므로, 사업자단체의 「독점규제 및 공정거래에 관한 법률」 위반행위가 있을 때 공정거래위원회가 당해 사업자단체에 대하여 '법 위반사실의 공표'를 명할 수 있도록 하는 법률조항은 양심의 자유를 침해한다.

① 1개 ② 2개 ③ 3개 ④ 4개

해설

ㄱ. (O) 헌재 2018.6.28. 2011헌바379 등
ㄴ. (O) 헌재 2019.7.25. 2016헌바392
ㄷ. (O)
ㄹ. (X) '법 위반사실의 공표'를 명할 수 있도록 하는 법률조항은 무죄추정원칙 위반, 일반적 행동자유권, 진술거부권, 명예권 침해로 위헌이지만, 양심의 자유를 침해하지 않는다.

> 단순한 사실관계의 확인과 같이 가치적·윤리적 판단이 개입될 여지가 없는 경우는 물론, 법률해석에 관하여 여러 견해가 갈리는 경우처럼 다소의 가치관련성을 가진다고 하더라도 개인의 인격형성과는 관계가 없는 사사로운 사유나 의견 등은 그 보호대상이 아니다. 이 사건의 경우와 같이 경제규제법적 성격을 가진 독점규제 및 공정거래에 관한 법률에 위반하였는지 여부에 있어서도 각 개인의 소신에 따라 어느 정도의 가치판단이 개입될 수 있는 소지가 있고 그 한도에서 다소의 윤리적·도덕적 관련성을 가질 수도 있겠으나, 이러한 법률판단의 문제는 개인의 인격형성과는 무관하며, 대화와 토론을 통하여 가장 합리적인 것으로 그 내용이 동화되거나 수렴될 수 있는 포용성을 가지는 분야에 속한다고 할 것이므로 헌법 제19조에 의하여 보장되는 양심의 영역에 포함되지 아니한다. (헌재 2002.1.31. 2001헌바43)

정답 ①

101

양심적 병역거부에 관한 다음 설명 중 가장 옳지 않은 것은? (다툼이 있는 경우 대법원 판례 및 헌법재판소 결정에 의함)

① 국방의 의무는 법률이 정하는 바에 따라 부담하므로, 그 구체적인 이행방법과 내용은 법률로 정할 사항이다.
② 양심적 병역거부의 허용 여부는 헌법 제19조 양심의 자유 등 기본권 규범과 헌법 제39조 국방의 의무 규범 사이의 충돌·조정 문제이다.
③ 양심적 병역거부는 소극적 부작위에 의한 양심실현에 해당하므로, 이에 대한 제한은 양심의 자유에 대한 과도한 제한이 되거나 본질적 내용에 대한 위협이 될 수 있다.
④ 양심적 병역거부자에게 병역의무의 이행을 일률적으로 강제하고 그 불이행에 대하여 형사처벌 등 제재를 하는 것은 소수자에 대한 관용과 포용이라는 자유민주주의 정신에도 위배된다.
⑤ 신념이 확고하다는 것은 그것이 유동적이거나 가변적이지 않다는 것을 뜻하지만, 반드시 고정불변이어야 하는 것은 아니므로, 상황에 따라 타협적이거나 전략적으로 행동하는 것을 금지하지는 아니한다. 병역거부자가 그 신념과 관련한 문제에서 상황에 따라 다른 행동을 하였다고 하더라도, 그러한 신념이 진실하지 않다고 단정할 수는 없다.

해설

① (O)

> **헌법 제39조**
> ① 모든 국민은 법률이 정하는 바에 의하여 국방의 의무를 진다.

② (O) 국가의 존립이 없으면 기본권 보장의 토대가 무너지기 때문이다.

> 국방의 의무가 구체화된 병역의무는 성실하게 이행하여야 하고 병무행정 역시 공정하고 엄정하게 집행하여야 한다. 헌법이 양심의 자유를 보장하고 있다고 해서 위와 같은 가치를 소홀히 해서는 안 된다. 따라서 양심적 병역거부의 허용 여부는 헌법 제19조 양심의 자유 등 기본권 규범과 헌법 제39조 국방의 의무 규범 사이의 충돌·조정 문제가 된다. (대판 2018.11.1. 2016도10912 전원합의체)

③ (O) 양심적 병역거부는 부작위에 의한 양심실현의 자유, 즉 소극적 부작위에 의한 양심실현에 해당한다.
④ (O)

> 양심적 병역거부자에게 병역의무의 이행을 일률적으로 강제하고 그 불이행에 대하여 형사처벌 등 제재를 하는 것은 양심의 자유를 비롯한 헌법상 기본권 보장체계와 전체 법질서에 비추어 타당하지 않을 뿐만 아니라 소수자에 대한 관용과 포용이라는 자유민주주의 정신에도 위배된다. 따라서 진정한 양심에 따른 병역거부라면, 이는 병역법 제88조 제1항의 '정당한 사유'에 해당한다. (대판 2018.11.1. 2016도10912 전원합의체)

⑤ (X)

> 신념이 확고하다는 것은 그것이 유동적이거나 가변적이지 않다는 것을 뜻한다. 반드시 고정불변이어야 하는 것은 아니지만, 그 신념은 분명한 실체를 가진 것으로서 좀처럼 쉽게 바뀌지 않는 것이어야 한다. 신념이 진실하다는 것은 거짓이 없고, 상황에 따라 타협적이거나 전략적이지 않다는 것을 뜻한다. 설령 병역거부자가 깊고 확고한 신념을 가지고 있더라도 그 신념과 관련한 문제에서 상황에 따라 다른 행동을 한다면 그러한 신념은 진실하다고 보기 어렵다. (대판 2018.11.1. 2016도10912 전원합의체)

정답 ⑤

102 [20 서울·지방7급·5급행시]

양심의 자유에 대한 설명으로 옳지 않은 것은? (다툼이 있는 경우 판례에 의함)

① 헌법이 보호하고자 하는 양심은 어떤 일의 옳고 그름을 판단함에 있어서 그렇게 행동하지 않고는 자신의 인격적 존재가치가 허물어지고 말 것이라는 강력하고 진지한 마음의 소리를 말한다.
② 양심의 자유는 인간으로서의 존엄성 유지와 개인의 자유로운 인격발현을 위해 개인의 윤리적 정체성을 보장하는 기능을 담당한다.
③ 현역입영 또는 소집통지서를 받은 자가 정당한 사유 없이 입영하지 않거나 소집에 응하지 않은 경우를 처벌하는 구「병역법」처벌조항은 과잉금지원칙을 위배하여 양심적 병역거부자의 양심의 자유를 침해한다.
④ 양심의 자유는 내심에서 우러나오는 윤리적 확신과 이에 반하는 외부적 법질서의 요구가 서로 회피할 수 없는 상태로 충돌할 때에만 침해될 수 있다.
⑤ 양심에는 세계관·인생관·주의·신조 등은 물론, 이에 이르지 아니하여도 보다 널리 개인의 인격형성에 관계되는 내심에 있어서의 가치적·윤리적 판단도 포함될 수 있으나, 단순한 사실관계의 확인과 같이 가치적·윤리적 판단이 개입될 여지가 없는 경우는 그 보호대상이 아니다.

해설

① (O) [20 서울·지방7급]

> 양심이란 인간의 윤리적·도덕적 내심영역의 문제이고, 헌법이 보호하려는 양심은 어떤 일의 옳고 그름을 판단함에 있어서 그렇게 행동하지 아니하고는 자신의 인격적인 존재가치가 허물어지고 말 것이라는 강력하고 진지한 마음의 소리이지, 막연하고 추상적인 개념으로서의 양심이 아니다. (헌재 1997.3.27. 96헌가11)

② (O) 양심의 자유의 기능이다. [20 서울·지방7급]
③ (X) 병역거부에 대한 형사처벌은 위헌이 아니고, 대체복무를 규정하지 않은 것이 헌법불합치이다. [20 서울·지방7급]

> 병역의 종류에 양심적 병역거부자에 대한 대체복무제를 규정하지 아니한 병역법 제5조 제1항은 양심의 자유를 침해한다. 【헌법불합치(잠정적용)】 한편, 양심적 병역거부자의 처벌근거가 된 병역법 제88조 제1항 본문 제1호 및 제2호는 헌법에 위반되지 아니한다. 【합헌】 (헌재 2018.6.28. 2011헌바379 등)
>
> [1] 적법요건에 대한 판단
> 　비군사적 성격을 갖는 복무도 입법자의 형성에 따라 병역의무의 내용에 포함될 수 있고, 대체복무제는 그 개념상 병역종류조항과 밀접한 관련을 갖는다. 따라서 청구인들은 입법자가 병역의 종류에 관하여 병역종류조항에 입법은 하였으나 그 내용이 대체복무제를 포함하지 아니하여 불충분하다는 부진정입법부작위를 다투는 것이라고 봄이 상당하다. 병역종류조항이 대체복무제를 포함하고 있지 않다는 이유로 위헌으로 결정된다면, 양심적 병역거부자의 형사사건을 담당하는 법원이 무죄를 선고할 가능성이 있으므로, 병역종류조항은 재판의 전제성이 인정된다.
>
> [2] 본안 판단
> 　가. 양심적 병역거부의 의미: '양심적' 병역거부라는 용어를 사용한다고 하여 병역의무 이행은 '비양심적'이 된다거나 병역을 이행하는 병역의무자들과 병역의무 이행이 국민의 숭고한 의무라고 생각하는 대다수 국민들이 '비양심적'인 사람들이 되는 것은 결코 아니다.

나. 병역종류조항의 위헌 여부
　　　㉠ 목적의 정당성 및 수단의 적합성은 인정된다.
　　　㉡ 침해의 최소성
　　　　ⓐ 양심적 병역거부자의 수는 병역자원의 감소를 논할 정도가 아니고, 이들을 처벌한다고 하더라도 교도소에 수감할 수 있을 뿐 병역자원으로 활용할 수는 없으므로, 대체복무제 도입으로 병역자원의 손실이 발생한다고 할 수 없다. 전체 국방력에서 병역자원이 차지하는 중요성이 낮아지고 있는 점을 고려하면, <u>대체복무제를 도입하더라도 우리나라의 국방력에 의미 있는 수준의 영향을 미친다고 보기는 어렵다</u>. 국가가 관리하는 객관적이고 공정한 사전심사절차와 엄격한 사후관리절차를 갖추고, 현역복무와 대체복무 사이에 복무의 난이도나 기간과 관련하여 형평성을 확보해 <u>현역복무를 회피할 요인을 제거한다면, 심사의 곤란성과 양심을 빙자한 병역기피자의 증가 문제를 해결할 수 있다</u>. 따라서 대체복무제를 도입하면서도 <u>병역의무의 형평을 유지하는 것은 충분히 가능하다</u>. 따라서 대체복무제라는 대안이 있음에도 불구하고 군사훈련을 수반하는 병역의무만을 규정한 병역종류조항은 침해의 최소성원칙에 어긋난다.
　　　　ⓑ 헌법재판소는 2004년 입법자에 대하여 국가안보라는 공익의 실현을 확보하면서도 병역거부자의 양심을 보호할 수 있는 대안이 있는지 검토할 것을 권고하였는데, 그로부터 14년이 경과하도록 이에 관한 입법적 진전이 이루어지지 못하였다. 그 사이 국가인권위원회, 국방부, 법무부, 국회 등 국가기관에서 대체복무제 도입을 검토하거나 그 도입을 권고하였으며, 법원에서도 최근 하급심에서 양심적 병역거부에 대해 무죄판결을 선고하는 사례가 증가하고 있다. 이러한 모든 사정을 감안해 볼 때 국가는 이 문제의 해결을 더 이상 미룰 수 없으며, 대체복무제를 도입함으로써 병역종류조항으로 인한 기본권 침해 상황을 제거할 의무가 있다.
　　　　ⓒ 다수결을 기본으로 하는 민주주의 의사결정구조에서 다수와 달리 생각하는 이른바 '소수자'들의 소리에 귀를 기울이고 이를 반영하는 것은 관용과 다원성을 핵심으로 하는 민주주의의 참된 정신을 실현하는 길이 될 것이다.

④ (O) [20 5급행시]

> 양심의 자유는 내심에서 우러나오는 윤리적 확신과 이에 반하는 외부적 법질서의 요구가 서로 회피할 수 없는 상태로 충돌할 때에만 침해될 수 있다. 그러므로 당해 실정법이 특정의 행위를 금지하거나 명령하는 것이 아니라 단지 특별한 혜택을 부여하거나 권고 내지 허용하고 있는 데에 불과하다면, 수범자는 수혜를 스스로 포기하거나 권고를 거부함으로써 법질서와 충돌하지 아니한 채 자신의 양심을 유지, 보존할 수 있으므로 양심의 자유에 대한 침해가 된다 할 수 없다. (헌재 2002.4.25. 98헌마425 등)

⑤ (O) 양심의 개념에 대해서 윤리적 양심설을 취한 판례와 사회적 양심설을 취한 판례가 있는데, 선지는 사회적 양심설의 입장이다. [20 5급행시]

> 양심은 옳고 그른 것에 대한 판단을 추구하는 가치적·도덕적 마음가짐으로, 개인의 소신에 따른 다양성이 보장되어야 하고 그 형성과 변경에 외부적 개입과 억압에 의한 강요가 있어서는 아니 되는 인간의 윤리적 내심영역이다. 보호되어야 할 양심에는 세계관·인생관·주의·신조 등은 물론, 이에 이르지 아니하여도 보다 널리 개인의 인격형성에 관계되는 내심에 있어서의 가치적·윤리적 판단도 포함될 수 있다. 그러나 단순한 사실관계의 확인과 같이 가치적·윤리적 판단이 개입될 여지가 없는 경우는 물론, 법률해석에 관하여 여러 견해가 갈리는 경우처럼 다소의 가치관련성을 가진다고 하더라도 개인의 인격형성과는 관계가 없는 사사로운 사유나 의견 등은 그 보호대상이 아니라고 할 것이다. (헌재 2002.1.31. 2001헌바43)

정답 ③

103　회독 □□□　19 변호사

양심적 병역거부에 관한 최근 헌법재판소의 결정 내용에 관한 설명 중 옳지 않은 것은?

① 양심적 병역거부자에 대한 관용은 결코 병역의무의 면제와 특혜의 부여에 대한 관용이 아니며, 대체복무제는 병역의무의 일환으로 도입되는 것이므로 현역복무와의 형평을 고려하여 최대한 등가성을 가지도록 설계되어야 한다.

② 양심적 병역거부자에 대한 대체복무제를 규정하지 아니한 병역종류조항과 양심상의 결정에 따라 입영을 거부하거나 소집에 불응하는 자에 대하여 형벌을 부과하는 처벌조항은 '양심에 반하는 행동을 강요당하지 아니할 자유', 즉, '부작위에 의한 양심실현의 자유'를 제한한다.

③ 국가의 존립과 안전을 위한 불가결한 헌법적 가치를 담고 있는 국방의 의무와 개인의 인격과 존엄의 기초가 되는 양심의 자유라는 헌법적 가치가 서로 충돌하는 경우에도 그에 대한 심사는 헌법상 비례원칙에 의하여야 한다.

④ 대체복무제를 도입함으로써 병역자원을 확보하고 병역부담의 형평을 기할 수 있음에도 불구하고, 양심적 병역거부자에 대한 처벌의 예외를 인정하지 않고 일률적으로 형벌을 부과하는 처벌조항은 양심적 병역거부자의 양심의 자유를 침해한다.

⑤ 양심적 병역거부의 바탕이 되는 양심상의 결정은 종교적 동기뿐만 아니라 윤리적·철학적 또는 이와 유사한 동기로부터라도 형성될 수 있는 것이므로 양심적 병역거부자의 기본권 침해 여부는 양심의 자유를 중심으로 판단한다.

해설

① (O) ② (O) ③ (O)

④ (X) 병역의 종류에 양심적 병역거부자에 대한 대체복무제를 규정하지 아니한 병역법 제5조 제1항은 헌법에 합치되지 아니한다.【헌법불합치(잠정적용)】 한편, 양심적 병역거부자의 처벌근거가 된 병역법 제88조 제1항 본문 제1호 및 제2호는 헌법에 위반되지 아니한다.【합헌】(헌재 2018.6.28. 2011헌바379 등)

⑤ (O)

정답 ④

기출지문 OX

❶ 각종 병역의 종류를 규정하고 있는 「병역법」상 병역종류조항은 병역부담의 형평을 기하고 병역자원을 효과적으로 확보하여 효율적으로 배분함으로써 국가안보를 실현하고자 하는 것이기는 하나, 대체복무제를 규정하고 있지 않은 이상 정당한 입법목적을 달성하기 위한 적합한 수단에 해당한다고 보기는 어렵다. 19 법원직　(O/X)

정답 X

❷ '양심적' 병역거부는 실상 당사자의 '양심에 따른' 혹은 '양심을 이유로 한' 병역거부를 가리키는 것일 뿐이지 병역거부가 '도덕적이고 정당하다'는 의미는 아니다. 19 입시　(O/X)

해설　일반적으로 양심적 병역거부는 병역의무가 인정되는 징병제 국가에서 종교적·윤리적·철학적 또는 이와 유사한 동기로부터 형성된 양심상의 결정을 이유로 병역의무의 이행을 거부하는 행위를 가리킨다. 그런데 일상생활에서 '양심적' 병역거부라는 말은 병역거부가 '양심적', 즉 도덕적이고 정당하다는 것을 가리킴으로써, 그 반면으로 병역의무를 이행하는 사람은 '비양심적'이거나 '비도덕적'인 사람으로 치부하게 될 여지가 있다. 하지만 앞에서 살펴 본 양심의 의미에 따를 때, '양심적' 병역거부는 실상 당사자의 '양심에 따른' 혹은 '양심을 이유로 한' 병역거부를 가리키는 것일 뿐이지 병역거부가 '도덕적이고 정당하다'는 의미는 아닌 것이다. 따라서 '양심적' 병역거부라는 용어를 사용한다고 하여 병역의무 이행은 '비양심적'이 된다거나 병역을 이행하는 거의 대부분의 병역의무자들과 병역의무 이행이 국민의 숭고한 의무라고 생각하는 대다수 국민들이 '비양심적'인 사람들이 되는 것은 결코 아니다. (헌재 2018.6.28. 2011헌바379)

정답 O

❸ 대체복무제가 마련되지 아니한 상황에서 양심상의 결정에 따라 입영을 거부하거나 소집에 불응하는 사람들에게 형사처벌을 부과하는 「병역법」 조항은 '양심에 반하는 행동을 강요당하지 아니할 자유'를 제한하는 것이다. 그러나 다른 한편 헌법 제39조 제1항의 국방의 의무를 형성하는 입법이기도 하므로, 위 「병역법」 조항이 양심의 자유를 침해하는지 여부에 대한 심사는 헌법상 자의금지원칙에 따라 입법형성의 재량을 일탈하였는지 여부를 기준으로 판단하여야 한다. 21 법원직 (O / X)

해설 자의금지가 아니라 비례원칙으로 심사한다.

정답 X

❹ 양심상의 이유로 병역의무의 이행을 거부할 권리는 단지 헌법 스스로 이에 관하여 명문으로 규정하는 경우에 한하여 인정될 수 있으나, 법적용기관이 양심우호적 법적용을 통하여 양심을 보호하는 조치를 취할 수 있도록 하는 방향으로 입법을 보완할 것인지에 관하여 숙고하여야 한다. 08 법원직 (O / X)

해설 헌재 2004.8.26. 2002헌가1

정답 O

예상판례

㉠ 대체복무요원의 복무기간을 '36개월'로 한 '대체역의 편입 및 복무 등에 관한 법률' 제18조 제1항, ㉡ 대체복무요원으로 하여금 '합숙'하여 복무하도록 한 같은 법 제21조 제2항, ㉢ 대체복무기관을 '교정시설'로 한정한 같은 법 시행령 제18조에 대한 심판청구를 모두 기각하는 결정을 선고하였다. (헌재 2024.5.30. 2021헌마117【기각】)

104 23 입시, 18 법원직, 06 법무사

양심의 자유와 종교의 자유에 대한 설명으로 옳은 것만을 모두 고르면? (다툼이 있는 경우 판례에 의함)

ㄱ. 양심의 자유의 주체는 자연인이므로, 법인에 대한 사죄광고제도는 양심의 자유의 제약에 해당하지 않는다.
ㄴ. 단순한 사실관계의 확인과 같이 가치적·윤리적 판단이 개입될 여지가 없는 경우는 물론, 법률해석에 관하여 여러 견해가 갈리는 경우처럼 다소의 가치관련성을 가진다고 하더라도 개인의 인격형성과는 관계가 없는 사사로운 사유나 의견 등은 양심의 자유의 보호대상이 아니다.
ㄷ. 양심의 자유는 제헌헌법에서 종교의 자유와 같은 조항에서 함께 규정되었으나 1962년 제5차 개정헌법에서 종교의 자유와 분리하여 규정된 것이 현행헌법에서도 유지되고 있다.
ㄹ. 종교의 자유는 국민에게 그가 선택한 임의의 장소에서 자유롭게 종교전파를 할 자유까지를 보장하는 것은 아니다.
ㅁ. 양심상의 결정이 이성적·합리적인지, 타당한지 또는 법질서나 사회규범, 도덕률과 일치하는지 여부는 양심의 존재를 판단하는 기준이 된다.

① ㄱ, ㄴ, ㅁ
② ㄱ, ㄷ, ㄹ
③ ㄴ, ㄷ, ㄹ
④ ㄷ, ㄹ, ㅁ

> **해설**

ㄱ. (✗) 법인은 양심의 자유의 주체가 아니다. 다만, 법인에 대한 사죄광고명령은 법인의 대표자의 양심의 자유를 침해한다. [18 법원직]
ㄴ. (○) 헌재 2002.1.31. 2001헌바43 [06 법무사]
ㄷ. (○) [23 입시]
ㄹ. (○) [23 입시]

> 종교전파의 자유는 국민에게 그가 선택한 임의의 장소에서 자유롭게 행사할 수 있는 권리까지 보장한다고 할 수 없으며, 그 임의의 장소가 대한민국의 주권이 미치지 아니하는 지역 나아가 국가에 의한 국민의 생명·신체 및 재산의 보호가 강력히 요구되는 해외 위난지역인 경우에는 더욱 그러하다. (헌재 2008.6.26. 2007헌마1366)

ㅁ. (✗) [23 입시]

> '양심'은 민주적 다수의 사고나 가치관과 일치하는 것이 아니라, 개인적 현상으로서 지극히 주관적인 것이다. 양심은 그 대상이나 내용 또는 동기에 의하여 판단될 수 없으며, 특히 양심상의 결정이 이성적·합리적인가, 타당한가 또는 법질서나 사회규범·도덕률과 일치하는가 하는 관점은 양심의 존재를 판단하는 기준이 될 수 없다. (헌재 2018.6.28. 2011헌바379 등)

정답 ③

105 회독 □□□ 재구성   17 입시, 13 국가7급, 11 법원직

양심의 자유에 대한 설명으로 옳지 않은 것은? (다툼이 있는 경우 판례에 의함)

① 국가의 법질서나 사회의 도덕률과 갈등을 일으키는 양심은 현실적으로 이러한 법질서나 도덕률에서 벗어나려는 소수의 양심이다. 따라서 종교관·세계관 등에 관계없이 모든 내용의 양심상 결정이 양심의 자유에 의해 보장된다.
② 양심의 자유의 경우에는 법익교량을 통하여 양심의 자유와 공익을 조화와 균형의 상태로 이루어 양 법익을 함께 실현하는 것이 아니라 단지 '양심의 자유'와 '공익' 중 양자택일의 문제가 있을 뿐이다.
③ 양심의 자유는 소극적 양심실현의 자유를 의미하는 것이고 적극적으로 자기의 양심에 따른 행동을 할 자유까지도 포함하는 것은 아니다.
④ 헌법 제19조에서 보호하는 양심은 개인의 구체적인 양심을 말하며, 막연하고 추상적인 양심을 말하는 것이 아니다.

> 해설

① (O) [13 국가7급]

> 일반적으로 민주적 다수는 법질서와 사회질서를 그의 정치적 의사와 도덕적 기준에 따라 형성하기 때문에, 그들이 국가의 법질서나 사회의 도덕률과 양심상의 갈등을 일으키는 것은 예외에 속한다. 양심의 자유에서 현실적으로 문제가 되는 것은 국가의 법질서나 사회의 도덕률에서 벗어나려는 소수의 양심이다. 따라서 양심상의 결정이 어떠한 종교관·세계관 또는 그 외의 가치체계에 기초하고 있는가와 관계없이, 모든 내용의 양심상의 결정이 양심의 자유에 의하여 보장된다. (헌재 2004.8.26. 2002헌가1)

② (O) [17 입시]

> 양심의 자유의 경우 비례의 원칙을 통하여 양심의 자유를 공익과 교량하고 공익을 실현하기 위하여 양심을 상대화하는 것은 양심의 자유의 본질과 부합될 수 없다. 양심상의 결정이 법익교량과정에서 공익에 부합하는 상태로 축소되거나 그 내용에 있어서 왜곡·굴절된다면, 이는 이미 '양심'이 아니다. 따라서 양심의 자유의 경우에는 법익교량을 통하여 양심의 자유와 공익을 조화와 균형의 상태로 이루어 양 법익을 함께 실현하는 것이 아니라, 단지 '양심의 자유'와 '공익' 중 양자택일 즉, 양심에 반하는 작위나 부작위를 법질서에 의하여 '강요받는가 아니면 강요받지 않는가'의 문제가 있을 뿐이다. (헌재 2004.8.26. 2002헌가1)

③ (X) [11 법원직]

> 헌법 제19조의 양심의 자유는 크게 양심형성의 내부영역과 형성된 양심을 실현하는 외부영역으로 나누어 볼 수 있으므로, 그 구체적인 보장 내용에 있어서도 내심의 자유인 '양심형성의 자유'와 양심적 결정을 외부로 표현하고 실현하는 '양심실현의 자유'로 구분된다. 양심형성의 자유란 외부로부터의 부당한 간섭이나 강제를 받지 않고 개인의 내심영역에서 양심을 형성하고 양심상의 결정을 내리는 자유를 말하고, 양심실현의 자유란 형성된 양심을 외부로 표명하고 양심에 따라 삶을 형성할 자유, 구체적으로는 양심을 표명하거나 또는 양심을 표명하도록 강요받지 아니할 자유(양심표명의 자유), 양심에 반하는 행동을 강요받지 아니할 자유(부작위에 의한 양심실현의 자유), 양심에 따른 행동을 할 자유(작위에 의한 양심실현의 자유)를 모두 포함한다. (헌재 2004.8.26. 2002헌가1)

④ (O) [11 법원직]

> **준법서약제는 양심의 자유를 침해하지 아니한다.** (헌재 2002.4.25. 98헌마425 [기각])
> [1] 내용상 단순히 국법질서나 헌법체제를 준수하겠다는 취지의 서약을 할 것을 요구하는 이 사건 준법서약은 국민이 부담하는 일반적 의무를 장래를 향하여 확인하는 것에 불과하며, 어떠한 가정적 혹은 실제적 상황하에서 특정의 사유를 하거나 특별한 행동을 할 것을 새로이 요구하는 것이 아니다. 따라서 이 사건 준법서약은 어떤 구체적이거나 적극적인 내용을 담지 않은 채 단순한 헌법적 의무의 확인·서약에 불과하다고 할 것이어서 양심의 영역을 건드리는 것이 아니다.
> [2] 양심의 자유는 내심에서 우러나오는 윤리적 확신과 이에 반하는 외부적 법질서의 요구가 서로 회피할 수 없는 상태로 충돌할 때에만 침해될 수 있다. 그러므로 당해 실정법이 특정의 행위를 금지하거나 명령하는 것이 아니라 단지 특별한 혜택을 부여하거나 권고 내지 허용하고 있는 데에 불과하다면, 수범자는 수혜를 스스로 포기하거나 권고를 거부함으로써 법질서와 충돌하지 아니한 채 자신의 양심을 유지, 보존할 수 있으므로 양심의 자유에 대한 침해가 된다고 할 수 없다. 이 사건의 경우, 가석방 심사 등에 관한 규칙 제14조에 의하여 준법서약서의 제출이 반드시 법적으로 강제되어 있는 것이 아니다. 당해 수형자는 가석방심사위원회의 판단에 따라 준법서약서의 제출을 요구받았다고 하더라도 자신의 의사에 의하여 준법서약서의 제출을 거부할 수 있다. 또한 가석방은 행형기관의 교정정책 혹은 형사정책적 판단에 따라 수형자에게 주는 은혜적 조치일 뿐이고 수형자에게 주어지는 권리가 아니어서, 준법서약서의 제출을 거부하는 당해 수형자는 결국 위 규칙조항에 의하여 가석방의 혜택을 받을 수 없게 될 것이지만, 단지 그것뿐이며 더 이상 법적 지위가 불안해지거나 법적 상태가 악화되지 아니한다. 이와 같이 위 규칙조항은 내용상 당해 수형자에게 하등의 법적 의무를 부과하는 것이 아니며 이행강제나 처벌 또는 법적 불이익의 부과 등 방법에 의하여 준법서약을 강제하고 있는 것이 아니므로 당해 수형자의 양심의 자유를 침해하는 것이 아니다.

정답 ③

106 24 법원직

종교의 자유에 관한 다음 설명 중 가장 옳지 않은 것은?

① 신앙의 자유는 신과 피안 또는 내세에 대한 인간의 내적확신에 대한 자유를 말하는 것으로서 이러한 신앙의 자유는 그 자체가 내심의 자유의 핵심이기 때문에 법률로써도 이를 침해할 수 없다.

② 연 2회 실시하는 간호조무사 국가시험의 시행일시를 모두 토요일 일몰 전으로 정하여 특정 종교의 교인들로 하여금 안식일에 관한 교리를 위반하도록 하거나 토요일 응시에 제한을 받도록 하는 것은, 두 번의 시험 중 적어도 한 번은 토요일이 아닌 날 시행할 수 있는 등 다른 방법을 고려할 수 있으므로, 과잉금지원칙에 반하여 종교의 자유를 침해한다.

③ 종교시설의 건축행위에 금전적인 부담을 가하는 기반시설부담금은 종교시설의 건축행위에 부담을 주므로 이로써 종교적 행위의 자유가 제한된다.

④ 종교의 자유로부터 종교를 이유로 일반적으로 적용되는 조세나 부담금을 부과하는 법률적용의 면제 등 적극적인 우대조치를 요구할 권리가 직접 도출된다거나 적극적인 우대조치를 할 국가의 의무가 발생하는 것은 아니다.

해설

① (O) 신앙의 자유와 양심형성의 자유는 성질상 제한 불가능한 기본권이다.

② (X)

> 연 2회 실시되는 간호조무사 국가시험을 모두 토요일에 실시하고 시험 요일을 다양화하지 않았다고 하여 그로 인한 기본권 제한이 지나치다고 볼 수 없다. (헌재 2023.6.29. 2021헌마171)

③ (O) ④ (O)

> 종교의 자유에서 종교에 대한 적극적인 우대조치를 요구할 권리가 직접 도출되거나 우대할 국가의 의무가 발생하지 아니한다. 종교시설의 건축행위에만 기반시설부담금을 면제한다면 국가가 종교를 지원하여 종교를 승인하거나 우대하는 것으로 비칠 소지가 있어 헌법 제20조 제2항의 국교금지·정교분리에 위배될 수도 있다고 할 것이므로 종교시설의 건축행위에 대하여 기반시설부담금 부과를 제외하거나 감경하지 아니하였더라도, 종교의 자유를 침해하는 것이 아니다. (헌재 2010.2.25. 2007헌바131)

정답 ②

기출지문 OX

종교적인 기관·단체 등의 조직 내에서의 직무상 행위를 이용하여 그 구성원에 대하여 선거운동을 하거나 하게 할 수 없도록 한 「공직선거법」 조항은 종교적 신념 자체 또는 종교의식, 종교교육, 종교적 집회·결사의 자유 등을 제한하는 것이 아니므로 종교의 자유가 직접적으로 제한된다고 보기 어렵다. 24 경찰간부   (O / X)

해설 직무이용 금지조항 중 '직무상 행위를 이용하여' 부분은 죄형법정주의 명확성원칙에 위배되지 않는다.

> 종교단체 내에서의 직무상 행위를 이용한 선거운동을 금지하는 공직선거법 제85조 제3항 중 '누구든지 종교적인 기관·단체 등의 조직 내에서의 직무상 행위를 이용하여 그 구성원에 대하여 선거운동을 하거나 하게 할 수 없다' 부분, 이를 위반한 경우 처벌하는 같은 법 제255조 제1항 제9호 중 위 금지조항에 관한 부분이 헌법에 위반되지 아니한다. (헌재 2024.1.25. 2021헌바233 【합헌, 각하】)

정답 O

107 24 국회8급

종교의 자유에 대한 설명으로 옳지 않은 것은?

① 신앙의 자유는 그 자체가 내심의 자유의 핵심이므로 법률로써도 이를 침해할 수 없는 반면, 종교적 행위의 자유와 종교적 집회·결사의 자유는 신앙의 자유와는 달리 절대적 자유가 아니므로 질서유지, 공공복리 등을 위하여 제한할 수 있다.

② 육군훈련소장이 훈련병들로 하여금 육군훈련소 내 종교행사에 참석하도록 한 행위는 국가가 종교를 군사력 강화라는 목적을 달성하기 위한 수단으로 전락시키거나, 반대로 종교단체가 군대라는 국가권력에 개입하여 선교행위를 하는 등 영향력을 행사할 수 있는 기회를 제공하므로, 국가와 종교의 밀접한 결합을 초래한다는 점에서 정교분리원칙에 위배된다.

③ 국가 또는 지방자치단체 외의 자가 양로시설을 설치하고자 하는 경우 신고하도록 규정하고 이를 위반한 경우 처벌하는 「노인복지법」 제33조 제2항 중 제32조 제1항 제1호의 '양로시설'에 관한 부분 및 「노인복지법」 제57조 제1항 중 제33조 제2항의 '양로시설'에 관한 부분은 종교단체에서 구호활동의 일환으로 운영하는 양로시설도 예외를 인정함이 없이 신고의무를 부과하고 이를 위반할 경우 형사처벌을 하는 것으로서 과잉금지원칙에 위배되어 종교의 자유를 침해한다.

④ 금치기간 중 공동행사 참가를 정지하는 「형의 집행 및 수용자의 처우에 관한 법률」 제112조 제3항 본문 중 제108조 제4호에 관한 부분은 금치기간 중인 자의 종교의 자유를 침해하지 않는다.

⑤ 구치소장이 구치소 내 미결수용자를 대상으로 한 개신교 종교행사를 4주에 1회, 일요일이 아닌 요일에 실시한 행위는 미결수용자의 종교의 자유를 침해하지 않는다.

해설

① (O) 신앙의 자유와 양심형성의 자유는 제한불가능한 기본권이다.

② (O) 이 사건 종교행사 참석조치는 국가의 종교에 대한 중립성을 위반하고, 국가와 종교의 밀접한 결합을 초래하여 정교분리원칙에 위배된다.

> 피청구인 육군훈련소장이 2019.6.2. 청구인들에 대하여 육군훈련소 내 종교 시설에서 개최되는 개신교, 불교, 천주교, 원불교 종교행사 중 하나에 참석하도록 한 행위는 청구인들의 종교의 자유를 침해한다. (헌재 2022.11.24. 2019헌마941【인용】)

③ (X) 거주이전의 자유나 인간다운 생활을 할 권리의 제한을 불러온다고 볼 수 없으므로 이에 대해서는 별도로 판단하지 아니한다.

> 일부 사회복지시설들의 탈법적인 운영을 방지하기 위하여는 강력한 제재를 가할 필요성이 인정되며, 사안의 경중에 따라 벌금형의 선고도 가능하므로 심판대상조항에 의한 처벌이 지나치게 과중하다고 볼 수 없다. 심판대상조항에 의하여 제한되는 사익에 비하여 심판대상조항이 달성하려는 공익은 양로시설에 입소한 노인들의 쾌적하고 안전한 주거환경을 보장하는 것으로 이는 매우 중대하다. 따라서 심판대상조항이 과잉금지원칙에 위배되어 종교의 자유를 침해한다고 볼 수 없다. (헌재 2016.6.30. 2015헌바46)

④ (O)

> 금치처분을 받은 사람은 최장 30일 이내의 기간 동안 공동행사에 참가할 수 없으나, 서신수수, 접견을 통해 외부와 통신할 수 있고, 종교상담을 통해 종교활동을 할 수 있다. 또한, 위와 같은 불이익은 규율 준수를 통하여 수용질서를 유지한다는 공익에 비하여 크다고 할 수 없다. 따라서 위 조항은 청구인의 통신의 자유, 종교의 자유를 침해하지 아니한다. (헌재 2016.5.26. 2014헌마45)

⑤ (O)

> 미결수용자를 대상으로 한 개신교 종교행사를 4주에 1회, 일요일이 아닌 요일에 실시한 행위는 헌법에 위반되지 않는다. (헌재 2015.4.30. 2013헌마190)

정답 ③

108

종교의 자유에 대한 설명으로 옳지 않은 것은?

① 헌법상 보호되는 종교의 자유에는 특정 종교단체가 그 종교의 지도자와 교리자를 자체적으로 교육시킬 수 있는 종교교육의 자유가 포함된다.
② 종교적 집회·결사의 자유는 그 자체가 내심의 자유의 핵심이기 때문에 헌법 제37조 제2항의 과잉금지의 원칙이 적용되지 않는다.
③ '2010학년도 법학적성시험 시행계획 공고'가 시험의 시행일을 일요일로 정한 것은 청구인의 종교의 자유를 침해하는 것이라 할 수 없다.
④ 국가에 의한 특정 종교의 우대나 차별대우는 금지된다.

해설

① (○) 헌재 2000.3.30. 99헌바14

② (×)

> 종교적 행위의 자유와 종교적 집회·결사의 자유는 신앙의 자유와는 달리 절대적 자유는 아니지만, 이를 제한할 경우에는 헌법 제37조 제2항의 과잉금지원칙을 준수하여야 한다. (헌재 2016.6.30. 2015헌바46)

③ (○)

> 기독교 문화를 사회적 배경으로 하는 구미 제국과 달리 우리나라에서는 일요일이 특정 종교의 종교의식일이 아니라 일반적 공휴일에 해당한다는 점 등을 고려하면 일요일에 적성시험을 실시하는 것이 특정 종교를 믿는 자들을 불합리하게 차별대우하는 것이라고 볼 수도 없다. (헌재 2010.4.29. 2009헌마399)

④ (○) 대판 2007.4.26. 2006다87903

정답 ②

109 23 변호사, 16 법원직

종교의 자유에 관한 설명 중 옳은 것을 모두 고른 것은? (다툼이 있는 경우 판례에 의함)

> ㄱ. 전통사찰의 등록 후에 발생한 사법상 금전채권을 가진 일반채권자가 전통사찰 소유의 전법(傳法)용 경내지의 건조물 등에 대하여 압류하는 것을 금지하는 법률조항은 종교의 자유의 내용 중 어떠한 것도 제한하지 않는다.
>
> ㄴ. 종교 의식 내지 종교적 행위와 밀접한 관련이 있는 시설의 설치와 운영은 종교의 자유를 보장하기 위한 전제에 해당되므로 종교적 행위의 자유에 포함된다. 따라서 종교단체가 종교적 행사를 위하여 종교집회장 내에 납골시설을 설치하여 운영하는 것은 종교행사의 자유와 관련된 것이고, 그러한 납골시설의 설치를 금지하는 것은 종교행사의 자유를 제한하는 것이다.
>
> ㄷ. 종교활동은 헌법상 종교의 자유와 정교분리원칙에 의하여 국가의 간섭으로부터 그 자유가 보장되어 있으므로, 국가기관인 법원은 종교단체 내부관계에 관한 사항에 대하여는 그것이 일반국민으로서의 권리의무나 법률관계를 규율하는 것이 아닌 이상 원칙적으로 그 실체적인 심리판단을 하지 아니함으로써 당해 종교단체의 자율권을 최대한 보장하여야 한다.
>
> ㄹ. 종교적 행위의 자유에는 종교적인 확신에 따라 행동하고 교리에 따라 생활할 수 있는 자유와 소극적으로는 자신의 종교적인 확신에 반하는 행위를 강요당하지 않을 자유 그리고 선교의 자유, 종교교육의 자유 등이 포함된다.

① ㄱ, ㄴ
② ㄴ, ㄹ
③ ㄷ, ㄹ
④ ㄱ, ㄷ, ㄹ
⑤ ㄴ, ㄷ, ㄹ

해설

ㄱ. (O) [23 변호사]

> [1] 압류 등 강제집행은 국가가 강제력을 행사함으로써 채권자의 사법상 청구권에 대한 실현을 도모하는 절차로서 채권자의 재산권은 궁극적으로 강제집행에 의하여 그 실현이 보장되는 것인바, 이 사건 법률조항은 전통사찰에 대하여 채무명의를 가진 일반채권자가 전통사찰 소유의 전법용 경내지의 건조물 등에 대하여 압류하는 것을 금지하고 있으므로 '전통사찰의 일반채권자'의 재산권을 제한한다.
> [2] 청구인은 이 사건 법률조항이 다른 종교단체의 재산과는 달리 불교 전통사찰 소유의 재산만을 압류금지재산으로 규정함으로써 청구인의 종교의 자유를 침해한다고 주장한다. 그러나 종교의 자유는 신앙의 자유, 종교적 행위의 자유 및 종교적 집회·결사의 자유를 그 내용으로 하는바, 이 사건 법률조항은 전통사찰 소유의 일정 재산에 대한 압류를 금지할 뿐이므로 그로 인하여 위와 같은 종교의 자유의 내용 중 어떠한 것도 제한되지는 아니한다. (헌재 2012.6.27. 2011헌바34)

ㄴ. (O) 헌재 2009.7.30. 2008헌가2 [16 법원직]

ㄷ. (O) [23 변호사]

> **종교단체의 교인에 대한 징계효력 자체는 사법심사의 대상이 아니다.** (대판 2011.10.27. 2009다32386)
> 甲교회의 교인 乙 등과 담임목사를 비롯한 다른 교인들 사이에 장로 선출을 둘러싼 분쟁 및 담임목사에 대한 이단 고발 등으로 갈등이 심화되어 甲교회가 정기당회에서 교단 임시헌법에 근거하여 乙 등을 교적에서 제적하는 결의를 한 경우 위 제적결의 및 효력 등에 관한 사항은 사법심사의 대상이 아니다.

ㄹ. (O) 종교의 자유의 내용이다. [23 변호사]

정답 ④

110

종교의 자유에 관한 다음 설명 중 가장 옳지 않은 것은?

① 종교의 자유에는 자기가 신봉하는 종교를 선전하고 새로운 신자를 규합하기 위한 선교의 자유가 포함되나, 선교의 자유에는 다른 종교의 신자에 대하여 개종을 권고하는 자유를 넘어 타 종교를 비판하는 자유까지 포함되었다고 볼 수 없다.
② 종교 의식 내지 종교적 행위와 밀접한 관련이 있는 시설의 설치와 운영은 종교의 자유를 보장하기 위한 전제에 해당되므로 종교적 행위의 자유에 포함된다.
③ 「집회 및 시위에 관한 법률」은 종교에 관한 집회에는 옥외집회 및 시위의 신고제를 적용하지 아니한다.
④ 종교교육 및 종교지도자의 양성은 헌법 제20조에 규정된 종교의 자유의 한 내용으로 보장되지만, 그것이 학교라는 교육기관의 형태를 취할 때에는 헌법 제31조 제1항·제6항의 규정 및 이에 기한 「교육법」상의 각 규정들에 의한 규제를 받게 된다.

해설

① (✕)

> 종교의 자유에는 자기가 신봉하는 종교를 선전하고 새로운 신자를 규합하기 위한 선교의 자유가 포함되고, 선교의 자유에는 다른 종교의 신자에 대하여 개종을 권고하는 자유를 넘어 타 종교를 비판하는 자유까지 포함된다. 종교적 선전, 타 종교에 대한 비판 등은 동시에 표현의 자유의 보호대상이 되는 것이나, 그 경우 종교의 자유에 관한 헌법 제20조 제1항은 표현의 자유에 관한 헌법 제21조 제1항에 대하여 특별규정의 성격을 갖는다고 할 것이므로 종교적 목적을 위한 언론·출판의 경우에는 그 밖의 일반적인 언론·출판에 비하여 보다 고도의 보장을 받게 된다고 할 것이다. (대판 2007.2.8. 2006도4486)

② (○) 헌재 2009.7.30. 2008헌가2
③ (○)

> **집회 및 시위에 관한 법률 제15조(적용의 배제)**
> 학문, 예술, 체육, 종교, 의식, 친목, 오락, 관혼상제 및 국경행사에 관한 집회에는 제6조(옥외집회 및 시위의 신고 등)부터 제12조(교통 소통을 위한 제한)까지의 규정을 적용하지 아니한다.

④ (○) 대판 1992.12.22. 92도1742

정답 ①

111

종교의 자유에 대한 설명으로 옳지 않은 것은? (다툼이 있는 경우 판례에 의함)

① 생모가 사망의 위험이 예견되는 그 딸에 대하여 수혈이 최선의 치료방법이라는 의사의 권유를 자신의 종교적 신념이나 후유증 발생의 염려만을 이유로 완강하게 거부하고 방해하였다면 유기치사죄에 해당한다.
② 종교의 자유에 관한 헌법 제20조 제1항은 표현의 자유에 관한 헌법 제21조 제1항에 대하여 특별규정의 성격을 갖는다 할 것이므로 종교적 목적을 위한 언론·출판의 경우에는 그 밖의 일반적인 언론·출판에 비하여 고도의 보장을 받게 된다.
③ 종립학교의 학교법인이 국·공립학교의 경우와는 달리 종교교육을 할 자유와 운영의 자유를 가진다고 하더라도, 그 종립학교가 공교육체계에 편입되어 있는 이상 원칙적으로 학생의 종교의 자유, 교육을 받을 권리를 고려한 대책을 마련하는 등의 조치를 취하는 속에서 그러한 자유를 누린다.
④ 구치소장이 수용자 중 미결수용자에 대하여 일률적으로 종교행사 등에의 참석을 불허한 것은 교정시설의 여건 및 수용관리의 적정성을 기하기 위한 것으로서 목적이 정당하고, 일부 수용자에 대한 최소한의 제한에 해당하므로 종교의 자유를 침해한 것으로 볼 수 없다.

해설

① (○) 독일은 비슷한 사례에 대해서 형법을 적용하지 않았으나 우리나라는 유기치사죄로 처벌하였다. [15 법무사]
② (○) [18 지방7급]
③ (○) 대학에서의 채플은 합헌이지만, 고등학교에서 강제적인 종교교육은 불법행위이다. [18 지방7급]
④ (✕) [21 경찰승진]

> 무죄추정의 원칙이 적용되는 미결수용자들에 대한 기본권 제한은 징역형 등의 선고를 받아 그 형이 확정된 수형자의 경우보다는 더 완화되어야 할 것임에도, 피청구인이 수용자 중 미결수용자에 대하여만 일률적으로 종교행사 등에의 참석을 불허한 것은 미결수용자의 종교의 자유를 나머지 수용자의 종교의 자유보다 더욱 엄격하게 제한한 것이다. 나아가 공범 등이 없는 경우 내지 공범 등이 있는 경우라도 공범이나 동일 사건 관련자를 분리하여 종교행사 등에의 참석을 허용하는 등의 방법으로 미결수용자의 기본권을 덜 침해하는 수단이 존재함에도 불구하고 이를 전혀 고려하지 아니하였으므로 이 사건 종교행사 등 참석불허 처우는 침해의 최소성요건을 충족하였다고 보기 어렵다. … 따라서 이 사건 종교행사 등 참석불허 처우는 과잉금지원칙을 위반하여 청구인의 종교의 자유를 침해한다. (헌재 2011.12.29. 2009헌마527)

정답 ④

예상판례

미결수용자를 대상으로 한 개신교 종교행사를 4주에 1회, 일요일이 아닌 요일에 실시한 행위는 헌법에 위반되지 않는다. (헌재 2015.4.30. 2013헌마190)
○○구치소에 종교행사 공간이 1개뿐이고, 종교행사는 종교, 수형자와 미결수용자, 성별, 수용동별로 진행되며, 미결수용자는 공범이나 동일 사건 관련자가 있는 경우 이를 분리하여 참석하게 해야 하는 점을 고려하면 피청구인이 미결수용자 대상 종교행사를 4주에 1회 실시했더라도 종교의 자유를 과도하게 제한하였다고 보기 어렵고, 구치소의 인적·물적 여건상 하루에 여러 종교행사를 동시에 하기 어려우며, 개신교의 경우에만 그 교리에 따라 일요일에 종교행사를 허용할 경우 다른 종교와의 형평에 맞지 않고, 공휴일인 일요일에 종교행사를 할 행정적 여건도 마련되어 있지 않다는 점을 고려하면, 이 사건 종교행사 처우는 청구인의 종교의 자유를 침해하지 않는다.

112

종교의 자유에 관한 설명 중 가장 옳은 것은? (다툼이 있는 경우 판례에 의함)

① 사제가 범죄인에게 적극적으로 은신처를 마련하여 주고 도피자금을 제공하는 경우 형사상의 책임을 지지 않는다는 것이 대법원 판례이다.
② 종교단체가 운영하는 학교형태 혹은 학원형태의 교육기관도 예외 없이 학교설립인가 혹은 학원설립등록을 받도록 규정하고 있는 구「교육법」제85조 제1항 및 구「학원설립·운영에 관한 법률」제6조는 정교분리의 원칙에 위배된다고 함이 헌법재판소 판례이다.
③ 우리 헌법은 정교분리의 원칙을 선언하고 있지만, 국가가 특정 종교를 국교로 지정하는 것을 금지하고 있지는 않다.
④ 사립대학은 종교교육 내지 종교선전을 위하여 학생들의 신앙을 가지지 않을 자유를 침해하지 않는 범위 내에서 학생들로 하여금 일정한 내용의 종교교육을 받을 것을 졸업요건으로 하는 학칙을 제정할 수 있다고 함이 대법원 판례이다.

해설

① (✗) [18 서울7급(하)]

> 성직자라고 하여 초법규적인 존재일 수는 없으며 성직자의 직무상 행위가 사회상규에 반하지 아니한다고 하여 그에 적법성이 부여되는 것은 그것이 성직자의 행위이기 때문이 아니라 그 직무로 인한 행위에 정당·적법성을 인정하기 때문인바, 사제가 죄 지은 자를 능동적으로 고발하지 않는 것에 그치지 아니하고 은신처 마련, 도피자금 제공 등 범인을 적극적으로 은닉·도피하게 하는 행위는 사제의 정당한 직무에 속하는 것이라고 할 수 없다. (대판 1983.3.8. 82도3248)

② (✗) [18 서울7급(하)]

> 교육법 제85조 제1항 및 학원의 설립·운영에 관한 법률 제6조가 종교교육을 담당하는 기관들에 대하여 예외적으로 인가 혹은 등록의무를 면제하여 주지 않았다고 하더라도, 헌법 제31조 제6항이 교육제도에 관한 기본사항을 법률로 입법자가 정하도록 한 취지, 종교교육기관이 자체 내부의 순수한 성직자 양성기관이 아니라 학교 혹은 학원의 형태로 운영될 경우 일반국민들이 받을 수 있는 부실한 교육의 피해의 방지, 현행법률상 학교 내지 학원의 설립절차가 지나치게 엄격하다고 볼 수 없는 점 등을 고려할 때, 위 조항들이 청구인의 종교의 자유 등을 침해하였다고 볼 수 없고, 또한 위 조항들로 인하여 종교 교단의 재정적 능력에 따라 학교 내지 학원의 설립상 차별을 초래한다고 해도 거기에는 위와 같은 합리적 이유가 있으므로 평등원칙에 위배된다고 할 수 없다. (헌재 2000.3.30. 99헌바14)

③ (✗) [10 법무사]

> **헌법 제20조**
> ① 모든 국민은 종교의 자유를 가진다.
> ② 국교는 인정되지 아니하며, 종교와 정치는 분리된다.

④ (○) [18 서울7급(하)]

> **종교의 자유와 사립학교** (대판 1998.11.10. 96다37268)
> 사립학교는 국·공립학교와는 달리 종교의 자유의 내용으로서 종교교육 내지는 종교선전을 할 수 있고, 학교는 인적·물적 시설을 포함한 교육시설로써 학생들에게 교육을 실시하는 것을 본질로 하며, 특히 대학은 헌법상 자치권이 부여되어 있으므로 사립대학은 교육시설의 질서를 유지하고 재학관계를 명확히 하기 위하여 법률상 금지된 것이 아니면 학사관리, 입학 및 졸업에 관한 사항이나 학교시설의 이용에 관한 사항 등을 학칙 등으로 제정할 수 있으며, 또한 구 교육법 시행령 제55조는 학칙을 학교의 설립인가 신청에 필요한 서류의 하나로 규정하고, 제56조 제1항은 학칙에서 기재하여야 할 사항으로 교과와 수업일수에 관한 사항, 고사(또는 시험)와 과정수료에 관한 사항, 입학·편입학·퇴학·전학·휴학·수료·졸업과 상벌에 관한 사항 등을 규정하고 있으므로, 사립대학은 종교교육 내지 종교선전을

위하여 학생들의 신앙을 가지지 않을 자유를 침해하지 않는 범위 내에서 학생들로 하여금 일정한 내용의 종교교육을 받을 것을 졸업요건으로 하는 학칙을 제정할 수 있다.

정답 ④

기출지문 OX

대학 주변의 학교정화구역에서 납골시설의 설치·운영을 금지한 것은 납골시설의 설치·운영을 직업으로서 수행하고자 하는 자의 직업의 자유를 침해한다. 12 국가7급 (O / ×)

해설

학교정화구역 안의 납골시설 절대적 금지는 헌법에 위반되지 아니한다. (헌재 2009.7.30. 2008헌가2 [합헌])
우리 사회는 전통적으로 사망한 사람의 시신이나 무덤을 경원하고 기피하는 풍토와 정서를 가지고 살아왔다. 입법자는 학교 부근의 납골시설이 현실적으로 학생들의 정서교육에 해로운 영향을 끼칠 가능성이 있다고 판단하고 학생들에 대한 정서교육의 환경을 보호하기 위하여 학교 부근의 납골시설을 규제하기로 결정한 것이다. 납골시설을 기피하는 풍토와 정서가 과학적인 합리성이 없다고 하더라도, 그러한 풍토와 정서가 현실적으로 학생들의 정서발달에 해로운 영향을 끼칠 가능성이 있는 이상, 규제하여야 할 필요성과 공익성을 부정하기 어렵다. 학교정화구역 내에 납골시설을 금지할 필요성은 납골시설의 운영주체가 국가·지방자치단체 등의 공공기관이거나 개인·문중·종교단체·재단법인이든 마찬가지라고 할 것이다. 따라서 납골시설의 유형이나 설치주체를 가리지 아니하고 일률적으로 금지한다고 하여 불합리하거나 교육환경에 관한 입법형성권의 한계를 벗어났다고 보기 어렵다.

정답 ×

🔔 학교위생정화구역

극장	• 대학교 근처 【위헌】 • 초·중·고 근처 【헌법불합치】	당구장	• 대학교, 유치원 근처 【위헌】 • 초·중·고 근처 【합헌】
여관	초·중·고·대학교 【합헌】	납골시설	초·중·고·대학교 【합헌】

113 회독 ☐☐☐ NEW

24 국회8급

표현의 자유에 대한 설명으로 옳은 것은?

① 남북합의서 위반행위로서 전단 등 살포를 하여 국민의 생명·신체에 위해를 끼치거나 심각한 위험을 발생시키는 것을 금지하는 「남북관계 발전에 관한 법률」 제24조 제1항 제3호 및 이에 위반한 경우 처벌하는 같은 법 제25조 중 제24조 제1항 제3호에 관한 부분은 전단을 살포하려는 자의 표현의 자유를 침해한다고 볼 수 없다.
② 사회복무요원이 정당 가입을 할 수 없도록 규정한 「병역법」 제33조 제2항 본문 제2호 중 '그 밖의 정치단체에 가입하는 등 정치적 목적을 지닌 행위'에 관한 부분은 사회복무요원의 정치적 표현의 자유를 침해한다.
③ 누구든지 선거일 전 180일부터 선거일까지 선거에 영향을 미치게 하기 위하여 화환을 설치하는 것을 금지하는 「공직선거법」 규정은 정치적 표현의 자유를 침해한다고 볼 수 없다.
④ 공공기관 등이 게시판을 설치·운영하려면 그 게시판 이용자의 본인확인을 위한 방법 및 절차의 마련 등 대통령령으로 정하는 필요한 조치를 하도록 정한 「정보통신망 이용촉진 및 정보보호 등에 관한 법률」 제44조의5 제1항 제1호는 게시판 이용자의 익명표현의 자유를 침해한다.
⑤ 사생활의 비밀의 보호 필요성을 고려할 때 공연히 사실을 적시하여 사람의 명예를 훼손한 자를 처벌하도록 규정한 「형법」 제307조 제1항 중 '진실한 것으로서 사생활의 비밀에 해당하지 아니한' 사실적시에 관한 부분은 헌법상 표현의 자유에 위반된다.

해설

① (✕)

> 북한 지역으로 전단 등 살포를 하여 국민의 생명·신체에 위해를 끼치거나 심각한 위험을 발생시키는 것을 금지하고, 이를 위반한 경우 처벌하는 '남북관계 발전에 관한 법률' 제24조 제1항 제3호 및 제25조 중 제24조 제1항 제3호에 관한 부분은 헌법에 위반된다. (헌재 2023.9.26. 2020헌마1724【위헌】)
> 국가가 이러한 표현 내용을 규제하는 것은 원칙적으로 중대한 공익의 실현을 위하여 불가피한 경우에 한하여 허용되고, 특히 정치적 표현의 내용 중에서도 특정한 견해, 이념, 관점에 기초한 제한은 과잉금지원칙 준수 여부를 심사할 때 더 엄격한 기준이 적용되어야 한다. 심판대상조항은 국민의 생명·신체의 안전을 보장하고 남북 간 긴장을 완화하며 평화통일을 지향하여야 하는 국가의 책무를 달성하기 위한 것으로서 목적의 정당성이 인정되며, 심판대상조항은 입법목적 달성에 적합한 수단이 된다. 심판대상조항은 전단 등 살포를 금지하면서 미수범도 처벌하고, 징역형까지 두고 있는데, 이는 국가형벌권의 과도한 행사라 하지 않을 수 없는바, 심판대상조항은 침해의 최소성을 충족하지 못한다. 그렇다면 심판대상조항은 과잉금지원칙에 위배되어 청구인들의 표현의 자유를 침해한다.

② (○) 헌재 2022.10.27. 2019헌마1271

③ (✕)

> 심판대상조항은 선거일 전 180일부터 선거일까지라는 장기간 동안 선거와 관련한 정치적 표현의 자유를 광범위하게 제한하고 있다. 화환의 설치는 경제적 차이로 인한 선거 기회 불균형을 야기할 수 있으나, 그러한 우려가 있다고 하더라도 공직선거법상 선거비용 규제 등을 통해서 해결할 수 있다. 또한 공직선거법상 후보자 비방 금지 규정 등을 통해 무분별한 흑색선전 등의 방지도 가능하다. 이러한 점들을 종합하면, 심판대상조항은 목적 달성에 필요한 범위를 넘어 장기간 동안 선거에 영향을 미치게 하기 위한 화환의 설치를 금지하는 것으로, 과잉금지원칙에 위배되어 정치적 표현의 자유를 침해한다. (헌재 2023.6.29. 2023헌가12【헌법불합치】)

④ (×)

> 공공기관 등으로 하여금 정보통신망 상에 게시판을 설치·운영하려면 게시판 이용자의 본인 확인을 위한 방법 및 절차의 마련 등 대통령령으로 정하는 필요한 조치를 하도록 규정한 '정보통신망 이용촉진 및 정보보호 등에 관한 법률' 제44조의5 제1항 제1호에 대한 심판청구를 기각하는 결정을 선고하였다. (헌재 2022.12.22. 2019헌마654 [기각])
>
> 심판대상조항은 게시판 이용자로 하여금 게시판에 정보를 게시하려면 본인확인을 위한 정보를 제공하도록 함으로써 표현의 자유 중 게시판 이용자가 자신의 신원을 누구에게도 밝히지 아니한 채 익명으로 자신의 사상이나 견해를 표명하고 전파할 익명표현의 자유를 제한한다. 심판대상조항이 규율하는 게시판은 그 성격상 대체로 공공성이 있는 사항이 논의되는 곳으로서 공공기관 등이 아닌 주체가 설치·운영하는 게시판에 비하여 통상 누구나 이용할 수 있는 공간이므로, 공동체 구성원으로서의 책임이 더욱 강하게 요구되는 곳이라고 할 수 있다. 따라서 심판대상조항은 침해의 최소성을 충족한다. 심판대상조항은 과잉금지원칙을 준수하고 있으므로 청구인의 익명표현의 자유를 침해하지 않는다.

⑤ (×)

> 헌법 제21조가 표현의 자유를 보장하면서도 타인의 명예와 권리를 그 한계로 선언하는 점, 타인으로부터 부당한 피해를 받았다고 생각하는 사람이 법률상 허용된 민·형사상 절차에 따르지 아니한 채 사적 제재수단으로 명예훼손을 악용하는 것을 규제할 필요성이 있는 점, 공익성이 인정되지 않음에도 불구하고 단순히 타인의 명예가 허명임을 드러내기 위해 개인의 약점과 허물을 공연히 적시하는 것은 자유로운 논쟁과 의견의 경합을 통해 민주적 의사형성에 기여한다는 표현의 자유의 목적에도 부합하지 않는 점 등을 종합적으로 고려하면, 형법 제307조 제1항은 과잉금지원칙에 반하여 표현의 자유를 침해하지 아니한다. (헌재 2021.2.25. 2017헌마1113)

정답 ②

기출지문 OX

❶ 누구든지 「공직선거법」에 의한 공개장소에서의 연설·대담장소에서 '기타 어떠한 방법으로도' 연설·대담장소 등의 질서를 문란하게 하는 행위를 금지하는 「공직선거법」 조항은, 질서문란행위만을 금지하고 질서를 문란하게 하지 않는 범위 내에서는 다소 소음을 유발하거나 후보자나 정당에 대한 부정적인 견해나 비판적인 의사표현도 가능하므로, 정치적 표현의 자유를 침해한다고 보기 어렵다. 24 경찰간부 (O / ×)

해설 헌재 2023.5.25. 2019헌가13   정답 O

❷ 당선되거나 되게 하거나 되지 못하게 할 목적으로 공연히 사실을 적시하여 '후보자가 되고자 하는 자'를 비방한 자를 처벌하는 「공직선거법」 조항의 해당 부분은, 후보자가 되고자 하는 자에 대한 사실적시 비방행위를 일반인에 대한 사실 적시 명예훼손행위 보다 더 중하게 처벌하는 것으로, 스스로 공론의 장에 뛰어든 사람의 명예를 일반인의 명예보다 더 두텁게 보호하는 결과가 초래되어, 의견의 표현행위로서 비방한 자의 정치적 표현의 자유를 침해한다. 24 경찰간부 (O / ×)

해설 공직선거법 제250조 제2항 허위사실공표죄 중 '후보자가 되고자 하는 자에 관하여 허위의 사실을 공표한 자'에 관한 부분(허위사실공표죄)은 헌법에 위반되지 아니하나 [합헌], 공직선거법 제251조 후보자비방죄 중 '후보자가 되고자 하는 자'에 관한 부분(후보자 비방죄)은 과잉금지원칙에 위배되어 정치적 표현의 자유를 침해하므로 헌법에 위반된다. (헌재 2024.6.27. 2023헌바78 [위헌])

[1] 이 사건 허위사실공표금지 조항 [합헌]

[2] 이 사건 비방금지 조항 [위헌]

    가. 이 사건 비방금지 조항은 죄형법정주의의 명확성원칙에 위배되지 아니한다.

    나. 정치적 표현의 자유 침해 여부

        ㄱ. 심사기준

            선거운동 등에 대한 제한이 정치적 표현의 자유를 침해하는지 여부를 판단함에 있어서는 표현의 자유의 규제에 관한 판단기준으로서 엄격한 심사기준을 적용하여야 한다.

ㄴ. 목적의 정당성과 수단의 적합성
　　이 사건 비방금지 조항은 후보자가 되고자 하는 자의 인격과 명예를 보호하고 선거의 공정성을 보장하기 위한 것으로 목적의 정당성과 수단의 적합성은 인정된다.
ㄷ. 침해의 최소성
　　정치적 표현의 자유는 우리 헌법상 민주주의의 근간이 되는 핵심적 기본권이므로 최대한 보장되어야 하고, 이에 대한 제한은 입법목적을 달성하는 데에 필요최소한으로 이루어져야 한다.
따라서 이 사건 비방금지 조항은 침해의 최소성에 반한다.

정답 O

예상판례

장교는 군무와 관련된 고충사항을 집단으로 진정 또는 서명하는 행위를 하여서는 아니 된다고 규정한 '군인의 지위 및 복무에 관한 기본법' 제31조 제1항 제5호 중 '장교'에 관한 부분은 과잉금지원칙에 위반하여 청구인의 표현의 자유를 침해하지 아니한다. (헌재 2024.4.25. 2021헌마1258[기각])

114

23 국회8급

표현의 자유에 대한 헌법재판소의 판시 내용으로 적절하지 않은 것은?

① 법률에 의하지 않는 방송편성에 관한 간섭을 금지하고 그 위반행위를 처벌하는 「방송법」 규정은 과잉금지원칙에 위배되어 표현의 자유를 침해한다고 볼 수 없다.
② 「공직선거법」상 대통령 선거·국회의원 선거·지방선거가 순차적으로 맞물려 돌아가는 현실에서 선거일 전 180일부터 선거일까지 장기간 광고물을 설치·게시하는 행위를 금지·처벌하는 것은 후보자와 일반유권자의 정치적 표현의 자유를 과도하게 제한하는 것은 아니다.
③ 선거일 전 90일부터 선거일까지 후보자 명의의 칼럼을 게재하는 인터넷 선거보도에 대해, 그것이 불공정하다고 볼 수 있는지 구체적으로 판단하지 않은 채 이를 일률적으로 금지하는 것은 과잉금지원칙에 위배되어 표현의 자유를 침해한다.
④ 대한민국을 모욕할 목적을 가지고 국기를 손상·제거·오욕하는 행위를 국기모독죄로 처벌하는 것은 표현 내용을 규제하는 것이 아니라 일정한 표현방법을 규제하는 것으로서 과잉금지원칙에 위배되어 표현의 자유를 침해한다고 볼 수 없다.

해설

① (O)

> 방송의 자유는 민주주의의 원활한 작동을 위한 기초인바, 국가권력은 물론 정당, 노동조합, 광고주 등 사회의 여러 세력이 법률에 정해진 절차에 의하지 아니하고 방송편성에 개입한다면 국민 의사가 왜곡되고 민주주의에 중대한 위해가 발생하게 된다. 심판대상조항은 방송편성의 자유와 독립을 보장하기 위하여 방송에 개입하여 부당하게 영향력을 행사하는 '간섭'에 이르는 행위만을 금지하고 처벌할 뿐이고, 방송법과 다른 법률들은 방송 보도에 대한 의견 개진 내지 비판의 통로를 충분히 마련하고 있다. 따라서 심판대상조항이 과잉금지원칙에 반하여 표현의 자유를 침해한다고 볼 수 없다. (헌재 2021.8.31. 2019헌바439)

② (×)

> 공직선거법상 대통령 선거, 국회의원 선거, 지방선거가 순차적으로 맞물려 돌아가는 현실에 비추어 보면, 선거일 전 180일부터 선거일까지 장기간 동안 선거에 영향을 미치게 하기 위한 광고물의 설치·진열·게시 및 표시물의 착용을 금지·처벌하는 심판대상조항은 당초의 입법취지에서 벗어나 선거와 관련한 국민의 자유로운 목소리를 상시적으로 억압하는 결과를 초래할 수 있다. … 이는 입법목적 달성을 위하여 반드시 필요한 최소한의 범위를 넘어서 후보자 및 일반유권자의 정치적 표현의 자유를 과도하게 제한하는 것으로서 침해의 최소성을 충족하지 못한다. … 심판대상조항은 과잉금지원칙에 반하여 정치적 표현의 자유를 침해하므로 헌법에 위반된다. (헌재 2022.7.21. 2017헌가1 등)

③ (O)

> **인터넷언론사에 대해 선거일 전 90일부터 선거일까지 후보자 명의의 칼럼 등을 게재하는 것을 제한하는 구 '인터넷선거보도 심의기준 등에 관한 규정' 제8조 제2항 본문과 그 현행규정 제8조 제2항은 헌법에 위반된다.** (헌재 2019.11.28. 2016헌마90)
> 이 사건 시기제한조항의 입법목적은 인터넷 선거보도의 공정성과 선거의 공정성을 확보하려는 것이므로, 그 입법목적은 정당하고, 이 사건 시기제한조항은 그 입법목적을 달성하기 위하여 적합한 수단이다. 이 사건 시기제한조항은 다음과 같은 이유로 침해의 최소성원칙에 반한다. 결국 이 사건 시기제한조항은 과잉금지원칙에 반하여 청구인의 표현의 자유를 침해한다.

④ (O)

> **대한민국을 모욕할 목적으로 국기를 손상, 제거, 오욕한 행위를 처벌하는 형법 제105조 중 '국기' 부분은 헌법에 위반되지 않는다.** (헌재 2019.12.27. 2016헌바96[합헌])
> 국기는 국가의 역사, 국민성, 이상을 반영하고 헌법적 질서와 가치, 국가정체성을 표상하며, 한 국가가 다른 국가와의 관계에서 가지는 독립성과 자주성을 상징하고, 국제회의 등에서 참가자의 국적을 표시하고 소속감을 대변한다. 대부분 국민은 국가상징물로서 국기가 가지는 고유의 상징성과 위상을 인정하고, 이에 대한 존중의 감정을 가지고 있다. 이러한 상징성과 위상은 비단 공용에 공하는 국기에 국한되는 것이 아니다.

정답 ②

115 22 국가7급

언론·출판의 자유에 대한 설명으로 옳지 않은 것은? (다툼이 있는 경우 판례에 의함)

① 미결수용자의 규율 위반행위 등에 대한 제재로서 금치처분과 함께 금치기간 중 신문과 자비구매도서의 열람을 제한하고 있는 「형의 집행 및 수용자의 처우에 관한 법률」 조항은 최장 30일의 기간 내에서만 신문이나 도서의 열람을 금지하고 열람을 금지하는 대상에 수용시설 내 비치된 도서는 포함시키지 않고 있으므로 미결수용자의 알 권리를 과도하게 제한한다고 보기 어렵다.

② 일간신문의 지배주주가 뉴스통신 법인의 주식 또는 지분의 2분의 1 이상을 취득 또는 소유하지 못하도록 함으로써 이종미디어 간의 결합을 규제하는 「신문법」 조항은 언론의 다양성을 보장하기 위한 필요한 한도 내의 제한이라고 할 것이어서 신문의 자유를 침해한다고 할 수 없다.

③ 인터넷신문의 언론으로서의 신뢰성을 제고하기 위해 5인 이상의 취재 및 편집 인력을 정식으로 고용하도록 강제하고, 이에 대한 확인을 위하여 국민연금 등 가입사실을 확인하는 것은 언론의 자유를 침해한다고 할 수 없다.

④ 학교 구성원으로 하여금 성별 등의 사유를 이유로 차별적 언사나 행동, 혐오적 표현 등을 통해 다른 사람의 인권을 침해하지 못하도록 한 「서울특별시 학생인권조례」 규정은 학교 구성원들의 표현의 자유를 침해한 것이라고 볼 수 없다.

해설

① (O) 헌재 2016.4.28. 2012헌마549 등

② (O)

> **신문사업자의 겸영금지 등** (헌재 2006.6.29. 2005헌마314 등)
> [1] 이종미디어 간 겸영금지 **[합헌]**
> [2] 동종미디어 간의 일률적 겸영금지 **[헌법불합치]**
> [3] 발행부수, 광고수입 등과 같은 사항을 추가적으로 신고·공개하도록 하는 것 **[합헌]**
> [4] 신문사업자를 일반사업자에 비하여 더 쉽게 시장지배적 사업자로 추정되도록 규정하는 것 **[위헌]**

③ (✕)

> 인터넷신문의 취재 및 편집 인력 5명 이상을 상시 고용하고, 이를 확인할 수 있는 서류를 제출할 것을 규정한 '신문 등의 진흥에 관한 법률 시행령' 규정은 인터넷신문사업자인 청구인들의 언론의 자유를 침해하므로 헌법에 위반된다. (헌재 2016.10.27. 2015헌마1206 등)
> [1] 인터넷신문 기자단체, 인터넷신문사의 임원, 기자들 및 독자들인 청구인은 심판대상조항의 수범대상자가 아니고, 법적 지위에 직접적인 영향을 받는다고 보기 어려우므로 기본권 침해의 자기관련성을 인정하기 어렵다.
> [2] '인터넷신문'은 지면이 아닌 인터넷을 통하여 발행·배포되는 신문을 뜻하는 것임이 분명하므로 정의조항은 명확성원칙에 위배되지 아니한다. 직업의 자유는 제한되지 않는다.
> [3] 사전허가금지원칙 위반이 아니다.

④ (O) 헌재 2019.11.28. 2017헌마1356

정답 ③

116

표현의 자유에 대한 설명으로 옳지 않은 것만을 모두 고르면? (다툼이 있는 경우 판례에 의함)

ㄱ. 공무원이 선거에서 특정 정당 또는 특정인을 지지하기 위하여 타인에게 정당에 가입하도록 권유운동을 한 경우 형사처벌하는 것은 정치적 표현의 자유를 침해한다.
ㄴ. 사람을 비방할 목적으로 정보통신망을 통하여 공공연하게 거짓의 사실을 드러내어 다른 사람의 명예를 훼손한 자를 형사처벌하는 것은 표현의 자유를 침해하지 않는다.
ㄷ. 초·중등학교의 교육공무원이 정치단체의 결성에 관여하거나 이에 가입하는 행위를 금지한 「국가공무원법」 조항 중 '그 밖의 정치단체'에 관한 부분은 정치적 표현의 자유를 침해하지 않는다.
ㄹ. 선거운동기간 중 당해 홈페이지 게시판 등에 정당·후보자에 대한 지지·반대 등의 정보를 게시하는 경우 인터넷언론사로 하여금 실명을 확인받는 기술적 조치를 하도록 하는 것은 게시판 등 이용자의 익명표현의 자유를 침해한다.

① ㄱ, ㄴ   ② ㄱ, ㄷ   ③ ㄴ, ㄹ   ④ ㄷ, ㄹ

해설

ㄱ. (×)
> 공무원으로서 선거에서 특정 정당·특정인을 지지하기 위하여 타인에게 정당에 가입하도록 권유운동을 한 경우 형사처벌하도록 규정한 국가공무원법 조항(정당가입권유금지조항)은 헌법에 위반되지 않는다. 공무원으로서 당내경선에서 경선운동을 한 경우 형사처벌하도록 규정하고, 당내경선에서 법이 허용하지 아니한 방법으로 경선운동을 한 경우 형사처벌하도록 규정하며, 국회의원 후보자가 되고자 하는 자로 하여금 일정 범위의 기부행위를 금지하고 이를 위반한 경우 형사처벌하도록 규정하고, 선거범죄 등과 다른 죄의 경합범에 대하여 분리 선고하도록 규정한 공직선거법 조항들(경선운동금지조항, 경선운동방법조항, 기부행위금지조항, 분리선고조항)은 헌법에 위반되지 않는다. (헌재 2021.8.31. 2018헌바149【합헌】)

ㄴ. (○) 명확성원칙에도 위배되지 않는다. (헌재 2016.2.25. 2013헌바105 등【합헌】)

ㄷ. (×)
> 초·중등학교의 교육공무원이 정치단체의 결성에 관여하거나 이에 가입하는 행위를 금지한 국가공무원법 제65조 제1항 중 "국가공무원법 제2조 제2항 제2호의 교육공무원 가운데 초·중등교육법 제19조 제1항의 교원은 그 밖의 정치단체의 결성에 관여하거나 이에 가입할 수 없다." 부분은 청구인들의 정치적 표현의 자유 및 결사의 자유를 침해한다. (헌재 2020.4.23. 2018헌마551)
> 국가공무원법 조항 중 '그 밖의 정치단체'에 관한 부분은 가입 등이 금지되는 '정치단체'가 무엇인지 그 규범 내용이 확정될 수 없을 정도로 불분명하여, 헌법상 그 가입 등이 마땅히 보호받아야 할 단체까지도 수범자인 나머지 청구인들이 가입 등의 행위를 하지 못하게 위축시키고 있고, 법 집행 공무원이 지나치게 넓은 재량을 행사하여 금지되는 '정치단체'와 금지되지 않는 단체를 자의적으로 판단할 위험이 있다. 따라서 국가공무원법 조항 중 '그 밖의 정치단체'에 관한 부분은 명확성원칙에 위배되어 나머지 청구인들의 정치적 표현의 자유, 결사의 자유를 침해한다. 이처럼 국가공무원법 조항 중 '그 밖의 정치단체'에 관한 부분이 명확성원칙에 위배되어 나머지 청구인들의 정치적 표현의 자유, 결사의 자유를 침해하여 헌법에 위반되는 점이 분명한 이상, 국가공무원법 조항 중 '그 밖의 정치단체'에 관한 부분이 과잉금지원칙에 위배되어 나머지 청구인들의 정치적 표현의 자유, 결사의 자유를 침해하는지 여부에 대하여는 더 나아가 판단하지 않는다.

ㄹ. (○)
> 실명확인조항을 비롯하여, 행정안전부장관 및 신용정보업자는 실명인증자료를 관리하고 중앙선거관리위원회가 요구하는 경우 지체 없이 그 자료를 제출해야 하며, 실명확인을 위한 기술적 조치를 하지 아니하거나 실명인증의 표시가 없는 정보를 삭제하지 않는 경우 과태료를 부과하도록 정한 공직선거법 조항은 게시판 등 이용자의 익명표현의 자유 및 개인정보자기결정권과 인터넷언론사의 언론의 자유를 침해한다. (헌재 2021.1.28. 2018헌마456 등)

정답 ②

117 21 국회8급

언론·출판의 자유에 대한 설명으로 옳은 것은? (다툼이 있는 경우 판례에 의함)

① 모욕죄의 형사처벌은 다양한 의견 간의 자유로운 토론과 비판을 제한하여 정치적·학술적 표현행위가 위축되고 열린 논의의 가능성이 줄어들게 되어 표현의 자유를 침해한다.
② 반론보도청구권은 원보도를 진실에 부합되게 시정보도해 줄 것을 요구하는 권리이므로 원보도의 내용이 허위일 것을 조건으로 한다.
③ 인터넷게시판을 설치·운영하는 정보통신서비스 제공자에게 본인확인조치의무를 부과한 법률규정은 과잉금지원칙에 위배되어 정보통신서비스 제공자의 언론의 자유를 침해한다.
④ 의료는 국민 건강에 직결되므로 의료광고에 대해서는 합리적인 규제가 필요하고 의료광고는 상업광고로서 정치적·시민적 표현행위 등과 관련이 적으므로 의료광고에 대해서는 사전검열금지원칙이 적용되지 않는다.
⑤ 공연히 사실을 적시하여 사람의 명예를 훼손한 경우 형사처벌하는 것은 공적 인물과 공적 사안에 대한 감시·비판을 봉쇄할 목적으로 악용될 소지가 크므로 표현의 자유를 침해한다.

해설

① (✗) 모욕죄는 표현의 자유를 침해하지 않는다.
② (✗) 반론보도청구권은 보도의 진실 여부와는 관계가 없다. 선지는 정정보도청구권에 관한 내용이다.
③ (○)

> 인터넷게시판을 설치·운영하는 정보통신서비스 제공자에게 본인확인조치의무를 부과하여 게시판 이용자로 하여금 본인확인절차를 거쳐야만 게시판을 이용할 수 있도록 하는 본인확인제를 규정한 '정보통신망 이용촉진 및 정보보호 등에 관한 법률' 제44조의5 제1항 제2호, 같은 법 시행령 제29조, 제30조 제1항은 과잉금지원칙에 위배하여 인터넷게시판 이용자의 표현의 자유, 개인정보자기결정권 및 인터넷게시판을 운영하는 정보통신서비스 제공자의 언론의 자유를 침해한다. (헌재 2012.8.23. 2010헌마47 등)

④ (✗) 상업광고도 표현의 자유의 보호대상이므로 상업광고에 대한 검열은 금지된다.
⑤ (✗) 명예훼손죄는 헌법에 위반되지 않는다.

정답 ③

118

표현의 자유에 관한 다음 설명 중 가장 옳지 않은 것은? (다툼이 있는 경우 헌법재판소 결정 및 대법원 판례에 의함)

① 표현의 자유를 규제하는 법률은 그 규제로 인해 보호되는 다른 표현에 대하여 위축효과가 미치지 않도록 규제되는 표현의 개념을 세밀하고 명확하게 규정할 것이 헌법적으로 요구되는데, 이는 명확성의 원칙과 관련된다.

② 제한상영가 등급의 영화를 '상영 및 광고·선전에 있어서 일정한 제한이 필요한 영화'라고 정의하고 있는 법률규정은 관련 규정들을 통해서도 제한상영가 등급의 영화가 어떤 영화인지를 예측할 수 없으므로 명확성원칙에 위배된다.

③ 음란표현은 사회의 건전한 성도덕을 크게 해칠 뿐만 아니라 사상의 경쟁메커니즘에 의해서도 그 해악이 해소되기 어려워 언론·출판의 자유의 보호영역에 해당하지 않는 반면, 저속한 표현은 이러한 정도에 이르지 않는 성표현 등을 의미하는 것으로서 헌법적인 보호영역 안에 있다.

④ 한국의료기기산업협회가 행하는 의료기기 광고 사전심의는 헌법이 금지하는 사전검열에 해당한다.

해설

① (O) 명확성원칙은 표현의 자유에서 더 강조되는 원칙이다. [21 법원직]

> **불온통신의 단속** (헌재 2002.6.27. 99헌마480 [위헌])
> 표현의 자유를 규제하는 입법에 있어서 명확성의 원칙은 특별히 중요한 의미를 지닌다. 무엇이 금지되는 표현인지가 불명확한 경우에, 자신이 행하고자 하는 표현이 규제의 대상이 아니라는 확신이 없는 기본권 주체는 대체로 규제를 받을 것을 우려해서 표현행위를 스스로 억제하게 될 가능성이 높기 때문에 표현의 자유를 규제하는 법률은 규제되는 표현의 개념을 세밀하고 명확하게 규정할 것이 헌법적으로 요구된다.

② (O) 명확성원칙, 포괄위임금지원칙 위반이다. (헌재 2008.7.31. 2007헌가4) [18 서울7급]

③ (X) 음란물도 언론·출판의 자유의 보호영역에 해당된다. [21 법원직]

④ (O) [21 법원직]

> 의료기기법상 의료기기 광고의 심의는 식약처장으로부터 위탁받은 한국의료기기산업협회가 수행하고 있지만, 법상 심의주체는 행정기관인 식약처장이고, 식약처장이 언제든지 그 위탁을 철회할 수 있으며, 심의위원회의 구성에 관하여도 식약처고시를 통해 행정권이 개입하고 지속적으로 영향을 미칠 가능성이 존재하는 이상 그 구성에 자율성이 보장되어 있다고 보기 어렵다. 식약처장이 심의기준 등의 개정을 통해 심의 내용 및 절차에 영향을 줄 수 있고, 심의기관의 장이 매 심의 결과를 식약처장에게 보고하여야 하며, 식약처장이 재심의를 요청하면 심의기관은 특별한 사정이 없는 한 이에 따라야 한다는 점에서도 그 심의업무 처리에 있어 독립성 및 자율성이 보장되어 있다고 보기 어렵다. 따라서 이 사건 의료기기 광고 사전심의는 행정권이 주체가 된 사전심사로서 헌법이 금지하는 사전검열에 해당하고, 이러한 사전심의제도를 구성하는 심판대상조항은 헌법 제21조 제2항의 사전검열금지원칙에 위반된다. (헌재 2020.8.28. 2017헌가35)

정답 ③

119

언론·출판의 자유에 관한 설명 중 옳은 것은? (다툼이 있는 경우 판례에 의함)

① 사전허가금지의 대상은 어디까지나 언론·출판 자유의 내재적 본질인 표현의 내용을 보장하는 것을 말하는 것이지, 언론·출판을 위해 필요한 물적 시설이나 언론기업의 주체인 기업인으로서의 활동까지 포함되는 것으로 볼 수는 없다.
② 사전검열금지원칙은 의사표현의 발표 여부가 오로지 행정권의 허가에 달려 있는 사전심사만을 금지하는 것이 아니라 모든 형태의 사전적인 규제를 금지하는 것이다.
③ 의료광고는 표현의 자유의 보호영역에 속하지만 사상이나 지식에 관한 정치적·시민적 표현행위와는 차이가 있고, 직업수행의 자유의 보호영역에도 속하지만 인격발현과 개성신장에 미치는 효과가 중대한 것은 아니므로, 그 규제의 위헌 여부는 완화된 기준인 자의금지원칙에 따라 심사한다.
④ 사실적 주장에 관한 언론보도 등으로 인하여 피해를 입은 자는 그 보도 내용에 관한 반론보도를 언론사에 청구할 수 있는데, 이 청구에는 언론사의 고의·과실이나 위법성이 필요하지 않으나, 보도 내용이 진실인 경우에는 청구할 수 없다.
⑤ 의사의 자유로운 표명과 전파의 자유에는 책임이 따르므로 자신의 신원을 밝히지 아니한 채 익명 또는 가명으로 자신의 사상이나 견해를 표명하고 전파할 익명표현의 자유는 보장되지 않는다.

해설

① (○) 사전허가금지, 즉 검열은 표현의 내용을 사전적으로 심사할 수 없다는 의미이지 시설기준 등에 대한 심사가 안 된다는 것은 아니다.
② (✕) 사전검열금지원칙은 의사표현의 발표 여부가 오로지 행정권의 허가에 달려 있는 사전심사만을 금지하는 것이다. 모든 형태의 사전적인 규제를 금지하는 것은 아니므로 법원에 의한 방영금지가처분은 검열이 아니다.
③ (✕) 직업수행의 자유를 판단하는 기준은 과잉금지원칙이 적용된다.
④ (✕) 정정보도청구는 진실하지 않은 보도를 대상으로 하지만, 반론보도청구는 보도의 진실성 여부는 문제가 되지 않는다.
⑤ (✕) 익명표현의 자유도 인정된다.

> 인터넷언론사는 선거운동기간 중 당해 홈페이지 게시판 등에 정당·후보자에 대한 지지·반대 등의 정보를 게시하는 경우 실명을 확인받는 기술적 조치를 해야 하고, 행정안전부장관 및 신용정보업자는 실명인증자료를 관리하고 중앙선거관리위원회가 요구하는 경우 지체 없이 그 자료를 제출해야 하며, 실명확인을 위한 기술적 조치를 하지 아니하거나 실명인증의 표시가 없는 정보를 삭제하지 않는 경우 과태료를 부과하도록 정한 공직선거법 조항은 모두 헌법에 위반된다. (헌재 2021.1.28. 2018헌마456 등)

정답 ①

120

표현의 자유에 대한 설명으로 옳지 않은 것은? (다툼이 있는 경우 판례에 의함)

① 지역농협 이사 선거의 경우 전화·컴퓨터통신을 이용한 지지·호소의 선거운동방법을 금지하고, 이를 위반한 자를 처벌하는 구 「농업협동조합법」 조항은 해당 선거 후보자의 표현의 자유를 침해한다.
② 세종특별자치시 옥외광고물 관리 조례에서 특정 구역 안에서 업소별로 표시할 수 있는 옥외광고물의 총수량을 원칙적으로 1개로 제한한 것은 표현의 자유를 침해한다.
③ 교통수단을 이용하여 타인의 광고를 할 수 없도록 하고 있는 구 「옥외광고물 등 관리법 시행령」 규정은 표현의 자유를 침해하지 않는다.
④ 온라인서비스제공자가 자신이 관리하는 정보통신망에서 아동·청소년이용음란물을 발견하기 위하여 대통령령으로 정하는 조치를 취하지 아니하거나 발견된 아동·청소년이용음란물을 즉시 삭제하고, 전송을 방지 또는 중단하는 기술적인 조치를 취하지 아니한 경우 처벌하는 「아동·청소년의 성보호에 관한 법률」 규정은 표현의 자유를 침해하지 않는다.

해설

① (O) [20 국회8급]

> 전화·컴퓨터통신은 누구나 손쉽고 저렴하게 이용할 수 있는 매체인 점, 농업협동조합법에서 흑색선전 등을 처벌하는 조항을 두고 있는 점을 고려하면 입법목적 달성을 위하여 위 매체를 이용한 지지·호소까지 금지할 필요성이 인정되지 아니한다. 이 사건 법률조항들이 달성하려는 공익이 결사의 자유 및 표현의 자유 제한을 정당화할 정도로 크다고 보기는 어려우므로, 법익의 균형성도 인정되지 아니한다. 따라서 이 사건 법률조항들은 과잉금지원칙을 위반하여 결사의 자유, 표현의 자유를 침해하여 헌법에 위반된다. (헌재 2016.11.24. 2015헌바62)

② (X) [20 국회8급]

> 이 사건 특정 구역 안에서의 옥외광고물의 표시방법을 제한하는 심판대상조항들은 옥외광고물의 난립을 막아 쾌적하고 조화로운 도시미관을 조성함과 동시에 도시의 정체성을 확립하고, 공중에 대한 위해를 방지하고자 하는 것으로서 그 목적의 정당성 및 수단의 적정성이 인정된다. … 따라서 심판대상조항들이 비례의 원칙에 위배되어 청구인들의 표현의 자유 및 직업수행의 자유를 침해한다고 볼 수 없다. (헌재 2016.3.31. 2014헌마794)

③ (O) [20 법원직]

> 옥외광고물 등 관리법 시행령은 모든 광고를 전면적으로 금지하는 것이 아니라, 자동차소유자 자신에 관한 내용의 광고는 허용하면서 타인에 관한 내용의 광고를 금지하고 있다. 이 사건 시행령조항이 자동차소유자 자신에 관한 광고는 허용하면서 타인에 관한 광고를 금지하는 것은 일견하여 표현내용에 따른 규제로 볼 수도 있으나, 이 사건 시행령조항이 자신에 관한 광고와 타인에 관한 광고를 구분하여 규제의 기준으로 삼은 것은 광고의 매체로 이용될 수 있는 차량을 제한함으로써 자동차를 이용한 광고행위의 양을 도로교통의 안전과 도시미관을 해치지 않는 적정한 수준으로 제한하려고 한 것이다. 따라서 표현의 자유를 침해한다고 볼 수 없다. (헌재 2002.12.18. 2000헌마764 [합헌])

④ (O) [20 법원직]

> **심판대상조항은 온라인서비스제공자의 직업의 자유, 구체적으로는 영업수행의 자유를 제한하며, 서비스이용자의 통신의 비밀과 표현의 자유를 제한한다.** (헌재 2018.6.28. 2016헌가15 [합헌])
> 아동음란물의 특성상 자료가 이미 확산되어 버린 이후에는 관련된 아동·청소년의 인권침해를 막기 어려우며, 온라인서비스제공자에게 적극적 발견의무를 부과함으로써 선제적으로 대응하지 않으면 아동음란물의 광범위한 확산에 효과적으로 대응할 수 없으므로, 아동음란물의 보관·유통을 실효적으로 차단하기 위해서는 온라인서비스제공자에게 적극적 의무를 부과하는 것이 필요하고, 입법자가 온라인

서비스제공자에게 이러한 적극적 의무를 부과하고 형벌로 대응하는 것이 입법재량의 한계를 넘은 것이라 할 수 없다. 심판대상조항을 통하여 아동음란물의 광범위한 유통·확산을 사전적으로 차단하고 이를 통해 아동음란물이 초래하는 각종 폐해를 방지하며 특히 관련된 아동·청소년의 인권침해가능성을 사전적으로 차단할 수 있는바, 이러한 공익이 사적 불이익보다 더 크다. 따라서 심판대상조항은 온라인서비스제공자의 영업수행의 자유, 서비스이용자의 통신의 비밀과 표현의 자유를 침해하지 아니한다.

정답 ②

121

표현의 자유에 대한 설명으로 옳은 것만을 모두 고르면? (다툼이 있는 경우 판례에 의함)

ㄱ. 헌법상 군무원은 국민의 구성원으로서 정치적 표현의 자유를 보장받지만, 그 특수한 지위로 인하여 국가공무원으로서 헌법 제7조에 따라 그 정치적 중립성을 준수하여야 할 뿐만 아니라, 나아가 국군의 구성원으로서 헌법 제5조 제2항에 따라 그 정치적 중립성을 준수할 필요성이 더욱 강조되므로, 정치적 표현의 자유에 대해 일반국민보다 엄격한 제한을 받을 수밖에 없다.

ㄴ. 일반적으로 표현의 자유는 정보의 전달 또는 전파와 관련지어 생각되므로 구체적인 전달이나 전파의 상대방이 없는 집필의 단계를 표현의 자유의 보호영역에 포함시킬 것인지 의문이 있을 수 있으나, 집필은 문자를 통한 모든 의사표현의 기본 전제가 된다는 점에서 당연히 표현의 자유의 보호영역에 속해 있다고 보아야 한다.

ㄷ. 건강기능식품의 기능성 광고는 인체의 구조 및 기능에 대하여 보건용도에 유용한 효과를 준다는 기능성 등에 관한 정보를 널리 알려 해당 건강기능식품의 소비를 촉진시키기 위한 상업광고이지만, 헌법 제21조 제1항의 표현의 자유의 보호대상이 됨과 동시에 같은 조 제2항의 사전검열금지대상도 된다.

① ㄱ, ㄴ
② ㄱ, ㄷ
③ ㄴ, ㄷ
④ ㄱ, ㄴ, ㄷ

해설

ㄱ. (O) 구 군형법 제94조 중 '연설, 문서 또는 그 밖의 방법으로 정치적 의견을 공표한 사람' 부분 가운데 제1조 제3항 제1호의 군무원에 관한 부분은 헌법에 위반되지 않는다.

> **예상판례**
> **헌법상 군무원의 정치적 표현의 자유와 정치적 중립의무** (헌재 2018.7.26. 2016헌바139【합헌】)
> 헌법상 군무원은 국민의 구성원으로서 정치적 표현의 자유를 보장받지만, 그 지위와 업무의 특수성으로 인하여 국가공무원으로서 헌법 제7조에 따른 정치적 중립을 요청받을 뿐만 아니라, 국군의 구성원으로서 헌법 제5조 제2항에 따라 정치적 중립의 요청이 더욱 강조되기 때문에, 그 정치적 표현에 엄격한 제한이 따를 수밖에 없다.

ㄴ. (O) 헌재 2005.2.24. 2003헌마289
ㄷ. (O) 헌재 2018.6.28. 2016헌가8 등【위헌】

정답 ④

122

표현의 자유에 대한 설명으로 옳지 않은 것만을 모두 고르면? (다툼이 있는 경우 판례에 의함)

ㄱ. 헌법 제21조 제1항과 제2항은 모든 국민은 언론·출판의 자유를 가지며, 언론·출판에 대한 허가나 검열은 인정되지 아니한다고 규정하고 있으므로, 검열을 수단으로 한 제한은 국가안전보장·질서유지 또는 공공복리를 위하여 필요한 경우에 한하여 법률로써 하는 경우에만 허용될 수 있다.

ㄴ. 의료광고의 심의기관이 행정기관인가 여부는 기관의 형식에 의하기보다는 그 실질에 따라 판단하여야 하며, 민간심의기구가 심의를 담당하는 경우에도 행정권의 개입 때문에 사전심의에 자율성이 보장되지 않는다면, 헌법이 금지하는 행정기관에 의한 사전검열에 해당하게 될 것이다.

ㄷ. 「신문 등의 진흥에 관한 법률」의 등록조항은 인터넷신문의 명칭, 발행인과 편집인의 인적 사항 등 인터넷신문의 외형적이고 객관적 사항을 제한적으로 등록하도록 하고 있는바, 이는 인터넷신문에 대한 인적 요건의 규제 및 확인에 관한 것으로 인터넷신문의 내용을 심사·선별하여 사전에 통제하기 위한 규정으로 사전허가금지원칙에 위배된다.

ㄷ. 금치처분을 받은 미결수용자라 할지라도 금치처분기간 중 집필을 금지하면서 예외적인 경우에만 교도소장이 집필을 허가할 수 있도록 한 「형의 집행 및 수용자의 처우에 관한 법률」상의 규정은 미결수용자의 표현의 자유를 침해한다.

ㄹ. 누구든지 정보통신망을 통하여 '그 밖에 범죄를 목적으로 하거나 교사 또는 방조하는 내용의 정보'를 유통하여서는 아니 된다는 법률규정은, 수범자의 예견가능성을 해하거나 행정기관의 자의적 집행을 가능하게 할 정도로 불명확하다고 할 수 없다.

ㅁ. 「옥외광고물 등 관리법」상 사전허가제도는 일정한 지역·장소 및 물건에 광고물 또는 게시시설을 표시하거나 설치하는 경우에 그 광고물 등의 종류·모양·크기·색깔, 표시 또는 설치의 방법 및 기간 등을 규제하고 있을 뿐, 광고물 등의 내용을 심사·선별하여 광고물을 사전에 통제하려는 제도가 아님은 명백하므로, 헌법 제21조 제2항이 정하는 사전허가·검열에 해당되지 아니한다.

① ㄱ, ㄴ   ② ㄱ, ㄷ   ③ ㄴ, ㄹ, ㅁ   ④ ㄷ, ㄹ, ㅁ

해설

ㄱ. (✗) 검열을 수단으로 한 제한은 법률로써도 허용되지 않는다. [20 법원직]

ㄴ. (○) 검열에 해당하기 위한 요건 [20 서울·지방7급]

행정권이 주체가 된 심사	• 행정기관인지에 대한 판단은 형식에 의하는 것이 아니라 실질에 따라 판단하여야 한다. 즉, 국가의 관여가 인정되면 형식적으로는 민간기구라도 실질적으로는 행정기관이다. • 독립적인 위원회인 '공연윤리위원회'와 민간자율기구인 '영상물등급위원회'는 국가의 관여가 인정되므로 행정기관에 해당한다. • 법원에 의한 방영금지 가처분결정은 행정권이 주체가 된 것이 아니므로 검열이 아니다.
사전제출의무	허가를 받기 위한 표현물의 사전제출의무가 있어야 한다.
내용에 대한 심사	표현물의 내용에 대한 심사여야 하므로 방법에 대한 사전제한은 검열이 아니다.
강제수단	• 허가를 받지 아니한 의사표현의 금지 및 심사절차를 관철할 수 있는 강제수단 등의 요건을 갖추어야 한다. • 과태료나 형벌의 부과, 영업정지·취소

ㄷ. (✗) 집필 일체를 금지하는 것은 언론의 자유를 침해한다. 다만, 예외적으로 허용하는 것은 합헌이다. [18 서울7급]

금치처분을 받은 수용자들은 이미 수용시설의 안전과 질서유지에 위반되는 행위, 그중에서도 가장 중한 평가를 받은 행위를 한 자들이라는 점에서, 집필과 같은 처우 제한의 해제는 예외적인 경우로 한정될 수밖에 없고, 선례가 금치기간 중 집필을 전면 금지한 조항을 위헌으로 판단한 이후, 입법자는 집필을 허가할 수 있는 예외를 규정하고 금치처분의 기간도 단축하였다. 나아가 미결수용자는 징벌집행 중 소송서류의 작성 등 수사 및 재판과정에서의 권리 행사는 제한 없이 허용되는 점 등을 감안하면, 이 사건 집필제한조항은 청구인의 표현의 자유를 침해하지 아니한다. (헌재 2014.8.28. 2012헌마623)

ㄹ. (O) 헌재 2012.2.23. 2008헌마500 [13 국가7급]
ㅁ. (O) 내용이 아니라 방법에 대한 심사이므로 사전검열이 아니다. [18 변호사]

정답 ②

기출지문 OX

옥외광고물의 경우에도 그 종류, 외형, 설치뿐만 아니라 그 내용을 심사·선별하게 되면 사전허가검열에 해당한다. 14 국회9급

(O / X)

해설 내용에 대한 심사는 검열에 해당한다.

정답 O

🔖 검열제에 대한 헌법재판소 판례의 기준
- 헌법재판소는 대체로 사전심의제, 등급분류보류제, 수입추천제는 검열에 해당하는 것으로 보고, 분류제는 검열이 아닌 것으로 본다.
- 영화, 음반, 비디오물의 사전심의제는 검열에 해당한다.
- 영화등급분류보류제, 비디오등급분류보류제는 검열에 해당한다. 등급분류를 계속 보류하면 사실상 표현물을 유통시킬 수 없기 때문이다.
- 외국비디오물 수입추천제, 외국음반 국내제작 추천제는 검열에 해당한다. 국내에 유통시키기 위해서는 추천을 받아야 하는데 추천을 거부하면 사실상 유통이 불가능하기 때문이다.
- 텔레비전 방송광고의 사전심의제는 검열에 해당한다.
- 비디오물의 등급분류제는 검열에 해당하지 않는다.
- 법원에 의한 방영금지가처분은 검열이 아니다.

---

123 회독 ☐☐☐   19 서울7급(2월)

방송에 관한 헌법재판소 결정 내용으로 가장 옳지 않은 것은?

① 방송의 자유는 주관적 권리로서의 성격과 함께 자유로운 의견형성이나 여론형성을 위해 필수적인 기능을 하는 객관적 규범질서로서 제도적 보장의 성격을 함께 가진다.
② 텔레비전방송수신료는 대다수 국민의 재산권 보장의 측면이나 한국방송공사에게 보장된 방송자유 측면에서 국민의 기본권 실현에 관련된 영역에 속한다.
③ 방송사업자가 방송심의규정을 위반한 경우 시청자에 대한 사과를 명할 수 있도록 한 「방송법」 규정은 방송사업자의 의사에 반한 사과행위를 강제함으로써 양심의 자유를 침해한 것으로 헌법에 위반된다.
④ 중계유선방송사업자가 자체적인 프로그램 편성의 자유와 그에 따르는 책임을 부여받지 아니한 이상, 방송의 중계송신업무만 할 수 있고 보도·논평·광고는 할 수 없도록 하는 법률규정은 방송의 자유를 침해하지 않는다.

해설

① (O) 헌재 2003.12.18. 2002헌바49

② (O)

1차 TV수신료 사건 (헌재 1999.5.27. 98헌바70【헌법불합치(잠정적용)】)
오늘날 법률유보원칙은 단순히 행정작용이 법률에 근거를 두기만 하면 충분한 것이 아니라, 국가공동체와 그 구성원에게 기본적이고도

중요한 의미를 갖는 영역, 특히 국민의 기본권 실현과 관련된 영역에 있어서는 국민의 대표자인 입법자가 그 본질적 사항에 대해서 스스로 결정하여야 한다는 요구까지 내포하고 있다(의회유보원칙).

비교판례

2차 TV수신료 사건 (헌재 2008.2.28. 2006헌바70【합헌】)
위 불합치결정의 취지에 따라 현행 방송법은 수신료의 금액은 한국방송공사의 이사회에서 심의·의결한 후 방송위원회를 거쳐 국회의 승인을 얻도록 규정하고 있으며, … 징수업무를 한국방송공사가 직접 수행할 것인지의 문제는 본질적 사항이 아니고, … 수신료의 부과·징수에 관한 본질적인 요소들은 방송법에 모두 규정되어 있다고 할 것이다. 따라서 법률유보의 원칙에 위배되지 아니한다.

③ (×) 양심의 자유가 아니라 인격권이 침해된 이유로 위헌결정하였다. 사과명령이 위헌결정된 최초의 사례는 동아일보에 대한 사과명령인데, 이때 양심의 자유를 침해한 것으로 보았다. 문제는 법인은 양심의 자유의 주체가 아니므로 이때 법인의 대표자의 양심의 자유를 침해하는 것으로 이론구성하였다. 추측컨대 그 후 법인의 기본권을 직접 침해하는 것으로 이론구성하려면 양심이 아니라 인격권 침해로 본 것이 아닌가 한다. 다만, 대법원은 시말서가 사죄의 내용을 담는다면 양심의 자유를 침해한 것으로 보았는데 시말서는 자연인을 전제로 하는 것이므로 별개의 문제이다.

④ (○)

중계유선방송사업자의 보도·논평·광고금지는 헌법에 위반되지 않는다. (헌재 2001.5.31. 2000헌바43 등【합헌】)
중계유선방송사업자가 방송의 중계송신업무만 할 수 있고 보도·논평·광고는 할 수 없도록 하는 이 사건 심판대상조항들의 규제는 방송사업허가제, 특히 종합유선방송사업의 허가제를 유지하기 위해서 종합유선방송사업의 허가를 받지 아니한 중계유선방송사업에 대해 부과하는 자유 제한으로서, 중계유선방송사업자가 자체적인 프로그램 편성의 자유와 그에 따르는 책임을 부여받지 아니한 이상 이러한 제한의 범위가 지나치게 넓다고 할 수 없다. … 그리고 이러한 규제는 '시장의 지배와 경제력의 남용을 방지하며, 경제주체 간의 조화'를 도모하기 위한 것으로서 헌법상 경제질서를 위반하는 것이 아니다.

정답 ③

기출지문 OX

❶ 언론인의 선거운동을 금지하고, 이를 위반한 경우 처벌하도록 규정한 「공직선거법」 관련 조항 부분은 선거운동의 자유를 침해한다. 19 법원직 (○/×)

해설 언론인의 선거운동을 금지하고 위반시 처벌하도록 규정한 구 공직선거법 규정은 헌법에 위반된다. (헌재 2016.6.30. 2013헌가1)
[1] 금지조항은 '대통령령으로 정하는 언론인'이라고만 하여 '언론인'이라는 단어 외에 대통령령에서 정할 내용의 한계를 설정해 주는 다른 수식어가 없다. 따라서 포괄위임금지원칙에 위반된다.
[2] 심판대상조항들은 선거의 공정성·형평성을 확보하기 위한 것으로 일정 범위의 언론인에 대하여 일괄적으로 선거운동을 금지하는 것이 위와 같은 목적 달성에 적합한 수단이라는 점은 수긍할 수 있다. 언론인의 선거개입을 금지하여 선거의 공정성·형평성을 확보하고자 한다면, 일정 범위의 언론인을 대상으로 언론매체를 통한 활동의 측면에서 발생 가능한 문제점을 규제하는 것으로써 충분히 그 목적을 달성할 수 있다. 그런데 심판대상조항들은 해당 언론인의 범위가 지나치게 광범위하고, 이미 법에서 그러한 측면에서 발생할 수 있는 폐해를 시정하기 위한 조항들을 충분히 규정하고 있어 침해의 최소성원칙에 위반된다.

정답 ○

❷ 방송통신심의위원회의 시정 요구는 헌법소원의 대상이 된다. 19 법원직 (○/×)
해설 방송통신심의위원회의 시정 요구는 헌법소원의 대상이 된다. 다만, 의견제시는 헌법소원의 대상이 아니다. 정답 ○

124

표현의 자유에 대한 설명으로 옳지 않은 것은? (다툼이 있는 경우 판례에 의함)

① 저작자 아닌 자를 저작자로 하여 실명·이명을 표시하여 저작물을 공표한 자를 처벌하는 「저작권법」 규정은 표현의 자유를 침해하지 않는다.
② 노동단체가 정당에 정치자금을 기부하는 것을 금지하는 법률조항은 노동단체의 단결권이 아니라 표현의 자유를 침해하는 것이다.
③ 「금융지주회사법」 제48조의3 제2항 중 금융지주회사의 임·직원이 업무상 알게 된 공개되지 아니한 정보 또는 자료를 다른 사람에게 누설하는 것을 금지하는 부분은 표현의 자유를 침해하지 않는다.
④ 공직자의 공무집행과 직접적인 관련이 없는 개인적인 사생활에 관한 사실이라도 일정한 경우 공적인 관심사안에 해당할 수 있고, 공직자의 자질·도덕성·청렴성에 관한 사실은 그 내용이 개인적인 사생활에 관한 것이라 할지라도 순수한 사생활의 영역에 있다고 보기 어려우므로 이에 대한 문제제기 내지 비판은 허용되어야 한다.
⑤ 「정보통신망 이용촉진 및 정보보호 등에 관한 법률」 조항 중 '공포심이나 불안감을 유발하는 문언을 반복적으로 상대방에게 도달하게 한 자' 부분은 정보 수신자가 불안감이나 공포심을 실제로 느꼈는지 여부와 상관없이 정보를 보낸 사람을 처벌 가능한 것으로 해석할 수 있어, 그 처벌대상이 무한히 확장될 가능성이 있으므로 명확성원칙에 위배되어 표현의 자유를 침해한다.

해설

① (O)
> [1] '저작자 아닌 자를 저작자로 하여 실명·이명을 표시하여 저작물을 공표한 자'를 처벌하는 저작권법 제137조 제1항 제1호는 죄형법정주의의 명확성원칙에 위배되지 않으며, 표현의 자유 또는 일반적 행동의 자유를 침해하지 않는다.
> [2] 저작자 명의를 사실과 달리하여 공표하는 것은 저작물 이용자를 속이고 사회의 신뢰를 낮추는 것으로 사회적 비난가능성이 크다. 저작권법은 저작자의 동의 없이 저작자의 명의를 거짓으로 공표하여 저작자의 명예를 훼손하면 저작권법 제136조 제1항에 따라 더 무거운 법정형으로 처벌하도록 하므로, 저작권자의 동의 여부에 상관없이 똑같이 취급하는 것은 아니다. 심판대상조항의 법정형은 하한이 없고, 죄질에 따라 법원이 책임에 맞는 형을 선고할 수 있다. 심판대상조항은 책임과 형벌 사이의 비례원칙을 위반하였다고 보기 어렵다. (헌재 2018.8.30. 2017헌바158)

② (O)
> 이 사건 법률조항의 입법목적인 '노동단체의 정치화 방지'나 '노동단체 재정의 부실 우려'는 헌법상 보장된 정치적 자유의 의미에 비추어 입법자가 헌법상 추구할 수 있는 정당한 입법목적의 범위를 벗어난 것으로 판단된다. 설사 이러한 입법목적 중 일부가 정당하다고 하더라도, 이 사건 법률조항이 사회세력 누구나가 자유롭게 참여해야 할 정치의사형성과정과 정당한 이익조정과정을 근로자에게 불리하게 왜곡시키는 결과를 가져온다는 점에서 이러한 기본권 침해의 효과는 매우 중대하다. 이에 반하여, 이 사건 법률조항을 통하여 달성하려는 공익인 '노동단체 재정의 부실 우려'의 비중은 상당히 작다고 판단된다. 따라서 노동단체의 기부금지를 정당화하는 중대한 공익을 인정하기 어려우므로 이 사건 법률조항은 노동단체인 청구인의 표현의 자유 및 결사의 자유의 본질적 내용을 침해하는 위헌적인 규정이다. (헌재 1999.11.25. 95헌마154)

③ (O) 헌재 2017.8.31. 2016헌가11
④ (O) 공적 인물이론이다.

⑤ (✗)

> 정보통신망 이용촉진 및 정보보호 등에 관한 법률을 위반하여 '공포심이나 불안감을 유발하는 문언을 반복적으로 상대방에게 도달하게 한 자' 부분 및 제44조의7 제1항 제3호 중 '공포심이나 불안감을 유발하는 문언을 반복적으로 상대방에게 도달하도록 하는 내용의 정보' 부분은 죄형법정주의 명확성원칙, 표현의 자유를 침해하지 않는다. (헌재 2016.12.29. 2014헌바434)

정답 ⑤

125 19 서울7급(2월), 18 국회8급

표현의 자유에 대한 설명으로 옳지 않은 것은? (다툼이 있는 경우 판례에 의함)

① '법관이 그 품위를 손상하거나 법원의 위신을 실추시킨 경우'를 징계사유로 하는 법률규정은 '품위 손상', '위신 실추'와 같은 추상적인 용어를 사용하여 그 적용범위가 지나치게 광범위하거나 포괄적이어서 법관의 표현의 자유를 과도하게 제한한다고 볼 수 있다.
② 새마을금고의 임원 선거와 관련하여 법률에서 정하고 있는 방법 외의 방법으로 선거운동을 할 수 없도록 하고 이를 위반한 경우 형사처벌하도록 정하고 있는 「새마을금고법」 규정은 표현의 자유를 침해하지 않는다.
③ 사생활 침해를 이유로 침해받은 자가 삭제요청을 한 경우, 일정한 조건하에 정보에 대한 접근을 임시적으로 차단하는 조치를 하도록 한 것은 표현의 자유에 대한 침해가 아니다.
④ 소비자를 현혹할 우려가 있는 내용의 의료광고를 금지하는 것은 표현의 자유에 대한 침해가 아니다.

해설

① (✗) 명확성원칙 위반이 아니다. (헌재 2012.2.23. 2009헌바34) [19 서울7급(2월)]
② (○) [19 서울7급(2월)]

> 새마을금고 임원 선거와 관련하여 선거운동의 방법을 제한하고, 그 외의 방법으로 선거운동을 한 사람을 처벌하도록 정하고 있는 새마을금고법 제22조 제3항 및 제85조 제3항 중 제22조 제3항에 관한 부분은 결사의 자유 및 표현의 자유를 침해하지 않는다. (헌재2018.2.22. 2016헌바364)
> 공공성을 가진 특수법인으로 유사금융기관으로서의 지위를 가지는 새마을금고의 임원 선거에서 공정성을 확보하는 것은 임원의 윤리성을 담보하고 궁극적으로는 새마을금고의 투명한 경영을 도모하고자 하는 것으로, 이러한 공익이 이로 인하여 제한되는 사익에 비해 훨씬 크다고 할 것이므로, 심판대상조항은 법익의 균형성도 갖춘 것이다.

③ (○) [18 국회8급]

> 정보통신망을 통하여 일반에게 공개된 정보로 말미암아 사생활 침해나 명예훼손 등 타인의 권리가 침해된 경우 그 침해를 받은 자가 삭제요청을 하면 정보통신서비스 제공자는 권리의 침해 여부를 판단하기 어렵거나 이해당사자 간에 다툼이 예상되는 경우에는 해당 정보에 대한 접근을 임시적으로 차단하는 조치를 하여야 한다고 규정하고 있는 정보통신망 이용촉진 및 정보보호 등에 관한 법률 제44조의2 제2항 중 '임시조치'에 관한 부분 및 제4항은 청구인의 표현의 자유를 침해하지 아니한다. (헌재 2012.5.31. 2010헌마88)

④ (○) 헌재 2014.9.25. 2013헌바28 [18 국회8급]

정답 ①

126 재구성
[18 5급행시, 13 국회8급]

언론·출판의 자유에 대한 설명으로 옳지 않은 것은? (다툼이 있는 경우 판례에 의함)

① 상업광고는 표현의 자유의 보호영역에 속하면서 동시에 직업의 자유의 보호영역에도 속한다.
② 헌법재판소는 알 권리가 자유권적 성질과 청구권적 성질을 공유한다고 보았다.
③ 신문사 내부에서 경영인과 편집인 및 기자들의 상호관계는 원칙적으로 사법상의 계약에 의해서 규율되지만, 그 사법상의 계약에 의해서 편집보도의 자유를 제한하는 것은 신문의 자유의 객관적 가치질서로서의 성격 때문에 일정한 제약을 받는다.
④ 진실한 언론보도로 인하여 피해를 입은 자는 그 보도 내용에 관한 반론보도를 언론사에 청구할 수 없다.

해설

① (○) [18 5급행시]
② (○) 알 권리 중 정보수령권, 정보수집권은 자유권의 성격을 가지고, 정보공개청구권은 청구권의 성격을 가진다. 또한 알 권리는 생활권적 성격도 가진다. [18 5급행시]
③ (○) [13 국회8급]
④ (✕) 정정보도청구권과 반론보도청구권 [18 5급행시]

구분	정정보도청구권	반론보도청구권
내용	사실적 주장에 관한 언론보도 등이 진실하지 아니함으로 인하여 피해를 입은 자가 제기하는 것	사실적 주장에 관한 언론보도 등으로 인하여 피해를 입은 자가 그 보도 내용에 관한 반론보도를 언론사에 청구하는 것
차이점	진실하지 아니한 보도를 대상으로 한다.	보도 내용의 진실 여부를 불문한다.
고의·과실·위법성	요구하지 않는다.	요구하지 않는다.
소송절차	본안절차로 진행(가처분으로 하면 위헌)	가처분절차로 진행

정답 ④

127
[18 법원직]

표현의 자유에 관한 다음 설명 중 가장 옳지 않은 것은? (다툼이 있는 경우 헌법재판소 결정 및 대법원 판례에 의함)

① 상업광고에 대한 규제에 의한 표현의 자유 내지 직업수행의 자유의 제한은 헌법 제37조 제2항에서 도출되는 비례의 원칙(과잉금지원칙)을 준수하여야 하지만, 상업광고는 사상이나 지식에 관한 정치적·시민적 표현행위와는 차이가 있고, 인격발현과 개성신장에 미치는 효과가 중대한 것은 아니므로, 비례의 원칙 심사에 있어서 '피해의 최소성'원칙은 '입법목적을 달성하기 위하여 필요한 범위 내의 것인지'를 심사하는 정도로 완화되는 것이 상당하다.
② 표현의 자유는 자신의 의사를 표현하고 전파할 적극적 자유, 자신의 의사를 표현하지 아니할 소극적 자유, 국가에게 표현의 자유를 실현할 수 있는 방법을 적극적으로 마련해 줄 것을 요청할 수 있는 자유를 포함한다. 따라서 '국가가 공직후보자들에 대한 유권자의 전부 거부 의사표시를 할 방법을 보장해 줄 것'도 표현의 자유의 보호범위에 포함된다.
③ 정당후원회를 금지함으로써 정당에 대한 재정적 후원을 전면적으로 금지하는 것은 국민의 정치적 표현의 자유를 침해한다.
④ 공직자의 도덕성, 청렴성에 대하여는 국민과 정당의 감시기능이 필요한 점에 비추어 볼 때, 그 점에 관한 의혹의 제기는 악의적이거나 현저히 상당성을 잃은 공격이 아닌 한 쉽게 책임을 추궁하여서는 아니 된다.

해설

① (O)

> **의료광고의 규제** (헌재 2005.10.27. 2003헌가3 [위헌])
> [1] **상업광고의 심사기준**
> 　상업광고에 대한 규제에 의한 표현의 자유 내지 직업수행의 자유의 제한은 헌법 제37조 제2항에서 도출되는 비례의 원칙(과잉금지원칙)을 준수하여야 하지만, 상업광고는 사상이나 지식에 관한 정치적, 시민적 표현행위와는 차이가 있고, 인격발현과 개성신장에 미치는 효과가 중대한 것은 아니므로, 비례의 원칙 심사에 있어서 '피해의 최소성'원칙은 '입법목적을 달성하기 위하여 필요한 범위 내의 것인지'를 심사하는 정도로 완화되는 것이 상당하다.
> [2] 이 사건 조항이 의료인의 기능과 진료방법에 대한 광고를 금지하고 이에 대하여 벌금형에 처하도록 한 것은 입법목적을 달성하기 위하여 필요한 범위를 넘어선 것이므로, '피해의 최소성'원칙에 위반된다. … 결국 이 사건 조항은 헌법 제37조 제2항의 비례의 원칙에 위배하여 표현의 자유와 직업수행의 자유를 침해하는 것이다.

② (X)

> 공직선거에서 투표용지에 후보자들에 대한 '전부 거부' 표시방법을 마련하지 않은 공직선거법은 국민의 선거권 행사 자체와는 무관하고 선거권 행사를 제약하는 것도 아니다. '전부 거부'와 같은 투표제도를 추가적으로 마련할 것인지 여부는 입법자가 정책적 재량으로 결정할 수 있는 사항일 뿐이며, 이를 마련하지 않고 있는 것을 두고 입법자가 선거권 보장을 위한 입법의무를 제대로 하지 않았다고 볼 수 없다. 결국 이 사건 조항이 '전부 거부'를 배제하고 있는 것이 청구인들의 선거권을 제한한다고 볼 수 없다. 이 사건 조항이 선거권자로 하여금 '전부 거부' 방식에 의한 정치적 의사표시를 제공하지 않고 있는 것은, 선거권자인 청구인들의 그러한 의사표현을 금지하거나 제한하고자 하는 것이 아니라 국가가 선거제도에서 투표방식을 일정하게 규정한 결과일 뿐이다. 이 사건의 경우 표현의 자유의 보호범위에 '국가가 공직후보자들에 대한 유권자의 '전부 거부' 의사표시를 할 방법을 보장해 줄 것'까지 포함된다고 볼 수 없으므로 이 사건 조항이 표현의 자유를 제한하는 것이라고 할 수 없다. (헌재 2007.8.30. 2005헌마975)

③ (O)

> 이 사건 법률조항은 정당후원회를 금지함으로써 불법정치자금 수수로 인한 정경유착을 막고 정당의 정치자금 조달의 투명성을 확보하여 정당운영의 투명성과 도덕성을 제고하기 위한 것으로, 입법목적의 정당성은 인정된다. 그러나 정경유착의 문제는 일부 재벌기업과 부패한 정치세력에 국한된 것이고 대다수 유권자들과는 직접적인 관련이 없으므로 일반국민의 정당에 대한 정치자금 기부를 원천적으로 봉쇄할 필요는 없고, 기부 및 모금한도액의 제한, 기부내역 공개 등의 방법으로 정치자금의 투명성을 충분히 확보할 수 있다. 정치자금 중 당비는 반드시 당원으로 가입해야만 납부할 수 있어 일반국민으로서 자신이 지지하는 정당에 재정적 후원을 하기 위해 반드시 당원이 되어야 하므로, 정당법상 정당가입이 금지되는 공무원 등의 경우에는 자신이 지지하는 정당에 재정적 후원을 할 수 있는 방법이 없다. 그리고 현행기탁금제도는 중앙선거관리위원회가 국고보조금의 배분비율에 따라 각 정당에 배분·지급하는 일반기탁금제도로서, 기부자가 자신이 지지하는 특정 정당에 재정적 후원을 하는 것과는 전혀 다른 제도이므로 이로써 정당후원회를 대체할 수 있다고 보기도 어렵다. 나아가 정당제 민주주의하에서 정당에 대한 재정적 후원이 전면적으로 금지됨으로써 정당이 스스로 재정을 충당하고자 하는 정당활동의 자유와 국민의 정치적 표현의 자유에 대한 제한이 매우 크다고 할 것이므로, 이 사건 법률조항은 정당의 정당활동의 자유와 국민의 정치적 표현의 자유를 침해한다. (헌재 2015.12.23. 2013헌바168)

④ (O)

> 공직자의 공무집행과 직접적인 관련이 없는 개인적인 사생활에 관한 사실이라도 일정한 경우 공적인 관심 사안에 해당할 수 있다. 공직자의 자질·도덕성·청렴성에 관한 사실은 그 내용이 개인적인 사생활에 관한 것이라고 할지라도 순수한 사생활의 영역에 있다고 보기 어렵다. 이러한 사실은 공직자 등의 사회적 활동에 대한 비판 내지 평가의 한 자료가 될 수 있고, 업무집행의 내용에 따라서는 업무와 관련이 있을 수도 있으므로, 이에 대한 문제제기 내지 비판은 허용되어야 한다. (헌재 2013.12.26. 2009헌마747)

정답 ②

기출지문 OX

상업광고도 표현의 자유의 보호영역에 속하는 것이므로 상업광고 규제에 관한 비례의 원칙 심사에 있어서 피해의 최소성원칙에서는 같은 목적을 달성하기 위하여 달리 덜 제약적인 수단이 없을 것인지 혹은 입법목적을 달성하기 위하여 필요한 최소한의 제한인지를 심사한다. 17 국가7급 (O / X)

해설 달리 덜 제약적인 수단이 없을 것인지 혹은 입법목적을 달성하기 위하여 필요한 최소한의 제한인지를 심사하는 것은 과잉금지원칙을 말한다. 상업광고는 일반 표현의 자유보다는 약한 정도의 보호를 받는다.

> 상업광고에 대한 규제에 의한 표현의 자유 내지 직업수행의 자유의 제한은 헌법 제37조 제2항에서 도출되는 비례의 원칙(과잉금지원칙)을 준수하여야 하지만, 상업광고는 사상이나 지식에 관한 정치적·시민적 표현행위와는 차이가 있고, 인격발현과 개성신장에 미치는 효과가 중대한 것은 아니므로, 비례의 원칙 심사에 있어서 '피해의 최소성'원칙은 '입법목적을 달성하기 위하여 필요한 범위 내의 것인지'를 심사하는 정도로 완화되는 것이 상당하다. (헌재 2005.10.27. 2003헌가3)

정답 X

---

128 재구성 [17 국가7급(하), 14 국회9급, 07 국가7급]

언론·출판의 자유에 대한 설명으로 옳지 않은 것은? (다툼이 있는 경우 판례에 의함)

① 헌법 제21조 제4항은 "언론·출판은 타인의 명예나 권리 또는 공중도덕이나 사회윤리를 침해하여서는 아니 된다."라고 규정하고 있는바, 이는 언론·출판의 자유에 따르는 책임과 의무를 강조하는 동시에 언론·출판의 자유에 대한 제한의 요건을 명시한 규정으로 볼 것이고, 헌법상 표현의 자유의 보호영역 한계를 설정한 것이라고는 볼 수 없기 때문에, 음란표현도 헌법 제21조가 규정하는 언론·출판의 자유의 보호영역에는 해당하되, 다만 헌법 제37조 제2항에 따라 제한할 수 있는 것이다.

② 헌법재판소는 「언론중재 및 피해구제 등에 관한 법률」 제14조에서 규정하는 정정보도청구권은 반론보도청구권이나 「민법」상의 불법행위에 기한 청구권과는 전혀 다른 새로운 성격의 청구권이라고 판시하였다.

③ 구 「신문 등의 자유와 기능보장에 관한 법률」에서는 언론기관 종사자의 취재의 자유와 취재원을 밝히지 아니할 권리를 인정하고 있다.

④ 교과서의 국정 또는 검·인정제도는 허가의 성질보다 특허의 성질을 갖는 것이므로 국가가 재량권을 갖는 것은 당연하다.

해설

① (O) 헌재 2009.5.28. 2006헌바109 [17 국가7급(하)]
② (O) 헌재 2006.6.29. 2005헌마165 등 [07 국가7급]
③ (X) 우리나라는 취재원비닉권에 대한 명문규정이 없다. 독일은 인정하는 입장이고, 미국은 사안에 따라 달리 판단한다. [07 국가7급]
④ (O) [14 국회9급]

> 교과서에 관련된 국정 또는 검·인정제도의 법적 성질은 인간의 자연적 자유의 제한에 대한 해제인 허가의 성질을 갖는다기보다는 어떠한 책자에 대하여 교과서라는 특수한 지위를 부여하거나 인정하는 제도이기 때문에 가치창설적인 형성적 행위로서 특허의 성질을 갖는 것으로 보아야 할 것이며, 그렇게 본다면 국가가 그에 대한 재량권을 갖는 것은 당연하다고 할 것이다. (헌재 1992.11.12. 89헌마88)

정답 ③

129

표현의 자유에 대한 설명으로 옳은 것만을 모두 고르면? (다툼이 있는 경우 판례에 의함)

ㄱ. 명백하고 현존하는 위험의 원칙은 사전에 표현의 자유를 규제하기 위한 행정청의 판단기준이다.
ㄴ. 공공의 이익의 기초가 되는 표현의 자유권 또한 헌법상 보장된 권리로서 인간의 존엄과 가치에 기초한 피해자의 명예(인격권)에 못지 아니할 정도로 보호되어야 할 중요한 권리이기 때문에 전자가 후자보다 중하기만 하면 위법성조각사유로서 정당성이 충족된다고 보는 것이 타당하다.
ㄷ. 표현의 자유의 우월적 지위는 표현의 자유를 침해하는 법률의 합헌성 추정을 부인하고, 표현의 자유를 규제하는 법률에 대한 합헌성 판단기준이 엄격함을 의미한다.
ㄹ. 공무원은 집단·연명으로 또는 단체의 명의를 사용하여 국가의 정책을 반대해서는 아니 된다는 「국가공무원 복무규정」은 그러한 행위의 정치성이나 공정성 등을 불문하는 점, 그 적용대상이 되는 공무원의 범위가 제한적이지 않고 지나치게 광범위한 점, 그 행위가 근무시간 내에 행해지는지 근무시간 외에 행해지는지 여부를 불문하는 점에서 침해의 최소성원칙에 위배되어, 공무원의 정치적 표현의 자유를 침해한다.

① ㄱ, ㄴ
② ㄱ, ㄹ
③ ㄴ, ㄷ
④ ㄷ, ㄹ

해설

ㄱ. (✗) 명백하고 현존하는 위험의 원칙은 언론·출판의 자유 제한에 대한 한계이론 중의 하나로서 표현의 자유 제한은 그 표현으로 인하여 야기될지도 모르는 명백하고 현존하는 위험이 있는 경우에만 이루어져야 한다는 원칙을 말한다. 이는 행정청이 아닌 사법기관의 판단기준으로서 미연방 대법원의 홈즈판사에 의해 확립된 원칙이다. [11 국회8급]
ㄴ. (O) 대판 1996.6.28. 96도977 [11 국회8급]
ㄷ. (O) [09 지방7급]
ㄹ. (✗) 헌법에 위반되지 않는다. (헌재 2012.5.31. 2009헌마705 등) [14 변호사]

정답 ③

130 회독 ☐☐☐   13 국회9급

언론·출판의 자유를 제한하는 입법의 위헌 여부를 심사하는 기준으로 가장 거리가 먼 것은?

① 자의금지의 원칙
② 사전억제금지의 원칙
③ 명백하고도 현존하는 위험의 원칙
④ 보다 덜 제한적인 규제수단의 선택에 관한 원칙
⑤ 명확성의 원칙

> **해설**
>
> ① (✗) 자의금지의 원칙은 평등권 심사의 기본원칙이다.
> ② (○) ③ (○) ④ (○) 언론·출판의 자유를 제한하는 입법에 대한 심사기준이다.
> ⑤ (○) 명확성의 원칙은 불명확하여 무효라는 원칙으로 언론·출판의 자유를 제한하는 입법에 대한 심사기준이다.
>
> 🔍 그 외에 당사자적격의 확대도 언론·출판의 자유를 제한하는 입법에 대한 심사기준이다.
>
> **정답** ①

🔔 언론·출판의 자유를 제한하는 입법에 대한 심사기준

사전적 심사기준	사후적 심사기준
검열금지	• 명백하고 현존하는 위험의 원칙 • 명확성의 원칙 • 우월적 지위의 원칙 • 합헌성 추정의 배제 • 당사자적격의 완화

기출지문 OX

❶ 사실적 주장에 관한 언론보도 등이 진실하지 아니함으로 인하여 피해를 입은 자는 해당 언론보도 등이 있음을 안 날부터 3개월 이내에 언론사, 인터넷뉴스서비스사업자 및 인터넷 멀티미디어 방송사업자에게 그 언론보도 등의 내용에 관한 정정보도를 청구할 수 있으나, 해당 언론보도 등이 있은 후 6개월이 지났을 때에는 그러하지 아니하다. 18 지방7급   (O / ✗)

> **해설** 언론중재 및 피해구제 등에 관한 법률 제14조 제1항   **정답** ○

❷ 언론으로부터 피해를 입은 사람은 「언론중재 및 피해구제 등에 관한 법률」에 따라 인터넷신문을 상대로 정정보도청구, 반론보도청구, 추후보도청구를 할 수 있고, 형사상 명예훼손죄로 고소할 수도 있으나 민사상 손해배상청구를 할 수는 없다. 18 지방7급   (O / ✗)

> **해설** 민사상 손해배상청구도 인정된다.   **정답** ✗

❸ '비의료인의 의료에 관한 광고를 금지하고 처벌하는 것은 국민의 생명권 등을 보호하는 것이어서 표현의 자유를 침해하지 않는다. 17 국회8급   (O / ✗)

> **해설** 비의료인의 의료에 관한 광고를 금지하고 처벌하는 것은 국민의 생명권과 건강권을 보호하고 국민의 보건에 관한 국가의 보호의무를 이행하기 위하여 필요한 최소한도 내의 제한이라고 할 것이므로, 비의료인의 표현의 자유와 직업수행의 자유를 침해한다고 볼 수 없다. (헌재 2016.9.29. 2015헌바325)
>
> **정답** ○

131 [10 법무사·지방7급]

검열금지의 원칙에 대한 설명으로 옳은 것만을 모두 고르면? (다툼이 있는 경우 판례에 의함)

> ㄱ. 사법절차에 의한 음반판매의 금지조치나 그 효과에 있어서는 실질적으로 동일한 형벌규정의 위반으로 인한 압수를 하는 것은 사전검열에 해당하여 헌법에 위반된다.
> ㄴ. 의회는 행정기관으로 하여금 영화의 상영 전에 내용을 심사하여 등급분류를 보류할 수 있도록 하고 등급분류를 받지 않은 영화의 상영을 금지하는 법률을 제정할 수 있다.
> ㄷ. 인터넷 포털사이트에 게시된 불법내용의 정보에 대하여 방송통신위원회가 당해 포털사이트 운영자에게 삭제명령을 내리는 것은 헌법이 금지하는 검열에 해당하지 않는다.
> ㄹ. 언론·출판에 대하여는 검열을 수단으로 한 제한만은 법률로써도 허용되지 않는다.

① ㄱ, ㄴ
② ㄱ, ㄷ
③ ㄴ, ㄹ
④ ㄷ, ㄹ

해설

ㄱ. (X) 검열은 행정주체가 하는 것으로 법원이 하는 심사는 검열이 아니다. [10 지방7급]

ㄴ. (X) 영상물등급위원회에 의한 등급분류보류제도는 검열에 해당하므로 의회는 이러한 법률을 제정할 수 없다. (헌재 2001.8.30. 2000헌가9) [10 법무사]

ㄷ. (O) 헌법 제21조 제2항은, 언론·출판에 대한 허가나 검열은 인정되지 아니한다고 규정하고 있다. 여기서 말하는 검열은 그 명칭이나 형식과 관계없이 실질적으로 행정권이 주체가 되어 사상이나 의견 등이 발표되기 이전에 예방적 조치로서 그 내용을 심사·선별하여 발표를 사전에 억제하는, 즉 허가받지 아니한 것의 발표를 금지하는 제도를 뜻하므로, 이미 게시된 불법내용의 정보에 대하여 방송통신위원회가 당해 포털사이트 운영자에게 삭제명령을 내리는 것은 헌법이 금지하는 검열에 해당하지 않는다. [10 법무사]

ㄹ. (O) 헌법 제21조에서 금지하므로 법률로써도 허용되지 않는다. [10 법무사]

정답 ④

기출지문 OX

영화의 상영으로 인한 실정법 위반의 가능성을 사전에 막고, 청소년 등에 대한 상영이 부적절할 경우 이를 유통단계에서 효과적으로 관리할 수 있도록 미리 등급을 심사하는 것은 사전검열에 해당하여 헌법에 위반된다. [10 지방7급] (O / X)

해설 등급심사는 검열이 아니지만, 등급분류보류제는 검열에 해당한다.

정답 X

132 재구성

16·13 국회8급, 08 국가7급, 06 법무사

언론·출판의 자유에 대한 설명으로 옳지 않은 것은? (다툼이 있는 경우 판례에 의함)

ㄱ. 의사표현의 자유는 언론·출판의 자유에 속하고 의사표현의 매개체는 어떠한 형태이건 제한이 없으나, 여론형성의 본질상 언어 이외의 전달방식은 보호대상이 되지 않는다.
ㄴ. 방송사업허가제는 방송의 공적 기능을 보장하기 위한 제도로서 표현 내용에 대한 가치판단에 입각한 사전봉쇄 내지 그와 같은 실질을 가진다고 볼 수 있으므로, 헌법상 금지되는 언론·출판에 대한 허가에 해당한다.
ㄷ. 언론·출판의 자유는 외국인에게도 인정된다.
ㄹ. 행정주체인 방송위원회로부터 위탁을 받아 방송광고의 사전심의라는 공무를 수행하는 한국광고자율심의기구에 의하여 방송광고의 사전심의를 받도록 하는 것은 언론·출판에 대한 사전검열에 해당한다.

① ㄱ, ㄴ
② ㄱ, ㄹ
③ ㄴ, ㄷ
④ ㄷ, ㄹ

해설

ㄱ. (✕) [13 국회8급]

> 언론·출판의 자유의 내용 중 의사표현·전파의 자유에 있어서 의사표현 또는 전파의 매개체는 어떠한 형태이건 가능하며 그 제한이 없다. 즉, 담화·연설·토론·연극·방송·음악·영화·가요 등과 문서·소설·시가·도화·사진·조각·서화 등 모든 형상의 의사표현 또는 의사전파의 매개체를 포함한다. (헌재 1993.5.13. 91헌바17)

ㄴ. (✕) 사업의 허가는 표현의 내용에 대한 규제가 아니라 시설에 대한 것이므로 헌법이 금지하는 검열이 아니다. [16 국회8급]
ㄷ. (○) 법인에게도 인정된다. [06 법무사]
ㄹ. (○) 사전검열에 해당하기 위해서는 행정기관이 검열하여야 하는데, 이때의 행정기관성 여부는 형식적이 아니라 실질적인 기능에 따라 판단한다. [08 국가7급]

정답 ①

기출지문 OX

「언론중재 및 피해구제 등에 관한 법률」은 언론이 사망한 사람의 인격권을 침해한 경우에 그 피해가 구제될 수 있도록 명문의 규정을 두고 있으며, 사망한 사람의 인격권을 침해하였거나 침해할 우려가 있는 경우의 구제절차는 유족이 수행하도록 하고 있다.

18 변호사 (○/✕)

정답 ○

예상판례

❶ 허위사실의 표현도 언론·출판의 자유의 보호영역에는 해당한다. 다만, 국가안전보장·질서유지·공공복리를 위해서 제한할 수 있다. (헌재 2010.12.28. 2008헌바157 등)

❷ 헌법재판소의 기본적인 입장은 인터넷은 방송의 특성이 없다고 한다. 그래서 인터넷에 대해서는 질서 위주의 사고로 규제해서는 안 된다고 판시하였다. (헌재 2002.6.27. 99헌마480)

❸ **언론보도의 피해자가 아닌 자의 시정권고신청권을 규정하지 아니한 언론중재 및 피해구제 등에 관한 법률 제32조 제1항은 표현의 자유를 침해하지 않는다.** (헌재 2015.4.30. 2012헌마890)
청구인은 심판대상조항이 피해자 아닌 자의 시정권고 신청권을 규정하지 않아 액세스(access)권을 침해한다고 주장한다. 그런데 청구인이 주장하는 액세스(access)권은 그 주체, 객체, 내용 등, 구체적인 권리로서의 실질이 명확하게 확립된 개념이라고 볼 수 없고, 청구인의 위와 같은 주장은 심판대상조항이 신문, 방송 등 매스미디어의 잘못된 보도에 대하여 신청에 의한 시정권고를 규정하지 않아 당해 매스미디어를 이용하여 이를 비판할 수 있는 청구인의 표현의 자유를 침해하였다는 주장으로 포섭할 수 있으므로, 심판대상조항이 표현의 자유를 침해하는지 여부를 중심으로 살펴본다.

❹ 대한민국 또는 헌법상 국가기관에 대하여 모욕, 비방, 사실 왜곡, 허위사실 유포 또는 기타 방법으로 대한민국의 안전, 이익 또는 위신을 해하거나 해할 우려가 있는 표현이나 행위에 대하여 형사처벌하도록 규정한 구 형법 제104조의2(국가모독죄 조항)는 과잉금지원칙에 위배되어 표현의 자유를 침해하므로 헌법에 위반된다. (헌재 2015.10.21. 2013헌가20)

❺ **선거운동기간을 제한하고 이를 위반한 사전선거운동을 형사처벌하도록 규정한 구 공직선거법 제59조 중 선거운동기간 전에 개별적으로 대면하여 말로 하는 선거운동에 관한 부분은 과잉금지원칙에 반하여 선거운동 등 정치적 표현의 자유를 침해한다.** (헌재 2022.2.24. 2018헌바146【위헌】)
이 사건 처벌조항은 죄형법정주의의 명확성원칙에 위반되지 아니한다.

❻ 공직선거법 제90조 제1항 제1호 중 '현수막, 그 밖의 광고물 설치·게시'에 관한 부분, 제93조 제1항 본문의 '벽보 게시, 인쇄물 배부·게시'에 관한 부분은 모두 헌법에 합치되지 아니하고, 공직선거법 규정에 의한 공개장소에서의 연설·대담장소 또는 대담·토론회장에서 연설·대담·토론용으로 사용하는 경우를 제외하고는 선거운동을 위하여 확성장치를 사용할 수 없도록 하고, 이를 위반할 경우 처벌하도록 한 공직선거법 제91조 제1항 및 구 공직선거법 제255조 제2항 제4호 중 '제91조 제1항의 규정에 위반하여 확성장치를 사용하여 선거운동을 한 자' 부분은 헌법에 위반되지 않는다. (헌재 2022.7.21. 2017헌바100 등【헌법불합치, 합헌】)

❼ 공직선거법 제90조 제1항 제1호 중 선거일 전 180일부터 선거일까지 '화환 설치' 금지는 목적 달성에 필요한 범위를 넘어 장기간 동안 선거에 영향을 미치게 하기 위한 화환의 설치를 금지하는 것으로, 과잉금지원칙에 위반되어 정치적 표현의 자유를 침해한다. (헌재 2023.6.29. 2023헌가12【헌법불합치】)

핵심노트

알 권리

정보공개청구권의 헌법적 근거는 알 권리, 알 권리의 헌법적 근거는 언론·출판의 자유
- 정보수령권: 신문, 소극적 성격
- 정보수집권: 취재, 능동적 성격 ┐ 자발적 정보를 대상(공개된 정보)
- 정보공개청구권: 비자발적 정보를 대상(비공개정보)
  - 개별적 정보공개청구권: 이해관계 있는 자가 청구
  - 일반적 정보공개청구권: 이해관계와 상관없이 누구나 청구할 수 있는 권리

- 헌법재판소는 공공기관의 정보공개에 관한 법률 제정 전에도 알 권리에 근거하여 정보공개청구권을 인정
- 일반적 정보공개청구권을 알 권리의 핵심이라고 판시
- 정보공개청구권도 개별법 없이도 인정 → 현재는 공공기관의 정보공개에 관한 법률 제정
- 공공기관의 정보공개에 관한 법률상 정보공개청구의 주체는 '모든 국민'

---

133 NEW

23 서울·지방7급

알 권리에 대한 설명으로 옳지 않은 것은?

① 재판이 확정되면 속기록 등을 폐기하도록 규정한 「형사소송규칙」 제39조가 청구인의 알 권리를 침해하였다고 볼 수 없다.

② 신문의 편집인 등으로 하여금 아동보호사건에 관련된 아동학대행위자를 특정하여 파악할 수 있는 인적사항 등을 신문 등 출판물에 싣거나 방송매체를 통하여 방송할 수 없도록 하는 「아동학대범죄의 처벌 등에 관한 특례법」 제35조 제2항 중 '아동학대행위자'에 관한 부분은 언론·출판의 자유와 국민의 알 권리를 침해하지 않는다.

③ 정치자금의 수입과 지출명세서 등에 대한 사본교부 신청이 허용된다고 하더라도, 검증자료에 해당하는 영수증, 예금통장을 직접 열람함으로써 정치자금 수입·지출의 문제점을 발견할 수 있다는 점에서 이에 대한 접근이 보장되어야 한다.

④ 공시대상정보로서 교원의 교원단체 및 노동조합 가입현황(인원 수)만을 규정할 뿐 개별 교원의 명단은 규정하고 있지 아니한 구 「교육관련기관의 정보공개에 관한 특례법 시행령」 제3조 제1항 [별표 1] 제15호 아목 중 "교원" 부분은 과잉금지원칙에 반하여 학부모들의 알 권리를 침해한다.

해설

① (O) 헌재 2012.3.29. 2010헌마599

② (O)

> 신문의 편집인·발행인 또는 그 종사자, 방송사의 편집책임자, 그 기관장 또는 종사자, 그 밖의 출판물의 저작자와 발행인으로 하여금 아동보호사건에 관련된 '아동학대행위자'를 특정하여 파악할 수 있는 인적 사항이나 사진 등을 신문 등 출판물에 싣거나 방송매체를 통하여 방송할 수 없게 금지하는 '아동학대범죄의 처벌 등에 관한 특례법' 제35조 제2항 중 '아동학대행위자'에 관한 부분은 헌법에 위반되지 않는다. (헌재 2022.10.27. 2021헌가4【합헌】)

③ (O)

> 열람기간마저 3월간으로 짧아 그 내용을 파악하고 분석하기 쉽지 않다. 또한 열람기간이 공직선거법상의 단기 공소시효조차 완성되지 아니한, 공고일부터 3개월 후에 만료된다는 점에서도 지나치게 짧게 설정되어 있다. 한편 선거관리위원회는 데이터 생성·저장 기술의 발전을 이용해 자료 보관, 열람 등의 업무부담을 상당 부분 줄여왔고, 앞으로도 그 부담이 과도해지지 않도록 할 수 있을 것으로 보인다. 이를 종합하면 정치자금을 둘러싼 분쟁 등의 장기화 방지 및 행정부담의 경감을 위해 열람기간의 제한 자체는 둘 수 있다고 하더라도, 현행 기간이 지나치게 짧다는 점은 명확하다. (헌재 2021.5.27. 2018헌마1168)

④ (×)

> 이 사건 시행령조항은 공시대상정보로서 교원의 교원단체 및 노동조합 '가입현황(인원 수)'만을 규정할 뿐 개별 교원의 명단은 규정하고 있지 아니한바, 교원의 교원단체 및 노동조합 가입에 관한 정보는 '개인정보 보호법'상의 민감정보로서 특별히 보호되어야 할 성질의 것이고, 인터넷 게시판에 공개되는 '공시'로 말미암아 발생할 교원의 개인정보 자기결정권에 대한 중대한 침해의 가능성을 고려할 때, 이 사건 시행령조항은 학부모 등 국민의 알 권리와 교원의 개인정보 자기결정권이라는 두 기본권을 합리적으로 조화시킨 것이라 할 수 있으므로, 학부모들의 알 권리를 침해하지 않는다. (헌재 2011.2.29. 2010헌마293)

정답 ④

기출지문 OX

국군의 이념 및 사명을 해할 우려가 있는 도서로 인하여 군인들의 정신전력이 저해되는 것을 방지하기 위하여 불온도서의 소지·전파 등을 금지하는 「군인복무규율」 조항은 군인의 알 권리를 침해한다. 24 경찰승진 (O / ×)

해설

> 이 사건 규율조항은 군의 정신전력 강화의 필요라고 하는 의무부과 목적의 정당성이 인정되고, 부과 내용이 기본의무를 부과함에 있어 입법자가 유의해야 하는 여타의 헌법적 가치를 충분히 존중한 것으로서 합리적이고 타당하며, 부과의 공평성 또한 인정할 수 있으므로 과도하게 청구인들의 기본권을 침해하는 것이라고 볼 수 없다. (헌재 2010.10.28. 2008헌마638)

정답 ×

134   23 5급행시

알 권리에 대한 설명으로 옳지 않은 것은?

① 변호사시험 성적을 합격자에게 공개하지 않도록 규정한 「변호사시험법」의 조항은 변호사시험에 응시하여 합격한 청구인들의 알 권리를 침해하지 않는다.
② 알 권리는 표현의 자유와 표리일체의 관계에 있고, 정보의 공개청구권은 알 권리의 당연한 내용이 되는 것이다.
③ 형사재판이 확정되면 속기록, 녹음물 또는 영상녹화물을 폐기하도록 규정한 「형사소송규칙」의 조항은 피고인이었던 청구인의 알 권리를 침해하지 않는다.
④ 교원의 개인정보 공개를 금지하고 있는 「교육관련기관의 정보공개에 관한 특례법」의 조항은 학부모들의 알 권리를 침해하지 않는다.

해설

① (X)

> 변호사 성적을 합격자에게 공개하지 않도록 규정한 변호사법 제18조 제1항 본문은 청구인들의 알 권리(정보공개청구권)를 침해한다. (헌재 2015.6.25. 2011헌마769 등)
> 수단의 적합성이 인정되지 않았고, 이 사건에서 직업의 자유는 제한되는 기본권이 아니다.

② (O) 헌재 2003.3.27. 2000헌마474

③ (O)

> 형사소송법은 공판조서 기재의 정확성을 담보하기 위해 작성주체, 방식, 기재요건 등에 관하여 엄격히 규정하고, 피고인 등으로 하여금 재판이 확정되기 전에는 속기록 등의 사본 청구나 공판조서의 열람 또는 등사를 통하여 공판조서의 기재 내용에 대한 이의를 진술할 수 있도록 함으로써 기본권 제한을 최소화하고 있고, 이 사건 규칙조항으로 인한 기본권 제한이 속기록 등의 무용한 보관으로 인한 자원낭비방지라는 공익보다 결코 크다고 볼 수 없으므로, 피해의 최소성과 함께 법익균형성의 요건도 갖추었다고 할 것이어서, 이 사건 규칙조항이 청구인의 알 권리를 침해하였다고 볼 수 없다. (헌재 2012.3.29. 2010헌마599)

④ (O)

> 개별교원이 어떤 교원단체나 노동조합에 가입해 있는지에 대한 정보 공개를 제한하고 있는 이 사건 법률조항 및 이 사건 시행령조항은 학부모인 청구인들의 알 권리를 제한하는 것이며, 학부모는 그런 알 권리를 통해 자녀교육을 행하게 되므로 위 조항들은 동시에 교육권에 대한 제약도 발생시킨다고 할 수 있다. 이 사건 법률조항은 교원의 개인정보 공개를 일률적으로 금지하는 듯이 보이지만, … 비공개 결정에 대해서는 불복의 수단을 마련하고 있으므로, 이 사건 법률조항은 학부모들의 알 권리를 침해하지 않는다. (헌재 2011.12.29. 2010헌마293)

정답 ①

135 23 경찰간부

알 권리 및 정보공개청구권에 대한 설명으로 가장 적절하지 않은 것은? (다툼이 있는 경우 헌법재판소 판례에 의함)

① 신문의 편집인 등으로 하여금 아동보호사건에 관련된 아동학대행위자를 특정하여 파악할 수 있는 인적사항 등을 신문 등 출판물에 싣거나 방송매체를 통하여 방송할 수 없도록 하는 「아동학대범죄의 처벌 등에 관한 특례법」상 보도금지조항은 국민의 알 권리를 침해하지 않는다.
② 「정치자금법」에 따라 회계보고된 자료의 열람기간을 3월간으로 제한한 동법상 열람기간제한조항은 청구인의 알 권리를 침해한다.
③ 인터넷 등 전자적 방법에 의한 판결서 열람·복사의 범위를 개정법 시행 이후 확정된 사건의 판결서로 한정하고 있는 「군사법원법」 부칙조항은 청구인의 정보공개청구권을 침해한다.
④ 변호사시험성적 공개청구기간을 「변호사시험법」 시행일부터 6개월 내로 제한하는 동법 부칙조항은 청구인의 정보공개청구권을 침해한다.

해설

① (O)

> 아동학대행위자 대부분은 피해아동과 평소 밀접한 관계에 있으므로, 행위자를 특정하여 파악할 수 있는 식별정보를 신문, 방송 등 매체를 통해 보도하는 것은 피해아동의 사생활 노출 등 2차 피해로 이어질 가능성이 매우 높다. 따라서 아동학대행위자에 대한 식별정보의 보도를 금지하는 것이 과도하다고 보기 어렵다. 따라서 보도금지조항은 언론·출판의 자유와 국민의 알 권리를 침해하지 않는다. (헌재 2022.10.27. 2021헌가4)

② (○)

> 정치자금을 둘러싼 분쟁 등의 장기화 방지 및 행정부담의 경감을 위해 열람기간의 제한 자체는 둘 수 있다고 하더라도, 현행기간이 지나치게 짧다는 점은 명확하다. 짧은 열람기간으로 인해 청구인은 회계보고된 자료를 충분히 살펴 분석하거나 문제를 발견할 실질적 기회를 갖지 못하게 되는바, 달성되는 공익과 비교할 때 이러한 사익의 제한은 정치자금의 투명한 공개가 민주주의 발전에 가지는 의미에 비추어 중대하다. 그렇다면 이 사건 열람기간제한 조항은 과잉금지원칙에 위배되어 알 권리를 침해한다. (헌재 2021.5.27. 2018헌마1168)

③ (✗) 헌재 2015.12.23. 2014헌마185

④ (○)

> 변호사시험 성적 공개청구기간을 개정 변호사시험법 시행일로부터 6개월로 제한하는 변호사시험법 부칙 제2조 중 '이 법 시행일부터 6개월 내에' 부분은 청구인의 정보공개청구권을 침해하여 헌법에 위반된다. (헌재 2019.7.25. 2017헌마1329)
> 청구인은 2015년 실시된 제4회 변호사시험에 합격하였으므로, 성적공개조항의 수범자가 아닌 제3자에 불과하다. 따라서 성적공개조항에 대한 심판청구는 기본권 침해의 자기관련성을 인정할 수 없어 부적법하다.

정답 ③

136

알 권리 및 정보공개청구권에 대한 설명으로 옳지 않은 것은? (다툼이 있는 경우 판례에 의함)

① 알 권리의 실현은 법률의 제정이 뒤따라 이를 구체화시키는 것이 필요하므로 법률이 제정되어 있지 않은 경우에는 헌법 제21조에 의해 직접 보장될 수는 없다.
② 국민은 헌법상 보장된 알 권리의 한 내용으로서 국회에 대하여 입법과정의 공개를 요구할 권리를 가지며, 국회의 의사에 대하여는 직접적인 이해관계 유무와 상관없이 일반적 정보공개청구권을 가진다.
③ 일반국민의 알 권리와 무관하게 국가기관이 평소의 동향을 감시할 목적으로 개인의 정보를 비밀리에 수집한 경우 그 대상자가 공적 인물이라는 이유만으로 면책되지 않는다.
④ 일정한 표현물에 대한 일반국민의 접근을 차단하거나 일정한 내용의 표현물의 제작에 대해서 규제를 하는 경우에는 의사표현의 자유의 제한문제뿐만 아니라 알 권리의 제한문제도 발생할 수 있다.

해설

① (✗) [14 국회8급]

> 알 권리의 실현은 법률의 제정이 뒤따라 이를 구체화시키는 것이 충실하고도 바람직하지만 그러한 법률이 제정되어 있지 않다고 하더라도 불가능한 것은 아니고 헌법 제21조에 의해 직접 보장될 수 있다. (헌재 1991.5.13. 90헌마133)

② (○) 헌재 2009.9.24. 2007헌바17 [14 국회8급]
③ (○) 대판 1998.7.24. 96다42789 [13 지방7급]
④ (○) [16 국회8급]

정답 ①

137 회독 ☐☐☐ NEW   24 경찰1차

집회의 자유에 관한 설명으로 가장 적절한 것은? (다툼이 있는 경우 판례에 의함)

① 「집회 및 시위에 관한 법률」상의 시위는 반드시 '일반인이 자유로이 통행할 수 있는 장소'에서 이루어져야 하며 '행진' 등 장소 이동을 동반해야만 성립한다.
② 집회의 자유에 대한 제한은 다른 중요한 법익의 보호를 위하여 반드시 필요한 경우에 한하여 정당화되는 것이며, 특히 집회의 금지는 원칙적으로 공공의 안녕질서에 대한 위협이 예상되는 경우에 한하여 허용될 수 있다.
③ 집회 또는 시위를 하기 위하여 인천애(愛)뜰 중 잔디마당과 그 경계 내 부지에 대한 사용허가 신청을 한 경우 인천광역시장이 이를 허가할 수 없도록 제한하는 「인천애(愛)뜰의 사용 및 관리에 관한 조례」 조항은 헌법 제21조 제2항이 규정하는 집회에 대한 허가제 금지원칙에 위배된다.
④ 누구든지 선거기간 중 선거에 영향을 미치게 하기 위하여 '그 밖의 집회나 모임'을 개최할 수 없고, 이를 위반하는 자를 처벌하는 「공직선거법」 조항은 선거의 공정이나 평온에 대한 구체적인 위험이 없는 경우에도 해당 목적을 위한 일반 유권자의 집회나 모임을 전면적으로 금지하고 위반시 처벌한다는 점에서 과잉금지원칙에 위배되어 해당 일반 유권자의 집회의 자유를 침해한다.

해설

① (✗)
> 집시법상의 시위는 반드시 '일반인이 자유로이 통행할 수 있는 장소'에서 이루어져야 한다거나 '행진' 등 장소 이동을 동반해야만 성립하는 것은 아니다. 다만 다수인이 일정한 장소에 모여 행한 특정행위가 공동의 목적을 가진 집단적 의사표현의 일환으로 이루어진 것으로서 집시법상 시위에 해당하는지 여부는, 행진 등 행위의 태양 및 참가 인원, 행위 장소 등 객관적 측면과 아울러 그들 사이의 내적인 유대관계 등 주관적 측면을 종합하여 전체적으로 그 행위를 불특정 다수인의 의견에 영향을 주거나 제압을 가하는 행위로 볼 수 있는지 여부에 따라 개별·구체적으로 판단되어야 할 것이다. (헌재 2014.3.27. 2010헌가2)

② (✗)
> 집회의 자유에 대한 제한은 다른 중요한 법익의 보호를 위하여 반드시 필요한 경우에 한하여 정당화되는 것이며, 특히 집회의 금지와 해산은 원칙적으로 공공의 안녕질서에 대한 직접적인 위협이 명백하게 존재하는 경우에 한하여 허용될 수 있다. (헌재 2003.10.30. 2000헌바67)

③ (✗) 집회에 대한 금지되는 허가는 행정권이 주체가 되는 집회를 말한다. 지문은 조례에 의해서 직접 제한되므로 허가제는 아니다. 다만, 과잉금지원칙으로 헌법에 위반된다.

> **집회·시위를 위한 인천애뜰 잔디마당의 사용허가를 예외 없이 제한하는 '인천애(愛)뜰의 사용 및 관리에 관한 조례 제7조 제1항 제5호 가목은 헌법에 위반된다.** (헌재 2023.9.26. 2019헌마1417 [위헌])
> [1] 심판대상조항은 법률의 위임 내지는 이에 근거하여 규정된 것이므로, 법률유보원칙에 위배되는 것으로 볼 수 없다.
> [2] 입법목적은 정당하고, 집회·시위를 위한 잔디마당 사용허가를 전면적·일률적으로 제한하는 것은 적합한 수단이다. 한편, 잔디마당이 현재 일반인에게 널리 개방되어 자유로운 통행과 휴식 등 공간으로 활용되고 있는 이상, 이곳이 여전히 국토계획법상 공공청사 부지에 속하고, 집회·시위를 목적으로 한 분수광장의 사용이 용이하다는 점만으로, 심판대상조항에 따른 제한이 정당화될 수 없다. 따라서 심판대상조항은 침해의 최소성 요건을 갖추지 못하였다. 그렇다면 심판대상조항은 과잉금지원칙에 위배되어 청구인들의 집회의 자유를 침해한다.

④ (O)

> **선거기간 중 선거에 영향을 미치게 하기 위한 집회나 모임(향우회·종친회·동창회·단합대회·야유회가 아닌 것에 한정) 개최금지 사건** (헌재 2022.7.21. 2018헌바164)
> [1] ③ 공직선거법 제103조 제3항 중 '누구든지 선거기간 중 선거에 영향을 미치게 하기 위하여 그 밖의 집회나 모임을 개최할 수 없다' 부분, ⓒ 구 공직선거법 제256조 제2항 제1호 카목 가운데 ⑤ 조항 부분, ⓒ 공직선거법 제256조 제3항 제1호 카목 가운데 ⑤ 조항 부분은, 집회의 자유, 정치적 표현의 자유를 침해하여 헌법에 위반된다. 【위헌】
> [2] 심판대상조항은 죄형법정주의의 명확성원칙에 위배되지 않는다. 심판대상조항은 선거운동의 부당한 경쟁, 후보자들 사이의 경제력 차이에 따른 불균형이라는 폐해를 막고, 선거의 공정성과 평온성을 침해하는 탈법적인 행위를 차단하여 선거의 평온과 공정을 해하는 결과의 발생을 방지함으로써 선거의 자유와 공정을 보장하려는 것이므로, 입법목적의 정당성과 수단의 적합성이 인정된다. 심판대상조항은 법익의 균형성에도 위배된다. 심판대상조항은 과잉금지원칙에 반하여 집회의 자유, 정치적 표현의 자유를 침해한다.

정답 ④

138 23 경찰간부

집회의 자유에 대한 설명으로 가장 적절하지 않은 것은? (다툼이 있는 경우 헌법재판소 판례에 의함)

① 막연히 폭력·불법적이거나 돌발적인 상황이 발생할 위험이 있다는 가정만을 근거로 하여 대통령 관저 인근이라는 특정한 장소에서 열리는 모든 집회를 금지하는 것은 헌법적으로 정당화되기 어렵다.
② 미신고 시위로 인하여 타인의 법익이나 공공의 안녕질서에 대한 직접적이고 명백한 위험이 발생한 경우에 해산명령을 발할 수 있도록 하고 이에 응하지 아니하는 행위에 대해 처벌하는 「집회 및 시위에 관한 법률」상 조항은 달성하려는 공익과 이로 인해 제한되는 청구인의 기본권 사이의 균형을 상실하였다고 보기 어렵다.
③ 신고범위를 뚜렷이 벗어난 집회·시위로 인하여 질서를 유지할 수 없어 해산을 명령하였음에도 불구하고 이에 불응한 경우에 처벌하는 「집회 및 시위에 관한 법률」상 조항은 과잉금지원칙을 위반하여 집회의 자유를 침해한다고 볼 수 없다.
④ 재판에 영향을 미칠 염려가 있거나 미치게 하기 위한 집회 또는 시위를 금지하고 이를 위반한 자를 형사처벌하는 구 「집회 및 시위에 관한 법률」상 조항은 과잉금지원칙을 위반하여 집회의 자유를 침해한다고 볼 수 없다.

해설

① (O)

> 대통령 관저 인근에서의 일부 집회를 예외적으로 허용한다고 하더라도 위와 같은 수단들을 통하여 심판대상조항이 달성하려는 대통령의 헌법적 기능은 충분히 보호될 수 있다. 따라서 개별적인 경우에 구체적인 위험 상황이 발생하였는지를 고려하지 않고, 막연히 폭력·불법적이거나 돌발적인 상황이 발생할 위험이 있다는 가정만을 근거로 하여 대통령 관저 인근이라는 특정한 장소에서 열리는 모든 집회를 금지하는 것은 헌법적으로 정당화되기 어렵다. 이러한 사정들을 종합하여 볼 때, 심판대상조항은 그 입법목적을 달성하는 데 필요한 최소한도의 범위를 넘어, 규제가 불필요하거나 또는 예외적으로 허용하는 것이 가능한 집회까지도 이를 일률적·절대적으로 금지하고 있으므로, 침해의 최소성에 위배된다. (헌재 2022.12.22. 2018헌바48 등)

② (O) 헌재 2016.9.29. 2014헌바492
③ (O) 헌재 2016.9.29. 2015헌바309 등
④ (×)

> [1] 재판에 영향을 미칠 염려가 있거나 미치게 하기 위한 집회 또는 시위를 금지하고 이를 위반한 자를 형사처벌하는 구 집회 및 시위에 관한 법률(이하 '집시법'이라 한다) 제3조 제1항 제2호 및 구 집시법 제14조 제1항 본문 중 제3조 제1항 제2호 부분은 집회의 자유를 침해한다.
> 이 사건 제2호 부분은 법관의 직무상 독립을 보호하여 사법작용의 공정성과 독립성을 확보하기 위한 것으로 입법목적의 정당성은 인정되나, 국가의 사법권한 역시 국민의 의사에 정당성의 기초를 두고 행사되어야 한다는 점과 재판에 대한 정당한 비판은 오히려 사법작용의 공정성 제고에 기여할 수도 있는 점을 고려하면 사법의 독립성을 확보하기 위한 적합한 수단이라 보기 어렵다. 또한 구 집시법의 옥외집회·시위에 관한 일반규정 및 형법에 의한 규제 및 처벌에 의하여 사법의 독립성을 확보할 수 있음에도 불구하고, 이 사건 제2호 부분은 재판에 영향을 미칠 염려가 있거나 미치게 하기 위한 집회·시위를 사전적·전면적으로 금지하고 있을 뿐 아니라, 어떠한 집회·시위가 규제대상에 해당하는지를 판단할 수 있는 아무런 기준도 제시하지 아니함으로써 사실상 재판과 관련된 집단적 의견표명 일체가 불가능하게 되어 집회의 자유를 실질적으로 박탈하는 결과를 초래하므로 최소침해성원칙에 반한다. 더욱이 이 사건 제2호 부분으로 인하여 달성하고자 하는 공익 실현효과는 가정적이고 추상적인 반면, 이 사건 제2호 부분으로 인하여 침해되는 집회의 자유에 대한 제한 정도는 중대하므로 법익균형성도 상실하였다. 따라서 이 사건 제2호 부분은 과잉금지원칙에 위배되어 집회의 자유를 침해한다.
> [2] 헌법의 민주적 기본질서에 위배되는 집회 또는 시위를 금지하고 이에 위반한 자를 형사처벌하는 구 집시법 제3조 제1항 제3호 및 구 집시법 제14조 제1항 본문 중 제3조 제1항 제3호 부분은 집회의 자유를 침해한다. (헌재 2016.9.29. 2014헌가3)

정답 ④

139

집회 및 결사의 자유에 관한 다음 설명 중 가장 옳은 것은?

① 집회는 일정한 장소를 전제로 하여 특정 목적을 가진 다수인이 일시적으로 회합하는 것을 말하는 것으로, 여기서의 다수인이 가지는 공동의 목적은 '내적인 유대관계'로 족하지 않고 공통의 의사형성과 의사표현이라는 공동의 목적이 포함되어야 한다.

② 누구든지 선거기간 중 선거에 영향을 미치게 하기 위하여 그 밖의 집회나 모임을 개최할 수 없고, 이를 위반한 자를 처벌하도록 규정한 「공직선거법」조항은 선거기간 중에도 국민들이 제기하는 건전한 비판과 여론 형성을 금지하는 것은 아니므로 집회의 자유를 침해한다고 할 수 없다.

③ 국회의장 공관의 경계지점으로부터 100미터 이내의 장소에서의 옥외집회 또는 시위를 일률적으로 금지하고, 이를 위반한 집회·시위의 참가자를 처벌하는 것은 해당 장소에서 옥외집회·시위가 개최되더라도 국회의장에게 물리적 위해를 가하거나 국회의장 공관으로의 출입 내지 안전에 위협을 가할 우려가 없는 장소까지 포함되어 있다는 점에서 입법목적 달성에 필요한 범위를 넘어 집회의 자유를 과도하게 제한하는 것으로 집회의 자유를 침해한다.

④ 사회복무요원이 정당가입을 할 수 없도록 규정한 「병역법」 조항은 사회복무요원의 정치적 중립성 보장과 아무런 관련이 없는 사회적 활동까지 금지한다는 점에서 사회복무요원의 결사의 자유를 침해한다.

해설

① (X)
> 일반적으로 집회는 일정한 장소를 전제로 하여 특정 목적을 가진 다수인이 일시적으로 회합하는 것을 말하는 것으로 일컬어지고 있고, 그 공동의 목적은 '내적인 유대관계'로 족하다. (헌재 2009.5.28. 2007헌바22)

② (X)
> 심판대상조항은 공직선거법이 허용하는 경우를 제외하고는, 선거기간 중 특정한 정책이나 현안에 대한 표현행위와, 그에 대한 지지나 반대를 하는 후보자나 정당에 대한 표현행위가 함께 나타나는 집회나 모임의 개최를, 전면적·포괄적으로 금지·처벌하고 있어서, 일반유권자가 선거기간 중 선거에 영향을 미치게 하기 위한 연설회나 대담·토론회를 비롯하여 집회나 모임을 개최하는 것이 전부 금지되고 있다. … 선거기간 중 선거와 관련된 집단적 의견표명 일체가 불가능하게 됨으로써 일반유권자가 받게 되는 집회의 자유, 정치적 표현의 자유에 대한 제한 정도는 매우 중대하므로, 심판대상조항은 집회의 자유와 정치적 표현의 자유를 침해한다. (헌재 2022.7.21. 2018헌바164)

③ (O)
> 심판대상조항은 국회의장 공관 인근 일대를 광범위하게 전면적인 집회금지장소로 설정함으로써 입법목적 달성에 필요한 범위를 넘어 집회의 자유를 과도하게 제한하고 있는바, 과잉금지원칙에 반하여 집회의 자유를 침해한다. (헌재 2023.3.23. 2021헌가1)

④ (X) 정당가입금지는 합헌, 정치단체가입금지는 정치적 표현의 자유와 결사의 자유를 침해한다. (헌재 2021.11.25. 2019헌마534)

정답 ③

140 회독 ☐☐☐ 재구성   22 서울·지방7급, 14 국회8급

집회의 자유에 대한 설명으로 옳지 않은 것은? (다툼이 있는 경우 판례에 의함)

① 집회의 자유에 대한 신고제는 집회의 자유에 대한 일반적 금지가 원칙이고 예외적으로 행정권의 허가가 있을 때에만 이를 허용한다는 점에서 헌법이 금지하는 허가제와는 집회의 자유에 대한 이해와 접근방법의 출발점을 달리하고 있는 것이다.
② 집회의 자유는 개인의 인격발현의 요소이자 민주주의를 구성하는 요소라는 이중적 헌법적 기능을 가지고 있다.
③ 헌법 제21조 제2항은 헌법 자체에서 언론·출판에 대한 허가나 검열의 금지와 더불어 집회에 대한 허가 금지를 명시함으로써, 집회의 자유에 있어서는 다른 기본권 조항들과는 달리, '허가'의 방식에 의한 제한을 허용하지 않겠다는 헌법적 결단을 분명히 하고 있다.
④ 누구든지 헌법재판소의 결정에 따라 해산된 정당의 목적을 달성하기 위한 집회 또는 시위를 주최하여서는 아니 된다.

해설

① (✗) [14 국회8급]

> 이 사건 헌법규정에서 금지하고 있는 '허가'는 집회의 자유에 대한 일반적 금지가 원칙이고 예외적으로 행정권의 허가가 있을 때에만 이를 허용한다는 점에서, 집회의 자유가 원칙이고 금지가 예외인 집회에 대한 신고제와는 집회의 자유에 대한 이해와 접근방법의 출발점을 달리하고 있는 것이다. (헌재 2009.9.24. 2008헌가25)

② (○) [22 서울·지방7급]

> **집회의 자유의 헌법적 의미와 기능** (헌재 2003.1.30. 2000헌바67 등)
> [1] 헌법은 집회의 자유를 국민의 기본권으로 보장함으로써, 평화적 집회 그 자체는 공공의 안녕질서에 대한 위험이나 침해로서 평가되어서는 아니 되며, 개인이 집회의 자유를 집단적으로 행사함으로써 불가피하게 발생하는 일반대중에 대한 불편함이나 법익에 대한 위험은 보호법익과 조화를 이루는 범위 내에서 국가와 제3자에 의하여 수인되어야 한다는 것을 헌법 스스로 규정하고 있는 것이다.
> [2] 집회의 자유는 개인의 인격발현의 요소이자 민주주의를 구성하는 요소라는 이중적 헌법적 기능을 가지고 있다.
> [3] 공동의 인격발현을 위하여 타인과 함께 모인다는 것은 이미 그 자체로서 기본권에 의하여 보호될 만한 가치가 있는 개인의 자유영역인 것이다.
> [4] 집회의 자유는 사회·정치현상에 대한 불만과 비판을 공개적으로 표출하게 함으로써 정치적 불만이 있는 자를 사회에 통합하고 정치적 안정에 기여하는 기능을 한다. 특히 집회의 자유는 집권세력에 대한 정치적 반대의사를 공동으로 표명하는 효과적인 수단으로서 현대사회에서 언론매체에 접근할 수 없는 소수집단에게 그들의 권익과 주장을 옹호하기 위한 적절한 수단을 제공한다는 점에서, 소수의견을 국정에 반영하는 창구로서 그 중요성을 더해 가고 있다. 이러한 의미에서 집회의 자유는 소수의 보호를 위한 중요한 기본권인 것이다. … 헌법이 집회의 자유를 보장한 것은 관용과 다양한 견해가 공존하는 다원적인 '열린 사회'에 대한 헌법적 결단인 것이다.

③ (○) 행정권이 주체가 되는 허가는 절대 허용되지 않는다. [22 서울·지방7급]
④ (○) [22 서울·지방7급]

> **집회 및 시위에 관한 법률 제5조(집회 및 시위의 금지)**
> ① 누구든지 다음 각 호의 어느 하나에 해당하는 집회나 시위를 주최하여서는 아니 된다.
>   1. 헌법재판소의 결정에 따라 해산된 정당의 목적을 달성하기 위한 집회 또는 시위
>   2. 집단적인 폭행, 협박, 손괴, 방화 등으로 공공의 안녕 질서에 직접적인 위협을 끼칠 것이 명백한 집회 또는 시위

정답 ①

141 [22 소방간부, 21 법원직]

집회의 자유에 대한 설명으로 옳은 것만을 모두 고르면? (다툼이 있는 경우 판례에 의함)

ㄱ. 집회의 자유는 다수의 의견을 국정에 반영하는 창구로서 그 중요성을 더해 가고 있다는 점에서 다수의 보호를 위한 중요한 기본권이다.
ㄴ. 옥외집회의 신고는 수리를 요하지 아니하는 정보제공적 신고이므로 경찰서장이 이미 접수된 옥외집회신고서를 반려하는 행위는 공권력의 행사에 해당하지 아니한다.
ㄷ. 언론·출판에 대한 허가나 검열과 집회·결사에 대한 허가는 인정되지 아니한다.
ㄹ. 집회의 자유에는 집회를 통하여 형성된 의사를 집단적으로 표현하고 이를 통하여 불특정 다수인의 의사에 영향을 줄 자유를 포함한다.
ㅁ. 집회장소가 바로 집회의 목적과 효과에 대하여 중요한 의미를 가지기 때문에, 누구나 '어떤 장소에서' 자신이 계획한 집회를 할 것인가를 원칙적으로 자유롭게 결정할 수 있어야만 집회의 자유가 비로소 효과적으로 보장되는 것이다.

① ㄱ, ㄴ, ㄷ
② ㄴ, ㄹ, ㅁ
③ ㄴ, ㄷ, ㄹ
④ ㄷ, ㄹ, ㅁ

해설

ㄱ. (X) ㅁ. (O) [22 소방간부]

집회의 자유의 헌법적 의미와 기능 (헌재 2003.1.30. 2000헌바67)
[1] 헌법은 집회의 자유를 국민의 기본권으로 보장함으로써, 평화적 집회 그 자체는 공공의 안녕질서에 대한 위험이나 침해로서 평가되어서는 아니 되며, 개인이 집회의 자유를 집단적으로 행사함으로써 불가피하게 발생하는 일반대중에 대한 불편함이나 법익에 대한 위험은 보호법익과 조화를 이루는 범위 내에서 국가와 제3자에 의하여 수인되어야 한다는 것을 헌법 스스로 규정하고 있는 것이다.
[2] 집회의 자유는 개인의 인격발현의 요소이자 민주주의를 구성하는 요소라는 이중적 헌법적 기능을 가지고 있다.
[3] 집회의 자유는 타인과의 의견교환을 통하여 공동으로 인격을 발현하는 자유를 보장하는 기본권이자 동시에 국가권력에 의하여 개인이 타인과 사회공동체로부터 고립되는 것으로부터 보호하는 기본권이다. 즉, 공동의 인격발현을 위하여 타인과 함께 모인다는 것은 이미 그 자체로서 기본권에 의하여 보호될 만한 가치가 있는 개인의 자유영역인 것이다.
[4] 집회의 자유는 사회·정치현상에 대한 불만과 비판을 공개적으로 표출케 함으로써 정치적 불만이 있는 자를 사회에 통합하고 정치적 안정에 기여하는 기능을 한다. 특히 집회의 자유는 집권세력에 대한 정치적 반대의사를 공동으로 표명하는 효과적인 수단으로서 현대사회에서 언론매체에 접근할 수 없는 소수집단에게 그들의 권익과 주장을 옹호하기 위한 적절한 수단을 제공한다는 점에서, 소수의견을 국정에 반영하는 창구로서 그 중요성을 더해 가고 있다. 이러한 의미에서 집회의 자유는 소수의 보호를 위한 중요한 기본권인 것이다. … 헌법이 집회의 자유를 보장한 것은 관용과 다양한 견해가 공존하는 다원적 '열린 사회'에 대한 헌법적 결단인 것이다.

ㄴ. (X) 집회신고 반려는 헌법소원의 대상이다. [21 법원직]

남대문 경찰서의 집회신고서 반려 (헌재 2008.5.29. 2007헌마712 【인용(위헌확인)】)
동일 장소·동일 시간에 대한 2개의 집회신고서가 같은 일시에 제출된 경우 남대문 경찰서장이 두 신고서 모두를 반려한 행위는 법률에 근거가 없는 위헌적인 것이다. … 결국 이 사건 반려행위는 법률의 근거 없이 청구인들의 집회의 자유를 침해한 것으로서 헌법상 법률유보원칙에 위반된다고 할 것이다.

ㄷ. (O) [21 법원직]

헌법 제21조
① 모든 국민은 언론·출판의 자유와 집회·결사의 자유를 가진다.
② 언론·출판에 대한 허가나 검열과 집회·결사에 대한 허가는 인정되지 아니한다.

③ 통신·방송의 시설기준과 신문의 기능을 보장하기 위하여 필요한 사항은 법률로 정한다.
④ 언론·출판은 타인의 명예나 권리 또는 공중도덕이나 사회윤리를 침해하여서는 아니 된다. 언론·출판이 타인의 명예나 권리를 침해한 때에는 피해자는 이에 대한 피해의 배상을 청구할 수 있다.

ㄹ. (O) 집회의 자유의 내용이다. [21 법원직]

정답 ④

142 [20·14·12 법원직]

집회 및 시위의 자유에 관한 다음 설명 중 가장 옳지 않은 것은? (다툼이 있는 경우 판례에 의함)

① 집단적인 폭행·협박·손괴·방화 등으로 공공의 안녕질서에 직접적인 위협을 가할 것이 명백한 집회 또는 시위의 주최를 금지하고, 이에 위반한 집회 또는 시위에 그 정을 알면서 참가한 자를 처벌하는 규정은 죄형법정주의의 명확성원칙에 위반된다고 볼 수 없다.
② 각급 법원 인근에 집회·시위금지장소를 설정하는 것은 입법목적 달성을 위한 적합한 수단으로 볼 수 없다.
③ 집회를 방해할 의도로 집회에 참가하는 것은 집회의 자유에 의해 보호되지 않는다.
④ 해가 뜨기 전이나 해가 진 후에는 시위를 하여서는 안 된다고 규정한 집회 및 시위에 관한 규정 중 일몰시간 후부터 같은 날 24시까지의 옥외집회 또는 시위를 금지한 부분은 헌법에 합치되지 아니한다.

해설

① (O) 헌재 2010.4.29. 2008헌바118 [12 법원직]

② (X) [20 법원직]

> 누구든지 각급 법원의 경계지점으로부터 100미터 이내의 장소에서 옥외집회 또는 시위를 할 경우 형사처벌한다고 규정한 '집회 및 시위에 관한 법률' 제11조 제1호 중 '각급 법원' 부분 및 제23조 제1호 중 제11조 제1호 가운데 '각급 법원'에 관한 부분은 모두 헌법에 합치하지 아니한다. (헌재 2018.7.26. 2018헌바137 [헌법불합치])
> 법관의 독립은 공정한 재판을 위한 필수 요소로서 다른 국가기관이나 사법부 내부의 간섭으로부터의 독립뿐만 아니라 사회적 세력으로부터의 독립도 포함한다. 심판대상조항의 입법목적은 법원 앞에서 집회를 열어 법원의 재판에 영향을 미치려는 시도를 막으려는 것이다. 이런 입법목적은 법관의 독립과 재판의 공정성 확보라는 헌법의 요청에 따른 것이므로 정당하다. 한편, 각급 법원 인근에 집회·시위 금지장소를 설정하는 것은 입법목적 달성을 위한 적합한 수단이다. 심판대상조항은 입법목적을 달성하는 데 필요한 최소한도의 범위를 넘어 규제가 불필요하거나 또는 예외적으로 허용 가능한 옥외집회·시위까지도 일률적·전면적으로 금지하고 있으므로, 침해의 최소성원칙에 위배된다.

③ (O) [14 법원직]

> 집회의 자유는 집회의 시간, 장소, 방법과 목적을 스스로 결정할 권리를 보장한다. 집회의 자유에 의하여 구체적으로 보호되는 주요 행위는 집회의 준비 및 조직, 지휘, 참가, 집회장소·시간의 선택이다. 그러나 집회를 방해할 의도로 집회에 참가하는 것은 보호되지 않는다. 주최자는 집회의 대상, 목적, 장소 및 시간에 관하여, 참가자는 참가의 형태와 정도, 복장을 자유로이 결정할 수 있다. (헌재 2003.10.30. 2000헌바67 등)

④ (O) 야간옥외집회금지는 헌법불합치를 받은 후 다시 한정위헌결정되었다. [20 법원직]

정답 ②

143 회독 ☐☐☐ 재구성
[20 서울·지방7급·5급행시]

집회의 자유에 대한 설명으로 옳지 않은 것은? (다툼이 있는 경우 판례에 의함)

① 국무총리 공관 경계지점으로부터 100미터 이내의 장소에서 옥외집회 또는 시위를 예외 없이 절대적으로 금지하고 있는 법률조항은 집회의 자유를 침해한다.

② 집회의 자유는 집회의 시간, 장소, 방법과 목적을 스스로 결정하는 것을 보장하는 것으로, 구체적으로 보호되는 주요 행위는 집회의 준비 및 조직, 지휘, 참가, 집회장소·시간의 선택이라고 할 수 있다.

③ 외교기관 인근의 옥외집회·시위를 원칙적으로 금지하면서도 외교기관의 기능을 침해할 우려가 없는 예외적인 경우에는 허용하고 있다면 집회의 자유를 침해하는 것은 아니다.

④ 국회의사당의 경계지점으로부터 100미터 이내의 장소에서 옥외집회를 금지하는 것은 국회의 기능이나 역할에 비추어 볼 때 집회의 자유를 침해하는 것이 아니다.

> **해설**

① (O) 국무총리 공관, 법원, 국회 100미터 이내에서 집회 일체를 금지하는 것은 집회의 자유를 침해한다. 목적의 정당성과 수단의 적합성은 인정되지만 침해의 최소성에 위반된다. [20 서울·지방7급]

② (O) 집회의 자유의 내용이다. [20 서울·지방7급]

③ (O) [20 서울·지방7급]

> **집회 및 시위에 관한 법률 제11조(옥외집회와 시위의 금지 장소)**
> 누구든지 다음 각 호의 어느 하나에 해당하는 청사 또는 저택의 경계지점으로부터 100미터 이내의 장소에서는 옥외집회 또는 시위를 하여서는 아니 된다.
> 1. 국회의사당. 다만, 다음 각 목의 어느 하나에 해당하는 경우로서 국회의 기능이나 안녕을 침해할 우려가 없다고 인정되는 때에는 그러하지 아니하다.
>   가. 국회의 활동을 방해할 우려가 없는 경우
>   나. 대규모 집회 또는 시위로 확산될 우려가 없는 경우
> 2. 각급 법원, 헌법재판소. 다만, 다음 각 목의 어느 하나에 해당하는 경우로서 각급 법원, 헌법재판소의 기능이나 안녕을 침해할 우려가 없다고 인정되는 때에는 그러하지 아니하다.
>   가. 법관이나 재판관의 직무상 독립이나 구체적 사건의 재판에 영향을 미칠 우려가 없는 경우
>   나. 대규모 집회 또는 시위로 확산될 우려가 없는 경우
> 3. 대통령 관저, 국회의장 공관, 대법원장 공관, 헌법재판소장 공관
>   대통령 관저, 국회의장 공관에 대한 부분 **【헌법불합치】**
> 4. 국무총리 공관. 다만, 다음 각 목의 어느 하나에 해당하는 경우로서 국무총리 공관의 기능이나 안녕을 침해할 우려가 없다고 인정되는 때에는 그러하지 아니하다.
>   가. 국무총리를 대상으로 하지 아니하는 경우
>   나. 대규모 집회 또는 시위로 확산될 우려가 없는 경우
> 5. 국내 주재 외국의 외교기관이나 외교사절의 숙소. 다만, 다음 각 목의 어느 하나에 해당하는 경우로서 외교기관 또는 외교사절 숙소의 기능이나 안녕을 침해할 우려가 없다고 인정되는 때에는 그러하지 아니하다.
>   가. 해당 외교기관 또는 외교사절의 숙소를 대상으로 하지 아니하는 경우
>   나. 대규모 집회 또는 시위로 확산될 우려가 없는 경우
>   다. 외교기관의 업무가 없는 휴일에 개최하는 경우

④ (X) [20 5급행시]

> 심판대상조항은 입법목적을 달성하는 데 필요한 최소한도의 범위를 넘어, 규제가 불필요하거나 또는 예외적으로 허용하는 것이 가능한 집회까지도 이를 일률적·전면적으로 금지하고 있으므로 침해의 최소성원칙에 위배된다. 심판대상조항은 국회의 헌법적 기능을 무력화시키거나 저해할 우려가 있는 집회를 금지하는 데 머무르지 않고, 그 밖의 평화적이고 정당한 집회까지 전면적으로 제한함으로써 구체적인 상황을 고려하여 상충하는 법익 간의 조화를 이루려는 노력을 전혀 기울이지 않고 있다. 심판대상조항으로 달성하려는 공익이 제

한되는 집회의 자유 정도보다 크다고 단정할 수는 없다고 할 것이므로 심판대상조항은 법익의 균형성원칙에도 위배된다. 심판대상조항은 과잉금지원칙을 위반하여 집회의 자유를 침해한다. (헌재 2018.5.31. 2013헌바322 등)

정답 ④

기출지문 OX

❶ 헌법 제21조 제2항의 '허가'는 '행정청이 주체가 되어 집회의 허용 여부를 사전에 결정하는 것'으로서 행정청에 의한 사전허가는 헌법상 금지되지만, 입법자가 법률로써 일반적으로 집회를 제한하는 것은 헌법상 '사전허가금지'에 해당하지 않는다. 20 5급행시

(O / X)

해설 집회 및 시위에 관한 법률에서 국회의사당 등의 100미터 이내에 집회를 금지하는 것이 허가제는 아니지만 침해의 최소성원칙에 위배된다.

정답 O

❷ 「집회 및 시위에 관한 법률」에서 옥외집회란 천장이 없거나 사방이 폐쇄되지 아니한 장소에서 여는 집회를 말한다. 20 5급행시

(O / X)

해설 집회 및 시위에 관한 법률 제2조 제1호

정답 O

144 회독 ☐☐☐ 재구성

19 국회8급, 15 법무사

「집회 및 시위에 관한 법률」에 대한 설명으로 옳은 것만을 모두 고르면? (다툼이 있는 경우 판례에 의함)

ㄱ. 원칙적으로 공공의 안녕질서에 대한 위협이 예상되는 경우에는 집회를 해산할 수 있다.
ㄴ. 옥외집회를 주최하려는 자는 옥외집회신고서를 관할 경찰서장에게 제출하여야 하며, 신고한 옥외집회를 하지 아니하게 된 경우에는 신고서에 적힌 집회일시 24시간 전에 그 철회사유 등을 적은 철회신고서를 관할 경찰관서장에게 제출하여야 한다.
ㄷ. 집회 또는 시위의 주최자는 집회 또는 시위에 있어서의 질서를 유지하여야 하며, 질서를 유지할 수 없으면 그 집회 또는 시위의 종결을 선언하여야 한다.
ㄹ. 집회 또는 시위의 주최자는 「집회 및 시위에 관한 법률」 제8조에 따른 금지통고를 받았을 경우, 통고를 받은 날부터 7일 이내에 해당 경찰관서의 바로 위의 상급경찰관서의 장에게 이의를 신청할 수 있다.

① ㄱ, ㄴ   ② ㄱ, ㄹ   ③ ㄴ, ㄷ   ④ ㄷ, ㄹ

해설

ㄱ. (X) [15 법무사]

집회 및 시위에 관한 법률 제20조(집회 또는 시위의 해산)
① 관할 경찰관서장은 다음 각 호의 어느 하나에 해당하는 집회 또는 시위에 대하여는 상당한 시간 이내에 자진해산할 것을 요청하고 이에 따르지 아니하면 해산을 명할 수 있다.
  1. 제5조 제1항, 제10조 본문 또는 제11조를 위반한 집회 또는 시위

제5조(집회 또는 시위의 금지)
① 누구든지 다음 각 호의 어느 하나에 해당하는 집회나 시위를 주최하여서는 아니 된다.
  1. 헌법재판소의 결정에 따라 해산된 정당의 목적을 달성하기 위한 집회 또는 시위
  2. 집단적인 폭행, 협박, 손괴, 방화 등으로 공공의 안녕 질서에 직접적인 위협을 끼칠 것이 명백한 집회 또는 시위

ㄴ. (○) 집회 및 시위에 관한 법률 제6조 제1항·제3항 [19 국회8급]
ㄷ. (○) 집회 및 시위에 관한 법률 제16조 제1항·제3항 [19 국회8급]
ㄹ. (✕) [19 국회8급]

> **집회 및 시위에 관한 법률** 제9조(집회 및 시위의 금지통고에 대한 이의신청 등)
> ① 집회 또는 시위의 주최자는 제8조에 따른 금지통고를 받은 날부터 10일 이내에 해당 경찰관서의 바로 위의 상급경찰관서의 장에게 이의를 신청할 수 있다.
> ② 제1항에 따른 이의신청을 받은 경찰관서의 장은 접수일시를 적은 접수증을 이의신청인에게 즉시 내주고 접수한 때부터 24시간 이내에 재결을 하여야 한다. 이 경우 접수한 때부터 24시간 이내에 재결서를 발송하지 아니하면 관할 경찰관서장의 금지통고는 소급하여 그 효력을 잃는다.
> ③ 이의신청인은 제2항에 따라 금지통고가 위법하거나 부당한 것으로 재결되거나 그 효력을 잃게 된 경우 처음 신고한 대로 집회 또는 시위를 개최할 수 있다. 다만, 금지통고 등으로 시기를 놓친 경우에는 일시를 새로 정하여 집회 또는 시위를 시작하기 24시간 전에 관할 경찰관서장에게 신고함으로써 집회 또는 시위를 개최할 수 있다.

정답 ③

145 [19 법무사, 17 변호사]

「집회 및 시위에 관한 법률」에 대한 설명으로 옳은 것(○)과 옳지 않은 것(✕)을 올바르게 조합한 것은? (다툼이 있는 경우 판례에 의함)

> ㄱ. 사전신고를 하지 않은 옥외집회는 불법집회이므로 관할 경찰관서장은 언제나 해산명령을 내릴 수 있으며, 이에 불응하는 경우에는 처벌할 수 있다고 보아야 한다.
> ㄴ. 집회의 시간과 장소가 중복되는 2개 이상의 신고가 있을 경우 관할 경찰관서장은 먼저 신고된 집회가 다른 집회의 개최를 봉쇄하기 위한 가장집회신고에 해당하는지 여부에 관하여 판단할 권한이 없으므로 뒤에 신고된 집회에 대하여 집회 자체를 금지하는 통고를 하여야 한다.
> ㄷ. 학문, 예술, 체육, 종교, 의식, 친목, 오락, 관혼상제 및 국경행사에 관한 집회는 법률상 신고의 대상이 아니다.
> ㄹ. 집회의 자유는 국가가 개인의 집회참가행위를 감시하고 그에 대한 정보를 수집함으로써 집회에 참가하고자 하는 자로 하여금 불이익을 두려워하여 미리 집회참가를 포기하도록 집회참가의사를 약화시키는 것 등 집회의 자유의 행사에 영향을 미치는 모든 조치를 금지한다.

① ㄱ(○), ㄴ(○), ㄷ(✕), ㄹ(✕)
② ㄱ(○), ㄴ(✕), ㄷ(○), ㄹ(✕)
③ ㄱ(✕), ㄴ(○), ㄷ(✕), ㄹ(○)
④ ㄱ(✕), ㄴ(✕), ㄷ(○), ㄹ(○)

해설

ㄱ. (✕) 사전신고를 하지 아니하여도 우발적 집회로서 최대한 보장되어야 한다. [17 변호사]
ㄴ. (✕) 집회의 시간과 장소가 중복되는 2개 이상의 신고가 있는 경우 그 목적으로 보아 서로 상반되거나 방해가 된다고 인정되면 뒤에 접수된 집회에 대하여 관할 경찰관서장이 그 금지를 통고할 수 있다. (**집회 및 시위에 관한 법률 제8조 제2항·제3항**) 즉, 관할 경찰관서장은 먼저 신고된 집회가 다른 집회의 개최를 봉쇄하기 위한 가장집회신고에 해당하는지 여부에 관하여 판단할 권한이 있다. [17 변호사]
ㄷ. (○) 집회 및 시위에 관한 법률 제15조 [19 법무사]
ㄹ. (○) [17 변호사]

정답

146 회독 ☐☐☐ 재구성   18 지방7급, 15 국가7급, 14 국회8급

집회의 자유에 대한 설명으로 옳지 않은 것은? (다툼이 있는 경우 판례에 의함)

① 「집회 및 시위에 관한 법률」의 옥외집회·시위의 사전신고제도는 헌법 제21조 제2항의 사전허가금지에 위배된다.
② 「집회 및 시위에 관한 법률」상 사방이 폐쇄되어 있으나 천장이 없는 장소에서 여는 집회는 옥외집회에 해당한다.
③ 옥외집회에 대한 사전신고는 경찰관청 등 행정관청으로 하여금 집회의 순조로운 개최와 공공의 안전보호를 위하여 필요한 준비를 할 수 있는 시간적 여유를 주기 위한 것으로서, 협력의무로서의 신고라고 할 것이다.
④ 헌법이 명시적으로 밝히고 있는 것은 아니지만, 집회의 자유의 보장대상은 평화적, 비폭력적 집회에 한정된다.

해설

① (✗) 옥외집회·시위의 사전신고제도는 허가제가 아니다. [15 국가7급]

② (○) [18 지방7급]

> **집회 및 시위에 관한 법률 제2조(정의)**
> 이 법에서 사용하는 용어의 뜻은 다음과 같다.
> 1. '옥외집회'란 천장이 없거나 사방이 폐쇄되지 아니한 장소에서 여는 집회를 말한다.
> 2. '시위'란 여러 사람이 공동의 목적을 가지고 도로, 광장, 공원 등 일반인이 자유로이 통행할 수 있는 장소를 행진하거나 위력 또는 기세를 보여, 불특정한 여러 사람의 의견에 영향을 주거나 제압을 가하는 행위를 말한다.
> 3. '주최자'란 자기 이름으로 자기 책임 아래 집회나 시위를 여는 사람이나 단체를 말한다. 주최자는 주관자를 따로 두어 집회 또는 시위의 실행을 맡아 관리하도록 위임할 수 있다. 이 경우 주관자는 그 위임의 범위 안에서 주최자로 본다.
> 4. '질서유지인'이란 주최자가 자신을 보좌하여 집회 또는 시위의 질서를 유지하게 할 목적으로 임명한 자를 말한다.
> 5. '질서유지선'이란 관할 경찰서장이나 시·도경찰청장이 적법한 집회 및 시위를 보호하고 질서유지나 원활한 교통 소통을 위하여 집회 또는 시위의 장소나 행진 구간을 일정하게 구획하여 설정한 띠, 방책, 차선 등의 경계 표지를 말한다.
> 6. '경찰관서'란 국가경찰관서를 말한다.

③ (○) [14 국회8급]

> 사전신고는 경찰관청 등 행정관청으로 하여금 집회의 순조로운 개최와 공공의 안전보호를 위하여 필요한 준비를 할 수 있는 시간적 여유를 주기 위한 것으로서, 협력의무로서의 신고이다. 결국 구 집회 및 시위에 관한 법률 전체의 규정체제에서 보면 법은 일정한 신고절차만 밟으면 일반적·원칙적으로 옥외집회 및 시위를 할 수 있도록 보장하고 있으므로, 집회에 대한 사전신고제도는 헌법 제21조 제2항의 사전허가금지에 위배되지 않는다. (헌재 2014.1.28. 2011헌바174 등)

④ (○) 평화적, 비폭력적 집회는 헌법에는 규정이 없지만, 집회 및 시위에 관한 법률에서 집단적인 폭력을 행사하는 집회를 금지한다. [18 지방7급]

정답 ①

147 회독 ☐☐☐ 재구성   17·10 법원직

집회의 자유에 대한 설명으로 옳지 않은 것은? (다툼이 있는 경우 판례에 의함)

① 헌법이 집회의 자유를 보장한 것은 관용과 다양한 견해가 공존하는 다원적인 '열린 사회'에 대한 헌법적 결단이라고 할 수 있다.
② 입법자가 법률로써 일반적으로 집회를 제한하는 것도 원칙적으로 헌법 제21조 제2항에서 금지하는 '사전허가'에 해당한다.
③ 자연인뿐만 아니라 법인도 일정한 범위 내에서 집회의 자유의 주체가 될 수 있다.
④ 이른바 '1인 시위'는 「집회 및 시위에 관한 법률」의 적용요건인 '다수인'에 해당하지 않으므로, 업무방해죄를 구성함은 별론으로 하고 「집회 및 시위에 관한 법률」에 의한 규제를 받지 않는다.

> **해설**

① (O) 헌재 2003.1.30. 2000헌바67 등 [17 법원직]
② (X) 헌법이 금지하는 집회에 대한 허가는 행정권이 주체가 되어 허가하는 것을 말한다. 따라서 입법자가 법률로써 일반적으로 집회를 제한하는 것은 헌법 제21조 제2항에서 금지하는 '사전허가'가 아니다. [17 법원직]
③ (O) 노동조합에 대하여 집회의 자유를 인정한 바 있다. (헌재 2002.12.18. 2002헌바12) [10 법원직]
④ (O) 1인 시위는 집회 및 시위에 관한 법률에서의 다수인에 해당하지 않으므로, 업무방해죄의 구성요건에 해당함은 별론으로 하고 집회 및 시위에 관한 개념요건에서 제외되기 때문에 집회 및 시위에 관한 법률에 적용되지 않는다는 것이 통설이다. [10 법원직]

정답 ②

> **예상판례**

피청구인들이 2015.11.14. 19:00경 종로구청입구 사거리에서 살수차를 이용하여 물줄기가 일직선 형태로 청구인에게 도달되도록 살수한 행위는 청구인의 생명권 및 집회의 자유를 침해한다. (헌재 2020.4.23. 2015헌마1149)

[1] 청구인의 배우자와 자녀들인 기존 청구인들의 심판청구에 관하여 기본권 침해의 자기관련성을 인정할 수 없다.
[2] '살수차 운용지침'에 대한 심판청구에 관하여 기본권 침해의 직접성을 인정할 수 없다.
[3] **청구인의 이 사건 직사살수행위에 대한 심판청구에 관하여 심판의 이익이 인정되고, 청구인의 사망에도 불구하고 예외적으로 심판절차가 종료된 것으로 볼 수 없다고 판단한 사례**
  이 사건 직사살수행위는 이미 종료되었고, 청구인은 2016.9.25. 사망하였으므로, 청구인의 이 사건 직사살수행위에 대한 심판청구는 주관적 권리보호이익이 소멸하였다. 그러나 직사살수행위는 사람의 생명이나 신체에 중대한 위험을 초래할 수 있는 공권력 행사에 해당하고, 헌법재판소는 직사살수행위가 헌법에 합치하는지 여부에 대한 해명을 한 바 없으므로, 심판의 이익을 인정할 수 있다.
[4] 이 사건 직사살수행위는 불법집회로 인하여 발생할 수 있는 타인 또는 경찰관의 생명·신체의 위해와 재산·공공시설의 위험을 억제하기 위하여 이루어진 것이므로 그 목적이 정당하다. 한편, 이 사건 직사살수행위 당시 청구인은 살수를 피해 뒤로 물러난 시위대와 떨어져 홀로 경찰 기동버스에 매여 있는 밧줄을 잡아당기고 있었다. 따라서 이 사건 직사살수행위 당시 억제할 필요성이 있는 생명·신체의 위해 또는 재산·공공시설의 위험 자체가 발생하였다고 보기 어려우므로, 수단의 적합성을 인정할 수 없다.

148

결사의 자유에 대한 설명으로 옳지 않은 것만을 모두 고르면? (다툼이 있는 경우 판례에 의함)

ㄱ. 안마사들로 하여금 의무적으로 대한안마사협회의 회원이 되어 정관을 준수하도록 하는 법률조항은 그들 사이에 정보를 교환하고 친목을 도모하며 직업활동을 효과적으로 수행하도록 하기 위하여 국가가 적극적으로 개입하는 것이 필요하므로 안마사들의 결사의 자유를 침해하지 않는다.

ㄴ. 구 「주택건설촉진법」상의 주택조합은 주택이 없는 국민의 주거생활의 안정을 도모하고 모든 국민의 주거수준 향상을 기한다는 공공목적을 위하여 법이 구성원의 자격을 제한적으로 정해 놓은 특수조합이어서, 이는 헌법상 결사의 자유가 뜻하는 헌법상 보호법익의 대상이 되는 단체가 아니다.

ㄷ. 농협은 기본적으로 사법인의 성격을 지니므로, 「농업협동조합법」에서 정하는 특정한 국가적 목적을 위하여 설립되는 공공성이 강한 법인으로서 공적인 역할을 수행한다고 하더라도, 농협의 구성원들이 기본권 침해를 주장하여 과잉금지원칙 위배 여부를 판단할 때에는 사적인 임의결사의 기본권이 제한되는 경우와 마찬가지로 엄격한 심사기준이 적용된다.

ㄹ. '대한민국 고엽제전우회'의 회원으로 가입한 사람은 '월남전참전자회'의 회원이 될 수 없도록 한 법률규정은, 이미 설립된 고엽제전우회와의 중복가입에 따른 단체 간 마찰을 최소화하고 인적 구성을 분리하기 위한 것이지만, 이로 인해 월남전참전자 중 고엽제 관련자가 양 법인 중에서 회원으로 가입할 법인을 선택할 수 있는 결사의 자유를 과도하게 침해한다.

① ㄱ, ㄴ
② ㄱ, ㄹ
③ ㄴ, ㄷ
④ ㄷ, ㄹ

해설

ㄱ. (O) 안마사들의 권익보호라는 측면이 있기 때문이다. [16 변호사]

ㄴ. (O) [17 국가7급(하)]

> 헌법 제21조 제1항이 보장하고 있는 결사의 자유에 의하여 보호되는 '결사'의 개념에는 법률이 특별한 공공목적에 의하여 구성원의 자격을 정하고 있는 특수단체의 조직활동까지 포함되는 것으로 볼 수는 없다. 주택건설촉진법의 주택조합(지역조합 및 직장조합)은 무주택자의 주거생활의 안정을 도모하고 모든 국민의 주거수준의 향상을 기한다는 공공목적을 위하여 법률이 구성원의 자격을 제한적으로 정하여 놓은 특수조합으로서 헌법상 결사의 자유가 뜻하는 헌법상 보호법익의 대상이 되는 단체가 아니므로 이 사건 법률조항이 유주택자의 결사의 자유를 침해하는 것이라고는 볼 수 없다. (헌재 1997.5.29. 94헌바5)

ㄷ. (X) [17 국가7급(하)]

> 농협은 기본적으로 사법인의 성격을 지니지만, 농협법에서 정하는 특정한 국가적 목적을 위하여 설립되는 공공성이 강한 법인으로, 그 수행하는 사업 내지 업무가 국민경제에서 상당한 비중을 차지하고 국민 경제 및 국가 전체의 경제와 관련된 경제적 기능에 있어서 금융기관에 준하는 공공성을 가진다. … 공적인 역할을 수행하는 결사 또는 그 구성원들이 기본권의 침해를 주장하는 경우에 과잉금지원칙 위배 여부를 판단할 때에는 순수한 사적인 임의결사의 기본권이 제한되는 경우의 심사에 비해서는 완화된 기준을 적용할 수 있다. (헌재 2012.12.27. 2011헌마562)

ㄹ. (✗) [17 국가7급(하)]

> 심판대상조항의 입법목적은 양 법인의 중복가입에 따라 발생할 수 있는 두 단체 사이의 마찰, 중복지원으로 인한 예산낭비, 중복가입자의 이해상반행위를 방지하기 위한 것이다. 월남전참전자회의 회원 범위가 고엽제 관련자까지 확대될 경우 상대적으로 고엽제전우회의 조직 구성력이 약화되어 고엽제 관련자에 대한 특별한 보호가 약화될 우려가 있기 때문에, 심판대상조항이 기존에 운영 중인 고엽제전우회의 회원이 월남전참전자회에 중복가입하는 것을 제한한 것은 불가피한 조치라고 할 것이다. 또한 심판대상조항으로 인하여 고엽제 관련자가 월남전참전자회의 회원이 될 수 없는 것이 아니라 월남전참전자 중 고엽제 관련자는 양 법인 중에서 회원으로 가입할 법인을 선택할 수 있고 언제라도 그 선택의 변경이 가능하므로 심판대상조항이 청구인의 결사의 자유를 전면적으로 제한하는 것은 아니다. 따라서 심판대상조항은 과잉금지원칙에 위배된다고 볼 수 없다. **(헌재 2016.4.28. 2014헌바442)**

정답 ④

기출지문 OX

❶ 노동조합을 설립할 때 행정관청에 설립신고서를 제출하게 하고 그 요건을 충족하지 못하는 경우 설립신고서를 반려하도록 하는 법률조항은 헌법상 금지된 결사에 대한 허가제에 해당하지 않는다. 16 변호사 (O / ✗)

해설 적법한 신고만 하면 노조의 설립이 가능하므로 허가제가 아니다.

정답 O

❷ 결사의 목적은 반드시 비영리적인 것에 한하지 않으며 영리단체도 헌법상 결사의 자유의 보호를 받는다. 15 법원직 (O / ✗)

해설
> 헌법재판소는 결사의 자유에서 말하는 '결사'란 자연인 또는 법인의 다수가 상당한 기간 동안 공동목적을 위하여 자유의사에 기하여 결합하고 조직된 의사형성이 가능한 단체를 말하는 것이라고 정의하여 공동목적의 범위를 비영리적인 것으로 제한하지는 않았고, 다만 결사의 개념에 공법상의 결사나 법이 특별한 공공목적에 의하여 구성원의 자격을 정하고 있는 특수단체의 조직활동은 해당되지 않는다고 판시한 바 있을 뿐이며, 연혁적 이유 이외에는 달리 영리단체를 결사에서 제외하여야 할 뚜렷한 근거가 없는 터이므로, 영리단체도 헌법상 결사의 자유에 의하여 보호된다고 보아야 할 것이다. **(헌재 2002.9.19. 2000헌바84)**

정답 O

149 회독 ☐☐☐ 재구성   17 5급행시, 14 국회8급

집회의 자유에 대한 설명으로 옳지 않은 것은? (다툼이 있는 경우 헌법재판소 결정에 의함)

① 집회에 대한 허가를 금지한 헌법 제21조 제2항은 기본권 제한에 관한 일반적 법률유보조항인 헌법 제37조 제2항에 앞서서, 우선적이고 제1차적인 위헌심사기준이 되어야 한다.
② 집회의 자유는 개인이 집회에 참가하는 것을 방해하거나 또는 집회에 참가할 것을 강요하는 국가행위를 금지한다.
③ 집회의 금지와 해산은 원칙적으로 공공의 안녕질서에 대한 직접적인 위협이 명백하게 존재하는 경우에 한하여 허용될 수 있다.
④ 외교기관 인근에서의 집회가 일반적으로 다른 장소와 비교할 때 중요한 보호법익과의 충돌상황을 야기할 수 있다거나 이로써 법익에 대한 침해로 이어질 개연성이 높다고는 할 수 없다.

> **해설**

① (O) 개별적 헌법유보이다. (헌재 2009.9.24. 2008헌가25) [14 국회8급]
② (O) [17 5급행시]

> 집회의 자유는 개인이 집회에 참가하는 것을 방해하거나 또는 집회에 참가할 것을 강요하는 국가행위를 금지할 뿐만 아니라, 예컨대 집회장소로의 여행을 방해하거나 집회장소로부터 귀가하는 것을 방해하거나 집회참가자에 대한 검문의 방법으로 시간을 지연시킴으로써 집회장소에 접근하는 것을 방해하는 등 집회의 자유 행사에 영향을 미치는 모든 조치를 금지한다. (헌재 2003.10.30. 2000헌바67 등)

③ (O) [17 5급행시]

> 집회의 자유에 대한 제한은 다른 중요한 법익의 보호를 위하여 반드시 필요한 경우에 한하여 정당화되는 것이며, 특히 집회의 금지와 해산은 원칙적으로 공공의 안녕질서에 대한 직접적인 위협이 명백하게 존재하는 경우에 한하여 허용될 수 있다. (헌재 2003.10.30. 2000헌바67 등)

④ (X) [17 5급행시]

> 외교기관을 대상으로 하는 외교기관 인근에서의 옥외집회나 시위는 이해관계나 이념이 대립되는 여러 당사자들 사이의 갈등이 극단으로 치닫거나 물리적 충돌로 발전할 개연성이 높고, 다른 장소와 비교할 때 외교기관의 기능보호라는 중요한 보호법익이 관련되는 고도의 법익충돌상황을 야기할 수 있다. (헌재 2010.10.28. 2010헌마111)

정답 ④

150 회독 ☐☐☐ 재구성　　　　　　　　　　　　　　　　　　　　　　　　　　　15 국회8급, 11 지방7급

집회 및 시위의 자유에 대한 설명으로 옳지 않은 것만을 모두 고르면? (다툼이 있는 경우 판례에 의함)

> ㄱ. 공중이 자유로이 통행할 수 없는 대학 구내에서의 시위는 그것이 불특정 다수인의 의견에 영향을 가하는 것일지라도 「집회 및 시위에 관한 법률」상의 규제대상이 되지 않는다.
> ㄴ. 옥외집회 또는 시위를 주최하고자 하는 자는 신고서를 옥외집회나 시위를 시작하기 720시간 전부터 48시간 전에 관할 경찰서장에게 제출하여야 한다.
> ㄷ. 옥외집회를 늦어도 집회가 개최되기 48시간 전까지 사전신고를 하도록 법률로 규정한 것이 과잉금지원칙에 위반하여 집회의 자유를 침해하였다고 볼 수 없다.
> ㄹ. 24시 이후의 시위를 금지하고 이에 위반한 시위참가자를 형사처벌하는 법률조항은 집회의 자유를 침해한다.

① ㄱ, ㄴ　　　　　　　　　　② ㄱ, ㄹ
③ ㄴ, ㄷ　　　　　　　　　　④ ㄷ, ㄹ

해설

ㄱ. (✗) [11 지방7급]
> 공중이 자유로이 통행할 수 없는 대학 구내에서의 시위라고 하더라도 그것이 불특정 다수인의 의견에 영향을 가하는 것이면 집회 및 시위에 관한 법률상의 규제대상이 된다. (헌재 1994.4.28. 91헌바14)

ㄴ. (○) 집회 및 시위에 관한 법률 제6조, 제8조 [11 지방7급]

ㄷ. (○) 옥외집회의 사전신고제는 헌법이 금지하는 허가제가 아니다. [15 국회8급]

ㄹ. (✗) [15 국회8급]

> [1] 일출시간 전, 일몰시간 후에는 옥외집회 또는 시위를 금지하고, 다만 옥외집회의 경우 예외적으로 관할 경찰관서장이 허용할 수 있도록 한 구 집회 및 시위에 관한 법률 제10조는 헌법 제21조 제2항이 규정하는 허가제 금지에 위반되지 아니한다.
> 　헌법 제21조 제2항에 의하여 금지되는 허가는 '행정청이 주체가 되어 집회의 허용 여부를 사전에 결정하는 것'으로, 법률적 제한이 실질적으로 행정청의 허가 없는 옥외집회를 불가능하게 하는 것이라면 헌법상 금지되는 사전허가제에 해당하지만, 그에 이르지 아니하는 한 헌법 제21조 제2항에 반하는 것은 아니다. 이 사건 법률조항의 단서 부분은 본문에 의한 제한을 완화시키려는 것이므로 헌법이 금지하고 있는 '옥외집회에 대한 일반적인 사전허가'라고 볼 수 없다. 한편, 이 사건 법률조항 중 단서 부분은 시위에 대하여 적용되지 않으므로 야간 시위의 금지와 관련하여 헌법상 '허가제금지'규정의 위반 여부는 문제되지 아니한다.
> [2] 이 사건 법률조항 및 이에 위반하여 옥외집회 또는 시위에 참가한 자를 형사처벌하는 구 집회 및 시위에 관한 법률 제20조 제3호 중 제10조 본문에 관한 부분은 집회의 자유를 침해한다.
> [3] 규제가 불가피하다고 보기 어려움에도 옥외집회 또는 시위를 절대적으로 금지한 부분에 한하여 한정위헌결정
> 　헌법재판소는, 2010헌가2 결정으로 집회 및 시위에 관한 법률 제10조 중 시위 부분 등에 대하여 한정위헌결정을 한 바 있고, 이 사건에 있어서 가능한 한 심판대상조항들 중 위헌인 부분을 가려내야 할 필요성은 2010헌가2 결정에서와 마찬가지로 인정되므로, 심판대상조항들은 '일몰시간 후부터 같은 날 24시까지의 옥외집회 또는 시위'에 적용되는 한 헌법에 위반된다. (헌재 2014.4.24. 2011헌가29)

정답 ②

기출지문 OX

헌법은 야간집회를 원칙적으로 금지한다. 11 국회9급　　　　　　　　　　　　　　　　　　　　　　　(O / X)

> 해설 헌법에 야간집회를 금지하는 규정은 없다. 집회 및 시위에 관한 법률상 야간옥외집회를 원칙적으로 금지하고 일정한 경우 관할 경찰관서장이 허용할 수 있도록 한 규정은 한정위헌결정을 받았다. (헌재 2009.9.24. 2008헌가25)　　**정답** ✗

151

집회·결사의 자유에 대한 설명으로 옳지 않은 것은? (다툼이 있는 경우 판례에 의함)

① 헌법 제21조 제2항은 집회에 대한 허가제는 집회에 대한 검열제와 마찬가지이므로 이를 절대적으로 금지하겠다는 헌법개정권력자인 국민들의 헌법가치적 합의이며 헌법적 결단이다.
② 집회장소로부터 귀가를 방해하거나 참가자에 대한 검문방법으로 시간을 지연하여 집회장소에 접근을 방해하는 등 집회와 관련하여 제3자나 참가자의 행동의 자유를 제한하는 조치는 허용된다.
③ 평화적 집회는 옥외집회든 비공개집회든 장소이동의 집회든지 헌법상 보호된다.
④ 집회에는 주최자 또는 주관자가 있는 것이 일반적이지만 주최자 또는 주관자가 집회의 필수적인 요소는 아니다.

해설

① (○) 헌재 2009.9.24. 2008헌가25
② (×)

> 집회의 자유는 집회의 시간, 장소, 방법과 목적을 스스로 결정할 권리를 보장한다. 집회의 자유에 의하여 구체적으로 보호되는 주요 행위는 집회의 준비 및 조직, 지휘, 참가, 집회장소·시간의 선택이다. 따라서 집회의 자유는 개인이 집회에 참가하는 것을 방해하거나 또는 집회에 참가할 것을 강요하는 국가행위를 금지할 뿐만 아니라, 예컨대 집회장소로의 여행을 방해하거나 집회장소로부터 귀가하는 것을 방해하거나 집회참가자에 대한 검문의 방법으로 시간을 지연시킴으로써 집회장소에 접근하는 것을 방해하는 등 집회의 자유 행사에 영향을 미치는 모든 조치를 금지한다. (헌재 2003.10.30. 2000헌바67 등)

③ (○)
④ (○) 우발적 집회도 보호받는 집회에 해당한다는 의미이다.

정답

152 NEW   24 경찰2차

대학의 자율성에 관한 설명으로 옳은 것은 모두 몇 개인가? (다툼이 있는 경우 헌법재판소 판례에 의함)

ㄱ. 학칙의 제정 또는 개정에 관한 사항 등 대학평의원회의 심의 사항을 규정한 「고등교육법」 조항은 연구와 교육 등 대학의 중심적 기능에 관한 자율적 의사결정을 방해한다고 볼 수 있어, 국·공립대학 교수회 및 교수들의 대학의 자율권을 침해한다.

ㄴ. 대학의 학문과 연구 활동에서 중요한 역할을 담당하는 교원에게 그와 관련된 영역에서 주도적인 역할을 인정하는 것은 대학의 자율성의 본질에 부합하고 필요하며, 그것은 교육과 연구에 관한 사항은 모두 교원이 전적으로 결정할 수 있어야 한다는 의미이다.

ㄷ. 서울대학교 2023학년도 저소득학생 특별전형의 모집인원을 모두 수능위주전형으로 선발하도록 정한 '서울대학교 2023학년도 대학 신입학생 입학전형 시행계획'은 저소득학생 특별전형에 응시하고자 하는 수험생들의 기회를 불합리하게 박탈하였고, 이는 대학의 자율성의 범위 내에 있는 것으로 볼 수 없다.

ㄹ. '대통령긴급조치 제9호'는 학생의 모든 집회·시위와 정치 관여행위를 금지하고, 위반자에 대하여는 주무부장관이 학생의 제적을 명하고 소속 학교의 휴업, 휴교, 폐쇄조치를 할 수 있도록 규정하여, 학생의 집회·시위의 자유, 학문의 자유와 대학의 자율성 내지 대학자치의 원칙을 본질적으로 침해한다.

① 1개 ② 2개 ③ 3개 ④ 4개

해설

ㄱ. (×)
> 이 사건 심의조항은 학교운영이 민주적 절차에 따라 공정하고 투명하게 이루어질 수 있도록 대학평의원회로 하여금 학교운영의 기본사항인 학칙의 제·개정 등에 관한 사항을 심의하도록 한 것이므로 그 제도적 취지를 고려할 때 충분히 합리적 이유가 있다. 따라서 이 사건 심의조항은 청구인 교수회들 및 교수들의 대학의 자율권을 침해하지 않는다. (헌재 2023.10.26. 2018헌마872)

ㄴ. (×)
> 교원이 교육과 연구라는 대학의 본래적 기능의 중심에 있는 대학 구성원이자 전문가로서, 교육과 연구에 관한 사항에 관하여 주도적 권한을 가져야 한다고 하더라도, 이것이 교육과 연구에 관한 사항은 모두 교원이 전적으로 결정할 수 있어야 한다는 의미는 아니다. (헌재 2023.10.26. 2018헌마872)

ㄷ. (×)
> 서울대학교 2023학년도 저소득학생 특별전형의 모집인원을 모두 수능위주전형으로 선발하도록 정한, 피청구인의 2021.4.29.자 '서울대학교 2023학년도 대학 신입학생 입학전형 시행계획' 중 '2023학년도 모집단위와 모집인원' 가운데 기회균형특별전형Ⅱ의 모집인원 합계를 정한 부분, Ⅵ. 수능위주전형 정시모집 '나'군 기회균형특별전형Ⅱ 2. 전형방법·전형요소 및 배점 가운데 '수능 100%' 부분은 신뢰보호원칙에 위배하여 청구인의 균등하게 교육을 받을 권리를 침해하지 않는다. (헌재 2022.9.29. 2021헌마929)

ㄹ. (○)
> 이는 집회·시위의 자유, 학문의 자유와 대학의 자율성 내지 대학자치의 원칙을 본질적으로 침해하는 것이며, 행위자의 소속 학교나 단체 등에 대한 불이익을 규정하여, 자기가 결정하지 않은 것이나 결정할 수 없는 것에 대하여는 책임을 지지 않고 책임부담의 범위도 스스로 결정한 결과 내지 그와 상관관계가 있는 부분에 국한됨을 의미하여 책임의 한정원리로 기능하는 헌법상의 자기책임의 원리에도 위반된다. (헌재 2013.3.21. 2010헌바70)

정답 ①

153

대학의 자치 및 자율성에 대한 설명으로 옳지 않은 것은? (다툼이 있는 경우 판례에 의함)

① 대학의 자치의 주체를 기본적으로 대학으로 본다고 하더라도 교수나 교수회의 주체성이 부정된다고 볼 수는 없고, 가령 학문의 자유를 침해하는 대학의 장에 대한 관계에서는 교수나 교수회가 주체가 될 수 있다.
② 대학의 장이 단과대학장을 보할 때 그 대상자의 추천을 받거나 선출의 절차를 거치지 아니하고, 해당 단과대학 소속 교수 또는 부교수 중에서 직접 지명하도록 하고 있는 것은 대학의 자율성을 침해하는 것이다.
③ 대학의 자율의 구체적인 내용은 법률이 정하는 바에 의하여 보장되며, 국가는 헌법 제31조 제6항에 따라 학교제도에 관한 전반적인 형성권과 규율권을 부여받는데, 규율의 정도는 그 시대와 각급 학교의 사정에 따라 다를 수밖에 없다.
④ 대학의 장 후보자를 추천할 때 해당 대학 교원, 직원 및 학생의 합의된 방식과 절차에 따라 직접선거로 선정하는 경우, 해당 대학은 선거관리에 관하여 그 소재지를 관할하는 「선거관리위원회법」에 따른 구·시·군선거관리위원회에 선거관리를 위탁하여야 한다.

해설

① (O) 헌법재판소는 대학의 자치의 주체에 대하여 경우에 따라서 대학의 모든 구성원에게 인정될 수 있다고 본다. (헌재 2006.4.27. 2005헌마1047)

② (×)

> 단과대학은 대학을 구성하는 하나의 조직·기관일 뿐이고, 단과대학장은 그 지위와 권한 및 중요도에서 대학의 장과 구별된다. 또한 대학의 장을 구성원들의 참여에 따라 자율적으로 선출한 이상, 하나의 보직에 불과한 단과대학장의 선출에 다시 한번 대학교수들이 참여할 권리가 대학의 자율에서 당연히 도출된다고 보기 어렵다. 따라서 단과대학장의 선출에 참여할 권리는 대학의 자율에 포함된다고 볼 수 없어, 이 사건 심판대상조항에 의해 대학의 자율성이 침해될 가능성이 인정되지 아니한다. (헌재 2014.1.28. 2011헌마239)

③ (O)

> 대학의 자율도 헌법상의 기본권이므로 기본권 제한의 일반적 법률유보의 원칙을 규정한 헌법 제37조 제2항에 따라 제한될 수 있고, 대학의 자율의 구체적인 내용은 법률이 정하는 바에 의하여 보장되며, 또한 국가는 헌법 제31조 제6항에 따라 모든 학교제도의 조직, 계획, 운영, 감독에 관한 포괄적인 권한 즉, 학교제도에 관한 전반적인 형성권과 규율권을 부여받았다고 할 수 있고, 다만 그 규율의 정도는 그 시대의 사정과 각급 학교에 따라 다를 수밖에 없는 것이므로 교육의 본질을 침해하지 않는 한 궁극적으로는 입법권자의 형성의 자유에 속하는 것이라고 할 수 있다. (헌재 2003.4.27. 2005헌마1047 등)

④ (O) 교육공무원법 제24조의3 제1항

정답 ②

154 14 지방7급

대학의 자유에 대한 설명으로 옳은 것은? (다툼이 있는 경우 판례에 의함)

① 대학의 자율은 연구와 교육의 내용, 그 방법과 대상, 교과과정의 편성, 학생의 선발과 전형 및 교원의 임면에 관한 사항을 포함하는 것으로 대학시설의 관리 · 운영은 대학의 자율에 포함되지 않는다.
② 기간임용제와 정년보장제는 국가가 문화국가의 실현을 위한 학문진흥의 의무를 이행함에 있어서나 국민의 교육권의 실현방법 면에서 각각 장단점이 있어 어느 쪽이 좋은 제도인지에 대한 판단에는 어려움이 있으나, 이러한 점에 대한 판단선택은 입법정책에 맡겨두는 것보다는 헌법재판소에서 이를 가늠하는 것이 옳다.
③ 임용기간이 만료한 교수에 대한 재임용 거부를 재심청구대상으로 법률에 명시하지 않은 것은 교원지위법정주의에 위반된다.
④ 국립대학의 장 후보자 선정을 위한 직접선거과정에서 선거관리를 그 대학 소재지 관할 선거관리위원회에 위탁하게 정한 「교육공무원법」의 규정은 대학의 자율성을 침해한다.

해설

① (X)
> 대학의 자율은 대학시설의 관리 · 운영만이 아니라 전반적인 것이라야 하므로 연구와 교육의 내용, 그 방법과 대상, 교과과정의 편성, 학생의 선발과 전형 및 특히 교원의 임면에 관한 사항도 자율의 범위에 속한다. (헌재 2006.4.27. 2005헌마1119)

② (X) 교육제도법정주의는 기간임용제와 정년보장제를 포함하는 개념이다. 따라서 그 내용은 입법정책에 맡겨 두는 것이 바람직하다.

③ (O)
> 기간임용제 자체는 합헌이나 재임용에서 탈락한 교원의 불복절차를 규정하지 않은 것이 교원지위법정주의에 위반되어 헌법에 합치되지 않는다. (헌재 2003.12.18. 2002헌바14 등)

④ (X)
> 국가의 예산과 공무원이라는 인적 조직에 의하여 운용되는 국립대학에서 선거관리를 공정하게 하기 위하여 중립적 기구인 선거관리위원회에 선거관리를 위탁하는 것은 선거의 공정성을 확보하기 위한 적절한 방법인 점 등을 고려하면, 교육공무원법 제24조의3 제1항이 매우 자의적인 것으로서 합리적인 입법한계를 일탈하였거나 대학의 자율의 본질적인 부분을 침해하였다고 볼 수 없다. (헌재 2006.4.27. 2005헌마1047)

정답 ③

예상판례

교육부장관이 강원대학교 법학전문대학원의 2015학년도 및 2016학년도 신입생 각 1명의 모집을 정지한 행위는 과잉금지원칙에 반하여 헌법 제31조 제4항이 정하는 대학의 자율권을 침해한다. (헌재 2015.12.23. 2014헌마1149 [인용(취소)])
[1] 국립대학도 헌법상 학문의 자유 및 대학의 자율권으로 보호되는 영역에서는 독립된 기본권의 주체가 되므로, 교육부장관의 공권력 행사가 국립대학의 대학의 자율권을 침해하는 경우에는 해당 기본권이 형해화되는 것을 막기 위하여 헌법소원심판의 청구인능력이 인정된다.
[2] 청구인은 이 사건 모집정지에 대하여 행정소송을 제기하지 아니한 채 바로 헌법소원심판을 청구하였으나, 법인화되지 않는 국립대학 및 국립대총장은 행정소송의 당사자능력이 인정되지 않는다는 것이 법원의 확립된 판례이므로, 이 사건 심판청구는 보충성의 예외에 해당된다.
[3] 지도 · 감독권에 기하여 이루어진 이 사건 모집정지가 법률유보원칙에 반하여 청구인의 대학의 자율권을 침해한다고 보기는 어렵다.

[4] 청구인은 설치인가 심사기준에서 객관적으로 요구하는 장학금 지급률 및 설치인가신청서에 기재된 최저 장학금 지급률을 지속적으로 충족하였음에도 불구하고, 피청구인은 신청서에 기재된 장학금 확보율을 장학금 지급률로 오인한 채 정상적인 학사운영이 곤란하게 되는 사정이 있는지 여부 등에 관하여 아무런 고려 없이 이 사건 모집정지를 하였으며, 그로 인하여 청구인은 2년간 법학전문대학원 정원의 2.5%에 해당하는 학생의 모집정지라는 인적 · 물적 피해를 입게 되었는바, 이는 장학금제도를 통한 우수법조인 양성이라는 목적을 고려하더라도 그 목적달성을 위하여 필요한 범위를 넘어선 지나친 제한으로 봄이 타당하다.

[5] 이 사건 모집정지는 과잉금지원칙에 반하여 청구인의 대학의 자율권을 침해한다.

155 회독 □□□ 재구성   14 서울7급

다음 설명 중 옳지 않은 것은? (다툼이 있는 경우 판례에 의함)

① 사립학교는 그 설립자의 특별한 설립이념을 구현하거나 독자적인 교육방침에 따라 개성 있는 교육을 실시할 수 있도록 설립의 자유와 운영의 독자성을 보장할 필요가 있다.

② 공적인 학교제도를 보장하여야 할 책무를 진 국가는 일정한 범위 안에서 사립학교의 운영을 감독·통제할 권한과 책임을 진다.

③ 교육의 자주성이나 대학의 자율성은 헌법이 보장하고 있는 학문의 자유의 확실한 보장수단으로 꼭 필요한 것으로서 대학에게 부여된 헌법상 기본권이다.

④ 대학자율의 주체는 기본적으로 대학이므로 교수, 교수회 모두가 중첩적으로 주체가 될 수는 없다.

해설

① (O) 사립학교 설립운영의 자유는 헌법상 기본권이다.

② (O)

> 사립학교는 그 설립자의 특별한 설립이념을 구현하거나 독자적인 교육방침에 따라 개성 있는 교육을 실시할 수 있을 뿐만 아니라 공공의 이익을 위한 재산 출연을 통하여 정부의 공교육 실시를 위한 재정적 투자능력의 한계를 자발적으로 보완해 주는 역할을 담당하므로, 사립학교 설립의 자유와 운영의 독자성을 보장할 필요가 있다. 그러나 다른 한편, 사립학교도 공교육의 일익을 담당한다는 점에서 국·공립학교와 본질적인 차이가 있을 수 없기 때문에 공적인 학교제도를 보장하여야 할 책무를 진 국가가 일정한 범위 안에서 사립학교의 운영을 감독·통제할 권한과 책임을 지는 것 또한 당연하다고 할 것이고, 그 규율의 정도는 그 시대의 사정과 각급 학교의 형편에 따라 다를 수밖에 없는 것이므로, 교육의 본질을 침해하지 않는 한 궁극적으로는 입법권자의 형성의 자유에 속하는 것이라고 할 수 있다. (헌재 2012.2.23. 2011헌바14)

③ (O) 헌재 1992.10.1. 92헌마68 등

④ (✕)

> 대학의 자치의 주체를 기본적으로 대학으로 본다고 하더라도 교수나 교수회의 주체성이 부정된다고 볼 수는 없고, 가령 학문의 자유를 침해하는 대학의 장에 대한 관계에서는 교수나 교수회가 주체가 될 수 있고, 또한 국가에 의한 침해에 있어서는 대학 자체 외에도 대학 전구성원이 자율성을 갖는 경우도 있을 것이므로 문제되는 경우에 따라서 대학, 교수, 교수회 모두가 단독 혹은 중첩적으로 주체가 될 수 있다. (헌재 2006.4.27. 2005헌마1047 등)

정답 ④

156 학문과 예술의 자유에 대한 설명으로 옳은 것만을 모두 고르면? (다툼이 있는 경우 판례에 의함)

ㄱ. 대학교수가 반국가단체로서의 북한의 활동을 찬양·고무·선전 또는 이에 동조할 목적 아래 '한국전쟁과 민족통일'이란 논문을 제작·반포하거나 발표한 것은 헌법이 보장하는 학문의 자유의 범위 안에 있지 않다.
ㄴ. 초·중·고교 교사는 수업의 자유를 내세워 헌법과 법률이 지향하는 자유민주적 기본질서를 침해할 수 없다.
ㄷ. 학교정화구역 내에서의 극장시설 및 영업을 일반적으로 금지하는 구「학교보건법」제6조 제1항은 표현·예술의 자유의 중요성을 간과하고 학교교육의 보호만을 과도하게 강조하였다.
ㄹ. 사립학교 교원이 선거범죄로 100만 원 이상의 벌금형을 선고받아 그 형이 확정되면 당연퇴직되도록 규정한 것은 교수의 자유를 침해하지 않는다.

① ㄱ, ㄴ, ㄷ
② ㄱ, ㄷ, ㄹ
③ ㄴ, ㄷ, ㄹ
④ ㄱ, ㄴ, ㄷ, ㄹ

해설

ㄱ. (O)
> 대학교수인 피고인이 제작·반포한 '한국전쟁과 민족통일'이라는 제목의 논문 및 피고인이 작성한 강연자료, 기고문 등의 이적표현물에 대하여, 그 반포·게재된 경위 및 피고인의 사회단체활동 내용 등에 비추어 피고인이 절대적으로 누릴 수 있는 연구의 자유의 영역을 벗어나 헌법 제37조 제2항과 국가보안법 제7조 제1항·제5항에 따른 제한의 대상이 되었고, 또한 피고인이 북한문제와 통일문제를 연구하는 학자로서 순수한 학문적인 동기와 목적 아래 위 논문 등을 제작·반포하거나 발표하였다고 볼 수 없을 뿐만 아니라, 피고인이 반국가단체로서의 북한의 활동을 찬양·고무·선전 또는 이에 동조할 목적 아래 위 논문 등을 제작·반포하거나 발표한 것이어서 그것이 헌법이 보장하는 학문의 자유의 범위 내에 있지 않다. (대판 2010.12.9. 2007도10121)

ㄴ. (O)
> 수업의 자유는 무제한 보호되기는 어려우며 초·중·고등학교의 교사는 자신이 연구한 결과에 대하여 스스로 확신을 갖고 있다고 하더라도 그것을 학회에서 보고하거나 학술지에 기고하거나 스스로 저술하여 책자를 발행하는 것은 별론 수업의 자유를 내세워 함부로 학생들에게 여과 없이 전파할 수는 없다고 할 것이고, 나아가 헌법과 법률이 지향하고 있는 자유민주적 기본질서를 침해할 수 없음은 물론 사회상규나 윤리도덕을 일탈할 수 없으며, 따라서 가치편향적이거나 반도덕적인 내용의 교육은 할 수 없는 것이라고 할 것이다. (헌재 1992.11.12. 89헌마88)

ㄷ. (O)
> 대학의 정화구역에 관하여는 학교보건법 제6조 제1항 단서에서 규율하는 바와 같은 예외조항의 유무와 상관없이 극장에 대한 일반적 금지를 둘 필요성을 인정하기 어렵다. 결국, 대학의 정화구역 안에서 극장시설을 금지하는 이 사건 법률조항은 극장운영자의 직업수행의 자유를 필요·최소한 정도의 범위에서 제한한 것이라고 볼 수 없어 최소침해성의 원칙에 반한다. (헌재 2004.5.27. 2003헌가1 등)
> 초·중·고 근처에서는 헌법불합치, 대학 근처는 위헌

ㄹ. (O) 헌재 2008.4.24. 2005헌마857

정답 ④

비교판례

한국사회를 신식민지국가 독점자본주의사회로 파악하는 것 자체는 학문적 연구의 결과이므로 비록 그 분석방법이 마르크스주의에 입각한 것이라고 하여도 이는 헌법이 보장하고 있는 학문의 자유의 범주 내에 속하는 것이어서 국가보안법에 저촉되는 것이라고 볼 수 없다. (대판 1993.2.9. 92도1711)

기출지문 OX

❶ 학문의 자유라 함은 진리를 탐구하는 자유를 의미하는데, 그것은 단순히 진리탐구의 자유에 그치지 않고 탐구한 결과에 대한 발표의 자유 내지 가르치는 자유 등을 포함한다. 15 법무사 (O / X)
정답 O

❷ 국립대학 교원의 성과연봉제는 학문의 자유를 침해하지 않는다. 15 법무사 (O / X)
정답 O

❸ 경찰대학의 입학연령을 21세 미만으로 제한하고 있는 경찰대학의 학사운영에 관한 규정이 학문의 자유를 침해하는 것은 아니다. 15 법무사 (O / X)
정답 O

♣ 응시 제한 연령
- 부사관의 임용 나이를 제한하는 것 **[합헌]**
- 5급 시험의 나이를 제한하는 것 **[위헌]**
- 9급의 나이를 제한하는 것 **[합헌]**
- 소방사, 경찰관의 나이를 제한하는 것 **[헌법불합치]**

CHAPTER 04 경제적 기본권

제1절 재산권

001 　NEW　24 경찰1차

재산권에 관한 설명으로 가장 적절하지 않은 것은? (다툼이 있는 경우 판례에 의함)

① 상업용 음반 등에 관한 저작재산권자의 공연권 및 저작인접권자의 보상청구권은 헌법 제23조에 의하여 보장되는 재산적 가치가 있는 권리에 해당한다.
② 헌법 제23조 제3항은 재산권 수용의 주체를 한정하지 않고 있으므로 그 수용의 주체를 국가 등의 공적 기관에 한정하여 해석할 이유가 없다.
③ 금융위원회위원장이 2019.12.16. 시중 은행을 상대로 투기지역·투기과열지구 내 초고가 아파트(시가 15억 원 초과)에 대한 주택구입용 주택담보대출을 2019.12.17.부터 금지한 조치는 투기적 대출수요뿐 아니라 실수요자의 경우에도 예외 없이 대출을 금지한 점 등을 고려할 때, 해당 주택담보대출을 받고자 하는 청구인의 재산권을 침해한다.
④ 피상속인에 대한 부양의무를 이행하지 않은 직계존속의 경우를 상속결격사유로 규정하지 않은 「민법」 조항은 상속관계에 관한 법적 안정성의 확보 등을 고려할 때 입법형성권의 한계를 일탈하여 다른 상속인인 청구인의 재산권을 침해하지 않는다.

해설

① (○)

> 청중이나 관중으로부터 당해 공연에 대한 반대급부를 받지 아니하는 경우에는 상업용 목적으로 공표된 음반 또는 상업용 목적으로 공표된 영상저작물을 재생하여 공중에게 공연할 수 있다고 규정한 저작권법 제29조 제2항 본문 및 저작인접권의 목적이 되는 실연·음반 및 방송에 관하여 공연권제한조항을 준용하는 저작권법 제87조 제1항 중 '제29조 제2항 본문' 부분은 저작재산권자 및 저작인접권자의 재산권을 침해하지 아니한다. (헌재 2019.11.28. 2016헌마1115)

② (○)

> 수용 등의 주체를 국가 등의 공적 기관에 한정하여 해석할 이유가 없다. 위 헌법조항의 핵심은 당해 수용이 공공필요에 부합하는가, 정당한 보상이 지급되고 있는가 여부 등에 있는 것이지, 그 수용의 주체가 국가인지 민간기업인지 여부에 달려 있다고 볼 수 없다. 가령, 공공필요가 있는 사업으로 인정되어 국가가 토지를 수용하는 것이 문제되지 않는 경우라면, 같은 사업에서 민간기업이 수용권을 갖는다 하여 그 사업에서의 공공필요에 대한 판단이 본질적으로 달라진다고 할 수 없는 까닭이다. (헌재 2009.9.24. 2007헌바114)

③ (✕)

> 금융위원회위원장이 2019.12.16. 시중 은행을 상대로 '투기지역·투기과열지구 내 초고가 아파트(시가 15억 원 초과)에 대한 주택구입용 주택담보대출을 2019.12.17.부터 금지한 조치'는 청구인의 재산권 및 계약의 자유를 침해하지 않는다. (헌재 2023.3.23. 2019헌마1399 【기각】)

④ (O)

> 피상속인에 대한 부양의무를 이행하지 않은 직계존속의 경우를 상속결격사유로 규정하지 않은 민법 제1004조는 재산권을 침해하지 않는다. (헌재 2018.2.22. 2017헌바59)

정답 ③

기출지문 OX

비용보상청구권의 제척기간을 무죄판결이 확정된 날부터 6개월 이내로 규정한 구 「군사법원법」 해당 조항은 헌법에 위반된다.

24 법원직 (O / ×)

해설 비용보상청구권의 제척기간을 무죄판결이 확정된 날부터 6개월로 규정한 구 형사소송법 제194조의3 제2항은 재판청구권 및 재산권을 침해하지 않는다. (헌재 2015.4.30. 2014헌바408)

정답 O

예상판례

❶ 군사법원 피고인의 비용보상청구권의 제척기간을 '무죄판결이 확정된 날부터 6개월'로 정한 구 군사법원법 제227조의12 제2항은 헌법에 위반된다. (헌재 2023.8.31. 2020헌바252 【위헌】)

❷ 살처분된 가축의 소유자가 축산계열화사업자인 경우에는 수급권 보호를 위하여 보상금을 계약사육농가에 지급한다고 규정한 '가축전염병 예방법' 제48조 제1항 제3호 단서는 헌법에 합치되지 아니한다. (헌재 2024.5.30. 2021헌가3 【헌법불합치(계속적용)】)

[1] 가축의 살처분으로 인한 재산권의 제약은 가축의 소유자가 수인해야 하는 사회적 제약의 범위에 속한다. 그러나 헌법 제23조 제1항 및 제2항에 따라 재산권의 사회적 제약을 구체화하는 법률조항이라 하더라도 권리자에게 수인의 한계를 넘어 가혹한 부담이 발생하는 예외적인 경우에는 이를 완화하는 보상규정을 두어야 한다.

[2] 양돈업을 영위하는 축산계열화사업자는 양계업처럼 다수의 계약사육농가와 위탁사육계약을 맺은 대기업이 아닌 영세업체인 경우도 많아, 계약사육농가에 비해 우월한 교섭력을 행사한다고 보기 어려운 경우도 많다. 그뿐만 아니라 경우에 따라서는 당해 사건에서와 같이 살처분된 가축에 대한 사육수수료는 계약사육농가에게 전부 지급되었던 상황임에도 축산계열화사업자는 살처분 보상금을 지급받지 못하는 사례도 있다. 따라서 심판대상조항은 조정적 보상조치에 관하여 인정되는 입법형성의 한계를 벗어나 가축의 소유자인 축산계열화사업자의 재산권을 침해한다.

002

재산권의 제한에 대한 설명으로 가장 적절한 것은? (다툼이 있는 경우 헌법재판소 판례에 의함)

① 대통령이 2016.2.10.경 개성공단의 운영을 즉시 전면 중단하기로 결정하고, 개성공단에 체류 중인 국민들 전원을 대한민국 영토 내로 귀환하도록 한 개성공단 전면중단 조치에 의해 발생한 영업상 손실이나 주식 등 권리의 가치하락은 헌법 제23조의 재산권보장의 범위에 속한다.
② 통일부장관이 2010.5.24. 발표한 북한에 대한 신규투자 불허 및 진행중인 사업의 투자확대 금지 등을 내용으로 하는 대북조치로 인해 개성공단에서 투자하던 사업자의 토지이용권을 사용·수익하지 못하게 되는 제한이 발생하였으므로, 이러한 대북조치는 헌법 제23조 제3항 소정의 공용 제한에 해당한다.
③ 댐의 저수 이용상황 등이 변경되는 경우 등 댐사용권을 그대로 유지하는 것이 곤란한 경우 댐사용권을 취소·변경할 수 있도록 규정한 구「댐건설 및 주변지역지원 등에 관한 법률」조항은 다목적댐에 관한 독립적 사용권인 댐사용권의 내용과 한계를 정하는 규정인 동시에 사회적 제약을 구체화한 규정이라 보아야 한다.
④ 행정청이 아닌 사업주체가 새로이 설치한 공공시설이 그 시설을 관리할 관리청에 무상으로 귀속되도록 한 구「주택건설촉진법」조항은 재산권의 법률적 수용이라는 법적 외관을 가지고 있으므로 그것이 헌법 제23조 제3항에 따른 정당한 보상의 원칙에 위배되었는지 심사되어야 한다.

해설

① (✗)
> 개성공단 전면중단 조치는 공익 목적을 위하여 개별적, 구체적으로 형성된 구체적인 재산권의 이용을 제한하는 공용제한이 아니므로, 이에 대한 정당한 보상이 지급되지 않았다고 하더라도, 그 조치가 헌법 제23조 제3항을 위반하여 개성공단 투자기업인 청구인들의 재산권을 침해한 것으로 볼 수 없다. (헌재 2022.1.27. 2016헌마364)

② (✗)
> 통일부장관이 2010.5.24. 발표한 북한에 대한 신규투자 불허 및 진행중인 사업의 투자확대 금지 등을 내용으로 하는 대북조치는 헌법 제23조 제3항 소정의 재산권의 공용제한에 해당하지 않는다. 2010.5.24.자 대북조치로 인하여 재산상 손실을 입은 자에 대한 보상입법을 마련하지 아니한 입법부작위에 대한 심판청구는 부적법 하다. (헌재 2022.5.26. 2016헌마95)

③ (O)
> 댐사용권 변경조항은 이미 형성된 구체적인 재산권을 공익을 위하여 개별적이고 구체적으로 박탈·제한하는 것으로서 보상을 요하는 헌법 제23조 제3항의 수용·사용·제한을 규정한 것이라고 볼 수 없고, 적정한 수자원의 공급 및 수재방지 등 공익적 목적에서 건설되는 다목적댐에 관한 독점적 사용권인 댐사용권의 내용과 한계를 정하는 규정인 동시에 공익적 요청에 따른 재산권의 사회적 제약을 구체화하는 규정이라고 보아야 한다. (헌재 2022.10.27. 2019헌바44)

④ (✗)
> 심판대상조항은 재산권의 법률적 수용이라는 법적 외관을 가지고 있으나 그 실질은 공공시설의 설치와 그 비용부담자 등에 관하여 규율하고 있는 것이므로, 이를 심사하려면 그것이 헌법 제23조 제3항에 따른 정당한 보상의 원칙에 위배되었는지가 아니라 이러한 공공시설의 설치와 관련한 부담의 부과와 그 소유권의 국가귀속이 재산권에 대한 사회적 제약의 범위 내의 제한인지 여부가 검토되어야 한다. (헌재 2015.2.26. 2014헌바177)

정답 ③

003  24 변호사

재산권에 관한 설명 중 옳은 것(○)과 옳지 않은 것(×)을 올바르게 조합한 것은? (다툼이 있는 경우 판례에 의함)

> ㄱ. 헌법 제13조 제2항은 "모든 국민은 소급입법에 의하여 … 재산권을 박탈당하지 아니한다."라고 규정하고 있는바, 여기서 소급입법은 진정소급효를 가지는 법률만 가리킨다.
> ㄴ. 「가축전염병 예방법」상 살처분 명령은 이미 형성된 재산권을 개별적·구체적으로 박탈한다는 점에서, 가축 소유자가 수인해야 하는 사회적 제약의 범위를 벗어나는 것으로 보아야 한다.
> ㄷ. 댐사용권을 취소·변경할 수 있도록 규정한 「댐건설 및 주변지역지원 등에 관한 법률」 조항은 이미 형성된 구체적인 재산권을 공익을 위하여 개별적이고 구체적으로 박탈·제한하는 것으로서 보상을 요하는 헌법 제23조 제3항의 수용·사용·제한을 규정한 것이라고 볼 수 없고, 적정한 수자원의 공급 및 수재방지 등 공익적 목적에서 건설되는 다목적댐에 관한 독점적 사용권인 댐사용권의 내용과 한계를 정하는 규정인 동시에 공익적 요청에 따른 재산권의 사회적 제약을 구체화하는 규정이라고 보아야 한다.
> ㄹ. 종전 규정에 의한 폐기물재생처리신고업자의 사업이 개정 규정에 의한 폐기물중간처리업에 해당하는 경우, 영업을 계속하기 위하여는 법 시행일부터 1년 이내에 개정 규정에 의한 폐기물중간처리업의 허가를 받도록 하고 있는 구 「폐기물관리법」 부칙 규정으로 인해 사실상 폐업이 불가피하게 된 기존의 폐기물재생처리신고업자는 재산권 침해를 이유로 헌법 제23조 제3항에 따른 보상을 받을 수 있다.

① ㄱ(×), ㄴ(○), ㄷ(○), ㄹ(○)
② ㄱ(○), ㄴ(×), ㄷ(×), ㄹ(○)
③ ㄱ(○), ㄴ(×), ㄷ(×), ㄹ(×)
④ ㄱ(○), ㄴ(×), ㄷ(○), ㄹ(×)
⑤ ㄱ(○), ㄴ(○), ㄷ(○), ㄹ(○)

해설

ㄱ. (○) 진정소급입법은 원칙적으로 금지되고, 부진정소급입법은 원칙적으로 허용된다.

ㄴ. (×)

> **구 가축전염병 예방법 제48조 제1항 위헌소원**(헌재 2014.4.24. 2013헌바110)
> [1] 살처분은 가축의 전염병이 전파가능성과 위해성이 매우 커서 타인의 생명, 신체나 재산에 중대한 침해를 가할 우려가 있는 경우 이를 막기 위해 취해지는 조치로서, 가축 소유자가 수인해야 하는 사회적 제약의 범위에 속한다.
> [2] 살처분 보상금을 대통령령으로 정하도록 위임한 구 가축전염병예방법 제48조 제1항 제2호는 포괄위임입법금지원칙에 위배되지 않는다.

ㄷ. (○) 헌재 2022.10.27. 2019헌바44

ㄹ. (×)

> 청구인들의 영업활동은 원칙적으로 자신의 계획과 책임하에 행위하면서 법제도에 의하여 반사적으로 부여되는 기회를 활용한 것에 지나지 않는다 할 것이어서, 청구인들이 주장하는 영업권은 위 헌법조항들이 말하는 재산권의 범위에 속하지 아니하므로, 위 법률조항으로 인하여 청구인들의 재산권이 침해되었다거나, 소급입법에 의하여 재산권이 박탈되었다고 할 수 없다. (헌재 2000.7.20. 99헌마452)

정답 ④

004 재산권에 대한 설명으로 옳은 것만을 〈보기〉에서 모두 고르면?

보기

ㄱ. 「주택임대차보호법」상 임차인 보호 규정들이 임대인의 재산권을 침해하는지 여부를 심사함에 있어서는 비례의 원칙을 기준으로 심사하되, 보다 강화된 심사기준을 적용하여야 할 것이다.

ㄴ. 구 「민간임대주택에 관한 특별법」의 등록말소조항은 단기민간임대주택과 아파트 장기일반민간임대주택의 임대의무기간이 종료한 날 그 등록이 말소되도록 할 뿐이고, 종전 임대사업자가 이미 받은 세제혜택 등을 박탈하는 내용이 없으므로 재산권이 제한된다고 볼 수 없다.

ㄷ. 도로 등 영조물 주변 일정 범위에서 광업권자의 채굴행위를 제한하는 구 「광업법」 조항은 헌법 제23조가 정하는 재산권에 대한 사회적 제약의 범위 내에서 광업권을 제한한 것으로 과잉금지원칙에 위배되지 않고 재산권의 본질적 내용도 침해하지 않는 것이어서 광업권자의 재산권을 침해하지 않는다.

ㄹ. 거주자가 건물을 신축하고 그 신축한 건물의 취득일부터 5년 이내에 해당 건물을 양도하는 경우로서 환산가액을 그 취득가액으로 하는 경우 양도소득 결정세액에 더하여 가산세를 부과하도록 하는 구 「소득세법」 조항은 재산권을 침해한다.

ㅁ. 「공무원연금법」에서 19세 미만인 자녀에 대하여 아무런 제한없이 퇴직유족연금일시금을 선택할 수 있게 하고 또 그 금액도 다른 유족과 동일한 계산식에 따라 산출하게 한 것은 다른 유족의 재산권을 침해한다.

① ㄱ, ㄹ
② ㄱ, ㅁ
③ ㄴ, ㄷ
④ ㄱ, ㄴ, ㄹ
⑤ ㄴ, ㄷ, ㄹ, ㅁ

해설

ㄱ. (×)
> 임차인의 권리금 회수기회 보호제도를 형성함에 있어서는 입법자에게 재량이 있으므로, 심판대상조항이 임차인의 재산권을 침해하는지 여부를 심사함에 있어서는 입법형성권의 한계 일탈 여부를 기준으로 삼기로 한다. (헌재 2023.6.29. 2021헌바264)

ㄴ. (○)
> 임대사업자가 종전 규정에 의한 세제혜택에 대한 기대를 가졌거나, 종전과 같은 유형의 임대사업자의 지위를 장래에도 유지할 것을 기대하였다 하더라도 이는 당시의 법 제도에 대한 단순한 기대이익에 불과하다. 또한 민간임대주택법 조항은 종전에 받은 세제혜택을 소급하여 박탈하는 내용을 담고 있지 아니하므로 이로 인해 위 청구인들의 재산권이 제한된다고 볼 수는 없다. (헌재 2024.3.28. 2020헌마1009)

ㄷ. (○)
> 구 광업법 조항은 소유자 등의 허가·승낙을 요하는 범위를 도로 등 영조물 주변 50m로 정하고 있는데 이는 채굴행위가 미칠 수 있는 영향을 고려할 때 과도하게 넓은 범위라고 볼 수 없을 뿐더러, 광업법 제44조 제2항은 관할 관청, 소유자 또는 이해관계인이 정당한 이유 없이 허가 또는 승낙을 거부할 수 없도록 하여 합리적인 이유 없이 광업권이 제한되는 일이 없도록 정하고 있다. 그러므로 구 광업법 조항은 최소 침해성의 원칙에도 부합한다. (헌재 2024.1.25. 2021헌바340)

ㄹ. (✗)

> 조세법 영역에 있어서는 입법자에게 폭넓은 형성재량이 인정될 수 있는 점, 환산가액 적용을 통한 조세회피를 방지하기 위해서는 그 유인을 실효적으로 제거할 필요가 있는 점 등을 고려할 때 심판대상조항에서 정하는 세율이 과도하다고 보기는 어렵다. 또한, 위 조항은 그 적용대상을 신축 건물 취득일로부터 5년 내 양도하는 경우로 한정하여 재산권 제한의 정도를 완화하고 있으며, 제반 사정을 고려할 때 위 조항이 그 시행일 이전에 건물을 신축하여 취득한 자를 그 적용대상에서 제외하지 않았다는 사정만으로 이를 과도하다고 볼 수는 없다. 나아가 심판대상조항으로 인한 재산권 제한의 정도가 부당한 조세회피의 방지라는 공익에 비하여 중하다고 볼 수도 없다. 따라서 심판대상조항은 과잉금지원칙을 위반하여 재산권을 침해하지 아니한다. (헌재 2024.2.28. 2020헌가15)

ㅁ. (✗)

> 청구인이 주장하는 '이전받을 권리'는 공무원연금법이 정한 위와 같은 발생요건을 갖추기 전에는 헌법이 보장하는 재산권이라고 할 수 없고, 그와 같은 발생요건이 발생되기 전의 다른 유족의 지위는 '자녀인 유족의 수급권을 이전받을 수 있다는 기대이익'에 불과하다. 따라서 심판대상조항에 따라 자녀인 유족이 퇴직연금일시금을 선택함으로써 결과적으로 다른 유족이 자녀의 퇴직연금 수급권을 이전받지 못하게 된다 하여도 이는 단순한 기대이익을 상실한 것에 불과하고, 이로써 재산권을 제한받는다고 할 수 없다. (헌재 2024.2.28. 2021헌바141)

정답 ③

005 재산권에 대한 설명으로 옳지 않은 것은?

① 환매권의 발생기간을 제한하고 있는 「공익사업을 위한 토지 등의 취득 및 보상에 관한 법률」 조항 중 '토지의 협의취득일 또는 수용의 개시일부터 10년 이내에' 부분의 위헌성은 헌법상 재산권인 환매권의 발생기간을 제한한 것 자체에 있다.
② 유언자가 생전에 최종적으로 자신의 재산권에 대하여 처분할 수 있는 법적 가능성을 의미하는 유언의 자유는 생전증여에 의한 처분과 마찬가지로 헌법상 재산권의 보호를 받는다.
③ 지방의회의원으로 선출되어 받게 되는 보수가 기존의 연금에 미치지 못하는 경우에도 연금 전액의 지급을 정지하도록 정한 구 「공무원연금법」 조항은, 연금을 대체할 만한 적정한 소득이 있다고 할 수 없는 경우에도 일률적으로 연금전액의 지급을 정지하여 지급정지제도의 본질 및 취지에 어긋나 과잉금지원칙에 위배되어 재산권을 침해한다.
④ 제1차 투표에서 유효투표수의 100분의 10 이상 100분의 15 미만을 득표한 경우에는 기탁금 반액을 반환하고, 반환되지 않은 기탁금은 국립대학교발전기금에 귀속하도록 정한 국립대학 총장임용후보자 선정 규정은, 후보자의 진지성과 성실성을 담보하기 위한 최소한의 제한이므로 총장임용후보자선거의 후보자의 재산권을 침해하지 않는다.

해설

① (×)

> 이 사건 법률조항의 위헌성은 환매권의 발생기간을 제한한 것 자체에 있다기보다는 그 기간을 10년 이내로 제한한 것에 있다. 이 사건 법률조항의 위헌성을 제거하는 다양한 방안이 있을 수 있고 이는 입법재량 영역에 속한다. 이 사건 법률조항의 적용을 중지하더라도 환매권 행사기간 등 제한이 있기 때문에 법적 혼란을 야기할 뚜렷한 사정이 있다고 보이지는 않는다. 이 사건 법률조항 적용을 중지하는 헌법불합치결정을 하고, 입법자는 가능한 한 빠른 시일 내에 이와 같은 결정 취지에 맞게 개선입법을 하여야 한다. (헌재 2020.11.26. 2019헌바131)

② (○) 헌재 2008.3.27. 2006헌바82

③ (○)

> **지방의회의원으로서 받게 되는 보수가 연금에 미치지 못하는 경우에도 연금 전액의 지급을 정지하는 것이 재산권을 과도하게 제한하여 헌법에 위반된다.** (헌재 2022.1.27. 2019헌바161【헌법불합치】)
> 기본권을 덜 제한하면서 입법목적을 달성할 수 있는 다양한 방법이 있으므로 이 사건 구법 조항은 침해의 최소성 요건을 충족하지 못하고, 법익의 균형성도 충족하지 못한다. 이 사건 구법 조항은 과잉금지원칙에 위배되어 청구인들의 재산권을 침해하므로 헌법에 위반된다.

④ (○)

> 제1차 투표에서 득표한 유효투표수에 따라 기탁금의 전액 또는 반액을 반환받을 수 있는 길이 열려 있다는 점까지 고려하면, 3,000만 원의 기탁금액은 총장임용후보자선거의 후보자가 되려는 사람이 납부할 수 없거나 입후보 의사를 단념케 할 정도로 과다한 금액이라고 할 수 없다. 위와 같은 사정들을 종합하면, 심판대상조항은 침해의 최소성을 갖추었다. (헌재 2022.5.26. 2020헌마1219)

정답 ①

006

다음 설명 중 가장 옳지 않은 것은?

① 헌법 제23조 제1항의 재산권 보장에 의하여 보호되는 재산권은 사적 유용성 및 그에 대한 원칙적 처분권을 내포하는 재산가치 있는 구체적 권리이다. 그러므로 구체적인 권리가 아닌, 단순한 이익이나 재화의 획득에 관한 기회 등은 재산권 보장의 대상이 아니다.

② 우리 헌법의 재산권 보장은 사유재산의 처분과 그 상속을 포함하는 것인바, 유언자가 생전에 최종적으로 자신의 재산권에 대하여 처분할 수 있는 법적 가능성을 의미하는 유언의 자유는 생전증여에 의한 처분과 마찬가지로 헌법상 재산권의 보호를 받는다.

③ 헌법재판소는 공법상의 권리가 재산권 보장의 보호를 받기 위해서는 '개인의 노력과 금전적 기여를 통하여 취득되고 자신과 그의 가족의 생활비를 충당하기 위한 경제적 가치가 있는 권리'여야 한다고 판시하고, 「공무원연금법」 및 「군인연금법」상의 연금수급권이 헌법상 보장되는 재산권에 포함됨을 밝힌 바 있다.

④ 국가는 납세자가 자신과 가족의 기본적인 생계유지를 위하여 꼭 필요로 하는 소득을 제외한 잉여소득 부분에 대해서만 납세의무를 부과할 수 있는 것은 아니므로, 소득에 대한 과세는 원칙적으로 최저생계비를 초과하는 소득에 대해서만 가능하다고 볼 수는 없다.

해설

① (O) 헌재 1996.8.29. 95헌바36
② (O) 헌재 2008.3.27. 2006헌바82
③ (O) 헌재 2004.6.24. 2002헌바15
④ (X)

> 소득에 대한 과세는 원칙적으로 최저생계비를 초과하는 소득에 대해서만 가능하다. 이 사건 법률조항이 비록 최저생계비는 과세되어서는 아니 된다는 헌법적 요청에 대한 예외를 설정하고 있다고 할지라도, 공제제도를 두는 경우 납세자에게 돌아가는 실익에 비하여 과도한 행정적 부담이 있고 금융소득에 대한 분리과세는 한시적으로 이루어지고 있으며 여러 가지 세금우대 저축제도가 있다는 점 등 이를 정당화할 수 있는 합리적 사유가 있는 만큼 그로 인하여 저소득층의 인간다운 생활을 할 권리가 침해되었다고 보기 어렵다. (헌재 1999.11.25. 98헌마55)

정답 ④

🔹 재산권의 요건

사적 재산권의 요건	공법상 권리의 재산권 인정요건
• 사적 유용성 • 원칙적 처분가능성 • 구체적 권리	사적 재산권의 요건 + 수급자의 상당한 자기기여 + 생존 확보에 기여

007

재산권에 대한 헌법재판소의 판시 내용으로 적절하지 않은 것은?

① 명의신탁재산 증여의제로 인한 증여세 납세의무자에게 신고의무 및 납부의무 위반에 대한 제재인 가산세까지 부과하도록 하면 납세의무자는 원래 부담하여야 할 세금 이외에 부가적인 금전적 부담을 지게 되므로 과잉금지원칙에 반하여 납세의무자의 재산권을 침해한다.

② 「댐건설관리법」은 댐사용권을 물권으로 보며 「댐건설관리법」에 특별한 규정이 있는 경우를 제외하고는 '부동산에 관한 규정'을 준용하도록 하고 있으므로 댐사용권은 사적 유용성 및 그에 대한 원칙적 처분권을 내포하는 재산가치 있는 구체적 권리로서 헌법상 재산권 보장의 대상이 된다.

③ 입법자는 재산권의 내용을 형성함에 있어 광범한 입법재량을 가지고 있으므로 헌법재판소가 재산권의 내용을 형성하는 사회적 제약이 비례원칙에 부합하는지 여부를 판단함에 있어서는 이미 형성된 기본권을 제한하는 입법의 경우에 비하여 보다 완화된 기준에 의하여 심사한다.

④ 법률조항에 의한 재산권 제한이 헌법 제23조 제1항·제2항에 근거한 재산권의 내용과 한계를 정한 것인지, 아니면 헌법 제23조 제3항에 근거한 재산권의 수용을 정한 것인지를 판단함에 있어서는 전체적인 재산권 제한의 효과를 종합적이고 유기적으로 파악하여 그 제한의 성격을 이해하여야 한다.

⑤ 분묘기지권의 시효취득에 관한 관습법에 따라 토지소유자가 분묘의 수호·관리에 필요한 상당한 범위 내에서 분묘기지가 된 토지 부분에 대한 소유권의 행사를 제한받게 되었더라도, 이를 과잉금지원칙에 위배되어 토지소유자의 재산권을 침해한다고 볼 수 없다.

해설

① (×)
> 명의신탁으로 '조세회피의 목적'이 인정되는 경우에 한하여 증여의제가 되므로 '조세회피의 목적'이 없는 명의신탁의 경우에는 증여세 및 가산세가 부과되지 않고, 정당한 사유가 있는 경우 가산세가 감면 또는 면제되는 점을 고려할 때, 심판대상조항은 과잉금지원칙에 반하여 납세의무자의 재산권을 침해하지 아니한다. (헌재 2022.11.24. 2019헌바167 등)

② (○)
> 댐사용권은 등록부에 공시하고 저당권의 대상이 되며, 댐사용권자는 설정된 댐사용권의 범위 내에서 저수 또는 유수의 배타적 사용권을 가지고 해당 댐의 저수를 사용하는 자로부터 사용료를 받을 수 있다. 따라서 댐사용권은 사적 유용성 및 그에 대한 원칙적 처분권을 내포하는 재산가치 있는 구체적 권리라고 할 것인바, 헌법 제23조에 의한 재산권 보장의 대상이 된다. (헌재 2022.10.27. 2019헌바44)

③ (○)
> 입법자가 형성의 자유의 한계를 넘었는가 하는 것은 비례의 원칙에 의하여 판단하게 된다. 다만, 입법자는 재산권의 내용을 형성함에 있어 광범한 입법재량을 가지고 있으므로 재산권의 내용을 형성하는 사회적 제약이 비례원칙에 부합하는지 여부를 판단함에 있어서는 이미 형성된 기본권을 제한하는 입법의 경우에 비하여 보다 완화된 기준에 의하여 심사한다. (헌재 2011.10.25. 2009헌바234)

④ (○) 헌재 2019.11.28. 2016헌마1115 등

⑤ (○) 헌재 2020.10.29. 2017헌바208

정답 ①

008

재산권에 관한 설명 중 옳은 것을 모두 고른 것은? (다툼이 있는 경우 판례에 의함)

ㄱ. 사회부조와 같이 국가의 일방적인 급부에 대한 권리는 재산권의 보호대상에서 제외되고, 단지 사회법상의 지위가 자신의 급부에 대한 등가물에 해당하는 경우에 한하여 사법상의 재산권과 유사한 정도로 보호받아야 할 공법상의 권리가 인정된다.
ㄴ. 헌법이 규정한 '정당한 보상'이란 손실보상의 원인이 되는 재산권의 침해가 기존의 법질서 안에서 개인의 재산권에 대한 개별적인 침해인 경우에 원칙적으로 피수용재산의 객관적인 재산가치를 완전하게 보상하는 것을 의미한다.
ㄷ. 최저임금을 인상하는 내용의 고시는 근로자에게 지급하여야 할 임금 증가, 생산성 저하, 이윤 감소 등 사업자에게 불이익을 겪게 할 우려가 있으므로 사업자의 재산권을 제한한다.
ㄹ. 공익사업의 시행으로 지가가 상승하여 발생하는 개발이익을 배제하고 손실보상액을 산정한다 하여 헌법이 규정한 정당보상의 원리에 어긋난다고 볼 수 없다.

① ㄱ, ㄴ
② ㄱ, ㄷ
③ ㄴ, ㄹ
④ ㄱ, ㄴ, ㄹ
⑤ ㄱ, ㄴ, ㄷ, ㄹ

해설

ㄱ. (O) 헌재 2000.6.29. 99헌마289 [23 변호사]

ㄴ. (O) 헌법 조문상 정당보상은 완전보상을 의미하고, 완전보상은 시가보상이다. 다만, 판례는 공시지가보상도 가능하다는 입장이다. [23 변호사]

ㄷ. (X) [23 변호사]

> 헌법상 보장된 재산권은 원래 사적 유용성 및 그에 대한 원칙적인 처분권을 내포하는 재산가치 있는 구체적인 권리이므로 구체적 권리가 아닌 영리획득의 단순한 기회나 기업활동의 사실적·법적 여건은 기업에게는 중요한 의미를 갖는다고 하더라도 재산권 보장의 대상이 아니다. 각 최저임금 고시 부분은 사용자가 최저임금의 적용을 받는 근로자에게 지급하여야 할 임금의 최저액을 정한 것으로 청구인들이 이로 인하여 계약의 자유와 기업의 자유를 제한 받는 결과 근로자에게 지급하여야 할 임금이 늘어나거나 생산성 저하, 이윤 감소 등 불이익을 겪을 우려가 있거나, 그 밖에 사업상 어려움이 발생할 수 있다고 하더라도 이는 기업활동의 사실적·법적 여건에 관한 것으로 재산권 침해는 문제되지 않는다. (헌재 2019.12.27. 2017헌마1366 등)

ㄹ. (O) 개발이익은 보상의 대상이 아니다. [17 법원직]

정답 ④

009

재산권에 대한 설명으로 옳지 않은 것은? (다툼이 있는 경우 판례에 의함)

① 개인택시면허는 자신의 노력으로 혹은 금전적 대가를 치르고 얻은 재산권이라고 할 수 있다.
② 공무원의 보수청구권이 법령에 의하여 구체적 내용이 형성되기 전이라면 공무원이 국가 또는 지방자치단체에 대하여 어느 수준의 보수를 청구할 수 있는 권리는 단순한 기대이익에 불과하여 재산권의 내용에 포함된다고 볼 수 없다.
③ 일본국에 의하여 광범위하게 자행된 반인도적 범죄행위에 대하여 일본군 위안부 피해자들이 일본에 대하여 가지는 배상청구권은 헌법상 보장되는 재산권이 아니다.
④ 「우편법」에 규정된 우편물의 지연 배달에 따른 손해배상청구권은 헌법이 보장하는 재산권의 내용에 포함되는 권리이다.
⑤ 「가축전염병 예방법」상의 살처분은 가축의 전염병이 전파가능성과 위해성이 매우 커서 타인의 생명, 신체나 재산에 중대한 침해를 가할 우려가 있는 경우 이를 막기 위해 취해지는 조치로서 가축소유자가 수인해야 하는 사회적 제약의 범위에 속한다.

해설

① (O)

② (O)

> 공무원의 보수청구권은 법률 및 법률의 위임을 받은 하위법령에 의해 그 구체적 내용이 형성되면 재산적 가치가 있는 공법상의 권리가 되어 재산권의 내용에 포함되지만, 법령에 의하여 구체적 내용이 형성되기 전의 권리, 즉 공무원이 국가 또는 지방자치단체에 대하여 어느 수준의 보수를 청구할 수 있는 권리는 단순한 기대이익에 불과하여 재산권의 내용에 포함된다고 볼 수 없다. (헌재 2008.12.26. 2007헌마444)

③ (×)

> **일본군 위안부 피해자들의 배상청구권은 헌법상 보장되는 재산권이다.** (헌재 2011.8.30. 2006헌마788)
> 일본국에 의하여 광범위하게 자행된 반인도적 범죄행위에 대하여 일본군 위안부 피해자들이 일본에 대하여 가지는 배상청구권은 헌법상 보장되는 재산권일 뿐 아니라, 그 배상청구권의 실현은 무자비하게 지속적으로 침해된 인간으로서의 존엄과 가치 및 신체의 자유를 사후적으로 회복한다는 의미를 가지는 것이므로, 그 배상청구권의 실현을 가로막는 것은 헌법상 재산권 문제에 국한되지 않고 근원적인 인간으로서의 존엄과 가치의 침해와 직접 관련이 있다. 피청구인의 이 사건 부작위(대한민국이 일본과 협상하지 아니하는 부작위)는 청구인들의 중대한 헌법상 기본권을 침해하고 있다고 할 것이다.

④ (O) 헌재 2013.6.27. 2012헌마426

⑤ (O)

> [1] 살처분은 가축의 전염병이 전파가능성과 위해성이 매우 커서 타인의 생명, 신체나 재산에 중대한 침해를 가할 우려가 있는 경우 이를 막기 위해 취해지는 조치로서, 가축소유자가 수인해야 하는 사회적 제약의 범위에 속한다.
> [2] 살처분 보상금을 대통령령으로 정하도록 위임한 구 가축전염병 예방법 제48조 제1항 제2호는 포괄위임입법금지원칙에 위배되지 않는다. (헌재 2014.4.24. 2013헌바110)

정답 ③

010 22 경찰승진

재산권에 관한 설명 중 가장 적절하지 않은 것은? (다툼이 있는 경우 판례에 의함)

① 「국민연금법」상 연금수급권 내지 연금수급기대권이 재산권의 보호대상인 사회보장적 급여라고 한다면 사망일시금은 헌법상 재산권에 해당한다.
② 「공무원연금법」이 개정되어 시행되기 전에 청구인이 이미 퇴직하여 퇴직연금을 수급할 수 있는 기초를 상실한 경우에는 공무원퇴직연금의 수급요건을 재직기간 20년에서 10년으로 완화한 개정 「공무원연금법」 규정이 청구인의 재산권을 제한한다고 볼 수 없다.
③ '사업인정고시가 있은 후에 3년 이상 토지가 공익용도로 사용된 경우' 토지소유자에게 매수 혹은 수용청구권을 인정한 「공익사업을 위한 토지 등의 취득 및 보상에 관한 법률」의 조항을 통하여 인정되는 '수용청구권'은 사적 유용성을 지닌 것으로서 재산의 사용, 수익, 처분에 관계되는 법적 권리이므로 헌법상 재산권에 포함된다.
④ 잠수기어업허가를 받아 키조개 등을 채취하는 직업에 종사한다고 하더라도 이는 원칙적으로 자신의 계획과 책임하에 행동하면서 법제도에 의하여 반사적으로 부여되는 기회를 활용하는 것에 불과하므로 잠수기어업허가를 받지 못하여 상실된 이익 등 청구인 주장의 재산권은 헌법 제23조에서 규정하는 재산권의 보호범위에 포함된다고 볼 수 없다.

해설

① (✕)
> 국민연금법상 연금수급권 내지 연금수급기대권이 재산권의 보호대상인 사회보장적 급여라고 한다면 사망일시금은 사회보험의 원리에서 다소 벗어난 장제부조적·보상적 성격을 갖는 급여로 사망일시금은 헌법상 재산권에 해당하지 아니하므로, 이 사건 사망일시금 한도 조항이 청구인들의 재산권을 제한한다고 볼 수 없다. (헌재 2019.2.28. 2017헌마432)

② (O)
> 공무원연금법이 개정되면서 퇴직연금의 수급요건이 재직기간 20년에서 10년으로 변경되었으나, 같은 법 부칙 제6조가 연금수급요건 완화에 관한 특례는 이 법 시행일인 2016.1.1. 당시 재직 중인 공무원부터 적용한다고 규정하여 그 이전에 퇴직한 자가 특례의 적용대상에서 제외된다고 하더라도 헌법에 위반되지 아니한다. (헌재 2017.5.25. 2015헌마933)

③ (O)
> 헌법이 보장하고 있는 재산권은 경제적 가치가 있는 모든 공법상·사법상의 권리를 뜻하며, 사적 유용성 및 그에 대한 원칙적인 처분권을 내포하는 재산가치 있는 구체적인 권리를 의미한다. 이 사건 조항을 통하여 인정되는 '수용청구권'은 사적 유용성을 지닌 것으로서 재산의 사용, 수익, 처분에 관계되는 법적 권리이므로 헌법상 재산권에 포함된다고 볼 것이다. (헌재 2005.7.21. 2004헌바57)

④ (O) 헌재 2008.6.26. 2005헌마173

정답 ①

011 회독 ☐☐☐ 22 법원직

다음 중 헌법재판소가 재산권으로 인정한 사례를 모두 고른 것은?

> ㄱ. 강제집행권
> ㄴ. 주주권
> ㄷ. 개인택시면허
> ㄹ. 정당한 지목을 등록함으로써 얻는 이익
> ㅁ. 구 「민법」상 법정혈족관계로 인정되던 계모자 사이의 상속권
> ㅂ. 소멸시효의 기대이익

① ㄱ, ㄴ, ㄷ
② ㄴ, ㄷ, ㄹ
③ ㄴ, ㄷ, ㄹ, ㅁ
④ ㄴ, ㄷ, ㄹ, ㅁ, ㅂ

해설

ㄱ. (✘) 재산권이 아니다.

> 강제집행권은 국가가 보유하는 통치권의 한 작용으로서 민사사법권에 속하는 것이고, 채권자인 청구인들은 국가에 대하여 강제집행권의 발동을 구하는 공법상의 권능인 강제집행청구권만을 보유하고 있을 따름으로서 청구인들이 강제집행권을 침해받았다고 주장하는 권리는 헌법 제23조 제3항 소정의 재산권에 해당되지 아니한다. **(헌재 1998.5.28. 96헌마44)**

ㄴ. (○) ㄷ. (○) ㄹ. (○) 재산권이다.

ㅁ. (○) 재산권이다.

> 구 민법상 법정혈족관계로 인정되던 계모자 사이의 상속권도 헌법상 보호되는 재산권이라고 볼 수 있는바, 이 사건에서는 1990년 개정 민법에서 계모자 사이에 상속을 인정하지 않는 것에서 더 나아가 그 시행 이전에 이미 계모자관계가 성립된 경우에도 이후의 계모의 사망으로 인한 상속을 인정하지 않는 것이 소급입법에 의한 재산권 침해에 해당하는지 여부 및 재산권 보장에 관한 신뢰보호원칙에 위반되는지 여부가 문제된다. **(헌재 2011.2.24. 2009헌바89 등)**

ㅂ. (✘) 재산권이 아니다.

> '소멸시효를 누릴 기대이익'은 헌법적으로 보호될 만한 재산권적 성질의 것은 아니며 단순한 기대이익에 불과하다고 볼 것이므로 이 사건 법률조항에 의하여 청구인의 재산권이 제한되거나 침해될 여지는 없다. **(헌재 2004.3.25. 2003헌바22)**

정답 ③

012

재산권에 대한 설명으로 옳지 않은 것은? (다툼이 있는 경우 헌법재판소 판례에 의함)

① 지역구국회의원 선거 예비후보자가 정당의 공천심사에서 탈락한 후 후보자등록을 하지 않은 경우를 기탁금반환사유로 규정하지 않은 것은 예비후보자의 재산권을 침해한다.
② 「공무원연금법」상 퇴직연금수급자가 유족연금을 함께 받게 될 경우 그 유족연금액의 2분의 1을 빼고 지급하도록 하는 것은 재산권을 침해한다.
③ 예비군 교육훈련에 참가한 예비군대원이 훈련과정에서 식비, 여비 등을 스스로 지출함으로써 생기는 경제적 부담은 헌법에서 보장하는 재산권의 범위에 포함된다고 할 수 없고, 예비군 교육훈련기간 동안의 일실수익과 같은 기회비용 역시 경제적인 기회에 불과하여 재산권의 범위에 포함되지 아니한다.
④ 공무원이거나 공무원이었던 사람이 재직 중의 사유로 금고 이상의 형을 받거나 형이 확정된 경우 퇴직급여 및 퇴직수당의 일부를 감액하여 지급함에 있어 그 이후 형의 선고의 효력을 상실하게 하는 특별사면 및 복권을 받은 경우를 달리 취급하는 규정을 두지 아니한 것은 재산권을 침해하지 않는다.

해설

① (O)
> 지역구국회의원 예비후보자의 기탁금반환사유를 예비후보자의 사망, 당내경선 탈락으로 한정하고 있는 공직선거법 제57조 제1항 제1호 다목 중 지역구국회의원 선거와 관련된 부분은 재산권을 침해한다. (헌재 2018.1.28. 2016헌마541【헌법불합치(계속적용)】) 예비후보자가 본선거의 정당후보자로 등록하려 하였으나 자신의 의사와 관계없이 정당 공천관리위원회의 심사에서 탈락하여 본선거의 후보자로 등록하지 아니한 것은 후보자 등록을 하지 못할 정도에 이르는 객관적이고 예외적인 사유에 해당한다. 따라서 이러한 사정이 있는 예비후보자가 납부한 기탁금은 반환되어야 함에도 불구하고, 심판대상조항이 예비후보자에게 기탁금을 반환하지 아니하는 것은 입법형성권의 범위를 벗어난 과도한 제한이라고 할 수 있다.

② (X)
> 퇴직연금수급자가 유족연금을 함께 받게 될 경우 그 유족연금액의 2분의 1을 빼고 지급하도록 하는 구 공무원연금법 제45조 제4항 중 '퇴직연금수급자'에 관한 부분은 청구인의 인간다운 생활을 할 권리와 재산권 및 평등권을 침해하지 않는다. (헌재 2020.6.25. 2018헌마865【기각】)

③ (O) 헌재 2019.8.29. 2017헌마828
④ (O) 인간다운 생활을 할 권리도 침해하지 않는다. (헌재 2020.4.23. 2018헌바402)

정답 ②

013 회독 ☐☐☐ 21 경찰승진

헌법재판소가 헌법상 재산권으로 인정한 경우로 가장 적절한 것은? (다툼이 있는 경우 판례에 의함)

① 학교안전공제회가 관리·운용하는 학교안전공제 및 사고예방 기금
② 「사립학교교직원 연금법」상의 퇴직수당을 받을 권리
③ 약사의 한약조제권
④ 의료급여수급권

해설

① (✕)

> 공제회가 관리·운용하는 기금은 학교안전사고보상공제 사업 등에 필요한 재원을 확보하고, 공제급여에 충당하기 위하여 설치 및 조성되는 것으로서 학교안전법령이 정하는 용도에 사용되는 것일 뿐, 각 공제회에 귀속되어 사적 유용성을 갖는다거나 원칙적 처분권이 있는 재산적 가치라고 보기 어렵고, 공제회가 갖는 기금에 대한 권리는 법에 의하여 정해진 대로 운영할 수 있는 법적 권능에 불과할 뿐 사적 이익을 위해 권리주체에게 귀속될 수 있는 성질의 것이 아니므로, 이는 헌법 제23조 제1항에 의하여 보호되는 공제회의 재산권에 해당되지 않는다. (헌재 2015.7.30. 2014헌가7)

② (○)

> '사립학교교직원 연금법'상의 퇴직급여 및 퇴직수당을 받을 권리는 사회적 기본권의 하나인 사회보장수급권임과 동시에 경제적 가치가 있는 권리로서 헌법 제23조에 의하여 보장되는 재산권이다. (헌재 2010.7.29. 2008헌가15)

③ (✕)

> 약사는 단순히 의약품의 판매뿐만 아니라 의약품의 분석, 관리 등의 업무를 다루며, 약사면허 그 자체는 양도·양수할 수 없고 상속의 대상도 되지 아니하며, 또한 약사의 한약조제권이란 그것이 타인에 의하여 침해되었을 때 방해를 배제하거나 원상회복 내지 손해배상을 청구할 수 있는 권리가 아니라 법률에 의하여 약사의 지위에서 인정되는 하나의 권능에 불과하고, 더욱이 의약품을 판매하여 얻게 되는 이익 역시 장래의 불확실한 기대이익에 불과한 것이므로, 구 약사법상 약사에게 인정된 한약조제권은 위 헌법조항들이 말하는 재산권의 범위에 속하지 아니한다. (헌재 1997.11.27. 97헌바10)

④ (✕) 의료급여수급권은 자기기여가 없으므로 재산권이 아니다. 한편, 의료보험수급권은 재산권이다.

> 의료급여법상 의료급여수급권은 저소득 국민에 대한 공공부조의 일종으로 순수하게 사회정책적 목적에서 주어지는 권리이므로 개인의 노력과 금전적 기여를 통하여 취득되는 재산권의 보호대상에 포함된다고 보기 어렵다. (헌재 2009.9.24. 2007헌마1092)

정답 ②

014

21 서울·지방7급

재산권에 대한 설명으로 옳지 않은 것은? (다툼이 있는 경우 판례에 의함)

① 재산권 제한으로 인하여 토지소유자가 종래의 지목과 토지현황에 의한 이용방법에 따른 토지의 사용도 할 수 없거나 실질적으로 토지의 사용·수익을 전혀 할 수 없는 경우에는, 그러한 재산권 제한은 토지소유자가 수인해야 할 사회적 제약의 범주를 넘는 것으로서 손실을 완화하는 보상적 조치가 있어야 비례원칙에 부합한다.

② 소액임차인이 보증금 중 일부를 우선하여 변제받으려면 주택에 대한 경매신청의 등기 전에 대항력을 갖추어야 한다고 규정한 「주택임대차보호법」 조항은 입법형성의 한계를 벗어나 주택에 대한 경매신청의 등기 전까지 주민등록을 미처 갖추지 못한 소액임차인의 재산권을 침해한다고 보기 어렵다.

③ 재산권의 내용과 한계를 구체적으로 형성함에 있어서 입법자는 일반적으로 광범위한 입법형성권을 가진다고 할 것이고, 재산권의 본질적 내용을 침해하여서는 아니 된다거나 사회적 기속성을 함께 고려하여 균형을 이루도록 하여야 한다는 등의 입법형성권의 한계를 일탈하지 않는 한 재산권 형성적 법률규정은 헌법에 위반되지 아니한다.

④ 농지의 경우 그 사회성과 공공성의 정도는 일반적인 토지의 경우와 동일하므로, 농지재산권을 제한하는 입법에 대한 헌법심사의 강도는 다른 토지재산권을 제한하는 입법에 대한 것보다 낮아서는 아니 된다.

해설

① (O) 실질적으로 토지의 사용·수익을 전혀 할 수 없는 경우란 나대지를 말하는 것으로, 이 경우에는 재산권 제한은 토지소유자가 수인하여야 할 사회적 제약의 범주를 넘는 것으로서 손실을 완화하는 보상적 조치가 있어야 비례원칙에 부합한다.

② (O) 소액임차인을 보호하기 위한 입법이다.

③ (O) 기본권 형성적 법률유보를 말한다.

④ (X)

> 토지재산권에 대하여는 강한 사회성 내지는 공공성으로 말미암아 다른 재산권에 비하여 더 강한 제한과 의무가 부과될 수 있으나, 그렇다고 하더라도 토지재산권에 대한 제한입법 역시 다른 기본권을 제한하는 입법과 마찬가지로 과잉금지의 원칙을 준수해야 하고, 재산권의 본질적 내용인 사용·수익권과 처분권을 부인해서는 아니 된다. 다만, 농지의 경우 그 사회성과 공공성은 일반적인 토지의 경우보다 더 강하다고 할 수 있으므로, 농지재산권을 제한하는 입법에 대한 헌법심사의 강도는 다른 토지재산권을 제한하는 입법에 대한 것보다 낮다고 봄이 상당하다. (헌재 2010.2.25. 2008헌바80 등)

정답

기출지문 OX

토지재산권의 사회적 제약에 관하여는 넓은 입법재량이 인정되므로 다른 기본권에 대한 제한입법과는 달리 비례원칙을 준수할 필요가 없다. **12 법원직**   (O / X)

해설

> 입법자는 중요한 공익상의 이유로 토지를 일정 용도로 사용하는 권리를 제한할 수 있다. 따라서 토지의 개발이나 건축은 합헌적 법률로 정한 재산권의 내용과 한계 내에서만 가능한 것일 뿐만 아니라, 토지재산권의 강한 사회성 내지는 공공성으로 말미암아 이에 대하여는 다른 재산권에 비하여 보다 강한 제한과 의무가 부과될 수 있다. 그러나 그렇다고 하더라도 토지재산권에 대한 제한입법 역시 다른 기본권을 제한하는 입법과 마찬가지로 과잉금지의 원칙(비례의 원칙)을 준수해야 하고, 재산권의 본질적 내용인 사용·수익권과 처분권을 부인해서는 안 된다. (헌재 2002.8.29. 2000헌마556)

정답 X

015 [21 법무사·법원직]

재산권에 대한 설명으로 옳은 것만을 모두 고르면? (다툼이 있는 경우 판례에 의함)

ㄱ. 헌법 제23조의 재산권은 자기 노력의 대가나 자본의 투자 등 특별한 희생을 통하여 얻은 공법상의 권리도 포함한다.
ㄴ. 헌법 제23조 제3항은 "공공필요에 의한 재산권의 수용·사용 또는 제한 및 그에 대한 보상은 법률로써 하되, 완전한 보상을 지급하여야 한다."라고 규정하여 피수용재산의 객관적인 재산가치를 완전하게 보상하여야 함을 선언하고 있다.
ㄷ. 헌법상 재산권에 관한 규정은 그 내용과 한계가 법률에 의해 구체적으로 형성되는 기본권 형성적 법률유보의 형태를 띠고 있고, 헌법이 보장하는 재산권의 내용과 한계는 국회에 의하여 제정되는 형식적 의미의 법률에 의하여 정해진다.
ㄹ. 「공무원연금법」상의 연금수급권은 사회보장수급권의 성격을 가지고 있을 뿐 이를 재산권이라고 볼 수 없으므로 입법자에게 넓은 입법형성권이 인정된다.
ㅁ. 건강보험수급권은 가입자가 납부한 보험료에 대한 반대급부의 성격을 가지며, 보험사고로 초래되는 재산상 부담을 전보하여 주는 경제적 유용성을 가지므로, 헌법상 재산권의 보호범위에 속한다.

① ㄱ, ㄴ, ㄷ
② ㄱ, ㄷ, ㅁ
③ ㄴ, ㄷ, ㄹ
④ ㄷ, ㄹ, ㅁ

해설

ㄱ. (O) 상당한 자기기여가 있으면 공법상의 권리도 재산권으로 인정된다. [21 법무사]
ㄴ. (✗) 헌법조문상 정당한 보상으로 규정되어 있다. [21 법원직]

헌법 제23조
① 모든 국민의 재산권은 보장된다. 그 내용과 한계는 법률로 정한다.
② 재산권의 행사는 공공복리에 적합하도록 하여야 한다.
③ 공공필요에 의한 재산권의 수용·사용 또는 제한 및 그에 대한 보상은 법률로써 하되, 정당한 보상을 지급하여야 한다.

ㄷ. (O) 재산권에 대한 법률은 기본권 형성적 법률유보이다. [21 법원직]
ㄹ. (✗) 연금은 자기기여가 있으므로 재산권과 사회보장수급권의 성격을 모두 가진다. [21 법원직]
ㅁ. (O) 헌재 2020.4.23. 2017헌바244 [21 법무사]

정답 ②

016

재산권에 대한 설명으로 옳은 것만을 모두 고르면? (다툼이 있는 경우 판례에 의함)

ㄱ. 일반적인 물건에 대한 재산권 행사에 비하여 동물에 대한 재산권 행사는 사회적 연관성과 사회적 기능이 매우 크다 할 것이므로 이를 제한하는 경우 입법재량의 범위를 폭넓게 인정함이 타당하다.

ㄴ. 별거나 가출 등으로 실질적인 혼인관계가 존재하지 아니하여 연금 형성에 기여가 없는 이혼배우자에 대해서 법률혼기간을 기준으로 분할연금수급권을 인정하는 것은 재산권을 침해하지 않는다.

ㄷ. 토지의 협의취득 또는 수용 후 당해 공익사업이 다른 공익사업으로 변경되는 경우에 당해 토지의 원소유자 또는 그 포괄승계인의 환매권을 제한하고, 환매권 행사기간을 변환 고시일부터 기산하도록 한 구「공익사업을 위한 토지 등의 취득 및 보상에 관한 법률」조항은 이들의 재산권을 침해한다.

ㄹ. 구「고엽제후유의증 환자지원 등에 관한 법률」에 의한 고엽제후유증환자 및 그 유족의 보상수급권은 법률에 의하여 비로소 인정되는 권리로서 재산권적 성질을 갖는 것이긴 하지만 그 발생에 필요한 요건이 법정되어 있는 이상 이러한 요건을 갖추기 전에는 헌법이 보장하는 재산권이라고 할 수 없다.

ㅁ. 영화관 관람객이 입장권 가액의 100분의 3을 부담하도록 하고 영화관 경영자는 이를 징수하여 영화진흥위원회에 납부하도록 강제하는 내용의 영화상영관 입장권 부과금제도는 영화관 관람객의 재산권을 침해하지 않는다.

① ㄱ, ㄴ, ㄷ
② ㄱ, ㄹ, ㅁ
③ ㄴ, ㄷ, ㄹ
④ ㄷ, ㄹ, ㅁ

해설

ㄱ. (O) 동물에 대한 재산권은 사회적 연관성이 큰 분야이므로 일반적인 물건에 대한 것보다는 많은 제한이 가능하므로 입법재량의 범위를 폭넓게 인정함이 타당하다(심사기준 완화). [20 입시]

ㄴ. (X) [20 입시]

> 국민연금법 제64조 제1항은 배우자의 국민연금 가입기간 중의 혼인기간이 5년 이상인 자에게 분할연금수급권을 부여하면서, 법률혼기간의 산정에 있어 부부 사이에 실질적인 혼인관계가 존재하였는지를 묻지 않고 연금을 분할지급하도록 하고 있는데 이는 헌법에 합치되지 않는다. (헌재 2016.12.29. 2015헌바182【헌법불합치(잠정적용)】)
> 분할연금제도는 재산권적인 성격과 사회보장적 성격을 함께 가진다. 분할연금제도의 재산권적 성격은 노령연금수급권도 혼인생활 중에 협력하여 이룬 부부의 공동재산이므로 이혼 후에는 그 기여분에 해당하는 몫을 분할하여야 한다는 것이고, 여기서 노령연금수급권 형성에 대한 기여란 부부공동생활 중에 역할분담의 차원에서 이루어지는 가사·육아 등을 의미하므로, 분할연금은 국민연금 가입기간 중 실질적인 혼인기간을 고려하여 산정하여야 한다. 따라서 법률혼관계를 유지하고 있었다고 하더라도 실질적인 혼인관계가 해소되어 노령연금수급권의 형성에 아무런 기여가 없었다면 그 기간에 대하여는 노령연금의 분할을 청구할 전제를 갖추었다고 볼 수 없다. 그럼에도 불구하고 심판대상조항은 법률혼관계에 있었지만 별거·가출 등으로 실질적인 혼인관계가 존재하지 않았던 기간을 일률적으로 혼인기간에 포함시켜 분할연금을 산정하도록 하고 있는바, 이는 분할연금제도의 재산권적 성격을 몰각시키는 것으로서 그 입법형성권의 재량을 벗어났다고 보아야 한다.

ㄷ. (X) [20 국가7급]

> 이 사건 법률조항으로 인하여 제한되는 사익인 환매권은 이미 정당한 보상을 받은 소유자에게 수용된 토지가 목적 사업에 이용되지 않을 경우에 인정되는 것이고, 변환된 공익사업을 기준으로 다시 취득할 수 있어, 이 사건 법률조항으로 인하여 제한되는 사익이 이로써 달성할 수 있는 공익에 비하여 중하다고 할 수 없으므로, 이 사건 법률조항은 과잉금지원칙에 위배되어 청구인의 재산권을 침해한다고 할 수 없다. (헌재 2012.11.29. 2011헌바49)

ㄹ. (○) [20 국가7급]

> **고엽제 후유증환자의 유족보상수급권** (헌재 2001.6.28. 99헌마516【헌법불합치】)
> [1] **고엽제 후유증환자의 유족보상수급권은 법정요건을 갖추기 전에는 재산권이 아니다.**
> 　고엽제후유의증 환자지원 등에 관한 법률(이하 '고엽제법'이라 한다)에 의한 고엽제후유증환자 및 그 유족의 보상수급권은 법률에 의하여 비로소 인정되는 권리로서 재산권적 성질을 갖는 것이긴 하지만 그 발생에 필요한 요건이 법정되어 있는 이상 이러한 요건을 갖추기 전에는 헌법이 보장하는 재산권이라고 할 수 없다. 결국 고엽제법 제8조 제1항 제2호는 고엽제후유증환자의 유족이 보상수급권을 취득하기 위한 요건을 규정한 것인데, 청구인들은 이러한 요건을 충족하지 못하였기 때문에 보상수급권이라고 하는 재산권을 현재로서는 취득하지 못하였다고 할 것이다. 그렇다면 고엽제법 제8조 제1항 제2호가 평등원칙을 위반하였는지 여부는 별론으로 하고 청구인들이 이미 취득한 재산권을 침해한다고는 할 수 없다.
> [2] **등록 유무를 기준으로 차별하는 것은 헌법에 합치되지 않는다.**
> 　환자의 사망시기 또는 사망 전에 등록신청을 하였는지 여부 등에 의하여 보상을 위한 등록신청의 자격 유무를 구별하는 중요한 차별을 행하는 것이 되어 불합리하고 결국 위헌적인 법률이라고 할 것이다.

ㅁ. (○) 영화상영관 입장권 부과금(재정충당부담금)은 헌법에 위반되지 아니한다. (헌재 2008.11.27. 2007헌마860) [20 국가7급]

정답 ②

> **▮▮ 예상판례**
> 실질적인 혼인관계가 존재하지 아니한 기간을 제외하고 분할연금을 산정하도록 개정된 국민연금법 제64조 제1항, 제4항을 개정법 시행 후 최초로 분할연금 지급사유가 발생한 경우부터 적용하도록 규정한 국민연금법 부칙 제2조는 헌법에 합치되지 아니한다. (헌재 2024.5.30. 2019헌가29【헌법불합치】)
> [1] 이미 이행기에 도달한 분할연금 수급권의 내용을 변경하는 것은 진정소급입법으로서 원칙적으로 금지되므로 신법 조항 시행 당시 이미 이행기에 도달한 분할연금 수급권에 대해 소급 적용하지 아니한 것은 합리적인 이유가 인정된다. 반면 아직 이행기가 도래하지 아니한 분할연금 수급권의 경우에는 소급입법금지원칙이나 신뢰보호원칙 위반이 문제되지 아니하므로 신법 조항의 적용을 배제하는 데에 합리적인 이유가 있다고 볼 수 없다.
> [2] 입법자는 경과규정을 전혀 두지 아니하여 노령연금 수급권자를 보호하기 위한 최소한의 조치도 취하지 아니하였는바, 분할연금 수급자의 신뢰보호나 법적 안정성 등을 고려하더라도 그 차별을 정당화할 만한 합리적인 이유가 있는 것으로 보기 어렵고, 종전 헌법불합치결정의 취지에도 어긋난다. 따라서 심판대상조항은 평등원칙에 위반된다.

> 🔖 **보상의 기준에 관한 헌정사**
> • **건국헌법~제4차 개정헌법**: 법률이 정하는 바에 의하여 상당한 보상
> • **제5차 개정헌법~제6차 개정헌법**: 법률로써 하되 정당한 보상
> • **제7차 개정헌법**: 공공필요에 의한 재산권의 수용·사용 또는 제한 및 그 보상의 기준과 방법은 법률로 정한다.
> • **제8차 개정헌법**: 보상은 공익 및 관계자의 이익을 정당하게 형량하여 법률로 정한다.

017 재구성

19 국회8급

재산권에 대한 설명으로 옳은 것만을 모두 고르면? (다툼이 있는 경우 판례에 의함)

ㄱ. 보유기간이 1년 이상 2년 미만인 자산이 공용수용으로 양도된 경우에도 중과세하는 구 「소득세법」 조항은 재산권을 침해하지 않는다.

ㄴ. 계약의 이행으로 받은 금전을 계약해제에 따른 원상회복으로서 반환하는 경우 그 받은 날로부터 이자를 지급하도록 한 「민법」 조항은 계약해제의 경위·계약당사자의 귀책사유 등 제반 사정을 계약해제로 인한 손해배상의 범위를 정할 때 고려하게 되므로, 원상회복의무자의 재산권을 침해하지 않는다.

ㄷ. 가축전염병의 확산을 막기 위한 방역조치로서 도축장 사용정지·제한명령은 공익목적을 위하여 이미 형성된 구체적 재산권을 박탈하거나 제한하는 헌법 제23조 제3항의 수용·사용 또는 제한에 해당하는 것이 아니라, 도축장소유자들이 수인하여야 할 사회적 제약으로서 헌법 제23조 제1항의 재산권의 내용과 한계에 해당한다.

ㄹ. 「친일반민족행위자 재산의 국가귀속에 관한 특별법」(이하 '친일재산귀속법'이라 한다)에 따라 그 소유권이 국가에 귀속되는 '친일재산'의 범위를 '친일반민족행위자가 국권침탈이 시작된 러·일전쟁 개전시부터 1945년 8월 15일까지 일본제국주의에 협력한 대가로 취득하거나 이를 상속받은 재산 또는 친일재산임을 알면서 유증·증여를 받은 재산'으로 규정하고 있는 친일재산귀속법 조항은 재산권을 침해하지 않는다.

① ㄱ, ㄴ, ㄷ
② ㄱ, ㄷ, ㄹ
③ ㄴ, ㄷ, ㄹ
④ ㄱ, ㄴ, ㄷ, ㄹ

해설

ㄱ. (O) 헌재 2015.6.25. 2014헌바256

ㄴ. (O)

> 금전은 교환수단일 뿐만 아니라 가치저장수단으로서 자본의 축적에 이바지하므로, 금전을 인도받아 보유하고 있는 자체로 금전에 대한 운용이익을 얻고 있다고 볼 수 있다. 따라서 계약해제에 따라 금전을 원상회복으로 반환하는 경우 그 받은 날로부터 이자를 지급하도록 한 것은 계약이 체결되지 않았을 경우에 나타났을 원래의 상황을 회복한다는 계약해제제도의 정당한 목적 달성을 위한 합리적 수단이다. 민법 제548조 제2항은 임의규범이므로, 그에 따라 계약해제시 당사자 사이에 발생할 수 있는 문제점은 당사자 사이의 약정을 통해 사전에 예방할 수 있다. 계약상 급부의 상환성과 등가성은 계약당사자의 이익을 공평하게 조정하기 위하여 계약해제에 따른 원상회복관계에서도 유지되어야 하므로, 원상회복범위는 당사자의 구체적이고 주관적인 사정과 관계없이 규범적·객관적으로 정해져야 할 필요가 있다. 계약해제의 경위·계약당사자의 귀책사유 등 제반 사정은 계약해제로 인한 손해배상의 범위를 정할 때 고려된다. 따라서 민법 제548조 제2항은 원상회복의무자의 재산권을 침해하지 않는다. (헌재 2017.5.25. 2015헌바421)

ㄷ. (O)

> 도축장 사용정지·제한명령은 구제역과 같은 가축전염병의 발생과 확산을 막기 위한 것이고, 도축장 사용정지·제한명령이 내려지면 국가가 도축장 영업권을 강제로 취득하여 공익목적으로 사용하는 것이 아니라 소유자들이 일정 기간 동안 도축장을 사용하지 못하게 되는 효과가 발생할 뿐이다. 이와 같은 재산권에 대한 제약의 목적과 형태에 비추어 볼 때, 도축장 사용정지·제한명령은 공익목적을 위하여 이미 형성된 구체적 재산권을 박탈하거나 제한하는 헌법 제23조 제3항의 수용·사용 또는 제한에 해당하는 것이 아니라, 도축장 소유자들이 수인하여야 할 사회적 제약으로서 헌법 제23조 제1항의 재산권의 내용과 한계에 해당한다. 따라서 이에 대한 보상금은 도축장 사용정지·제한명령으로 인한 도축장소유자들의 경제적인 부담을 완화하고 그러한 명령의 준수를 유도하기 위하여 지급하는 시혜적인 급부에 해당한다. (헌재 2015.10.21. 2012헌바367)

ㄹ. (O) 헌재 2018.4.26. 2017헌바88

정답 ④

018 19 법원직

손실보상에 관한 다음 설명 중 가장 옳지 않은 것은?

① 손실보상은 적법한 공용제한의 경우를 전제한 것이며, 위법한 공용제한의 경우는 원칙상 손해배상법의 법리가 적용된다.
② 개발제한구역으로 지정되어 종래의 지목과 토지현황에 의한 이용방법에 따른 토지의 사용을 할 수 없거나 실질적으로 사용·수익을 전혀 할 수 없는 경우에는 헌법상 반드시 금전보상이 요청된다.
③ 「헌법재판소법」 제68조 제1항 단서에서 말하는 다른 법률에 의한 구제절차는 손실보상청구를 의미하지 않는다.
④ 환매권은 헌법상의 재산권 보장규정으로부터 도출되는 것으로서, 피수용자가 수용 당시 이미 정당한 손실보상을 받았다는 사실로 말미암아 부인되지 않는다.

해설

① (O)
② (X) 금전보상만을 의미하는 것은 아니고 다양한 형태의 보상이 입법으로 가능하다.
③ (O) 보충성원칙에서 말하는 다른 구제절차는 해당 공권력을 직접 대상으로 하는 구제절차를 의미하므로 손해배상, 손실보상, 청원 등은 거치지 않아도 된다.
④ (O)

정답 ②

기출지문 OX

개발제한구역 지정으로 인하여 토지를 종래의 목적으로도 사용할 수 없거나 더 이상 법적으로 허용된 토지이용의 방법이 없기 때문에, 실질적으로 토지의 사용·수익의 길이 없는 경우 토지소유자에게 헌법 제23조 제3항에 의한 정당한 보상이 지급되어야 한다. 11 국회8급 (O / X)

해설 헌법 제23조 제3항에 의한 보상이 아니라 법률에 의한 보상이다. 즉, 공공필요에 의한 재산권의 수용·사용 또는 제한 및 그에 대한 보상은 법률로써 하되, 정당한 보상을 지급하여야 한다. **정답** X

019

상속권에 관한 헌법재판소 결정의 내용으로 가장 옳은 것은?

① 상속인이 귀책사유 없이 상속채무가 적극재산을 초과하는 사실을 알지 못하여 상속개시 있음을 안 날로부터 3월 내에 한정승인 또는 포기를 하지 못한 경우에도 단순승인을 한 것으로 보는 「민법」 제1026조 제2호는 재산권을 보장한 헌법 제23조 제1항 등에 위반된다.
② 상속회복청구권의 행사기간을 상속권의 침해행위가 있은 날부터 10년 또는 상속 침해를 안 날로부터 3년이라는 단기의 행사기간으로 규정한 것은 진정상속인의 권리를 심히 제한하여 오히려 참칭상속인을 보호하는 규정으로 기능하므로 헌법상 보장된 상속인의 재산권을 침해한다.
③ 상속회복청구권에 대하여 단기의 제척기간을 규정하고 있는 「민법」 제999조 제2항을 적용함에 있어 공동상속인을 참칭상속인의 범위에 포함시키는 것은 진정상속인의 재산권을 침해한다.
④ 상속재산에 관한 포괄·당연승계주의는 헌법상 보장된 재산권을 과도하게 제한하는 규정으로 헌법에 위반된다.

해설

① (〇)

> **상속승인간주는 헌법에 합치되지 않는다.** (헌재 1998.8.27. 96헌가22 등 【헌법불합치(적용중지)】)
> 상속인이 귀책사유 없이 상속채무가 적극재산을 초과하는 사실을 알지 못하여 상속개시 있음을 안 날로부터 3월 내에 한정승인 또는 포기를 하지 못한 경우에도 단순승인을 한 것으로 보는 민법 제1026조 제2호는 기본권 제한의 입법한계를 일탈한 것으로 재산권을 보장한 헌법 제23조 제1항, 사적자치권을 보장한 헌법 제10조에 위반된다.

② (✕)

> **상속회복청구권의 제척기간**
> • 상속회복청구권의 행사기간을 상속개시일로부터 10년으로 제한한 것이 재산권, 행복추구권, 재판청구권 등을 침해하고 평등원칙에 위배된다. (헌재 2001.7.19. 99헌바9 등【위헌】)
> • 위 결정으로 개정된 상속회복청구권 행사기간을 상속침해를 안 날부터 3년, 상속권의 침해행위가 있은 날부터 10년으로 제한하고 있는 민법 제999조 제2항은 상속인의 재산권이나 평등권 등을 침해하는 것이 아니다. (헌재 2008.7.31. 2006헌바110)

③ (✕)

> 공동상속인을 참칭상속인에 해당되는 것으로 보고 그에 대한 상속회복청구를 단기의 제척기간의 적용을 받도록 하는 것은 참칭상속인인 공동상속인으로부터 상속재산을 전득한 제3자의 이익과 거래의 안전을 도모함으로써 상속회복청구에 관한 이해관계를 합리적으로 조정하기 위한 것으로서 이는 정당한 공공의 이익을 위한 것이다. 공동상속인이라고 하여도 자신의 상속분을 넘는 부분에 대하여 권리를 주장하고 있다면 그 부분에 관하여는 본질적으로 보통의 참칭상속인과 다를 것이 없고, 또한 전혀 무권리자인 참칭상속인이 상속회복청구권의 단기 제척기간에 의한 이익을 받는 점에 비추어 적어도 일부의 권리를 가지고 있는 공동상속인이 그러한 이익을 받는 것을 크게 불합리하다고 할 수는 없다. 따라서 민법 제999조 제1항에 규정한 참칭상속인의 범위에 공동상속인, 특히 고의적으로 단독상속인 것과 같은 외관을 조작한 공동상속인을 포함하더라도 그것이 현저히 불합리하여 기본권 제한의 입법적 한계를 벗어나 청구인과 같은 진정상속인들의 재산권 등을 침해한다고 볼 수 없다. (헌재 2009.9.24. 2007헌바118)

④ (✕) 상속에 있어 적극재산과 소극재산을 포괄적으로 상속하는 것은 헌법에 위반되지 아니한다.

정답 ①

020

A도 甲군수는 「지역균형개발 및 지방중소기업 육성에 관한 법률」에 따라 지역개발사업을 실시하기로 결정하였다. 甲군수는 같은 법률에 따라 골프장 및 리조트 건설사업의 시행자로 주식회사 乙을 지정·고시하였다. 乙은 위 사업시행에 필요한 토지의 취득을 위하여 A도 지방토지수용위원회에 수용재결을 신청하였고, 동 위원회는 수용재결을 하였다. 이에 관한 설명 중 옳은 것은? (다툼이 있는 경우 판례에 의함)

① 乙에 의한 공용수용은 헌법 제23조 제3항에 명시되어 있는 대로 국민의 재산권을 그 의사에 반하여 강제적으로라도 취득해야 할 공익적 필요성이 있을 것, 법률에 의거할 것, 정당한 보상을 지급할 것의 요건을 모두 갖추어야 한다.

② 헌법 제23조 제3항에서 규정된 '공공필요' 요건 중 '공익성'은 기본권 일반의 제한사유인 '공공복리'보다 넓은 개념이다.

③ 공용수용에서 공공성의 확보는 입법자가 입법을 할 때 공공성을 갖는가를 판단하면 족하고, 甲이 개별적·구체적으로 당해 사업에 대한 사업인정을 행할 때 별도로 판단할 필요가 없다.

④ 乙의 고급골프장, 고급리조트 건설을 위한 토지수용은 국토균형발전, 지역경제활성화 등의 공공이익이 인정되는 것으로서 법익의 형량에 있어서 사인의 재산권 보호의 이익보다 월등하게 우월한 공익으로 판단되므로 공공필요에 의한 수용에 해당한다.

⑤ 헌법 제23조 제3항이 규정하는 정당한 보상이란 원칙적으로 피수용재산의 객관적인 재산가치를 완전하게 보상하는 완전보상을 의미하는바, 공시지가를 기준으로 수용된 토지에 대한 보상액을 산정하는 것은 정당보상원칙에 위배된다.

해설

① (○) 수용의 요건이다.
② (×) 공공복리는 기본권 제한의 일반적 사유이고 공공필요는 재산권 제한에만 적용되므로 공공복리가 더 넓은 개념이다.
③ (×) ④ (×)

> 헌법 제23조 제3항에서 규정하고 있는 '공공필요'는 '국민의 재산권을 그 의사에 반하여 강제적으로라도 취득해야 할 공익적 필요성'으로서, '공공필요'의 개념은 '공익성'과 '필요성'이라는 요소로 구성되어 있는바, '공익성'의 정도를 판단함에 있어서는 공용수용을 허용하고 있는 개별법의 입법목적, 사업 내용, 사업이 입법목적에 이바지하는 정도는 물론, 특히 그 사업이 대중을 상대로 하는 영업인 경우에는 그 사업시설에 대한 대중의 이용·접근가능성도 아울러 고려하여야 한다. 그리고 '필요성'이 인정되기 위해서는 공용수용을 통하여 달성하려는 공익과 그로 인하여 재산권을 침해당하는 사인의 이익 사이의 형량에서 사인의 재산권 침해를 정당화할 정도의 공익의 우월성이 인정되어야 하며, 사업시행자가 사인인 경우에는 그 사업시행으로 획득할 수 있는 공익이 현저히 해태되지 않도록 보장하는 제도적 규율도 갖추어져 있어야 한다. 그런데 이 사건에서 문제된 지구개발사업의 하나인 '관광휴양지 조성사업' 중에는 고급골프장, 고급리조트 등(이하 '고급골프장 등'이라 한다)의 사업과 같이 입법목적에 대한 기여도가 낮을 뿐만 아니라, 대중의 이용·접근가능성이 작아 공익성이 낮은 사업도 있다. 또한 고급골프장 등 사업은 그 특성상 사업 운영과정에서 발생하는 지방세수 확보와 지역경제 활성화는 부수적인 공익일 뿐이고, 이 정도의 공익이 그 사업으로 인하여 강제수용 당하는 주민들의 기본권 침해를 정당화할 정도로 우월하다고 볼 수는 없다. 따라서 이 사건 법률조항은 공익적 필요성이 인정되기 어려운 민간개발자의 지구개발사업을 위해서까지 공공수용이 허용될 수 있는 가능성을 열어두고 있어 헌법 제23조 제3항에 위반된다. (헌재 2014.10.30. 2011헌바172 등 【헌법불합치】)

⑤ (×) 공시지가보상도 완전보상의 일종으로 보는 것이 판례의 입장이다.

정답 ①

021 회독 ☐☐☐ 재구성　　　　　　　　　　　　　　　　19 입시, 18 지방7급, 09 국가7급

재산권에 대한 설명으로 옳지 않은 것을 모두 고른 것은? (다툼이 있는 경우 판례에 의함)

> ㄱ. 재산권은 「민법」상의 소유권·물권·채권은 물론 특별법상의 권리인 광업권·어업권·수렵권 그리고 공법상의 권리인 환매권·퇴직연금수급권·퇴직급여청구권 등도 포함한다.
> ㄴ. 재산권 보장은 주관적 공권의 보장인 동시에 그 재산권이 존재하는 특정한 공동체의 사유재산제도의 보장인 점에서, 사유재산권이나 사유재산제도를 부인하면 재산권 침해가 된다.
> ㄷ. 국가에 대한 구상권은 헌법 제23조 제1항에 의하여 보장되는 재산권이라 할 수 없다.
> ㄹ. 교도소에 수용된 때에는 국민건강보험급여를 정지하도록 하는 것은 재산권을 침해하는 것이다.
> ㅁ. 개발제한구역으로 인한 지가의 하락은 토지소유자가 감수해야 하는 사회적 제약의 범주에 속하는 것이다.

① ㄱ, ㄴ
② ㄴ, ㄷ
③ ㄷ, ㄹ
④ ㄹ, ㅁ

해설

ㄱ. (O) 환매권의 성질은 사법상 권리인데, 선지는 환매권이 공법에 규정된 권리라는 의미이다. [09 국가7급]
ㄴ. (O) [09 국가7급]
ㄷ. (X) 구상권도 일종의 재산권에 해당한다. [18 지방7급]
ㄹ. (X) 교도소에 수용된 때에는 건강보험료의 납입도 정지되고 국민건강보험급여도 정지되므로 헌법에 위반되지 않는다.
ㅁ. (O) [19 입시]

정답 ③

022

조세 또는 재산권 제한에 대한 설명으로 옳지 않은 것은? (다툼이 있는 경우 헌법재판소 결정에 의함)

① 조세의 부과와 징수는 국민의 재산권에 대한 중대한 제한을 초래하므로, 헌법은 조세에 관한 사항을 국민의 대표기관인 국회가 제정한 법률에 의하도록 하는 조세법률주의를 취하고 있다.
② 조세법률주의는 과세할 물건, 과세표준, 세율 등 과세요건과 조세의 부과 및 징수의 절차 등을 모두 법률로 정하여야 한다는 과세요건법정주의를 포함한다.
③ 조세에 관하여 입법의 공백이 있는 경우 이로 인하여 당사자가 공평에 반하는 이익을 얻을 가능성이 있고, 실효되긴 하였으나 그동안 시행되어 온 법률조항이 있는 경우, 이를 근거로 과세를 하는 것은 법치주의에서 중대한 흠이 되는 입법의 공백을 방지하기 위한 적절한 해석으로서 조세법률주의에 반하지 않는다.
④ 조세법률주의에서도 조세 부과와 관련되는 모든 법규를 예외 없이 형식적인 법률에 의할 것을 요구하는 것은 아니며 경제현실의 변화나 전문기술의 발달에 즉시 대응하여야 할 필요 등 부득이한 사정이 있는 경우 행정입법에 위임하는 것도 가능하다.
⑤ 「토지초과이득세법」상의 토지초과이득세는 양도소득세와 같은 수득세의 일종으로서 그 과세대상 또한 양도소득세 과세대상의 일부와 완전히 중복되고 양세의 목적 또한 유사하여 어느 의미에서는 토초세가 양도소득세의 예납적 성격을 가지고 있는데도 「토지초과이득세법」이 토초세액 전액을 양도소득세에서 공제하지 않도록 규정한 것은 조세법률주의상의 실질과세의 원칙에 반한다.

해설

① (O) ② (O) 조세법률주의의 개념이다.
③ (X) 조세법률주의 위반이다.
④ (O) 조세의 경우 하위법규, 특히 조례에도 위임이 가능하다.
⑤ (O) 법률 전체가 위헌결정되었다.

정답 ③

기출지문 OX

❶ 헌법 제23조 제3항에 규정된 '정당한 보상'의 원칙은 모든 경우에 예외 없이 개별적 시가에 의한 보상을 요구하는 것을 의미한다. 10 국회8급 (O / X)

해설 모든 경우에 예외 없이 개별적 시가에 의한 보상을 요구하는 것이라고 할 수 없다(공시지가에 의한 보상도 가능하다는 입장).

정답 X

❷ 공용수용으로 생업의 근거를 상실한 자에 대하여 상업용지 또는 상가분양권 등을 공급하는 생활대책은 헌법 제23조 제3항에 규정된 정당한 보상에 포함되므로 생활대책 수립 여부는 입법자의 입법정책적 재량의 영역에 속하지 아니한다. 17 법원직 (O / X)

해설 구 공익사업을 위한 토지 등의 취득 및 보상에 관한 법률 제78조 제6항이 공익사업의 시행으로 인하여 농업 등을 계속할 수 없게 된 농민 등에 대한 생활대책 수립의무를 규정하지 아니한 것은 청구인의 재산권을 침해하지 않는다. (헌재 2013.7.25. 2012헌바71)

'생업의 근거를 상실하게 된 자에 대하여 일정 규모의 상업용지 또는 상가분양권 등을 공급하는' 생활대책은 헌법 제23조 제3항에 규정된 정당한 보상에 포함되는 것이라기보다는 생활보상의 일환으로서 국가의 정책적인 배려에 의하여 마련된 제도이므로, 그 실시 여부는 입법자의 입법정책적 재량의 영역에 속한다. 이 사건 법률조항이 공익사업의 시행으로 인하여 농업 등을 계속할 수 없게 되어 이주하는 농민 등에 대한 생활대책 수립의무를 규정하고 있지 않다는 것만으로 재산권을 침해한다고 볼 수 없다.

정답 X

023 회독 □□□ 재구성   16 지방7급, 15 법원직

재산권에 대한 설명으로 옳지 않은 것은? (다툼이 있는 경우 판례에 의함)

① 재산권의 내용을 새로이 형성하는 법률이 합헌적이기 위해서는 장래에 적용될 법률이 헌법에 합치하여야 하고, 나아가 과거의 법적 상태에 의하여 부여된 구체적 권리에 대한 침해를 정당화하는 이유가 존재하여야 한다.
② 장기미집행 도시계획시설결정의 실효제도는 도시계획시설부지로 하여금 도시계획시설결정으로 인한 사회적 제약으로부터 벗어나게 하는 것으로서 결과적으로 개인의 재산권이 보다 보호되는 측면이 있는 것은 사실이며, 이와 같은 보호는 헌법상 재산권으로부터 당연히 도출되는 권리이다.
③ 국가의 일방적인 급부인 사회부조는 헌법상 보호되는 재산권이 아니다.
④ 상공회의소의 의결권 또는 회원권은 그 회원들의 헌법상 보장되는 재산권이 아니다.

해설

① (O) 헌재 1999.4.29. 94헌바37 등 [16 지방7급]

② (X) [16 지방7급]

> 장기미집행 도시계획시설결정의 실효제도는 도시계획시설부지로 하여금 도시계획시설결정으로 인한 사회적 제약으로부터 벗어나게 하는 것으로서 결과적으로 개인의 재산권이 보다 보호되는 측면이 있는 것은 사실이나, 이와 같은 보호는 입법자가 새로운 제도를 마련함에 따라 얻게 되는 법률에 기한 권리일 뿐 헌법상 재산권으로부터 당연히 도출되는 권리는 아니다. (헌재 2005.9.29. 2002헌바84 등)

③ (O) [15 법원직]

> 공법상의 권리가 재산권으로 인정되기 위해서는 상당한 자기기여가 있어야 한다. 따라서 사회부조와 같이 국가의 일방적인 급부에 대한 권리는 재산권의 보호대상에서 제외된다. (헌재 2000.6.29. 99헌마289)

④ (O) [15 법원직]

> 상공회의소의 의결권 또는 회원권은 상공회의소라는 법인의 의사형성에 관한 권리일 뿐 이를 따로 떼어 헌법상 보장되는 재산권이라고 보기 어렵고, 상공회의소의 재산은 법인인 상공회의소의 고유재산이지 회원들이 지분에 따라 반환받을 수 있는 재산이라고 보기 어려워서, 상공업자들의 재산권 제한과도 무관하다. (헌재 2006.5.25. 2004헌가1)

정답 ②

024 회독 ☐☐☐ 재구성　　　　　　　　　　　　　　　　　　　　　16·15 변호사, 15 국가7급

재산권에 대한 설명으로 옳지 않은 것은? (다툼이 있는 경우 판례에 의함)

① 종전의 관행어업권자들에게 구 「수산업법」 시행일부터 2년 이내에 어업권원부에 등록을 하도록 하고 그 기간 내에 등록하지 아니한 경우 관행어업권을 소멸하게 하는 것은 지나친 재산권의 제한에 해당하지 아니한다.

② 개발제한구역 지정 당시의 상태대로 토지를 사용·수익·처분할 수 있는 이상, 구역 지정에 따른 단순한 토지이용의 제한은 원칙적으로 재산권에 내재하는 사회적 제약의 범주를 넘지 않는다.

③ 헌법재판소는 도로의 지표 지하 50미터 이내의 장소에서는 관할 관청의 허가나 소유자 또는 이해관계인의 승낙이 없으면 광물을 채굴할 수 없도록 규정한 구 「광업법」 조항에 대하여, 다른 권리와의 충돌가능성이 내재되어 있는 광업권의 특성을 감안하더라도 위와 같은 제한은 광업권자가 수인하여야 하는 사회적 제약의 범주를 벗어나 광업권자의 재산권을 침해한다고 판시하였다.

④ 헌법재판소는 개인파산절차에서 면책을 받은 채무자가 악의로 채권자목록에 기재하지 않은 청구권에 대해서만 면책의 예외를 인정하고, 파산채권자에게 채무자의 악의를 입증하도록 규정한 「채무자 회생 및 파산에 관한 법률」 조항은 파산채권자의 재산권을 침해하지 않는다고 판시하였다.

해설

① (O) [15 국가7급]

② (O) [16 변호사]

> **개발제한구역 사건** (헌재 1998.12.24. 89헌마214【헌법불합치】)
> 개발제한구역의 지정으로 인한 개발가능성의 소멸과 그에 따른 지가의 하락이나 지가상승률의 상대적 감소는 토지소유자가 감수해야 하는 사회적 제약의 범주에 속하는 것으로 보아야 한다. 자신의 토지를 장래에 건축이나 개발목적으로 사용할 수 있으리라는 기대가능성이나 신뢰 및 이에 따른 지가상승의 기회는 원칙적으로 재산권의 보호범위에 속하지 않는다. 구역 지정 당시의 상태대로 토지를 사용·수익·처분할 수 있는 이상, 구역 지정에 따른 단순한 토지이용의 제한은 원칙적으로 재산권에 내재하는 사회적 제약의 범주를 넘지 않는다.

③ (X) [15 변호사]

> 광업권주의를 취하는 법제상의 특성과 채굴작업의 성격상 광업권에 대해서는 공익과의 조화를 위해 그 한계를 정함에 있어 폭넓은 입법재량이 인정되는바, 이 사건 심판대상조항은 도로 등 영조물 주변 50미터 범위 내에서는 관할 관청의 허가 또는 소유자 등의 승낙이 없으면 광물을 채굴할 수 없도록 정하면서 보상의무를 따로 규정하지 않고 있는데, 이는 비례의 원칙에 위배하지 않고 광업권자가 수인하여야 하는 사회적 제약의 범주 내에서 광업권을 제한하는 것이므로, 광업권자의 재산권을 침해하지 않는다. (헌재 2014.2.27. 2010헌바483)

④ (O) 헌재 2014.6.26. 2012헌가22 [15 변호사]

정답 ③

025

재산권에 대한 설명으로 옳은 것은? (다툼이 있는 경우 판례에 의함)

① 재산권은 사적 유용성 및 그에 대한 원칙적 처분권을 내포하는 재산가치 있는 구체적 권리이므로 구체적인 권리가 아닌 단순한 이익이나 재화의 획득에 관한 기회(단순한 기대이익·반사적 이익 또는 경제적인 기회) 등은 원칙적으로 재산권 보장의 대상이 아니지만, 교원의 정년 단축으로 인해 계속 재직하면서 재화를 획득할 수 있는 기회를 박탈당함으로써 발생하는 기존 교원의 경제적 불이익은 헌법 제31조 제6항이 규정하고 있는 교원지위법정주의로 인해 예외적으로 재산권 보장의 대상이 된다.

② 학교환경위생정화구역 내에서 여관시설 및 여관영업을 금지하는 경우, 학교환경위생정화구역 안에서 소유건물을 여관용도로 사용할 수 없게 함으로써 건물 소유권자의 건물에 대한 사용·수익권을 제한하는 것은 국가가 구체적인 공적 과제를 수행하기 위하여 이미 형성된 구체적인 재산적 권리를 전면적 또는 부분적으로 박탈하거나 제한하는 것으로서 보상을 요하는 헌법 제23조 제3항 소정의 수용·사용 또는 제한에 해당한다.

③ 국토해양부장관(현 국토교통부장관), 시·도지사가 도시관리계획으로 '역사문화미관지구'를 지정하고 그 경우 해당 지구 내 토지소유자들에게 지정목적에 맞는 건축 제한 등 재산권 제한을 부과하면서도 아무런 보상조치를 규정하지 않는 것은 비례의 원칙에 반하여 재산권을 침해한다.

④ 과세대상인 자본이득의 범위에 미실현이득을 포함시킬 것인가의 여부는 입법정책의 문제이며, 포함되더라도 헌법상의 조세개념에 저촉되거나 그와 양립할 수 없는 모순이 있는 것으로는 볼 수 없다.

⑤ 성매매에 제공되는 사실을 알면서 건물을 제공하는 행위를 한 자를 처벌하는 것은 집창촌에서 건물을 소유하거나 그 관리권한을 가지고 있는 자의 재산권을 침해한다.

해설

① (✗) [10 국회8급]

> 교원의 정년 단축으로 기존 교원이 입는 경제적 불이익은 계속 재직하면서 재화를 획득할 수 있는 기회를 박탈당한다는 것인데, 이러한 경제적 기회는 재산권 보장의 대상이 아니다. (헌재 2000.12.14. 99헌마112)

② (✗) [10 국회8급]

> 이 사건 금지조항은 초등학교 교육의 능률화를 기하기 위하여 정화구역 안에 여관시설과 영업을 금지함으로써 재산권의 사회적 제약을 구체화하는 입법이라고 할 수 있으므로, 이는 공익목적을 위하여 개별적·구체적으로 이미 형성된 구체적 재산권을 박탈하거나 제한하는 것으로서 보상을 요하는 헌법 제23조 제3항 소정의 수용·사용 또는 제한과는 구별된다. (헌재 2004.10.28. 2002헌바41[합헌])

③ (✗) [13 국회8급]

> '역사문화미관지구' 내에 나대지나 건물을 소유한 자들이 아무런 층수 제한이 없는 건축물을 건축, 재축, 개축하는 것을 보장받는 것까지 재산권의 내용으로 요구할 수는 없는데다가, 이 사건 법률조항들에 의하더라도 일정한 층수 범위 내에서의 건축은 허용되고, 기존 건축물의 이용이나 토지 사용에 아무런 제약을 가하고 있지 않다. 따라서 국토해양부장관(현 국토교통부장관), 시·도지사가 도시관리계획으로 '역사문화미관지구'를 지정하고 그 경우 해당 지구 내 토지소유자들에게 지정목적에 맞는 건축 제한 등 재산권 제한을 부과하면서도 아무런 보상조치를 규정하지 않은 이 사건 법률조항들로 인하여 부과되는 재산권의 제한 정도는 사회적 제약범위를 넘지 않고 공익과 사익 간에 적절한 균형이 이루어져 있으므로, 비례의 원칙에 반하지 아니한다. (헌재 2012.7.26. 2009헌바328)

④ (O) [13 국회8급]

> 과세대상인 자본이득의 범위를 실현된 소득에 국한할 것인가 혹은 미실현이득을 포함시킬 것인가의 여부는, 과세목적·과세소득의 특성·과세기술상의 문제 등을 고려하여 판단할 입법정책의 문제일 뿐, 헌법상의 조세개념에 저촉되거나 그와 양립할 수 없는 모순이 있는 것으로는 볼 수 없다. (헌재 1994.7.29. 92헌바49)

⑤ (X) [16 서울7급]

> 성매매에 제공되는 사실을 알면서 건물을 제공하는 행위를 한 자를 처벌하는 것은 과잉금지원칙에 위반하여 재산권을 침해한다고 할 수 없다. (헌재 2012.12.27. 2011헌바235)

정답 ④

경계이론과 분리이론

구분	경계이론(독일 행정법원)	분리이론(독일 연방헌법재판소)
이론적 배경	가치보장 우선	존속보장 우선
기준	침해의 강도	법률의 내용과 형식
구별	침해가 약하면 사회적 제약 → 강도가 일정 한도를 넘어서면 자동으로 침해로 전환	법률의 내용과 형식이 일반적·추상적이면(민법) 사회적 제약, 개별적·구체적이면(토지수용법) 공공침해 다만, 수인한도를 넘는 제약은 예외적으로 보상을 요하는 사회적 제약이 된다.
사례	• 개발제한구역지역에서의 전·답·임야(종래의 용도로 사용할 수 있는 경우): 두 이론 다 사회적 제약으로 본다. • 대지(종래의 용도로 사용할 수 없는 경우): 경계이론에 의하면 침해의 강도가 수인한도를 넘어서 자동으로 보상을 요하는 공공침해가 되고, 분리이론에 의하면 예외적으로 보상을 요하는 사회적 제약이다.	
양자의 차이	사회적 제약과 공공침해는 질적 차이가 아닌 양적 차이	사회적 제약과 공공침해는 질적 차이
보상규정이 없는 경우	유추적용설로 해결 → 법원 판결로 보상 가능	헌법재판소의 위헌결정에 따라 법을 제정 또는 개정하여 입법보상
결부조항	결부조항을 중요시하지 않는다.	결부조항을 중요시한다.

헌법 제23조 제3항을 결부조항으로 보게 되면 보상이 없는 법률은 부진정입법부작위가 되고, 결부조항이 아닌 것으로 보면 보상이 없는 부분이 진정입법부작위가 된다. 따라서 결부조항이 아닌 것으로 볼 때 입법부작위 자체에 대한 헌법소원이 가능하게 된다. 결부조항으로 보면 입법부작위에 대한 헌법소원은 할 수 없다.

결부조항으로 볼 경우
재산권 제한과 보상은 하나의 법률이 된다.

재산권 제한 + 보상규정 ⇒ 부진정입법부작위

결부조항이 아닌 것으로 볼 경우
재산권 제한과 보상은 별개의 법률이 된다.

재산권 제한
보상규정 ⇒ 진정입법부작위

026 14 변호사

(가)와 (나)의 이론은 헌법 제23조의 재산권 보장과 관련하여 사회적 제약과 공용침해를 구별하는 기준에 관한 것이다. 각 학설에 관한 설명 중 옳은 것을 모두 고른 것은? (다툼이 있는 경우 판례에 의함)

> (가) 재산권의 사회적 제약은 공용침해보다 재산권에 대한 침해가 적은 경우이므로 보상 없이 감수하여야 한다.
> (나) 재산권의 사회적 제약이란 재산권에 관한 권리와 의무를 일반적·추상적으로 형성하는 것이며, 공용침해는 이미 형성된 구체적인 재산적 권리를 박탈하거나 제한하는 것이다.

ㄱ. (나)의 이론은 보상의무의 유무를 결정하는 경계선을 찾는 이론으로, 이는 형식적 기준설과 실질적 기준설로 나뉜다.
ㄴ. (가)의 이론에서는 사회적 제약과 공용침해의 위헌성을 심사하는 기준을 각기 달리한다.
ㄷ. 헌법재판소는 구 「도시계획법」 제21조에 대한 위헌소원사건(89헌마214 등)에서 개발제한구역 지정으로 인한 지가의 하락은 토지소유자가 감수해야 하는 사회적 제약의 범주 내라고 판시하였다.
ㄹ. 헌법 제23조 제3항과 관련하여, 재산권의 공용침해규정과 보상에 관한 규정을 동일한 법률에 규정하여야 한다는 요청은 (나)의 이론보다는 (가)의 이론을 취할 때 논리적으로 호응된다.
ㅁ. 헌법재판소는 「택지소유상한에 관한 법률」 제2조 제1호 나목 등 위헌소원사건(94헌바37 등)에서 (나)의 이론에 입각하여 일정 규모 이상의 택지에 대해 기간의 제한 없이 계속적으로 고율의 부담금을 부과하더라도 택지소유자의 택지에 관한 권리를 과도하게 침해하는 것이 아니므로 사회적 제약의 범주 내라고 판시하였다.
ㅂ. (나)의 이론은 '구체적 재산권의 존속보장'보다는 '가치의 손실에 대한 보상'에 더 중점을 둔다.

① ㄱ
② ㄴ, ㄹ
③ ㄷ
④ ㄹ, ㅁ
⑤ ㅂ

해설

(가)는 경계이론이고, (나)는 분리이론이다.
ㄱ. (X) 경계이론은 보상의무의 유무를 결정하는 경계선을 찾는 이론으로, 이는 형식적 기준설과 실질적 기준설로 나뉜다.
ㄴ. (X) 분리이론에서는 사회적 제약과 공용침해의 위헌성을 심사하는 기준을 각기 달리한다.
ㄷ. (O)
ㄹ. (X) 결부조항을 말하는 것으로 결부조항은 분리이론과 조화된다. 경계이론은 보상규정이 없을 때 유추적용설로 해결하기 때문이다.
ㅁ. (X) 택지소유상한에 관한 법률은 법률 전체가 위헌결정되었다.
ㅂ. (X) 경계이론은 가치보장, 분리이론은 존속보장과 연결된다.

정답 ③

027 13 법원직

재산권에 대한 헌법재판소의 판례와 일치하지 않는 것은?

① 유류분반환청구는 피상속인이 생전에 한 유효한 증여도 그 효력을 잃게 하는 것이므로 「민법」 제1117조의 '반환하여야 할 증여를 한 사실을 안 때로부터 1년'의 단기소멸시효는 유류분권리자의 재산권을 침해하지 않는다.
② 구 「문화재보호법」이 건설공사과정에서 매장문화재의 발굴로 인하여 문화재 훼손위험을 야기한 사업시행자에게 원칙적으로 발굴경비를 부담시키는 것은 사업시행자의 재산권을 침해한다.
③ 예비후보자에게 일정액의 기탁금을 납부하게 하고 후보자등록을 하지 않으면 기탁금을 반환받지 못하도록 하는 법률조항은 청구인의 재산권을 침해하지 아니한다.
④ 5만 원을 초과하는 기타소득금액의 과세 후 소득이 5만 원 미만이 되는 경우가 발생한다고 하더라도 이는 과세최저한 제도에 당연히 수반하는 결과이므로, 재산권을 침해한다고 볼 수 없다.

해설

① (○) 헌재 2010.12.28. 2009헌바20

② (×)
> 건설공사과정에서 매장문화재의 발굴로 인하여 문화재 훼손위험을 야기한 사업시행자에게 원칙적으로 발굴경비를 부담시키는 것은 사업시행자의 재산권을 침해하지 않는다. (헌재 2011.7.28. 2009헌바244)

③ (○)
> 예비후보자에게 일정액의 기탁금을 납부하게 하고 후보자등록을 하지 않으면 예비후보자가 납부한 기탁금을 반환받지 못하도록 하는 것은 예비후보자의 난립 예방이라는 입법목적을 달성하기 위한 적절한 수단이라 할 것이며 예비후보자가 납부하는 기탁금의 액수와 국고귀속요건도 입법재량의 범위를 넘은 과도한 것이라고 볼 수 없으므로, 공직선거법 제57조 제1항 제1호 다목 및 제60조의2 제2항은 청구인의 공무담임권, 재산권을 침해하지 아니한다. (헌재 2010.12.28. 2010헌마79)

④ (○) 헌재 2011.6.30. 2009헌바199

정답 ②

예상판례

[1] 피상속인의 형제자매의 유류분을 규정한 민법 제1112조 제4호를 단순위헌으로 결정하고
[2] 유류분상실사유를 별도로 규정하지 아니한 민법 제1112조 제1호부터 제3호 및 기여분에 관한 민법 제1008조의2를 준용하는 규정을 두지 아니한 민법 제1118조는 모두 헌법에 합치되지 아니하고 2025.12.31.을 시한으로 입법자가 개정할 때까지 계속 적용된다는 결정을 선고하였다. (헌재 2024.4.25. 2020헌가4【위헌 및 헌법불합치】)

028

헌법재판소의 결정에 의할 때 헌법상 재산권으로 보장받을 수 있는 것만을 모두 고르면?

> ㄱ. 「국민건강보험법」상 의료보험조합의 적립금
> ㄴ. 특허권
> ㄷ. 「사립학교교직원 연금법」상의 퇴직연금수급권

① ㄱ, ㄴ
② ㄱ, ㄷ
③ ㄴ, ㄷ
④ ㄱ, ㄴ, ㄷ

해설

ㄱ. (✗)

사회보험법상의 지위는 청구권자에게 구체적인 급여에 대한 법적 권리가 인정되어 있는 경우에 한하여 재산권의 보호대상이 된다. 그러나 의료보험조합의 적립금의 경우, 법률이 조합의 해산이나 합병시 적립금을 청구할 수 있는 조합원의 권리를 규정하고 있지 않을 뿐만 아니라, 공법상의 권리인 사회보험법상의 권리가 재산권 보장의 보호를 받기 위해서는 법적 지위가 사적 이익을 위하여 유용한 것으로서 권리주체에게 귀속될 수 있는 성질의 것이어야 하는데, 적립금에는 사법상의 재산권과 비교될 만한 최소한의 재산권적 특성이 결여되어 있다. 따라서 의료보험조합의 적립금은 헌법 제23조에 의하여 보장되는 재산권의 보호대상이라고 볼 수 없다. (헌재 2000.6.29. 99헌마289)

의료보험수급권은 의료보험법상 재산권의 보장을 받는 공법상 권리이다.

ㄴ. (O)

숙취해소용 천연차 및 그 제조방법에 관하여 특허권을 획득하였음에도 불구하고 특허권자인 청구인들조차 그 특허발명제품에 '숙취해소용 천연차'라는 표시를 하지 못하고 '천연차'라는 표시만 할 수밖에 없게 됨으로써 청구인들의 헌법상 보호받는 재산권인 특허권이 침해되었다. (헌재 2000.3.30. 99헌마143)

상업광고로서 표현의 자유와 영업의 자유도 침해된 것으로 판시하였다.

ㄷ. (O)

'사립학교교직원 연금법'상 각종 급여도 기본적으로 모두 사회보험에 입각한 사회보장적 급여로서의 성격을 가짐과 동시에 공로보상 내지 후불임금으로서의 성격도 함께 가지고, 특히 퇴직연금수급권은 경제적 가치 있는 권리로서 헌법 제23조에 의하여 보장되는 재산권으로서의 성격을 가진다. (헌재 2003.9.25. 2001헌마93 등)

정답 ③

029　회독 ☐☐☐　09 국회8급

재산권에 관한 설명으로 옳지 않은 것은? (다툼이 있는 경우 판례에 의함)

① 지방자치단체에 대한 금전채권 중 사법상 원인에 기한 채권에 대하여 「민법」이 정한 기간보다 그 시효를 단축하고 있는 「지방재정법」은 재산권을 합리적 이유 없이 지나치게 제한하는 것이다.
② 재산권은 모든 국민, 법인에게 인정되며, 외국인도 제한적인 범위 내에서 재산권의 주체가 된다.
③ 문예진흥기금 모금의 모금액·모금대행기관의 지정·모금수수료·모금방법 및 관련 자료 기타 필요한 사항을 대통령령에 위임하고 있는 구 「문화예술진흥법」은 포괄위임입법금지의 원칙에 위배된다.
④ 무면허 공유수면매립에 대해 원상회복의무를 면제하면서 매립지역 내의 시설을 국유화하는 경우 보상을 하지 않았다고 하여 재산권 침해로 볼 수 없다.
⑤ 입법자에 의한 재산권의 내용과 한계의 설정은 기존에 성립된 재산권을 제한할 수도 있고, 기존에 없던 것을 새롭게 형성하는 것일 수도 있다.

해설

① (×)

> 지방자치단체에 대한 금전채권 중 사법상 원인에 기한 채권에 대하여 5년의 소멸시효를 정한 것이 합리적인 이유가 있고, 5년의 단기 시효기간이 채권자의 재산권을 본질적으로 침해할 정도로 지나치게 짧고 불합리하다고 할 수 없으므로, 이 사건 법률조항이 채권자들의 재산권을 합리적 이유 없이 지나치게 제한하고 있어 헌법 제37조 제2항의 기본권 제한의 한계를 벗어난 것으로 볼 수는 없다. (헌재 2004.4.29. 2002헌바58)

② (○) 재산권의 주체는 국민, 법인, 외국인이며 외국인은 국제조약과 국제법이 정하는 바에 따라서 인정하나, 내국인에 비하여 제한된 범위 내에서 인정된다.
③ (○) 이 사안은 재정조달목적의 특별부담금의 헌법적 한계를 지키지 않았다는 이유로도 위헌결정되었다. 그 후 유사한 사안인 영화상영관 입장권 부과금 사건에서는 합헌결정되었다. (헌재 2003.12.18. 2002헌가2)
④ (○) 헌재 2005.4.28. 2003헌바73
⑤ (○) 기본권 형성적 법률유보를 말한다. (헌재 2005.7.21. 2004헌바57)

정답 ①

030

재산권 및 경제질서에 관한 설명 중 옳지 않은 것은? (다툼이 있는 경우 판례에 의함)

① 신문판매업자가 독자에게 1년 동안 제공하는 무가지와 경품류를 합한 가액이 같은 기간에 당해 독자로부터 받는 유료신문대금의 20%를 초과하는 경우 동 무가지와 경품류의 제공행위를 불공정거래행위로서 금지하는 것은 헌법 제119조 제1항에 정한 자유경제질서에 반한다.

② 일반불법행위에 대한 과실책임주의 예외로서 경과실로 인한 실화의 경우 실화피해자의 손해배상청구권을 전면 부정하는 것은 그의 재산권을 침해하는 것이다.

③ 재직 중의 사유로 금고 이상의 형을 받은 공무원 또는 공무원이었던 자에 대하여 일률적으로 퇴직급여 및 퇴직수당의 일부를 감액하여 지급하도록 하는 것은 그의 재산권을 침해하는 것이다.

④ 신문기업의 소유와 경영에 관한 자료를 신고·공개토록 하는 것은 일반신문의 기업활동의 자유를 침해하지 아니한다.

해설

① (×)

> **신문판매업에 있어서 무가지와 경품 제한은 헌법에 위반되지 아니한다.** (헌재 2002.7.18. 2001헌마605【기각】)
> 신문판매업자가 독자에게 1년 동안 제공하는 무가지와 경품류를 합한 가액이 같은 기간에 당해 독자로부터 받는 유료신문대금의 20%를 초과하는 경우 동 무가지와 경품류의 제공행위가 독점규제 및 공정거래에 관한 법률 제23조 소정의 불공정거래행위에 해당하는 것으로 규정한 신문업에 있어서의 불공정거래행위 및 시장지배적 지위 남용행위의 유형 및 기준은 재산권을 제한함에 있어서 준수하여야 할 헌법 제37조 제2항에 근거한 과잉금지의 원칙에 위배되거나 헌법 제119조 제1항에 정한 자유경제질서에 위반되지 않는다.

② (○)

> 실화책임에 관한 법률은 입법목적을 달성하는 수단으로서, 경과실로 인한 화재의 경우에 실화자의 손해배상책임을 감면하여 조절하는 방법을 택하지 아니하고, 실화자의 배상책임을 전부 부정하고 실화피해자의 손해배상청구권도 부정하는 방법을 채택하였다. 그러나 화재피해의 특수성을 고려하여 과실 정도가 가벼운 실화자를 가혹한 배상책임으로부터 구제할 필요가 있다고 하더라도, 그러한 입법목적을 달성하기 위하여 실화책임에 관한 법률이 채택한 방법은 입법목적의 달성에 필요한 정도를 벗어나 지나치게 실화자의 보호에만 치중하고 실화피해자의 보호를 외면한 것이어서 합리적이라고 보기 어렵고, 실화피해자의 손해배상청구권을 입법목적상 필요한 최소한도를 벗어나 과도하게 많이 제한하는 것이다. (헌재 2007.8.30. 2004헌가25【헌법불합치】)

③ (○)

> 공무원 또는 공무원이었던 자가 재직 중의 사유로 금고 이상의 형을 받은 때에는 대통령령이 정하는 바에 의하여 퇴직급여 및 퇴직수당의 일부를 감액하여 지급하도록 한 공무원연금법 제64조 제1항 제1호는 재산권을 침해하고 평등의 원칙에 위배된다. (헌재 2007.3.29. 2005헌바33【헌법불합치】)

④ (○) 헌재 2006.6.29. 2005헌마165 등

정답 ①

📋 예상판례

우편법상의 손해배상을 청구할 수 있는 자를 발송인의 승인을 받은 수취인으로 규정한 우편법 제42조 중 '그 승인을 받은 수취인' 부분은 수취인의 재산권을 침해하지 않는다. (헌재 2015.4.30. 2013헌바383)

📋 판례정리

〈헌법재판소가 재산권으로 인정한 사례〉

❶ 실용신안권은 헌법상의 재산권에 해당한다. (헌재 2002.4.25. 2001헌마200)

❷ 정리회사의 주식은 헌법상의 재산권의 객체이다. (헌재 2003.12.18. 2001헌바91 등)

❸ 기존 한정면허제도를 폐지하면서 구 해운법에 의하여 한정면허를 받은 사업자를 개정된 해운법에 따른 일반면허를 받은 것으로 의제하는 경과조치를 규정한 해운법 부칙 제3조는 청구인의 재산권과 평등권을 침해하지 않는다. (헌재 2018.2.22. 2015헌마552)
해상여객운송사업의 면허권은 청구인과 같은 해상여객운송사업자가 특허에 의하여 이를 취득하여 보유하면서 그 영업이익의 획득을 위해 이를 이용할 수 있으므로 사적 유용성이 인정되고, 해상여객운송사업자는 그 사업을 자유롭게 양도할 수 있으며 그 양수인은 해양수산부령으로 정하는 바에 따라 해양수산부장관에게 신고하기만 하면 해당 면허에 따른 권리·의무를 승계하므로, 원칙적 처분권도 인정되는 재산적 가치 있는 구체적 권리이다.

〈헌법재판소가 재산권으로 인정하지 않은 사례〉

❶ **문화재에 대한 선의취득의 배제** (헌재 2009.7.30. 2007헌마870)
선의취득의 인정 여부는 무권리자로부터의 동산의 양수인이 그 소유권을 취득하기 위한 요건의 문제로서 이 사건 선의취득 배제조항에 의하여 일정한 동산문화재의 양수인은 그 문화재의 소유권을 취득할 기회를 제한받을 뿐이며, 이러한 기회는 사적 유용성 및 그에 대한 원칙적 처분권을 내포하는 재산가치 있는 구체적 권리로서 헌법 제23조 제1항에 의하여 보호되는 재산권에 해당하지 아니한다. 동산문화재의 양수인의 입장에서든, 무권리자인 양도인의 입장에서든 이 사건 선의취득 배제조항으로 인하여 문화재 매매업자인 청구인의 재산권이 침해된다고 볼 수는 없다.

❷ **시혜적 입법에 의해 얻을 수 있는 재산상 이익** (헌재 2002.12.18. 2001헌바55)
공무원의 명예퇴직수당에 대한 퇴직소득공제율은 100분의 75로 되어 있으면서 공무원 아닌 자의 명예퇴직수당에 대해서는 100분의 50의 퇴직소득공제율을 적용하는 것이 공무원 아닌 자의 … 재산권에 관계되는 시혜적 입법의 시혜대상에서 제외되었다는 이유만으로 재산권 침해가 생기는 것은 아니고, 시혜적 입법의 시혜대상이 될 경우 얻을 수 있는 재산상 이익의 기대가 성취되지 않았다고 하여도 그러한 단순한 재산상 이익의 기대는 헌법이 보호하는 재산권의 영역에 포함되지 않으므로, 이 사건에서 재산권 침해가 문제되지는 않는다.

❸ **농지개량조합의 재산은 헌법상의 재산권이 아니다.** (헌재 2000.11.30. 99헌마190)
농지개량조합의 재산은 기본적으로 국가·지방자치단체 또는 농지공이 설치한 기반시설을 포괄승계한 것으로서, 조합원 개개인이 그에 대한 지분을 갖거나 지분에 상응한 반환청구권을 행사할 수 없다.

❹ 유치원의 학교에 속하는 회계의 예산과목 구분을 정한 '사학기관 재무·회계 규칙' 제15조의2 제1항 단서 및 별표 5, 별표 6은 사립유치원 설립·경영자인 청구인들의 사립유치원 운영의 자유, 재산권, 평등권을 침해한다고 볼 수 없다. (헌재 2019.7.25. 2017헌마1038 등)
[1] 심판대상조항이 입법형성의 한계를 일탈하여 사립유치원 설립·경영자의 사립유치원 운영의 자유를 침해한다고 볼 수 없다.
[2] 심판대상조항은 사립유치원의 세입·세출예산 과목을 규정할 뿐 교사 등 시설물 자체에 대한 청구인들의 소유권이나 처분권에는 어떠한 영향도 미치지 않는다. 뿐만 아니라 유치원 설립·경영자가 자기 자신에게 교지·교사의 사용대가를 지급할 수 없는 것은 유아교육법상 요구되는 유치원설립기준의 충족을 위해 스스로 교지·교사를 제공한 것에 기인한 것으로서 심판대상조항에 의한 별도의 재산권 제한은 인정되지 않는다.
청구인들의 평등권을 침해한다고 할 수 없다.

〈재산권을 침해한다고 본 사례〉

도시계획시설 결정 후 10년 넘도록 아무런 보상을 하지 않는 것 (헌재 1999.10.21. 97헌바26 【헌법불합치】)

도시계획시설로 지정된 토지가 나대지인 경우, 토지소유자는 더 이상 그 토지를 종래 허용된 용도(건축)대로 사용할 수 없게 됨으로써 토지의 매도가 사실상 거의 불가능하고 경제적으로 의미 있는 이용가능성이 배제된다. 이러한 경우, 사업시행자에 의한 토지매수가 장기간 지체되어 토지소유자에게 토지를 계속 보유하도록 하는 것이 경제적인 관점에서 보아 더 이상 요구될 수 없다면, 입법자는 매수청구권이나 수용신청권의 부여, 지정의 해제, 금전적 보상 등 다양한 보상가능성을 통하여 재산권에 대한 가혹한 침해를 적절하게 보상하여야 한다.

〈재산권을 침해하지 않는다고 본 사례〉

❶ 국립공원 지정은 재산권을 침해하는 것이 아니다. (헌재 2003.4.24. 99헌바110 등 【합헌】)

❷ **재래시장 재건축에 있어서 매도청구권** (헌재 2006.7.27. 2003헌바18 【합헌】)
　[1] 이 사건 법률조항에 따른 매도청구권을 헌법 제23조 제1항ㆍ제2항의 재산권의 제한으로 볼 것인지, 아니면 헌법 제23조 제3항의 공용수용으로 볼 것인지 문제되나, 위 매도청구권의 행사로 재건축 불참자는 그 의사에 반하여 재산권이 박탈당하는 결과에 이른다는 점에서 실질적으로 헌법 제23조 제3항의 공용수용과 같은 것으로 볼 수 있다.
　[2] 이 경우 헌법 제23조 제3항에 따라 보상적 조치가 있어야 비로소 허용되는 범주 내에 있게 되는바, 이 사건 법률조항은 매도청구권 행사에 의하여 시가에 따른 매매계약 체결의 효과를 주고 있어 일응 정당한 보상요건은 갖춘 것으로 볼 수 있으므로 이러한 점에서는 특별히 위헌의 의심은 없다.

❸ 건축허가를 받은 자가 그 허가를 받은 날로부터 1년 이내에 공사에 착수하지 아니한 경우 건축허가를 필수적으로 취소하도록 규정한 건축법 규정은 건축주의 재산권을 침해하지 아니한다. (헌재 2010.2.25. 2009헌바70)

❹ 농지소유자가 농지를 농업경영에 이용하지 아니하여 농지처분명령을 받았음에도 불구하고 정당한 사유 없이 이를 이행하지 아니하는 경우 당해 농지의 토지가액의 100분의 20에 상당하는 이행강제금을 그 처분명령이 이행될 때까지 매년 1회 부과할 수 있도록 하는 구 농지법 제65조 제1항, 제4항은 재산권을 침해하지 않는다. (헌재 2010.2.25. 2008헌바80 등) - 경자유전원칙의 실현으로 본 판례

❺ **토지소유자에 대한 폐기물 처리명령 사건** (헌재 2010.5.27. 2007헌바53 【합헌】)
타인에게 임대한 자기 소유의 토지 위에 폐기물이 방치된 경우 당해 토지의 소유자에게도 폐기물에 대한 적정처리를 명할 수 있도록 한 건설폐기물의 재활용 촉진에 관한 법률 제45조 제1항 중 '제44조 제1호에 관한 부분' 및 구 폐기물관리법 제45조 제1항 제3호 중 '다른 사람에게 자기 소유의 토지 사용을 허용한 경우'에 관한 부분은 헌법상 재산권을 침해하지 않는다.

❻ ・자필증서에 의한 유언방식으로 날인을 요구하는 것 (헌재 2008.3.27. 2006헌바82 【합헌】)
　・자필증서에 의한 유언에서 주소를 자서하도록 요구하는 것 (헌재 2008.12.26. 2007헌바128 【합헌】)

❼ 거주자가 신고를 하지 아니하고 취득한 외국에 있는 부동산을 필요적으로 몰수ㆍ추징하도록 규정한 구 외국환거래법 규정 중 '제18조 제1항의 규정에 의한 신고를 하지 아니하고 자본거래를 한 자가 당해 행위로 인하여 취득한 부동산에 관하여 적용되는 부분'은 헌법에 위반되지 않는다. (헌재 2012.5.31. 2010헌가97)

❽ 민법 제379조의 "이자 있는 채권의 이율은 다른 법률의 규정이나 당사자의 약정이 없으면 연 5분으로 한다."라는 부분과 제548조(해제의 효과, 원상회복의무) 제2항의 "반환할 금전에는 그 받은 날로부터 이자를 가하여야 한다."라는 부분은 재산권을 침해하지 않는다. (헌재 2017.5.25. 2015헌바421)

❾ 집합투자기구(펀드)로부터의 이익에 대한 소득금액을 계산할 때 손익 통산을 허용하지 않는 소득세법 규정은 헌법에 위반되지 않는다. (헌재 2017.7.27. 2016헌바290)
입법자는 어떠한 소득을 과세대상으로 할 것인지, 어떠한 소득에 대하여 어떠한 범위에서 손실을 공제해 줄 것인지를 정책적으로 판단할 수 있다.

❿ 국세환급금을 체납 국세 등에 충당하도록 한 국세기본법 제51조 제2항 제2호는 명확성원칙과 재산권을 침해하지 아니한다. (헌재 2017.7.27. 2015헌바286)

⓫ 농업협동조합이 취득한 부동산을 2년 이상 해당 용도로 직접 사용하지 아니하고 매각하는 경우 감면된 취득세를 추징하도록 규정한 구 지방세특례제한법 제94조 가운데 제14조 제3항과 관련된 부분은 헌법에 위반되지 아니한다. (헌재 2018.1.28. 2015헌바277)

❷ [1] 집합건물에서 전 소유자가 체납한 관리비 중 공용 부분에 관한 부분에 대해서 그 특별승계인에게 청구할 수 있도록 한 구 집합건물의 소유 및 관리에 관한 법률 제18조는 명확성원칙에 위배되지 않는다.
[2] 이 사건 법률조항은 재산권을 침해하지 않는다. (헌재 2013.5.30. 2011헌바201)

❸ 농업경영에 이용하지 않는 경우에 농지소유를 원칙적으로 금지하고 있는 농지법 제6조 제1항에도 불구하고, 예외적인 경우에는 농지소유를 허용하면서, 그러한 예외에 종중을 포함하지 않고 있는 구 농지법 제6조 제2항은 종중의 재산권을 침해하지 않는다. (헌재 2013.6.27. 2011헌바278)

❹ **공무원연금법상 급여의 압류를 금지하는 조항은 헌법에 위반되지 않고, 지급된 급여 중 1개월간 생계비에 해당하는 금액의 압류를 금지하는 공무원연금법 조항도 헌법에 위반되지 않는다.** (헌재 2018.7.26. 2016헌마260【기각】)
채무자의 사정은 천차만별이고 채권자의 생활상황이 오히려 채무자보다 더 어려운 경우도 있을 수 있으므로, 채무자와 채권자의 사정을 전혀 고려하지 아니한 채 획일적으로 압류를 전액 금지하면 채권자의 희생 아래 채무자를 과도하게 보호하는 경우가 생길 수 있다. 이와 같은 결과는 헌법에 정면으로 위반되지는 않더라도 헌법정신에 합당하다고 보기 어렵다. 그러므로 입법자는 공무원연금법에도 민사소송법 제579조의2(현행 민사집행법 제246조 제3항)의 규정과 같이 채권자와 채무자의 생활형편 등 여러 가지 사정을 고려하여 채권자와 채무자 사이의 대립되는 이익을 합리적으로 조정할 수 있도록 압류금지범위를 변경할 수 있는 제도적 장치를 마련하는 것이 바람직하다.

❺ 주택재건축사업에서 발생되는 재건축초과이익에 대하여 재건축부담금을 징수하도록 규정한 구 재건축초과이익 환수에 관한 법률 제3조, 제5조, 일반분양분의 종료시점 주택가액을 분양시점 분양가격을 기준으로 산정하도록 규정한 재건축초과이익 환수에 관한 법률 제7조 중 '분양시점 분양가격' 부분 및 개시시점 주택가액과 종료시점 주택가액의 산정기준과 절차를 규정한 구 재건축초과이익 환수에 관한 법률 제9조는 헌법에 위반되지 않는다. (헌재 2019.12.27. 2014헌바381【합헌】)

❻ 사업주체가 공급질서 교란행위를 이유로 주택공급계약을 취소한 경우 선의의 제3자 보호규정을 두고 있지 않는 구 주택법 제39조 제2항은 입법형성권의 한계를 벗어나서 선의의 제3자의 재산권을 침해하지 않는다. (헌재 2022.3.31. 2019헌가26)

제 2 절 직업선택의 자유

 핵심노트

직업의 개념

생활의 기본적 수요 충족	계속적 활동	공공무해성 불요
돈을 벌기 위한 수단	어느 정도의 계속성만 있으면 된다. (휴가 중에 하는 일, 수습직도 포함)	게임환전물, 성매매도 직업에 해당

031   NEW   24 소방간부

직업의 자유에 관한 설명으로 옳지 않은 것은? (다툼이 있는 경우 헌법재판소 판례에 의함)

① 직업의 자유에는 직업선택의 자유와 직업수행의 자유가 포함되지만, 자신이 원하는 직업 내지 직종에 종사하는 데 필요한 전문지식을 습득하기 위한 직업교육장을 임의로 선택할 수 있는 '직업 교육장 선택의 자유'까지 포함된다고 볼 수 없다.

② 직업선택의 자유에서 보호되는 직업이란 생활의 기본적인 수요를 충족시키기 위해 행하는 계속적인 소득활동을 의미하므로, 의무복무로서의 현역병은 헌법 제15조가 선택의 자유로서 보장하는 직업이라고 할 수 없다.

③ 직업행사의 자유에 대한 제한에 있어서는 직업선택의 자유에 비하여 상대적으로 그 침해의 정도가 작다고 할 것이며, 이에 대하여는 공공복리 등 공익상의 이유로 비교적 넓은 법률상의 규제가 가능하지만, 그 경우에도 헌법 제37조 제2항에서 정한 한계인 과잉금지의 원칙은 지켜져야 한다.

④ 당사자의 능력이나 자격과 상관없는 객관적 사유에 의한 직업선택의 자유 제한은 월등하게 중요한 공익을 위하여 명백하고 확실한 위험을 방지하기 위한 경우에만 정당화될 수 있다.

⑤ 수형자인 의뢰인을 접견하는 변호사의 직업수행의 자유 제한에 대한 심사에 있어서는 변호사 자신의 직업 활동에 가해진 제한의 정도를 살펴보아야 할 뿐 아니라 접견의 상대방인 수형자의 재판 청구권이 제한되는 효과도 함께 고려되어야 하므로, 그 심사의 강도는 일반적인 경우보다 엄격하게 해야 한다.

해설

① (✕)

> 헌법 제15조에 의한 직업선택의 자유라 함은 자신이 원하는 직업 내지 직종을 자유롭게 선택하는 직업선택의 자유 뿐만 아니라 그가 선택한 직업을 자기가 결정한 방식으로 자유롭게 수행할 수 있는 직업수행의 자유를 포함한다. 그리고 직업선택의 자유에는 자신이 원하는 직업 내지 직종에 종사하는데 필요한 전문지식을 습득하기 위한 직업교육장을 임의로 선택할 수 있는 '직업교육장 선택의 자유'도 포함된다. (헌재 2009.2.26. 2007헌마1262)

② (○)

> 이 사건 심판대상조항들이 현역병의 지원이나 현역병으로의 변경처분 신청 대상에서 이미 공익근무요원의 복무를 마친 사람을 제외하는 것이 직업선택의 자유나 일반적 행동의 자유를 침해한다는 주장이 제기될 수 있으나, 직업선택의 자유에서 보호되는 직업이란 생활의 기본적인 수요를 충족시키기 위해 행하는 계속적인 소득활동을 의미하므로, 의무복무로서의 현역병은 헌법 제15조가 선택의 자유로서 보장하는 직업이라고 할 수 없다. (헌재 2010.12.28. 2008헌마527)

③ (O) ④ (O) ⑤ (O) 직업행사의 자유도 과잉금지원칙이 적용된다. 주관적 사유에 의한 직업선택의 자유를 제한하는 법률의 심사기준은 직업수행의 자유보다 엄격한 기준이 적용된다. 객관적 사유에 의한 직업선택의 자유를 제한하는 법률의 심사기준은 주관적 사유보다 더 엄격한 기준이 적용된다.

정답 ①

032 24 국회8급

직업의 자유에 대한 설명으로 옳지 않은 것은?

① 「근로기준법」상 근로시간에 대한 주 52시간 상한제 조항은 연장근로시간에 관한 사용자와 근로자 간의 계약 내용을 제한한다는 측면에서는 사용자와 근로자의 계약의 자유를 제한하고, 근로자를 고용하여 재화나 용역을 제공하는 사용자의 활동을 제한한다는 측면에서는 직업의 자유를 제한한다.

② 중개법인의 임원이 「공인중개사법」을 위반하여 300만 원 이상의 벌금형의 선고를 받고 3년이 지나지 아니한 자에 해당하는 경우 중개법인의 등록을 필요적으로 취소하도록 하는 것은 해당 중개법인의 직업의 자유를 침해한다.

③ 사업주로부터 위임을 받아 고용보험 및 산재보험에 관한 보험사무를 대행할 수 있는 기관의 자격을 일정한 기준을 충족하는 단체 또는 법인, 공인노무사, 세무사로 한정하고 있는 「고용보험 및 산업재해보상보험의 보험료징수 등에 관한 법률」 조항은 개인 공인회계사의 직업의 자유를 침해한다고 볼 수 없다.

④ 「교육환경 보호에 관한 법률」상의 상대보호구역에서 「게임산업진흥에 관한 법률」상의 '복합유통게임제공업' 시설을 갖추고 영업을 하는 것을 원칙적으로 금지하는 것은 교육환경보호구역 안의 토지나 건물의 임차인 내지 복합유통게임제공업을 영위하고자 하는 자의 직업수행의 자유를 침해하지 아니한다.

⑤ 시내버스운송사업자가 사업계획 가운데 운행대수 또는 운행횟수를 증감하려는 때에는 국토교통부장관 또는 시·도지사의 인가를 받거나 신고하도록 하고 이를 위반한 경우 처벌하는 「여객자동차 운수사업법」 조항은 시내버스운송사업자의 직업수행의 자유를 침해한다고 볼 수 없다.

> 해설

① (O)

> **주 52시간 상한제를 정한 근로기준법 제53조 제1항이 계약의 자유와 직업의 자유를 침해하지 않는다.** (헌재 2024.2.28. 2019헌마500[기각, 각하])
> 주 52시간 상한제조항은 연장근로시간에 관한 사용자와 근로자 간의 계약내용을 제한한다는 측면에서 사용자와 근로자의 계약의 자유를 제한하고, 사용자의 활동을 제한한다는 측면에서 직업의 자유를 제한한다. 주 52시간 상한제조항은 과잉금지원칙에 반하여 직업의 자유를 침해하지 않는다.

② (×)

> 공인중개업은 국민의 재산권에 큰 영향을 미치므로 업무의 공정성과 신뢰를 확보할 필요성이 큰 반면, 심판대상조항으로 인하여 중개사무소 개설등록이 취소된다 하더라도 공인중개사 자격까지 취소되는 것이 아니어서 3년이 경과한 후에는 다시 중개사무소를 열 수 있다. 따라서 심판대상조항은 과잉금지원칙에 반하여 직업선택의 자유를 침해하지 아니한다. (헌재 2019.2.28. 2016헌바467)

③ (O)

> **사업주로부터 위임을 받아 고용보험 및 산업재해보상보험에 관한 보험사무를 대행할 수 있는 기관의 자격을 일정한 기준을 충족하는 단체 또는 법인, 공인노무사 또는 세무사로 한정한 '고용보험 및 산업재해보상보험의 보험료징수 등에 관한 법률' 제33조 제1항 전문 및 같은 법 시행령 제44조는 과잉금지원칙에 위배되어 공인회계사인 청구인들의 직업수행의 자유를 침해하지 아니한다.** (헌재 2024.2.28. 2020헌마139[기각])
> 심판대상조항은 청구인들의 직업수행의 자유를 제한한다. 심판대상조항은 과잉금지원칙에 위배되어 청구인들의 직업수행의 자유를 침해한다고 볼 수 없다.

④ (O)

> 상대보호구역 안에서는 지역위원회의 심의를 거쳐 학습과 교육환경에 나쁜 영향을 주지 아니한다고 인정하는 행위 및 시설은 허용될 수 있으므로, 이 조항으로 인하여 교육환경보호구역 안의 토지나 건물의 임차인 내지 '복합유통게임제공업'을 영위하고자 하는 사람이 받게 되는 직업수행의 자유 및 재산권의 제한은 과도한 것이라고 보기 어려우므로, 과잉금지원칙을 위반하여 직업수행의 자유 및 재산권을 침해하지 아니한다. (헌재 2024.1.25. 2021헌바231)

⑤ (O)

> 노선을 정하여 여객을 운송하는 시내버스운송사업에서 사업계획 가운데 운행대수 또는 운행횟수의 증감에 관한 사항은 시내버스의 운행거리, 배차간격, 배차시간 등에 영향을 미치는 것으로서, 원활한 운송체계를 확보하고 일반 공중의 교통편의성을 제공하기 위하여 관할관청이 파악해야 하는 필수적인 사항에 해당하고, 이에 이 사건 법률조항은 시내버스운송사업자가 운행대수 또는 운행횟수를 증감하려면 원칙적으로 관할관청으로부터 변경인가를 받도록 하면서도, 국토교통부령이 정하는 경미한 사항의 변경은 관할관청에 대한 신고만으로 사업계획을 변경할 수 있도록 정하고 있는바, 이 사건 법률조항은 직업수행의 자유를 침해하지 아니한다. (헌재 2024.1.25. 2020헌마1144)

정답 ②

033 24 경찰1차

직업의 자유에 관한 설명으로 가장 적절하지 않은 것은? (다툼이 있는 경우 판례에 의함)

① 의료인이 아닌 자의 문신시술업을 금지하고 처벌하는 「의료법」 조항은 문신시술자에 대하여 의료인 자격까지 요구하지 않고도, 시술자의 자격, 위생적인 문신시술 환경, 문신시술절차 및 방법 등에 관한 규제를 통하여도 안전한 문신시술을 보장할 수 있다는 점에서 과잉금지원칙에 위배되어 문신시술을 업으로 삼고자 하는 청구인의 직업선택의 자유를 침해한다.

② 직업선택의 자유와 직업수행의 자유는 기본권의 주체에 대한 제한의 효과가 다르기 때문에 제한에 있어 적용되는 기준 또한 다르며, 특히 직업수행의 자유에 대한 제한의 경우 인격발현에 대한 침해의 효과가 일반적으로 직업선택 그 자체에 대한 제한에 비하여 작기 때문에, 그에 대한 제한은 보다 폭넓게 허용된다.

③ 교육부장관이 학교법인 ○○학당에게 한 법학전문대학원설치인가 중 여성만을 입학자격요건으로 하는 입학전형계획을 인정한 부분은 남성인 청구인의 직업선택의 자유를 제한한다.

④ 성매매는 성판매자의 입장에서 생활의 기본적 수요를 충족하기 위한 소득활동에 해당함을 부인할 수 없으므로, 성매매를 한 자를 형사처벌 하도록 규정한 「성매매알선 등 행위의 처벌에 관한 법률」 조항은 성판매자의 직업선택의 자유를 제한하고 있다.

해설

① (X)

> **의료법 제27조 제1항 본문 전단 위헌확인 등** (헌재 2022.3.31. 2021헌마1213·1385)
> [1] 의료인이 아닌 사람도 문신시술업을 업으로 행할 수 있도록 그 자격 및 요건을 법률로 정할 입법의무는 인정되지 않는다.
> [2] 의료인이 아닌 자의 문신시술업을 금지하고 처벌하는 의료법 제27조 제1항 본문 전단과 '보건범죄 단속에 관한 특별조치법' 제5조 제1호 중 의료법 제27조 제1항 본문 전단에 관한 부분은 청구인들의 직업선택의 자유를 침해하지 않는다.

② (O) 헌재 2013.10.24. 2012헌마480

③ (O)

> 청구인 엄○모는 평등권 및 균등하게 교육받을 권리의 침해도 주장하고 있으나, 이 사건 인가처분은 남성에 대한 차별이나 여성에 대한 적극적 평등 실현의 목적으로 이루어진 것이 아니며, 이 사건 인가처분으로 인하여 청구인 엄○모는 이화여자대학교 법학전문대학원에 입학하는 것이 제한될 뿐이지 그 이외의 법학전문대학원에 입학하는 것이 제한되는 것은 아니고, 결국 그로 인한 불이익은 남성이 여성에 비하여 전체 법학전문대학원에 입학할 가능성이 줄어든다는 것이어서, 이에 대한 판단은 청구인 엄○모의 직업선택의 자유가 침해되는지 여부에 대한 판단과 중복된다. 따라서 이 사건에서는 청구인 엄○모의 직업선택의 자유의 침해 여부를 중심으로 판단하기로 한다. (헌재 2013.5.30. 2009헌마514【기각】)

④ (O)

> **성매매를 한 자를 형사처벌하도록 규정한 '성매매알선 등 행위의 처벌에 관한 법률' 제21조 제1항은 헌법에 위반되지 않는다.** (헌재 2016.3.31. 2013헌가2)
> [1] 심판대상조항은 성매매를 형사처벌하여 성매매 당사자(성판매자와 성구매자)의 성적 자기결정권, 사생활의 비밀과 자유 및 성판매자의 직업선택의 자유를 제한하고 있다.
> [2] 성매매는 그 자체로 폭력적, 착취적 성격을 가진 것으로 경제적 약자인 성판매자의 신체와 인격을 지배하는 형태를 띠므로 대등한 당사자 사이의 자유로운 거래행위로 볼 수 없다.
> [3] 불특정인을 상대로 한 성매매와 특정인을 상대로 한 성매매는, 건전한 성풍속 및 성도덕에 미치는 영향, 제3자의 착취 문제 등에 있어 다르다고 할 것이므로, 불특정인에 대한 성매매만을 금지대상으로 규정하고 있는 것이 평등권을 침해한다고 볼 수도 없다.

정답 ①

034 NEW

24 경찰간부

직업의 자유에 대한 설명으로 가장 적절하지 않은 것은? (다툼이 있는 경우 헌법재판소 판례에 의함)

① 세무사 자격 보유 변호사로 하여금 세무사로서 세무사 업무를 할 수 없도록 규정한 「세무사법」 규정은 세무사 자격에 기한 직업선택의 자유를 지나치게 제한하는 것으로 세무사 자격 보유 변호사의 직업선택의 자유를 침해한다.

② 안경업소 개설은 그 업무를 담당할 자연인인 안경사로 한정할 합리적인 이유가 없으므로, 안경사 면허를 가진 자연인에게만 안경업소의 개설 등을 할 수 있도록 한 구 「의료기사 등에 관한 법률」 조항은 법인을 구성하여 안경업소를 개설하려는 안경사들의 직업의 자유를 침해한다.

③ 간행물 판매자에게 정가 판매 의무를 부과하고, 가격할인의 범위를 가격할인과 경제상의 이익을 합하여 정가의 15퍼센트 이하로 제한하는 도서정가제는 출판 유통질서의 확립 등을 위해 도입된 제도인 바, 판매자의 직업의 자유를 침해하지 않는다.

④ 변호사의 자격이 있는 자에게 더 이상 세무사 자격을 부여하지 않는 구 「세무사법」 조항은 같은 법 시행일 이후 변호사 자격을 취득한 변호사들의 직업선택의 자유를 침해한다고 볼 수 없다.

해설

① (O)

> 세무사 자격 보유 변호사로 하여금 세무사의 명칭을 사용하지 못하게 하는 것은 헌법에 위반되지 않지만, 지문과 같이 세무업무를 하지 못하게 하는 것은 헌법에 위반된다. 세무사 자격 보유 변호사로 하여금 세무사로서 세무사의 업무를 할 수 없도록 규정한 세무사법 제6조 제1항 및 세무사법 제20조 제1항 본문 중 변호사에 관한 부분과 세무조정업무를 할 수 없도록 규정한 법인세법 제60조 제9항 제3호 및 소득세법 제70조 제6항 제3호는 헌법에 합치되지 아니한다. (헌재 2018.4.26. 2015헌가19 [헌법불합치(잠정적용)])
> [1] 법무법인은 심판대상조항에 의해 세무조정업무를 수행할 수 없는 것이 아니라, 법무법인의 구성원 등이 심판대상조항에 의해 세무조정업무를 수행할 수 없는 경우 결과적으로 세무조정업무를 수행할 수 없게 되는 것에 불과하므로, 청구인 법무법인 ○○은 기본권 침해의 자기관련성이 인정되지 않는다.
> [2] 세무대리의 전문성을 확보하고 부실 세무대리를 방지함으로써 납세자의 권익을 보호하고 세무행정의 원활한 수행 및 납세의무의 적정한 이행을 도모하려는 심판대상조항의 입법목적은 일응 수긍할 수 있다.
> [3] 세법 및 관련 법령에 대한 해석·적용에 있어서는 일반 세무사나 공인회계사보다 법률사무 전반을 취급·처리하는 법률 전문직인 변호사에게 오히려 그 전문성과 능력이 인정된다. 그럼에도 불구하고 심판대상조항은 세무사 자격 보유 변호사로 하여금 세무대리를 일체 할 수 없도록 전면적으로 금지하고 있으므로, 수단의 적합성을 인정할 수 없다. 그렇다면, 심판대상조항은 과잉금지원칙을 위반하여 세무사 자격 보유 변호사의 직업선택의 자유를 침해하므로 헌법에 위반된다.

② (X)

> 법인 안경업소가 허용되면 영리추구 극대화를 위해 무면허자로 하여금 안경 조제·판매를 하게 하는 등의 문제가 발생할 가능성이 높아지고, 안경 조제·판매 서비스의 질이 하락할 우려가 있다. 또한 대규모 자본을 가진 비안경사들이 법인의 형태로 안경시장을 장악하여 개인 안경업소들이 폐업하면 안경사와 소비자 간 신뢰관계 형성이 어려워지고, 독과점으로 인해 안경 구매비용이 상승할 수 있다. 반면 현행법에 의하더라도 안경사들은 협동조합, 가맹점 가입, 동업 등의 방법으로 법인의 안경업소 개설과 같은 조직화, 대형화 효과를 어느 정도 누릴 수 있다. 따라서 심판대상조항은 과잉금지원칙에 반하지 아니하여 자연인 안경사와 법인의 직업의 자유를 침해하지 아니한다. (헌재 2021.6.24. 2017헌가31)

③ (O)

> 간행물 판매자에게 정가 판매 의무를 부과하고, 가격할인의 범위를 가격할인과 경제상의 이익을 합하여 정가의 15퍼센트 이하로 제한하는 출판문화산업 진흥법 제22조 제4항 및 제5항은 청구인의 직업의 자유를 침해한다고 할 수 없다. (헌재 2023.7.20. 2020헌마104 [기각])

④ (O)

> 변호사의 자격이 있는 자에게 더 이상 세무사 자격을 부여하지 않는 구 세무사법 제3조는 시행일 이후 변호사 자격을 취득한 청구인들의 직업선택의 자유를 침해하지 않는다. (헌재 2021.7.15. 2018헌마279)

정답 ②

예상판례

❶ 국민권익위원회 심사보호국 소속 5급 이하 7급 이상의 일반직공무원에 대하여 퇴직일부터 3년간 취업을 제한한 공직자윤리법 제17조 제1항 중 '대통령령으로 정하는 공무원'에 관한 부분 및 공직자윤리법 시행령 제31조 제1항 제7호 중 '국민권익위원회 심사보호국 소속 5급 이하 7급 이상의 일반직공무원'에 관한 부분은 직업선택의 자유를 침해하지 아니한다. (헌재 2024.3.28. 2020헌마1527【기각】)

❷ 안경사가 전자상거래 등을 통해 콘택트렌즈를 판매하는 행위를 금지하고 있는 '의료기사 등에 관한 법률' 제12조 제5항 제1호 중 '안경사의 콘택트렌즈 판매'에 관한 부분은 헌법에 위반되지 아니한다. (헌재 2024.3.28. 2020헌가10【합헌】)

❸ 아파트 장기일반민간임대주택과 단기민간임대주택의 임대의무기간이 종료되는 날 그 등록이 말소되도록 하는 구 '민간임대주택에 관한 특별법' 제6조 제5항이 임대사업자인 청구인들의 기본권을 침해하지 아니한다. (헌재 2024.2.28. 2020헌마1482【각하】)

❹ 사업주로부터 위임을 받아 고용보험 및 산업재해보상보험에 관한 보험사무를 대행할 수 있는 기관의 자격을 일정한 기준을 충족하는 단체 또는 법인, 공인노무사 또는 세무사로 한정한 '고용보험 및 산업재해보상보험의 보험료징수 등에 관한 법률' 제33조 제1항 전문 및 같은 법 시행령 제44조는 과잉금지원칙에 위배되어 공인회계사인 청구인들의 직업수행의 자유를 침해하지 아니한다. (헌재 2024.2.28. 2020헌마139【기각】)

❺ 주 52시간 상한제를 정한 근로기준법 제53조 제1항이 계약의 자유와 직업의 자유를 침해하지 않는다. (헌재 2024.2.28. 2019헌마500【기각, 각하】)

❻ 문화체육관광부장관이 정부광고 업무를 한국언론진흥재단에 위탁하도록 한 위 법률 시행령 제6조 제1항은 광고대행업에 종사하는 청구인들의 직업수행의 자유를 침해하지 아니한다. (헌재 2023.6.29. 2019헌마227【각하, 기각】)

035　23 국회8급

직업의 자유에 대한 헌법재판소의 판시 내용으로 적절하지 않은 것은?

① 교통사고로 사람을 사상한 후 필요한 조치를 하지 않은 경우 행정자치부령(현 행정안전부령)으로 정하는 기준에 따라 운전면허를 취소하거나 1년 이내의 범위에서 운전면허의 효력을 정지시킬 수 있다고 규정한 구「도로교통법」조항은 과잉금지원칙에 반하여 직업의 자유를 침해한다고 할 수 없다.
② 택시운송사업 운전업무 종사자격을 취득한 자가 친족관계인 사람을 강제추행하여 금고 이상의 실형을 선고받은 경우 그 택시운전자격을 취소하도록 규정한 「여객자동차 운수사업법」조항은 과잉금지원칙에 위배되어 헌법상 직업선택의 자유를 침해한다고 할 수 없다.
③ 거짓이나 그 밖의 부정한 수단으로 운전면허를 받은 경우 모든 범위의 운전면허를 필요적으로 취소하도록 한 「도로교통법」조항은 과잉금지원칙에 반하여 직업의 자유를 침해한다.
④ '약사 또는 한약사가 아닌 자연인'의 약국 개설을 금지하고 위반시 형사처벌하는 「약사법」조항은 과잉금지원칙에 반하여 직업의 자유를 침해한다고 할 수 없다.
⑤ 측량업의 등록을 한 측량업자가 등록기준에 미달하게 된 경우 측량업의 등록을 필요적으로 취소하도록 규정한 구「측량·수로조사 및 지적에 관한 법률」조항은 과잉금지원칙에 위배되어 직업의 자유를 침해한다.

해설

① (O)
> 이 사건 취소조항은 교통사고로 타인의 생명 또는 신체를 침해하고도 구호조치를 하지 아니한 사람이 계속하여 교통에 관여하는 것을 금지함으로써 궁극적으로 국민의 생명·신체를 보호하고 도로교통에 관련한 공공의 안전을 확보하고자 하는 입법목적을 가진다. 그렇다면 이 사건 취소조항이 과잉금지원칙에 반하여 일반적 행동의 자유 또는 직업의 자유를 침해한다고 할 수 없다. (헌재 2019.8.29. 2018헌바4)

② (O) 헌재 2020.5.27. 2018헌바264

③ (O)
> 심판대상조항이 '부정취득하지 않은 운전면허'까지 필요적으로 취소하도록 한 것은 임의적 취소·정지사유로 함으로써 구체적 사안의 개별성과 특수성을 고려하여 불법의 정도에 상응하는 제재수단을 선택하도록 하는 등 완화된 수단에 의해서도 입법목적을 같은 정도로 달성하기에 충분하므로, 피해의 최소성원칙에 위배된다. … 따라서 과잉금지원칙에 반하여 일반적 행동의 자유 또는 직업의 자유를 침해한다. (헌재 2020.6.25. 2019헌가9 등)

④ (O)
> 비약사의 약국 개설이 허용되면, 영리 위주의 의약품 판매로 인해 의약품 오남용 및 국민 건강상의 위험이 증대할 가능성이 높고, 대규모 자본이 약국시장에 유입되어 의약품 유통체계 및 판매질서를 위협할 우려가 있다. 심판대상조항은 과잉금지원칙에 반하여 직업의 자유를 침해하지 않는다. (헌재 2020.10.29. 2019헌바249)

⑤ (×)
> 심판대상조항은 측량업무의 정확성과 신뢰성을 담보하여 토지 관련 법률관계의 법적 안정성과 국민의 권익을 보호하려는 것으로 그 입법목적의 정당성이 인정되고, 이를 위해 심판대상조항은 무자격자가 측량업에 종사하는 것을 방지하므로 수단의 적합성 역시 인정된다. … 따라서 심판대상조항은 과잉금지원칙에 위배되지 아니한다. (헌재 2020.12.23. 2018헌바458)

정답 ⑤

036 22 입시

직업의 자유에 대한 설명으로 옳지 않은 것은? (다툼이 있는 경우 판례에 의함)

① 운전면허를 받은 사람이 다른 사람의 자동차 등을 훔친 경우에는 운전면허를 필요적으로 취소하도록 한 「도로교통법」 조항은 운전면허 소지자의 직업의 자유를 침해한다.
② 청원경찰이 자격정지 이상의 형을 선고받은 경우 당연퇴직하도록 한 「청원경찰법」 조항은 청원경찰의 직업의 자유를 침해한다.
③ 임원이 건설업과 관련 없는 죄로 금고 이상의 형을 선고받은 경우까지 법인의 건설업 등록을 필요적으로 말소하도록 규정한 「건설산업기본법」 조항은 직업수행의 자유를 침해한다.
④ 국가정책에 따라 정부의 허가를 받은 외국인은 정부가 허가한 범위 내에서 소득활동을 할 수 있는 것이므로 외국인이 국내에서 누리는 직업의 자유는 법률에 따른 정부의 허가에 의해 비로소 발생하는 권리이다.
⑤ 농협·축협조합장이 범죄의 종류와 관계없이 금고 이상의 형을 선고받고 그 형이 확정되지 아니한 경우에도 이사가 그 직무를 대행하도록 규정한 「농업협동조합법」 조항은 직업수행의 자유를 침해한다.

해설

① (O)
> 자동차 절취행위에 이르게 된 경위, 행위의 태양, 당해 범죄의 경중이나 그 위법성의 정도, 운전자의 형사처벌 여부 등 제반 사정을 고려할 여지를 전혀 두지 아니한 채 다른 사람의 자동차 등을 훔친 모든 경우에 필요적으로 운전면허를 취소하는 것은, 그것이 달성하려는 공익의 비중에도 불구하고 운전면허 소지자의 직업의 자유 내지 일반적 행동의 자유를 과도하게 제한하는 것이다. 그러므로 심판대상조항은 직업의 자유 내지 일반적 행동의 자유를 침해한다. (헌재 2017.5.25. 2016헌가6)

② (X)
> 자격정지의 형을 선고받은 청원경찰이 이 사건 법률조항에 따라 당연퇴직되어 입게 되는 직업의 자유에 대한 제한이라는 불이익이 자격정지의 형을 선고받은 자를 청원경찰직에서 당연퇴직시킴으로써 청원경찰에 대한 국민의 신뢰를 제고하고 청원경찰로서의 성실하고 공정한 직무수행을 담보하려는 공익에 비하여 더 중하다고 볼 수는 없으므로, 법익균형성도 지켜지고 있다. 따라서 청원경찰이 법원에서 자격정지의 형을 선고받은 경우 국가공무원법을 준용하여 당연퇴직하도록 한 이 사건 법률조항은 과잉금지원칙을 위반하여 청구인의 직업의 자유를 침해하지 아니한다. (헌재 2011.10.25. 2011헌마85)

③ (O)
> 심판대상조항이 건설업과 관련 없는 죄로 임원이 형을 선고받은 경우까지도 법인이 건설업을 영위할 수 없도록 하는 것은 입법목적 달성을 위한 적합한 수단에 해당하지 아니하고, 이러한 경우까지도 가장 강력한 수단인 필요적 등록말소라는 제재를 가하는 것은 최소침해성원칙에도 위배된다. 심판대상조항으로 인하여 건설업자인 법인은 등록이 말소되는 중대한 피해를 입게 되는 반면 심판대상조항이 공익 달성에 기여하는 바는 크지 않아 심판대상조항은 법익균형성원칙에도 위배된다. 따라서 심판대상조항은 과잉금지원칙에 위배되어 청구인의 직업수행의 자유를 침해한다. (헌재 2014.4.24. 2013헌바25)

④ (O) 외국인에게도 기본적으로 직업의 권리가 인정되지만, 국민과 동일한 수준으로 인정되지는 않는다.

> 의료인의 면허된 의료행위 이외의 의료행위를 금지하고 처벌하는 의료법 규정에 관한 부분에 대한 심판청구에 대하여 외국인인 청구인의 직업의 자유 및 평등권에 관한 기본권 주체성은 인정되지 않는다. (헌재 2014.8.28. 2013헌마359)
> 심판대상조항이 제한하고 있는 직업의 자유는 국가자격제도정책과 국가의 경제상황에 따라 법률에 의하여 제한할 수 있는 국민의 권리에 해당한다. 국가정책에 따라 정부의 허가를 받은 외국인은 정부가 허가한 범위 내에서 소득활동을 할 수 있는 것이므로, 외국인이 국내에서 누리는 직업의 자유는 법률에 따른 정부의 허가에 의해 비로소 발생하는 권리이다. 따라서 외국인인 청구인에게는 그 기본권 주체

성이 인정되지 아니하며, 자격제도 자체를 다툴 수 있는 기본권 주체성이 인정되지 아니하는 이상 국가자격제도에 관련된 평등권에 관하여 따로 기본권 주체성을 인정할 수 없다.

⑤ (○) 헌재 2013.8.29. 2010헌마562 등

정답 ②

037 22 국가7급·5급행시

직업의 자유에 대한 설명으로 옳은 것은? (다툼이 있는 경우 판례에 의함)

① 소송사건의 대리인인 변호사가 수형자를 접견하고자 하는 경우 소송계속사실을 소명할 수 있는 자료를 제출하도록 규정하고 있는 「형의 집행 및 수용자의 처우에 관한 법률 시행규칙」 중 '수형자 접견'에 관한 부분은 변호사의 직업수행의 자유를 침해하지 않는다.

② 「학원의 설립·운영 및 과외교습에 관한 법률」에 따라 설립된 학원 및 「체육시설의 설치·이용에 관한 법률」에 따라 설립된 체육시설에서 어린이통학버스를 운영함에 있어서 어린이 등과 함께 보호자를 의무적으로 동승하여 운행하도록 하는 「도로교통법」 조항은 학원 및 체육시설 운영자의 직업수행의 자유를 침해한다.

③ 청원경찰이 금고 이상의 형의 선고유예를 받은 경우 당연 퇴직되도록 규정한 「청원경찰법」 조항은 청원경찰의 직업의 자유를 침해한다.

④ 교통사고로 사람을 사상한 후 필요한 조치 및 신고를 하지 아니하여 벌금 이상의 형을 선고받고 운전면허가 취소된 사람은 운전면허가 취소된 날부터 4년간 운전면허를 받을 수 없도록 한 「도로교통법」 조항은 운전자의 직업의 자유를 침해한다.

해설

① (✗) [22 5급행시]

소송사건의 대리인인 변호사가 수용자를 접견하고자 하는 경우 소송계속사실을 소명할 수 있는 자료를 제출하도록 요구하고 있는 '형의 집행 및 수용자의 처우에 관한 법률 시행규칙' 제29조의2 제1항 제2호 중 '수형자 접견'에 관한 부분은 변호사인 청구인의 직업수행의 자유를 침해하여 헌법에 위반된다. (헌재 2021.10.28. 2018헌마60【위헌】)

② (✗) [22 5급행시]

[1] 도로교통법 제53조 제3항 전단 중 '학원의 설립·운영 및 과외교습에 관한 법률'에 따라 설립된 학원 및 '체육시설의 설치·이용에 관한 법률'에 따라 설립된 체육시설에서 어린이통학버스를 운영하는 자에 관한 부분(이하 '이 사건 보호자동승조항'이라 한다)은 청구인들의 직업수행의 자유를 침해하지 않는다. (헌재 2020.4.23. 2017헌마479)

[2] 유예기간을 두고 있는 법령의 경우, 헌법소원심판의 청구기간 기산점을 그 법령의 시행일이 아니라 유예기간 경과일이다.

유예기간을 경과하기 전까지 청구인들은 이 사건 보호자동승조항에 의한 보호자동승의무를 부담하지 않는다. 이 사건 보호자동승조항이 구체적이고 현실적으로 청구인들에게 적용된 것은 유예기간을 경과한 때부터라고 할 것이므로, 이때부터 청구기간을 기산함이 상당하다. 종래 이와 견해를 달리하여, 법령의 시행일 이후 일정한 유예기간을 둔 경우 이에 대한 헌법소원심판 청구기간의 기산점을 법령의 시행일이라고 판시한 우리 재판소 결정들은, 이 결정의 취지와 저촉되는 범위 안에서 변경한다.

③ (O) 헌재 2018.1.28. 2017헌가26 [22 국가7급]

④ (✗) [22 국가7급]

> 심판대상조항은 교통사고로 타인의 생명 또는 신체를 침해하고도 이에 따른 피해자의 구호조치와 신고의무를 위반한 사람이 계속하여 교통에 관여하는 것을 금지함으로써, 국민의 생명·신체를 보호하고 도로교통에 관련된 공공의 안전을 확보함과 동시에 4년의 운전면허 결격기간이라는 엄격한 제재를 통하여 교통사고 발생 시 구호조치의무 및 신고의무를 이행하도록 하는 예방적 효과를 달성하고자 하는 데 그 입법목적을 가지고 있다. 이러한 입법목적은 정당하고, 그 수단의 적합성 또한 인정된다. (헌재 2017.12.28. 2016헌바254)

정답 ③

038 회독 ☐☐☐ 재구성   22 국회8급, 21 입시, 19 법무사

직업의 자유에 대한 설명으로 옳지 않은 것은? (다툼이 있는 경우 판례에 의함)

① 범죄의 종류와 관계없이 금고 이상의 형의 집행유예를 선고받고 그 유예기간이 지난 후 2년이 경과하지 아니한 자는 변호사가 될 수 없도록 규정한 것은 변호사의 직업선택의 자유를 침해하지 아니한다.

② 아동학대 관련 범죄로 형을 선고받아 확정된 자로 하여금 그 형이 확정된 때부터 형의 집행이 종료되거나 집행을 받지 아니하기로 확정된 후 10년 동안 아동 관련 기관인 체육시설 등을 운영하거나 학교에 취업할 수 없도록 제한하는 것은 아동학대 관련 범죄전력자의 직업선택의 자유를 침해하지 아니한다.

③ 의료인으로 하여금 어떠한 명목으로도 둘 이상의 의료기관을 개설할 수 없도록 하고 이를 위반할 경우 형사처벌하는 것은 여러 개의 의료기관을 개설하고자 하는 의료인의 직업수행방법을 제한하고 있다.

④ 변호사가 법률사건 수임에 관하여 알선의 대가로 금품을 제공하는 행위를 금지하고 처벌하는 것은 변호사의 직업수행의 자유를 제한하는 것이다.

해설

① (O) 헌재 2013.9.26. 2012헌마365 [21 입시]

② (✗) 10년간 일률적으로 취업을 금지하는 것은 직업의 자유를 침해한다. (헌재 2018.6.28. 2017헌마130 등) [21 입시]

③ (O) 직업수행의 자유를 제한하지만 침해는 아니다. [22 국회8급]

④ (O) 직업수행의 자유를 제한하지만 침해하는 것은 아니다. (헌재 2013.2.28. 2012헌바62) [19 법무사]

정답 ②

039   회독 ☐☐☐   재구성   21 국회8급, 20 서울·지방7급

직업의 자유에 대한 설명으로 옳지 않은 것은? (다툼이 있는 경우 판례에 의함)

① 헌법 제15조에서 보장하는 직업이란 생활의 기본적 수요를 충족시키기 위하여 행하는 계속적인 소득활동을 의미하고, 성매매는 그것이 가지는 사회적 유해성과는 별개로 성판매자의 입장에서 생활의 기본적 수요를 충족하기 위한 소득활동에 해당함을 부인할 수 없으나, 성매매자를 처벌하는 것은 과잉금지원칙에 반하지 않는다.

② 변호사시험의 응시기회를 법학전문대학원의 석사학위 취득자의 경우 석사학위를 취득한 달의 말일부터 또는 석사학위 취득 예정자의 경우 그 예정기간 내 시행된 시험일부터 5년 내에 5회로 제한한 「변호사시험법」 규정은 응시기회의 획일적 제한으로 청구인들의 직업선택의 자유를 침해한다.

③ 사립학교 교원이 금고 이상의 형의 집행유예를 받은 경우 당연퇴직되도록 규정한 「사립학교법」 조항은 사립학교 교원의 직업의 자유를 침해하지 않는다.

④ 최저임금의 적용을 위해 주 단위로 정해진 근로자의 임금을 시간에 대한 임금으로 환산할 때, 해당 임금을 1주 동안의 소정근로시간 수와 법정 주휴시간 수를 합산한 시간 수로 나누도록 규정한 「최저임금법 시행령」 조항은 사용자의 직업의 자유를 침해하지 않는다.

⑤ 직업의 자유를 제한함에 있어, 당사자의 능력이나 자격과 상관없는 객관적 사유에 의한 직업선택의 자유의 제한은 월등하게 중요한 공익을 위하여 명백하고 확실한 위험을 방지하기 위한 경우에만 정당화될 수 있다.

해설

① (O) [20 서울·지방7급]

> 성매매를 한 자를 형사처벌하도록 규정한 '성매매알선 등 행위의 처벌에 관한 법률' 제21조 제1항은 헌법에 위반되지 않는다. (헌재 2016.3.31. 2013헌가2)
> [1] 심판대상조항은 성매매를 형사처벌하여 성매매 당사자(성판매자와 성구매자)의 성적 자기결정권, 사생활의 비밀과 자유 및 성판매자의 직업선택의 자유를 제한하고 있다.
> [2] 불특정인을 상대로 한 성매매와 특정인을 상대로 한 성매매는 건전한 성풍속 및 성도덕에 미치는 영향, 제3자의 착취 문제 등에 있어 다르다고 할 것이므로, 불특정인에 대한 성매매만을 금지대상으로 규정하고 있는 것이 평등권을 침해한다고 볼 수도 없다.

② (X) [20 서울·지방7급]

> 변호사시험의 응시기간과 응시횟수를 법학전문대학원의 석사학위를 취득한 달의 말일 또는 취득예정기간 내 시행된 시험일부터 5년 내에 5회로 제한한 변호사시험법 제7조 제1항(이하 '응시기회제한조항'이라 한다)은 변호사시험에 5회 모두 불합격한 청구인들의 직업선택의 자유를 침해하지 않는다. (헌재 2016.9.29. 2016헌마47 등)
> [1] 응시기회제한이 없는 의사·약사 등의 다른 자격시험 및 사법시험 응시자들과 비교하여 위 조항은 변호사시험 응시자들의 평등권을 침해할 가능성이 없다.
>> 다른 자격시험 내지 사법시험 응시자와 변호사시험 응시자를 본질적으로 동일한 비교집단으로 볼 수 없으므로, 응시기회제한조항이 청구인들의 평등권을 침해할 가능성은 없다.
> [2] 신청인들의 이 사건 가처분신청은 모두 이유 없다.

③ (O) 헌재 2020.6.25. 2018헌바256 [21 국회8급]

④ (O) 헌재 2020.6.25. 2019헌마15 [21 국회8급]

⑤ (O) 객관적 사유에 의한 직업선택의 자유를 제한하는 법률에 대한 심사기준은 엄격한 기준에 의한다. [21 국회8급]

정답 ②

040 20 5급행시·법무사

직업의 자유에 대한 설명으로 옳지 않은 것은? (다툼이 있는 경우 판례에 의함)

① 직업의 자유는 개인의 주관적 공권임과 동시에 사회적 시장경제질서라고 하는 객관적 법질서의 구성요소이다.
② 직업의 자유에 대한 제한이라고 하더라도 그 제한사유가 직업의 자유의 내용을 이루는 직업수행의 자유와 직업선택의 자유 중 어느 쪽에 작용하느냐에 따라 그 제한에 대하여 요구되는 정당화의 수준이 달라진다.
③ 직업의 자유에 대한 법적 규율이 직업수행에 대한 규율로부터 직업선택에 대한 규율로 가면 갈수록 자유제약의 정도가 상대적으로 강해져 입법재량의 폭이 좁아지게 되고, 직업선택의 자유에 대한 제한이 문제되는 경우에 있어서도 일정한 주관적 사유를 직업의 개시 또는 계속 수행의 전제조건으로 삼아 직업선택의 자유를 제한하는 경우보다는 직업의 선택을 객관적 허가조건에 걸리게 하는 방법으로 제한하는 경우에 침해의 심각성이 더 크므로 보다 엄밀한 정당화가 요구된다.
④ 직업의 자유는 영업의 자유와 기업의 자유를 포함하고, 이러한 영업 및 기업의 자유를 근거로 원칙적으로 누구나가 자유롭게 경쟁에 참여할 수 있다.
⑤ 직업의 자유는 직장선택의 자유를 포함하며, 직장선택의 자유는 원하는 직장을 제공하여 줄 것을 청구하거나 한번 선택한 직장의 존속보호를 청구할 권리를 보장하는 것이다.

해설

① (O) [20 법무사]

> 직업의 선택 혹은 수행의 자유는 각자의 생활의 기본적 수요를 충족시키는 방편이 되고, 또한 개성신장의 바탕이 된다는 점에서 주관적 공권의 성격이 두드러진 것이기는 하나, 다른 한편으로는 국민 개개인이 선택한 직업의 수행에 의하여 국가의 사회질서와 경제질서가 형성된다는 점에서 사회적 시장경제질서라고 하는 객관적 법질서의 구성요소이기도 하다. (헌재 1996.8.29. 94헌마113)

② (O) [20 법무사]
③ (O) 단계이론에 대한 내용이다. [20 법무사]

> 직업의 자유에 대한 제한이라고 하더라도 그 제한사유가 직업의 자유의 내용을 이루는 직업수행의 자유와 직업선택의 자유 중 어느쪽에 작용하느냐에 따라 그 제한에 대하여 요구되는 정당화의 수준이 달라진다. 그리하여 직업의 자유에 대한 법적 규율이 직업수행에 대한 규율로부터 직업선택에 대한 규율로 가면 갈수록 자유 제약의 정도가 상대적으로 강해져 입법재량의 폭이 좁아지게 되고, 직업선택의 자유에 대한 제한이 문제되는 경우에 있어서도 일정한 주관적 사유를 직업의 개시 또는 계속 수행의 전제조건으로 삼아 직업선택의 자유를 제한하는 경우보다는 직업의 선택을 객관적 허가조건에 걸리게 하는 방법으로 제한하는 경우에 침해의 심각성이 더 크므로 보다 엄밀한 정당화가 요구된다. (헌재 2003.9.25. 2002헌마519)

④ (O) 헌재 1996.12.26. 96헌가8 [20 5급행시]
⑤ (X) [20 5급행시]

> 헌법 제15조가 보장하는 직업선택의 자유는 직업선택의 자유만이 아니라 직업과 관련된 종합적이고 포괄적인 직업의 자유를 보장하는 것이다. 따라서 직업선택의 자유는 직장선택의 자유를 포함한다. … 그러나 이 기본권은 원하는 직장을 제공하여 줄 것을 청구하거나 한번 선택한 직장의 존속보호를 청구할 권리를 보장하지 않으며, 또한 사용자의 처분에 따른 직장 상실로부터 직접 보호하여 줄 것을 청구할 수도 없다. (헌재 2002.11.28. 2001헌바50)

정답 ⑤

단계이론

- 3단계 제한(객관적 사유에 의한 직업결정의 자유 제한)
- 2단계 제한(주관적 사유에 의한 직업결정의 자유 제한)
- 1단계 제한(직업행사의 자유에 대한 제한)

많은 ↑ 심사
제한 　 기준
↓ 가능 　 강화

기출지문 OX

❶ 직업결정의 자유나 전직의 자유는 그 성격상 직업종사(직업수행)의 자유에 비하여 상대적으로 더욱 넓은 법률상의 규제가 가능하며, 따라서 다른 기본권의 경우와 마찬가지로 국가안전보장, 질서유지 또는 공공복리를 위하여 필요한 경우에는 제한이 가능하다. 08 법원직　　　(O / X)

　해설 직업의 자유의 제한에 대한 단계설에 따르면 직업결정의 자유나 전직의 자유가 직업종사의 자유보다 덜 규제할 수 있기 때문에 상대적으로 넓은 자유의 폭이 있고, 따라서 다른 기본권의 경우와 마찬가지로 국가안전보장, 질서유지 또는 공공복리를 위하여 제한은 가능하지만, 직업수행의 자유의 제한보다는 상대적으로 덜 제한을 받는다. 　정답 X

❷ 단계이론에 의하면 직업선택의 자유에 대한 제한이 불가피한 경우 먼저 제1단계로 직업종사의 자유를 제한하고, 그에 의하여 그 목적을 달성할 수 없는 경우 제2단계로 객관적 사유에 의하여 직업결정의 자유를 제한하고, 그에 의하여도 그 목적을 달성할 수 없는 경우 제3단계로 주관적 사유에 의하여 직업결정의 자유를 제한하여야 한다. 10 국가7급　　　　　　　(O / X)

　해설 단계이론은 직업의 자유에 대한 제한은 가급적 직업의 자유를 덜 제한하는 수단이 있으면 침해가 최소화되는 제한을 먼저 선택해야 하고 그로써 목적을 달성할 수 없는 경우에 보다 제한이 많이 되는 수단을 선택해야 한다는 이론이다. 따라서 단계이론은 제1단계로 직업수행의 자유를 제한하고, 2단계로 주관적 사유에 의한 직업결정의 자유를 제한하며, 3단계로 객관적 사유에 의한 직업결정의 자유를 제한한다. 단계이론은 과잉금지원칙이 직업의 자유에 대한 제한에 있어서 보다 디테일하게 적용되는 이론으로서 독일 연방헌법재판소에 의해 확립되었고 우리 헌법재판소도 받아들이고 있다. 　정답 X

041 20·13 국회8급

직업의 자유에 대한 설명으로 옳은 것은? (다툼이 있는 경우 판례에 의함)

① 외국인근로자의 사업장 변경을 원칙적으로 3회를 초과할 수 없도록 하는 규정은 외국인근로자에게 일단 형성된 근로관계를 포기하는 것을 제한하기 때문에 직업선택의 자유에 대한 제한이 아니라 근로의 권리에 대한 제한으로 보아야 한다.

② 감차사업구역 내에 있는 일반택시운송사업자에게 택시운송사업 양도를 금지하고 감차계획에 따른 감차 보상만 신청할 수 있도록 하는 조항은 일반택시운송사업자의 직업수행의 자유를 과도하게 제한한다고 볼 수 없다.

③ 현금영수증 의무발행업종 사업자에게 건당 10만 원 이상 현금을 거래할 때 현금영수증을 의무 발급하도록 하고, 위반시 현금영수증 미발급 거래대금의 100분의 50에 상당하는 과태료를 부과하도록 한 규정은 공익과 비교할 때 과태료 제재에 따른 불이익이 매우 커서 직업수행의 자유를 침해한다.

④ 특허, 실용신안, 디자인 또는 상표의 침해로 인한 손해배상, 침해금지 등의 민사소송에서 변리사에게 소송대리를 허용하지 않는 것은 변리사들의 직업의 자유를 침해한다.

> 해설

① (✗) [20 국회8급]

> 외국인근로자의 고용 등에 관한 법률이 외국인근로자에게 사업장 변경을 3회로 제한한 것은 헌법에 위반되지 않는다. (헌재 2011.9.29. 2007헌마1083 등【기각】)
> [1] 관련 기본권의 확정
> 　직장변경의 횟수를 제한하고 있는 이 사건 법률조항은 위와 같은 근로의 권리를 제한하는 것은 아니라 할 것이다. 한편, 이 사건 법률조항은 외국인근로자의 사업장 최대변경 가능횟수를 설정하고 있는바, 이로 인하여 외국인근로자는 일단 형성된 근로관계를 포기(직장이탈)하는 데 있어 제한을 받게 되므로 이는 직업선택의 자유 중 직장선택의 자유를 제한하고 있다.
> [2] 자유로운 직업을 선택·결정을 할 자유는 외국인도 누릴 수 있는 인간의 권리로서의 성질을 지닌다고 볼 것이다.
> 　직업의 자유 중 이 사건에서 문제되는 직장선택의 자유는 인간의 존엄과 가치 및 행복추구권과도 밀접한 관련을 가지는 만큼 단순히 국민의 권리가 아닌 인간의 권리로 보아야 할 것이므로 권리의 성질상 참정권, 사회권적 기본권, 입국의 자유 등과 같이 외국인의 기본권 주체성을 전면적으로 부정할 수는 없고, 외국인도 제한적으로라도 직장선택의 자유를 향유할 수 있다고 보아야 한다. 한편, 외국인에게 직장선택의 자유에 대한 기본권 주체성을 인정한다는 것이 곧바로 이들에게 우리 국민과 동일한 수준의 직장선택의 자유가 보장된다는 것을 의미하는 것은 아니라고 할 것이다.

② (○) [20 국회8급]

> 택시운송사업에 사용되는 차량의 총량을 합리적으로 조정함으로써 수요공급의 균형을 이루어 택시운송업의 안정적 발전을 유지하고자 하는 것은 중대한 공익이라고 할 것이다. 심판대상조항으로 인하여 일반택시운송사업자가 원하는 시기에 자유롭게 택시운송사업을 양도하지 못함으로써 직업수행의 자유와 재산권을 제한받게 된다고 하더라도, 그로 인하여 입게 되는 불이익이 심판대상조항을 통하여 달성하고자 하는 공익보다 크다고 할 수 없으므로, 심판대상조항은 추구하는 공익과 제한되는 기본권 사이의 법익균형성요건도 충족하고 있다. 심판대상조항은 과잉금지원칙을 위반하여 일반택시운송사업자의 직업수행의 자유와 재산권을 침해하지 아니한다. (헌재 2019.9.26. 2017헌바467)

③ (✗) [20 국회8급]

> 심판대상조항은 투명하고 공정한 거래질서를 확립하고 현금거래가 많은 업종의 과세표준을 양성화하려는 공익은 현금영수증 의무발행업종 사업자가 입게 되는 불이익보다 훨씬 크므로 법익균형성도 충족한다. 따라서 심판대상조항은 직업수행의 자유를 침해하지 아니한다. (헌재 2019.8.29. 2018헌바265 등)

④ (✗) [13 국회8급]

> 특허침해소송은 고도의 법률지식 및 공정성과 신뢰성이 요구되는 소송으로, 변호사 소송대리원칙(민사소송법 제87조)이 적용되어야 하는 일반민사소송의 영역이므로, 소송당사자의 권익을 보호하기 위해 변호사에게만 특허침해소송의 소송대리를 허용하는 것은 그 합리성이 인정되며 입법재량의 범위 내라고 할 수 있다. 그러므로 이 사건 법률조항이 특허, 실용신안, 디자인 또는 상표의 침해로 인한 손해배상, 침해금지 등의 민사소송을 변리사가 예외적으로 소송대리를 할 수 있도록 허용된 범위에 포함시키지 아니한 것은 직업의 자유를 침해하지 아니한다. (헌재 2012.8.23. 2010헌마740)

정답 ②

042 20 변호사

직업의 자유에 대한 설명으로 옳은 것을 모두 고르면? (다툼이 있는 경우 판례에 의함)

ㄱ. 직업의 자유에는 해당 직업에 합당한 보수를 받을 권리까지 포함되어 있다고 보기 어려우므로 자신이 원하는 수준보다 적은 보수를 법령에서 규정하고 있다고 하여 직업선택이나 직업수행의 자유가 침해된다고 할 수 없다.

ㄴ. 어떠한 직업분야에 관한 자격제도를 만들면서 그 자격요건을 어떻게 설정할 것인가에 관하여는 그 입법재량의 폭이 좁다 할 것이므로, 과잉금지원칙을 적용함에 있어서 다른 방법으로 직업선택의 자유를 제한하는 경우에 비하여 보다 엄격한 심사가 필요하다.

ㄷ. 직장선택의 자유는 원하는 직장을 제공하여 주거나 선택한 직장의 존속보호를 청구할 권리를 보장하지 않으나, 국가는 직업선택의 자유로부터 나오는 객관적 보호의무, 즉 사용자에 의한 해고로부터 근로자를 보호할 의무를 진다.

① ㄱ, ㄴ
② ㄱ, ㄷ
③ ㄴ, ㄷ
④ ㄱ, ㄴ, ㄷ

해설

ㄱ. (O)

ㄴ. (X)

> 좁은 의미의 직업선택의 자유를 제한함에 있어, 어떤 직업의 수행을 위한 전제요건으로서 일정한 주관적 요건을 갖춘 자에게만 그 직업에 종사할 수 있도록 제한하는 경우에는 이러한 주관적 요건을 갖추도록 요구하는 것이 누구에게나 제한 없이 그 직업에 종사하도록 방임함으로써 발생할 우려가 있는 공공의 손실과 위험을 방지하기 위한 적절한 수단이고, 그 직업을 희망하는 모든 사람에게 동일하게 적용되어야 하며, 주관적 요건 자체가 그 제한목적과 합리적인 관계가 있어야 한다는 과잉금지원칙이 적용되어야 할 것이다. 다만 과잉금지원칙을 적용함에 있어 일정한 직업의 업무에 실질적으로 필요한 자격요건과 결격사유를 어떻게 설정할 것인가에 관하여는 업무의 내용과 제반 여건 등을 종합적으로 고려하여 입법자가 결정할 사항으로서 폭넓은 입법재량권이 부여되어 있으므로, 다른 방법으로 직업의 자유를 제한하는 경우에 비하여 보다 유연하고 탄력적인 심사가 필요하다. (헌재 2005.5.26. 2002헌바67)

ㄷ. (O)

정답 ②

043 회독 ☐☐☐ 재구성   20 법원직, 13 국회8급

직업의 자유에 대한 설명으로 옳지 않은 것은? (다툼이 있는 경우 판례에 의함)

① 생활수단성과 관련하여서는 단순한 여가활동이나 취미활동은 직업의 개념에 포함되지 않으나, 겸업이나 부업은 삶의 수요를 충족하기에 적합하므로 직업에 해당한다.
② 금고 이상의 실형을 선고받고 그 집행이 종료된 날부터 3년이 경과되지 않은 경우 중개사무소 개설등록을 취소하도록 한 「공인중개사법」 조항은 직업선택의 자유를 침해한 것이다.
③ 안경사의 안경제조행위 및 그 전제가 되는 도수 측정행위를 허용하는 것은 안과의사의 의료권과 직업선택의 자유를 침해하는 것이 아니다.
④ 외국인근로자의 사업장 변경허가기간을 그 신청일로부터 2개월로 제한한 것은 외국인근로자의 사업장 변경 자체를 금지하는 것이 아니라 허가기간을 제한하는 것에 불과하므로 외국인근로자의 직장선택의 자유를 침해하지 않는다.

해설

① (O) [20 법원직]
② (X) [20 법원직]

> 공인중개사는 다른 자격제도와 달리 부동산 거래 전반에 직접 관여하면서 매우 광범위하게 국민의 주거생활에 영향을 미치므로, 다른 자격제도보다 가중된 요건을 두었다고 하더라도 자의적인 차별취급으로 보기 어렵다. 따라서 심판대상조항은 평등권을 침해하지 않는다. (헌재 2015.5.28. 2013헌가7)

③ (O) 헌재 1993.11.25. 92헌마87 [13 국회8급]
④ (O) [13 국회8급]

> 외국인 근로자의 사업장 변경허가기간을 신청일로부터 2개월로 제한한 것은 내국인근로자의 고용기회를 보장하고, 외국인근로자가 근로의사 없이 국내에 장기간 체류하는 것을 방지함으로써 효율적인 고용관리를 도모하기 위한 것이며, 외국인근로자의 사업장 변경 자체를 금지하는 것이 아니라 허가기간을 제한한 것에 불과하여 지나치게 불합리하여 자의적이라고 할 수 없으므로 청구인의 직장선택의 자유를 침해하지 아니한다. (헌재 2011.9.29. 2009헌마351)

정답 ②

044

직업의 자유에 대한 설명으로 옳지 않은 것은? (다툼이 있는 경우 판례에 의함)

① 국가기술자격증을 다른 자로부터 빌려 건설업의 등록기준을 충족시킨 경우 그 건설업 등록을 필요적으로 말소하도록 한 법률규정은 건설업자의 직업의 자유를 침해하지 않는다.
② 택시운전자격을 취득한 사람이 강제추행 등 성범죄를 범하여 금고 이상의 형의 집행유예를 선고받은 경우 그 자격을 취소하도록 하는 것은 직업의 자유를 침해한다.
③ 형의 집행을 유예하는 경우에 사회봉사를 명할 수 있도록 하는 법규정에 의하여 사회봉사명령을 선고받은 이의 일반적 행동의 자유는 제한되지만, 이로 인하여 직업의 자유까지 제한된다고 볼 수 없다.
④ 변호인선임서 등을 공공기관에 제출할 때 소속 지방변호사회를 경유하도록 한 법률규정은 변호사의 직업수행의 자유를 침해하지 않는다.

해설

① (○) 헌재 2016.12.29. 2015헌바42 [20 입시]

② (×) [20 입시]

> 택시운전자격을 취득한 자가 친족관계인 사람을 강제추행하여 금고 이상의 실형을 선고받은 경우 그 택시운전자격을 취소하도록 규정한 '여객자동차 운수사업법' 제87조 제1항 단서 제3호 중 해당 부분은 헌법에 위반되지 않는다. (헌재 2020.5.27. 2018헌바264【합헌】)

③ (○) [18 서울7급]

> 이 사건 법률조항에 의한 사회봉사명령이 직접적으로 청구인에게 직업의 선택 및 수행을 금지 또는 제한하는 것은 아니고, 사회봉사명령 이행기간 중에 직업의 선택 및 수행이 사실상 어려워지는 면이 있다고 하더라도 이는 사회봉사명령으로 인하여 일반적 행동의 자유가 제한됨에 따라 부수적으로 발생하는 결과일 뿐이므로 이 사건 법률조항이 직업의 자유를 제한한다고 볼 수도 없다. (헌재 2012.3.29. 2010헌바100)

④ (○) 헌재 2013.5.30. 2011헌마131 [20 입시]

정답 ②

045

직업의 자유에 관한 다음 설명 중 가장 옳지 않은 것은?

① 성인대상 성범죄로 형을 선고받아 확정된 자에게 그 형의 집행을 종료한 날로부터 10년 동안 의료기관을 개설하거나 의료기관에 취업할 수 없도록 한 「아동·청소년의 성보호에 관한 법률」은 직업선택의 자유를 침해한다.
② 보건복지부장관이 치과전문의자격시험제도를 실시할 수 있도록 시행규칙을 마련하지 아니한 행정입법부작위는 전공의수련과정을 마친 청구인들의 직업의 자유를 침해한 것이다.
③ 운전면허를 받은 사람이 자동차 등을 이용하여 살인 또는 강간 등의 범죄행위를 한 때 운전면허를 취소하도록 규정한 「도로교통법」은 직업의 자유를 침해한 것이다.
④ 유치원 주변 학교환경위생정화구역에서 성관련 청소년유해물건을 제작·생산·유통하는 청소년유해업소를 예외 없이 금지하는 「학교보건법」은 직업의 자유를 침해한 것이다.

해설

① (O)

> 성범죄로 형을 선고받아 확정된 자(성범죄 의료인)로 하여금 그 형의 집행을 종료한 날부터 10년 동안 의료기관을 개설하거나 위 기관에 취업할 수 없도록 한 구 아동·청소년의 성보호에 관한 법률 제44조 제1항, 아동·청소년의 성보호에 관한 법률 제56조 제1항 제12호 중 '성인대상 성범죄로 형을 선고받아 확정된 자'에 관한 부분은 헌법에 위반된다. 위와 같은 취업제한이 위의 구 아동·청소년의 성보호에 관한 법률 조항 시행 후 형이 확정된 자부터 적용하도록 하는 같은 법 부칙조항은 헌법에 위반되지 아니한다. (헌재 2013.3.31. 2013헌마585)
> [1] '성인대상 성범죄' 부분은 헌법상 명확성원칙에 위배되지 않는다.
> [2] 이 사건 취업제한조항이 성범죄로 형을 선고받아 확정된 자에 대하여 10년 동안 일률적으로 의료기관에 대한 취업을 금지하는 것은 과도한 제한이다. 따라서 이 사건 법률조항은 청구인들의 직업선택의 자유를 침해한다.

② (O) 평등권도 침해한다. (헌재 1998.7.16. 96헌마246)

③ (O)

> 운전면허를 받은 사람이 자동차 등을 이용하여 살인 또는 강간 등 행정안전부령이 정하는 범죄행위를 한 때 운전면허를 취소하도록 하는 구 도로교통법 제93조 제1항 제11호는 법률유보원칙에 위배되지 않는다. 그러나 심판대상조항은 직업의 자유 및 일반적 행동의 자유를 침해한다. (헌재 2015.5.28. 2013헌가6)
> 심판대상조항 중 '자동차 등을 이용하여' 부분은 포섭될 수 있는 행위 태양이 지나치게 넓을 뿐만 아니라, 하위법령에서 규정될 대상범죄에 심판대상조항의 입법목적을 달성하기 위해 반드시 규제할 필요가 있는 범죄행위가 아닌 경우까지 포함될 우려가 있어 침해의 최소성 원칙에 위배된다. 심판대상조항은 운전을 생업으로 하는 자에 대하여는 생계에 지장을 초래할 만큼 중대한 직업의 자유의 제약을 초래하고, 운전을 업으로 하지 않는 자에 대하여도 일상생활에 심대한 불편을 초래하여 일반적 행동의 자유를 제약하므로 법익의 균형성원칙에도 위배된다. 따라서 심판대상조항은 직업의 자유 및 일반적 행동의 자유를 침해한다.

④ (X)

> 유치원 주변 학교환경위생정화구역에서 성관련 청소년유해물건을 제작·생산·유통하는 청소년유해업소를 예외 없이 금지하는 구 학교보건법 제6조 제1항 제19호는 포괄위임금지원칙 및 죄형법정주의의 명확성원칙에 위배되지 않고 직업의 자유를 침해하는 것도 아니며 평등원칙에도 위배되지 않는다. (헌재 2013.6.27. 2012헌바140 등)

정답 ④

046 [18 국가7급·입시, 17 지방7급]

직업의 자유에 대한 설명으로 옳은 것은? (다툼이 있는 경우 판례에 의함)

① 직업의 자유에 대한 제한의 사례 중 샘플 화장품을 판매금지하고 그 위반자에 대해서 형사처벌을 규정한 것은 헌법재판소가 합헌으로 판단하였다.
② 직업의 자유에 대한 제한의 사례 중 지적측량업무를 비영리법인에게만 대행할 수 있도록 하는 것은 헌법재판소가 합헌으로 판단하였다.
③ 제조업의 직접생산공정업무를 근로자파견의 대상업무에서 제외하는 법률조항은 근로자파견을 허용하되 파견기간을 제한하는 방법도 고려해 볼 수 있으므로 제조업의 직접생산공정업무에 관하여 근로자파견의 역무를 제공받고자 하는 사업주의 직업수행의 자유를 침해한다.
④ 입원환자에 대하여 의약분업의 예외를 인정하면서도 의사로 하여금 조제를 직접 담당하도록 한 것은 직업수행의 자유를 침해한다.

해설

① (O) [18 입시]

> 소비자들에게 정품 화장품에 일명 샘플 화장품을 끼워 판매하는 수법으로 샘플 화장품을 판매하는 경우 형사처벌하는 것은 헌법에 위반되지 아니한다. (헌재 2017.5.25. 2016헌바408[합헌])
> 심판대상조항은 일반적으로 화장품 판매 영업을 제한하는 것이 아니라, 처음부터 판매하지 않을 목적으로 제조 또는 수입된 화장품에 대한 판매만을 금지할 뿐이고, 그 수범자도 '소비자에게 화장품을 판매하는 자'로 한정하고 있다. 심판대상조항과 상관없이 샘플 화장품을 본래 목적인 마케팅 수단으로 무상 제공하는 것은 얼마든지 가능하다. 따라서 심판대상조항은 과잉금지원칙을 위반하여 청구인들의 직업수행의 자유를 침해하거나 책임과 형벌 간 비례원칙에 위반되지 아니한다.

② (✕) 헌법불합치로 판단하였다. (헌재 2002.5.30. 2000헌마81) [18 입시]

③ (✕) [18 국가7급]

> 제조업의 직접생산공정업무를 근로자파견의 대상업무에서 제외하고, 이에 관하여 근로자파견의 역무를 제공받는 것을 금지하며, 위반시 처벌하는 파견근로자 보호 등에 관한 법률 부분은 직업수행의 자유를 침해하지 않는다. (헌재 2017.12.28. 2016헌바346)
> 심판대상조항은 제조업의 직접생산공정업무에 관한 근로자파견 자체를 금지하고 위반시 처벌하고 있으나, 현재로서는 근로자파견의 확대로 인한 사회·경제적 부작용을 충분히 방지할 수 있다고 보기 어렵고, 제조업의 특성상 숙련되지 못한 근로자의 파견 또는 근로자의 잦은 변동을 방지할 필요성이 크며, 파견근로자 보호 등에 관한 법률 제5조 제2항에 따라 제조업의 직접생산공정업무의 경우에도 일정한 경우에는 예외적으로 근로자파견이 허용되고, 행정상의 제재수단만으로 입법목적을 실효적으로 달성할 수 있다고 보기 어려운 점 등에 비추어 보면, 침해의 최소성을 위반하였다고 보기 어렵다.

④ (✕) [17 지방7급]

> 이 사건 법률조항에서 의약분업의 예외를 인정한 취지를 살리면서도 약사 이외의 사람이 조제를 담당하여 발생할 수 있는 약화사고 등을 방지하기 위해서는, 의과대학에서 기초의학부터 시작하여 체계적으로 의학을 공부하고 상당기간 임상실습을 한 후 국가의 검증을 거친 의사로 하여금 조제를 직접 담당하도록 하는 것이 타당하고, 의사가 손수 의약품을 조제한 것에 준한다고 볼 수 있는 정도의 지휘·감독이 이루어진 경우에는 간호사의 보조를 받아 의약품을 조제하는 것이 허용되는 점 등을 감안하면 침해최소성원칙에 반한다고 볼 수 없으며, 이 사건 법률조항을 통하여 달성하고자 하는 국민보건의 향상과 약화사고의 방지라는 공익은 의약품 조제가 인정되는 가운데 의사가 받게 되는 조제방식의 제한이라는 사익에 비하여 현저히 커 법익균형성도 충족되므로, 이 사건 법률조항은 직업수행의 자유를 침해하지 아니한다. (헌재 2015.7.30. 2013헌바422)

정답 ①

047

직업의 자유에 대한 설명으로 옳은 것을 〈보기〉에서 모두 고르면? (다툼이 있는 경우 헌법재판소 결정에 의함)

보기
- ㄱ. 법령에서 사법시험 시행 전에 선발예정인원을 정하는 정원제를 규정하는 것은 사법시험을 통하여 변호사에게 필요한 자질과 능력을 검증하는 것이 아니라 변호사의 사회적 수급상황 등을 고려한 것이기에 객관적 사유에 의한 직업의 자유의 제한에 해당한다.
- ㄴ. 변호사가 변호사 업무수행을 하던 중 변리사 등록을 한 경우 대한변리사회에 의무적으로 가입하게 하는 조항은 변호사의 직업수행의 자유를 침해한다.
- ㄷ. 변호사가 변리사 업무를 수행하는 경우 변리사 연수교육을 받을 의무를 부과하는 조항은 변호사의 직업수행의 자유를 침해하지 않는다.
- ㄹ. 의료기기 수입업자가 의료기관 개설자에게 리베이트를 제공하는 경우를 처벌하는 조항은 의료기기 수입업자의 직업의 자유를 침해한다.
- ㅁ. 품목허가를 받지 아니한 의료기기를 수리·판매·임대·수여 또는 사용의 목적으로 수입한 자를 처벌하는 조항은 의료기기 수입업자의 직업수행의 자유를 침해하지 않는다.

① ㄱ, ㄷ
② ㄴ, ㅁ
③ ㄴ, ㄹ
④ ㄷ, ㅁ

해설

ㄱ. (✗) 객관적 사유가 아닌 주관적 사유에 의한 직업선택의 자유의 제한이다. (헌재 2010.5.27. 2008헌바110) [18 서울7급]

ㄴ. (✗) ㄷ. (○) [18 국회8급]

> 변리사의 대한변리사회 가입의무를 규정한 변리사법 제11조 중 '제5조 제1항에 따라 등록한 변리사' 부분은 청구인의 기본권을 침해하지 않는다. (헌재 2017.12.28. 2015헌마1000)
> [1] 자격조항의 시행 전에 변호사 자격을 갖고 있었던 청구인에게는 변리사법 부칙에 따라 구 자격조항이 적용된다. 따라서 청구인은 자격조항에 대하여 자기관련성이 인정되지 않으므로, 자격조항에 대한 심판청구는 부적법하다.
> [2] 청구인이 주장하는 기본권 침해는 징계조항에 의하여 직접 발생하는 것이 아니라 특허청장의 징계처분이라는 구체적인 집행행위가 있을 때 비로소 현실적으로 나타나므로, 징계조항은 기본권 침해의 직접성이 인정되지 않는다. 따라서 징계조항에 대한 심판청구는 부적법하다.
> [3] 연수조항이 변리사시험에 합격한 사람과 변호사 자격을 가진 사람 모두 연수교육을 받도록 규정한 것은 변리사 업무를 수행함에 있어서 근본적으로 같은 것을 같게 취급하는 것이므로 청구인의 평등권도 침해하지 않는다.

ㄹ. (✗) [18 국회8급]

> 의료기기 거래와 관련하여 리베이트를 주고 받은 의료기기업자와 의료인을 처벌하는 구 의료기기법 제14조 제5항 중 제12조 제3항 가운데 '의료기관개설자'에 관한 부분, 구 의료법 제23조의2 제2항 중 '의료인'에 관한 부분, 법인인 의료기기업자의 대표자 등이 리베이트를 제공한 경우 법인에 대해서도 벌금을 부과하는 구 의료기기법 제46조는 헌법에 위반되지 않는다. (헌재 2018.1.28. 2016헌바201 등)

ㅁ. (○) 헌재 2015.7.30. 2014헌바6 [18 국회8급]

정답 ④

048

직업의 자유에 대한 단계이론의 관점에서 볼 때 제한의 강도가 가장 약한 것은?

① 시각장애인에 대하여만 안마사 자격 인정을 받을 수 있도록 하는 것
② 대학 졸업 이상의 학력 소지자에게만 학원강사가 될 수 있도록 하는 것
③ 학교교과 교습학원의 교습시간을 05:00부터 22:00까지로 제한하는 것
④ 경비업을 전문으로 하는 별개의 법인을 설립하지 않는 한 경비업과 그 밖의 업종을 겸영하지 못하도록 하는 것

해설

① [3단계 제한]

> 안마사 자격 인정에 있어서 비맹제외기준은 시각장애인이 아닌 사람의 직업선택의 자유를 직접 침해하고 있고, 이는 당사자의 능력이나 자격과 상관없는 객관적 허가요건에 의한 직업선택의 자유에 대한 제한을 의미하므로, 헌법 제37조 제2항이 요구하는 과잉금지의 원칙을 충족하여야 할 것이다. (헌재 2006.5.25. 2003헌마715 등)

② [2단계 제한] 주관적 사유에 의한 직업선택의 자유 제한이다.
③ [1단계 제한] 직업수행의 자유 제한이다.
④ [3단계 제한]

정답 ③

기출지문 OX

❶ 지방공무원의 의사에 반하는 타 지방자치단체로의 전출명령은 직업의 자유를 침해하지 않는다. 17 입시 (O / X)

해설 지방공무원을 타 지방자치단체로 전출할 때는 본인의 동의를 얻어야 한다.

정답 X

❷ 근로자공급사업을 고용노동부장관의 허가를 받은 자만이 행할 수 있도록 제한하는 것은 과잉금지의 원칙에 반하여 직업선택의 자유를 침해한다. 11 지방7급 (O / X)

해설
> 근로자공급사업은 성질상 사인이 영리를 목적으로 운영할 경우 근로자의 안전 및 보건상의 위험, 근로조건의 저하, 공중도덕상 유해한 직종에의 유입, 미성년자에 대한 착취, 근로자에 대한 중간착취, 강제근로, 인권침해, 약취·유인, 인신매매 등의 부작용이 초래될 가능성이 매우 크므로 노동부장관의 허가를 받은 자만이 근로자공급사업을 할 수 있도록 제한하는 것은 그 목적의 정당성, 방법의 적절성, 피해의 최소성, 법익의 균형성 등에 비추어 볼 때 합리적인 제한이라고 할 것이고 과잉금지의 원칙에 위배되어 직업선택의 본질적인 내용을 침해하는 것으로 볼 수는 없다. (헌재 1998.11.26. 97헌바31)

정답 X

❸ 허위로 진료비를 청구해서 환자나 진료비 지급기관 등을 속여 사기죄로 금고 이상의 형을 선고받고 그 형의 집행이 종료되지 아니하였거나 집행을 받지 않기로 확정되지 않은 의료인에 대하여 필요적으로 면허를 취소하도록 하는 것은 의료인이 의료 관련 범죄로 인하여 형사처벌을 받는 경우 당해 의료인에 대한 국민의 신뢰가 손상될 수 있는 것을 방지하기 위한 것이지만, 의료인의 불법의 정도에 상응하는 제재수단을 선택할 수 있도록 임의적 면허취소 내지 면허정지를 규정해도 충분히 목적 달성이 가능하므로, 과도하게 의료인의 직업의 자유를 침해하는 것이다. 17 국가7급(하) (O / X)

해설
> 형법 제347조(허위로 진료비를 청구하여 환자나 진료비를 지급하는 기관이나 단체를 속인 경우만을 말한다) 위반행위로 금고 이상의 형까지 받은 의료인의 면허를 필요적으로 취소하지 아니하고 그대로 유지하도록 둘 경우 의료인에 대한 공공의 신뢰 확보라는 공익이 침해될 위험이 클 것임은 위 2005헌바50 결정 및 2012헌바102 결정과 달리 볼 이유가 없다. 따라서 이 사건 면허취소조항은 과잉금지원칙에 위배되어 의료인의 직업의 자유를 침해한다고 볼 수 없다. (헌재 2017.6.29. 2016헌바394)

정답 X

049 직업의 자유에 대한 설명으로 옳은 것만을 모두 고르면? (다툼이 있는 경우 판례에 의함)

ㄱ. 20년 이상 관세행정분야에서 근무한 자에게 일정한 절차를 거쳐 관세사 자격을 부여한 구「관세사법」규정은 헌법에 위반되지 않는다.
ㄴ. 변호사가 아닌 사람에 대하여 법률사무 취급을 포괄적으로 금지함으로써 법률사무를 변호사에게 독점시키는 결과를 초래하는 것은 국민의 직업선택의 자유를 침해한다.
ㄷ. 학원 설립·운영자가 구「학원의 설립·운영 및 과외교습에 관한 법률」을 위반하여 벌금형을 선고받은 경우 등록의 효력을 잃도록 규정하고 있는 것은 당사자의 능력이나 자격과는 하등 관련이 없는 객관적 사유에 의한 직업선택의 자유에 대한 제한이다.
ㄹ. 「학원의 설립·운영 및 과외교습에 관한 법률」을 위반하여 벌금형을 선고받은 후 1년이 지나지 아니한 자는 학원설립·운영의 등록을 할 수 없도록 규정한 구「학원의 설립·운영 및 과외교습에 관한 법률」상의 등록결격조항은 각종 규율의 형해화를 막고 학습자를 보호하며 학원의 공적 기능을 유지하고자 하는 목적을 달성하기 위하여 필요한 것으로 과잉금지원칙에 위배되어 직업선택의 자유를 침해한다고 보기 어렵다.
ㅁ. 「건설산업기본법」에서 건설업자가 명의대여를 한 경우 건설업의 등록을 필요적으로 말소하도록 규정하는 것은 합헌이지만, 임원이 금고 이상의 형을 선고받은 경우 법인의 건설업 등록을 필요적으로 말소하도록 규정한 것은 위헌이다.

① ㄱ, ㄴ, ㄷ
② ㄱ, ㄹ, ㅁ
③ ㄴ, ㄷ, ㅁ
④ ㄷ, ㄹ, ㅁ

해설

ㄱ. (○) 헌재 2001.1.18. 2000헌마364 [17 법무사]
ㄴ. (×) [09 지방7급]

> 변호사 아닌 자의 법률사무 취급을 포괄적으로 금지함으로써 법률사무를 변호사에게 독점시키는 결과를 가져오는 것이 일반국민의 직업선택의 자유를 침해하지 아니한다. (헌재 2000.4.27. 98헌바95 【합헌】)

ㄷ. (×) 주관적 사유에 의한 제한이다. [16 국회8급]
ㄹ. (○) [16 국회8급]

> [1] 학원의 설립·운영 및 과외교습에 관한 법률(이하 '학원법'이라 한다)을 위반하여 벌금형을 선고받은 후 1년이 지나지 아니한 자는 학원 설립·운영의 등록을 할 수 없도록 규정한 학원법 제9조 제1항 제4호는 과잉금지원칙에 위배되어 직업선택의 자유를 침해하지 않는다.
> [2] 법인의 임원이 학원법을 위반하여 벌금형을 선고받은 경우, 법인의 학원 설립·운영 등록이 효력을 잃도록 규정하고 있는 학원법 규정은 과잉금지원칙에 위배되어 직업수행의 자유를 침해한다. (헌재 2015.5.28. 2012헌마653)

ㅁ. (○) [16 법무사]

> - 건설업자가 명의대여행위를 한 경우 그 건설업 등록을 필요적으로 말소하도록 한 건설산업기본법 제83조 단서 중 제5호 부분은 직업수행의 자유 및 재산권을 침해하지 않는다. (헌재 2001.3.21. 2000헌바27)
> - 임원이 금고 이상의 형을 선고받은 경우 법인의 건설업 등록을 필요적으로 말소하도록 규정한 구 건설산업기본법 제83조 단서 제3호 본문 중 제13조 제1항 제4호 가운데 법인에 관한 부분은 청구인의 직업수행의 자유를 침해한다. (헌재 2014.4.24. 2013헌바25)

정답 ②

050 회독 ☐☐☐ 재구성

15 법원직, 14 국회8급

직업의 자유에 대한 설명으로 옳은 것은? (다툼이 있는 경우 판례에 의함)

① 직업의 자유는 근대 시민사회의 출범과 함께 비로소 쟁취된 기본권으로서 중세 봉건적 신분사회에서는 인정될 수 없었던 것이지만 현대사회에서는 공산주의 국가에서도 원칙적으로 인정되는 기본권이다.
② 1919년 바이마르헌법이 최초로 직업의 자유를 명문화하였고, 우리 헌법은 건국헌법부터 직업의 자유를 명문화하였다.
③ 헌법이 보장하는 직업의 자유는 자신이 원하는 직업 내지 직종을 자유롭게 선택하고 선택한 직업을 자유롭게 수행할 수 있음을 그 내용으로 하는 것이므로, 특정인에게 배타적·우월적인 직업선택권이나 독점적인 직업활동의 자유까지도 보장하는 것이다.
④ 어떤 직업의 수행을 위한 전제요건으로서 일정한 주관적 요건을 갖춘 자에게만 그 직업에 종사할 수 있도록 직업선택의 자유를 제한하는 경우에는 주관적 요건 자체가 그 제한목적과 합리적인 관계가 있어야 한다.
⑤ 입법자가 설정한 자격요건을 구비하여 자격을 부여받은 자에게 사후적으로 결격사유가 발생하면, 입법자는 당연히 그 자격을 박탈할 수 있다.

해설

① (✕) [14 국회8급]

> 헌법 제15조는 직업선택의 자유를 규정하고 있는데, 이는 자기가 선택한 직업에 종사하여 이를 영위하고 언제든지 임의로 그것을 전환할 수 있는 자유로서 민주주의·자본주의 사회에서는 매우 중요한 기본권의 하나로 인식되고 있는 것이다. 직업선택의 자유는 근세 시민사회의 출범과 함께 비로소 쟁취된 기본권으로서 중세 봉건적 신분사회에서는 인정될 수 없었던 것이며, 현대사회에서도 공산주의 국가에서는 원칙적으로 인정되지 않는 기본권이기 때문이다. (헌재 1993.5.13. 92헌마80)

② (✕) 우리나라는 제5차 개정헌법에서 직업의 자유를 처음으로 규정하였다. [14 국회8급]

③ (✕) [14 국회8급]

> 직업의 자유는 자신이 원하는 직업 내지 직종을 자유롭게 선택하는 직업선택의 자유와 그가 선택한 직업을 자유롭게 수행할 수 있는 직업수행의 자유를 포함하는 개념이다. 이러한 직업의 선택 혹은 수행의 자유는 각자의 생활의 기본적 수요를 충족시키는 방편이 되고 또한 개성신장의 바탕이 된다는 점에서 행복추구권과도 밀접한 관련을 갖는다. 그러나 이러한 직업의 자유도 본질적인 내용에 대한 침해가 아닌 한 국가안전보장·질서유지 또는 공공복리를 위하여 법률로서 제한될 수 있는 것이며 또 직업의 자유가 보장된다고 하여 그것이 반드시 특정인에게 배타적인 직업선택권이나 독점적인 직업활동의 자유를 보장하는 것은 아니다. (헌재 1997.10.30. 96헌마109)

④ (○) [15 법원직]

> 일반적으로 직업선택의 자유를 제한함에 있어, 어떤 직업의 수행을 위한 전제요건으로서 일정한 주관적 요건을 갖춘 자에게만 그 직업에 종사할 수 있도록 제한하는 경우에는, 이러한 주관적 요건을 갖추도록 요구하는 것이, 누구에게나 제한 없이 그 직업에 종사하도록 방임함으로써 발생할 우려가 있는 공공의 손실과 위험을 방지하기 위한 적절한 수단이고, 그 직업을 희망하는 모든 사람에게 동일하게 적용되어야 하며, 주관적 요건 자체가 그 제한목적과 합리적인 관계가 있어야 한다는 비례의 원칙이 적용되어야 할 것이다. (헌재 1995.6.29. 90헌바43)

⑤ (✕) [15 법원직]

> 어떠한 직업분야에 관한 자격제도를 만들면서 그 자격요건 내지 결격사유를 어떻게 설정할 것인가에 관하여 입법자에게 폭넓은 입법재량이 인정되기는 하나, 일단 자격요건을 구비하여 자격을 부여받았다면 사후적으로 결격사유가 발생했다고 해서 당연히 그 자격을 박탈할 수 있는 것은 아니다. (헌재 2014.1.28. 2011헌바252)

정답 ④

051　회독 ☐☐☐　14 국회9급

직업의 자유에 대한 제한 중 헌법에 위반되는 것은? (다툼이 있는 경우 판례에 의함)

① PC방 전체를 2년의 유예기간이 지난 뒤 전면 금연구역으로 운영하도록 규제하는 것
② 자동차운전전문학원을 졸업하고 운전면허를 받은 사람 중 교통사고를 일으킨 비율이 대통령령이 정한 비율을 초과하는 경우 운전전문학원의 등록을 취소하거나 운영정지를 할 수 있도록 규정한 것
③ 외국인을 대상으로 하는 카지노 신규사업의 허가대상기관을 한국관광공사로 한정한 것
④ 청원경찰이 법원에서 자격정지의 형을 선고받은 경우 「국가공무원법」을 준용하여 당연퇴직하도록 한 것
⑤ 무면허운전으로 벌금 이상의 형을 선고받은 자에게 2년 동안 운전면허를 취득할 수 없도록 하는 것

해설

① (X) 헌재 2013.6.27. 2011헌마315 등【합헌】

② (O)
> 운전교육과 기능검정이 철저하더라도 교통사고는 우연적 사정과 운전자 개인의 부주의로 발생할 수 있다는 것을 감안하면, 교통사고를 예방하고 운전교육과 기능검정을 철저히 하도록 한다는 입법목적은 이 사건 조항으로 인하여 효과적으로 달성된다고 할 수 없다. 이 사건 조항이 추구하는 입법목적이 이 사건 조항을 통하여 달성될 것인지가 불투명한 반면, 이 사건 조항에 따른 행정제재를 당하는 운전전문학원은 자신이 충실히 운전교육과 기능검정을 하였더라도 피할 수 없는 제재를 당할 수 있게 되고, 그러한 제재가 가져오는 영업상의 손실은 큰 것이다. 이 사건 조항은 법익의 균형성원칙에 위배된다. 그러므로 '자동차운전전문학원을 졸업하고 운전면허를 받은 사람 중 교통사고를 일으킨 비율이 대통령령이 정하는 비율을 초과하는 때에는 학원의 등록을 취소하거나 1년 이내의 운영정지를 명할 수 있도록 한 이 사건 조항은 비례의 원칙에 어긋나 직업의 자유를 침해한다. (헌재 2005.7.21. 2004헌가30【위헌】)

③ (X)
> 외국인 전용 신규 카지노업 허가대상기관을 한국관광공사로 한정한 것은 기존 카지노업자들의 직업선택의 자유와 평등권을 침해하지 않는다. (헌재 2006.7.27. 2004헌마924【합헌】)

④ (X)
> 자격정지의 형을 선고받은 청원경찰이 이 사건 법률조항에 따라 당연퇴직되어 입게 되는 직업의 자유에 대한 제한이라는 불이익이 자격정지의 형을 선고받은 자를 청원경찰직에서 당연퇴직시킴으로써 청원경찰에 대한 국민의 신뢰를 제고하고 청원경찰로서의 성실하고 공정한 직무수행을 담보하려는 공익에 비하여 더 중하다고 볼 수는 없으므로, 법익균형성도 지켜지고 있다. 따라서 청원경찰이 법원에서 자격정지의 형을 선고받은 경우 국가공무원법을 준용하여 당연퇴직하도록 한 이 사건 법률조항은 과잉금지원칙을 위반하여 청구인의 직업의 자유를 침해하지 아니한다. (헌재 2011.10.25. 2011헌마85【합헌】)

⑤ (X)
> 무면허운전으로 벌금 이상의 형을 선고받은 자에게 2년 동안 운전면허를 취득할 수 없도록 한 것은 헌법상 직업의 자유나 일반적 행동의 자유를 침해하였다고 볼 수 없다. (헌재 2007.12.27. 2005헌마1107【합헌】)

정답 ②

052 회독 ☐☐☐   11 법원직

직업선택의 자유 또는 직업의 자유, 영업의 자유를 침해 또는 과도하게 제한하는 것은? (다툼이 있는 경우 헌법재판소 결정 및 대법원 판례에 의함)

① 공립학교 학교운영위원회를 당해 학교의 교원 대표·학부모 대표 및 지역사회인사로만 구성하도록 하여 행정직원이 학교운영위원회의 직원 대표로 입후보하는 것을 원천적으로 배제하는 것
② 보존음료수 제조업의 허가를 받은 자에게 제조한 음료수를 전량 수출하거나 주한 외국인에게만 판매하도록 하는 것
③ 담배제조업 허가기준의 하나로 자본금 300억 원 이상을 요구하는 것
④ 대한궁도협회가 궁도경기용품인 궁시에 대한 검정 및 공인제도를 실시하면서 각궁에 대한 공인요건으로 최고가격에 관한 기준을 설정한 것

해설

① (×)

> 학교운영위원은 무보수 봉사직이므로 그 활동을 생활의 기본적 수요를 충족시키는 계속적인 소득활동으로 보기 어려운바, 이 사건 법률조항이 직업선택의 자유와 관련되는 것은 아니라고 할 것이다. (헌재 2007.3.29. 2005헌마1144)

② (○)

> 보존음료수의 국내판매를 금지함으로써 잠재적인 판매시장의 거의 대부분을 폐쇄한다는 것은 직업선택의 자유를 제한하는 것과 다를 바 없는 영업의 자유에 대한 중대한 제한이고, 영업의 자유를 제한하는 내용에 있어서도 국내판매를 완전히 금지하여 어느 경우에도 예외를 인정하지 않고 있으므로, 그 제한의 정도가 절대적인 것이어서 직업의 자유를 심하게 제한하고 있다고 하지 않을 수 없다. (대판 1994.3.8. 92누1728)

③ (×)

> 담배사업법 시행령 제4조 제1항 제1호가 300억 원 이상의 자본금을 갖출 것을 허가기준으로 하여 자본금이 그에 미치지 못하는 기업의 담배제조업 진입을 제한함으로써 직업선택의 자유나 중소기업의 활동을 일부 제한하는 측면이 없지 않으나, 직업선택의 자유의 본질적인 내용을 침해하였다거나 합리적 근거 없는 차별에 해당하여 평등권을 침해하였다고 보기 어렵다. (대판 2008.4.11. 2008두2019)

④ (×)

> 대한궁도협회가 궁도경기용품인 궁시에 대한 검정 및 공인제도를 실시하면서 각궁에 대한 공인요건으로 최고가격에 관한 기준을 설정한 것은 각궁 등 제조업자의 직업선택의 자유를 과도하게 제한하여 시장경제의 기본질서에 반한다고 할 수 없다. (대판 2009.10.15. 2008다85345)

정답 ②

비교판례

❶ 사법시험법을 폐지하도록 한 변호사시험법 부칙 제2조는 청구인들의 직업선택의 자유를 침해하지 않는다. (헌재 2016.9.29. 2012헌마1002 등)

 효력정지가처분은 기각하였다.

❷ 사법시험 제1차시험 응시 4회 제한에 대한 가처분 (헌재 2000.12.8. 2000헌사471[인용])

예상판례

❶ 문화재수리 등에 관한 법률 위반과 다른 죄의 경합범으로 징역형의 집행유예를 선고받았다는 이유로 문화재청장이 청구인들의 문화재수리기술자 자격을 취소한 것은 직업의 자유를 침해하지 아니하며, 명확성원칙과 평등원칙에 위반되지 아니한다. (헌재 2017.5.25. 2015헌바373 등)

❷ [1] 공동주택의 입주자대표회의 및 주택관리업자는 제외한 채 관리사무소장에게만 손해배상책임을 부과하고, 그 보장을 위하여 보증보험 가입 등을 강제하고 있는 주택법 제55조의2는 관리사무소장의 직업수행의 자유를 침해하지 않는다.
[2] 공인회계사, 세무사의 경우 회계법인, 세무법인 등 소속자들에게는 손해배상책임의 보장에 관한 특칙을 두고 있지 아니한 데 반해 관리사무소장에게 보증보험 가입 등을 요구하고 있는 이 사건 법률조항은 관리사무소장의 평등권을 침해하지 않는다. (헌재 2012.12.27. 2011헌마44)

❸ 국제결혼중개업의 등록요건으로 1억 원 이상의 자본금을 요구하는 결혼중개업의 관리에 관한 법률 제24조의3은 직업선택의 자유를 침해하지 아니한다. (헌재 2014.3.27. 2012헌마745)

❹ 변호사시험 일시·장소 및 응시자준수사항 공고' 및 '코로나19 관련 제10회 변호사시험 응시자 유의사항 등 알림' 중 코로나19 확진환자의 응시를 금지하고, 자가격리자 및 고위험자의 응시를 제한한 부분은 청구인들의 직업선택의 자유를 침해하여 헌법에 위반된다. (헌재 2023.2.23. 2020헌마1736【인용(위헌확인)】)

CHAPTER 05 정치적 기본권

제1절 참정권

001

24 경찰간부

국민투표권에 대한 설명으로 가장 적절하지 않은 것은? (다툼이 있는 경우 헌법재판소 판례에 의함)

① 국민투표권이란 국민이 국가의 특정 사안에 대해 직접 결정권을 행사하는 권리로서, 각종 선거에서의 선거권 및 피선거권과 더불어 국민의 참정권의 한 내용을 이루는 헌법상 기본권이다.
② 헌법 제130조 제2항에 의한 헌법개정에 관한 국민투표는 대통령 또는 국회가 제안하고 국회의 의결을 거쳐 확정된 헌법개정안에 대하여 주권자인 국민이 최종적으로 그 승인 여부를 결정하는 절차이다.
③ 대의기관의 선출주체가 곧 대의기관의 의사결정에 대한 승인주체가 되는 것은 당연한 논리적 귀결이지만, 국민투표권자의 범위가 대통령선거권자·국회의원선거권자의 범위와 일치되어야 하는 것은 아니다.
④ 「국민투표법」 조항이 국회의원선거권자인 재외선거인에게 국민투표권을 인정하지 않은 것은 국회의원선거권자의 헌법개정안 국민투표참여를 전제하고 있는 헌법 제130조 제2항의 취지에 부합하지 않는다.

해설

① (O) ② (O)

> 헌법 제72조에 의한 중요정책에 관한 국민투표는 국가안위에 관계되는 사항에 관하여 대통령이 제시한 구체적인 정책에 대한 주권자인 국민의 승인절차라 할 수 있고, 헌법 제130조 제2항에 의한 헌법개정에 관한 국민투표는 대통령 또는 국회가 제안하고 국회의 의결을 거쳐 확정된 헌법개정안에 대하여 주권자인 국민이 최종적으로 그 승인 여부를 결정하는 절차이다. (헌재 2007.6.28. 2004헌마644)

③ (X) ④ (O)

> 대의기관의 선출주체가 곧 대의기관의 의사결정에 대한 승인주체가 되는 것은 당연한 논리적 귀결이다. 재외선거인은 대의기관을 선출할 권리가 있는 국민으로서 대의기관의 의사결정에 대해 승인할 권리가 있으므로, 국민투표권자에는 재외선거인이 포함된다고 보아야 한다. 또한, 국민투표는 선거와 달리 국민이 직접 국가의 정치에 참여하는 절차이므로, 국민투표권은 대한민국 국민의 자격이 있는 사람에게 반드시 인정되어야 하는 권리이다. 이처럼 국민의 본질적 지위에서 도출되는 국민투표권을 추상적 위험 내지 선거기술상의 사유로 배제하는 것은 헌법이 부여한 참정권을 사실상 박탈한 것과 다름없다. 따라서 국회의원 선거권자인 재외선거인에게 국민투표권을 인정하지 않은 국민투표법 조항은 재외선거인의 국민투표권을 침해한다. (헌재 2014.7.24. 2009헌마256)

정답 ③

002 회독 ☐☐☐   22 서울·지방7급

참정권에 대한 설명으로 옳지 않은 것은? (다툼이 있는 경우 판례에 의함)

① 헌법상 직접민주주의에 따른 참정권으로 헌법개정안에 대한 국민투표권과 외교·국방·통일 기타 국가안위에 관한 중요정책에 대한 국민투표권이 규정되어 있는데, 전자는 필수적이고 후자는 대통령의 재량으로 이뤄진다.
② 10개월의 징역형을 선고받고 그 집행이 종료되지 아니한 사람은 선거권이 없다.
③ 「출입국관리법」 제10조에 따른 영주의 체류자격 취득일 후 3년이 경과한 18세 이상의 외국인으로서 선거인명부작성기준일 현재 「출입국관리법」 제34조에 따라 해당 지방자치단체의 외국인등록대장에 올라 있는 사람은 그 구역에서 선거하는 지방자치단체의 의회의원 및 장의 선거권이 있다.
④ 공직을 직업으로 선택하는 경우에 있어서 직업선택의 자유는 공무담임권을 통해서 그 기본권 보호를 받게 된다고 할 수 있으므로 공무담임권을 침해하는지 여부를 심사하는 이상 이와 별도로 직업선택의 자유 침해 여부를 심사할 필요는 없다.

해설

① (O)

> **헌법 제72조의 국민투표권의 성격** (헌재 2005.11.24. 2005헌마579 등)
> 헌법 제72조는 국민투표에 부쳐질 중요정책인지 여부를 대통령이 재량에 의하여 결정하도록 명문으로 규정하고 있고 헌법재판소 역시 위 규정은 대통령에게 국민투표의 실시 여부, 시기, 구체적 부의사항, 설문 내용 등을 결정할 수 있는 임의적인 국민투표발의권을 독점적으로 부여하였다고 하여 이를 확인하고 있다. 따라서 특정의 국가정책에 대하여 다수의 국민들이 국민투표를 원하고 있음에도 불구하고 대통령이 이러한 희망과는 달리 국민투표에 회부하지 아니한다고 하여도 이를 헌법에 위반된다고 할 수 없고 국민에게 특정의 국가정책에 관하여 국민투표에 회부할 것을 요구할 권리가 인정된다고 할 수도 없다.

② (X) 선거범이나 정치자금법 등의 위반이 아닌 일반범죄의 경우 집행유예기간 중에 선거권을 부정하는 것이 위헌 결정된 후, 일반범죄의 경우 집행유예기간 중에 선거권을 인정한다.
③ (O) 외국인의 투표권은 기본권이 아니라 법률상 권리이다.
④ (O) 기본권 경합에 있어 공무담임권은 직업의 자유에 대한 특별기본권이다.

정답 ②

기출지문 OX

참정권은 국민주권의 상징적 표현으로서 국민의 가장 중요한 기본적 권리의 하나이며 다른 기본권에 대하여 우월적 지위를 가진다.    (O / X)

해설 대의민주주의하에서 참정권은 국민주권을 현실적으로 가능하게 하는 기본권으로서 다른 기본권에 대하여 우월적 지위를 가지고, 이에 대한 제한을 심사할 때는 보다 엄격한 기준을 적용한다.

정답 O

003 회독 ☐☐☐   22 변호사

헌법 제72조의 국민투표부의권에 관한 설명 중 옳지 않은 것은? (다툼이 있는 경우 판례에 의함)

① 헌법상 국민에게 특정 국가정책에 관하여 국민투표에 회부할 것을 요구할 권리가 인정된다고 할 수 없다.
② 대통령이 자신에 대한 재신임국민투표를 국민들에게 제안한 것은 그 자체로서 헌법 제72조에 반하는 것으로 헌법을 실현하고 수호하여야 할 대통령의 의무를 위반한 것이다.
③ 특정 정책을 국민투표에 부치면서 자신의 신임을 결부시키는 대통령의 행위는 헌법에 위반되지 않는다.
④ 국민투표의 가능성은 국민주권주의나 민주주의원칙과 같은 일반적인 헌법원칙에 근거하여 인정될 수 없으며, 헌법에 명문으로 규정되지 않는 한 허용되지 않는다.
⑤ 대통령의 국민투표부의권은 대통령에 의한 국민투표의 정치적 남용을 방지할 수 있도록 엄격하고 축소적으로 해석되어야 한다.

해설

① (O) ② (O) ③ (X) ④ (O) ⑤ (O)

> **대통령의 재신임국민투표 가능성** (헌재 2004.5.14. 2004헌나1【기각】)
> [1] 대통령에게 국민투표부의권을 부여하는 헌법 제72조는 가능하면 대통령에 의한 국민투표의 정치적 남용을 방지할 수 있도록 엄격하고 축소적으로 해석되어야 한다. 이러한 관점에서 볼 때, 헌법 제72조의 국민투표의 대상인 '중요정책'에는 대통령에 대한 '국민의 신임'이 포함되지 않는다. 대통령은 헌법상 국민에게 자신에 대한 신임을 국민투표의 형식으로 물을 수 없을 뿐만 아니라, 특정 정책을 국민투표에 붙이면서 이에 자신의 신임을 결부시키는 대통령의 행위도 위헌적인 행위로서 헌법적으로 허용되지 않는다. 물론, 대통령이 특정 정책을 국민투표에 붙인 결과 그 정책의 실시가 국민의 동의를 얻지 못한 경우, 이를 자신에 대한 불신임으로 간주하여 스스로 물러나는 것은 어쩔 수 없는 일이나, 정책을 국민투표에 붙이면서 '이를 신임투표로 간주하고자 한다'는 선언은 국민의 결정행위에 부당한 압력을 가하고 국민투표를 통하여 간접적으로 자신에 대한 신임을 묻는 행위로서, 대통령의 헌법상 권한을 넘어서는 것이다.
> [2] 헌법은 대통령에게 국민투표를 통하여 직접적이든 간접적이든 자신의 신임 여부를 확인할 수 있는 권한을 부여하지 않는다. 뿐만 아니라, 헌법은 명시적으로 규정된 국민투표 외에 다른 형태의 재신임국민투표를 허용하지 않는다. 이는 주권자인 국민이 원하거나 또는 국민의 이름으로 실시하더라도 마찬가지이다. 국민은 선거와 국민투표를 통하여 국가권력을 직접 행사하게 되며, 국민투표는 국민에 의한 국가권력의 행사방법의 하나로서 명시적인 헌법적 근거를 필요로 한다. 따라서 국민투표의 가능성은 국민주권주의나 민주주의원칙과 같은 일반적인 헌법원칙에 근거하여 인정될 수 없으며, 헌법에 명문으로 규정되지 않는 한 허용되지 않는다.
> [3] 헌법상 허용되지 않는 재신임국민투표를 국민들에게 제안한 것은 그 자체로서 헌법 제72조에 반하는 것으로 헌법을 실현하고 수호해야 할 대통령의 의무를 위반한 것이다.

정답 ③

004

국민투표권에 대한 설명으로 옳지 않은 것만을 모두 고르면? (다툼이 있는 경우 판례에 의함)

ㄱ. 국민투표의 대상으로 외교, 국방, 통일 기타 국가안위에 관한 중요정책을 명시한 것은 현행헌법부터이다.
ㄴ. 대통령은 헌법 제72조상의 국민투표부의권을 행사하여 헌법을 개정할 수 있다.
ㄷ. 「정당법」상의 당원의 자격이 없는 자는 국민투표에 관한 운동을 할 수 없다.
ㄹ. 출입국관리 관계 법령에 따라 대한민국에 계속 거주할 수 있는 자격을 갖춘 외국인으로서 지방자치단체의 조례로 정한 사람은 국민투표권을 가진다.
ㅁ. 국회의원 선거권자인 재외선거인에게 국민투표권을 인정하지 않은 것은 국회의원 선거권자의 헌법개정안 국민투표 참여를 전제하고 있는 헌법 제130조 제2항의 취지에 부합하지 않는다.

① ㄱ, ㄴ, ㄷ
② ㄱ, ㄴ, ㄹ
③ ㄴ, ㄷ, ㄹ
④ ㄷ, ㄹ, ㅁ

해설

ㄱ. (✗) [14 국가7급]

> **제8차 개정헌법 제47조**
> 대통령은 필요하다고 인정할 때에는 외교·국방·통일.기타 국가안위에 관한 중요정책을 국민투표에 붙일 수 있다.
>
> **제2차 개정헌법 제7조의2**
> 대한민국의 주권의 제약 또는 영토의 변경을 가져올 국가안위에 관한 중대사항은 국회의 가결을 거친 후에 국민투표에 부하여 민의원의원 선거권자 3분지 2 이상의 투표와 유효투표 3분지 2 이상의 찬성을 얻어야 한다.
> 전항의 국민투표의 발의는 국회의 가결이 있은 후 1개월 이내에 민의원의원 선거권자 50만인 이상의 찬성으로써 한다.
> 국민투표에서 찬성을 얻지 못한 때에는 제1항의 국회의 가결사항은 소급하여 효력을 상실한다.

ㄴ. (✗) 헌법개정은 헌법 제130조에 정한 절차에 의해서만 가능하다. [14 국가7급]

ㄷ. (○) [19 국가7급]

> **국민투표법 제28조(운동을 할 수 없는 자)**
> ① 정당법상의 당원의 자격이 없는 자는 운동을 할 수 없다.
> ② 예비군 소대장급 이상의 간부 및 리·동·통·반의 장은 국민투표일공고일 이전에 그 직에서 해임되지 아니하고는 운동을 할 수 없으며 연설원 또는 투·개표참관인이 될 수 없다.

ㄹ. (✗) 국민투표권, 대통령 선거, 국회의원 선거권은 국민의 지위가 있어야 인정된다. 외국인은 일정 요건을 갖출 때 지방선거에서 선거권이 인정된다. [19 국가7급]

ㅁ. (○) [19 국가7급]

정답 ②

005

국민투표에 관한 다음 설명 중 가장 옳지 않은 것은? (다툼이 있는 경우 헌법재판소 결정에 의함)

① 헌법상의 국민투표권과 「지방자치법」상의 주민투표권은 다른 성질을 갖는 권리이다.
② 헌법개정안에 대한 국민투표제를 처음 도입한 것은 제3공화국(1962년) 헌법이다.
③ 대법원은 국민투표에 관하여 「국민투표법」 또는 「국민투표법」에 의하여 발하는 명령에 위반하는 사실이 있는 경우라도 국민투표의 결과에 영향을 미쳤다고 인정하는 때에 한하여 국민투표 무효의 판결을 하여야 하며, 국민투표의 일부의 무효를 판결할 수는 없다.
④ 국민투표의 효력에 관하여 이의가 있는 투표인은 투표인 10만인 이상의 찬성을 얻어 중앙선거관리위원회 위원장을 피고로 하여 투표일로부터 20일 이내에 대법원에 제소할 수 있다.

해설

① (O) 국민투표권은 기본권이고, 주민투표권은 법률상 권리이다. [09 국회8급]
② (O) 국가중요정책에 관한 국민투표는 제2차 개정헌법에 규정되었지만, 헌법개정에 관한 국민투표는 제5차 개정헌법에 처음 규정되었다. 한편, 국민투표로 확정된 최초의 헌법은 제5차 개정헌법이다. 즉, 제5차 개정헌법은 그 당시 헌법에 따라 한 것이 아니라 국가재건최고회의법에 따라 국민투표를 한 것이다. [18 법원직]
③ (X) [18 법원직]

> **공직선거법 제224조(선거무효의 판결 등)**
> 소청이나 소장을 접수한 선거관리위원회 또는 대법원이나 고등법원은 선거쟁송에 있어 선거에 관한 규정에 위반된 사실이 있는 때라도 <u>선거의 결과에 영향을 미쳤다고 인정하는 때에 한하여</u> 선거의 전부나 일부의 무효 또는 당선의 무효를 결정하거나 판결한다.

④ (O) 국민투표법 제92조 [18 법원직]

정답 ③

기출지문 OX

❶ 주민등록을 할 수 없는 재외국민의 국민투표권 행사를 전면적으로 배제하고 있는 「국민투표법」 제14조 제1항은 국민투표권을 침해한다. 16 법원직 (O / ×)

해설 헌재 2007.6.28. 2004헌마644 등

정답 O

❷ 「신행정수도 후속대책을 위한 연기·공주지역 행정중심복합도시 건설을 위한 특별법」이 수도를 분할하는 국가정책을 집행하는 내용을 가지고 있고 대통령이 이를 추진하고 집행하기 이전에 그에 관한 국민투표를 실시하지 아니하였다면 국민투표권이 행사될 수 있는 계기인 대통령의 중요정책 국민투표부의가 행해지지 않았다고 하더라도 청구인들의 국민투표권이 행사될 수 있을 정도로 구체화되었다고 할 수 있으므로 그 침해의 가능성이 인정된다. 16 법원직 (O / ×)

해설
> 청구인들은 대통령과 국무총리가 서울이라는 하나의 도시에 소재하고 있어야 한다는 관습헌법의 존재를 주장하나 이러한 관습헌법의 존재를 인정할 수 없다. 따라서 이 사건 법률에 의하여 관습헌법개정의 문제는 발생하지 아니하며 그 결과 국민들에게는 헌법개정에 관여할 국민투표권 자체가 발생할 여지가 없으므로 헌법 제130조 제2항이 규정한 청구인들의 국민투표권의 침해가능성은 인정되지 않는다. (헌재 2005.11.24. 2005헌마579 등)

정답 ×

예상판례

대한민국과 미합중국 간의 자유무역협정 (헌재 2013.11.29. 2012헌마166【각하】)

[1] 대한민국과 미합중국 간의 자유무역협정으로 인하여 헌법 제72조의 국민투표권이 침해될 가능성이 인정되지 않는다.
헌법 제72조의 국민투표권은 대통령이 어떠한 정책을 국민투표에 부의한 경우에 비로소 행사가 가능한 기본권이다. 한미무역협정에 대한 대통령의 국민투표부의가 행해지지 않은 이상 헌법 제72조의 국민투표권의 침해가능성은 인정되지 않는다.

[2] 한미무역협정으로 인하여 헌법 제130조 제2항의 국민투표권이 침해될 가능성이 인정되지 않는다.

제 2 절 선거권과 선거제도

핵심노트

대표제	다수대표제	• 절대다수대표제: 50% 이상의 득표를 한 1명을 선출하는 제도 • 상대다수대표제: 1표라도 많은 득표를 한 1명을 선출하는 제도
	소수대표제	1선거구에서 2명 이상의 대표를 선출하는 제도
	비례대표제	정당의 득표율에 따라 의석을 배분하는 제도
	직능대표제	직업별로 선거인단을 조직하여 그 대표를 의회에 보내는 제도
선거구제	소선거구	1선거구에서 1명의 대표를 선출하는 제도
	중선거구	1선거구에서 2명 이상 4명(또는 5명)의 대표를 선출하는 제도(제7차 개정헌법 국회의원 선거: 중선거구)
	대선거구	1선거구에서 4명(또는 6명) 이상의 대표를 선출하는 제도(제3차 개정헌법 참의원 선거)

006 NEW
24 경찰2차

선거운동과 정치적 표현의 자유에 관한 설명으로 가장 적절한 것은? (다툼이 있는 경우 헌법재판소 판례에 의함)

① 「농업협동조합법」・「수산업협동조합법」에 의하여 설립된 조합(이하 '협동조합')의 상근직원에 대하여 선거운동을 금지하는 구 「공직선거법」 조항의 해당 부분은 정치적 의사표현 중 당선 또는 낙선을 위한 직접적인 활동만을 금지할 뿐이므로 협동조합 상근직원의 선거운동의 자유를 침해하지 않는다.

② 지방공사 상근직원의 선거운동을 금지하고, 이를 위반한 자를 처벌하는 「공직선거법」 조항의 해당 부분은 지방공사 상근 직원에 대하여 '그 지위를 이용하여' 또는 '그 직무 범위 내에서' 하는 선거운동을 금지하는 방법만으로는 선거의 공정성이 충분히 담보될 수 없어 지방공사 상근직원의 선거운동의 자유를 침해하지 아니한다.

③ 안성시시설관리공단(이하 '공단')의 상근직원이, 당원이 아닌 자에게도 투표권을 부여하는 당내경선에서 경선운동을 할 수 없도록 금지・처벌하는 「공직선거법」 조항의 해당 부분은 당내 경선의 공정성과 형평성 확보에 기여하여 공단 상근직원의 정치적 표현의 자유를 침해하지 않는다.

④ 광주광역시 광산구 시설관리공단(이하 '공단')의 상근직원이, 당원이 아닌 자에게도 투표권을 부여하는 당내경선에서 경선운동을 할 수 없도록 금지・처벌하는 「공직선거법」 조항의 해당 부분은, 공단의 상근직원은 공단의 경영에 관여하거나 실질적인 영향력을 미칠 수 있는 권한을 가지고 있고, 경선운동으로 인한 부작용과 폐해가 커서 공단 상근직원의 정치적 표현의 자유를 침해하지 아니한다.

해설

① (O)
> 심판대상조항은 정치적 의사표현 중 당선 또는 낙선을 위한 직접적인 활동만을 금지할 뿐이므로, 협동조합의 상근직원은 여전히 선거와 관련하여 일정 범위 내에서는 자유롭게 자신의 정치적 의사를 표현하면서 후보자에 대한 정보를 충분히 교환할 수 있다. 따라서 심판대상조항은 침해의 최소성 및 법익의 균형성을 충족한다. 결국 심판대상조항은 과잉금지원칙에 반하여 청구인들의 선거운동의 자유를 침해하지 않는다. (헌재 2022.11.24. 2020헌마417)

② (×)

직급에 따른 업무 내용과 수행하는 개별·구체적인 직무의 성격을 고려하여 지방공사 상근직원 중 선거운동이 제한되는 주체의 범위를 최소화하거나, 지방공사 상근직원에 대하여 '그 지위를 이용하여' 또는 '그 직무 범위 내에서' 하는 선거운동을 금지하는 방법으로도 선거의 공정성이 충분히 담보될 수 있다. 결국 심판대상조항은 과잉금지원칙을 위반하여 지방공사 상근직원의 선거운동의 자유를 침해한다. (헌재 2024.1.25. 2021헌가14)

③ (×)

정치적 표현의 자유의 중대한 제한에 비하여, 안성시시설관리공단의 상근직원이 당내경선에서 공무원에 준하는 영향력이 있다고 볼 수 없는 점 등을 고려하면 심판대상조항이 당내경선의 형평성과 공정성의 확보라는 공익에 기여하는 바가 크다고 보기 어렵다. 따라서 심판대상조항은 과잉금지원칙에 반하여 정치적 표현의 자유를 침해한다. (헌재 2022.12.22. 2021헌가36)

④ (×)

정치적 표현의 자유의 중대한 제한에 비하여, 이 사건 공단의 상근직원이 당내경선에서 공무원에 준하는 영향력이 있다고 볼 수 없는 점 등을 고려하면 심판대상조항이 당내경선의 형평성과 공정성의 확보라는 공익에 기여하는 바가 크다고 보기 어렵다. 따라서 심판대상조항은 과잉금지원칙에 반하여 정치적 표현의 자유를 침해한다. (헌재 2021.4.29. 2019헌가11)

정답 ①

007

다음 설명 중 가장 옳은 것은?

① 예비후보자의 선거비용을 보전하지 않도록 규정한 「공직선거법」 해당 조항은 선거운동의 자유를 침해한다.
② 국회의원을 후원회지정권자로 정하면서 지방의회의원을 후원회지정권자에서 제외하는 구 「정치자금법」 해당 조항은, 지방의회의원에게 소요되는 정치자금이 국회의원에 비해 적고 후원회의 설치 및 운영을 허용할 필요도 크지 않으므로, 평등권을 침해한다고 보기 어렵다.
③ 지역구 국회의원 예비후보자의 기탁금 반환 사유를 예비후보자의 사망, 당내경선 탈락으로 한정하고 있는 구 공직선거법 해당 조항은 재산권을 침해한다.
④ 선거운동기간 전에 개별적으로 대면하여 말로 하는 선거운동을 금지하고 처벌하는 「공직선거법」 해당 조항은, 탈법적인 선거운동 규제를 통한 선거의 공정성을 달성하고 부당한 과열경쟁으로 인한 사회·경제적 손실을 방지할 수 있으므로, 정치적 표현의 자유를 침해하지 않는다.

해설

① (✕)

> 예비후보자 선거비용을 보전해줄 경우 선거가 조기에 과열되어 예비후보자 제도의 취지를 넘어서 악용될 수 있고, 탈법적인 선거운동 등을 단속하기 위한 행정력의 낭비도 증가할 수 있는 반면, 선거비용 보전 제한조항으로 인하여 후보자가 받는 불이익은 일부 경제적 부담을 지는 것인데, 후원금을 기부받아 선거비용을 지출할 수 있으므로 그 부담이 경감될 수 있다. 따라서 선거비용 보전 제한조항은 법익균형성원칙에도 반하지 않는다. 그러므로 선거비용 보전 제한조항은 청구인들의 선거운동의 자유를 침해하지 않는다. (헌재 2018.7.26. 2016헌마524)

② (✕)

> 국회의원을 후원회지정권자로 정하면서 지방자치법 제2조 제1항 제1호의 '도'의회의원과 같은 항 제2호의 '시'의회의원을 후원회지정권자에서 제외하고 있는 정치자금법 제6조 제2호는 지방의회의원인 청구인들의 평등권을 침해한다. (헌재 2022.11.24. 2019헌마528【헌법불합치】)
> [1] 심판대상조항이 평등권을 침해하는지 여부 – 적극
> [2] 이러한 사정들을 종합하여 보면, 심판대상조항이 국회의원과 달리 지방의회의원을 후원회지정권자에서 제외하고 있는 것은 불합리한 차별로서 청구인들의 평등권을 침해한다.

③ (○) 목적의 정당성 및 수단의 적합성은 인정되지만 침해의 최소성원칙, 법익균형성에 위반된다.

> 지역구 국회의원 예비후보자의 기탁금 반환사유를 예비후보자의 사망, 당내경선 탈락으로 한정(공천탈락 제외)하고 있는 공직선거법 제57조 제1항 제1호 다목 중 지역구 국회의원 선거와 관련된 부분은 재산권을 침해한다. (헌재 2018.1.28. 2016헌마541【헌법불합치(계속적용)】)

④ (✕)

> 심판대상조항은 입법목적을 달성하는 데 지장이 없는 선거운동방법, 즉 돈이 들지 않는 방법으로서 '후보자 간 경제력 차이에 따른 불균형 문제'나 '사회·경제적 손실을 초래할 위험성'이 낮은, 개별적으로 대면하여 말로 지지를 호소하는 선거운동까지 금지하고 처벌함으로써, 과잉금지원칙에 반하여 선거운동 등 정치적 표현의 자유를 과도하게 제한하고 있다. 결국 이 사건 선거운동기간조항 중 선거운동기간 전에 개별적으로 대면하여 말로 하는 선거운동에 관한 부분, 이 사건 처벌조항 중 '그 밖의 방법'에 관한 부분 가운데 개별적으로 대면하여 말로 하는 선거운동을 한 자에 관한 부분은 과잉금지원칙에 반하여 선거운동 등 정치적 표현의 자유를 침해한다. (헌재 2022.2.24. 2018헌바146)

정답 ③

008 [NEW] 24 경찰간부

선거권에 대한 설명으로 가장 적절하지 않은 것은? (다툼이 있는 경우 헌법재판소 판례에 의함)

① 선거에 관한 여론조사의 결과에 영향을 미치게 하기 위하여 둘 이상의 전화번호를 착신전환 등의 조치를 하여 같은 사람이 두차례 이상 응답하는 등의 행위로 100만 원 이상의 벌금형의 선고를 받고 그 형이 확정된 후 5년을 경과하지 아니한 자는 선거권이 없다고 규정한 「공직선거법」 조항은, 공정한 선거를 보장하고 선거범에 대하여 사회적 제재를 부과하며 일반국민에 대하여 선거의 공정성에 대한 의식을 제고하려는 것으로 선거권을 침해하지 아니한다.

② 재외투표기간 개시일에 임박하여 또는 재외투표기간 중에 재외선거사무 중지결정이 있었고 그에 대한 재개결정이 없었던 예외적인 상황에서 재외투표기간 개시일 이후에 귀국한 재외선거인 및 국외부재자 신고인이 국내에서 선거일에 투표할 수 있도록 하는 절차를 마련하지 않은 것이, 재외투표기간 개시일 이후에 귀국한 재외선거인 등의 선거권을 침해하는 것은 아니다.

③ 사전투표관리관이 투표용지의 일련번호를 떼지 아니하고 선거인에게 교부하도록 정한 「공직선거법」 조항은 사전투표자들의 선거권을 침해하지 아니한다.

④ 사전투표관리관이 투표용지에 자신의 도장을 찍는 경우 도장의 날인을 인쇄날인으로 갈음할 수 있도록 한 「공직선거관리규칙」 조항은 현저히 불합리하거나 불공정하여 사전투표자의 선거권을 침해한다고 볼 수 없다.

해설

① (○) 헌재 2022.3.31. 2019헌마986

② (×)

> 공직선거법 제218조의16 제3항 중 '재외투표기간 개시일 전에 귀국한 재외선거인 등'에 대해 선거권을 인정하지 않는 것은 헌법에 합치되지 아니한다. (헌재 2022.1.27. 2020헌마895 【헌법불합치】)
> 재외투표기간 개시일 전에 귀국한 사람에 한하여 국내에서 투표할 수 있도록 한 것은 입법목적을 위한 적합한 수단이다. 재외투표기간 개시일에 임박하여 또는 재외투표기간 중에 재외선거사무 중지결정이 있었고 그에 대한 재개결정이 없었던 예외적인 경우 재외투표기간 개시일 이후에 귀국한 재외선거인등의 귀국투표를 허용하여 재외선거인등의 선거권을 보장하면서도 중복투표를 차단하여 선거의 공정성을 훼손하지 않을 수 있는 대안이 존재하므로, 심판대상조항은 침해의 최소성 원칙에 위배된다.

③ (○) ④ (○)

> ㉮ 큐알(QR) 코드가 표기된 사전투표용지 발급행위에 대한 심판청구를 각하하고, ㉯ 사전투표관리관이 사전투표용지의 일련번호를 떼지 않고 선거인에게 교부하도록 정한 공직선거법 제158조 제3항 중 '일련번호를 떼지 아니하고' 부분에 대한 심판청구는 기각하는 결정을 선고하였다. (헌재 2023.10.26. 2022헌마231 【기각】)

정답 ②

기출지문 OX

신체의 장애로 인하여 자신이 기표할 수 없는 선거인에 대해 투표보조인이 가족이 아닌 경우 반드시 2인을 동반하여서만 투표를 보조하게 할 수 있도록 정하고 있는 「공직선거법」 조항은 선거의 공정성을 확보하는 데 치우친 나머지 비밀선거의 중요성을 간과하고 있으므로 과잉금지원칙에 반하여 청구인의 선거권을 침해한다. 23 서울·지방7급 (○ / ×)

해설 신체에 장애가 있는 선거인에 대해 투표보조인이 가족이 아닌 경우 반드시 2인을 동반하도록 한 공직선거법 제157조 제6항은 헌법에 위반되지 않는다. (헌재 2020.5.27. 2017헌마867 【기각】)

정답 ×

009  　　　　　　　　　　　　　　　　　　　　　　　　　　　21 국회8급

선거의 원칙에 대한 설명으로 옳은 것만을 〈보기〉에서 모두 고르면? (다툼이 있는 경우 판례에 의함)

[보기]
ㄱ. 헌법 제24조는 모든 국민은 '법률이 정하는 바에 의하여' 선거권을 가진다고 규정함으로써 법률유보의 형식을 취하고 있으므로 국민의 선거권은 '법률이 정하는 바에 따라서만 인정될 수 있다'는 포괄적인 입법권의 유보하에 있다.
ㄴ. 보통선거의 원칙은 선거권자의 능력, 재산, 사회적 지위 등의 실질적인 요소를 배제하고 성년자이면 누구라도 당연히 선거권을 갖는 것을 요구하므로 보통선거의 원칙에 반하는 선거권 제한의 입법을 하기 위해서는 헌법 제37조 제2항의 규정에 따른 한계가 한층 엄격히 지켜져야 한다.
ㄷ. 천재·지변 기타 부득이한 사유로 지방의회의원 및 지방자치단체의 장의 선거를 실시할 수 없거나 실시하지 못한 때에는 중앙선거관리위원회 위원장이 당해 지방자치단체의 장과 협의하여 선거를 연기하여야 한다.
ㄹ. 선거구획정에 있어서 인구비례원칙에 의한 투표가치의 평등은 헌법적 요청으로서 다른 요소에 비해 기본적이고 일차적인 기준이다.
ㅁ. 1인 1표제하에서의 비례대표의석 배분방식은 직접선거의 원칙과 평등선거의 원칙에 위반된다.

① ㄱ, ㄴ, ㄹ　　② ㄱ, ㄹ, ㅁ　　③ ㄴ, ㄷ, ㅁ
④ ㄴ, ㄹ, ㅁ　　⑤ ㄷ, ㄹ, ㅁ

[해설]

ㄱ. (✗) 선거권 자체는 헌법에 의해 인정되고 구체적인 내용은 법률로 정해진다. 따라서 포괄적인 입법권의 유보가 아니다.
ㄴ. (O) 보통선거의 내용이다.
ㄷ. (✗)

> **공직선거법 제196조(선거의 연기)**
> ① 천재·지변 기타 부득이한 사유로 인하여 선거를 실시할 수 없거나 실시하지 못한 때에는 대통령 선거와 국회의원 선거에 있어서는 대통령이, 지방의회의원 및 지방자치단체의 장의 선거에 있어서는 관할 선거구 선거관리위원회 위원장이 당해 지방자치단체의 장(직무대행자를 포함한다)과 협의하여 선거를 연기하여야 한다.

ㄹ. (O) 선거구획정에서 가장 중요한 기준은 인구이지만, 인구만으로 선거구를 획정하는 것은 아니고, 교통, 지세, 문화 등을 고려한다.
ㅁ. (O)

> **비례대표제와 1인 1표제** (헌재 2001.7.19. 2000헌마91 등 [위헌]) [기출다수]
> 공직선거법에서 1인 1표제를 채택하여 정당에 대한 별도의 투표 없이 개인에 대한 투표를 정당에 대한 투표로 의제하는 것은 위헌이다.
> [1] 민주주의원리에 부합하지 않는다.
> [2] 평등선거원칙에 위배된다.
> [3] 직접선거원칙에 위배된다.

정답 ④

010　회독 ☐☐☐　21 입시

선거제도에 대한 설명으로 옳지 않은 것은? (다툼이 있는 경우 판례에 의함)

① 비밀선거는 자유선거를 실질적으로 보장하기 위한 수단으로서 유권자 스스로 이를 포기할 수도 있으므로 비밀선거의 원칙에 대한 예외를 두는 법률조항이 선거권을 침해하는지 여부를 판단할 때에는 헌법 제37조 제2항에 따른 엄격한 심사가 적용되지 아니한다.

② 자유선거의 원칙은 선거의 전 과정에 요구되는 선거권자의 의사형성의 자유와 의사실현의 자유를 말하고, 구체적으로는 투표의 자유, 입후보의 자유, 나아가 선거운동의 자유를 뜻한다.

③ 선거권 자체를 제한하는 것이 아니라 선거권의 행사를 제한하는 법률의 경우에는 입법자에게 일정한 형성의 자유가 인정되지만, 이러한 경우에도 입법자는 헌법에 명시된 선거제도의 원칙을 존중하고 국민의 선거권이 부당하게 제한되지 않도록 하여야 한다는 헌법적 한계를 준수해야 한다.

④ 선거구획정에 있어서 인구비례의 원칙에 의한 투표가치의 평등은 기본적이고 일차적인 기준이어야 하지만 자치구·시·군의원 선거구획정에 있어서는 행정구역 내지 지역대표성 등 2차적 요소도 인구비례의 원칙에 못지않게 함께 고려해야 한다.

⑤ 비례대표제하에서 선거 결과의 결정에는 정당의 의석배분이 필수적인 요소를 이루게 되므로 비례대표제를 채택하는 한 직접선거의 원칙은 의원의 선출뿐만 아니라 정당의 비례적인 의석 확보도 선거권자의 투표에 의하여 직접 결정될 것을 요구한다.

> **해설**

① (✗) 국민의 주권 행사와 관계되므로 비례원칙에 따른 심사를 하여야 한다.

> 이 사건 조항은 모사전송 시스템 등 전자통신 기술을 이용한 선상투표와 같은 기술적인 대체수단이 있음에도 불구하고 선거권을 과도하게 제한하고 있으므로 '피해의 최소성'원칙에 위배되고, 원양의 해상업무에 종사하는 선원들은 아무런 귀책사유도 없이 헌법상의 선거권을 행사할 수 없게 되는 반면, 이와 관련하여 추구되는 공익은 불분명한 것이어서, '법익의 균형성'원칙에도 위배된다. 그러므로 이 사건 조항은 과잉금지의 원칙에 위배하여 청구인들의 선거권을 침해하는 것이다. (헌재 2007.6.28. 2005헌마772)

② (O) 자유선거의 내용이다.
③ (O) 선거권 제한에 대한 위헌심사의 기준은 엄격한 기준이 적용된다.
④ (O) 선거구획정시 고려하여야 할 요소이다.
⑤ (O) 헌재 2001.7.19. 2000헌마91 등【위헌】

정답 ①

011

국회의원 선거에 대한 설명으로 옳지 않은 것은?

① 국회의원선거구획정위원회는 중앙선거관리위원회 위원장이 위촉하는 9명의 위원으로 구성하되, 위원장은 위원 중에서 호선한다.
② 국회는 국회의원지역구를 선거일 전 180일까지 확정하여야 한다.
③ 국회의원의 임기가 개시된 후에 실시하는 보궐선거에 의한 의원의 임기는 당선이 결정된 때부터 개시되며 전임자의 잔임기간으로 한다.
④ 선거일 현재 금고 이상의 형의 선고를 받고 그 형이 실효되지 아니한 자는 피선거권이 없다.

해설

① (O) 공직선거법 제24조 제3항

② (×)

> **공직선거법 제24조의2(국회의원 지역구획정)**
> ① 국회는 국회의원지역구를 선거일 전 <u>1년</u>까지 확정하여야 한다.

③ (O)

> **공직선거법 제14조(임기개시)**
> ① 대통령의 임기는 전임대통령의 임기만료일의 다음 날 0시부터 개시된다. 다만, 전임자의 임기가 만료된 후에 실시하는 선거와 궐위로 인한 선거에 의한 대통령의 임기는 당선이 결정된 때부터 개시된다.
> ② 국회의원과 지방의회의원(이하 이 항에서 '의원'이라 한다)의 임기는 총선거에 의한 전임의원의 임기만료일의 다음 날부터 개시된다. 다만, <u>의원의 임기가 개시된 후에 실시하는 선거와 지방의회의원의 증원선거에 의한 의원의 임기는 당선이 결정된 때부터 개시되며 전임자 또는 같은 종류의 의원의 잔임기간으로 한다.</u>
> ③ 지방자치단체의 장의 임기는 전임지방자치단체의 장의 임기만료일의 다음 날부터 개시된다. 다만, 전임지방자치단체의 장의 임기가 만료된 후에 실시하는 선거와 제30조(지방자치단체의 폐치·분합시의 선거 등)제1항 제1호 내지 제3호에 의하여 새로 선거를 실시하는 지방자치단체의 장의 임기는 당선이 결정된 때부터 개시되며 전임자 또는 같은 종류의 지방자치단체의 장의 잔임기간으로 한다.

④ (O)

> **공직선거법 제19조(피선거권이 없는 자)**
> 선거일 현재 다음 각 호의 어느 하나에 해당하는 자는 피선거권이 없다.
> 1. 제18조(선거권이 없는 자) 제1항 제1호·제3호 또는 제4호에 해당하는 자
> 2. 금고 이상의 형의 선고를 받고 그 형이 실효되지 아니한 자
> 3. 법원의 판결 또는 다른 법률에 의하여 피선거권이 정지되거나 상실된 자
> 4. 국회법 제166조(국회 회의 방해죄)의 죄를 범한 자로서 다음 각 목의 어느 하나에 해당하는 자(형이 실효된 자를 포함한다)
>   가. 500만 원 이상의 벌금형의 선고를 받고 그 형이 확정된 후 5년이 경과되지 아니한 자
>   나. 형의 집행유예의 선고를 받고 그 형이 확정된 후 10년이 경과되지 아니한 자
>   다. 징역형의 선고를 받고 그 집행을 받지 아니하기로 확정된 후 또는 그 형의 집행이 종료되거나 면제된 후 10년이 경과되지 아니한 자
> 5. 제230조 제6항의 죄를 범한 자로서 벌금형의 선고를 받고 그 형이 확정된 후 10년을 경과하지 아니한 자(형이 실효된 자도 포함한다)

정답 ②

012 [21 변호사]

선거권과 선거제도에 대한 설명으로 옳지 않은 것은? (다툼이 있는 경우 판례에 의함)

① 임기만료에 따른 비례대표국회의원 선거에서 정당에 배분된 비례대표국회의원 의석 수가 그 정당이 추천한 비례대표국회의원 후보자 수를 넘는 때에는 그 넘는 의석은 공석으로 한다.

② 국립대학의 장 후보자 선정을 직접선거의 방법으로 실시하기로 해당 대학 교원의 합의가 있는 경우 그 선거관리를 선거관리위원회에 의무적으로 위탁시키는 「교육공무원법」 조항은 선거의 공정성과 선거에 관한 모든 사항을 선거관리위원회에 위탁하는 것이 아니라 선거관리만을 위탁하는 것이고 그 외 선거권·피선거권·선출방식 등은 여전히 대학이 자율적으로 정할 수 있는 점 등을 고려할 때 대학의 자율의 본질적인 부분을 침해하였다고 볼 수 없다.

③ 사법적인 성격을 지니는 농업협동조합의 조합장 선거에서 조합장을 선출하거나 조합장으로 선출될 권리, 조합장 선거에서 선거운동을 하는 것은 헌법에 의하여 보호되는 선거권의 범위에 포함되지 않는다.

④ 헌법재판소는 대통령 선거와 국회의원 선거에서 확성장치의 사용과 관련하여 확성장치의 수만 규정하고 있을 뿐 확성장치의 소음규제기준을 마련하고 있지 아니한 「공직선거법」 조항은 과잉금지원칙에 위배되어 건강하고 쾌적한 환경에서 생활할 권리를 침해한다고 하였다.

해설

① (O) 공직선거법 제189조 제5항

② (O) 선거관리위원회에서 관리하는 것은 공정성 측면에서 허용된다. (헌재 2006.4.27. 2005헌마1047 등)

③ (O) 선거권은 모든 국민이 참여하는 경우에 인정되는 것이므로 선지와 같은 경우에는 결사의 자유가 문제된다.

> 지역농협 이사 선거의 경우 전화(문자메시지를 포함한다)·컴퓨터통신(전자우편을 포함한다)을 이용한 지지 호소의 선거운동방법을 금지하고, 이를 위반한 자를 처벌하는 구 농업협동조합법 제50조 제4항 및 농업협동조합법 제50조 제4항은 청구인들의 결사의 자유, 표현의 자유를 침해한다. (헌재 2016.11.24. 2015헌바62 [위헌])

④ (X) 과잉금지원칙에 위반되는 것이 아니라 과소보호금지원칙에 위반된다.

> 전국동시지방선거의 선거운동과정에서 후보자들이 확성장치를 사용할 수 있도록 허용하면서도 그로 인한 소음의 규제기준을 정하지 아니한 공직선거법 제79조 제3항 제2호 중 '시·도지사 선거' 부분, 같은 항 제3호 및 공직선거법 제216조 제1항은 헌법에 합치되지 아니한다. (헌재 2019.12.27. 2018헌마730 [헌법불합치])
> 국가가 국민의 건강하고 쾌적한 환경에서 생활할 권리에 대한 보호의무를 다하지 않았는지 여부를 헌법재판소가 심사할 때에는 국가가 이를 보호하기 위하여 적어도 적절하고 효율적인 최소한의 보호조치를 취하였는가 하는 이른바 '과소보호금지원칙'의 위반 여부를 기준으로 삼아야 한다. 따라서 심판대상조항은 국가의 기본권 보호의무를 과소하게 이행한 것으로서, 청구인의 건강하고 쾌적한 환경에서 생활할 권리를 침해한다.

정답 ④

013 선거권에 대한 설명으로 옳지 않은 것은? (다툼이 있는 경우 판례에 의함)

① 선거범으로서 100만 원 이상의 벌금형의 선고를 받고 그 형이 확정된 후 5년을 경과하지 아니한 자 또는 형의 집행유예의 선고를 받고 그 형이 확정된 후 10년을 경과하지 아니한 자에게 선거권을 부여하지 않는 「공직선거법」 조항은 선거권을 침해하지 않는다.

② 지역구국회의원 선거에 있어서 선거구 선거관리위원회가 당해 국회의원지역구에서 유효투표의 다수를 얻은 자를 당선인으로 결정하도록 한 「공직선거법」 조항은 청구인의 선거권을 침해하지 않는다.

③ 범죄자에게 형벌의 내용으로 선거권을 제한하는 경우에는 선거권 제한 여부 및 적용범위의 타당성에 대하여 보통선거원칙에 입각한 선거권 보장과 그 제한의 관점에서 엄격한 비례심사를 하여야 한다.

④ 「공직선거법」에서는 일정한 요건을 구비한 외국인에게 지방선거의 선거권을 인정하나, 재외선거인에게 국회의원의 재·보궐선거권을 부여하지 않은 것은 재외선거인의 선거권을 침해한다.

해설

① (O)
> 선거권 제한조항은 선거의 공정성을 확보하기 위한 것으로서, 선거권 제한의 대상과 요건, 기간이 제한적인 점, 선거의 공정성을 해친 바 있는 선거범으로부터 부정선거의 소지를 차단하여 공정한 선거가 이루어지도록 하기 위하여는 선거권을 제한하는 것이 효과적인 방법인 점 등을 종합하면, 선거권 제한조항은 청구인들의 선거권을 침해한다고 볼 수 없다. (헌재 2018.1.25. 2015헌마821 등)

② (O)
> 소선거구 다수대표제는 다수의 사표가 발생할 수 있다는 문제점이 제기됨에도 불구하고 정치의 책임성과 안정성을 강화하고 인물 검증을 통해 당선자를 선출하는 등 장점을 가지며, 선거의 대표성이나 평등선거의 원칙 측면에서도 다른 선거제도와 비교하여 반드시 열등하다고 단정할 수 없다. 또한 비례대표 선거제도를 통하여 소선거구 다수대표제를 채택함에 따라 발생하는 정당의 득표비율과 의석비율 간의 차이를 보완하고 있다. 그리고 유권자들의 후보들에 대한 각기 다른 지지는 자연스러운 것이고, 선거제도상 모든 후보자들을 당선시키는 것은 불가능하므로 사표의 발생은 불가피한 측면이 있다. (헌재 2016.5.26. 2012헌마374)

③ (O)
> 선거권을 제한하는 입법은 선거의 결과로 선출된 입법자들이 스스로 자신들을 선출하는 주권자의 범위를 제한하는 것이므로 신중해야 한다. … 헌법 제37조 제2항에 따라 엄격한 비례심사를 하여야 한다. (헌재 2014.1.28. 2012헌마409 등)

④ (X) 재외국민의 선거권

국민의 지위만으로 인정되는 선거권	대통령 선거	부정하면 보통선거원칙, 평등권, 선거권 침해 → 지금은 인정
	국민투표	인정
	국회의원 선거	• 지역구국회의원 선거는 국민의 지위와 주민의 지위가 필요 • 비례대표국회의원 선거는 재외국민 등록신청을 하면 주민등록이 없어도 인정
국민 + 주민의 지위로 인정되는 선거권 (주민 아닌 재외국민에게는 인정되지 않음)	지역구국회의원 선거	임기만료에 의한 선거는 주민등록이나 국내거소신고를 하면 인정. 재·보궐선거는 불인정
	지방의회의원 선거	부정하면 보통선거원칙, 평등권, 선거권 침해 → 지금은 인정
	지방자치단체장 선거	인정(과거 헌법상 기본권으로 인정하지 않았지만 지금은 헌법상 기본권으로 인정된다)
	주민투표·주민소환	헌법상 기본권은 아니지만 평등권 침해로 재외국민에게 인정

정답 ④

기출지문 OX

❶ 대통령 후보자등록시 5억 원의 기탁금을 납부하도록 한 공직선거법 제56조 제1항 제1호는 헌법불합치이다. 09 법원직 (O / ×)

해설 헌재 2008.11.27. 2007헌마1024 【헌법불합치】
　　　현재는 3억 원이다.　　　　　　　　　　　　　　　　　　　　　　　　　　　　　정답 O

❷ 공직선거 입후보시에 일정 액수의 기탁금을 내도록 하는 것은 금전적 능력에 따른 차별을 유발하는 제도로 기탁금제도 자체가 위헌임을 면할 수 없다. 09 국회8급　　　　　　　　　　　　　　　　　　　　　(O / ×)

해설
> 대통령 선거에서 후보난립을 방지하고 선거비용 중 일부를 예납하도록 하기 위한 위 기탁금제도는 그 기탁금액이 과다하지 않는 한 헌법상 허용된다. (헌재 1995.5.25. 92헌마269)

정답 ×

🟦 기탁금에 대한 헌법재판소결정

대통령 선거	3억 원 5억 원	합헌 헌법불합치	헌재 1995.5.25. 92헌마269 등
국회의원 선거	2,000만 원(무소속) 1,000만 원(정당 추천)	헌법불합치(잠정적용)	헌재 1989.9.8. 88헌가6
	2,000만 원	단순위헌	헌재 2001.7.19. 2000헌마91 등
시·도지사 선거	5,000만 원	합헌	헌재 1996.8.29. 95헌마108
광역자치단체의회의원 선거	700만 원	헌법불합치(잠정적용)	헌재 1991.3.11. 91헌마21
기초자치단체의회의원 선거	200만 원	합헌	헌재 1995.5.25. 91헌마44

🟦 기탁금

1. 개념

　정치자금을 정당에 기부하고자 하는 개인이 이 법의 규정에 의해 선거관리위원회에 기탁하는 금전이나 유가증권 그 밖의 물건을 말한다(기탁금은 정당에 기부하는 것이기는 하나, 기탁은 정당이 아닌 선거관리위원회에 하는 것이다).

2. 기탁금을 기탁할 수 있는 자

- 기탁금을 기탁하고자 하는 개인(당원이 될 수 없는 공무원과 사립학교 교원을 포함한다)은 각급 선거관리위원회(읍·면·동 선거관리위원회를 제외한다)에 기탁하여야 한다. (정치자금법 제22조 제1항)
- 누구든지 타인의 명의나 가명 또는 그 성명 등 인적 사항을 밝히지 아니하고 기탁금을 기탁할 수 없다. 이 경우 기탁자의 성명 등 인적 사항을 공개하지 아니할 것을 조건으로 기탁할 수 있다. (정치자금법 제22조 제3항)

　　기탁은 개인만 할 수 있고 법인 또는 단체는 할 수 없다. 기탁은 반드시 기명으로 하여야 하며, 타인의 명의나 가명, 무기명으로 할 수 없다. 그러나 기탁자의 성명 등 인적 사항을 공개하지 아니할 것을 조건으로 기탁할 수는 있다. 기탁금에도 한도가 있다.

014 회독 □□□   20 법원직

선거권과 선거의 원칙에 관한 다음 설명 중 가장 옳은 것은? (다툼이 있는 경우 헌법재판소 결정 및 대법원 판례에 의함)

① 외국인은 대통령 선거 및 국회의원 선거에서는 선거권이 없으나, 지방선거권이 조례에 의해서 인정되고 있다.
② 평등선거의 원칙은 평등의 원칙이 선거제도에 적용된 것으로서 투표의 수적 평등, 즉 복수투표제 등을 부인하고 모든 선거인에게 1인 1표(one man, one vote)를 인정함을 의미할 뿐, 투표의 성과가치의 평등까지 의미하는 것은 아니다.
③ 비례대표제를 채택하는 경우 직접선거의 원칙은 의원의 선출뿐만 아니라 정당의 비례적인 의석 확보도 선거권자의 투표에 의하여 직접 결정될 것을 요구하는바, 비례대표의원의 선거는 지역구의원의 선거와는 별도의 선거이므로 이에 관한 유권자의 별도의 의사표시, 즉 정당명부에 대한 별도의 투표가 있어야 한다.
④ 현행헌법은 대통령 선거에 관하여 국민의 보통·평등·직접·비밀선거의 원칙을 규정하고 있고, 국회의원 선거에 관하여는 위 원칙들에 관한 규정이 없으나, 헌법해석상 당연히 적용되는 것으로 보아야 한다.

해설

① (✕) 외국인에 대한 지방선거권이 인정되는 것은 조례가 아니라 법률에 의해서 인정된다.

> **공직선거법 제15조(선거권)**
> ① 18세 이상의 국민은 대통령 및 국회의원의 선거권이 있다. 다만, 지역구국회의원의 선거권은 18세 이상의 국민으로서 제37조 제1항에 따른 선거인명부작성기준일 현재 다음 각 호의 어느 하나에 해당하는 사람에 한하여 인정된다.
> 1. 주민등록법 제6조 제1항 제1호 또는 제2호에 해당하는 사람으로서 해당 국회의원지역선거구 안에 주민등록이 되어 있는 사람
> 2. 주민등록법 제6조 제1항 제3호에 해당하는 사람으로서 주민등록표에 3개월 이상 계속하여 올라 있고 해당 국회의원지역선거구 안에 주민등록이 되어 있는 사람
> ② 18세 이상으로서 제37조 제1항에 따른 선거인명부작성기준일 현재 다음 각 호의 어느 하나에 해당하는 사람은 그 구역에서 선거하는 지방자치단체의 의회의원 및 장의 선거권이 있다.

② (✕) 평등선거의 원칙은 투표의 수적 평등, 즉 모든 선거인에게 1인 1표(one man, one vote)를 의미하는 것일 뿐만 아니라, 투표의 성과가치의 평등(one vote, one value)까지 의미하는 것이다.

③ (○) 지역구국회의원 선거를 정당에 대한 선거로 의제하는 것은 헌법에 합치되지 않으므로, 정당에 대한 별도의 투표를 인정해야 한다는 것이다.

> **비례대표제와 1인 1표제** (헌재 2001.7.19. 2000헌마91 등【위헌】)
> 공직선거법에서 1인 1표제를 채택하여 정당에 대한 별도의 투표 없이 개인에 대한 투표를 정당에 대한 투표로 의제하는 것은 위헌이다.
> [1] 후보자든 정당이든 절반의 선택권을 박탈당할 수밖에 없을 뿐만 아니라, 신생정당에 대한 국민의 지지도를 제대로 반영할 수 없어 기존의 세력정당에 대한 국민의 실제 지지도를 초과하여 그 세력정당에 의석을 배분하여 주게 되는바, 이는 선거에 있어 국민의 의사를 제대로 반영하고, 국민의 자유로운 선택권을 보장할 것 등을 요구하는 민주주의원리에 부합하지 않는다.
> [2] 자신이 지지하는 정당이 자신의 지역구에 후보자를 추천하지 않아 어쩔 수 없이 무소속후보자에게 투표하는 유권자들로서는 자신의 의사에 반하여 투표가치의 불평등을 강요당하게 되는바, 이는 합리적 이유 없이 무소속후보자에게 투표하는 유권자를 차별하는 것이라 할 것이므로 평등선거의 원칙에 위배된다.
> [3] 직접선거원칙에 위배된다.

④ (✕) 국회의원 선거에도 동일한 조문이 있다.

정답 ③

015 회독 ☐☐☐   20 입시

국회의원 선거제도에 대한 설명으로 옳지 않은 것은?

① 국회의 의원 정수는 지역구국회의원과 비례대표국회의원을 합하여 총 300명이고, 지역구국회의원 254명과 비례대표국회의원 46명으로 구성되어 있으며, 하나의 국회의원지역선거구에서 선출할 국회의원의 정수는 1인이다.
② 임기만료에 따른 비례대표국회의원 선거에서 전국 유효투표총수의 100분의 3 이상을 득표하였거나 임기만료에 따른 지역구국회의원 선거에서 5 이상의 의석을 차지한 정당에 대하여 비례대표국회의원 의석이 배분된다.
③ 정당이 비례대표국회의원 선거에 후보자를 추천하는 때에는 그 후보자 중 100분의 50 이상을 여성으로 추천하되, 그 후보자명부의 순위의 매 홀수에는 여성을 추천하여야 한다.
④ 정당이 임기만료에 따른 지역구국회의원 선거에 후보자를 추천하는 때에는 전국지역구 총수의 100분의 30 이상을 여성으로 추천하도록 노력하여야 한다.
⑤ 비례대표국회의원 의석 가운데 연동배분의석 수는 '[(국회의원 정수 × 해당 정당의 비례대표국회의원 선거 득표비율) − 해당 정당의 지역구국회의원 당선인 수] ÷ 2'의 계산식에 따른 값을 소수점 첫째자리에서 반올림하여 산정한다.

해설

① (O)

> **공직선거법 제21조(국회의 의원 정수)**
> ① 국회의 의원 정수는 지역구국회의원 254명과 비례대표국회의원 46명을 합하여 300명으로 한다.
> ② 하나의 국회의원지역선거구(이하 '국회의원지역구'라 한다)에서 선출할 국회의원의 정수는 1인으로 한다.

② (O) ⑤ (X)

> **공직선거법 제189조(비례대표국회의원 의석의 배분과 당선인의 결정·공고·통지)**
> ① 중앙선거관리위원회는 다음 각 호의 어느 하나에 해당하는 정당(이하 이 조에서 '의석할당정당'이라 한다)에 대하여 비례대표국회의원 의석을 배분한다.
>   1. 임기만료에 따른 비례대표국회의원 선거에서 전국 유효투표총수의 100분의 3 이상을 득표한 정당
>   2. 임기만료에 따른 지역구국회의원 선거에서 5 이상의 의석을 차지한 정당
> ② 비례대표국회의원 의석은 다음 각 호에 따라 각 의석할당정당에 배분한다.
>   1. 각 의석할당정당에 배분할 의석 수(이하 이 조에서 '연동배분의석 수'라 한다)는 다음 계산식에 따른 값을 소수점 첫째자리에서 반올림하여 산정한다. 이 경우 연동배분의석 수가 1보다 작은 경우 연동배분의석 수는 0으로 한다.

$$\text{연동배분 의석 수} = \frac{[(\text{국회의원 정수} - \text{의석할당정당이 추천하지 않은 지역구국회의원 당선인 수}) \times \text{해당 정당의 비례대표국회의원 선거 득표비율}] - \text{해당 정당의 지역구국회의원 당선인 수}}{2}$$

③ (O) 공직선거법 제47조 제3항
④ (O) 공직선거법 제47조 제4항

정답 ⑤

016 회독 ☐☐☐ 재구성   19 5급행시, 18 국가7급

선거에 대한 설명으로 옳은 것만을 모두 고르면? (다툼이 있는 경우 판례에 의함)

> ㄱ. 비례대표국회의원에 입후보하기 위하여 기탁금으로 1,500만 원을 납부하도록 한 규정은 그 액수가 고액이라 거대정당에게 일방적으로 유리하고, 다양해진 국민의 목소리를 제대로 대표하지 못하여 사표를 양산하는 다수대표제의 단점을 보완하기 위하여 도입된 비례대표제의 취지에도 반하는 것이다.
> ㄴ. 1년 이상의 징역형을 선고받고 그 집행이 종료되지 아니한 사람의 선거권을 제한하는 「공직선거법」 규정은 형사적·사회적 제재를 부과하고 준법의식을 강화한다는 공익이, 형집행기간 동안 선거권을 행사하지 못하는 수형자 개인의 불이익보다 작다고 할 수 없어 수형자의 선거권을 침해하지 아니한다.
> ㄷ. 대통령 선거·지역구국회의원 선거 및 지방자치단체의 장 선거의 후보자는 점자형 선거공보를 작성·제출하여야 하되, 책자형 선거공보에 그 내용이 음성·점자 등으로 출력되는 인쇄물 접근성 바코드를 표시하는 것으로 대신할 수 있다.
> ㄹ. 선거일 현재 5년 이상 국내에 거주하고 있는 40세 이상의 국민은 대통령의 피선거권이 있으며, 이 경우 공무로 외국에 파견된 기간과 국내에 주소를 두고 일정 기간 외국에 체류한 기간은 국내거주기간으로 본다.

① ㄱ, ㄴ
② ㄱ, ㄷ, ㄹ
③ ㄴ, ㄷ, ㄹ
④ ㄱ, ㄴ, ㄷ, ㄹ

해설

ㄱ. (O) [18 국가7급]

> **비례대표 기탁금조항은 과잉금지원칙을 위반하여 청구인들의 공무담임권 등을 침해한다.** (헌재 2016.12.29. 2015헌마1160[헌법불합치(적용중지)])
> 비례대표 기탁금조항은 정당이 진지하게 숙고하지 아니한 채 비례대표국회의원 후보자를 무분별하게 추천함으로 인한 선거관리업무 및 비용의 증가를 방지하고, 선거과정에서 발생하는 불법행위에 대한 과태료 및 행정대집행 비용을 사전 확보하고자 하는 것으로서, 그 입법목적이 정당하고, 기탁금요건을 마련하는 것은 그 입법목적을 달성하기 위한 적합한 수단에 해당된다. … 위 기탁금액은 위 과태료 등 사전 확보목적을 달성하기에도 지나치게 과다한 금액에 해당한다. … 이상을 종합하면, 비례대표 기탁금조항은 침해의 최소성원칙에 위반된다.

ㄴ. (O) 헌재 2017.5.25. 2016헌마292 등 [18 국가7급]
ㄷ. (O) 공직선거법 제65조 제4항 단서 [19 5급행시]
ㄹ. (O) 공직선거법 제16조 제1항 [19 5급행시]

정답 ④

017

「공직선거법」상 선거소송에 대한 설명으로 옳은 것만을 〈보기〉에서 모두 고른 것은?

〈보기〉
ㄱ. 국회의원 선거에 있어서 선거의 효력에 관하여 이의가 있는 선거인·정당(후보자를 추천한 정당에 한한다) 또는 후보자는 선거일부터 30일 이내에 대법원에 소를 제기할 수 있다.
ㄴ. 국회의원 선거의 효력에 관하여 소를 제기할 때에는 당해 선거구 선거관리위원회 위원장을 피고로 한다. 다만, 피고로 될 위원장이 궐위된 때에는 해당 선거관리위원회 위원 전원을 피고로 한다.
ㄷ. 대법원이나 고등법원은 선거쟁송에서 선거에 관한 규정에 위반된 사실이 있으면 선거 전부나 일부의 무효 또는 당선의 무효를 판결한다.
ㄹ. 선거소송에서 수소법원은 소가 제기된 날부터 180일 이내에 처리하여야 한다.

① ㄱ, ㄴ, ㄷ
② ㄱ, ㄴ, ㄹ
③ ㄱ, ㄷ, ㄹ
④ ㄴ, ㄷ, ㄹ
⑤ ㄱ, ㄴ, ㄷ, ㄹ

해설

ㄱ. (O) ㄴ. (O)

> **공직선거법 제222조(선거소송)**
> ① 대통령선거 및 국회의원선거에 있어서 선거의 효력에 관하여 이의가 있는 선거인·정당(후보자를 추천한 정당에 한한다) 또는 후보자는 선거일부터 30일 이내에 당해 선거구 선거관리위원회 위원장을 피고로 하여 대법원에 소를 제기할 수 있다.
> ③ 제1항 또는 제2항에 따라 피고로 될 위원장이 궐위된 때에는 해당 선거관리위원회 위원 전원을 피고로 한다.

ㄷ. (×)

> **공직선거법 제224조(선거무효의 판결 등)**
> 소청이나 소장을 접수한 선거관리위원회 또는 대법원이나 고등법원은 선거쟁송에 있어 선거에 관한 규정에 위반된 사실이 있는 때라도 선거의 결과에 영향을 미쳤다고 인정하는 때에 한하여 선거의 전부나 일부의 무효 또는 당선의 무효를 결정하거나 판결한다.

ㄹ. (O)

> **공직선거법 제225조(소송 등의 처리)**
> 선거에 관한 소청이나 소송은 다른 쟁송에 우선하여 신속히 결정 또는 재판하여야 하며, 소송에 있어서는 수소법원은 소가 제기된 날부터 180일 이내에 처리하여야 한다.

정답 ②

핵심노트

선거소송과 당선소송(공직선거법 제222조, 제223조)

구분	선거소송	당선소송
사유	선거의 효력에 관하여 이의가 있을 때	당선의 효력에 이의가 있을 때
원고	선거인, 정당, 후보자	정당, 후보자
피고	관할 선거관리위원회 위원장 (대통령 선거는 중앙선거관리위원회 위원장)	• 대통령 선거: 당선인, 중앙선거관리위원회 위원장, 국회의장, 법무부장관 • 국회의원 선거: 관할 선거관리위원회 위원장, 당선인 • 지방의회의원·단체장 선거: 당선인, 관할 선거관리위원회 위원장 • 당선인이 사퇴·사망한 경우: 법무부장관(대선), 관할 고등검찰청 검사장(기타)
제소기일	• 대통령·국회의원 선거: 선거일로부터 30일 이내 • 지방의회의원·단체장 선거: 선거일로부터 14일 이내 소청 → 소청결정서를 받은 날로부터 10일 이내 소제기	• 대통령·국회의원 선거: 당선인 결정일로부터 30일 이내 • 지방의회의원·단체장 선거: 선거일로부터 14일 이내 소청 → 소청결정서를 받은 날로부터 10일 이내 소제기
제소법원	• 대통령·국회의원 선거는 선거소청을 거치지 않고 바로 대법원에 제소 • 시·도지사, 비례대표 시·도의원 선거는 선거소청을 거친 후 대법원에 제소 • 그 외의 지방선거는 선거소청을 거친 후 고등법원 → 대법원	

기출지문 OX

❶ 주민등록과 국내거소신고를 기준으로 지역구국회의원 선거권을 인정하는 것은 해당 국민의 지역적 관련성을 확인하는 합리적인 방법으로, 주민등록이 되어 있지 않고 국내거소신고도 하지 않은 재외국민의 임기만료 지역구국회의원 선거권을 인정하지 않은 것은 선거권을 침해한다고 볼 수 없다. 19 입시 (O / X)

해설 헌재 2014.7.24. 2009헌마256 등 정답 O

재외국민이 지역구국회의원 선거를 하려면 국내거소신고 또는 주민등록을 하여야 한다. 재외국민이 주민등록을 해도 보궐선거에서는 선거권이 인정되지 않는다. 비례대표 선거의 경우는 주민등록을 하지 않아도 인정된다.

❷ 국회의원 선거 연령의 하한을 규정한 법률조항에 대한 위헌심사는 입법자가 입법목적 달성을 위해 선택한 수단이 현저하게 불합리하고 불공정하며 자의적인 입법인지의 여부로 판단한다. 19 입시 (O / X)

정답 O

❸ 선거운동기간 중 공개장소에서 비례대표국회의원 후보자의 연설·대담을 금지하는 「공직선거법」 조항은 비례대표국회의원 후보자의 선거운동의 자유 및 정당활동의 자유를 침해한다. 19 입시 (O / X)

해설 비례대표의 경우는 별도의 선거운동을 인정하지 않아도 헌법에 위반되지 아니한다. (헌재 2013.10.24. 2012헌마311)

정답 X

018

선거제도에 대한 설명으로 옳은 것은?

① 선거 연령을 20세에서 19세로 낮춘 것은 헌법재판소의 위헌결정에 따른 것이다.
② 국회의원 선거와 지방의회의원 선거에서는 비례대표제를 채택하고 있다.
③ 25세 이상의 국민은 대통령 선거와 국회의원 선거에서 피선거권이 있다.
④ 비례대표지방의회의원 선거에 있어서는 당해 선거구 선거관리위원회가 유효투표총수의 100분의 3 이상을 득표한 각 정당을 의석할당정당으로 확정한다.

해설

① (✗) 원래 20세 이상에 선거권이 인정되었는데 합헌이지만 법률이 개정되었다. 한편, 19세로 인하된 공직선거법 규정도 합헌이다.
② (O)
③ (✗) 대통령 피선거권은 40세 이상이라고 헌법이 직접 규정하고 있다. 그 외의 모든 선거에 대한 피선거권은 18세 이상으로 공직선거법에 규정되어 있다.
④ (✗) 국회의원 저지조항은 3% 이상의 득표 또는 5석 이상이 요건인데, 지방의회의원의 경우에는 5% 이상의 득표가 요건이다.

정답 ②

019  18 서울7급

선거제도에 대한 설명으로 가장 옳지 않은 것은?

① 선거범죄로 당선이 무효로 되는 경우에 이미 보전받은 선거비용뿐만 아니라 반환받은 기탁금 전액까지 반환하도록 하는 것은 지나친 제재라고 볼 수 있다.
② 지역구국회의원 선거에서 예비후보자의 기탁금 액수를 해당 선거의 후보자등록시 납부해야 하는 기탁금의 100분의 20으로 설정한 것은 입법재량의 범위를 벗어난 것으로 볼 수 없다.
③ 선거범죄로 인하여 당선이 무효로 된 때를 비례대표지방의회의원의 의석승계제한사유로 규정한 것은 궐원된 비례대표지방의회의원 의석을 승계받을 후보자명부상의 차순위 후보자의 공무담임권을 침해한다.
④ 소선거구 다수대표제를 규정하여 다수의 사표가 발생한다 하더라도 그 이유만으로 헌법상 요구된 선거의 대표성의 본질을 침해한다거나 그로 인해 국민주권원리를 침해하고 있다고 할 수 없다.

해설

① (X)
> 선거범죄로 당선이 무효로 된 자에게 이미 반환받은 기탁금과 보전받은 선거비용을 다시 반환하도록 한 구 공직선거법 규정은 공직취임을 배제하거나 공무원 신분을 박탈하는 내용이 아니므로 공무담임권의 보호영역에 속하는 사항을 규정한 것이라고 할 수 없고, 선거범죄를 저지르지 않고 선거를 치르는 대부분의 후보자는 제재대상에 포함되지 아니하여 자력이 충분하지 못한 국민의 입후보를 곤란하게 하는 효과를 갖는다고 할 수 없으므로 이 사건 법률조항은 공무담임권을 제한한다고 할 수 없다. 그 외 재산권, 평등권 등을 침해하지 않는다. (헌재 2011.4.28. 2010헌바232)

② (O) 헌재 2017.10.26. 2016헌마623
③ (O) 그 외 민주주의원리도 침해되었다. (헌재 2009.6.25. 2007헌마40)
④ (O) 헌재 2016.5.26. 2012헌마374

정답 ①

기출지문 OX

선거범죄로 인하여 당선이 무효로 된 때를 비례대표지방의회의원의 의석승계제한사유로 규정하는 것은 대의제 민주주의원리에 위배되지만, 임기만료일 전 180일 이내에 비례대표국회의원에 궐원이 생긴 때를 비례대표국회의원 의석승계제한사유로 규정하는 것은 대의제 민주주의원리에 위배되지 아니한다. 10 국회8급 (O / X)

해설

> 임기만료일 전 180일 이내에 비례대표국회의원에 궐원이 생긴 때를 비례대표국회의원 의석승계제한사유로 규정한 공직선거법 제200조 제2항 단서 중 '임기만료일 전 180일 이내에 비례대표국회의원에 궐원이 생긴 때' 부분은 선거권자의 의사를 무시하고 왜곡하는 결과를 낳을 수 있고, 의회의 정상적인 기능수행에 장애가 될 수 있다는 점에서 헌법의 기본원리인 대의제 민주주의원리에 부합되지 않는다고 할 것이다. (헌재 2009.6.25. 2008헌마413)

정답 X

020 회독 ☐☐☐   18 법원직

선거권에 관한 다음 설명 중 가장 옳은 것은? (다툼이 있는 경우 헌법재판소 결정에 의함)

① 선거권 행사연령을 19세 이상으로 정하고 있는 「공직선거법」 조항은 19세 미만인 사람의 선거권 및 평등권을 침해한다.
② 집행유예기간 중인 사람의 선거권을 제한하는 것은 그의 선거권을 침해하고, 보통선거원칙에 위반하여 평등원칙에 어긋난다.
③ 재외선거인에게 선거를 실시할 때마다 재외선거인 등록신청을 하도록 한 재외선거인 등록신청조항은 재외선거인의 선거권을 침해한다.
④ 「공직선거법」에서 정한 요건을 충족한 외국인은 지역구국회의원의 선거권이 있다.

해설

① (×) 선거권의 구체적 내용은 법률에 위임되어 있으므로 선거권 연령이 19세인 것은 헌법에 위반되지 않는다. (헌재 2013.7.25. 2012헌마174)

② (○)

> 집행유예자와 수형자의 선거권을 제한하는 공직선거법 제18조 제1항 제2호와 형법 제43조 제2항 중 '집행유예기간 중인 자'에 관한 부분은 청구인들의 선거권을 침해하고 헌법상 보통선거원칙에 위반하여 집행유예자와 수형자를 차별취급하는 것이므로 평등의 원칙에도 어긋나 헌법에 위반되며, 위 조항 중 수형자에 관한 부분은 수형자에게 선거권을 부여하는 구체적인 방안은 입법형성의 범위 내에 있다는 점을 고려하여 헌법에 합치되지 아니한다. (헌재 2014.1.28. 2012헌마409 등)

③ (×)

> "임기만료에 따른 비례대표국회의원 선거를 실시하는 때마다 재외선거인 등록신청을 하여야 한다." 부분은 재외선거인의 선거권을 침해하거나 보통선거원칙에 위배되지 않는다. (헌재 2014.7.24. 2009헌마256 등)

④ (×) 공직선거법에서 정한 요건을 충족한 외국인은 지방의회, 지방자치단체장, 주민투표 등 지방에 관한 선거권이 인정되지만, 지역구국회의원의 선거권은 인정되지 않는다.

정답 ②

기출지문 OX

선거 연령을 헌법으로 정하지 아니한 것은 그 자체로 위헌의 소지가 있다. 17 법무사   (○/×)

해설

> 선거권과 공무담임권의 연령을 어떻게 규정할 것인가는 입법자가 입법목적 달성을 위한 선택의 문제이고 입법자가 선택한 수단이 현저하게 불합리하고 불공정한 것이 아닌 한 재량에 속하는 것이다. (헌재 1997.6.26. 96헌마89)

정답 ×

021

18 국회8급

1년 이상의 징역형 선고를 받고 그 집행이 종료되지 아니한 사람의 선거권을 제한하는 「공직선거법」 조항이 청구인들의 선거권을 침해하는지 여부에 대한 설명으로 옳지 않은 것을 모두 고르면? (다툼이 있는 경우 헌법재판소 결정에 의함)

> ㄱ. 이 사건 법률조항에 의한 선거권 박탈은 범죄자에 대해 가해지는 형사적 제재의 연장으로 범죄에 대한 응보적 기능을 갖는다.
> ㄴ. 선거권이 제한되는 수형자의 범위를 정함에 있어서 선고형이 중대한 범죄 여부를 결정하는 합리적 기준이 될 수 있다.
> ㄷ. 형집행 중 가석방처분을 받았다는 후발적 사유를 고려하지 아니하고 1년 이상의 징역형 선고를 받은 사람의 선거권을 일률적으로 제한하는 것은 불필요한 제한에 해당한다.
> ㄹ. 1년 이상의 징역형을 선고받은 사람은 공동체에 상당한 위해를 가하였다는 점이 재판과정에서 인정된 자이므로 이들에게 사회적·형사적 제재를 가하고 준법의식을 제고할 필요가 있다.
> ㅁ. 1년 이상의 징역형을 선고받은 사람의 범죄행위가 국가적·사회적 법익이 아닌 개인적 법익을 침해하는 경우라면 사회적·법률적 비난가능성의 정도는 달리 판단할 수 있다.

① ㄱ, ㄴ
② ㄴ, ㅁ
③ ㄷ, ㅁ
④ ㄱ, ㄴ, ㄹ
⑤ ㄴ, ㄷ, ㅁ

해설

ㄱ. (O) 선거권 박탈의 기능 중 하나이다.
ㄴ. (O) ㄷ. (X) ㄹ. (O) ㅁ. (X)

> 1년 이상의 징역의 형의 선고를 받고 복역 중이거나 가석방된 사람으로 잔여형기를 마치지 아니하여 '1년 이상의 징역의 형의 선고를 받고 그 집행이 종료되지 아니한 사람'에 해당한다는 이유로, 2016.4.13. 실시된 제20대 국회의원 선거에서 선거권을 행사하지 못하는 것은 헌법에 위반되지 아니한다. (헌재 2017.5.25. 2016헌마292 등)
> 심판대상조항은 공동체 구성원으로서 기본적 의무를 저버린 수형자에 대하여 사회적·형사적 제재를 부과하고, 수형자와 일반국민의 준법의식을 제고하기 위한 것이다. 법원의 양형관행을 고려할 때 1년 이상의 징역형을 선고받은 사람은 공동체에 상당한 위해를 가하였다는 점이 재판과정에서 인정된 자이므로, 이들에 한해서는 사회적·형사적 제재를 가하고 준법의식을 제고할 필요가 있다. 심판대상조항에 따른 선거권 제한기간은 각 수형자의 형의 집행이 종료될 때까지이므로, 형사책임의 경중과 선거권 제한기간은 비례하게 된다. 심판대상조항이 과실범, 고의범 등 범죄의 종류를 불문하고, 침해된 법익의 내용을 불문하며, 형집행 중에 이뤄지는 재량적 행정처분인 가석방 여부를 고려하지 않고 선거권을 제한한다고 하여 불필요한 제한을 부과한다고 할 수 없다. 1년 이상의 징역형을 선고받은 사람의 선거권을 제한함으로써 형사적·사회적 제재를 부과하고 준법의식을 강화한다는 공익이, 형집행기간 동안 선거권을 행사하지 못하는 수형자 개인의 불이익보다 작다고 할 수 없다. 따라서 심판대상조항은 과잉금지원칙을 위반하여 청구인의 선거권을 침해하지 아니한다.

정답 ③

022 회독 ☐☐☐   17 서울7급

다음 중 선거권이 인정되는 사람은?

① 피성년후견인
② 강도죄로 2년 징역에 5년의 집행유예를 선고받은 뒤, 유예기간이 종료된 후 1년 지난 자
③ 「국민투표법」 위반 범죄로 300만 원의 벌금형이 확정된 후 4년이 지난 자
④ 「정치자금법」 제45조(정치자금 부정수수죄) 위반 범죄로 2년 징역에 5년의 집행유예를 선고받고 형이 확정된 뒤 9년이 지난 자

> **해설**

① (✗) ③ (✗) ④ (✗) 선거범의 경우에는 다음과 같다.

> **공직선거법 제18조(선거권이 없는 자)**
> ① 선거일 현재 다음 각 호의 어느 하나에 해당하는 사람은 선거권이 없다.
>   1. 금치산선고를 받은 자
>   2. 1년 이상의 징역 또는 금고의 형의 선고를 받고 그 집행이 종료되지 아니하거나 그 집행을 받지 아니하기로 확정되지 아니한 사람. 다만, 그 형의 집행유예를 선고받고 유예기간 중에 있는 사람은 제외한다.
>   3. 선거범, 정치자금법 제45조(정치자금 부정수수죄) 및 제49조(선거비용 관련 위반행위에 관한 벌칙)에 규정된 죄를 범한 자 또는 대통령·국회의원·지방의회의원·지방자치단체의 장으로서 그 재임 중의 직무와 관련하여 형법(특정범죄 가중처벌 등에 관한 법률 제2조에 의하여 가중처벌되는 경우를 포함한다) 제129조(수뢰, 사전수뢰) 내지 제132조(알선수뢰)·특정범죄 가중처벌 등에 관한 법률 제3조(알선수재)에 규정된 죄를 범한 자로서, 100만 원 이상의 벌금형의 선고를 받고 그 형이 확정된 후 5년 또는 형의 집행유예의 선고를 받고 그 형이 확정된 후 10년을 경과하지 아니하거나 징역형의 선고를 받고 그 집행을 받지 아니하기로 확정된 후 또는 그 형의 집행이 종료되거나 면제된 후 10년을 경과하지 아니한 자(형이 실효된 자도 포함한다)
>   4. 법원의 판결 또는 다른 법률에 의하여 선거권이 정지 또는 상실된 자
> ② 제1항 제3호에서 '선거범'이라 함은 제16장 벌칙에 규정된 죄와 국민투표법 위반의 죄를 범한 자를 말한다.
> ③ 형법 제38조에도 불구하고 제1항 제3호에 규정된 죄와 다른 죄의 경합범에 대하여는 이를 분리 선고하고, 선거사무장·선거사무소의 회계책임자(선거사무소의 회계책임자로 선임·신고되지 아니한 사람으로서 후보자와 통모하여 해당 후보자의 선거비용으로 지출한 금액이 선거비용제한액의 3분의 1 이상에 해당하는 사람을 포함한다) 또는 후보자(후보자가 되려는 사람을 포함한다)의 직계존비속 및 배우자에게 제263조 및 제265조에 규정된 죄와 이 조 제1항 제3호에 규정된 죄의 경합범으로 징역형 또는 300만 원 이상의 벌금형을 선고하는 때(선거사무장, 선거사무소의 회계책임자에 대하여는 선임·신고되기 전의 행위로 인한 경우를 포함한다)에는 이를 분리 선고하여야 한다.

② (O) 일반범죄의 경우에는 집행유예 중에 있는 자는 선거권이 인정된다. 즉, 강도죄로 2년 징역에 5년의 집행유예를 받은 자가 5년의 유예기간 중에도 선거권이 인정된다.

정답 ②

023 회독 ☐☐☐ 재구성

17·13 국회8급

선거권 및 선거의 원칙에 대한 설명으로 옳지 않은 것만을 모두 고르면? (다툼이 있는 경우 판례에 의함)

> ㄱ. 평등선거의 원칙과 선거권 보장의 중요성을 감안할 때, 범죄자의 선거권을 제한할 필요가 있다 하더라도 그가 저지른 범죄의 경중을 전혀 고려하지 않고 수형자와 집행유예자 모두의 선거권을 제한하는 것은 침해의 최소성원칙에 어긋난다.
> ㄴ. 임기만료에 의한 공직선거에서 투표소를 오후 6시에 닫도록 한 것이 투표권의 자유로운 행사를 침해하는 것인가는 총 투표시간, 투표시간 보장장치, 선거일 전 투표의 기회보장 여부 등 투표제도 전반을 종합적으로 살펴야 할 것이므로 이는 선거권의 침해가 아니다.
> ㄷ. 모사전송시스템을 이용한 선상투표와 같은 제도는 국외를 항해하는 대한민국 선원들의 선거권을 충실히 보장하기 위한 입법수단으로 충분히 수용될 수 있고, 입법자는 비밀선거원칙을 이유로 이를 거부할 수 없다 할 것이다.
> ㄹ. 비례대표 후보자를 유권자들이 직접 선택할 수 있는 이른바 자유명부식이나 가변명부식과 달리 고정명부식에서는 후보자와 그 순위가 전적으로 정당에 의하여 결정되므로 직접선거의 원칙에 위반된다.

① ㄱ, ㄴ
② ㄱ, ㄹ
③ ㄴ, ㄷ
④ ㄷ, ㄹ

해설

ㄱ. (X) 평등선거가 아니라 보통선거원칙, 평등원칙 위반이다. [17 국회8급]

ㄴ. (O) [17 국회8급]
> 실질적으로 투표권을 자유로이 행사할 수 있는 기회가 충분히 보장되어 있는가는 투표종료시간이 언제로 정해져 있는지, 그 한 가지만을 보고 판단할 수 없는 성질의 것이고, 총 투표시간이 어느 정도인지, 투표시간의 보장을 위하여 어떠한 장치가 강구되어 있는지, 선거일 전 투표의 기회가 어느 정도로 보장되어 있는지 투표제도 전반을 종합적으로 살펴 판단하여야 할 것이다. 투표소를 선거일 오후 6시에 닫도록 한 것은 과잉금지원칙에 반하여 선거권을 침해한다고 볼 수 없다. (헌재 2013.7.25. 2012헌마815)

ㄷ. (O) [13 국회8급]
> 모사전송시스템을 이용한 선상투표와 같은 제도는 국외를 항해하는 대한민국 선원들의 선거권을 충실히 보장하기 위한 입법수단으로 충분히 수용될 수 있고, 입법자는 비밀선거원칙을 이유로 이를 거부할 수 없다고 할 것이다. 그러므로 국외 구역을 항해하는 선박에 장기 기거하는 선원들에 대하여 어떠한 선거권 행사방법도 규정하지 않고 있는 것은 헌법에 합치되지 않는다. (헌재 2007.6.28. 2005헌마772)

ㄹ. (X) [13 국회8급]
> 고정명부식을 채택한 것 자체가 직접선거원칙에 위반된다고는 할 수 없다. 그러나 1인 1표제하에서의 비례대표 후보자명부에 대한 별도의 투표 없이 지역구후보자에 대한 투표를 정당에 대한 투표로 의제하여 비례대표의석을 배분하는 것은 직접선거의 원칙에 반하는 것이다. (헌재 2001.7.19. 2000헌마91)

정답 ②

024

선거에 대한 설명으로 옳지 않은 것만을 모두 고르면? (다툼이 있는 경우 판례에 의함)

① 선거권은 권리이므로 어느 경우에나 선거투표 참여를 법률로 강제할 수 없다는 것에 이론이 없다.
② 기초자치단체의원은 주민의 대표로서 인구수에 비례하여 선출하면서, 광역자치단체의원은 각 기초자치단체의 인구 수를 불문하고 기초자치단체별로 2인씩 선출하도록 하는 것은 헌법에 위반된다.
③ 대통령 선거 경선후보자가 당내 경선후보자로 등록을 하고 당내 경선과정에서 탈퇴함으로써 후원회를 둘 수 있는 자격을 상실한 때에는 후원회로부터 후원받은 후원금 전액을 국고에 귀속하도록 하는 것은 경선에 참여하여 낙선한 대통령 선거 경선후보자와의 관계에서 합리적인 이유가 있는 차별이라고 하기 어렵다.
④ 일부 개표소에서 동시계표 투표함 수에 비하여 상대적으로 적은 수의 개표참관인이 선정될 수 있다는 사정만으로 실질적인 개표감시가 이루어지지 않는다거나 개표절차 및 계표방법에 관한 입법자의 선택이 현저히 불합리하거나 불공정하여 선거권이 침해되었다고 볼 수는 없다.
⑤ 선거공영제의 내용은 우리의 선거문화와 풍토, 정치문화 및 국가의 재정상황과 국민의 법감정 등 여러 가지 요소를 종합적으로 고려하여 입법자가 정책적으로 결정할 사항으로서 넓은 입법형성권이 인정되는 영역이다.

해설

① (X) 헌법재판소는 선거를 강제하는 것은 허용되지 않는다고 보지만 외국의 입법례에는 선거를 강제하는 규정이 있는 경우도 있고 이에 대해 이론이 없는 것은 아니다. [17 법무사]

② (O) [10 국회8급]

> **지방의회의원 선거구획정에 관한 입법재량과 그 한계** (헌재 2007.3.29. 2005헌마985)
> 국회는 지방의회의원 선거구를 획정함에 있어서 투표가치 평등의 원칙을 고려한 선거구 간의 인구의 균형뿐만 아니라, 우리나라의 행정구역, 지세, 교통사정, 생활권 내지 역사적·전통적 일체감 등 여러 가지 정책적·기술적 요소를 고려할 수 있는 폭넓은 입법형성의 자유를 가진다고 할 것이다. … 인구편차에 의한 투표가치의 불평등은 인구비례가 아닌 행정구역별로 시·도의원 정수를 2명으로 배분하고 있는 공직선거법 제22조 제1항에서 시원적으로 생기고 있으므로 공직선거법 제22조 제1항도 결과적으로 청구인들의 헌법상 보장된 선거권과 평등권을 침해한다고 할 것이다.

③ (O) [15 변호사]

> **대통령 선거 경선후보자가 당내경선에 참여하지 아니하여 후원회를 둘 수 없게 된 때 기부받은 후원금 총액을 국고에 귀속시키는 것은 헌법에 위반된다.** (헌재 2009.12.29. 2007헌마1412【위헌】)
> 이 사건 법률조항은 대통령 선거 경선후보자로서 정당의 경선에 참여하여 낙선한 사람과 그렇지 않은 사람을 구별하여 이미 사용한 후원금의 반환 여부에 관하여 차별취급하고 있는바, 그와 같은 차별에 합리적인 이유가 있다고 보기 어려우므로 청구인의 평등권을 침해한다.

④ (O) [16 변호사]

> 신고된 개표참관인의 수가 많지 않을 경우 동시에 계표되는 투표함의 수에 비하여 상대적으로 적은 수의 개표참관인이 참관을 하게 될 수도 있다. 그러나 개표 부정에 대하여 가장 큰 이해관계를 가진 정당 및 후보자들은 공직선거법이 허용하는 범위 내에서 스스로 개표참관인을 선정·신고함으로써 개표절차를 감시할 수 있고, 그 외에도 개표사무원을 중립적인 자들로 위촉하고, 개표관람을 실시하는 등 개표의 공정성을 확보하기 위해 다양한 조치들이 시행되고 있는 점에 비추어, 동시계표 투표함 수에 대한 제한을 두지 아니한 것은 입법자의 합리적 재량의 범위 안에 있는 것으로 인정되고, 일부 개표소에서 동시계표 투표함 수에 비하여 상대적으로 적은 수의 개표참관인이 선정될 수 있다는 사정만으로 입법자의 선택이 현저히 불합리하거나 불공정하여 청구인들의 선거권이 침해되었다고 볼 수 없다. (헌재 2013.8.29. 2012헌마326)

⑤ (O) 선거공영제의 특성이다. [16 변호사]

정답 ①

025 회독 ☐☐☐ 재구성   16 국회8급, 15 국가7급, 11 지방7급

선거제도에 대한 설명으로 옳은 것은? (다툼이 있는 경우 판례에 의함)

① 대통령 선거에 있어서 최고득표자가 2인 이상인 때에는 국회의 재적의원 과반수가 출석한 공개회의에서 출석 과반수의 득표를 한 자를 당선자로 한다.
② 국회의원 및 지방의회의원은 국회의원 선거구획정위원회 및 자치구·시·군의원 선거구획정위원회의 위원이 될 수 있다.
③ 국회의원 비례대표 후보자명단을 확정하기 위한 당내경선에는 직접·평등·비밀투표 등 일반적인 선거원칙이 그대로 적용되고 대리투표는 허용되지 않는다.
④ 전면적·획일적으로 수형자의 선거권을 제한하는 「공직선거법」 등 관련 규정에 대하여 헌법불합치결정이 선고되었으며, 개정된 현행법은 3년 이상의 금고형 이상을 선고받은 수형자의 선거권을 박탈하도록 되어 있다.

해설

① (X) [11 지방7급]

> **헌법 제67조**
> ① 대통령은 국민의 보통·평등·직접·비밀선거에 의하여 선출한다.
> ② 제1항의 선거에 있어서 최고득표자가 2인 이상인 때에는 국회의 재적의원 과반수가 출석한 공개회의에서 다수표를 얻은 자를 당선자로 한다.

② (X) 국회의원·지방의회의원 및 정당의 당원은 국회의원 선거구획정위원회 및 자치구·시·군의원 선거구획정위원회의 위원이 될 수 없다. (공직선거법 제24조 제7항, 제24조의3 제3항) [11 지방7급]
③ (O) 공직선거법 제47조 제2항 [15 국가7급]
④ (X) [16 국회8급]

> **공직선거법 제18조(선거권이 없는 자)**
> ① 선거일 현재 다음 각 호의 어느 하나에 해당하는 사람은 선거권이 없다.
>   2. 1년 이상의 징역 또는 금고의 형의 선고를 받고 그 집행이 종료되지 아니하거나 그 집행을 받지 아니하기로 확정되지 아니한 사람. 다만, 그 형의 집행유예를 선고받고 유예기간 중에 있는 사람은 제외한다.

정답 ③

026 회독 ☐☐☐ 재구성   16·09 국회8급, 11 국회9급

선거의 원칙에 대한 설명으로 옳지 않은 것은? (다툼이 있는 경우 판례에 의함)

① 미국은 선거구획정을 정치문제로 보지만 지나치게 불평등한 인구비례의 경우에는 헌법 위반으로 본다.
② 지방자치단체의 장이 임기 중 그 직을 사퇴하고 다른 공직선거에 출마하지 못하게 제한하는 것은 행정 임무 수행의 안정성과 효율성 유지를 위한 합리성 있는 제한이다.
③ 선거인은 법령에서 정하는 언론사가 출구조사를 하는 경우를 제외하고, 투표한 후보자의 성명이나 정당명을 누구에게도 또한 어떠한 경우에도 진술할 의무가 없으며, 누구든지 선거일의 투표마감시각까지 이를 질문하거나 그 진술을 요구할 수 없다.
④ 입후보에 과도한 기탁금을 요구하거나 지나치게 높은 기탁금 국고귀속비율을 정하는 것은 보통선거의 원칙에 위배된다.

해설

① (O) 선거구획정에 대해서도 사법심사가 가능하다는 의미이다. [11 국회9급]

② (X) [09 국회8급]

> 지방자치단체의 장이 임기 중 그 직을 사퇴하고 다른 공직선거에 출마하지 못하게 제한하는 것은 민주주의의 실현에 미치는 불리한 효과는 매우 큰 반면에, 이 사건 조항을 통하여 달성하려는 공익적 효과는 상당히 작다고 판단되므로, 피선거권의 제한을 정당화하는 합리적인 이유를 인정할 수 없다고 하겠다. 따라서 이 사건 조항은 보통선거원칙에 위반되어 청구인들의 피선거권을 침해하는 위헌적인 규정이다. (헌재 1999.5.27. 98헌마214)
>> 그 후 지방자치단체장이 다른 선거에 입후보하기 위해서는 입후보 180일 전에 사퇴하도록 법이 개정되었는데 다시 위헌결정을 받고 120일로 개정되었다. 120일은 합헌결정되었다.

③ (O) 비밀선거의 원칙이다. [16 국회8급]

④ (O) [16 국회8급]

> **기탁금과 민주주의의 관계** (헌재 2001.7.19. 2000헌마91)
> 과도한 기탁금은 재력이 없는 서민층과 젊은 세대에서 입후보자가 나오는 것을 곤란하게 하고, … 이는 대의제원리에 반하고 다원성을 핵심요소로 하는 민주주의 정신에도 본질적으로 반하는 것이 된다.

정답 ②

027 16 지방7급

선거제도에 대한 설명으로 옳지 않은 것은? (다툼이 있는 경우 판례에 의함)

① 대통령 선거에 있어서 직업이나 학문 등의 사유로 자진출국한 자들이 선거권을 행사하려고 하면 반드시 귀국해야 하고 귀국하지 않으면 선거권 행사를 못하도록 하는 것은 헌법이 보장하는 해외체류자의 국외거주·이전의 자유, 직업의 자유, 공무담임권, 학문의 자유 등의 기본권을 희생하도록 강요한다는 점에서 부적절하다.
② 구 「공직선거법」에서 '대통령령으로 정하는 언론인'에 대하여 선거운동을 금지하는 것은 포괄위임금지원칙에 위배되고 언론인의 선거운동의 자유를 침해하는 것이다.
③ 선거인은 자신이 기표한 투표지를 공개할 수 없으며, 공개된 투표지는 무효로 한다.
④ 선거일의 투표마감시각 후 당선인결정 전까지 지역구국회의원 후보자가 사퇴·사망하거나 등록이 무효로 된 경우에는 개표 결과 유효투표의 다수를 얻은 자를 당선인으로 결정하되, 사퇴·사망하거나 등록이 무효로 된 자가 유효투표의 다수를 얻은 때에는 차순위 득표자가 당선인이 된다.

해설

① (O) 해외체류자들의 선거권을 부정하는 것은 헌법에 위반된다. (헌재 2007.6.28. 2004헌마644 등)

② (O)

> **언론인의 선거운동을 금지하고 위반시 처벌하도록 규정한 구 공직선거법 규정은 헌법에 위반된다.** (헌재 2016.6.30. 2013헌가1)
> [1] 금지조항은 '대통령령으로 정하는 언론인'이라고만 하여 '언론인'이라는 단어 외에 대통령령에서 정할 내용의 한계를 설정해 주는 다른 수식어가 없다. 따라서 포괄위임금지원칙에 위반된다.
> [2] 심판대상조항들은 선거의 공정성·형평성을 확보하기 위한 것으로 일정 범위의 언론인에 대하여 일괄적으로 선거운동을 금지하는 것이 위와 같은 목적 달성에 적합한 수단이라는 점은 수긍할 수 있다. 언론인의 선거개입을 금지하여 선거의 공정성·형평성을 확보하고자 한다면, 일정 범위의 언론인을 대상으로 언론매체를 통한 활동의 측면에서 발생 가능한 문제점을 규제하는 것으로써 충분히 그 목적을 달성할 수 있다. 그런데 심판대상조항들은 해당 언론인의 범위가 지나치게 광범위하고, 이미 법에서 그러한 측면에서 발생할 수 있는 폐해를 시정하기 위한 조항들을 충분히 규정하고 있어 침해의 최소성원칙에 위반된다.

③ (O) 비밀투표의 원칙이다.

④ (×)

> **공직선거법 제188조(지역구국회의원 당선인의 결정·공고·통지)**
> ④ 선거일의 투표마감시각 후 당선인결정 전까지 지역구국회의원 후보자가 사퇴·사망하거나 등록이 무효로 된 경우에는 개표 결과 유효투표의 다수를 얻은 자를 당선인으로 결정하되, 사퇴·사망하거나 등록이 무효로 된 자가 유효투표의 다수를 얻은 때에는 그 국회의원지역구는 당선인이 없는 것으로 한다.

정답 ④

예상판례

> **사회복무요원(공익근무요원)이 선거운동을 할 경우 경고처분 및 연장복무를 하게 하는 병역법 중 선거운동에 관한 부분은 사회복무요원의 선거운동의 자유를 침해하지 않는다.** (헌재 2016.10.27. 2016헌마252)
> 사회복무요원은 공무원은 아니지만, 병역의무를 이행하고 공무를 수행하는 사람으로서 공무원에 준하는 공적 지위를 가지므로, 그 지위 및 직무의 성질상 정치적 중립성이 보장되어야 한다.

028 회독 ☐☐☐ 재구성   14·10 법원직

선거에 대한 설명으로 옳지 않은 것만을 모두 고르면? (다툼이 있는 경우 판례에 의함)

ㄱ. 「공직선거법」상 지방선거에서의 외국인의 선거권은 법률상의 권리이다.
ㄴ. 선거운동에서의 기회균등보장은 일반적 평등원칙과는 달리, 절대적이고 획일적인 평등 내지 기회균등을 요구하는 것이다.
ㄷ. 평등선거는 사회적 신분, 재산, 교양 등에 의한 차별 없이 일정 연령에 달한 모든 자에게 원칙적으로 선거권을 인정하여야 한다는 원칙이다.
ㄹ. 투표용지에 표시되는 기호의 게재순위를 후보자등록 마감일 현재 국회에서 다수의석을 가지고 있는 정당의 추천을 받은 후보자, 그렇지 않은 정당추천후보자, 무소속후보자 순으로 하는 것은 소수의석 정당이나 무소속후보자 등을 차별하는 것이나, 헌법상의 정당제도 보호 취지를 고려할 때 평등권 등 기본권을 침해하지 않는다.

① ㄱ, ㄴ
② ㄱ, ㄹ
③ ㄴ, ㄷ
④ ㄷ, ㄹ

해설

ㄱ. (O) [14 법원직]

> 외국인의 지방선거 선거권은 헌법상의 권리라고 할 수는 없고 단지 공직선거법이 인정하고 있는 '법률상의 권리'에 불과하다. (헌재 2007.6.28. 2004헌마644 등)

ㄴ. (X) [14 법원직]

> 선거운동에서의 기회균등보장도 일반적 평등원칙과 마찬가지로 절대적이고도 획일적인 평등 내지 기회균등을 요구하는 것이 아니라 합리적인 근거가 없는 자의적인 차별 내지 차등만을 금지하는 것으로 이해하여야 한다. (헌재 1999.1.28. 98헌마172)

ㄷ. (X) 선지는 보통선거의 원칙을 말하는 것이다. 평등선거는 투표의 수적 평등, 즉 1인 1표의 원칙과 투표가치의 평등, 즉 1표의 투표가치가 대표자 선정이라는 선거의 결과에 대하여 기여한 정도가 평등하여야 한다는 원칙을 말한다. [10 법원직]

ㄹ. (O) 헌재 2004.2.26. 2003헌마601 [10 법원직]

정답 ③

029

공직선거와 관련된 다음 설명 중 옳지 않은 것을 모두 고른 것은? (다툼이 있는 경우 헌법재판소 결정에 의함)

ㄱ. 대통령 선거와 국회의원 선거에 대해 우리 헌법은 보통, 평등, 직접, 비밀, 자유선거라는 민주선거의 원칙을 직접 규정하여 요구하고 있다.
ㄴ. 공직선거에 후보자로 등록하는 자가 제출하여야 하는 금고 이상의 형의 범죄경력에 실효된 형까지 포함시키는 것은 후보자 선택을 제한하거나 실효된 금고 이상의 형의 범죄경력을 가진 후보자의 당선기회를 봉쇄하는 것이 아니므로 공무담임권을 침해하지 아니한다.
ㄷ. 선거범으로서 100만 원 이상의 벌금형을 선고받아 확정되면 5년 동안 피선거권이 제한되는 규정에 의한 기본권 침해의 발생시기는 벌금형이 확정되었을 때이다.
ㄹ. 선거에 관하여 기부의 권유·요구 등의 금지규정에 위반한 자에게 50배에 상당하는 금액의 과태료에 처하는 규정은 선거의 공정성을 위한 것으로 과잉금지원칙에 위배되지 아니한다.
ㅁ. 선거일 180일 전부터 선거일까지 인터넷상 선거와 관련한 정치적 표현 및 선거운동을 금지하고 처벌하는 것은 후보자 간 경제력 차이에 따른 불균형 및 흑색선전을 통한 부당한 경쟁을 막고, 선거의 평온과 공정을 해하는 결과를 방지한다는 입법목적 달성을 위하여 적합한 수단이라고 할 수 없다.

① ㄱ, ㄷ
② ㄱ, ㄹ
③ ㄴ, ㅁ
④ ㄱ, ㄷ, ㄹ
⑤ ㄷ, ㄹ, ㅁ

해설

ㄱ. (✗) 대통령 선거와 국회의원 선거에 대해 우리 헌법은 보통·평등·직접·비밀선거에 대해서는 명문규정이 있지만, 자유선거에 대해서는 명문규정이 없다.
ㄴ. (○) 헌재 2008.4.24. 2006헌마402 등
ㄷ. (○) 판결이 확정되어야 효력이 발생하기 때문이다. (헌재 2008.1.17. 2004헌마41)
ㄹ. (✗)

> 공직선거법상 기부금지규정을 위반하여 기부를 받은 자에 대해 그 가액의 50배에 해당하는 과태료를 부과하는 공직선거법 규정은 과잉금지원칙에 위배된다. (헌재 2009.3.26. 2007헌가22【헌법불합치】)
> 이 사건 심판대상조항은 그 의무 위반행위에 대하여 부과되는 과태료의 기준 및 액수가 책임원칙에 부합되지 않게 획일적일 뿐만 아니라 지나치게 과중하여 입법목적을 달성함에 필요한 정도를 일탈함으로써 과잉금지원칙에 위반된다. … 이 사건 심판대상조항에 따른 과태료 제재 자체가 위헌이라고 판단한 것이 아니라, 이 사건 심판대상조항에 따라 위반행위자에 대하여 부과되는 과태료의 기준 및 액수가 책임원칙에 부합되지 않게 획일적일 뿐만 아니라 지나치게 과중하다는 이유에서 비롯된 것인데 … 헌법불합치결정을 선고하기로 하되, 입법자가 개선입법에 의하여 위헌성을 제거할 때까지 법원 기타 국가기관 및 지방자치단체는 헌법불합치결정이 내려진 이 사건 심판대상조항의 적용을 중지하고 위헌성이 제거된 개정조항을 기다려 이를 적용하도록 하는 것이 상당하다.

ㅁ. (○)

> 선거일 전 180일부터 선거일까지 선거에 영향을 미치게 하기 위하여 정당 또는 후보자를 지지·추천하거나 반대하는 내용이 포함되어 있거나 정당의 명칭 또는 후보자의 성명을 나타내는 문서·도화의 배부·게시 등을 금지하고 처벌하는 공직선거법 제93조 제1항 및 제255조 제2항 제5호 중 제93조 제1항의 각 '기타 이와 유사한 것' 부분에 '정보통신망을 이용하여 인터넷 홈페이지 또는 그 게시판·대화방 등에 글이나 동영상 등 정보를 게시하거나 전자우편을 전송하는 방법'이 포함된다고 해석한다면, 과잉금지원칙에 위배하여 정치적 표현의 자유 내지 선거운동의 자유를 침해한다. (헌재 2011.12.29. 2007헌마1001 등)

정답 ②

030

선거권과 선거제도에 대한 설명으로 옳은 것은?

① 대통령 선거는 임기만료에 의한 선거의 경우 그 임기만료일 전 70일 이후 첫 번째 목요일이다.
② 대통령의 선거기간은 23일이고, 국회의원 선거와 지방자치단체의 의회의원 및 장의 선거의 선거기간은 14일이며, 선거기간이라 함은 후보자등록 마감일의 다음 날부터 선거일까지를 말한다.
③ 지역구국회의원 선거에서 후보자가 유효투표총수의 100분의 10 이상을 득표한 경우에는 기탁금 전액에서 일정 비용을 공제한 나머지 금액을 기탁자에게 반환한다.
④ 선거운동은 원칙적으로 선거기간 개시일부터 선거 전일까지에 한하여 할 수 있지만 선거일이 아닌 때에 문자메시지를 전송하는 방법으로 선거운동을 하는 경우에는 그러지 아니하다.

해설

① (✕) [11 법원직]

공직선거법 제34조(선거일)
① 임기만료에 의한 선거의 선거일은 다음 각 호와 같다.
  1. 대통령 선거는 그 임기만료일 전 70일 이후 첫 번째 수요일
  2. 국회의원 선거는 그 임기만료일 전 50일 이후 첫 번째 수요일
  3. 지방의회의원 및 지방자치단체의 장의 선거는 그 임기만료일 전 30일 이후 첫 번째 수요일

② (✕) [11 법원직]

공직선거법 제33조(선거기간)
① 선거별 선거기간은 다음 각 호와 같다.
  1. 대통령 선거는 23일
  2. 국회의원 선거와 지방자치단체의 의회의원 및 장의 선거는 14일
③ '선거기간'이란 다음 각 호의 기간을 말한다.
  1. 대통령 선거: 후보자등록 마감일의 다음 날부터 선거일까지
  2. 국회의원 선거와 지방자치단체의 의회의원 및 장의 선거: 후보자등록 마감일 후 6일부터 선거일까지

③ (✕) 10~15% 득표한 경우는 전액이 아니라 반액에서 일정 비용을 공제한 금액이며, 15% 이상 득표한 경우에는 전액을 기준으로 한다. [13 법원직]

공직선거법 제57조(기탁금의 반환 등)
① 관할 선거구 선거관리위원회는 다음 각 호의 구분에 따른 금액을 선거일 후 30일 이내에 기탁자에게 반환한다. 이 경우 반환하지 아니하는 기탁금은 국가 또는 지방자치단체에 귀속한다.
  1. 대통령선거, 지역구국회의원선거, 지역구지방의회의원선거 및 지방자치단체의 장 선거
    가. 후보자가 당선되거나 사망한 경우와 유효투표총수의 100분의 15 이상(후보자가 장애인복지법 제32조에 따라 등록한 장애인이거나 선거일 현재 39세 이하인 경우에는 유효투표총수의 100분의 10 이상을 말한다)을 득표한 경우에는 기탁금 전액
    나. 후보자가 유효투표총수의 100분의 10 이상 100분의 15 미만(후보자가 장애인복지법 제32조에 따라 등록한 장애인이거나 선거일 현재 39세 이하인 경우에는 유효투표총수의 100분의 5 이상 100분의 10 미만을 말한다)을 득표한 경우에는 기탁금의 100분의 50에 해당하는 금액
    다. 예비후보자가 사망하거나, 당헌·당규에 따라 소속 정당에 후보자로 추천하여 줄 것을 신청하였으나 해당 정당의 추천을 받지 못하여 후보자로 등록하지 않은 경우에는 제60조의2 제2항에 따라 납부한 기탁금 전액
  2. 비례대표국회의원선거 및 비례대표지방의회의원선거
    당해 후보자명부에 올라 있는 후보자 중 당선인이 있는 때에는 기탁금 전액. 다만, 제189조 및 제190조의2에 따른 당선인의 결정 전에 사퇴하거나 등록이 무효로 된 후보자의 기탁금은 제외한다.

④ (O) [13 법원직]

> **공직선거법 제59조(선거운동기간)**
> 선거운동은 선거기간 개시일부터 선거일 전일까지에 한하여 할 수 있다. 다만, 다음 각 호의 어느 하나에 해당하는 경우에는 그러하지 아니하다.
>   2. 문자메시지를 전송하는 방법으로 선거운동을 하는 경우. 이 경우 자동 동보통신의 방법(동시 수신대상자가 20명을 초과하거나 그 대상자가 20명 이하인 경우에도 프로그램을 이용하여 수신자를 자동으로 선택하여 전송하는 방식을 말한다. 이하 같다)으로 전송할 수 있는 자는 후보자와 예비후보자에 한하되, 그 횟수는 8회(후보자의 경우 예비후보자로서 전송한 횟수를 포함한다)를 넘을 수 없으며, 중앙선거관리위원회규칙에 따라 신고한 1개의 전화번호만을 사용하여야 한다.

정답 ④

기출지문 OX

임기만료에 의한 국회의원선거의 선거일은 그 임기만료일전 60일 이후 첫번째 수요일이다. 24 경찰승진 (O / X)

해설

> **공직선거법 제34조(선거일)**
> ① 임기만료에 의한 선거의 선거일은 다음 각 호와 같다.
>   1. 대통령선거는 그 임기만료일전 70일 이후 첫번째 수요일
>   2. 국회의원선거는 그 임기만료일전 50일 이후 첫번째 수요일
>   3. 지방의회의원 및 지방자치단체의 장의 선거는 그 임기만료일전 30일 이후 첫번째 수요일

정답 X

031 회독 ☐☐☐ 재구성

12 국회8급

선거제도에 관한 설명으로 옳은 것은? (다툼이 있는 경우 판례에 의함)

① 선거는 국민이 대표자에게 특정의 공무수행기능을 위임하는 위임행위이다.
② 당선소송은 선거의 일부 무효를 주장하는 것으로서 선거의 효력에 관하여 이의가 있는 자가 중앙선거관리위원회 위원장을 피고로 하여 대법원에 소를 제기하는 것이다.
③ 국회의원 지역선거구의 공정한 획정을 위하여 중앙선거관리위원회에 선거구획정위원회를 둔다.
④ 국내에 3년 이상 체류하고 있는 18세 이상의 외국인은 모두 지방자치단체장의 선거에서 선거권을 행사할 수 있다.

해설

① (✗) 선거는 대표자를 선출하는 합성행위이다. 특정의 공무수행기능을 위임하는 것이 아니라 일반적 위임이다.
② (✗) 당선소송은 당선의 효력을 주장하는 것이고, 선거소송은 선거의 효력을 주장하는 것이다.
③ (○)

공직선거법 제24조(국회의원선거구획정위원회)
② 국회의원선거구획정위원회는 중앙선거관리위원회에 두되, 직무에 관하여 독립의 지위를 가진다.

제24조의3(자치구·시·군의원선거구획정위원회)
① 자치구·시·군의원지역선거구(이하 '자치구·시·군의원지역구'라 한다)의 공정한 획정을 위하여 시·도에 자치구·시·군의원선거구획정위원회를 둔다.

④ (✗)

공직선거법 제15조(선거권)
② 18세 이상으로서 제37조 제1항에 따른 선거인명부작성기준일 현재 다음 각 호의 어느 하나에 해당하는 사람은 그 구역에서 선거하는 지방자치단체의 의회의원 및 장의 선거권이 있다.
  3. 출입국관리법 제10조에 따른 영주의 체류자격 취득일 후 3년이 경과한 외국인으로서 같은 법 제34조에 따라 해당 지방자치단체의 외국인등록대장에 올라 있는 사람

정답 ③

032 [12 국회9급]

선거제도에 대한 설명으로 옳지 않은 것만을 모두 고르면? (다툼이 있는 경우 판례에 의함)

ㄱ. 선거구획정은 특단의 불가피한 사정이 없는 한 인접지역이 1개의 선거구를 구성하도록 함이 상당하며, 이는 선거구획정에 관한 국회의 입법재량권의 한계이기도 하다.
ㄴ. 헌법재판소는 국회의원선거구 간의 인구편차가 전국선거구 평균인구 수를 기준으로 상하 50% 편차 이내인 경우 평등선거원칙에 위배되지 아니한다고 판시하고 있다.
ㄷ. ㄴ.의 기준에 따르면 전국선거구 평균인구 수를 5,000명으로 했을 때 선거구획정 결과 최대선거구가 8,000명이고 최소선거구가 3,500명인 경우는 평등선거원칙에 위배되지 않는다.
ㄹ. 헌법재판소는 지방의회의원 선거의 경우 선거구 간의 인구편차가 평균인구 수 기준으로 상하 60% 편차 이내인 경우 평등선거원칙에 위배되지 아니한다고 판시하고 있다.
ㅁ. 우리 헌법재판소는 각 선거구가 서로 유기적으로 관련되어 있기 때문에 어느 한 선거구에 위헌적 요소가 있다면 선거구구역표 전체가 위헌이라고 한다.

① ㄱ, ㄴ, ㄷ
② ㄱ, ㄴ, ㅁ
③ ㄴ, ㄷ, ㄹ
④ ㄷ, ㄹ, ㅁ

해설

ㄱ. (O)
> 선거구의 획정은 사회적·지리적·역사적·경제적·행정적 연관성 및 생활권 등을 고려하여 특단의 불가피한 사정이 없는 한 인접지역이 1개의 선거구를 구성하도록 함이 상당하며, 이 또한 선거구획정에 관한 국회의 재량권의 한계이다. (헌재 1995.12.27. 95헌마224 등)

ㄴ. (X) 국회의원 선거에서 최대선거구와 최소선거구 간 인구편차가 2:1을 넘은 경우 평등원칙에 위배된다.
ㄷ. (X) 최대선거구는 +60%, 최소선거구는 -30%의 편차를 보이고 있어서 평등원칙에 위배된다.
ㄹ. (X) 지방선거에서는 상하 60%에서 50%(3:1) 편차 이내로 판례가 변경되었다.
ㅁ. (O)
> 선거구구역표는 각 선거구가 서로 유기적으로 관련을 가짐으로써 한 부분에서의 변동은 다른 부분에도 연쇄적으로 영향을 미치는 성질을 가지며, 이러한 의미에서 선거구구역표는 전체가 '불가분의 일체'를 이루는 것으로서 어느 한 부분에 위헌적인 요소가 있다면 선거구구역표 전체가 위헌의 하자를 띠는 것이라고 보아야 할 뿐만 아니라, 제소된 당해 선거구에 대하여만 인구 과다를 이유로 위헌선언을 할 경우에는 헌법소원 제소기간의 적용 때문에 제소된 선거구보다 인구의 불균형이 더 심한 선거구의 선거구획정이 그대로 효력을 유지하게 되는 불공평한 결과를 초래할 수도 있으므로, 일부 선거구의 선거구획정에 위헌성이 있다면 선거구구역표의 전부에 관하여 위헌선언을 하는 것이 상당하다. (헌재 1995.12.27. 95헌마224 등)

정답 ③

033 회독 ☐☐☐ 재구성 | 11 국회8급

선거운동의 제한에 관한 설명으로 옳은 것은? (다툼이 있는 경우 판례에 의함)

① 외국인은 영주권을 취득한 후 3년이 경과하고 해당 지방자치단체에 외국인등록대장에 올라 있다고 하더라도 선거운동을 할 수 없다.
② 자치구·시·군의원 선거의 경우 무소속후보자는 어떠한 경우에도 특정 정당의 지지 또는 추천받음을 표방할 수 없다.
③ 선거운동기간 전이라도 인터넷 홈페이지를 통한 선거운동은 후보자 또는 후보자가 되려는 자는 물론 일반유권자에게도 허용된다.
④ 선거운동기간 중이라도 정당가입을 권유하기 위한 호별방문은 허용이 된다.

해설

① (×) 외국인은 원칙적으로 선거운동을 할 수 없지만, 해당 지방자치단체에 외국인등록대장에 등재되어 선거권을 가지는 경우에는 해당 선거에서는 선거운동을 할 수 있다.

공직선거법 제60조(선거운동을 할 수 없는 자)
① 다음 각 호의 어느 하나에 해당하는 사람은 선거운동을 할 수 없다. 다만, 제1호에 해당하는 사람이 예비후보자·후보자의 배우자인 경우와 제4호부터 제8호까지의 규정에 해당하는 사람이 예비후보자·후보자의 배우자이거나 후보자의 직계존비속인 경우에는 그러하지 아니하다.
 1. 대한민국 국민이 아닌 자. 다만, 제15조 제2항 제3호에 따른 외국인이 해당 선거에서 선거운동을 하는 경우에는 그러하지 아니하다.
 2. 미성년자(18세 미만의 자를 말한다. 이하 같다)
 3. 제18조(선거권이 없는 자) 제1항의 규정에 의하여 선거권이 없는 자
 4. 국가공무원법 제2조(공무원의 구분)에 규정된 국가공무원과 지방공무원법 제2조(공무원의 구분)에 규정된 지방공무원. 다만, 정당법 제22조(발기인 및 당원의 자격) 제1항 제1호 단서의 규정에 의하여 정당의 당원이 될 수 있는 공무원(국회의원과 지방의회의원 외의 정무직공무원을 제외한다)은 그러하지 아니하다.
 5. 제53조(공무원 등의 입후보) 제1항 제2호 내지 제7호에 해당하는 자(제5호 및 제6호의 경우에는 그 상근직원을 포함한다)
 6. 예비군 중대장급 이상의 간부
 7. 통·리·반의 장 및 읍·면·동주민자치센터(그 명칭에 관계없이 읍·면·동사무소 기능전환의 일환으로 조례에 의하여 설치된 각종 문화·복지·편익시설을 총칭한다. 이하 같다)에 설치된 주민자치위원회(주민자치센터의 운영을 위하여 조례에 의하여 읍·면·동사무소의 관할 구역별로 두는 위원회를 말한다. 이하 같다) 위원
 8. 특별법에 의하여 설립된 국민운동단체로서 국가 또는 지방자치단체의 출연 또는 보조를 받는 단체(바르게살기운동협의회·새마을운동협의회·한국자유총연맹을 말한다)의 상근 임·직원 및 이들 단체 등(시·도조직 및 구·시·군조직을 포함한다)의 대표자
 9. 선상투표신고를 한 선원이 승선하고 있는 선박의 선장

② (×)
> 기초의회의원 선거 후보자로 하여금 특정 정당으로부터의 지지 또는 추천받음을 표방할 수 없도록 한 것은 정치적 표현의 자유와 평등권을 침해하는 것이다. (헌재 2003.1.30. 2001헌가4)

③ (○) 선거운동기간 전이라도 일반유권자를 제외한 후보자, 후보자가 되고자 하는 자가 자신이 개설한 인터넷 홈페이지를 이용하여 선거운동을 하는 것은 가능하다. (공직선거법 제59조 제3호) 이에 대해 헌법재판소는 합헌결정하였다. (헌재 2010.6.24. 2008헌바169) 현재 법이 개정되어 일반인도 인터넷 홈페이지를 이용한 선거운동이 가능하다.

공직선거법 제59조(선거운동기간)
선거운동은 선거기간 개시일부터 선거일 전일까지에 한하여 할 수 있다. 다만, 다음 각 호의 어느 하나에 해당하는 경우에는 그러하지 아니하다.
1. 제60조의3 제1항 및 제2항의 규정에 따라 예비후보자 등이 선거운동을 하는 경우
2. 문자메시지를 전송하는 방법으로 선거운동을 하는 경우. 이 경우 자동 동보통신의 방법(동시 수신대상자가 20명을 초과하거나 그 대상자가 20명 이하인 경우에도 프로그램을 이용하여 수신자를 자동으로 선택하여 전송하는 방식을 말한다. 이하 같다)으로 전송할 수 있는 자는 후보자와 예비후보자에 한하되, 그 횟수는 8회(후보자의 경우 예비후보자로서 전송한 횟수를 포함한다)를 넘을 수 없으며, 중앙선거관리위원회규칙에 따라 신고한 1개의 전화번호만을 사용하여야 한다.
3. 인터넷 홈페이지 또는 그 게시판·대화방 등에 글이나 동영상 등을 게시하거나 전자우편(컴퓨터 이용자끼리 네트워크를 통하여 문자·음성·화상 또는 동영상 등의 정보를 주고받는 통신시스템을 말한다. 이하 같다)을 전송하는 방법으로 선거운동을 하는 경우. 이 경우 전자우편 전송대행업체에 위탁하여 전자우편을 전송할 수 있는 사람은 후보자와 예비후보자에 한한다.
4. 선거일이 아닌 때에 전화(송·수화자 간 직접 통화하는 방식에 한정하며, 컴퓨터를 이용한 자동 송신장치를 설치한 전화는 제외한다)를 이용하거나 말(확성장치를 사용하거나 옥외집회에서 다중을 대상으로 하는 경우를 제외한다)로 선거운동을 하는 경우
5. 후보자가 되려는 사람이 선거일 전 180일(대통령 선거의 경우 선거일 전 240일을 말한다)부터 해당 선거의 예비후보자등록신청 전까지 제60조의3 제1항 제2호의 방법(같은 호 단서를 포함한다)으로 자신의 명함을 직접 주는 경우

④ (×)

공직선거법 제106조(호별방문의 제한)
① 누구든지 선거운동을 위하여 또는 선거기간 중 입당의 권유를 위하여 호별로 방문할 수 없다.
무소속후보자가 추천을 받기 위해 방문하는 것은 허용된다.

정답 ③

제3절 정당의 자유와 정당제도

034

정당제도에 대한 설명으로 〈보기〉에서 옳은 것(○)과 옳지 않은 것(×)을 올바르게 조합한 것은?

보기

ㄱ. 정당을 창당하고자 하는 창당준비위원회가 「정당법」상의 요건을 갖추어 등록을 신청하면 중앙선거관리위원회는 「정당법」상 외의 요건으로 이를 거부할 수 없고 반드시 수리하여야 한다.

ㄴ. 정치활동을 하는 사람이 금품을 받았을 때에 그것이 비록 정치활동을 위하여 제공된 것이 아니더라도, 「정치자금법」 제45조 제1항의 위반죄로 처벌할 수 있다.

ㄷ. 국민의 자유로운 정당설립 및 가입을 제한하는 법률은 그 목적이 헌법상 허용된 것이어야 할 뿐만 아니라 중대한 것이어야 하고, 그를 넘어서 제한을 정당화하는 공익이나 대처해야 할 위험이 어느 정도 명백하게 현실적으로 존재해야만 비로소 헌법에 위반되지 아니한다.

ㄹ. 정당설립의 자유는 비록 헌법 제8조 제1항 전단에 규정되어 있지만, 국민 개인과 정당의 기본권이라고 할 수 있으며, 당연히 이를 근거로 하여 「헌법재판소법」 제68조 제1항에 따른 헌법소원심판을 청구할 수 있다고 보아야 할 것이다.

ㅁ. 합당하는 정당들은 대의기관의 결의나 합동회의의 결의로써 합당할 수 있으며, 신설정당이 합당 전 정당들의 권리·의무를 승계하지 않기로 정하였다면, 이는 정당내부의 자율적 규율사항에 해당하므로 그 결의는 효력이 있다.

	ㄱ	ㄴ	ㄷ	ㄹ	ㅁ
①	○	○	×	×	×
②	×	○	×	×	○
③	×	×	○	○	×
④	○	○	○	○	×
⑤	○	×	○	○	×

해설

ㄱ. (○)

> **정당법 제15조(등록신청의 심사)**
> 등록신청을 받은 관할 선거관리위원회는 형식적 요건을 구비하는 한 이를 거부하지 못한다. 다만, 형식적 요건을 구비하지 못한 때에는 상당한 기간을 정하여 그 보완을 명하고, 2회 이상 보완을 명하여도 응하지 아니할 때에는 그 신청을 각하할 수 있다.

ㄴ. (×)

> 정치자금법에 의하여 수수가 금지되는 정치자금은 정치활동을 위하여 정치활동을 하는 자에게 제공되는 금전 등 일체를 의미한다. (대판 2014.6.26. 2013도9866)

ㄷ. (○) ㄹ. (○) 헌재 1999.12.23. 99헌마135

ㅁ. (✗)

> 정당법 제4조의2 제1항, 제2항에 의하면, 정당이 새로운 당명으로 합당(신설합당)하거나 다른 정당에 합당(흡수합당)될 때에는 합당을 하는 정당들의 대의기관이나 그 수임기관의 합동회의의 결의로써 합당할 수 있고, 정당의 합당은 소정의 절차에 따라 중앙선거관리위원회에 등록 또는 신고함으로써 성립하는 것으로 규정되어 있는 한편, 같은 조 제5항에 의하면, 합당으로 신설 또는 존속하는 정당은 합당 전 정당의 권리의무를 승계하는 것으로 규정되어 있는바, 위 정당법 조항에 의한 합당의 경우에 합당으로 인한 권리의무의 승계조항은 강행규정으로서 합당 전 정당들의 해당 기관의 결의나 합동회의의 결의로써 달리 정하였더라도 그 결의는 효력이 없다. (대판 2002.2.8. 2001다68969)

정답 ⑤

035 24 5급행시

정당제도에 대한 설명으로 옳지 않은 것은?

① 정당해산심판제도가 정당을 보호하기 위한 취지에서 도입된 것이고 다른 한편으로는 정당의 강제적 해산가능성을 헌법상 인정하는 것이므로, 그 자체가 민주주의에 대한 제약이자 위협이 될 수는 없다.
② 정당해산제도의 취지 등에 비추어 볼 때 헌법재판소의 정당해산결정이 있는 경우 그 정당 소속 국회의원의 의원직은 당선 방식을 불문하고 모두 상실되어야 한다.
③ 정당은 단순히 행정부의 통상적인 처분에 의해서는 해산될 수 없고, 오직 헌법재판소가 그 정당의 위헌성을 확인하고 해산의 필요성을 인정한 경우에만 정당정치의 영역에서 배제된다.
④ 정당해산심판제도는 정당 존립의 특권, 특히 그 중에서도 정부의 비판자로서 야당의 존립과 활동을 특별히 보장하고자 하는 헌법제정자의 규범적 의지의 산물로 이해되어야 한다.

해설

① (✗)

> 정당해산심판제도가 비록 정당을 보호하기 위한 취지에서 도입된 것이라 하더라도 다른 한편 이는 정당의 강제적 해산가능성을 헌법상 인정하는 것이므로, 그 자체가 민주주의에 대한 제약이자 위협이 될 수 있음을 또한 깊이 주의해야 한다. 정당해산심판제도는 운영 여하에 따라 그 자체가 민주주의에 대한 해악이 될 수 있으므로 일종의 극약처방인 셈이다. 따라서 정치적 비판자들을 탄압하기 위한 용도로 남용되는 일이 생기지 않도록 정당해산심판제도는 매우 엄격하고 제한적으로 운용되어야 한다. '의심스러울 때에는 자유를 우선시하는(in dubio pro libertate)' 근대 입헌주의의 원칙은 정당해산심판제도에서도 여전히 적용되어야 할 것이다. (헌재 2014.12.19. 2013헌다1)

② (O) ③ (O) ④ (O) 헌재 2014.12.19. 2013헌다1

정답 ①

036  23 국가7급

정당제도에 대한 설명으로 옳지 않은 것은?

① 1980년 제8차 헌법개정에서 국가는 법률이 정하는 바에 의하여 정당의 운영에 필요한 자금을 보조할 수 있다고 규정하였다.
② 정당의 법적 지위는 적어도 그 소유재산의 귀속관계에 있어서는 법인격 없는 사단(社團)으로 보아야 하고, 중앙당과 지구당과의 복합적 구조에 비추어 정당의 지구당은 단순한 중앙당의 하부조직이 아니라 어느 정도의 독자성을 가진 단체로서 역시 법인격 없는 사단에 해당한다.
③ 위헌정당해산제도의 실효성을 확보하기 위하여 헌법재판소의 위헌정당 해산결정에 따라 해산된 정당 소속 비례대표 지방의회의원은 해산결정시 의원의 지위를 상실한다.
④ "누구든지 2 이상의 정당의 당원이 되지 못한다."라고 규정하고 있는 「정당법」 조항은 정당의 정체성을 보존하고 정당 간의 위법·부당한 간섭을 방지함으로써 정당정치를 보호·육성하기 위한 것으로서, 정당 당원의 정당 가입·활동의 자유를 침해한다고 할 수 없다.

> 해설

① (O) 정당조항은 제3차 개정헌법(위헌정당해산), 복수정당제는 제5차 개정헌법, 정당에 대한 자금 지원은 제8차 개정헌법에 처음 규정되었다.
② (O) 따라서 정당은 헌소소원의 청구인이 된다.
③ (X) 정당해산심판에서 국회의원의 경우는 신분상실결정을 했지만, 지방의회의원에 대해서는 판단을 하지 않아서 임기때까지 의원직을 유지했다.
④ (O) "누구든지 2 이상의 정당의 당원이 되지 못한다."라고 규정하고 있는 정당법 제42조 제2항은 정당의 당원인 청구인들의 정당 가입·활동의 자유를 침해하지 않는다. (헌재 2022.3.31. 2020헌마1729)

정답 ③

037

정당의 자유 및 정당제도에 대한 헌법재판소의 판시 내용과 설명으로 옳은 것은?

① 18세 미만의 국민은 정당의 발기인 및 당원이 될 수 없다.
② 복수당적 보유를 금지하는 「정당법」 조항은 과잉금지원칙에 위배되어 정당가입 및 활동의 자유를 침해한다.
③ 등록이 취소되거나 자진해산한 정당의 잔여재산 및 헌법재판소의 해산결정에 의하여 해산된 정당의 잔여재산은 국고에 귀속한다.
④ 등록신청을 받은 관할 선거관리위원회는 형식적 요건을 구비하는 한 이를 거부하지 못한다. 다만, 형식적 요건을 구비하지 못한 때에는 상당한 기간을 정하여 그 보완을 명하고, 2회 이상 보완을 명하여도 응하지 아니할 때에는 그 신청을 각하할 수 있다.
⑤ 정당의 시·도당은 1천인 이상의 당원을 가져야 한다고 규정한 「정당법」 조항은 과잉금지원칙에 위배되어 정당 조직 및 활동의 자유를 침해한다.

해설

① (✗)

> **정당법 제22조(발기인 및 당원의 자격)**
> ① 16세 이상의 국민은 공무원 그 밖에 그 신분을 이유로 정당가입이나 정치활동을 금지하는 다른 법령의 규정에 불구하고 누구든지 정당의 발기인 및 당원이 될 수 있다. 다만, 다음 각 호의 어느 하나에 해당하는 자는 그러하지 아니하다.
> 〈각 호 생략〉

② (✗)

> "누구든지 2 이상의 정당의 당원이 되지 못한다."라고 규정하고 있는 정당법 제42조 제2항은 정당의 당원인 청구인들의 정당가입·활동의 자유를 침해하지 않는다. (헌재 2022.3.31. 2020헌마1729)

③ (✗)

> **정당법 제48조(해산된 경우 등의 잔여재산 처분)**
> ① 정당이 제44조 제1항의 규정에 의하여 등록이 취소되거나 제45조의 규정에 의하여 자진해산한 때에는 그 잔여재산은 당헌이 정하는 바에 따라 처분한다.
> ② 제1항의 규정에 의하여 처분되지 아니한 정당의 잔여재산 및 헌법재판소의 해산결정에 의하여 해산된 정당의 잔여재산은 국고에 귀속한다.

④ (○) 정당법 제15조

⑤ (✗)

> 정당으로 등록되기에 필요한 요건으로서 5개 이상의 시·도당 및 각 시·도당마다 1,000명 이상의 당원을 갖출 것을 요구하고 있기 때문에 국민의 정당설립의 자유에 어느 정도 제한을 가하는 점이 있는 것은 사실이나, 이러한 제한은 '상당한 기간 또는 계속해서', '상당한 지역에서' 국민의 정치적 의사형성과정에 참여해야 한다는 헌법상 정당의 개념표지를 구현하기 위한 합리적인 제한이라고 할 것이므로, 그러한 제한은 헌법적으로 정당화된다고 할 것이다. (헌재 2006.3.30. 2004헌마246)

정답 ④

038

정당에 대한 설명으로 옳은 것은? (다툼이 있는 경우 판례에 의함)

① 정당이 그 소속 국회의원을 제명하기 위해서는 당헌이 정하는 절차를 거치는 외에 그 소속 국회의원 전원의 3분의 1 이상의 찬성이 있어야 한다.
② 정당의 활동이란 정당 기관의 행위나 주요 정당관계자, 당원 등의 행위로서 그 정당에게 귀속시킬 수 있는 활동 일반을 의미하는데, 정당 소속의 국회의원 등은 비록 정당과 밀접한 관련성을 가지지만 헌법상으로는 정당의 대표자가 아닌 국민 전체의 대표자이므로 그들의 행위를 곧바로 정당의 활동으로 귀속시킬 수는 없다.
③ 헌법재판소가 정당해산결정을 내리기 위해서는 그 해산결정이 비례원칙에 부합하는지를 숙고해야 하는바, 이 경우의 비례원칙 준수 여부는 통상적으로 기능하는 위헌심사의 척도에 의한다.
④ 타인의 명의나 가명으로 납부된 당비는 국고에 귀속되며, 국고에 귀속되는 당비는 중앙선거관리위원회가 이를 납부받아 국가에 납입한다.

해설

① (✕)

> **정당법 제33조(정당 소속 국회의원의 제명)**
> 정당이 그 소속 국회의원을 제명하기 위해서는 당헌이 정하는 절차를 거치는 외에 그 소속 국회의원 전원의 2분의 1 이상의 찬성이 있어야 한다.

② (○) 정당 소속의 국회의원의 모든 행위가 아니라 당원으로서의 행위만 정당의 활동으로 귀속시킬 수 있다.

③ (✕)

> 정당해산심판제도에서는 헌법재판소의 정당해산결정이 정당의 자유를 침해할 수 있는 국가권력에 해당하므로 헌법재판소가 정당해산결정을 내리기 위해서는 그 해산결정이 비례원칙에 부합하는지를 숙고해야 하는바, 이 경우의 비례원칙 준수 여부는 그것이 통상적으로 기능하는 위헌심사의 척도가 아니라 헌법재판소의 정당해산결정이 충족해야 할 일종의 헌법적 요건 혹은 헌법적 정당화사유에 해당한다. 이와 같이 강제적 정당해산은 우리 헌법상 핵심적인 정치적 기본권인 정당활동의 자유에 대한 근본적 제한이므로 헌법재판소는 이에 관한 결정을 할 때 헌법 제37조 제2항이 규정하고 있는 비례원칙을 준수해야만 하는 것이다. (헌재 2014.12.19. 2013헌다1)

④ (✕)

> **정치자금법 제4조(당비)**
> ① 정당은 소속 당원으로부터 당비를 받을 수 있다.
> ② 정당의 회계책임자는 타인의 명의나 가명으로 납부된 당비는 국고에 귀속시켜야 한다.
> ③ 제2항의 규정에 의하여 국고에 귀속되는 당비는 관할 선거관리위원회가 이를 납부받아 국가에 납입하되, 납부기한까지 납부하지 아니한 때에는 관할 세무서장에게 위탁하여 관할 세무서장이 국세체납처분의 예에 따라 이를 징수한다.

정답

039  22 5급행시

정당제도에 대한 설명으로 옳지 않은 것은? (다툼이 있는 경우 판례에 의함)

① 정당의 자유는 국민이 개인적으로 갖는 기본권일 뿐만 아니라, 단체로서의 정당이 가지는 기본권이기도 하다.
② 「공직선거법」상 법원의 판결에 의하여 선거일 현재 선거권이 정지된 18세 국민이라도 「정당법」에 따른 정당의 발기인은 될 수 있다.
③ 정당설립의 자유는 개인이 정당 일반 또는 특정 정당에 가입하지 아니할 자유, 가입했던 정당으로부터 탈퇴할 자유 등 소극적 자유도 포함한다.
④ 정당이 최근 4년간 임기만료에 의한 국회의원 선거 또는 임기만료에 의한 지방자치단체의 장 선거나 시·도의회의원 선거에 참여하지 아니한 때에는 당해 선거관리위원회는 그 등록을 취소한다.

> **해설**

① (O) 정당은 권리능력 없는 사단으로서 정당의 자유의 주체가 된다.
② (X) 정당법상 16세 이상이면 당원이 될 수 있지만, 선거권이 정지되면 당원이 될 수 없다.

> **정당법 제22조(발기인 및 당원의 자격)**
> ① 16세 이상의 국민은 공무원 그 밖에 그 신분을 이유로 정당가입이나 정치활동을 금지하는 다른 법령의 규정에 불구하고 누구든지 정당의 발기인 및 당원이 될 수 있다. 다만, 다음 각 호의 어느 하나에 해당하는 자는 그러하지 아니하다.
>   1. 국가공무원법 제2조(공무원의 구분) 또는 지방공무원법 제2조(공무원의 구분)에 규정된 공무원. 다만, 대통령, 국무총리, 국무위원, 국회의원, 지방의회의원, 선거에 의하여 취임하는 지방자치단체의 장, 국회 부의장의 수석비서관·비서관·비서·행정보조요원, 국회 상임위원회·예산결산특별위원회·윤리특별위원회 위원장의 행정보조요원, 국회의원의 보좌관·비서관·비서, 국회 교섭단체 대표의원의 행정비서관, 국회 교섭단체의 정책연구위원·행정보조요원과 고등교육법 제14조(교직원의 구분) 제1항·제2항에 따른 교원은 제외한다.
>   2. 고등교육법 제14조 제1항·제2항에 따른 교원을 제외한 사립학교의 교원
>   3. 법령의 규정에 의하여 공무원의 신분을 가진 자
>   4. 공직선거법 제18조 제1항에 따른 선거권이 없는 사람
> ② 대한민국 국민이 아닌 자는 당원이 될 수 없다.

③ (O) 정당의 자유의 내용이다.
④ (O)

> **정당법 제44조(등록의 취소)**
> ① 정당이 다음 각 호의 어느 하나에 해당하는 때에는 당해 선거관리위원회는 그 등록을 취소한다.
>   1. 제17조(법정시·도당 수) 및 제18조(시·도당의 법정당원 수)의 요건을 구비하지 못하게 된 때. 다만, 요건의 흠결이 공직선거의 선거일 전 3월 이내에 생긴 때에는 선거일 후 3월까지, 그 외의 경우에는 요건흠결시부터 3월까지 그 취소를 유예한다.
>   2. 최근 4년간 임기만료에 의한 국회의원 선거 또는 임기만료에 의한 지방자치단체의 장 선거나 시·도의회의원 선거에 참여하지 아니한 때
>   3. 임기만료에 의한 국회의원 선거에 참여하여 의석을 얻지 못하고 유효투표총수의 100분의 2 이상을 득표하지 못한 때 【위헌】
> ② 제1항의 규정에 의하여 등록을 취소한 때에는 당해 선거관리위원회는 지체 없이 그 뜻을 공고하여야 한다.

정답 ②

040 22 입시

정당 및 정치자금제도에 대한 설명으로 옳은 것은? (다툼이 있는 경우 판례에 의함)

① 정당의 기회균등원칙에는 각 정당에 보조금을 균등하게 배분할 것을 요구하는 내용이 포함된다.
② 국내·국외의 법인 또는 단체는 정치자금을 기부할 수 없다.
③ 정당 스스로 재정충당을 위하여 국민들로부터 모금 활동을 하는 것은 단지 '돈을 모으는 것'에 불과한 것으로 정당의 헌법적 과제 수행에 있어 본질적인 부분이 아니다.
④ 외국인인 사립대학의 교원은 정당의 발기인이나 당원이 될 수 있다.

해설

① (✗) 보조금은 균등하게 배분되는 것이 아니라 교섭단체를 구성하는가 등에 따라 차등지급된다.
② (○)

> **정치자금법 제31조(기부의 제한)**
> ① 외국인, 국내·외의 법인 또는 단체는 정치자금을 기부할 수 없다.
> ② 누구든지 국내·외의 법인 또는 단체와 관련된 자금으로 정치자금을 기부할 수 없다.

③ (✗)

> 정당 스스로 재정충당을 위하여 국민들로부터 모금 활동을 하는 것은 단지 '돈을 모으는 것'에 불과한 것이 아니라 궁극적으로 자신의 정강과 정책을 토대로 국민의 동의와 지지를 얻기 위한 활동의 일환이며, 이는 정당의 헌법적 과제 수행에 있어 본질적인 부분의 하나인 것이다. (헌재 2015.12.23. 2013헌바168)

④ (✗)

> **정당법 제22조(발기인 및 당원의 자격)**
> ② 대한민국 국민이 아닌 자는 당원이 될 수 없다.

정답 ②

041   20 서울·지방7급

정당에 대한 설명으로 옳지 않은 것은? (다툼이 있는 경우 판례에 의함)

① 국회의원 선거에 참여하여 의석을 얻지 못하고 유효투표총수의 100분의 2 이상을 득표하지 못한 정당에 대해 그 등록을 취소하도록 한 구 「정당법」의 정당등록취소조항은 정당설립의 자유를 침해한다.
② 정당이 새로운 당명으로 합당하거나 다른 정당에 합당될 때에는 합당을 하는 정당들의 대의기관이나 그 수임기관의 합동회의의 결의로써 합당할 수 있다.
③ 헌법재판소의 결정에 의하여 해산된 정당의 명칭과 동일한 명칭은 해산된 날부터 최초로 실시하는 임기만료에 의한 국회의원 선거의 선거일까지만 정당의 명칭으로 사용할 수 없다.
④ 정당의 시·도당 하부조직의 운영을 위하여 당원협의회 등의 사무소를 두는 것을 금지한 구 「정당법」 조항은 정당활동의 자유를 침해하지 않는다.

해설

① (O)

> [1] 국회의원 선거에 참여하여 의석을 얻지 못하고 유효투표총수의 100분의 2 이상을 득표하지 못한 정당에 대해 그 등록을 취소하도록 한 정당법 정당등록취소조항은 정당설립의 자유를 침해한다.
> [2] 정당등록취소조항에 의하여 등록취소된 정당의 명칭과 같은 명칭을 등록취소된 날부터 최초로 실시하는 임기만료에 의한 국회의원 선거의 선거일까지 정당의 명칭을 사용할 수 없도록 한 정당법 정당명칭사용금지조항은 정당설립의 자유를 침해한다. (헌재 2014.1.28. 2012헌마431 등)

② (O) 정당법 제19조 제1항

③ (X)

> **정당법 제41조(유사명칭 등의 사용금지)**
> ① 이 법에 의하여 등록된 정당이 아니면 그 명칭에 정당임을 표시하는 문자를 사용하지 못한다.
> ② 헌법재판소의 결정에 의하여 해산된 정당의 명칭과 같은 명칭은 정당의 명칭으로 다시 사용하지 못한다.

④ (O) 헌재 2016.3.31. 2013헌가22

정답 ③

042 회독 ☐☐☐ 재구성　　　　　　　　　　　　　　20 5급행시, 18 변호사

정당에 대한 설명으로 옳지 않은 것은?

① 정당은 그 목적·조직과 활동이 민주적이어야 하며, 국민의 정치적 의사형성에 참여하는 데 필요한 조직을 가져야 한다.
② 정당의 목적이나 활동이 민주적 기본질서에 위배될 때에는 정부는 헌법재판소에 그 해산을 제소할 수 있고, 정당은 헌법재판소의 심판에 의하여 해산된다.
③ 정당의 해산을 명하는 헌법재판소의 결정은 국회가 「정당법」에 따라 집행한다.
④ 정당의 등록요건으로 '5 이상의 시·도당과 각 시·도당 1천인 이상의 당원'을 요구하는 것은 국민의 정당설립의 자유에 어느 정도 제한을 가하지만, 이러한 제한은 '상당한 기간 또는 계속해서', '상당한 지역에서' 국민의 정치적 의사형성과정에 참여해야 한다는 정당의 개념표지를 구현하기 위한 합리적인 제한이다.

해설

① (○) 헌법 제8조 제2항 [20 5급행시]
② (○) 헌법 제8조 제4항 [20 5급행시]
③ (✗) [20 5급행시]

> **헌법재판소법 제60조(결정의 집행)**
> 정당의 해산을 명하는 헌법재판소의 결정은 중앙선거관리위원회가 정당법에 따라 집행한다.

④ (○) 정당의 요건에 관한 내용이다. [18 변호사]

정답 ③

043 회독 ☐☐☐ 재구성   20 법무사·법원직, 19 지방7급, 14 서울7급

정당에 대한 설명으로 옳은 것은? (다툼이 있는 경우 판례에 의함)

① 정당의 명칭은 그 정당의 정책과 정치적 신념을 나타내는 대표적인 표지에 해당하므로, 정당설립의 자유는 자신들이 원하는 명칭을 사용하여 정당을 설립하거나 정당활동을 할 자유도 포함한다.
② 헌법 제8조 제1항은 정당설립의 자유만을 명시적으로 규정하고 있으므로, 정당활동의 자유는 헌법상 기본권으로 보호되지 않는다.
③ 정당에 국고보조금을 배분함에 있어 교섭단체의 구성 여부에 따라 차등을 두는 것은 평등원칙에 위배된다.
④ 정당의 목적이나 조직이 민주적 기본질서에 위배될 때에는 정부는 헌법재판소에 그 해산을 제소할 수 있고, 정당은 헌법재판소의 심판에 의하여 해산된다.

해설

① (O) 정당의 자유의 내용이다. [20 법원직]

② (✗) [20 법무사]

> 헌법 제8조 제1항 전단의 정당설립의 자유는 정당설립의 자유만이 아니라 정당활동의 자유를 포함한다. 즉, 헌법 제8조 제1항은 정당설립의 자유만을 명시적으로 규정하고 있지만, 정당설립의 자유만이 아니라 누구나 국가의 간섭을 받지 아니하고 자유롭게 정당에 가입하고 정당으로부터 탈퇴할 수 있는 자유를 함께 보장한다. 정당의 설립만이 보장될 뿐 설립된 정당이 언제든지 다시 금지될 수 있거나 정당의 활동이 임의로 제한될 수 있다면, 정당설립의 자유는 사실상 아무런 의미가 없기 때문이다. 따라서 정당설립의 자유는 당연히 정당의 존속과 정당활동의 자유도 보장하는 것이다. **(헌재 2006.3.30. 2004헌마246)**

③ (✗) [19 지방7급]

> 입법자는 정당에 대한 보조금의 배분기준을 정함에 있어 입법정책적인 재량권을 가지므로, 그 내용이 현재의 각 정당들 사이의 경쟁상태를 현저하게 변경시킬 정도가 아니면 합리성을 인정할 수 있다. 정당의 공적 기능의 수행에 있어 교섭단체의 구성 여부에 따라 차이가 나타날 수밖에 없고, 이 사건 법률조항이 교섭단체의 구성 여부만을 보조금 배분의 유일한 기준으로 삼은 것이 아니라 정당의 의석수비율과 득표수비율도 함께 고려함으로써 현행의 보조금 배분비율이 정당이 선거에서 얻은 결과를 반영한 득표수비율과 큰 차이를 보이지 않고 있는 점 등을 고려하면, 교섭단체를 구성할 정도의 다수 정당과 그에 미치지 못하는 소수 정당 사이에 나타나는 차등지급의 정도는 정당 간의 경쟁상태를 현저하게 변경시킬 정도로 합리성을 결여한 차별이라고 보기 어렵다. **(헌재 2006.7.27. 2004헌마655)**

④ (✗) [14 서울7급]

> **헌법 제8조**
> ④ 정당의 목적이나 <u>활동</u>이 민주적 기본질서에 위배될 때에는 정부는 헌법재판소에 그 해산을 제소할 수 있고, 정당은 헌법재판소의 심판에 의하여 해산된다.

정답 ①

044 회독 ☐☐☐ 재구성
19 국회8급, 13 지방7급

정당에 대한 설명으로 옳은 것만을 모두 고르면? (다툼이 있는 경우 판례에 의함)

ㄱ. 정당의 헌법소원 청구인능력은 「정당법」상의 등록요건을 구비함으로써 생기는 것이 아니고, 그 법적 성격이 권리능력 없는 사단이라는 점에서 인정되는 것이다.

ㄴ. 정치자금의 수입·지출내역 및 첨부서류 등의 열람기간을 공고일로부터 3월간으로 제한하고 있는 법률조항은 정당의 정치자금에 관한 정보의 공개라는 공익적 측면보다는 행정적인 업무부담의 경감을 우선시키는 것으로서 국민의 알 권리를 침해하는 것이다.

ㄷ. 정당해산심판절차에서는 재심을 허용하지 아니함으로써 얻을 수 있는 법적 안정성의 이익이 재심을 허용함으로써 얻을 수 있는 구체적 타당성의 이익보다 더 크므로 재심을 허용할 수 없다.

ㄹ. 정당에 대한 재정적 후원을 금지하고 위반시 형사처벌하는 구 「정치자금법」 조항은 정당이 스스로 재정을 충당하고자 하는 정당활동의 자유와 국민의 정치적 표현의 자유를 침해한다.

① ㄱ, ㄴ, ㄷ   ② ㄱ, ㄴ, ㄹ   ③ ㄴ, ㄷ, ㄹ   ④ ㄱ, ㄴ, ㄷ, ㄹ

해설

ㄱ. (O) 권리능력 없는 사단과 재단도 기본권 주체로서 헌법소원의 청구인능력이 인정된다. [13 지방7급]

ㄴ. (O) [19 국회8급]

> **정치자금법상 회계보고된 자료의 열람기간을 3월간으로 정한 정치자금법 제42조 제2항 본문 중 '3월간' 부분은 알 권리를 침해하여 헌법에 위반된다.** (헌재 2021.5.27. 2018헌마1168【위헌, 각하】)
> 열람기간을 제한한 것은 위 입법목적을 달성하는 데 기여하는 적합한 수단이다. 정치자금을 둘러싼 분쟁 등의 장기화 방지 및 행정부담의 경감을 위해 기간의 제한 자체는 둘 수 있다고 하더라도, 현행 열람기간이 지나치게 짧다는 점은 명확하다.

ㄷ. (X) [19 국회8급]

> [1] 정당해산심판은 원칙적으로 해당 정당에게만 그 효력이 미치며, 정당해산결정은 대체정당이나 유사정당의 설립까지 금지하는 효력을 가지므로 오류가 드러난 결정을 바로잡지 못한다면 장래 세대의 정치적 의사결정에까지 부당한 제약을 초래할 수 있다. 따라서 정당해산심판절차에서는 재심을 허용하지 아니함으로써 얻을 수 있는 법적 안정성의 이익보다 재심을 허용함으로써 얻을 수 있는 구체적 타당성의 이익이 더 크므로 재심을 허용하여야 한다. 한편, 이 재심절차에서는 원칙적으로 민사소송법의 재심에 관한 규정이 준용된다.
> [2] 재심대상결정의 심판대상은 재심청구인의 목적이나 활동이 민주적 기본질서에 위배되는지, 재심청구인에 대한 정당해산결정을 선고할 것인지, 정당해산결정을 할 경우 그 소속 국회의원에 대하여 의원직 상실을 선고할 것인지 여부이다. 내란음모 등 형사사건에서 내란음모 혐의에 대한 유·무죄 여부는 재심대상결정의 심판대상이 아니었고 논리적 선결문제도 아니다. 따라서 이O기 등에 대한 내란음모 등 형사사건에서 대법원이 지하혁명조직의 존재와 내란음모죄의 성립을 모두 부정하였다고 해도, 재심대상결정에 민사소송법 제451조 제1항 제8호의 재심사유가 있다고 할 수 없다. (헌재 2016.5.26. 2015헌아20)

ㄹ. (O) [19 국회8급]

> 이 사건 법률조항은 정당후원회를 금지함으로써 불법정치자금 수수로 인한 정경유착을 막고 정당의 정치자금 조달의 투명성을 확보하여 정당 운영의 투명성과 도덕성을 제고하기 위한 것으로, 입법목적의 정당성은 인정된다. 그러나 정경유착의 문제는 일부 재벌기업과 부패한 정치세력에 국한된 것이고 대다수 유권자들과는 직접적인 관련이 없으므로 일반국민의 정당에 대한 정치자금 기부를 원천적으로 봉쇄할 필요는 없고, 기부 및 모금한도액의 제한, 기부내역 공개 등의 방법으로 정치자금의 투명성을 충분히 확보할 수 있다. 나아가 정당제 민주주의하에서 정당에 대한 재정적 후원이 전면적으로 금지됨으로써 정당이 스스로 재정을 충당하고자 하는 정당활동의 자유와 국민의 정치적 표현의 자유에 대한 제한이 매우 크다고 할 것이므로, 이 사건 법률조항은 정당의 정당활동의 자유와 국민의 정치적 표현의 자유를 침해한다. (헌재 2015.12.23. 2013헌바168)

정답 ②

045

정당에 대한 설명으로 옳지 않은 것은? (다툼이 있는 경우 판례에 의함)

① 헌법재판소에 따르면 정당의 설립 및 가입을 금지하는 법률조항은 이를 정당화하는 사유의 중대성에 있어서 적어도 '민주적 기본질서에 대한 위반'에 버금가는 것이어야 한다.
② 입법자는 정당설립의 자유를 최대한 보장하는 방향으로 입법하여야 하고, 헌법재판소는 정당설립의 자유를 제한하는 법률의 합헌성을 심사할 때에 헌법 제37조 제2항에 따라 엄격한 비례심사를 하여야 한다.
③ 정당의 당원은 같은 정당의 타인의 당비를 부담할 수 없으며, 타인의 당비를 부담한 자와 타인으로 하여금 자신의 당비를 부담하게 한 자는 당비를 낸 것이 확인된 날부터 1년간 당해 정당의 당원자격이 정지된다.
④ 정당은 그 대의기관의 결의로써 해산할 수 있으며, 정당이 해산한 때에는 그 대표자는 지체 없이 그 뜻을 국회에 신고하여야 한다.

해설

① (O) [17 5급행시]

> 민주적 의사형성과정의 개방성을 보장하기 위하여 정당설립의 자유를 최대한으로 보호하려는 헌법 제8조의 정신에 비추어, 정당의 설립 및 가입을 금지하는 법률조항은 이를 정당화하는 사유의 중대성에 있어서 적어도 '민주적 기본질서에 대한 위반'에 버금가는 것이어야 한다고 판단된다. 다시 말하면, 오늘날의 의회민주주의가 정당의 존재 없이는 기능할 수 없다는 점에서 심지어 '위헌적인 정당을 금지해야 할 공익'도 정당설립의 자유에 대한 입법적 제한을 정당화하지 못하도록 규정한 것이 헌법의 객관적인 의사라면, 입법자가 그 외의 공익적 고려에 의하여 정당설립금지조항을 도입하는 것은 원칙적으로 헌법에 위반된다. (헌재 1999.12.23. 99헌마135)

② (O) [18 지방7급]
③ (O) 정당법 제31조 제2항 [18 지방7급]
④ (X) [18 지방7급]

> **정당법 제45조(자진해산)**
> ① 정당은 그 대의기관의 결의로써 해산할 수 있다.
> ② 제1항의 규정에 의하여 정당이 해산한 때에는 그 대표자는 지체 없이 그 뜻을 <u>관할 선거관리위원회에</u> 신고하여야 한다.

정답 ④

기출지문 OX

'위헌적인 정당을 금지해야 할 공익'도 정당설립의 자유에 대한 입법적 제한을 정당화하지 못하도록 규정한 것이 헌법의 객관적인 의사라면, 입법자가 그 외의 공익적 고려에 의하여 정당설립금지조항을 도입하는 것은 원칙적으로 헌법에 위반된다. 15 국회8급

(O / X)

해설 헌재 1999.12.23. 99헌마135   정답 O

046

정당제도에 대한 설명으로 옳은 것은? (다툼이 있는 경우 판례에 의함)

① 정당설립에 대한 국가의 간섭은 원칙적으로 허용되지 아니하며, 입법자가 정당설립에 대해 형식적 요건을 설정하는 것은 금지된다.
② 헌법재판소가 정당설립의 자유를 제한하는 법률의 합헌성을 심사하는 경우 제도보장의 법리에 따라 합리성 기준에 따른 심사를 하여야 한다.
③ 당내경선에서 경선후보자로서 당해 정당의 후보자로 선출되지 아니한 자는 원칙적으로 당해 선거의 같은 선거구에서 무소속의 후보자로 등록할 수 있다.
④ 비례대표국회의원 또는 비례대표지방의회의원이 소속 정당의 합당·해산 또는 제명 외의 사유로 당적을 이탈·변경하거나 2 이상의 당적을 가지고 있는 때에는 퇴직된다. 다만, 비례대표국회의원이 국회의장으로 당선되어 「국회법」 규정에 의하여 당적을 이탈한 경우에는 그러하지 아니하다.

해설

① (×) 중앙당과 "5개 이상의 시·도당, 각 시·도당은 1,000명 이상의 당원이 있어야 한다."와 같은 형식적 요건을 규정할 수 있다. [18 입시]

② (×) [14 국회8급]

> 오늘날 대의민주주의에서 차지하는 정당의 이러한 의의와 기능을 고려하여, 헌법 제8조 제1항은 국민 누구나가 원칙적으로 국가의 간섭을 받지 아니하고 정당을 설립할 권리를 기본권으로 보장함과 아울러 복수정당제를 제도적으로 보장하고 있다. 따라서 입법자는 정당설립의 자유를 최대한 보장하는 방향으로 입법하여야 하고, 헌법재판소는 정당설립의 자유를 제한하는 법률의 합헌성을 심사할 때에 헌법 제37조 제2항에 따라 엄격한 비례심사를 하여야 한다. (헌재 2014.1.28. 2012헌마431)

③ (×) [14 국회8급]

> **공직선거법 제57조의2(당내경선의 실시)**
> ① 정당은 공직선거후보자를 추천하기 위하여 경선(이하 '당내경선'이라 한다)을 실시할 수 있다.
> ② 정당이 당내경선[당내경선(여성이나 장애인 등에 대하여 당헌·당규에 따라 가산점 등을 부여하여 실시하는 경우를 포함한다)의 후보자로 등재된 자(이하 '경선후보자'라 한다)를 대상으로 정당의 당헌·당규 또는 경선후보자 간의 서면합의에 따라 실시한 당내경선을 대체하는 여론조사를 포함한다]을 실시하는 경우 경선후보자로서 당해 정당의 후보자로 선출되지 아니한 자는 당해 선거의 같은 선거구에서는 후보자로 등록될 수 없다. 다만, 후보자로 선출된 자가 사퇴·사망·피선거권 상실 또는 당적의 이탈·변경 등으로 그 자격을 상실한 때에는 그러하지 아니하다.

④ (○) 공직선거법 제192조 제4항 [16 법원직]

정답 ④

047

다음 중 현행법상 정당의 당원이 될 수 없는 자는 모두 몇 명인가?

ㄱ. 국무위원　　　　　ㄴ. 국립대학교 교수　　　　　ㄷ. 사립대학교 교수
ㄹ. 공립중학교 교사　　ㅁ. 사립중학교 교사　　　　　ㅂ. 퇴직한 검찰총장

① 1명　　② 2명　　③ 3명　　④ 4명

해설

- 정당가입 가능: 국무위원, 국립·사립대학교 교수, 퇴직한 검찰총장
- 정당가입 불가: 공립·사립중학교 교사

> **검찰총장 퇴임 후 공직취임금지 및 정당가입금지** (헌재 1997.7.16. 97헌마26[위헌])
> [1] 고등검사장이 장차 검찰총장에 임명될 가능성이 있다는 사정만으로는 검찰총장이었던 자의 기본권을 제한하고 있는 법률조항이 고등검사장의 직위에 있는 청구인들의 기본권을 직접 그리고 현재 침해하고 있다고 볼 수 없다. – 자기관련성 부정
> [2] 검찰청법 제12조 제4항은 검찰총장 퇴임 후 2년 이내에는 법무부장관과 내무부장관직뿐만 아니라 모든 공직에의 임명을 금지하고 있으므로 심지어 국·공립대학교 총·학장, 교수 등 학교의 경영과 학문연구직에의 임명도 받을 수 없게 되어 있다. 그 입법목적에 비추어 보면 그 제한은 필요최소한의 범위를 크게 벗어나 직업선택의 자유와 공무담임권을 침해하는 것으로서 헌법상 허용될 수 없다.
> [3] 검찰총장 퇴직 후 일정 기간 동안 정당의 발기인이나 당원이 될 수 없도록 하는 검찰청법 제12조 제5항, 부칙 제2항은 과거의 특정 신분만을 이유로 한 개별적 기본권 제한으로서 그 차별의 합리성을 인정하기 어렵고, 검찰권 행사의 정치적 중립이라는 입법목적을 얼마나 달성할 수 있을지 그 효과에 있어서도 의심스러우므로, 결국 검찰총장에서 퇴직한 지 2년이 지나지 아니한 자의 정치적 결사의 자유와 참정권(선거권과 피선거권) 등 우월적 지위를 갖는 기본권을 과잉금지원칙에 위반되어 침해하고 있다고 아니할 수 없다.

정답 ②

048 17 국회8급

정당에 대한 국고보조금 지급에 대한 설명으로 옳지 않은 것은?

① 보조금 계상의 기준이 되는 선거는 최근 실시한 임기만료에 의한 대통령 선거이다.
② 경상보조금과 선거보조금은 동일 정당의 소속 의원으로 교섭단체를 구성하지 못하는 정당으로서 5석 이상의 의석을 가진 정당에 대하여는 100분의 5씩을 배분·지급한다.
③ 경상보조금을 지급받은 정당은 경상보조금 총액의 100분의 10 이상을 시·도당에 배분·지급하여야 한다.
④ 중앙선거관리위원회는 보조금을 지급받은 정당이 보조금에 관한 회계보고를 허위로 한 경우 허위에 해당하는 금액의 2배에 상당하는 금액을 이후 감액하여 지급할 수 있다.
⑤ 보조금을 지급받은 정당이 해산된 경우 정당은 보조금 가운데 잔액이 있는 때에는 이를 중앙선거관리위원회에 반환하여야 한다.

해설

① (×)

> **정치자금법 제25조(보조금의 계상)**
> ① 국가는 정당에 대한 보조금으로 최근 실시한 임기만료에 의한 국회의원 선거의 선거권자 총수에 보조금 계상단가를 곱한 금액을 매년 예산에 계상하여야 한다. 이 경우 임기만료에 의한 국회의원 선거의 실시로 선거권자 총수에 변경이 있는 때에는 당해 선거가 종료된 이후에 지급되는 보조금은 변경된 선거권자 총수를 기준으로 계상하여야 한다.

② (○) 국고보조금의 배분

전체의 50%	동일 정당의 소속 의원으로 교섭단체(20석 이상)를 구성한 정당에 균등지급
5%	교섭단체를 구성하지 못한 정당 중 5석 이상의 의석을 가진 정당(5석 이상 19석 이하)에 균등지급
2%	• 최근 실시된 국회의원 총선거에서 유효투표총수의 100분의 2 이상 득표하였으나 의석은 없는 정당 • 국회의원 총선거에서 유효투표총수의 100분의 2 미만을 얻었으나 의석은 있으며, 지방자치단체 선거에서 유효투표총수의 100분의 0.5 이상을 득표한 정당 • 최근 실시된 국회의원 선거에 참여하지 아니한 정당으로서, 지방자치단체 선거에서 유효투표총수의 100분의 2 이상을 득표한 정당
잔여분	잔여분 중 100분의 50은 의석 수 비율에 따라, 100분의 50은 득표율에 따라 배분

의석이 없는 정당도 보조금을 배분받을 수 있다. 특히 최근에 실시된 임기만료에 의한 국회의원 선거에 참여하지 아니한 정당의 경우에도 보조금을 배분받을 수 있다.

③ (○)

> **정치자금법 제28조(보조금의 용도제한 등)**
> ② 경상보조금을 지급받은 정당은 그 경상보조금 총액의 100분의 30 이상은 정책연구소[정당법 제38조(정책연구소의 설치·운영)에 의한 정책연구소를 말한다. 이하 같다]에, 100분의 10 이상은 시·도당에 배분·지급하여야 하며, 100분의 10 이상은 여성정치발전을 위하여, 100분의 5 이상은 청년정치발전을 위하여 사용하여야 한다.

④ (○)

> **정치자금법 제29조(보조금의 감액)**
> 중앙선거관리위원회는 다음 각 호의 규정에 따라 당해 금액을 회수하고, 회수가 어려운 때에는 그 이후 당해 정당에 지급할 보조금에서 감액하여 지급할 수 있다.
> 1. 보조금을 지급받은 정당(정책연구소 및 정당선거사무소를 포함한다)이 보조금에 관한 회계보고를 허위·누락한 경우에는 허위·누락에 해당하는 금액의 2배에 상당하는 금액

⑤ (O)

> **정치자금법 제30조(보조금의 반환)**
> ① 보조금을 지급받은 정당이 해산되거나 등록이 취소된 경우 또는 정책연구소가 해산 또는 소멸하는 때에는 지급받은 보조금을 지체없이 다음 각 호에서 정한 바에 따라 처리하여야 한다.
>   1. 정당
>   보조금의 지출내역을 중앙선거관리위원회에 보고하고 그 잔액이 있는 때에는 이를 반환한다.

정답 ①

049 17 입시, 16 지방7급, 13 법원직

정당에 대한 설명으로 옳은 것은 모두 몇 개인가? (다툼이 있는 경우 판례에 의함)

ㄱ. 정당의 설립은 자유이며, 복수정당제는 보장된다.
ㄴ. 정당설립의 자유를 '권리능력 없는 사단'의 실체를 가지는 등록취소된 정당이 주장할 수 있는 기본권으로 볼 수는 없다.
ㄷ. 정당의 발기인과 당원이 될 수 있는 자격은 동일하며, 대한민국 국민이 아닌 자도 당원이 될 수 있다.

① 없음   ② 1개
③ 2개   ④ 3개

해설

ㄱ. (O) 헌법 제8조 제1항 [13 법원직]

ㄴ. (✕) [17 입시]

> **등록이 취소된 사회당은 청구인능력이 있다.** (헌재 2006.3.30. 2004헌마246)
> 청구인(사회당)은 등록이 취소된 이후에도, 취소 전 사회당의 명칭을 사용하면서 대외적인 정치활동을 계속하고 있고, 대내외조직 구성과 선거에 참여할 것을 전제로 하는 당헌과 대내적 최고의사결정기구로서 당대회와, 대표단 및 중앙위원회, 지역조직으로 시·도위원회를 두는 등 계속적인 조직을 구비하고 있는 사실 등에 비추어 보면, 청구인은 등록이 취소된 이후에도 '등록정당'에 준하는 '권리능력 없는 사단'으로서의 실질을 유지하고 있다고 볼 수 있으므로 이 사건 헌법소원의 청구인능력을 인정할 수 있다.

 비교판례

> **등록이 취소된 녹색사민당은 청구인능력이 없다.** (헌재 2006.2.23. 2004헌마208)
> 청구인 녹색사민당은 2004.4.20. 정당법 제44조 제1항 제3호에 의하여 정당등록이 취소되어 더 이상 등록된 정당이 아니어서 청구인 주장의 기본권을 향유할 수 있는 주체가 될 수 없으므로 청구인의 심판청구는 부적법하다.

ㄷ. (✕) 정당법 제22조에 따라 발기인과 당원이 될 수 있는 자격은 동일하며, 대한민국 국민이 아닌 자는 당원이 될 수 없다. [16 지방7급]

정답 ②

050 정당해산심판에 대한 설명으로 옳지 않은 것은? (다툼이 있는 경우 판례에 의함)

① 정당해산심판제도는 정부의 일방적인 행정처분에 의해 진보적 야당이 등록취소되어 사라지고 말았던 우리 현대사에 대한 반성의 산물로서 도입된 것으로서, 발생사적 측면에서 정당을 보호하기 위한 절차로서의 성격이 부각된다.
② 강제적 정당해산은 헌법상 핵심적인 정치적 기본권인 정당활동의 자유에 대한 근본적 제한이므로, 이에 관한 결정을 할 때 헌법 제37조 제2항이 규정하고 있는 비례원칙을 준수해야만 하고, 따라서 헌법 제8조 제4항의 명문규정상 요건이 구비된 경우에도 해당 정당의 위헌적 문제성을 해결할 수 있는 다른 대안적 수단이 없고, 정당해산결정을 통하여 얻을 수 있는 사회적 이익이 정당해산결정으로 인해 초래되는 정당활동의 자유 제한으로 인한 불이익과 민주주의 사회에 대한 중대한 제약이라는 사회적 불이익을 초과할 수 있을 정도로 큰 경우에 한하여 정당해산결정이 헌법적으로 정당화될 수 있다.
③ 정당해산심판절차에서는 정당해산심판의 성질에 반하지 않는 한도에서 「헌법재판소법」 제40조에 따라 민사소송에 관한 법령이 준용될 수 있지만, 민사소송에 관한 법령이 준용되지 않아 법률의 공백이 생기는 부분에 대하여는 헌법재판소가 정당해산심판의 성질에 맞는 절차를 창설할 수 있다.
④ 정당은 그 소속 국회의원이 당론에 위반하는 정치활동을 한 이유로 국회의원의 신분을 상실하게 할 수 없을 뿐만 아니라 정당 내부의 사실상의 강제도 할 수 없다.

해설

① (O) 정당해산심판제도는 제1공화국 당시 진보당에 대한 행정명령으로 해산한 결정 이후 제3차 개정헌법에서 도입되었다. [16 법무사]
② (O) 통합진보당 해산결정을 하면서 헌법재판소가 판시한 내용이다. [16 법무사]
③ (O) [16 변호사]

> **정당해산심판절차에 민사소송법을 준용하는 것은 헌법에 위반되지 않는다.** (헌재 2014.2.27. 2014헌마7)
> [1] 청구인의 주장과 같이 민사소송에 관한 법령보다는 형사소송에 관한 법령을 준용하도록 하는 것이 정당해산심판청구에서 청구인에게 유리한 측면이 있을 수 있다. 그러나 민사소송에 관한 법령 이외에 다른 절차법을 준용하는 것이 최선의 입법이라거나 당사자에게 항상 유리하다고 단정할 수 없다. 예컨대 형사소송에 관한 법령을 준용할 경우 압수와 수색 등 민사소송에 관한 법령을 준용할 경우 취할 수 없는 증거방법이 활용되는 등 오히려 청구인에게 불리한 경우도 있을 수 있다.
> [2] 증거조사와 사실인정에 관한 민사소송법의 규정을 적용함으로써 실체적 진실과 다른 사실관계가 인정될 수 있는 규정은 헌법과 정당을 동시에 보호하는 정당해산심판의 성질에 반하는 것으로 준용될 수 없을 것이다. 또 민사소송에 관한 법령의 준용이 배제되어 법률의 공백이 생기는 부분에 대하여는 헌법재판소가 정당해산심판의 성질에 맞는 절차를 창설하여 이를 메울 수밖에 없다. 이와 같이 법률의 공백이 있는 경우 정당해산심판제도의 목적과 취지에 맞는 절차를 창설하여 실체적 진실을 발견하고 이에 근거하여 헌법정신에 맞는 결론을 도출해 내는 것은 헌법이 헌법재판소에 부여한 고유한 권한이자 의무이다. … 따라서 준용조항은 청구인의 재판청구권, 즉 공정한 재판받을 권리를 침해한다고 볼 수 없다.

④ (X) [10 지방7급]

> 국회의원의 국민대표성을 중시하는 입장에서도 특정 정당에 소속된 국회의원이 정당기속 내지는 교섭단체의 결정(소위 '당론')에 위반하는 정치활동을 한 이유로 제재를 받는 경우, 국회의원 신분을 상실하게 할 수는 없으나 '정당 내부의 사실상의 강제' 또는 소속 '정당으로부터의 제명'은 가능하다고 본다. (헌재 2003.10.30. 2002헌라1)

정답 ④

> **기출지문 OX**
>
> 정당해산심판절차에는 「헌법재판소법」과 「헌법재판소 심판 규칙」 그리고 헌법재판의 성질에 반하지 않는 한도 내에서 형사소송에 관한 법령이 적용된다. 15 국회8급 (O / X)
> **해설** 정당해산심판에 형사소송법이 준용된다는 규정은 없다. **정답** X

051 회독 ☐☐☐ 재구성   13 국가7급, 10 지방7급

정당에 대한 설명으로 옳지 않은 것은? (다툼이 있는 경우 헌법재판소 결정에 의함)

① '정당은 그 목적·조직과 활동이 민주적이어야 하며, 국민의 정치적 의사형성에 참여하는 데 필요한 조직을 가져야 한다'는 규정은 정당의 자유에 대한 한계로 작용하는 한도에서 정당의 자유의 구체적인 내용을 제시한다고는 할 수 있으나, 정당의 자유의 헌법적 근거를 제공하는 근거규범은 아니다.
② 정당의 조직 중 기존의 지구당과 당연락소를 강제적으로 폐지하고 이후 지구당을 설립하거나 당연락소를 설치하는 것을 금지하는 규정은 정당조직의 자유 및 정당활동의 자유를 제한하는 것으로서 정당의 자유의 본질적 내용을 침해한다.
③ 헌법재판소의 결정에 의하여 해산된 정당의 명칭과 같은 명칭은 정당의 명칭으로 다시 사용하지 못하며, 헌법재판소의 해산결정에 의하여 해산된 정당의 잔여재산은 국고에 귀속된다.
④ 정당설립은 자유이므로, 법률로써 정당설립을 허가제로 하는 것은 절대 허용되지 아니한다.

해설

① (O) [13 국가7급]

> **지구당의 폐지는 정당의 자유를 침해하는 것이 아니다.** (헌재 2004.12.16. 2004헌마456 [기각])
> [1] 정당의 자유는 국민이 개인적으로 갖는 기본권일 뿐만 아니라, 단체로서의 정당이 가지는 기본권이기도 하다. 따라서 개인인 국민으로서 청구인 OOO가 정당의 자유를 가지고 있음은 물론, 청구인 민주노동당도 단체로서 정당의 자유를 가지고 있다.
> [2] 헌법 제8조 제2항은 헌법 제8조 제1항에 의하여 정당의 자유가 보장됨을 전제로 하여 … 정당에 대하여 정당의 자유의 한계를 부과하는 것임과 동시에 입법자에 대하여 그에 필요한 입법을 해야 할 의무를 부과하고 있다. 그러나 이에 나아가 정당의 자유의 헌법적 근거를 제공하는 근거규범으로서 기능한다고는 할 수 없다.

② (X) [13 국가7급]

> 정당의 조직 중 기존의 지구당과 당연락소를 강제적으로 폐지하고 이후 지구당을 설립하거나 당연락소를 설치하는 것을 금지하는 것은 정당으로 하여금 그 핵심적인 기능과 임무를 전혀 수행하지 못하도록 하거나 이를 수행하더라도 전혀 비민주적인 과정을 통할 수밖에 없도록 하는 것이라면 정당의 자유의 본질적 내용을 침해하는 것이 되지만, 지구당이나 당연락소가 없더라도 이러한 기능과 임무를 수행하는 것이 불가능하지 아니하고 특히 교통, 통신, 대중매체가 발달한 오늘날 지구당의 통로로서의 의미가 상당 부분 완화되었기 때문에, 본질적 내용을 침해한다고 할 수 없다. (헌재 2004.12.16. 2004헌마456)

③ (O) 위헌정당 소속의 의원신분 유지에 대해서는 명문규정이 없는 실정이다. [13 국가7급]
④ (O) [10 지방7급]

정답 ②

> **예상조문**
>
> **정당법 제37조(활동의 자유)**
> ③ 정당은 국회의원지역구 및 자치구·시·군, 읍·면·동별로 당원협의회를 둘 수 있다. 다만, 누구든지 시·도당 하부조직의 운영을 위하여 당원협의회 등의 사무소를 둘 수 없다.

052 13 서울7급

정당제도에 관한 설명으로 옳지 않은 것은 모두 몇 개인가? (다툼이 있는 경우 판례에 의함)

ㄱ. 위헌정당으로 강제해산된 경우와 달리 등록이 취소된 경우에는 정당의 명칭을 곧바로 다시 사용할 수 있다.
ㄴ. 경찰청장의 퇴직 후 일정 기간 동안 정당에 가입할 수 없게 하는 것은 공무원의 정치적 중립성을 보장하기 위한 것이어서 정당의 자유를 침해하는 것은 아니다.
ㄷ. 일사부재리의 원칙은 형벌 간에 적용되므로 정부는 동일한 정당에 대하여 동일한 사유로 다시 위헌정당의 해산을 제소할 수 있다.

① 없음
② 1개
③ 2개
④ 3개

해설

ㄱ. (○) 출제 당시, 정당법 제41조 제4항은 "등록취소된 정당의 명칭과 같은 명칭은 등록취소된 날부터 최초로 실시하는 임기만료에 의한 국회의원 선거의 선거일까지 정당의 명칭으로 사용할 수 없다."라고 규정하고 있었다. 그러나 판례가 변경되었다. 임기만료에 의한 국회의원 선거에 참여하여 의석을 얻지 못하고 유효투표총수의 100분의 2 이상을 득표하지 못한 때 정당등록을 취소하는 것은 헌법에 위반된다. 그리고 그러한 정당의 명칭을 일정 기간 사용하지 못하게 하는 것도 헌법에 위반된다. (헌재 2014.1.28. 2012헌마431 등) 즉, 정당의 명칭사용금지가 위헌인 것은 '임기만료에 의한 국회의원 선거에 참여하여 의석을 얻지 못하고 유효투표총수의 100분의 2 이상을 득표하지 못한 때(정당법 제44조 제1항 제3호)'에 해당하여 등록취소된 경우에만 해당한다. 정당법 제44조 제1항 제1호·제2호의 사유로 등록취소된 경우에 일정 기간 명칭사용을 금지하는 것은 위헌이 아니다.

ㄴ. (×)

> 경찰청장은 퇴직일부터 2년 이내에는 정당의 발기인이 되거나 당원이 될 수 없도록 한 것은 정당설립 및 가입의 자유를 침해하는 조항이다. (헌재 1999.12.23. 99헌마135)

ㄷ. (×) 정당해산제소에도 일사부재리의 원칙이 적용된다. 따라서 동일한 정당에 대하여 동일한 사유로 다시 위헌정당의 해산을 제소할 수 없다.

정답 ③

053

정당에 대한 설명으로 옳지 않은 것은? (다툼이 있는 경우 판례에 의함)

① 중앙당은 정당의 재정에 관한 사항을 확인·검사하기 위하여 예산결산위원회를 두어야 한다.
② 정당이 그 소속 국회의원을 제명하는 경우 당헌이 정하는 절차 외에도 그 소속 국회의원 전원의 3분의 2 이상의 찬성이 있어야 하며, 무기명투표를 원칙으로 하되 예외적인 경우에는 서면에 의하여 의결할 수 있다.
③ 당론과 다른 견해를 가진 소속 국회의원을 당해 교섭단체의 필요에 따라 다른 상임위원회로 전임하는 조치는 특별한 사정이 없는 한 헌법상 용인될 수 있는 강제에 속한다.
④ 비례대표국회의원이 소속 정당의 합당·해산 또는 제명 외의 사유로 당적을 이탈·변경하거나 2 이상의 당적을 가지고 있는 때에는 의원직을 상실하도록 한 것은 그 해당 비례대표국회의원에 대한 정당기속을 실현하기 위한 제도적 장치라고 볼 수 있다.

해설

① (○) **정당법 제29조 제2항** [10 국회8급]
② (✕) 정당이 그 소속 국회의원을 제명하기 위해서는 당헌이 정하는 절차를 거치는 외에 그 소속 국회의원 전원의 2분의 1 이상의 찬성이 있어야 하며, 소속 국회의원의 제명에 관한 결의는 서면이나 대리인에 의하여 의결할 수 없다. (**정당법 제32조, 제33조**) [12 국회8급]
③ (○) [13 지방7급]

> 헌법재판소는 '국회의원과 국회의장 간의 권한쟁의' 사건에서 "국회의원의 원내활동을 기본적으로 각자에 맡기는 자유위임은 자유로운 토론과 의사형성을 가능하게 함으로써 당내민주주의를 구현하고 정당의 독재화 또는 과두화를 막아주는 순기능을 갖는다. 그러나 자유위임은 의회 내에서의 정치의사 형성에 정당의 협력을 배척하는 것이 아니며, 의원이 정당과 교섭단체의 지시에 기속되는 것을 배제하는 근거가 되는 것도 아니다. 또한 국회의원의 국민대표성을 중시하는 입장에서도 특정 정당에 소속된 국회의원이 정당기속 내지는 교섭단체의 결정(소위 '당론')에 위반하는 정치활동을 한 이유로 제재를 받는 경우, 국회의원 신분을 상실하게 할 수는 없으나 '정당 내부의 사실상의 강제' 또는 소속 '정당으로부터의 제명'은 가능하다고 보고 있다. 그렇다면, <u>당론과 다른 견해를 가진 소속 국회의원을 당해 교섭단체의 필요에 따라 다른 상임위원회로 전임(사·보임)하는 조치는 특별한 사정이 없는 한 헌법상 용인될 수 있는 '정당 내부의 사실상 강제'의 범위 내에 해당한다고 할 것이다.</u>"라고 하여 정당국가적 현실에 기초한 정당기속을 어느 정도 인정하고 있다. (**헌재 2003.10.30. 2002헌라1**)

④ (○) [13 국회9급]

정답 ②

054

정당에 대한 설명으로 옳은 것은? (다툼이 있는 경우 판례에 의함)

① 우리 헌법은 정당의 존재를 당연시하고 있으며, 국회의원의 면책특권 역시 정당정치하에서 비로소 중요한 의의를 지닌다.
② 정당은 직접 헌법규정에 따라 결성된 조직체이며, 집권정당의 의사는 곧 국가의사를 의미하므로 정당은 헌법기관이다.
③ 대통령 선거에 출마할 정당의 후보자를 선출하거나 정당 대표를 선출하는 당내경선은 정당 내부의 행사에 불과하므로, 정당의 당내경선에 관한 선거운동을 위하여 후보자에게 제공된 금품은 정치자금에 해당하지 않는다.
④ 우리 헌법의 대의민주적 기본질서가 제 기능을 수행하기 위해서는 의회 내의 인정된 다수세력의 확보를 필요로 한다는 점에서, 군소정당의 배제는 그 목적의 정당성이 인정될 수 있다. 또한 지역적 연고에 지나치게 의존하는 정당정치 풍토가 우리의 정치현실에서 자주 문제시되고 있다는 점에서 볼 때, 단지 특정 지역의 정치적 의사만을 반영하려는 지역정당을 배제하려는 취지가 헌법에 어긋난 입법목적이라고 단정하기는 어렵다.

해설

① (✗) 국회의원의 면책특권은 정당정치와 관계없이 ㉠ 권력분립의 원리에 입각하여 의회의 독립성과 자율성을 제도적으로 보장하고, ㉡ 집행부의 국회의원에 대한 부당한 탄압을 배제하며, ㉢ 국회의원이 어떤 압력도 받지 않고 오로지 자신의 양심에 따라 활동할 수 있도록 보장하는 기능을 한다. [11 국회8급]
② (✗) 정당은 권리능력 없는 사단으로 중개적 기관이라는 것이 통설과 헌법재판소의 입장이다. (헌재 1991.3.11. 91헌마21) 정당은 헌법에 의한 보호를 받지만 헌법규정에 따라 결성된 조직체가 아니라 자발적 조직이다. 한편, 정당이 수행하는 기능은 공적이다. [12 국회8급]
③ (✗) [08 법원직]

> 수수한 금품이 '정치자금'에 해당하는지 여부는 그 금품이 '정치활동'을 위해서 제공되었는지 여부에 달려 있는 것인데, 정치활동은 권력의 획득과 유지를 둘러싼 투쟁 및 권력을 행사하는 활동이라는 점 등에 비추어 볼 때, 대통령 선거에 출마할 정당의 후보자를 선출하거나 정당대표를 선출하는 당내경선은 그 성격상 정치활동에 해당한다고 봄이 상당하므로, 정당의 당내경선에 관한 선거운동을 위하여 후보자에게 제공된 금품은 정치자금이라고 보아야 하고, 위 후보자가 정당의 대표로 선출된 이후에 사용한 대외활동비도 정치활동을 위한 정치자금에 해당한다고 할 것이다. (대판 2006.12.22. 2006도1623)

④ (○) 헌재 2006.3.30. 2004헌마246 [08 법원직]

정답 ④

예상판례

① 특별시장·광역시장·특별자치시장·도지사·특별자치도지사 선거의 예비후보자를 후원회지정권자에서 제외하고, 자치구의 지역구의회의원 선거의 예비후보자를 후원회지정권자에서 제외하고 있는 정치자금법 조항에 관한 심판청구사건에서,

[1] 광역자치단체장 선거의 예비후보자에 관한 부분은 청구인들 평등권을 침해하여 헌법에 위반된다. **【헌법불합치】**

[2] 자치구의회의원 선거의 예비후보자에 관한 부분에 대하여는 재판관들의 의견이 인용의견 5명, 기각의견 4명으로 나뉘어 헌법과 헌법재판소법에서 정한 인용의견을 위한 정족수 6명에 이르지 못하여 기각하였다. **【기각】** (헌재 2019.12.27. 2018헌마301 등)

② 정당의 중앙당은 수도에 소재하도록 규정한 정당법 제3조 중 '수도에 소재하는 중앙당'에 관한 부분 및 정당법상 정당의 당원이 될 수 없는 공무원과 사립학교의 교원은 후원회의 회원이 될 수 없다고 규정한 구 정치자금법 제8조 제1항 단서 중 '정당법 제22조 제1항의 규정에 의하여 정당의 당원이 될 수 없는 자'에 관한 부분에 대한 청구를 각하하고, 정당의 시·도당은 1천인 이상의 당원을 가져야 한다고 규정한 정당법 제18조 제1항은 정당의 자유를 침해하지 않는다. (헌재 2022.11.24. 2019헌마445)

예상조문

정치자금법 제6조(후원회지정권자)
다음 각 호에 해당하는 자(이하 '후원회지정권자'라 한다)는 각각 하나의 후원회를 지정하여 둘 수 있다.
1. 중앙당(중앙당창당준비위원회를 포함한다)
2. 국회의원(국회의원 선거의 당선인을 포함한다)
2의2. 대통령 선거의 후보자 및 예비후보자(이하 '대통령 후보자 등'이라 한다)
3. 정당의 대통령 선거 후보자 선출을 위한 당내경선 후보자(이하 '대통령 선거 경선후보자'라 한다)
4. 지역선거구(이하 '지역구'라 한다)국회의원 선거의 후보자 및 예비후보자(이하 '국회의원 후보자 등'이라 한다). 다만, 후원회를 둔 국회의원의 경우에는 그러하지 아니하다.
5. 중앙당 대표자 및 중앙당 최고 집행기관(그 조직형태와 관계없이 당헌으로 정하는 중앙당 최고 집행기관을 말한다)의 구성원을 선출하기 위한 당내경선 후보자(이하 '당대표경선 후보자 등'이라 한다)
6. <u>지역구지방의회의원 선거의 후보자 및 예비후보자</u>(이하 '지방의회의원 후보자 등'이라 한다)
7. <u>지방자치단체의 장 선거의 후보자 및 예비후보자</u>(이하 '지방자치단체장 후보자 등'이라 한다)

제 4 절 공무담임권과 직업공무원제도

 핵심노트

공무원의 범위

광의의 공무원	전체 국민에 대한 봉사자로서의 공무원(헌법 제7조 제1항의 '공무원')을 의미하며, 여기에는 경력직공무원, 특수경력직공무원은 물론이고 공무원의 신분을 가지고 있지는 않지만 공무를 위탁받아 이에 종사하는 공무수탁사인도 포함된다.
협의의 공무원	좁은 의미의 공무원은 헌법이 보장하는 직업공무원으로서의 공무원(헌법 제7조 제2항의 '공무원')으로서 경력직공무원만을 의미함. 경력직 공무원만 정치적 중립성과 신분이 보장됨. 단, 1급 공무원은 그렇지 아니하다.

직업공무원제도의 내용

공무원의 정치적 중립성	원칙	• 정치활동금지, 정당가입금지, 선거운동금지 • 헌법이 직접 정당가입을 금지: 헌법재판소 재판관, 선거관리위원회 위원
	예외	• 정당가입이 가능한 공무원: 정무직, 별정직, 조교수 이상의 교원 • 선거에서 중립성이 요구되지 않는 공무원: 국회의원, 지방의원

055 NEW   24 변호사

공무원의 권리 및 의무에 관한 설명 중 옳은 것은? (다툼이 있는 경우 판례에 의함)

① 「국가공무원법」은 공무원의 보수 등에 관하여 '근무조건 법정주의'를 규정하고 있지 않아, 국가 예산에 계상되어 있으면 공무원 보수 지급이 가능하다.
② 「국가공무원법」 조항 중 교육공무원인 초·중등교원은 '그 밖의 정치단체'의 결성에 관여하거나 이에 가입할 수 없다고 한 부분은 명확성원칙에 위배된다.
③ 군인과 달리 국가공무원의 지위에 있지 않은 군무원은 정치적 표현의 자유에 대해 엄격한 제한을 받아서는 안 되며, 군무원의 정치적 의견을 공표하는 행위도 엄격히 제한할 필요가 없다.
④ 「국가공무원법」에서 금지하고 있는 '공무 외의 일을 위한 집단행위'는 비단 '공익에 반하는 목적을 위한 행위로서 직무전념의무를 해태하는 등의 영향을 가져오는 집단적 행위'만을 말하는 것은 아니고, 국민 전체에 대한 봉사자인 공무원의 사명에 입각하여 볼 때 공무가 아닌 어떤 일을 위하여 공무원들이 하는 모든 집단행위를 의미한다.
⑤ 법관의 명예퇴직수당액에 대하여 정년 잔여기간만을 기준으로 하지 아니하고 임기 잔여기간을 함께 반영하여 산정하도록 한 구 「법관 및 법원공무원 명예퇴직수당 등 지급규칙」 조항으로 인해 법관이 '다른 경력직공무원'에 비하여 명예퇴직수당 지급 여부 및 액수 등에 있어 불이익을 볼 가능성이 있는데, 이는 자의적인 차별에 해당한다.

해설

① (✗)

국가공무원법은 공무원의 보수 등에 관하여 이른바 '근무조건 법정주의'를 규정하고 있다. … 공무원이 국가를 상대로 실질이 보수에 해당하는 금원의 지급을 구하려면 공무원의 '근무조건 법정주의'에 따라 국가공무원법령 등 공무원의 보수에 관한 법률에 지급근거가 되는 명시적 규정이 존재하여야 하고, 나아가 해당 보수 항목이 국가예산에도 계상되어 있어야만 한다. (헌재 2016.8.25. 2013두14610)

② (○)

초·중등학교의 교육공무원이 정치단체(명확성 위반)의 결성에 관여하거나 이에 가입하는 행위를 금지한 국가공무원법 제65조 제1항 중 '국가공무원법 제2조 제2항 제2호의 교육공무원 가운데 초·중등교육법 제19조 제1항의 교원은 그 밖의 정치단체의 결성에 관여하거나 이에 가입할 수 없다.' 부분은 청구인들의 정치적 표현의 자유 및 결사의 자유를 침해한다. (헌재 2020.4.23. 2018헌마551)
초·중등학교의 교육공무원이 정당의 발기인 및 당원이 될 수 없도록 규정한 정당법 제22조 제1항 단서 제1호는 청구인들의 정당가입의 자유 등을 침해하지 않는다.

③ (✗)

헌법상 군무원은 국민의 구성원으로서 정치적 표현의 자유를 보장받지만, 위와 같은 특수한 지위로 인하여 국가공무원으로서 헌법 제7조에 따라 그 정치적 중립성을 준수하여야 할 뿐만 아니라, 나아가 국군의 구성원으로서 헌법 제5조 제2항에 따라 그 정치적 중립성을 준수할 필요성이 더욱 강조되므로, 정치적 표현의 자유에 대해 일반 국민보다 엄격한 제한을 받을 수밖에 없다. (헌재 2018.4.26. 2016헌마611)

④ (✗)

국가공무원법 제66조 제1항 본문 중 '그 밖에 공무 외의 일을 위한 집단행위' 부분은 명확성원칙에 위반되지 않고 표현의 자유를 침해하지 않는다. (헌재 2020.4.23. 2018헌마550)

⑤ (✗)

법관의 명예퇴직수당액에 대하여 정년 잔여기간만을 기준으로 하지 아니하고 임기 잔여기간을 함께 반영하여 산정하도록 한 것이 합리적인 이유 없이 동시에 퇴직하는 법관들을 자의적으로 차별하는 것으로서 평등원칙에 위배된다고 볼 수 없다.(대판 2016.5.24. 2013두14863)

정답 ②

056

공무담임권에 관한 설명으로 옳은 것은 모두 몇 개인가? (다툼이 있는 경우 헌법재판소 판례에 의함)

> ㄱ. 지방자치단체 공무원이 연구기관이나 교육기관 등에서 연수하기 위한 휴직기간은 2년 이내로 한다고 규정한 「지방공무원법」 조항은 연수휴직 기간의 상한을 제한하는 내용으로, 공직취임의 기회를 배제하거나 공무원 신분을 박탈하는 것과 관련이 없으므로, 휴직조항으로 인하여 법학전문대학원에 진학하려는 9급 지방공무원의 공무담임권이 침해될 가능성을 인정하기 어렵다.
> ㄴ. 농업협동조합장이 지방의회의원선거 후보자가 되려면 지방의회 의원의 임기만료일 전 90일까지 그 직에서 해임되도록 규정한 구 「지방의회의원선거법」 조항은, 특정 계층의 여과된 이익과 전문가적 경험을 지방자치에서 조화있게 반영시키려는 것으로서 농업협동조합장의 공무담임권을 침해하지 않는다.
> ㄷ. 회계책임자가 「공직선거법」이나 「정치자금법」 소정의 조항을 위반하여 300만 원 이상의 벌금형을 선고받아 확정된 경우, 후보자의 당선이 무효로 되도록 규정한 「공직선거법」 조항은 후보자의 관리·감독책임 없음을 입증하여 면책될 가능성조차 부여하지 않아, 책임주의 원칙에 위배되어 국회의원 당선자의 공무담임권을 침해한다.
> ㄹ. 아동·청소년대상 성범죄는 재범 위험성이 높고 시간이 지나도 공무수행을 맡기기에 충분할 만큼 국민의 신뢰가 회복되기 어려우므로, 아동·청소년이용음란물임을 알면서 이를 소지한 죄로 형을 선고받아 그 형이 확정된 사람은 일반직공무원으로 임용될 수 없도록 규정한 「국가공무원법」 및 「지방공무원법」 조항은 그 형이 확정된 사람의 공무담임권을 침해하지 않는다.

① 1개 ② 2개
③ 3개 ④ 4개

해설

ㄱ. (O)

> 교육받을 권리로부터 공무원이 휴직하여 법학전문대학원에서 수학할 것을 보장받을 권리가 도출된다고 할 수 없으므로 휴직조항으로 인하여 교육받을 권리가 침해될 가능성은 없다. 휴직조항은 공직 취임이나 공무원 신분과 관련이 없으므로 공무담임권을 제한하지 않는다. 청구인은 연수휴직이 2년까지 가능한 지방자치단체 공무원과 연수휴직이 3년까지 가능한 교육공무원 사이의 차별 취급이 부당하다고 주장하나, 지방자치단체 공무원과 교육공무원은 비교대상이 되기 어려울 뿐만 아니라 교육공무원이라도 법조인 양성을 목적으로 하는 법학전문대학원에 진학하기 위하여 당연히 연수휴직을 할 수 있는 것은 아니므로, 청구인이 주장하는 평등권 침해가 발생할 가능성이 인정되지 않는다. 따라서 휴직조항에 대한 심판청구는 기본권 침해의 가능성이 인정되지 아니한다. (헌재 2024.2.28. 2020헌마1377)

ㄴ. (×)

> 위 심판대상 법률규정을 정부투자기관의 경영에 관한 결정이나 집행에 상당한 영향력을 행사할 수 있는 지위에 있다고 볼 수 없는 직원을 임원이나 집행간부들과 마찬가지로 취급하여 지방의회의원선거에 적용하는 것은 헌법에 위반된다. (헌재 1995.6.12. 95헌마172)

ㄷ. (×)

> 당선무효조항은 친족인 배우자의 행위와 본인 간에 실질적으로 의미 있는 아무런 관련성을 인정할 수 없음에도 불구하고 오로지 배우자라는 사유 그 자체만으로 불이익한 처우를 가하는 것이 아니라, 후보자와 불가분의 선거운명공동체를 형성하여 활동하게 마련인 배우자의 실질적 지위와 역할을 근거로 후보자에게 연대책임을 부여한 것이므로, 헌법 제13조 제3항에서 금지하고 있는 연좌제에 해당하지 아니하고, 자기책임원칙에도 위배되지 아니한다. (헌재 2016.9.29. 2015헌마548)

ㄹ. (✗)

> 국가공무원법 제33조 제6호의4 나목 중 구 '아동·청소년의 성보호에 관한 법률' 제11조 제5항 가운데 '아동·청소년이용음란물임을 알면서 이를 소지한 죄로 형을 선고받아 그 형이 확정된 사람은 국가공무원법 제2조 제2항 제1호의 일반직공무원으로 임용될 수 없도록 한 것'에 관한 부분 및 지방공무원법 제31조 제6호의4 나목 중 구 아동·청소년의 성보호에 관한 법률 제11조 제5항 가운데 '아동·청소년이용음란물임을 알면서 이를 소지한 죄로 형을 선고받아 그 형이 확정된 사람은 지방공무원법 제2조 제2항 제1호의 일반직공무원으로 임용될 수 없도록 한 것'에 관한 부분은 모두 헌법에 합치되지 아니한다. (헌재 2023.6.29. 2020헌마1605【헌법불합치】)
> 심판대상조항은 아동·청소년과 관련이 없는 직무를 포함하여 모든 일반직공무원에 임용될 수 없도록 하므로, 제한의 범위가 지나치게 넓고 포괄적이다. 또한, 심판대상조항은 영구적으로 임용을 제한하고, 결격사유가 해소될 수 있는 어떠한 가능성도 인정하지 않는다. 그런데 아동·청소년이용음란물소지죄로 형을 선고받은 경우라고 하여도 범죄의 종류, 죄질 등은 다양하므로, 개별 범죄의 비난가능성 및 재범 위험성 등을 고려하여 상당한 기간 동안 임용을 제한하는 덜 침해적인 방법으로도 입법목적을 충분히 달성할 수 있다. 따라서 심판대상조항은 과잉금지원칙에 위배되어 청구인들의 공무담임권을 침해한다.

정답 ①

057  24 법원직

공무담임권에 관한 다음 설명 중 가장 옳은 것은?

① 공무원이 특정의 장소에서 근무하는 것 또는 특정의 보직을 받아 근무하는 것을 포함하는 일종의 공무수행의 자유 역시 공무담임권의 보호영역에 포함된다.
② 반인륜적인 범죄인 아동에 대한 성적 학대행위를 저지른 사람이 공무를 수행할 경우 공직 전반에 대한 국민의 신뢰를 유지하기 어려우므로, 아동에게 성적 수치심을 주는 성희롱 등의 성적 학대행위로 형을 선고받아 그 형이 확정된 사람은 일반직공무원으로 임용될 수 없도록 한 「국가공무원법」 해당 조항이 공무담임권을 침해한다고 보기 어렵다.
③ 금고 이상의 형의 선고유예를 받은 경우 당연히 퇴직되도록 규정한 구 청원경찰법 해당 조항은 청원경찰이 저지른 범죄의 종류나 내용을 불문하고 당연히 퇴직되도록 규정함으로써 직업의 자유를 침해한다.
④ 법원이 성년후견개시 심판을 선고함으로써 직무수행능력의 지속적 결여가 객관적으로 인정된 경우에까지 공무원의 신분을 계속 유지하는 방식으로 생활보장을 해야 한다고 보기는 어려우므로, 피성년후견인인 국가공무원은 당연히 퇴직한다고 정한 국가공무원법 해당 조항이 공무담임권을 침해한다고 보기 어렵다.

해설

① (✕) 공무담임권은 공직취임권, 신분보유권, 승진의 기회균등 3가지로 이루어진다.
② (✕)

> 국가공무원법 제33조 제6호의4 나목 중 아동복지법 제17조 제2호 가운데 '아동에게 성적 수치심을 주는 성희롱 등의 성적 학대행위로 형을 선고받아 그 형이 확정된 사람은 국가공무원법 제2조 제2항 제1호의 일반직공무원으로 임용될 수 없도록 한 것'에 관한 부분 및 군인사법 제10조 제2항 제6호의4 나목 중 아동복지법 제17조 제2호 가운데 '아동에게 성적 수치심을 주는 성희롱 등의 성적 학대행위로 형을 선고받아 그 형이 확정된 사람은 부사관으로 임용될 수 없도록 한 것'에 관한 부분이 헌법에 합치되지 아니한다. (헌재 2022.11.24. 2020헌마1181【헌법불합치】)
> 수단의 적합성도 인정된다. 개별 범죄의 비난가능성 및 재범 위험성 등을 고려하여 상당한 기간 동안 임용을 제한하는 덜 침해적인 방법으로도 입법목적을 충분히 달성할 수 있다. 따라서 심판대상조항은 과잉금지원칙에 위반되어 청구인의 공무담임권을 침해한다.

③ (○) 이 사건 법률조항은 과잉금지원칙에 위배하여 공무담임권을 침해하는 조항이라고 할 것이다. (헌재 2003.10.30. 2002헌마684)
④ (✕)

> 국가공무원이 피성년후견인이 된 경우 당연퇴직되도록 한 구 국가공무원법 제69조 제1호 중 제33조 제1호 가운데 '피성년후견인'에 관한 부분, 구 국가공무원법 제69조 제1항 중 제33조 제1호 가운데 '피성년후견인'에 관한 부분 및 국가공무원법 제69조 제1항 중 제33조 제1호에 관한 부분은 모두 헌법에 위반된다. (헌재 2022.12.22. 2020헌가8【위헌】)
> 수단의 적합성도 인정된다. 심판대상조항은 침해의 최소성에 반한다. 결국 심판대상조항은 과잉금지원칙에 반하여 공무담임권을 침해한다.

정답 ③

058 NEW

공무담임권에 관한 설명 중 가장 적절하지 않은 것은? (다툼이 있는 경우 판례에 의함)

① 선출직 공무원의 공무담임권은 선거를 전제로 하는 대의제의 원리에 의하여 발생하는 것이므로 공직의 취임이나 상실에 관련된 어떠한 법률조항이 대의제의 본질에 반한다면 이는 공무담임권도 침해하는 것이라고 볼 수 있다.
② 수뢰죄를 범하여 금고 이상의 형의 선고유예를 받은 국가공무원을 당연퇴직하도록 하는 「국가공무원법」 조항은 해당 공무원의 공무담임권을 침해하지 않는다.
③ 「군인사법」상 부사관으로 최초로 임용되는 사람의 최고연령을 27세로 정한 부분은, 계급과 연령의 역전 현상이 현재도 존재하고 상위 계급인 장교의 경우 27세의 연령상한에 상당한 예외가 존재하는 점 등을 고려할 때 부사관 지원자의 공무담임권을 침해한다.
④ 공직선거 및 교육감선거 입후보시 선거일 전 90일까지 교원직을 그만두도록 하는 「공직선거법」 및 「지방교육자치에 관한 법률」 조항은 교원이 그 신분을 지니는 한 계속적으로 직무에 전념할 수 있도록 하기 위한 것으로 교원의 공무담임권을 침해하지 않는다.

해설

① (○) 헌재 2009.3.26. 2007헌마843
② (○) 일반범죄의 경우 선거유예판결로 당연퇴직은 공무담임권 침해이지만, 수뢰죄의 경우는 합헌이다.
③ (×)

> 심판대상조항으로 인하여 입는 불이익은 부사관 임용지원기회가 27세 이후에 제한되는 것임에 반하여, 이를 통해 달성할 수 있는 공익은 군의 전투력 등 헌법적 요구에 부응하는 적절한 무력의 유지, 궁극적으로 국가안위의 보장과 국민의 생명·재산 보호로서 매우 중대하므로, 법익의 균형성 원칙에도 위배되지 아니한다. 따라서 심판대상조항이 과잉금지의 원칙을 위반하여 청구인들의 공무담임권을 침해한다고 볼 수 없다. (헌재 2014.9.25. 2011헌마414)
> 부사관 나이제한 【합헌】 9급 나이제한 【합헌】
> 5급시험 나이제한 【위헌】 소방관 경찰관 나이제한 【헌법불합치】

④ (○) 헌재 2019.11.28. 2018헌마222

정답 ③

예상판례

과거 3년 이내의 당원 경력을 법관 임용 결격사유로 정하고 있는 법원조직법 조항은 청구인의 공무담임권을 침해하여 헌법에 위반된다. (헌재 2024.7.18. 2021헌마460【위헌】)
심판대상조항과 같이 과거 3년 이내의 모든 당원 경력을 법관 임용 결격사유로 정하는 것은, 입법목적 달성을 위해 합리적인 범위를 넘어 정치적 중립성과 재판 독립에 긴밀한 연관성 없는 경우까지 과도하게 공직취임의 기회를 제한한다. 따라서 심판대상조항은 과잉금지원칙에 반하여 청구인의 공무담임권을 침해한다.

기출지문 OX

❶ 「국가공무원 복무규정」 조항이 금지하는 정치적 주장을 표시 또는 상징하는 행위에서의 '정치적 주장'이란 정당활동이나 선거와 직접적으로 관련되거나 특정 정당과의 밀접한 연계성을 인정할 수 있는 경우 등 정치적 중립성을 훼손할 가능성이 높은 주장에 한정된다고 해석되므로, 명확성원칙에 위배되지 아니한다. 23 경찰1차 (O / X)

해설 헌재 2012.5.31. 2009헌마705 등 정답 O

❷ 금고 이상의 선고유예를 받고 그 기간 중에 있는 자를 임용 결격 사유로 삼고 위 사유에 해당하는 자가 임용되더라도 이를 당연무효로 하는 구 「국가공무원법」 조항은 입법자의 재량을 일탈하여 공무담임권을 침해한 것이라고 볼 수 없다. 23 경찰1차 (O / X)

해설 현직 공무원에 대해 금고 이상의 선고유예판결을 받으면 당연퇴직되는 것이 위헌이지만(단, 수뢰죄, 업무상 횡령·배임의 경우에 선고유예만으로 당연퇴직은 합헌이다), 선고유예 중에 공무원 임용결격사유로 하는 것은 헌법에 위반되지 않는다.

정답 O

---

059 23 경찰간부, 22·21 국가7급

공무담임권에 대한 설명으로 가장 적절한 것은? (다툼이 있는 경우 헌법재판소 판례에 의함)

① 미성년자에 대하여 성범죄를 범하여 형을 선고받아 확정된 자와 성인에 대한 성폭력범죄를 범하여 벌금 100만 원 이상의 형을 선고받아 확정된 자는 「초·중등교육법」상의 교원에 임용될 수 없도록 한 부분은 그 제한의 범위가 지나치게 넓고 포괄적이어서 공무담임권을 침해한다.

② 교육의원후보자가 되려는 사람은 5년 이상의 교육경력 또는 교육행정경력을 갖추도록 규정한 구 「제주특별자치도 설치 및 국제자유도시 조성을 위한 특별법」의 해당 조항은 이러한 경력을 갖추지 못한 청구인들의 공무담임권을 침해한다.

③ 비위공무원에 대한 징계를 통해 불이익을 줌으로써 공직기강을 바로 잡고 공무수행에 대한 국민의 신뢰를 유지하고자 하는 공익은 제한되는 사익 이상으로 중요하므로, 공무원이 감봉처분을 받은 경우 12월간 승진임용을 제한하는 「국가공무원법」 조항 중 '승진임용'에 관한 부분은 공무담임권을 침해하지 않는다.

④ 공무담임권의 보호영역에는 공무원 신분의 부당한 박탈이나 권한 또는 직무의 부당한 정지뿐만 아니라 승진시험의 응시제한이나 이를 통한 승진기회의 보장 등 내부승진인사에 관한 문제도 포함된다.

해설

① (✗) [23 경찰간부]

> 아동·청소년과 상시적으로 접촉하고 밀접한 생활관계를 형성하여 이를 바탕으로 교육과 상담이 이루어지고 인성발달의 기초를 형성하는 데 지대한 영향을 미치는 초·중등학교 교원의 업무적인 특수성과 중요성을 고려해 본다면, 이 사건 결격사유조항은 과잉금지원칙에 반하여 청구인의 공무담임권을 침해하지 아니한다. (헌재 2019.7.25. 2016헌마754)

② (✗) [21 국가7급]

> 교육의원후보자가 되려는 사람은 5년 이상의 교육경력 또는 교육행정경력을 갖추도록 규정하고 있는 '제주특별자치도 설치 및 국제자유도시 조성을 위한 특별법' 제66조 제2항은 그 합리성이 결여되어 있다거나 필요한 정도를 넘어 청구인들의 공무담임권을 침해하는 것이라 볼 수 없다. (헌재 2020.9.24. 2018헌마444)

③ (○) [23 경찰간부]

> [1] 공무원이 징계처분을 받은 경우 대통령령 등으로 정하는 기간 동안 승진임용 및 승급을 제한하는 국가공무원법 제80조 제6항 본문은 포괄위임금지원칙에 위반되지 않는다.
> [2] 공무원이 감봉처분을 받은 경우 12월간 승진임용을 제한하는 이 사건 법률조항 중 '승진임용'에 관한 부분 및 공무원임용령 제32조 제1항 제2호 나목은 공무담임권을 침해하지 않는다.
> [3] 공무원이 감봉처분을 받은 경우 12월간 승급을 제한하는 이 사건 법률조항 중 '승급'에 관한 부분 및 공무원보수규정 제14조 제1항 제2호 나목, 정근수당을 지급하지 않는 '공무원수당 등에 관한 규정' 제7조 제2항 중 '감봉처분을 받은 공무원'에 관한 부분은 재산권을 침해하지 않는다.
> [4] 이 사건 법률조항의 문언상 의미와 입법취지 및 관련 조항 전체를 유기적·체계적으로 종합하여 고려하면, 이 사건 법률조항의 위임을 받은 대통령령 등에는 강등·정직·감봉·견책이라는 징계의 종류 또는 징계사유에 따라 개별징계처분의 취지를 담보할 정도의 승진임용 또는 승급제한기간이 규정될 것을 예측할 수 있다. 위 조항은 포괄위임금지원칙에 위배된다고 할 수 없다. (헌재 2022.3.31. 2020헌마211)

④ (✗) 공무담임권은 공직취임권, 신분보유권, 승진에 있어 기회균등 세 가지로 이루어진다. [22 국가7급]

정답 ③

예상판례

> 국가공무원법 제33조 제6호의4 나목 중 구 아동·청소년의 성보호에 관한 법률 제11조 제5항 가운데 '아동·청소년이용음란물임을 알면서 이를 소지한 죄로 형을 선고받아 그 형이 확정된 사람은 국가공무원법 제2조 제2항 제1호의 일반직공무원으로 임용될 수 없도록 한 것'은 공무담임권을 침해한다. (헌재 2023.6.29. 2020헌마1605 등【헌법불합치】)

060 회독  23 법원직

공무원제도에 관한 다음 설명 중 가장 옳지 않은 것은?

① 공무원의 기부금모집을 금지하고 있는 「국가공무원법」 조항은 선거의 공정성을 확보하기 위한 것이라 하더라도 직급이나 직무의 성격에 대한 검토 혹은 기부금 상한액을 낮추는 방법 등에 대한 고려 없이 일률적으로 모든 공무원의 기부금 모집을 전면적으로 금지함으로써 과도한 제한을 초래하므로 공무원의 정치적 의사표현의 자유를 침해하는 것이다.

② 서울교통공사의 상근직원은 서울교통공사의 경영에 관여하거나 실질적인 영향력을 미칠 수 있는 권한이 있다고 인정하기 어려우므로, 당원이 아닌 자에게도 투표권을 부여하여 실시하는 당내경선에서 서울교통공사의 상근직원이 경선운동을 할 수 없도록 일률적으로 금지·처벌하는 것은 정치적 표현의 자유를 과도하게 제한하는 것이다.

③ 사실상 노무에 종사하는 공무원 중 대통령령 등이 정하는 자에 한하여 근로3권을 인정하는 「국가공무원법」 조항은 근로3권이 보장되는 공무원의 범위를 사실상 노무에 종사하는 공무원으로 한정하고 있으나, 이는 헌법 제33조 제2항에 근거한 것으로 전체 국민의 공공복리와 사실상 노무에 종사하는 공무원의 직무의 내용, 노동조건 등을 고려해 보았을 때 입법자에게 허용된 입법재량권의 범위를 벗어난 것이라 할 수 없다.

④ 공무원의 정당가입이 허용된다면 공무원의 정치적 행위가 직무 내의 것인지 직무 외의 것인지 구분하기 어려운 경우가 많고, 설사 공무원이 근무시간 외에 혹은 직무와 관련 없이 정당과 관련된 정치적 표현행위를 한다 하더라도 공무원의 정치적 중립성에 대한 국민의 기대와 신뢰는 유지되기 어렵다.

해설

① (×)

> 이 사건 국가공무원법 조항들은 공무원의 정치적 중립성에 정면으로 반하는 행위를 금지함으로써 선거의 공정성과 형평성을 확보하고 공무원의 정치적 중립성을 보장하기 위한 것인바, 그 입법목적이 정당할 뿐 아니라 방법이 적절하고, 공무원이 국가사무를 담당하며 국민의 이익을 위하여 존재하는 이상 그 직급이나 직렬 등에 상관없이 공무원의 정치운동을 금지하는 것이 부득이하고 불가피하며, 법익균형성도 갖추었다고 할 것이므로, 과잉금지원칙을 위배하여 선거운동의 자유 및 정치적 의사표현의 자유를 침해한다고 볼 수 없다. (헌재 2012.7.26. 2009헌바298)

② (○)

> 서울교통공사의 상근직원이 그 지위를 이용하여 경선운동을 하는 행위를 금지·처벌하는 규정을 두는 것은 별론으로 하고, 경선운동을 일률적으로 금지·처벌하는 것은 정치적 표현의 자유를 과도하게 제한하는 것이다. 정치적 표현의 자유의 중대한 제한에 비하여, 서울교통공사의 상근직원이 당내경선에서 공무원에 준하는 영향력이 있다고 볼 수 없는 점 등을 고려하면 심판대상조항이 당내경선의 형평성과 공정성의 확보라는 공익에 기여하는 바가 크다고 보기 어렵다. 따라서 심판대상조항은 과잉금지원칙에 반하여 정치적 표현의 자유를 침해한다. (헌재 2022.6.30. 2021헌가24)

③ (○) 사실상 공무원의 범위를 조례로 위임하는 것은 합헌이지만, 조례를 제정하지 않는 행정입법부작위는 헌법에 위반된다.

④ (○) 헌재 2014.3.27. 2011헌바42

정답 ①

> **기출지문 OX**
>
> 공무원의 직급이나 직렬 등에 상관없이 공무원의 특정 정당 또는 후보자를 위한 선거운동을 모두 금지하는 것은 과잉금지원칙을 위배하여 공무원의 선거운동의 자유 및 정치적 의사표현의 자유를 침해하는 것이다. 12 국회9급 (O / X)
>
> **해설**
>> 공무원이 공동체와 국민 모두의 이익을 실현하기 위하여 존재하는 것이라는 본질적 측면에 비추어 볼 때, 공무원의 직급이나 직렬 등에 상관없이 공무원의 특정 정당 또는 후보자를 위한 선거운동을 모두 금지하는 것이 부득이하고 불가피하므로, 이 사건 투표권유운동금지조항이 침해의 최소성원칙에 위반된다고 볼 수 없다. (헌재 2012.7.26. 2009헌바298)
>
> 정답 X

061 23 경찰1차

공무원제도에 관한 설명으로 가장 적절하지 않은 것은? (다툼이 있는 경우 판례에 의함)

① 선거에서 중립의무가 있는 구 「공직선거 및 선거부정방지법」 제9조의 '공무원'이란 원칙적으로 국가와 지방자치단체의 모든 공무원 즉, 좁은 의미의 직업공무원은 물론이고, 대통령, 국무총리, 국무위원, 지방자치단체의 장을 포함한다.

② 국회의원과 지방의회의원은 정당의 대표자이자 선거운동의 주체로서의 지위로 말미암아 선거에서의 정치적 중립성이 요구될 수 없으므로 구 「공직선거 및 선거부정방지법」 제9조의 '공무원'에 해당하지 않는다.

③ 선거에서 대통령의 중립의무는 헌법 제7조 제2항이 보장하는 직업공무원제도로부터 나오는 헌법적 요청이다.

④ 직업공무원제도는 헌법과 법률에 의하여 공무원의 신분이 보장되는 공직구조에 관한 제도이며, 여기서 말하는 공무원에는 정치적 공무원이라든가 임시적 공무원은 포함되지 않는다.

해설

① (O) ② (O) 국회의원과 지방의원을 제외한 모든 공무원은 선거에서 정치적 중립을 지켜야 한다.

> **대통령은 공선법상 정치적 중립을 지켜야 하는 공무원에 해당한다.** (헌재 2004.5.14. 2004헌나1 [기각])
> 공직선거법 제9조의 공무원이란, 위 헌법적 요청을 실현하기 위하여 선거에서의 중립의무가 부과되어야 하는 모든 공무원, 즉 구체적으로 자유선거원칙과 선거에서의 정당의 기회균등을 위협할 수 있는 모든 공무원을 의미한다. 여기에서의 공무원이란 원칙적으로 국가와 지방자치단체의 모든 공무원, 즉 좁은 의미의 직업공무원은 물론이고, 적극적인 정치활동을 통하여 국가에 봉사하는 정치적 공무원을 포함한다. 다만, 국회의원과 지방의회의원은 정당의 대표자이자 선거운동의 주체로서의 지위로 말미암아 선거에서의 정치적 중립성이 요구될 수 없으므로, 공직선거법 제9조의 공무원에 해당하지 않는다. 대통령은 행정부의 수반으로서 공정한 선거가 실시될 수 있도록 총괄·감독해야 할 의무가 있으므로, 당연히 선거에서의 중립의무를 지는 공직자에 해당하는 것이고, 이로써 공직선거법 제9조의 공무원에 포함된다.

③ (X)

> 선거에서의 공무원의 정치적 중립의무는 '국민 전체에 대한 봉사자'로서의 공무원의 지위를 규정하는 헌법 제7조 제1항, 자유선거원칙을 규정하는 헌법 제41조 제1항 및 제67조 제1항 및 정당의 기회균등을 보장하는 헌법 제116조 제1항으로부터 나오는 헌법적 요청이다. 공직선거법 제9조는 이러한 헌법적 요청을 구체화하고 실현하는 법규정이다. (헌재 2004.5.14. 2004헌나1)

④ (O) 직업공무원제도에서 말하는 공무원은 협의의 공무원, 즉 경력직공무원만 의미한다.

정답 ③

062   회독 ☐☐☐   재구성   23 국회8급, 22 국가7급

공무담임권에 대한 헌법재판소의 판시 내용으로 적절하지 않은 것은?

① 법무부장관이 2020.7. 공고한 '2021년도 검사 임용 지원 안내' 중 '임용대상' 가운데 '1. 신규 임용'에서 변호사 자격을 취득하고 2021년 사회복무요원 소집해제예정인 사람을 제외한 부분은 '법학전문대학원 졸업연도에 실시된 변호사시험에 불합격하여 사회복무요원으로 병역의무를 이행하던 중 변호사 자격을 취득하고 2021년 소집해제 예정인 사람'의 공무담임권을 과잉금지원칙에 반하여 침해한다.

② 금고 이상의 형의 선고유예를 받은 경우 공무원직에서 당연히 퇴직하는 것으로 규정한 「국가공무원법」 조항은 금고 이상의 선고유예의 판결을 받은 모든 범죄를 포괄하여 규정하고 있을 뿐 아니라, 심지어 오늘날 누구에게나 위험이 상존하는 교통사고 관련 범죄 등 과실범의 경우마저 당연퇴직의 사유에서 제외하지 않고 있으므로 최소침해성의 원칙에 반하여 헌법 제25조의 공무담임권을 침해한다.

③ 관련 자격증 소지자에게 세무직 국가공무원 공개경쟁채용시험에서 일정한 가산점을 부여하는 구 「공무원임용시험령」 조항은 가산 대상 자격증을 소지하지 아니한 자의 공무담임권을 침해하지 아니한다.

④ 구 「검사징계법」상 검사에 대한 징계로서 '면직'처분을 인정하는 것은 과잉금지원칙에 반하여 공무담임권을 침해한다고 할 수 없다.

해설

① (✗) [23 국회8급]

> 검사신규임용대상 등을 어떻게 정할 것인지에 관하여는 피청구인에게 재량이 부여되어 있는 점, … 따라서 이 사건 공고는 사회복무요원 소집해제예정 변호사인 청구인의 공무담임권을 침해하지 않는다. (헌재 2021.4.29. 2020헌마999)

② (○) 과잉금지원칙에 위배하여 공무담임권을 침해한다. (헌재 2003.10.30. 2002헌마684 등) [23 국회8급]

③ (○) [23 국회8급]

> 소정의 검증절차를 거쳐 일정한 기준에 도달한 사람에게 부여하는 것이므로 자격증의 유무는 해당 분야에서 필요한 능력과 자질을 갖추고 있는지를 판단하는 객관적 기준이 될 수 있다. 변호사는 법률 전반에 관한 영역에서, 공인회계사와 세무사는 각종 세무 관련 영역에서 필요한 행위를 하거나 조력하는 전문가들이므로 그 자격증 소지자들의 선발은 세무행정의 전문성을 제고하는 데 기여하여 수단의 적합성이 인정된다. 따라서 심판대상조항은 과잉금지원칙에 위반되어 청구인의 공무담임권을 침해하지 아니한다. (헌재 2020.6.25. 2017헌마1178)

④ (○) [22 국가7급]

국가공무원법 제70조(직권면직)
① 임용권자는 공무원이 다음 각 호의 어느 하나에 해당하면 직권으로 면직시킬 수 있다.
   3. 직제와 정원의 개폐 또는 예산의 감소 등에 따라 폐직 또는 과원이 되었을 때

정답 ①

063 회독 ☐☐☐ 재구성
22 5급행시, 17 서울7급

공무원제도에 대한 설명으로 옳지 않은 것은? (다툼이 있는 경우 판례에 의함)

① '공무원이 선거운동의 기획에 참여하거나 그 기획의 실시에 관여하는 행위'를 금지하는 「공직선거법」 조항은 '공무원의 지위를 이용하지 아니한 행위'에까지 적용하는 한 헌법에 위반한다.
② 정당의 공직선거후보자 선출은 자발적 조직 내부의 의사결정에 지나지 아니하므로, 정당의 내부경선에 참여할 권리는 헌법이 보장하는 공무담임권의 내용에 포함된다고 보기 어렵다.
③ 사립대학 교원이 국회의원으로 당선된 경우 임기개시일 전까지 그 직을 사직하도록 하는 것은 사립대학 교원의 직업선택의 자유를 제한하는 것이지 공무담임권을 제한하는 것은 아니다.
④ 공적 관심의 정도가 약한 4급 이상의 공무원들까지 대상으로 삼아 모든 질병명을 아무런 예외 없이 공개토록 한 것은 입법목적 실현에 치중한 나머지 사생활 보호의 헌법적 요청을 현저히 무시한 것으로 해당 공무원들의 사생활의 비밀과 자유를 침해하는 것이다.

해설

① (○) 공무원의 지위를 이용하는 선거운동을 처벌하는 것은 합헌이지만, 선거운동의 기획에 참여하는 것은 공무원의 지위를 이용하는 것이 아니므로 이를 처벌하는 것은 헌법에 위반된다. [22 5급행시]
② (○) 헌재 2014.11.27. 2013헌마814 [22 5급행시]
③ (✕) 두 가지 기본권을 모두 제한하는 것이다. 다만, 침해는 아니다. [17 서울7급]

> 사립대학 교원이 국회의원으로 당선된 경우 임기개시일 전까지 그 직을 사직하도록 규정한 국회법 조항은 국회의원으로 당선된 자에게 사립대학 교원의 직에서 사직할 의무를 부과하고 있어 사립대학 교원이라는 직업선택의 자유를 제한함과 동시에, 청구인과 같이 사립대학 교원의 직에 있는 상태에서 향후 국회의원 선거에 출마하려는 자에게는 국회의원 출마 자체를 주저하게 만듦으로써 공무담임권의 행사에 적지 않은 위축효과도 가져온다. 따라서 이 사건 심판대상조항은 공무담임권과 직업선택의 자유라는 두 가지 기본권을 모두 제한하고 있다. (헌재 2015.4.30. 2014헌마621)

④ (○) 헌재 2007.5.31. 2005헌마1139 [22 5급행시]

정답 ③

064

공무담임권에 관한 다음 설명 중 가장 옳지 않은 것은?

① 경찰공무원이 자격정지 이상의 형의 선고유예를 받은 경우 당연퇴직하도록 규정한 조항은 자격정지 이상의 선고유예 판결을 받은 모든 범죄를 포괄하여 규정하고 있을 뿐만 아니라 과실범의 경우마저 당연퇴직의 사유에서 제외하지 않고 있으므로 공무담임권을 침해한다.

② 청구인이 당선된 당해 선거에 관한 것인지를 묻지 않고, 선거에 관한 여론조사의 결과에 영향을 미치게 하기 위하여 둘 이상의 전화번호를 착신 전환 등의 조치를 하여 같은 사람이 두 차례 이상 응답하여 100만 원 이상의 벌금형을 선고받은 자로 하여금 지방의회의원의 직에서 퇴직되도록 한 조항은 청구인의 공무담임권을 침해한다.

③ '승진시험의 응시제한'은 공직신분의 유지나 업무수행에는 영향을 주지 않는 단순한 내부승진인사에 관한 문제에 불과하여 공무담임권의 보호영역에 포함된다고 보기는 어려우므로, 시험 요구일 현재를 기준으로 승진임용이 제한된 자에 대하여 승진시험응시를 제한하도록 한 「공무원임용시험령」이 공무담임권을 침해하였다고 볼 수 없다.

④ 지역구국회의원 선거에 입후보하기 위한 요건으로서 기탁금 및 그 반환에 관한 규정은 입후보에 영향을 주므로 공무담임권을 제한하는 것이고, 이러한 공무담임권에 대한 제한은 과잉금지원칙을 기준으로 하여 판단한다.

해설

① (O)

> 경찰공무원이 자격정지 이상의 형의 선고유예를 받은 경우 공무원직에서 당연퇴직하도록 규정하고 있는 이 사건 법률조항은 자격정지 이상의 선고유예 판결을 받은 모든 범죄를 포괄하여 규정하고 있을 뿐만 아니라 심지어 오늘날 누구에게나 위험이 상존하는 교통사고 관련 범죄 등 과실범의 경우마저 당연퇴직의 사유에서 제외하지 않고 있으므로 최소침해성의 원칙에 반한다. 따라서 이 사건 법률조항은 헌법 제25조의 공무담임권을 침해한 위헌 법률이다. (헌재 2004.9.23. 2004헌가12)

② (×)

> 퇴직조항은 선거에 관한 여론조사의 결과에 부당한 영향을 미치는 행위를 방지하고 선거의 공정성을 담보하며 공직에 대한 국민 또는 주민의 신뢰를 제고한다는 목적을 달성하는 데 적합한 수단이다. … 퇴직조항으로 인하여 지방의회의원의 직에서 퇴직하게 되는 사익의 침해에 비하여 선거에 관한 여론조사의 결과에 부당한 영향을 미치는 행위를 방지하고 선거의 공정성을 담보하며 공직에 대한 국민 또는 주민의 신뢰를 제고한다는 공익이 더욱 중대하다. 퇴직조항은 청구인들의 공무담임권을 침해하지 아니한다. (헌재 2022.3.31. 2019헌마986)

③ (O) 헌재 2007.6.28. 2005헌마1179

④ (O)

> 지역구국회의원 선거에 입후보하기 위한 요건으로서의 기탁금 및 그 반환요건에 관한 규정은 입후보에 영향을 주므로 공무담임권을 제한하는 것이고, 이러한 공무담임권에 대한 제한은 헌법 제37조 제2항이 정하고 있는 바와 같이 법률로써 하여야 하며, 국가안전보장, 질서유지 또는 공공복리 등 정당하고 중요한 공공의 목적을 달성하기 위하여 필요하고 적정한 수단과 방법에 의하여서만 가능하므로, 이하에서는 이러한 과잉금지원칙을 기준으로 하여 공무담임권 침해 여부를 판단하기로 한다. (헌재 2016.12.29. 2015헌마1160 등)

정답 ②

065 회독 □□□ 재구성

공무담임권에 대한 설명으로 옳은 것은? (다툼이 있는 경우 판례에 의함)

① 「국가공무원법」해당 조항 중 「아동복지법」제17조 제2호 가운데 '아동에게 성적 수치심을 주는 성희롱 등의 성적 학대행위로 형을 선고받아 그 형이 확정된 사람은 일반직공무원으로 임용될 수 없도록 한 부분은 아동·청소년대상 성범죄의 재범률을 고려해 볼 때 공무담임권을 침해하지 않는다.

② 공무담임권의 보호영역에는 공직취임기회의 자의적인 배제뿐 아니라, 공무원 신분의 부당한 박탈이나 권한(직무)의 부당한 정지도 포함된다.

③ 행정5급 일반임기제공무원에 관한 경력경쟁채용시험에서 '변호사 자격 등록'을 응시자격요건으로 하는 방위사업청장의 공고는 변호사 자격을 가졌으나 변호사 자격 등록을 하지 아니한 청구인들의 공무담임권을 침해한다.

④ 「고등교육법」상 심판대상조항이 성인에 대한 성폭력범죄행위로 벌금 100만 원 이상의 형을 선고받고 확정된 자에 한하여 「고등교육법」상의 교원으로 임용할 수 없도록 한 것은 성폭력범죄를 범하는 대상과 형의 종류에 따라 성폭력범죄에 관한 교원으로서의 최소한의 자격기준을 설정하였다고 할 수 없으므로, 죄형법정주의 및 과잉금지원칙에 반하여 청구인의 공무담임권을 침해한다.

해설

① (X) [23 경찰간부]

> 국가공무원법 제33조 제6호의4 나목 중 아동복지법 제17조 제2호 가운데 '아동에게 성적 수치심을 주는 성희롱 등의 성적 학대행위로 형을 선고받아 그 형이 확정된 사람은 국가공무원법 제2조 제2항 제1호의 일반직공무원으로 임용될 수 없도록 한 것'에 관한 부분 및 군인사법 제10조 제2항 제6호의4 나목 중 아동복지법 제17조 제2호 가운데 '아동에게 성적 수치심을 주는 성희롱 등의 성적 학대행위로 형을 선고받아 그 형이 확정된 사람은 부사관으로 임용될 수 없도록 한 것'에 관한 부분이 헌법에 합치되지 아니한다. (헌재 2022.11.24. 2020헌마1181【헌법불합치】)
> [1] 심판대상조항은 공직에 대한 국민의 신뢰를 확보하고 아동의 건강과 안전을 보호하기 위한 것으로서, 그 입법목적이 정당하다. 아동에 대한 성희롱 등의 성적 학대행위로 인하여 형을 선고받아 확정된 사람을 공직에 진입할 수 없도록 하는 것은 위와 같은 입법목적 달성에 기여할 수 있으므로, 수단의 적합성도 인정된다.
> [2] 심판대상조항은 영구적으로 임용을 제한하고, 아무리 오랜 시간이 경과하더라도 결격사유가 해소될 수 있는 어떠한 가능성도 인정하지 않는다. 아동에 대한 성희롱 등의 성적 학대행위로 형을 선고받은 경우라고 하여도 범죄의 종류, 죄질 등은 다양하므로, 개별범죄의 비난가능성 및 재범 위험성 등을 고려하여 상당한 기간 동안 임용을 제한하는 덜 침해적인 방법으로도 입법목적을 충분히 달성할 수 있다. 따라서 심판대상조항은 과잉금지원칙에 위반되어 청구인의 공무담임권을 침해한다.

② (O) 그 외 승진에 있어서 기회균등도 공무담임권의 내용이다. [21 국가7급]

③ (X) [21 국가7급]

> [1] 피청구인이 행정5급 일반임기제공무원에 관한 경력경쟁채용시험에서 '변호사 자격 등록'을 응시자격요건으로 하는 것은 국가공무원법령 등에 의하여 이미 구체적으로 확정된 것이 아니고, 피청구인이 이 사건 공고를 함으로써 비로소 구체적으로 확정되므로, 이 사건 공고는 헌법소원의 대상이 되는 공권력의 행사에 해당한다.
> [2] 공무담임권 침해 여부가 문제되는 이 사건 공고와 같은 내용의 공권력의 행사는 반복될 수 있고, 또한 이 사건 심판청구와 동일 또는 유사한 사안에 관하여 헌법적 해명이 아직까지 이루어진 바 없으므로, 이 사건 공고에 대한 심판청구는 예외적으로 심판이익이 인정된다.
> [3] 인사권자인 피청구인은 경력경쟁채용시험을 실시하면서 응시자격요건을 구체적으로 어떻게 정할 것인지를 판단하고 결정하는 데 재량이 인정되는데, 이 사건 공고가 그 재량권을 현저히 일탈하였다고 볼 수 없다. 이 사건 공고는 청구인들의 공무담임권을 침해하지 않는다. (헌재 2019.8.29. 2019헌마616)

④ (✗) [21 국가7급]

> 교육공무원법 제10조의4 제3호 중 벌금 100만 원 이상의 형을 선고받아 그 형이 확정된 사람은 고등교육법 제2조가 규정하는 학교의 교원에 임용될 수 없도록 한 부분이 청구인의 공무담임권을 침해하지 않는다. (헌재 2020.12.23. 2019헌마502)
> 고등교육법상의 교원은 학생의 입학, 수업, 시험출제, 성적평가에서 졸업 후 사회진출에 이르기까지 학생에 대하여 폭넓게 영향력을 행사할 수 있는 지위에 있는 점, 대학생활 전반에 관하여 지도와 상담을 하는 고등교육법상 교원이 학생을 상대로 성폭력범죄를 저지르는 경우 학생으로서는 이러한 교원의 부당한 행위에 저항하기 힘든 취약한 지위에 있게 되고, 따라서 일단 고등교육법상의 교원으로 임용되고 나면 성폭력범죄의 의도를 가진 행위를 차단하기가 극히 어려워지는 점 등에 비추어 보면, 심판대상조항이 성인에 대한 성폭력범죄행위로 벌금 100만 원 이상의 형을 선고받고 확정된 자에 한하여 고등교육법상의 교원으로 임용할 수 없도록 한 것은 성폭력범죄를 범하는 대상과 형의 종류에 따라 성폭력범죄에 관한 교원으로서의 최소한의 자격기준을 설정하였다고 할 것이므로, 과잉금지원칙에 반하여 청구인의 공무담임권을 침해한다고 할 수 없다.

정답 ②

066 21 국회8급

공무원에 대한 설명으로 옳지 않은 것은? (다툼이 있는 경우 판례에 의함)

① 공무원의 직무와 관련이 없는 범죄라 할지라도 고의범의 경우에는 공무원의 법령준수의무, 청렴의무, 품위유지의무 등을 위반한 것으로 볼 수 있으므로 이를 퇴직급여의 감액사유에서 제외하지 아니하더라도 헌법에 위반되지 않는다.
② 공무원의 징계사유가 공금횡령인 경우에 해당 징계 외에 공금횡령액의 5배 내의 징계부가금까지 부과하도록 하는 것은 이중처벌금지원칙에 위배된다.
③ 국회 소속 공무원은 국회의장이 임용하되, 국회규칙으로 정하는 바에 따라 그 임용권의 일부를 소속 기관의 장에게 위임할 수 있다.
④ 퇴직연금수급자가 유족연금을 함께 받게 된 경우에 그 유족연금액의 2분의 1을 빼고 지급하도록 하는 것은 입법형성의 한계를 벗어나 재산권을 침해한다고 볼 수 없다.

해설

① (○)
> 공무원이 '직무와 관련 없는 과실로 인한 경우' 및 '소속 상관의 정당한 직무상의 명령에 따르다가 과실로 인한 경우'를 제외하고 재직 중의 사유로 금고 이상의 형을 받은 경우, 퇴직급여 등을 감액하도록 규정한 공무원연금법 제64조 제1항 제1호는 헌법불합치결정의 기속력에 반하지 않는다. (헌재 2013.8.29. 2012헌바48 등)

② (✗) 헌재 2015.2.26. 2012헌바435
③ (○)
④ (○) 헌재 2020.6.25. 2018헌마865
   연금은 중복해서 지급하지 않는 것이 원칙이다.

정답 ②

067 20 법무사

헌법 제25조의 공무담임권에 관한 다음 설명 중 가장 옳지 않은 것은? (다툼이 있는 경우 판례에 의함)

① 공무담임권의 보호영역에는 공무원이 특정의 장소에서 근무하는 것 또는 특정의 보직을 받아 근무하는 것을 포함하는 일종의 공무수행의 자유까지 포함된다.

② 헌법 제25조의 공무담임권이 공무원의 재임기간 동안 충실한 공무수행을 담보하기 위하여 공무원의 퇴직급여 및 공무상 재해보상을 보장할 것까지 그 보호영역으로 하고 있다고 보기 어렵다.

③ 공무담임권이란 입법부, 집행부, 사법부는 물론 지방자치단체 등 국가, 공공단체의 구성원으로서 그 직무를 담당할 수 있는 권리를 말한다. 여기서 직무를 담당한다는 것은 모든 국민이 현실적으로 그 직무를 담당할 수 있다고 하는 의미가 아니라, 국민이 공무담임에 관한 자의적이지 않고 평등한 기회를 보장받음을 의미한다.

④ 모든 국민은 법률이 정하는 바에 의하여 공무담임권을 가진다.

해설

① (×)
> 특정의 장소에서 근무하는 것 또는 특정의 보직을 받아 근무하는 것을 포함하는 일종의 '공무수행의 자유'까지 그 보호영역에 포함된다고 보기는 어렵다. (헌재 2008.6.26. 2005헌마1275)

② (○) 헌재 2014.6.26. 2012헌마459

③ (○)

④ (○) 헌법 제25조

참고로 외국인에게는 공무담임권이 인정되지는 않지만, 국가공무원법에 의해 일정 부분 공무원이 될 수 있다.

정답 ①

068 19 변호사

A국립대학교는 '추천위원회에서 총장후보자를 선정'하는 간선제방식에 따라 총장후보자를 선출하려고 한다. 'A국립대학교 총장임용후보자 선정에 관한 규정'(이하 '규정'이라 함)에서는 총장후보자에 지원하려는 사람에게 1,000만 원의 기탁금을 납부하고, 지원서 접수시 기탁금 납입 영수증을 제출하도록 하고 있다. 甲은 A국립대학교의 교수로서 총장후보자에 지원하고자 한다. 乙은 A국립대학교의 교수로서 총장후보자 선출에 참여하고자 한다. 다음 설명 중 옳은 것은? (다툼이 있는 경우 판례에 의함)

① 공무담임권은 국민이 공직에 취임하기 이전의 문제이므로 이미 공직에 취임하여 공무원이 된 甲이 헌법상의 공무담임권 침해를 이유로 한 헌법소원심판을 청구하는 것은 허용되지 않는다.
② 乙이 대학총장 후보자 선출에 참여할 권리는 헌법상 기본권으로 인정할 수 없다.
③ 헌법상 대학의 자율은 대학에게 대학의 장 후보자 선정과 관련하여 반드시 직접 선출방식을 보장하여야 하는 것은 아니다.
④ 총장후보자 지원자들에게 1,000만 원의 기탁금을 납부하게 하는 것은 지원자가 무분별하게 총장후보자에 지원하는 것을 예방하는 데 기여할 수 있고, 그 액수가 과다하다고도 볼 수 없어 헌법에 위반된다고 할 수 없다.
⑤ 위 규정의 위헌성에 대해 다투고자 할 경우 먼저 위 규정에 대해 항고소송을 제기하여야만 하고 직접 헌법소원심판을 청구하는 것은 허용되지 않는다.

해설

① (×) ② (×) 국립대학교 총장은 교육공무원으로서 국가공무원의 신분을 가진다. 이 사건 기탁금조항은 국립대학교인 전북대학교 총장후보자 선정과정에서 후보자에 지원하려는 사람에게 기탁금을 납부하도록 하고, 기탁금을 납입하지 않을 경우 총장후보자에 지원하는 기회가 주어지지 않도록 하고 있다. 따라서 이 사건 기탁금조항은 기탁금을 납입할 수 없거나 그 납입을 거부하는 사람들의 공무담임권을 제한한다.
③ (○)
④ (×)

> 이 사건 기탁금조항은 총장후보자에 지원하는 사람들의 무분별한 난립을 방지하고 그 책임성과 성실성을 확보함으로써 총장후보자 선출과정에서 나타날 수 있는 선거의 과열을 예방하기 위한 것이므로 그 목적의 정당성은 인정된다. 이 사건 기탁금조항이 정한 1,000만 원이라는 액수는 자력이 부족한 교원 등 학내 인사와 일반국민으로 하여금 총장후보자에 지원하려는 의사를 단념하도록 할 수 있을 정도로 과다한 액수라고 할 수 있다. 이러한 사정들을 종합하면, 이 사건 기탁금조항은 침해의 최소성원칙에 위배된다. (헌재 2018.4.26. 2014헌마274)

⑤ (×) 보충성원칙의 예외이다.

정답 ③

069

공무원에 관한 다음 설명 중 가장 옳지 않은 것은?

① 「국가공무원법」이 '공무 외의 일을 위한 집단행위'라고 포괄적이고 광범위하게 규정하고 있다 하더라도, 이는 공무가 아닌 어떤 일을 위하여 공무원들이 하는 모든 집단행위를 의미하는 것이 아니라, '공익에 반하는 목적을 위한 행위로서 직무전념의무를 해태하는 등의 영향을 가져오는 집단적 행위'라고 해석된다.

② 집단행위의 의미에 관한 이러한 해석이 수범자인 공무원이 구체적으로 어떠한 행위가 여기에 해당하는지를 충분히 예측할 수 없을 정도로 그 적용범위가 모호하다거나 불분명하다고 할 수 없으므로 공무원의 집단행위금지규정이 명확성의 원칙에 반한다고 볼 수 없고, 또한 위 규정이 그 적용범위가 지나치게 광범위하거나 포괄적이어서 공무원의 표현의 자유를 과도하게 제한한다고 볼 수 없으므로, 위 규정이 과잉금지의 원칙에 반한다고 볼 수도 없다.

③ 공무원들의 어느 행위가 「국가공무원법」 제66조 제1항에 규정된 '집단행위'에 해당하려면, 그 행위가 반드시 같은 시간, 장소에서 행하여져야 하는 것은 아니지만, 공익에 반하는 어떤 목적을 위한 다수인의 행위로서 집단성이라는 표지를 갖추어야만 한다고 해석함이 타당하므로, 공무원들이 순차적으로 각각 다른 시간대에 릴레이 1인시위를 하거나 여럿이 단체를 결성하여 그 단체명의로 의사를 표현하는 경우에는 「국가공무원법」 제66조 제1항이 금지하는 집단행위에 해당한다.

④ 실제 여럿이 모이는 형태로 의사표현을 하는 것은 아니지만 발표문에 서명날인을 하는 등의 수단으로 여럿이 가담한 행위임을 표명하는 경우 또는 일제 휴가나 집단적인 조퇴, 초과근무 거부 등과 같이 정부활동의 능률을 저해하기 위한 집단적 태업행위로 볼 수 있는 경우에 속하거나 이에 준할 정도로 행위의 집단성이 인정되어야 「국가공무원법」 제66조 제1항에 해당한다.

해설

① (O) ② (O) ③ (X) ④ (O)

[1] 구 국가공무원법 제66조 제1항이 금지하는 '공무 외의 일을 위한 집단행위'의 의미 및 위 규정은 명확성의 원칙과 과잉금지의 원칙에 위반되지 않는다.
　가. 이는 공무가 아닌 어떤 일을 위하여 공무원들이 하는 모든 집단행위를 의미하는 것이 아니라, 언론·출판·집회·결사의 자유를 보장하고 있는 헌법 제21조 제1항, 공무원에게 요구되는 헌법상의 의무 및 이를 구체화한 국가공무원법의 취지, 국가공무원법상의 성실의무 및 직무전념의무 등을 종합적으로 고려하여 '공익에 반하는 목적을 위한 행위로서 직무전념의무를 해태하는 등의 영향을 가져오는 집단적 행위'라고 해석된다.
　나. 이 사건 행위 중 릴레이 1인시위, 릴레이 언론기고, 릴레이 내부 전산망 게시는 모두 후행자가 선행자에 동조하여 동일한 형태의 행위를 각각 한 것에 불과하고, 여럿이 같은 시간에 한 장소에 모여 집단의 위세를 과시하는 방법으로 의사를 표현하거나 여럿이 단체를 결성하여 그 단체명의로 의사를 표현하는 경우, 여럿이 가담한 행위임을 표명하는 경우 또는 정부활동의 능률을 저해하기 위한 집단적 태업행위에 해당한다거나 이에 준할 정도로 행위의 집단성이 있다고 보기 어렵다. 다만, 원고 1 등 7명의 피켓 전시는 위 원고들이 1인시위에 사용하였던 피켓을 모아서 함께 전시하였다는 점에서 행위의 집단성을 인정할 수 있다고 보인다.

[2] 국가공무원법 제63조에서 정한 품위유지의 의무에서 '품위'는 명확성의 원칙과 과잉금지의 원칙에 위배되지 않는다.
　여기서 '품위'는 공직의 체면, 위신, 신용을 유지하고, 주권자인 국민의 수임을 받은 국민 전체 봉사자로서의 직책을 다함에 손색이 없는 몸가짐을 뜻하는 것으로서, 직무의 내외를 불문하고, 국민의 수임자로서의 직책을 맡아 수행해 나가기에 손색이 없는 인품을 말한다.

[3] 공무원들의 어느 행위가 국가공무원법 제66조 제1항에 규정된 '집단행위'에 해당하기 위한 요건
　공무원들의 어느 행위가 국가공무원법 제66조 제1항에 규정된 '집단행위'에 해당하려면, 그 행위가 반드시 같은 시간, 장소에서 행하여져야 하는 것은 아니지만, 공익에 반하는 어떤 목적을 위한 다수인의 행위로서 집단성이라는 표지를 갖추어야만 한다고 해석함이 타당하다.

따라서 여럿이 같은 시간에 한 장소에 모여 집단의 위세를 과시하는 방법으로 의사를 표현하거나 여럿이 단체를 결성하여 그 단체명의로 의사를 표현하는 경우, 실제 여럿이 모이는 형태로 의사표현을 하는 것은 아니지만 발표문에 서명날인을 하는 등의 수단으로 여럿이 가담한 행위임을 표명하는 경우 또는 일제 휴가나 집단적인 조퇴, 초과근무 거부 등과 같이 정부활동의 능률을 저해하기 위한 집단적 태업행위로 볼 수 있는 경우에 속하거나 이에 준할 정도로 행위의 집단성이 인정되어야 국가공무원법 제66조 제1항에 해당한다고 볼 수 있다.

[4] **공무원이 외부에 자신의 상사 등을 비판하는 의견을 발표하는 행위는 공무원으로서의 체면이나 위신을 손상시키는 행위에 해당한다.**
공무원이 외부에 자신의 상사 등을 비판하는 의견을 발표하는 행위는 그것이 비록 행정조직의 개선과 발전에 도움이 되고, 궁극적으로 행정청의 권한 행사의 적정화에 기여하는 면이 있다고 할지라도, 국민들에게는 그 내용의 진위나 당부와는 상관없이 그 자체로 행정청 내부의 갈등으로 비춰져, 행정에 대한 국민의 신뢰를 실추시키는 요인으로 작용할 수 있고, 특히 발표 내용 중에 진위에 의심이 가는 부분이 있거나 표현이 개인적인 감정에 휩쓸려 지나치게 단정적이고 과장된 부분이 있는 경우에는 그 자체로 국민들로 하여금 공무원 본인은 물론 행정조직 전체의 공정성, 중립성, 신중성 등에 대하여 의문을 갖게 하여 행정에 대한 국민의 신뢰를 실추시킬 위험성이 더욱 크므로, 그러한 발표행위는 공무원으로서의 체면이나 위신을 손상시키는 행위에 해당한다. (대판 2017.4.13. 2014두8469)

정답 ③

070 [19 법원직, 17 입시]

직업공무원제도에 대한 설명으로 옳지 않은 것은?

① 직업공무원제도는 공무원의 정치적 중립과 신분보장을 통해 행정의 계속성과 안정성을 확보하고자 하는 것이다.
② 공무원이 국가를 상대로 실질이 보수에 해당하는 금원의 지급을 구하려면 공무원의 '근무조건 법정주의'에 따라 국가공무원법령 등 공무원의 보수에 관한 법률에 지급근거가 되는 명시적 규정이 존재하여야 하고, 나아가 해당 보수 항목이 국가예산에도 계상되어 있어야만 한다.
③ 연금급여가 직업공무원제도의 한 내용이라는 점을 감안하더라도, 연금급여의 성격상 그 급여의 구체적인 내용은 국회가 사회정책적 고려, 국가의 재정 및 연금기금의 상황 등 여러 가지 사정을 참작하여 보다 폭넓은 입법재량으로 결정할 수 있다.
④ 직업공무원제도하에서는 직제폐지로 유휴인력이 생기더라도 직권면직을 하여 공무원의 신분이 상실되도록 해서는 안 된다.
⑤ 임면권자인 대통령이 정당한 이유 없이 특정 공무원을 파면함은 직업공무원제도에 위반된다.

해설

① (○) 직업공무원제도의 개념으로, 직업공무원제도는 제3차 개정헌법에서 도입되었다. [17 입시]
② (○) [19 법원직]
③ (○) [19 법원직]
④ (×) 직제폐지나 과원의 경우에는 직권면직이 가능하다. [19 법원직]

국가공무원법 제70조(직권면직)
① 임용권자는 공무원이 다음 각 호의 어느 하나에 해당하면 직권으로 면직시킬 수 있다.
　3. 직제와 정원의 개폐 또는 예산의 감소 등에 따라 폐직 또는 과원이 되었을 때

⑤ (○) [17 입시]

정답 ④

071 회독 ☐☐☐ 재구성
[19 법원직, 17 서울7급·지방7급]

공무담임권에 관한 다음 설명 중 가장 옳지 않은 것은? (다툼이 있는 경우 판례에 의함)

① 현행헌법은 공무담임권을 명시적으로 규정하고 있다.
② 선출직공무원의 공무담임권은 선거를 전제로 하는 대의제의 원리에 의하여 발생하는 것이므로 공직의 취임이나 상실에 관련된 어떠한 법률조항이 대의제의 본질에 반한다면 이는 공무담임권도 침해하는 것이라고 볼 수 있다.
③ 지방자치단체의 장으로 하여금 당해 지방자치단체의 관할 구역과 같거나 겹치는 선거구역에서 실시되는 지역구국회의원 선거에 입후보하고자 하는 경우 당해 선거의 선거일 전 180일까지 그 직을 사퇴하도록 하는 것은 해당 지방자치단체장의 공무담임권을 침해하지 않는다.
④ 형사사건으로 기소되면 필요적으로 직위해제처분을 하도록 하는 규정은 헌법에 위반된다.
⑤ 「지방공무원법」의 지방공무원의 전입에 관한 규정은 해당 지방공무원의 동의가 있을 것을 당연한 전제로 하여 그 공무원이 소속된 지방자치단체의 장의 동의를 얻어서만 그 공무원을 전입할 수 있음을 규정하고 있는 것으로 보아야 한다.

해설

① (O) [19 법원직]

> **헌법 제25조**
> 모든 국민은 법률이 정하는 바에 의하여 공무담임권을 가진다.

② (O) [19 법원직]

> 선출직공무원의 공무담임권은 선거를 전제로 하는 대의제의 원리에 의하여 발생하는 것이므로 공직의 취임이나 상실에 관련된 어떠한 법률조항이 대의제의 본질에 반한다면 이는 공무담임권도 침해하는 것이라고 볼 수 있다. 또 입법자는 주민소환제의 형성에 있어 광범위한 입법재량을 갖고 있다고 볼 수 있으나, 앞서 본 바와 같이 대의제의 본질적인 부분을 침해하여 공무담임권을 침해하여서는 아니 된다는 한계를 지켜야 하므로, 이를 전제로 이 사건 법률조항이 대의제의 본질적인 부분을 침해하는지와 과잉금지원칙에 위반되어 청구인의 공무담임권을 침해하는지 여부를 살펴보아야 할 것이다. 다만, 과잉금지원칙을 심사하면서 피해의 최소성을 판단함에 있어서는 입법재량의 허용범위를 고려하여 구체적으로는 '입법자의 판단이 현저하게 잘못 되었는가'하는 명백성의 통제에 그치는 것이 타당하다고 할 것이다. (헌재 2009.3.26. 2007헌마843)

③ (X) 해당 지방자치단체장의 공무담임권을 침해한다. (헌재 2003.9.25. 2003헌마106) [17 서울7급]
④ (O) [17 지방7급]
⑤ (O) 합헌적 법률해석을 한 사례이다. [17 지방7급]

> 지방공무원법 제29조의3은 "지방자치단체의 장은 다른 지방자치단체의 장의 동의를 얻어 그 소속 공무원을 전입할 수 있다."라고만 규정하고 있어, 이러한 전입에 있어 지방공무원 본인의 동의가 필요한지에 관하여 다툼의 여지없이 명백한 것은 아니나, 위 법률 조항을, 해당 지방공무원의 동의 없이도 지방자치단체의 장 사이의 동의만으로 지방공무원에 대한 전출 및 전입명령이 가능하다고 풀이하는 것은 헌법적으로 용인되지 아니하며, 헌법 제7조에 규정된 공무원의 신분보장 및 헌법 제15조에서 보장하는 직업선택의 자유의 의미와 효력에 비추어 볼 때 위 법률조항은 해당 지방공무원의 동의가 있을 것을 당연한 전제로 하여 그 공무원이 소속된 지방자치단체의 장의 동의를 얻어서만 그 공무원을 전입할 수 있음을 규정하고 있는 것으로 해석하는 것이 타당하고, 이렇게 본다면 인사교류를 통한 행정의 능률성이라는 입법목적도 적절히 달성할 수 있을 뿐만 아니라 지방공무원의 신분보장이라는 헌법적 요청도 충족할 수 있게 된다. 따라서 위 법률조항은 헌법에 위반되지 아니한다. (헌재 2002.11.28. 98헌바101 등)

정답 ③

072 회독 ☐☐☐ 재구성
18 법무사

공무원제도와 관련된 다음 설명 중 가장 옳지 않은 것은? (다툼이 있는 경우 판례에 의함)

① 대통령은 국민 전체에 대한 봉사자로 헌법상 공무원에 해당한다.
② 공무원이 국가 또는 지방자치단체에 대하여 어느 수준의 보수를 청구할 수 있는 권리는 헌법상 보장된 공무원의 재산권이다.
③ 고도의 정책결정업무를 담당하거나 이러한 업무를 보조하는 공무원으로서 법령에서 지정된 정무직공무원은 특수경력직공무원에 해당한다.
④ 직업공무원제도는 헌법이 보장하는 제도적 보장 중의 하나이므로 입법자는 직업공무원제에 관하여 '최소한 보장'의 원칙의 한계 안에서 폭넓은 입법형성의 자유를 가진다.

해설

① (O) 국민 전체에 대한 봉사자로서의 공무원은 최광의의 공무원을 말한다. 한편, 직업공무원에서 말하는 공무원은 경력직공무원, 즉 협의의 공무원을 말한다.

② (×)
> 공무원의 보수청구권은 법률 및 법률의 위임을 받은 하위법령에 의해 그 구체적 내용이 형성되면 재산적 가치가 있는 공법상의 권리가 되어 재산권의 내용에 포함되지만, 법령에 의하여 구체적 내용이 형성되기 전의 권리, 즉 공무원이 국가 또는 지방자치단체에 대하여 어느 수준의 보수를 청구할 수 있는 권리는 단순한 기대이익에 불과하여 재산권의 내용에 포함된다고 볼 수 없다. (헌재 2008.12.26. 2007헌마444)

③ (O) 특수경력직공무원은 국민 전체에 대한 봉사자로서의 공무원이지만 직업공무원으로 신분보장이 되지는 않는다.
④ (O) 기본권 보장은 최대보장이지만, 제도보장은 최소보장이다.

정답 ②

073 회독 ☐☐☐ 재구성
18 서울7급, 17 지방7급

공무담임권에 대한 설명으로 옳지 않은 것만을 모두 고르면? (다툼이 있는 경우 판례에 의함)

ㄱ. 지방자치단체의 장이 공소제기된 후 구금상태에 있는 경우 부단체장이 그 권한을 대행하도록 한 「지방자치법」의 조항은 유죄판결이나 그 확정을 기다리지 아니한 채 바로 지방자치단체의 장의 직무를 정지시키고 있으므로 무죄추정의 원칙에 반한다.
ㄴ. 취업지원 실시기관 채용시험의 가점 적용대상에서 보국수훈자의 자녀를 제외하는 법개정을 하면서, 가까운 장래에 보국수훈자의 자녀가 되어 채용시험의 가점을 받게 될 것이라는 신뢰를 장기간 형성해 온 사람에 대하여 경과조치를 두지 않은 「국가유공자 등 예우 및 지원에 관한 법률」 부칙규정은 공무담임권을 침해하지 않는다.
ㄷ. 지방자치단체의 장이 금고 이상의 형을 선고받고 그 형이 확정되지 아니한 경우 부단체장이 그 권한을 대행하도록 규정한 구 「지방자치법」의 조항은 지방자치단체의 장의 공무담임권을 침해한다.
ㄹ. 수뢰죄를 범하여 금고 이상의 형의 선고유예를 받은 공무원은 당연퇴직하도록 하는 규정은 해당 공무원의 공무담임권을 침해한다.

① ㄱ, ㄴ
② ㄱ, ㄹ
③ ㄴ, ㄷ
④ ㄷ, ㄹ

> 해설

ㄱ. (✗) [18 서울7급]

> 이 사건 법률조항은 공소제기된 자로서 구금되었다는 사실 자체에 사회적 비난의 의미를 부여한다거나 그 유죄의 개연성에 근거하여 직무를 정지시키는 것이 아니라, 구금의 효과, 즉 구속되어 있는 자치단체장의 물리적 부재상태로 말미암아 자치단체 행정의 원활하고 계속적인 운영에 위험이 발생할 것이 명백하여 이를 미연에 방지하기 위하여 직무를 정지시키는 것이므로, '범죄사실의 인정 또는 유죄의 인정에서 비롯되는 불이익'이라거나 '유죄를 근거로 하는 사회윤리적 비난'이라고 볼 수 없다. 따라서 무죄추정의 원칙에 위반되지 않는다. (헌재 2011.4.28. 2010헌마474)

ㄴ. (○) [18 서울7급]

> 채용시험의 가점에 관한 국가유공자 등 예우 및 지원에 관한 법률 개정이 예측가능하고, 채용시험의 가점은 단지 법률이 부여한 기회를 활용한 것으로서 원칙적으로 사적 위험부담의 범위에 속하는 점, 국가유공자의 가족, 특히 자녀의 합격률 증가로 심화되는 일반응시자들의 평등권 및 공무담임권 침해를 방지할 공익적 필요성은 상당히 큰 점, 심판대상조항의 적용시점을 정하는 것은 입법재량의 영역에 속하는 것인 점 등을 종합하면, 개정 국가유공자 등 예우 및 지원에 관한 법률 시행 직후에 국가유공자로 등록된 사람의 가족에 대하여 경과규정을 두지 않았다는 이유만으로 심판대상조항이 헌법상의 신뢰보호원칙에 위배되어 직업선택의 자유, 공무담임권을 침해하였다고 볼 수 없다. (헌재 2015.2.26. 2012헌마400)

ㄷ. (○) 이 사건의 경우는 부단체장이 권한을 대행하는 것은 무죄추정원칙, 공무담임권, 평등권을 침해한다. (헌재 2010.9.2. 2010헌마418) [18 서울7급]

ㄹ. (✗) [17 지방7급]

> 일반범죄의 경우에는 집행유예 이상의 판결이 확정되었을 때 당연퇴직되지만, 뇌물죄의 경우에는 선고유예만으로 당연퇴직된다. 수뢰죄를 범하여 금고 이상의 형의 선고유예를 받은 국가공무원은 당연퇴직하도록 한 국가공무원법 조항은 과잉금지원칙에 반하여 공무담임권을 침해하지 않는다. (헌재 2013.7.25. 2012헌바409 등)

정답 ②

> 기출지문 OX

지방자치단체의 장은 국가의 존립과 헌법 기본질서의 유지를 위한 국가안보분야로서 대통령령으로 정하는 분야에는 복수국적자(대한민국 국적과 외국 국적을 함께 가진 사람)의 임용을 제한할 수 있다. 18 지방7급 (○ / ✗)

해설 복수국적자와 외국인도 공무원이 될 수 있는 경우가 있지만 일정한 제한이 있다.

> **국가공무원법 제26조의3(외국인과 복수국적자의 임용)**
> ① 국가기관의 장은 국가안보 및 보안·기밀에 관계되는 분야를 제외하고 대통령령 등으로 정하는 바에 따라 외국인을 공무원으로 임용할 수 있다.
> ② 국가기관의 장은 다음 각 호의 어느 하나에 해당하는 분야로서 대통령령 등으로 정하는 분야에는 복수국적자(대한민국 국적과 외국 국적을 함께 가진 사람을 말한다. 이하 같다)의 임용을 제한할 수 있다.
> 1. 국가의 존립과 헌법 기본질서의 유지를 위한 국가안보분야
> 2. 내용이 누설되는 경우 국가의 이익을 해하게 되는 보안·기밀분야
> 3. 외교, 국가 간 이해관계와 관련된 정책결정 및 집행 등 복수국적자의 임용이 부적합한 분야

정답 ○

074 | 18 서울7급

헌법상의 공무원제도와 관련된 기술로 가장 옳은 것은?

① 공무원 정년제도에 대해서는 연령 구성의 고령화를 방지하고 조직을 활성화하여 공무능률을 유지·향상시킨다고 하는 목적 때문에 합헌이고, 계급정년제도도 합헌으로 보는 것이 헌법재판소의 입장이다.
② 공무원의 범죄행위가 직무와 직접적 관련이 없고 과실에 의한 경우라도 금고 이상 형의 선고유예판결을 받은 경우라면 당연퇴직토록 한 소정의 법률조항은 직업공무원제도와 공무원의 신분보장을 규정한 헌법 제7조 제2항에 반한다는 것이 헌법재판소의 입장이다.
③ 「국가배상법」 제2조 제1항 단서 중의 경찰공무원은 「경찰공무원법」상의 공무원을 의미하므로 전투경찰순경은 이에 해당하지 않는다는 것이 헌법재판소의 입장이다.
④ 헌법 제7조 제2항은 공무원이 정당한 이유 없이 해임되지 아니하도록 신분을 보장하여 국민 전체에 대한 봉사자로서 성실히 근무할 수 있도록 하기 위한 것임과 동시에, 공무원의 신분은 무제한 보장되나 공무의 특수성을 고려하여 헌법이 정한 신분보장의 원칙 아래 법률로 그 내용을 정할 수 있도록 한 것으로 봄이 헌법재판소의 입장이다.

해설

① (○)
② (✕) 헌법 제7조 제2항에 반하는 것이 아니라 공무담임권을 침해하는 것이다.
③ (✕) 전투경찰, 소집 중인 예비군도 이중배상금지규정에 해당하는 공무원이다. 공익근무요원, 경비교도대원은 이중배상이 금지되지 않는다.
④ (✕) 무제한 보장되는 것이 아니다.

정답 ①

075

공무원제도에 대한 설명으로 옳지 않은 것만을 모두 고르면? (다툼이 있는 경우 판례에 의함)

ㄱ. 공무원노동조합의 설립 최소단위를 '행정부'로 규정하여 노동조합 결성을 제한한 것은 단결권 및 평등권을 침해하지 않는다.
ㄴ. 군대의 정치적 중립성을 규정한 헌법 제5조 제2항은 제6공화국 헌법에서 최초로 도입된 조항이다.
ㄷ. 벌금형의 선고유예판결을 공무원 결격사유로 하지 않으면서 금고형의 선고유예판결을 결격사유로 하는 것은 합리성과 형평에 반한다.
ㄹ. 공무원의 직무상 불법행위로 손해를 받은 국민이 법률이 정하는 바에 의하여 국가 또는 공공단체에 정당한 배상을 청구하였을 때 공무원 자신의 책임은 면제된다.

① ㄱ, ㄴ
② ㄱ, ㄹ
③ ㄴ, ㄷ
④ ㄷ, ㄹ

해설

ㄱ. (O) 공무원노조의 최소 설립단위를 '행정부'로 규정한 공무원의 노동조합 설립 및 운영 등에 관한 법률은 헌법에 위반되지 아니한다. (헌재 2008.12.26. 2006헌마518 [기각]) [12 국가7급]

ㄴ. (O) 한편, 공무원의 정치적 중립성을 처음 규정한 것은 제3차 개정헌법이다. [10 법원직]

ㄷ. (X) [14 국회8급]

> 금고형이 벌금형보다 중한 형이므로 벌금형의 선고유예판결을 공무원 결격사유로 하지 않으면서 금고형의 선고유예판결을 결격사유로 하였다고 해서 위 규정이 합리성과 형평에 반한다고 볼 수 없다. (헌재 1990.6.25. 89헌마220)
> 평등원칙 위반은 아니지만 과잉금지원칙 위반으로 위헌결정되었다.

ㄹ. (X) 공무원의 고의나 중과실이 있을 때는 공무원 개인의 책임은 면제되지 않는다. [17 입시]

정답 ④

076

직업공무원제도에 대한 설명으로 옳지 않은 것은? (다툼이 있는 경우 판례에 의함)

① 헌법 제7조는 직업공무원제도가 국민주권원리에 바탕을 둔 민주적이고 법치주의적인 공직제도임을 밝힌 것이다.
② 직업공무원제도가 적용되는 공무원은 국가 또는 공공단체와 근로관계를 맺고 특별행정법관계 아래 공무를 담당하는 것을 직업으로 하는 협의의 공무원을 말하며 정치적 공무원이나 임시적 공무원은 포함되지 않는다.
③ 헌법재판소는 조직의 변경과 관련이 없음은 물론 소속 공무원의 귀책사유의 유무라든가 다른 공무원과의 관계에서 형평성이나 합리적 근거 등을 제시하지 아니한 채 임명권자의 후임자 임명이라는 처분에 의하여 그 직을 상실하게 하는 것은 직업공무원제도의 본질적 내용을 침해하는 것이라고 보았다.
④ 직업공무원으로의 공직취임권은 임용지원자의 능력·전문성·적성·품성을 기준으로 하는 능력주의 또는 성과주의를 바탕으로 하여야 하므로 공직자 선발에 있어 직무수행능력과 무관한 요소를 기준으로 삼아서는 안 된다. 따라서 헌법 제32조 제4항에서 여자의 근로에 대한 특별한 보호를 규정하고 있다 하더라도 이를 이유로 공직자 선발에 있어 능력주의의 예외가 인정될 수 있는 것은 아니다.

해설

① (O) 직업공무원제도를 규정한 헌법 제7조 제2항은 국민주권주의에 기초한 민주적이고, 법치국가적인 직업공무원제도를 확립하려는 규정이다. [08 법원직]
② (O) 별정직공무원도 신분이 보장되지 않는다. [17 법원직]
③ (O) 헌재 1989.12.18. 89헌마32 [11 국가7급]
④ (X) 헌법이 특별히 규정하고 있는 경우에는 능력주의의 예외가 인정된다. 여자의 비례대표 할당제, 국가유공자 가산점 등이 그렇다. [14 변호사]

정답 ④

077 회독 ☐☐☐ 재구성   17 국가7급(하)·국회8급, 14 서울7급, 10 법원직

공무원에 대한 설명으로 옳지 않은 것은? (다툼이 있는 경우 판례에 의함)

① 공무원은 공인으로서의 지위와 사인으로서의 지위, 국민 전체에 대한 봉사자로서의 지위와 기본권을 향유하는 기본권 주체로서의 지위라는 이중적 지위를 가지므로 공무원이라고 하여 기본권이 무시되거나 경시되어서는 안 되지만, 공무원의 신분과 지위의 특수성상 공무원에 대해서는 일반국민에 비해 보다 넓고 강한 기본권 제한이 가능하다.

② 공무원의 신분이나 직무상 의무와 관련이 없는 범죄의 경우에도 퇴직급여 등을 제한하는 것은 공무원 범죄를 예방하고 공무원이 재직 중 성실히 근무하도록 유도하는 입법목적을 달성하는 데 적합한 수단이다.

③ 대법원 판례에 의하면 공무원의 사퇴는 사퇴의 의사표시를 한 때 발생하는 것이 아니라, 임명권자가 면직의 의사표시를 한 때 발생한다.

④ 「국가공무원법」 제66조 제1항이 근로3권이 보장되는 공무원의 범위를 사실상 노무에 종사하는 공무원에 한정하고 있는 것은 헌법 제33조 제2항이 입법권자에게 부여하고 있는 형식적 재량권의 범위를 벗어난 것이라고는 볼 수 없다.

해설

① (O) 공무원은 특별권력관계에 있기 때문에 위와 같이 판시한 것이다. (헌재 2012.5.31. 2009헌마705) [17 국가7급(하)]

② (X) [17 국회8급]

> 공무원의 신분이나 직무상 의무와 관련이 없는 범죄의 경우에도 퇴직급여 등을 제한하는 것은, 공무원 범죄를 예방하고 공무원이 재직 중 성실히 근무하도록 유도하는 입법목적을 달성하는 데 적합한 수단이라고 볼 수 없다. (헌재 2007.3.29. 2005헌바33)

③ (O) [14 서울7급]

> 공무원의 사퇴는 사퇴의 의사표시를 한 때 발생하는 것이 아니라, 임명권자가 면직의 의사표시를 한 때 발생한다. 공무원에 대한 임명 또는 해임행위는 임명권자의 의사표시를 내용으로 하는 하나의 행정처분으로 보아야 한다. (대판 1962.11.15. 62누165)

④ (O) [10 법원직]

> 사실상 공무원은 명확성원칙에 위반되지 않으나 사실상 공무원의 범위를 조례로 위임(합헌)했는데 그 조례를 제정하지 않은 행정입법 부작위는 헌법에 위반된다. (헌재 1992.4.28. 90헌바27 등)

정답 ②

기출지문 OX

❶ 헌법 제7조 제1항의 "공무원은 국민 전체에 대한 봉사자이며, 국민에 대해 책임을 진다."라는 규정, 제45조의 "국회의원은 국회에서 직무상 행한 발언과 표결에 관하여 국회 외에서 책임을 지지 아니한다."라는 규정 및 제46조 제2항의 "국회의원은 국가이익을 우선하여 양심에 따라 직무를 행한다."라는 규정들을 종합하여 볼 때, 헌법은 국회의원을 자유위임의 원칙하에 두었다고 할 것이다. 14 서울7급   (O / X)

정답 O

❷ 정당제도의 헌법적 기능을 고려하면 무소속후보자와 정당 소속 후보자 간의 합리적이고 상대적인 차별은 가능하나 정당후보자에게 별도로 정당연설회를 할 수 있도록 하는 것은 위헌이다. 14 국가7급   (O / X)

해설 정당후보자에게 별도로 정당연설회를 할 수 있도록 하는 것은 합리적 이유가 없는 차별로서 평등원칙 위반이다.

정답 O

078

공무담임권에 대한 설명으로 옳은 것은? (다툼이 있는 경우 판례에 의함)

① 지방자치단체장의 계속 재임을 3기로 제한하는 것은 지방자치단체장의 공무담임권을 침해한다.
② 경찰청 내에 일반직공무원의 정원이 증가하여 승진경쟁이 치열해졌다 하더라도 그러한 불이익은 승진기회 내지 승진확률이 축소되는 사실상의 불이익에 불과할 뿐이므로 공무담임권 침해문제가 생길 여지는 없다.
③ 공무원시험에서 산업기사 이상의 자격증 소지자에 대하여 가산점을 주고, 기능사 자격증 소지자에게는 가산점을 주지 않는 규정은 공무담임권 및 평등권 침해이다.
④ 임용권자로 하여금 형사사건으로 기소된 공무원을 직위해제할 수 있도록 규정한 것은 그러한 공무원을 직무담당으로부터 배제함으로써 공직 및 직무수행의 공정성과 그에 대한 국민의 신뢰를 유지하기 위한 것으로서 입법목적이 정당하지만, 직무와 전혀 관련이 없는 범죄나 지극히 경미한 범죄로 기소된 경우까지 임용권자의 임의적인 판단에 따라 직위해제를 할 수 있게 허용하므로 공무담임권을 침해한다.
⑤ 헌법재판소는 정당추천후보자와 달리 무소속후보자에게 선거권자의 추천을 요건으로 입후보를 허용한 것을 평등권 위반이라고 결정하였다.

해설

① (✗) 지방자치단체장의 계속 재임을 3기로 제한하는 것은 지방자치단체장의 공무담임권을 침해하지 않는다. (헌재 2006.2.23. 2005헌마403)
[08 국가7급]

② (○) [13 법원직]

> 승진가능성이라는 것은 공직신분의 유지나 업무수행과 같은 법적 지위에 직접 영향을 미치는 것이 아니고 간접적, 사실적 또는 경제적 이해관계에 영향을 미치는 것에 불과하여 공무담임권의 보호영역에 포함된다고 보기는 어렵다. 사무직렬 기능직공무원의 일반직공무원 특별채용에 관한 특례를 규정함으로써 경찰청 내에 일반직공무원의 정원이 증가하여 승진경쟁이 치열해졌다 하더라도 그러한 불이익은 승진기회 내지 승진확률이 축소되는 사실상의 불이익에 불과할 뿐이므로 이 사건 심판대상조항으로 인하여 청구인들의 헌법상 공무담임권 침해문제가 생길 여지는 없다. (헌재 2010.3.25. 2009헌마538)

③ (✗) [09 국가7급]

> 9급 공무원시험에서는 기능사에게 가산점을 부여하고 7급 시험에서는 부여하지 않지만, 이는 7급 공무원 업무의 전문성을 감안한 공익적 판단에 의한 것이라 볼 수 있고, … 결론적으로 이 사건 조항은 공무원 업무의 전문성을 강화하기 위한 입법목적을 달성하기 위한 것으로서 7급 공무원시험에 있어서 임용희망자의 능력·전문성·적성·품성을 기준으로 하는 능력주의를 벗어난 것이 아니며 입법목적과 수단 간의 적정한 비례성을 벗어난 것이라 할 수 없다. (헌재 2003.9.25. 2003헌마30)

④ (✗) 선지는 형사기소된 공무원에 대한 임의적 직위해제에 대한 설명으로, 임의적 직위해제는 합헌이다. [14 변호사]

⑤ (✗) [14 서울7급]

> 무소속후보자의 입후보에 선거권자의 추천을 받도록 하고 있는 것은 국민인 선거권자의 추천에 의한 일정한 자격을 갖게 하여 후보자가 난립하는 현상을 방지하는 한편, 후보자등록단계에서부터 국민의 의사가 반영되도록 함으로써 국민의 정치적 의사가 효과적으로 국정에 반영되도록 하기 위한 것이고, 이에 반하여 일정한 정강정책을 내세워 공직선거에 있어서 후보자를 추천함으로써 국민의 정치적 의사 형성에 참여함을 목적으로 하는 정치적 조직인 정당이 후보자를 추천하는 행위에는 정치적 의사나 이해를 집약한 정강정책을 후보자를 통하여 제시하는 의미가 포함되어 있는 것이어서 무소속후보자의 경우와 같이 선거권자의 추천을 따로 받을 필요가 없으므로 무소속후보자에게만 선거권자의 추천을 받도록 한 것이 정당 후보자와 불합리한 차별을 하는 것이라고 할 수 없다. (헌재 1996.8.29. 96헌마99)

정답 ②

CHAPTER 06 청구권적 기본권

제1절 청원권

001 [23 국가7급]

청원권에 대한 설명으로 옳은 것은?

① 현행 헌법규정에 의하면 청원은 문서 또는 구두(口頭)로 할 수 있다.
② 국민은 지방자치단체와 그 소속 기관에 청원을 제출할 수 있다.
③ 청원서의 일반인에 대한 공개를 위해 30일 이내에 100명 이상의 찬성을 받도록 하고, 청원서가 일반인에게 공개되면 그로부터 30일 이내에 10만 명 이상의 동의를 받도록 한 「국회청원심사규칙」 조항은 청원의 요건을 지나치게 까다롭게 설정하여 국민의 청원권을 침해한다.
④ 국민은 공무원의 위법·부당한 행위에 대한 시정이나 징계의 요구를 청원할 수 없다.

해설

① (×)

헌법 제26조
① 모든 국민은 법률이 정하는 바에 의하여 국가기관에 문서로 청원할 권리를 가진다.
② 국가는 청원에 대하여 심사할 의무를 진다.

② (○)

청원법 제4조(청원기관)
이 법에 따라 국민이 청원을 제출할 수 있는 기관(이하 "청원기관"이라 한다)은 다음 각 호와 같다.
1. 국회·법원·헌법재판소·중앙선거관리위원회, 중앙행정기관(대통령 소속 기관과 국무총리 소속 기관을 포함한다)과 그 소속 기관
2. 지방자치단체와 그 소속 기관
3. 법령에 따라 행정권한을 가지고 있거나 행정권한을 위임 또는 위탁받은 법인·단체 또는 그 기관이나 개인

③ (×)

> 국회에 대한 청원은 법률안 등과 같이 의안에 준하여 위원회 심사를 거쳐 처리되고, 다른 행정부 등 국가기관과 달리 국회는 합의제 기관이라는 점에서 청원 심사의 실효성을 확보할 필요성 또한 크다. 이와 같은 점에서 국민 동의 법령조항들이 설정하고 있는 청원찬성·동의를 구하는 기간 및 그 인원수는 불합리하다고 보기 어렵다. 따라서 국민 동의 법령조항들은 입법재량을 일탈하여 청원권을 침해하였다고 볼 수 없다. (헌재 2023.3.23. 2018헌마460)

④ (×)

청원법 제5조(청원사항) 국민은 다음 각 호의 어느 하나에 해당하는 사항에 대하여 청원기관에 청원할 수 있다.
1. 피해의 구제
2. 공무원의 위법·부당한 행위에 대한 시정이나 징계의 요구
3. 법률·명령·조례·규칙 등의 제정·개정 또는 폐지

4. 공공의 제도 또는 시설의 운영
5. 그 밖에 청원기관의 권한에 속하는 사항

정답 ②

002

23 경찰간부

청원권에 대한 설명으로 가장 적절한 것은? (다툼이 있는 경우 헌법재판소 판례에 의함)

① 국가유공자가 철도청장에게 자신을 기능직공무원으로 임용하여 줄 것을 청원하는 경우에 취업보호대상자의 기능직공무원 채용의무비율규정이 있는 때에는 그 국가유공자가 채용시험 없이 바로 자신을 임용해 줄 것을 요구할 수 있는 구체적인 신청권을 갖고 있는 것으로 볼 수 있다.
② 정부에 제출 또는 회부된 정부의 정책에 관계되는 청원의 심사는 국무회의의 심의를 거쳐야 한다.
③ 국민이 여러 가지 이해관계 또는 국정에 관해서 자신의 의견이나 희망을 해당 기관에 직접 진술하여야 하며, 본인을 대리하거나 중개하는 제3자를 통해 진술하는 것은 청원권으로서 보호되지 않는다.
④ 「청원법」에 따르면 청원기관의 장은 청원이 허위의 사실로 타인으로 하여금 형사처분 또는 징계처분을 받게 하는 사항에 해당하는 경우에는 처리를 하지 아니한다.

해설

① (×)

> 국민의 신청에 대한 행정청의 거부행위가 헌법소원심판의 대상인 공권력의 행사가 되기 위해서는 국민이 행정청에 대하여 신청에 따른 행위를 해 줄 것을 요구할 수 있는 권리가 있어야 한다. 따라서 청구인이 취업보호대상자의 기능직공무원 채용의무비율 규정만을 근거로 피청구인 철도청장에 대해 국가공무원법에 따른 채용시험 없이 바로 자신을 임용해 줄 것을 요구할 수 있는 구체적인 신청권을 갖고 있는 것으로 볼 수는 없다. (헌재 2004.10.28. 2003헌마898)

② (○) 헌법 제89조

③ (×)

> 국민은 여러 가지 이해관계 또는 국정에 관하여 자신의 의견이나 희망을 해당 기관에 직접 진술하는 외에 그 본인을 대리하거나 중개하는 제3자를 통해 진술하더라도 이는 청원권으로서 보호된다. (헌재 2012.4.24. 2011헌바40)

④ (×)

청원법 제6조(청원 처리의 예외)
청원기관의 장은 청원이 다음 각 호의 어느 하나에 해당하는 경우에는 처리를 하지 아니할 수 있다. 이 경우 사유를 청원인(제11조 제3항에 따른 공동청원의 경우에는 대표자를 말한다)에게 알려야 한다.
　3. 허위의 사실로 타인으로 하여금 형사처분 또는 징계처분을 받게 하는 사항

정답 ②

003 23 입시

청원에 대한 설명으로 옳은 것은? (다툼이 있는 경우 판례에 의함)

① 청원은 청원인의 성명과 주소 또는 거소를 적고 서명한 문서로 하여야 하고, 전자문서로 한 청원은 효력이 없다.
② 국회에 청원을 하려는 자는 반드시 의원의 소개를 받아야 한다.
③ 청원권의 보호범위에는 청원사항의 처리 결과에 심판서나 재결서에 준하여 이유를 명시할 것을 요구하는 것이 포함된다.
④ 청원에 대한 처리 결과가 청원인이 기대한 바에 미치지 않는다고 하더라도 헌법소원의 대상이 되는 공권력의 행사 내지 불행사라고는 볼 수 없다.

해설

① (×)

> **청원법 제9조(청원방법)**
> ① 청원은 청원서에 청원인의 성명(법인인 경우에는 명칭 및 대표자의 성명을 말한다)과 주소 또는 거소를 적고 서명한 문서(전자문서 및 전자거래 기본법에 따른 전자문서를 포함한다)로 하여야 한다.

② (×)

> **국회법 제123조(청원서의 제출)**
> ① 국회에 청원을 하려는 자는 의원의 소개를 받거나 국회규칙으로 정하는 기간 동안 국회규칙으로 정하는 일정한 수 이상의 국민의 동의를 받아 청원서를 제출하여야 한다.

③ (×)

> 청원권의 보호범위에는 청원사항의 처리 결과에 심판서나 재결서에 준하여 이유를 명시할 것까지를 요구하는 것은 포함되지 아니한다고 할 것이다. (헌재 1994.2.24. 93헌마213 등)

④ (O)

> 청원소관서는 청원법이 정하는 절차와 범위 내에서 청원사항을 성실·공정·신속히 심사하고 청원인에게 그 청원을 어떻게 처리하였거나 처리하려 하는지를 알 수 있을 정도로 결과통지함으로써 충분하다고 할 것이다. 따라서 적법한 청원에 대하여 국가기관이 수리, 심사하여 그 처리 결과를 청원인 등에게 통지하였다면 이로써 당해 국가기관은 헌법 및 청원법상의 의무이행을 필한 것이라고 할 것이고, 비록 그 처리 내용이 청원인 등이 기대한 바에 미치지 않는다고 하더라도 더 이상 헌법소원의 대상이 되는 공권력의 행사 내지 불행사라고는 볼 수 없다. (헌재 1994.2.24. 93헌마213 등)

정답 ④

004 회독 ☐☐☐   22 법원직

청원권에 관한 다음 설명 중 가장 옳지 않은 것은?

① 정부에 제출 또는 회부된 정부의 정책에 관계되는 청원의 심사는 국무회의의 심의를 거쳐야 한다.
② 청원사항의 처리 결과에 대하여 재결서에 준하는 이유를 명시할 의무는 있으나, 청원인이 청원한 내용대로의 결과를 통지할 의무는 없다.
③ 지방의회에 청원을 할 때 지방의회의원의 소개를 얻도록 한 조항은 청원권을 침해하지 않는다.
④ 공무원이 취급하는 사건 또는 사무에 관하여 사건 해결의 청탁 등을 명목으로 금품을 수수하는 행위를 규제하는 조항은 일반적 행동자유권뿐만 아니라 청원권을 제한한다.

해설

① (O) 헌법 제89조 제15호

② (X)

> 청원권의 보호범위에는 청원사항의 처리 결과에 심판서나 재결서에 준하여 이유를 명시할 것까지를 요구하는 것은 포함되지 아니한다고 할 것이다. (헌재 1997.7.16. 93헌마239)

③ (O) 헌재 1999.11.25. 97헌마54

④ (O)

> 이 사건 법률조항은 공무원의 직무에 속하는 사항에 관하여 금품을 대가로 다른 사람을 중개하거나 대신하여 그 이해관계나 의견 또는 희망을 해당 기관에 진술할 수 없게 하므로, 일반적 행동자유권 및 청원권을 제한한다. 다만, 이 사건 법률조항은 일반적 행동의 자유 내지 청원권을 침해하지 아니한다. (헌재 2012.4.24. 2011헌바40)

정답 ②

005 회독 ☐☐☐   21 서울·지방7급

청원에 대한 설명으로 옳지 않은 것은?

① 국민은 법령에 따라 행정권한을 위임 또는 위탁받은 개인에게 청원을 제출할 수는 없다.
② 법률·명령·조례·규칙 등의 제정·개정 또는 폐지에 대하여 청원기관에 청원할 수 있다.
③ 국회의장은 청원을 접수하였을 때에는 청원요지서를 작성하여 인쇄하거나 전산망에 입력하는 방법으로 각 국회의원에게 배부하는 동시에 그 청원서를 소관 위원회에 회부하여 심사하게 한다.
④ 청원을 소개한 국회의원은 소관 위원회 또는 청원심사소위원회의 요구가 있을 때에는 청원의 취지를 설명하여야 한다.

해설

① (✗)

> **청원법 제4조(청원대상기관)**
> 이 법에 따라 국민이 청원을 제출할 수 있는 기관(이하 '청원기관'이라 한다)은 다음 각 호와 같다.
> 1. 국회·법원·헌법재판소·중앙선거관리위원회, 중앙행정기관(대통령 소속 기관과 국무총리 소속 기관을 포함한다)과 그 소속 기관
> 2. 지방자치단체와 그 소속 기관
> 3. 법령에 의하여 행정권한을 가지고 있거나 행정권한을 위임 또는 위탁받은 법인·단체 또는 그 기관이나 개인

② (○)

> **청원법 제5조(청원사항)**
> 국민은 다음 각 호의 어느 하나에 해당하는 사항에 대하여 청원기관에 청원할 수 있다.
> 1. 피해의 구제
> 2. 공무원의 위법·부당한 행위에 대한 시정이나 징계의 요구
> 3. 법률·명령·조례·규칙 등의 제정·개정 또는 폐지
> 4. 공공의 제도 또는 시설의 운영
> 5. 그 밖에 청원기관의 권한에 속하는 사항

③ (○) 국회법 제124조 제1항

④ (○)

> **국회법 제125조(청원 심사·보고 등)**
> ① 위원회는 청원 심사를 위하여 청원심사소위원회를 둔다.
> ② 위원장은 폐회 중이거나 그 밖에 필요한 경우 청원을 바로 청원심사소위원회에 회부하여 심사보고하게 할 수 있다.
> ③ 청원을 소개한 의원은 소관 위원회 또는 청원심사소위원회의 요구가 있을 때에는 청원의 취지를 설명하여야 한다.

정답 ①

006

청원권에 대한 설명으로 옳은 것은?

① 「지방자치법」에 따라 지방의회 위원회가 청원을 심사하여 본회의에 부칠 필요가 없다고 결정하면 그 처리 결과를 지방의회 의장에게 보고하고, 지방의회 위원회는 청원한 자에게 이를 알려야 한다.
② 헌법에서는 청원에 대하여 심사할 의무만을 규정하므로 국가기관은 청원에 대하여 그 결과를 통지하여야 할 의무를 지지 않는다.
③ 「청원법」에 따르면 청원기관의 장은 청원을 접수한 때에는 특별한 사유가 없으면 90일 이내에 그 처리 결과를 청원인에게 알려야 한다.
④ 모해청원, 반복청원, 이중청원, 국가기관 권한사항 청원, 개인 사생활사항 청원 등의 경우에는 처리하지 아니할 수 있다.

해설

① (✗) [19 국가7급]

> **지방자치법 제87조(청원의 심사·처리)**
> ① 지방의회의 의장은 청원서를 접수하면 소관 위원회나 본회의에 회부하여 심사를 하게 한다.
> ② 청원을 소개한 지방의회의원은 소관 위원회나 본회의가 요구하면 청원의 취지를 설명하여야 한다.
> ③ 위원회가 청원을 심사하여 본회의에 부칠 필요가 없다고 결정하면 그 처리 결과를 지방의회의 의장에게 보고하고, 지방의회의 의장은 청원한 자에게 알려야 한다.
>
> **제88조(청원의 이송과 처리보고)**
> ① 지방의회가 채택한 청원으로서 그 지방자치단체의 장이 처리하는 것이 타당하다고 인정되는 청원은 의견서를 첨부하여 지방자치단체의 장에게 이송한다.
> ② 지방자치단체의 장은 제1항의 청원을 처리하고 그 처리 결과를 지체 없이 지방의회에 보고하여야 한다.

② (✗) [16 국가7급]

> 헌법 제26조와 청원법의 규정에 의할 때, 헌법상 보장된 청원권은 공권력과의 관계에서 일어나는 여러 가지 이해관계, 의견, 희망 등에 관하여 적법한 청원을 한 모든 국민에게, 국가기관이 청원을 수리·심사하여 그 결과를 통지할 것을 요구할 수 있는 권리를 말하므로, 청원서를 접수한 국가기관은 이를 수리·심사하여 그 결과를 통지하여야 할 헌법에서 유래하는 작위의무를 지고 있고, 이에 상응하여 청원인에게는 청원에 대하여 위와 같은 적정한 처리를 할 것을 요구할 수 있는 권리가 있다. (헌재 2004.5.27. 2003헌마851)

③ (〇) 청원법 제21조 제2항 [13 법원직]
④ (✗) 국가기관 권한사항 청원은 처리할 수 있다. [19 국가7급]

정답 ③

예상판례

로비스트의 허용 여부 (헌재 2005.11.24. 2003헌바108 [기각])

전문가나 전문가 집단의 로비활동은 적극적으로 권장할 사항으로 보인다. 그러나 금전적 대가를 받는 알선 내지 로비활동을 합법적으로 보장할 것인지 여부는 그 시대 국민의 법감정이나 사회적 상황에 따라 달라진다고 보아야 한다. … 다원화되고 있는 현대사회에서 국가기관 등의 정책결정 및 집행과정에 로비스트와 같은 중개자나 알선자를 통해 자신의 의견이나 자료를 제출할 수 있도록 허용한다면, 국민은 언제나 이러한 의견 전달통로를 이용해 국정에 참여할 수 있을 것이므로 국민주권의 상시화가 이루어질 수 있을 것이다. 그러나 금전적 대가를 받는 알선 내지 로비활동을 합법적으로 보장할 것인지 여부는 그 시대 국민의 법감정이나 사회적 상황에 따라 입법자가 판단할 사항으로, … 공무원의 직무에 속한 사항의 알선에 관하여 금품 등을 수수하는 모든 행위를 형사처벌하고 있다고 하더라도 이것이 청원권이나 일반적 행동자유권을 침해하는 것으로 볼 수 없다.

기출지문 OX

청원기관의 장이 「청원법」상 처리기간 내에 청원을 처리하지 못한 경우 청원인은 청원기관의 장에게 이의신청을 할 수 있다.

16 국가7급 (O / X)

해설

청원법 제22조(이의신청)
① 청원인은 다음 각 호의 어느 하나에 해당하는 경우로서 공개 부적합 결정 통지를 받은 날 또는 제21조에 따른 처리기간이 경과한 날부터 30일 이내에 청원기관의 장에게 문서로 이의신청을 할 수 있다.
  1. 청원기관의 장의 공개 부적합 결정에 대하여 불복하는 경우
  2. 청원기관의 장이 제21조에 따른 처리기간 내에 청원을 처리하지 못한 경우
② 청원기관의 장은 이의신청을 받은 날부터 15일 이내에 이의신청에 대하여 인용 여부를 결정하고, 그 결과를 청원인(공동청원의 경우 대표자를 말한다)에게 지체 없이 알려야 한다.

정답 O

007 회독 ☐☐☐ 재구성 18 법무사, 12 국회9급

청원에 대한 다음 설명 중 옳은 것은 모두 몇 개인가? (다툼이 있는 경우 판례에 의함)

> ㄱ. 헌법상 보장된 청원권은 공권력과의 관계에서 일어나는 여러 가지 이해관계, 의견, 희망 등에 관하여 적법한 청원을 한 모든 국민에게 국가기관이 청원을 수리할 뿐만 아니라 이를 심사하여 청원자에게 적어도 그 처리 결과를 통지할 것을 요구할 수 있는 권리를 말한다.
> ㄴ. 헌법상 보장된 청원권의 주체는 국민이고, 국민에는 법인도 포함된다.
> ㄷ. 공공의 제도 또는 시설의 운영에 관한 청원은 가능하다.
> ㄹ. 동일인이 같은 내용의 청원서를 2개 이상의 청원기관에 제출한 경우 소관이 아닌 청원기관의 장은 청원서를 소관 청원기관의 장에게 이송하여야 한다.

① 1개 ② 2개
③ 3개 ④ 4개

해설

ㄱ. (O) 청원권의 개념이다. [18 법무사]
ㄴ. (O) 외국인도 청원권의 주체이다. [18 법무사]
ㄷ. (O) **청원법 제5조 제4호** [12 국회9급]
ㄹ. (O) **청원법 제16조 제2항** [12 국회9급]

정답 ④

제 2 절　재판청구권

008 회독 □□□ NEW　　　　24 경찰간부

재판청구권에 대한 설명으로 가장 적절하지 않은 것은? (다툼이 있는 경우 헌법재판소 판례에 의함)

① 상속개시 후 인지 또는 재판의 확정에 의하여 공동상속인이 된 자의 상속분 가액 지급청구권의 제척기간을 정하고 있는 「민법」 제999조 제2항의 '상속권의 침해행위가 있는 날부터 10년' 중 「민법」 제1014조에 관한 부분은 입법형성의 한계를 일탈하여 재판청구권을 침해한다.
② 피고인이 정식재판을 청구한 사건에 대하여는 약식명령의 형보다 중한 종류의 형을 선고하지 못한다고 규정하고 있는 「형사소송법」 조항은 공정한 재판을 받을 권리를 침해한다고 볼 수 없다.
③ 「조세범처벌절차법」에 따른 통고처분을 행정쟁송의 대상에서 제외시킨 「국세기본법」 제55조 제1항 단서 제1호는 재판청구권을 침해한다고 할 수 없다.
④ 시장·군수·구청장은 급여비용의 지급을 청구한 의료급여기관이 「의료법」 또는 「약사법」 해당 조항을 위반하였다는 사실을 수사기관의 수사결과로 확인한 경우에는 해당 의료급여기관이 청구한 급여비용의 지급을 보류할 수 있다고 규정하고 있는 「의료급여법」 해당 조항은 의료급여기관 개설자의 재판청구권을 침해한다.

해설

① (O)

> 상속개시 후 인지에 의하여 공동상속인이 된 자가 다른 공동상속인에 대해 그 상속분에 상당한 가액의 지급에 관한 청구권(상속분가액지급청구권)을 행사하는 경우에도 상속회복청구권에 관한 10년의 제척기간을 적용하도록 한 민법 조항이 청구인의 재산권과 재판청구권을 침해하여 헌법에 위반된다. (헌재 2024.6.27. 2021헌마1588 【위헌】)
> 상속개시 후 인지 또는 재판의 확정에 의하여 공동상속인이 된 자의 상속분가액지급청구권의 경우에도 '침해행위가 있는 날부터 10년'의 제척기간을 정하고 있는 것은, 법적 안정성만을 지나치게 중시한 나머지 사후에 공동상속인이 된 자의 권리구제 실효성을 외면하는 것이므로, 심판대상조항은 입법형성의 한계를 일탈하여 청구인의 재산권 및 재판청구권을 침해한다.

② (O) 헌재 2005.3.31. 2004헌가27

③ (O)

> '조세범 처벌절차법'에 따른 통고처분은 형벌의 비범죄화 정신에 접근하는 제도로서 형벌적 제재의 불이익을 감면해주는 제도이다. 심판대상조항으로 인해 통고처분을 받은 당사자가 행정쟁송을 제기하는 등으로 적극적·능동적으로 다툴 수는 없지만, 통고받은 벌금상당액을 납부하지 않음으로써 고발, 나아가 형사재판절차로 이행되게 하여, 여기에서 재판절차에 따라 법관에 의한 판단을 받을 수 있으므로, 당사자에게는 정식재판의 절차도 보장되어 있다. '조세범 처벌절차법'에 따른 통고처분에 대하여 형사절차와 별도의 행정쟁송절차를 두는 것은 신속한 사건 처리를 저해할 수 있고, 절차의 중복과 비효율을 초래할 수 있다. 위와 같은 점을 종합하여 보면, '조세범 처벌절차법'에 따른 통고처분에 대하여 행정쟁송을 배제하고 있는 입법적 결단이 현저히 불합리하다고 보기 어렵다. 따라서 심판대상조항이 청구인의 재판청구권을 침해한다고 할 수 없다. (헌재 2024.4.25. 2022헌마251)

④ (X) 심판대상조항은 무죄추정의 원칙에 위반된다고 볼 수 없다. 심판대상조항은 과잉금지원칙에 반하여 의료급여기관 개설자의 재산권을 침해한다.

> 의료급여기관이 의료법 제33조 제2항을 위반하였다는 사실을 수사기관의 수사 결과로 확인한 경우 시장·군수·구청장으로 하여금 의료급여비용의 지급을 보류할 수 있도록 규정한 의료급여법 제11조의5 제1항 중 '의료법 제33조 제2항'에 관한 부분은 헌법에 합치되지 아니한다. (헌재 2024.6.27. 2021헌가19 【헌법불합치(계속적용)】)

정답 ④

009 NEW

재판을 받을 권리에 관한 설명으로 가장 적절한 것은? (다툼이 있는 경우 헌법재판소 판례에 의함)

① 피고인이 정식재판을 청구한 사건에 대하여는 약식명령의 형보다 중한 종류의 형을 선고하지 못하도록 하는 「형사소송법」 조항은 불이익변경금지원칙을 적용하지 않아 과잉금지원칙에 위반되어 피고인의 공정한 재판을 받을 권리를 침해한다.

② 기피신청이 소송의 지연을 목적으로 함이 명백한 경우에는 그러한 신청을 받은 법원 또는 법관이 스스로 신속하게 신청을 기각할 수 있도록 하는 「형사소송법」 조항은, 소송절차의 지연을 목적으로 한 기피신청의 남용을 방지하여 형사소송절차의 신속성의 실현이라는 공익을 달성하기 위한 것으로 헌법 제27조 제1항, 제37조 제2항에 위반된다고 할 수 없다.

③ 교정시설의 장이 미결수용자에게 교정시설 내 규율위반에 대해 징벌을 부과한 뒤 그 규율위반 내용 및 징벌처분 결과 등을 관할 법원에 양형 참고자료로 통보한 것은, 법관이 양형에 참고할 수 있는 자료로 작용할 수 있어 미결수용자의 공정한 재판을 받을 권리를 제한한다.

④ 영상물에 수록된 '19세 미만 성폭력범죄 피해자'의 진술에 관하여 조사 과정에 동석하였던 신뢰관계인의 법정진술에 의하여 그 성립의 진정함이 인정된 경우에도 증거능력을 인정할 수 있도록 정한 「성폭력범죄의 처벌 등에 관한 특례법」 조항 중 해당 부분은, 피고인의 형사절차상 권리의 보장과 미성년 피해자의 보호 사이의 조화를 도모한 것으로 피고인의 공정한 재판을 받을 권리를 침해하지 않는다.

해설

① (×)
> 심판대상조항이 정식재판절차에 불이익변경금지원칙을 적용하지 않은 것은 약식절차의 목적과 특징, 사법 효율성의 도모 필요성, 불이익변경금지원칙 적용에 따른 문제점, 정식재판청구권의 실질적 보장 정도 등을 종합적으로 고려한 것으로 합리적인 이유가 있다. 따라서 심판대상조항이 약식명령에 대하여 피고인만이 정식재판을 청구한 사건에 불이익변경금지원칙을 적용하지 아니하였다는 이유만으로 재판청구권에 관한 합리적인 입법형성권의 범위를 일탈하여 공정한 재판을 받을 권리를 침해한다고 볼 수 없다. (헌재 2024.5.30. 2021헌바6)

② (○) 헌재 2009.12.29. 2008헌바124

③ (×)
> 교정시설의 장이 미결수용자의 교정시설 내 규율위반 내용 및 징벌처분 결과를 법원에 통보한다고 하더라도 이는 법관이 양형에 참고할 수 있는 자료 중 하나로 작용할 수 있을 뿐이고, 그 내용이 공개된 법정에서 양형을 위한 증거조사의 대상이 되는 데에 어떠한 장애가 되거나, 이와 관련한 청구인의 공격·방어권 행사에 영향을 미치는 것은 아니다. 청구인은 그 내용이 양형에 불리하게 작용하지 않도록 자신에게 유리한 주장을 하거나 반증을 제출할 수 있다. 따라서 이 사건 통보행위가 청구인의 공정한 재판을 받을 권리를 제한한다고 보기 어렵다. (헌재 2023.9.26. 2022헌마926)

④ (×)
> 19세 미만 성폭력범죄 피해자의 진술이 수록된 영상물에 관하여 조사 과정에 동석하였던 신뢰관계인 등이 그 성립의 진정함을 인정한 경우 이를 증거로 할 수 있도록 정한, '성폭력범죄의 처벌 등에 관한 특례법' 제30조 제6항 중 '제1항에 따라 촬영한 영상물에 수록된 피해자의 진술은 공판준비기일 또는 공판기일에 조사 과정에 동석하였던 신뢰관계에 있는 사람 또는 진술조력인의 진술에 의하여 그 성립의 진정함이 인정된 경우에 증거로 할 수 있다' 부분 가운데 19세 미만 성폭력범죄 피해자에 관한 부분은 과잉금지원칙을 위반하여 청구인의 공정한 재판을 받을 권리를 침해한다. (헌재 2021.12.23. 2018헌바524[위헌])
> [1] 수단의 적합성도 인정된다.

> **[2] 피해의 최소성**
> 이러한 증인신청이 반드시 받아들여진다거나 이미 자신의 진술에 증거능력을 부여받은 미성년 피해자가 법정에 출석하리라는 보장이 없으므로, 피고인은 여전히 자신이 탄핵하지 못한 진술증거에 의하여 유죄를 인정받을 위험에 놓이게 된다. 따라서 위와 같은 사정을 근거로 피고인의 반대신문권이 보장되고 있다고 볼 수는 없다. 위와 같은 사정들을 종합할 때, 피고인의 반대신문권을 보장하면서도 미성년 피해자를 보호할 수 있는 조화적인 방법을 상정할 수 있음에도, 영상물의 원진술자인 미성년 피해자에 대한 피고인의 반대신문권을 실질적으로 배제하여 피고인의 방어권을 과도하게 제한하는 심판대상조항은 피해의 최소성 요건을 갖추지 못하였다.

정답 ②

010 23 법원직

다음 설명 중 가장 옳지 않은 것은?

① 헌법재판소는 국민참여재판을 받을 권리도 헌법 제27조 제1항에서 규정한 재판을 받을 권리의 보호범위에 속한다고 보고 있다.

② 헌법은 피고인의 반대신문권을 미국이나 일본과 같이 헌법상의 기본권으로까지 규정하지는 않았으나, 「형사소송법」은 제161조의2에서 피고인의 반대신문권을 포함한 교호신문권을 명문으로 규정하여 피고인에게 불리한 증거에 대하여 반대신문할 수 있는 권리를 원칙적으로 보장하고 있는바, 이는 헌법 제12조 제1항, 제27조 제1항·제3항 및 제4항에 의한 공정한 재판을 받을 권리를 구현한 것이다.

③ 「국가보안법」 위반죄로 구속기소된 청구인의 변호인이 청구인의 변론준비를 위하여 피청구인인 검사에게 그가 보관 중인 수사기록 일체에 대한 열람·등사신청을 하였으나 피청구인은 국가기밀의 누설이나 증거인멸, 증인협박, 사생활 침해의 우려 등 정당한 사유를 밝히지 아니한 채 이를 전부 거부한 것은 청구인의 신속·공정한 재판을 받을 권리와 변호인의 조력을 받을 권리를 침해하는 것으로 헌법에 위반된다 할 것이다.

④ 상고심에서 재판을 받을 권리를 헌법상 명문화한 규정이 없는 이상, 헌법 제27조에서 규정한 재판을 받을 권리에 모든 사건에 대해 상고심 재판을 받을 권리까지도 포함된다고 단정할 수 없고, 모든 사건에 대해 획일적으로 상고할 수 있게 할지 여부는 입법재량의 문제라고 할 것이므로 「소액사건심판법」 제3조가 소액사건에 대하여 상고의 이유를 제한하였다고 하여 그것만으로 재판청구권을 침해하였다고 볼 수 없다.

해설

① (X)
> 우리 헌법상 헌법과 법률이 정한 법관에 의한 재판을 받을 권리는 직업법관에 의한 재판을 주된 내용으로 하는 것이므로 국민참여재판을 받을 권리가 헌법 제27조 제1항에서 규정한 재판을 받을 권리의 보호범위에 속한다고 볼 수 없다. (헌재 2009.11.26. 2008헌바12)

② (O) 헌재 2012.7.26. 2010헌바62
③ (O) 헌재 1997.11.27. 94헌마60
④ (O) 헌재 2012.12.27. 2011헌마161

정답 ①

011

다음 설명 중 가장 옳지 않은 것은?

① 소액사건은 「소액사건심판법」이 절차의 신속성과 경제성에 중점을 두어 규정한 심리절차의 특칙에 따라 소송당사자가 소송절차를 남용할 가능성이 다른 민사사건에 비하여 크다고 할 수 있는바, 소송기록에 의하여 청구가 이유 없음이 명백한 때 법원이 변론 없이 청구를 기각할 수 있도록 규정한 「소액사건심판법」 조항은 소액사건에서 남소를 방지하고 이러한 소송을 신속히 종결하고자 필요적 변론원칙의 예외를 규정한 것이므로 재판청구권의 본질적 내용을 침해한다고 볼 수 없다.

② 이해관계인에 대한 매각기일 및 매각결정기일의 통지는 집행기록에 표시된 이해관계인의 주소에 발송하도록 한 「민사집행법」 제104조 제3항의 이해관계인 중 '「민사집행법」 제90조 제3호의 등기부에 기입된 부동산 위의 권리자'에 관한 부분은 재판청구권을 침해한다.

③ 간이기각제도는 형사소송절차의 신속성이라는 공익을 달성하는 데 필요하고 적절한 방법으로써 즉시항고에 의한 불복도 가능하므로, 소송의 지연을 목적으로 함이 명백한 기피신청의 경우 그 신청을 받은 법원 또는 법관이 결정으로 기각할 수 있도록 한 「형사소송법」 제20조 제1항은 공정한 재판을 받을 권리를 침해하지 아니한다.

④ '사형, 무기 또는 10년 이상의 징역이나 금고가 선고된 사건'에 한하여 중대한 사실오인 또는 양형부당을 이유로 한 상고를 허용한 「형사소송법」(1963.12.13. 법률 제1500호로 개정된 것) 제383조 제4호는 재판청구권을 침해하지 아니한다.

해설

① (O) 헌재 2021.6.24. 2019헌바133 등

② (X)

> 다수의 이해관계인이 얽혀 있는 경매절차에서 통상의 송달방법에 의하여서만 경매절차를 진행시켜야 한다면 그 절차의 진행은 지연될 수밖에 없다. 담보권설정등기를 마친 후 주소가 변경된 담보권자는 자신의 권리의 온전한 실현을 위하여 등기명의인표시 변경등기를 할 수 있고 이를 과도한 부담이라고 보기 어렵다. 따라서 심판대상조항은 재판청구권을 침해하지 아니한다. (헌재 2021.4.29. 2017헌바390)

③ (O) 대결 2001.3.21. 2001모2
④ (O) 헌재 2020.7.16. 2020헌바14

정답 ②

012 회독 □□□   23 법원직

다음 설명 중 가장 옳지 않은 것은?

① 근로자의 날을 관공서의 공휴일에 포함시키지 않은 「관공서의 공휴일에 관한 규정」 제2조 본문은 공무원의 평등권을 침해하지 않는다.
② 「공무원연금법」에서 유족급여수급권의 대상을 19세 미만의 자녀로 한정한 것은 19세 이상 자녀들의 재산권과 평등권을 침해하지 않는다.
③ 사법보좌관에게 「민사소송법」에 따른 독촉절차에서의 법원의 사무를 처리할 수 있도록 규정한 「법원조직법」 제54조 제2항 제1호 중 '「민사소송법」에 따른 독촉절차에서의 법원의 사무'에 관한 부분은 법관에 의한 재판받을 권리를 침해하지 않는다.
④ 사법보좌관의 지급명령에 대한 이의신청 기간을 2주 이내로 규정한 「민사소송법」 제470조 제1항 중 '사법보좌관의 지급명령'에 관한 부분은 재판청구권을 침해한다.

해설

① (○) 헌재 2022.8.31. 2020헌마1025【기각】
② (○) 헌재 2019.11.28. 2018헌바335
③ (○) ④ (×)

> [1] 사법보좌관의 처분에 대하여는 법원조직법에서 법관에게 이의신청을 할 수 있음을 명시하고 있고, 이를 통해 법관에 의한 사실확정과 법률의 해석·적용의 기회를 보장하고 있다. 따라서 이 사건 법원조직법 조항이 입법재량권의 한계를 벗어난 자의적인 입법으로 법관에 의한 재판받을 권리를 침해한다고 할 수 없다.
> [2] 재판을 청구할 수 있는 기간을 정하는 것은 입법자가 그 입법형성재량에 기초한 정책적 판단에 따라 결정할 문제이고 합리적인 재량의 한계를 일탈하지 아니하는 한 위헌이라고 판단할 것은 아니다. (헌재 2020.12.23. 2019헌바353)

정답 ④

기출지문 OX

형의 선고와 함께 소송비용 부담의 재판을 받은 피고인이 '빈곤'을 이유로 해서만 집행면제를 신청할 수 있도록 한 「형사소송법」 제487조 중 제186조 제1항 본문에 따른 소송비용에 관한 부분은 피고인의 재판청구권을 침해하지 아니다. 24 국회8급 (○ / ×)

> **해설** '빈곤'은 경제적 사정으로 소송비용을 납부할 수 없는 경우를 지칭하는 것으로 해석될 수 있으므로 집행면제 신청 조항은 명확성원칙에 위배되지 않는다. 집행면제 신청 조항은 피고인의 재판청구권을 침해하지 아니한다. (헌재 2021.2.25. 2019헌바64)

정답 ○

예상판례

송달받을 자가 전산정보처리시스템에 등재된 전자문서를 확인하지 않더라도 그 등재 사실을 통지한 날부터 1주가 지나면 송달된 것으로 보는 민사소송 등에서의 전자문서 이용 등에 관한 법률 제11조 제4항 단서는 헌법에 위반되지 아니한다. (헌재 2024.7.18. 2022헌바4【합헌, 각하】)

013

재판청구권에 대한 설명으로 옳은 것은?

① 선거범죄에 대한 재정신청절차에서 사전에 「검찰청법」상의 항고를 거치도록 한 것은 신속한 재판을 받을 권리를 침해한다.
② 운전자의 업무상 과실 또는 중대한 과실로 인하여 교통사고 피해자가 '중상해가 아닌 상해'를 입은 경우, 가해 운전자에 대하여 공소를 제기할 수 없도록 한 것은 과잉금지원칙에 반한다.
③ '피고인이 스스로 치료감호를 청구할 수 있는 권리'는 헌법상 재판청구권의 보호범위에 포함된다.
④ 현역병의 군대 입대 전 범죄에 대한 군사법원의 재판권을 규정하고 있는 「군사법원법」 조항은 재판청구권을 침해하지 않는다.

해설

① (✗)

> 형사소송법 제260조 제2항의 항고전치주의는 재정신청 남용의 폐해를 줄이기 위한 방안으로 도입된 것인데, 검찰 항고제도는 상급 검찰청이 해당 불기소처분을 재검토하여 항고가 이유 있다고 인정할 경우에는 그 처분을 경정하도록 함으로써 사건관계인의 신속한 권리구제에 이바지하는 측면이 있다. 따라서 형사소송법 제260조 제2항의 항고전치주의가 합리적 근거없이 자의적으로 신속한 재판을 받을 권리를 침해하는 것이라고 볼 수 없다. (헌재 2015.2.26. 2014헌바181)

② (✗)

> **교통사고처리특례법** (헌재 2009.2.26. 2005헌마764 등【위헌】)
> [1] 국가의 기본권 보호의무를 위반한 것은 아니다.
> 형벌은 국가가 취할 수 있는 유효·적절한 수많은 수단 중의 하나일 뿐이지, 결코 형벌까지 동원해야만 보호법익을 유효·적절하게 보호할 수 있다는 의미의 최종적인 유일한 수단이 될 수는 없다고 할 것이다. 따라서 이 사건 법률조항은 국가의 기본권 보호의무의 위반 여부에 관한 심사기준인 과소보호금지의 원칙에 위반한 것이라고 볼 수 없다.
> [2] **교통사고 피해자가 업무상 과실 또는 중대한 과실로 인하여 '중상해'를 입은 경우에 공소를 제기하지 못하는 것은 헌법에 위반된다.**
> 가. 이 사건 법률조항은 과잉금지원칙에 위반하여 업무상 과실 또는 중대한 과실에 의한 교통사고로 중상해를 입은 피해자의 재판절차진술권을 침해한 것이라고 할 것이다.
> 나. 이 사건 법률조항으로 인하여 단서조항에 해당하지 아니하는 교통사고로 중상해를 입은 피해자를 단서조항에 해당하는 교통사고의 중상해 피해자 및 사망사고의 피해자와 재판절차진술권의 행사에 있어서 달리 취급한 것은 단서조항에 해당하지 아니하는 교통사고로 중상해를 입은 피해자들의 평등권을 침해하는 것이라고 할 것이다.
> [3] 교통사고 피해자가 업무상 과실 또는 중대한 과실로 인하여 '중상해가 아닌 상해'를 입은 경우에 공소를 제기하지 못해도 합헌이다.
> 형사에 관한 법률이 위헌이 되면 소급효가 인정되지만, 불처벌의 특례는 소급효가 인정되지 않는다

③ (✗)

> '피고인 스스로 치료감호를 청구할 수 있는 권리'가 헌법상 재판청구권의 보호범위에 포함된다고 보기는 어렵고, 검사뿐만 아니라 피고인에게까지 치료감호청구권을 주어야만 절차의 적법성이 담보되는 것도 아니므로, 이 사건 법률조항이 청구인의 재판청구권을 침해하거나 적법절차의 원칙에 반한다고 볼 수 없다. (헌재 2010.4.29. 2008헌마622)

④ (○) 헌재 2009.7.30. 2008헌바162

정답 ④

014

재판청구권에 대한 설명으로 옳은 것은? (다툼이 있는 경우 판례에 의함)

① 정식재판 청구기간을 약식명령의 고지를 받은 날로부터 7일 이내로 정하고 있는 「형사소송법」 조항은 합리적인 입법재량의 범위를 벗어나 약식명령 피고인의 재판청구권을 침해한다.
② 항소심 확정판결에 대한 재심소장에 붙일 인지액을 항소장에 붙일 인지액과 같게 정한 「민사소송 등 인지법」 조항은 항소심 확정판결에 대해서 재심을 청구하는 사람의 재판청구권을 침해하지 아니한다.
③ 헌법 제27조 제1항이 규정하는 '법률에 의한' 재판청구권을 보장하기 위해서는 입법자에 의한 재판청구권의 구체적 형성이 불가피하므로 입법자의 광범위한 입법재량이 인정되며, 그러한 입법을 함에 있어서 헌법 제37조 제2항의 비례의 원칙은 적용되지 않는다.
④ 심리불속행 상고기각판결의 경우 판결이유를 생략할 수 있도록 규정한 「상고심절차에 관한 특례법」 조항은 재판의 본질에 반하여 당사자의 재판청구권을 침해한다.

해설

① (×)
> 정식재판청구서에는 불복의 이유를 따로 기재할 필요가 없으므로 약식명령에 대한 불복 여부의 결정에 많은 시간과 노력이 소요된다고 보기도 어렵다. 따라서 이 사건 법률조항이 합리적인 입법재량의 범위를 벗어나 약식명령 피고인의 재판청구권을 침해한다고 볼 수 없다. (헌재 2013.10.24. 2012헌바428)

② (○) 헌재 2017.8.31. 2016헌바447

③ (×)
> '법률에 의한' 재판청구권을 보장하기 위해서는 입법자에 의한 재판청구권의 구체적 형성이 불가피하므로 입법자의 광범위한 입법재량이 인정된다. 그러나 그러한 입법을 함에 있어서는 헌법 제37조 제2항의 비례의 원칙이 준수되어야 하고, 특히, 당해 입법이 단지 법원에 제소할 수 있는 형식적인 권리나 이론적인 가능성만을 허용하는 것이어서는 아니 되고, 상당한 정도의 권리구제의 실효성이 보장되도록 하여야 한다. (헌재 2001.6.28. 2000헌바77)

④ (×)
> 심리불속행 상고기각판결에 이유를 기재한다고 해도, 당사자의 상고이유가 법률상의 상고이유를 실질적으로 포함하고 있는지 여부만을 심리하는 심리불속행재판의 성격 등에 비추어 현실적으로 특례법 제4조의 심리속행사유에 해당하지 않는다는 정도의 이유 기재에 그칠 수밖에 없고, 나아가 그 이상의 이유 기재를 하게 하더라도 이는 법령해석의 통일을 주된 임무로 하는 상고심에게 불필요한 부담만 가중시키는 것으로서 심리불속행제도의 입법취지에 반하는 결과를 초래할 수 있으므로, 특례법 제5조 제1항은 재판청구권 등을 침해하지 않는다. (헌재 2012.5.31. 2010헌마625 등【기각】)

정답 ②

015　22 국회8급

청구권적 기본권에 대한 설명으로 옳지 않은 것은? (다툼이 있는 경우 헌법재판소 판례에 의함)

① 재판청구기간에 관한 입법자의 재량과 관련하여 제소기간 또는 불복기간을 너무 짧게 정하여 재판을 제기하거나 불복하는 것을 사실상 불가능하게 하거나 합리적인 이유로 정당화될 수 없는 방법으로 이를 어렵게 한다면 재판청구권은 사실상 형해화될 수 있으므로, 이러한 점에서 입법형성권의 한계가 있다.

② 지방공무원이 면직처분에 대해 불복할 경우 소청심사청구기간을 처분사유 설명서 교부일부터 30일 이내로 정한 것은 일반행정심판 청구기간 또는 행정소송 제기기간인 처분이 있음을 안 날부터 90일보다 짧기는 하나, 지방공무원의 권리구제를 위한 재판청구권의 행사를 불가능하게 하거나 형해화한다고 볼 수는 없다.

③ 직권면직처분을 받은 지방공무원이 그에 대해 불복할 경우 행정소송의 제기에 앞서 반드시 소청심사를 거치도록 규정한 것은 재판청구권을 침해하거나 평등원칙에 위반된다고 볼 수 없다.

④ 입법자는 행정심판을 통한 권리구제의 실효성, 행정청에 의한 자기 시정의 개연성, 문제되는 행정처분의 특수성 등을 고려하여 행정심판을 임의적 전치절차로 할 것인지, 아니면 필요적 전치절차로 할 것인지를 결정할 입법형성권을 가지고 있다.

⑤ 재판청구권과 같은 절차적 기본권은 원칙적으로 제도적 보장의 성격이 강하기 때문에, 자유권적 기본권 등 다른 기본권의 경우와 비교하여 볼 때 상대적으로 광범위한 입법형성권이 인정되므로, 관련 법률에 대한 위헌심사기준은 과잉금지원칙이 적용된다.

해설

① (O) ② (O) ③ (O) ④ (O) 헌재 2015.3.26. 2013헌바186
⑤ (X) 재판청구권과 같은 절차적 기본권은 원칙적으로 제도적 보장의 성격이 강하기 때문에, 자유권적 기본권 등 다른 기본권의 경우와 비교하여 볼 때 상대적으로 광범위한 입법형성권이 인정된다. 따라서 위헌심사기준은 완화된 기준이 적용된다.

정답 ⑤

016 회독 ☐☐☐ 재구성   22 입시

재판을 받을 권리에 대한 설명으로 옳은 것은? (다툼이 있는 경우 판례에 의함)

① 형사피해자가 약식명령을 고지받지 못한다고 하여 형사재판절차에서의 참여기회가 완전히 봉쇄되어 있다고 볼 수 없으므로 형사피해자의 재판절차진술권을 침해하는 것은 아니다.
② 재판청구권은 민사재판·형사재판·행정재판을 받을 권리를 의미하므로, 헌법상 보장되는 기본권인 '공정한 재판을 받을 권리'에는 '공정한 헌법재판을 받을 권리'는 포함되지 아니한다.
③ 공시송달의 방법으로 기일통지서를 송달받은 당사자가 변론기일에 출석하지 아니한 경우 자백간주규정을 준용하지 않는 「민사소송법」 규정은 상대방의 효율적이고 공정한 재판을 받을 권리를 침해한다.
④ 학교법인의 기본재산을 매도함에 있어 관할청의 허가를 받도록 하는 「사립학교법」 규정은 강제경매절차를 통하여 사법적 청구권을 실현하려는 채권자 내지 최고가매수신고인의 신속한 재판을 받을 권리를 침해한다.

해설

① (O)

> 형사피해자에게 약식명령을 고지하지 않고, 정식재판청구권도 인정하지 않는 형사소송법 제452조 및 제453조 제1항은 모두 헌법에 위반되지 않는다. (헌재 2019.9.26. 2018헌마1015【기각】)
> 형사피해자가 약식명령을 고지받지 못한다고 하여 형사재판절차에서의 참여기회가 완전히 봉쇄되어 있다고 볼 수 없다. 따라서 이 사건 고지조항은 형사피해자의 재판절차진술권을 침해하지 않는다.

② (X) '공정한 헌법재판을 받을 권리'도 재판청구권에 포함된다.

③ (X)

> 한쪽당사자가 불출석함으로써 자백으로 간주된 경우에도 그 당사자가 이후 사실심의 변론기일에 출석하여 그 자백을 취소하면, 상대방 당사자는 여전히 자신이 주장한 사실에 대한 증명책임을 지므로, 자백간주의 배제가 상대방 당사자에게 불리하게 작용하는 정도는 그다지 크지 않고, 공시송달에 따라 한쪽당사자의 출석 없이도 소송절차는 그대로 진행됨으로써 그 상대방 당사자는 신속한 재판을 받을 수 있게 되므로, 공시송달의 경우 자백간주를 배제한다고 하여 민사소송에서 대립당사자에 적용되는 절차상 공정성이 훼손된다고 볼 수도 없다. 따라서 이 사건 법률조항은 공시송달로 기일통지를 받은 당사자의 대립당사자가 가지는 효율적이고 공정한 재판을 받을 권리를 침해하지 아니한다. (헌재 2013.3.21. 2012헌바128)

④ (X)

> 이 사건 법률조항에 의하여 학교법인의 기본재산에 대한 강제경매절차에서 관할청의 허가가 없으면 경매가 개시되더라도 매각허가결정을 받을 수 없어 매각이 불허가되는 사태가 반복됨으로써 결과적으로 강제경매를 신청한 학교법인의 채권자나 경매절차를 통해 학교법인의 기본재산을 취득하려는 자들의 신속한 재판을 받을 권리가 일부 제한되고 있다. 하지만 학교법인의 기본재산에 대한 강제경매의 경우에 학교법인의 전반적인 재정상태에 대해 파악하고 있는 관할청으로 하여금 사립학교법 제28조 제1항의 입법취지 등을 고려하여 그 허가 여부를 최종 결정하도록 함으로써 확보하려는 학교재정의 건전화라는 공익상의 필요가 학교법인의 채권자가 입는 절차의 지연이라는 희생보다 더 크고, 학교법인의 채권자 등으로서는 학교법인의 정관이나 재산목록을 열람하여 이 사건 법률조항으로 인한 불측의 손해를 어느 정도 예방할 수 있다고 보여지므로, 위와 같은 제한이 필요한 정도를 넘은 과도한 제한이라고 보기는 어렵다. 따라서 이 사건 법률조항은 학교법인의 채권자 등의 신속한 재판을 받을 권리를 침해하지 아니한다. (헌재 2012.2.23. 2011헌바14)

정답 ①

017

재판청구권에 관한 다음 설명 중 가장 옳지 않은 것은?

① 군인이 상관의 지시나 명령에 대하여 재판청구권을 행사하는 경우에 그것이 위법·위헌인 지시와 명령을 시정하려는 데 목적이 있을 뿐, 군 내부의 상명하복관계를 파괴하고 명령불복종 수단으로서 재판청구권의 외형만을 빌리거나 그 밖에 다른 불순한 의도가 있지 않다면, 정당한 기본권의 행사이므로 군인의 복종의무를 위반하였다고 볼 수 없다.

② 「특허법」이 규정하고 있는 30일의 제소기간은 90일의 제소기간을 규정하고 있는 「행정소송법」에 비하여 지나치게 짧아 특허무효심결에 대하여 소송으로 다투고자 하는 당사자의 재판청구권 행사를 불가능하게 하거나 현저히 곤란하게 하여 헌법에 위반된다.

③ 법정소동죄 등을 규정한 「형법」 제138조에서의 '법원의 재판'에 헌법의 규정에 따라 헌법재판소가 담당하게 된 '헌법재판'도 포함된다.

④ 헌법 제27조 제1항의 재판청구권은 법적 분쟁의 해결을 가능하게 하는 적어도 한번의 권리구제절차가 개설될 것을 요청할 뿐 아니라 그를 넘어서 소송절차의 형성에 있어서 실효성 있는 권리보호를 제공하기 위하여 그에 필요한 절차적 요건을 갖출 것을 요청한다.

해설

① (○) 대판 2018.3.22. 2012두26401 전원합의체

② (✕) 개별법에서 행정소송법보다 짧은 제소기간을 규정하고 있다고 해서 그것만으로 위헌인 것은 아니다.

> 특허법은 심판장으로 하여금 30일의 제소기간에 부가기간을 정할 수 있도록 하고 있고, 제소기간 도과에 대하여 추후보완이 허용되기도 하는 점 등을 종합하여 보면, 이 사건 제소기간조항이 정하고 있는 30일의 제소기간이 지나치게 짧아 특허무효심결에 대하여 소송으로 다투고자 하는 당사자의 재판청구권 행사를 불가능하게 하거나 현저히 곤란하게 한다고 할 수 없으므로, 재판청구권을 침해하지 아니한다. (헌재 2018.8.30. 2017헌바258)

③ (○)

> 본조에서의 법원의 재판에 헌법재판소의 심판이 포함된다고 보는 해석론은 문언이 가지는 가능한 의미의 범위 안에서 그 입법취지와 목적 등을 고려하여 문언의 논리적 의미를 분명히 밝히는 체계적 해석에 해당할 뿐, 피고인에게 불리한 확장해석이나 유추해석이 아니라고 볼 수 있다. (대판 2021.8.26. 2020도12017)

④ (○) 헌재 2002.10.31. 2001헌바40

018 재구성

재판청구권에 대한 설명으로 옳지 않은 것은? (다툼이 있는 경우 판례에 의함)

① 법관에 의한 재판을 받을 권리를 보장한다고 함은 결국 법관이 사실을 확정하고 법률을 해석·적용하는 재판을 받을 권리를 보장한다는 뜻이고, 그와 같은 법관에 의한 사실확정과 법률의 해석 적용의 기회에 접근하기 어렵도록 제약이나 장벽을 쌓는 것은 허용되지 않는다.
② 디엔에이감식시료채취영장 발부과정에서 채취대상자에게 자신의 의견을 밝히거나 영장 발부 후 불복할 수 있는 절차 등에 관하여 규정하지 아니한 「디엔에이신원확인정보의 이용 및 보호에 관한 법률」의 조항은 채취대상자들의 재판청구권을 침해한다.
③ 헌법해석상 국회가 선출하여 임명된 헌법재판소의 재판관 중 공석이 발생한 경우에 국회가 공정한 헌법재판을 받을 권리의 보장을 위하여 공석인 재판관의 후임자를 선출하여야 할 구체적 작위의무를 부담한다고 볼 수는 없다.
④ '헌법과 법률이 정한 법관에 의하여 법률에 의한 재판을 받을 권리'가 사건의 경중을 가리지 않고 모든 사건에 대하여 대법원을 구성하는 법관에 의한 재판을 받을 권리를 의미한다거나 또는 상고심재판을 받을 권리를 의미하는 것이라고 할 수는 없다.

해설

① (O) [17 법무사]
② (O) [21 서울·지방7급]

> 이 사건 영장절차조항은 이와 같이 신체의 자유를 제한하는 디엔에이감식시료 채취과정에서 중립적인 법관이 구체적 판단을 거쳐 발부한 영장에 의하도록 함으로써 법관의 사법적 통제가 가능하도록 한 것이므로, 그 목적의 정당성 및 수단의 적합성은 인정된다. … 발부 후 그 영장 발부에 대하여 불복할 수 있는 기회를 주거나 채취행위의 위법성확인을 청구할 수 있도록 하는 구제절차마저 마련하고 있지 않다. 위와 같은 입법상의 불비가 있는 이 사건 영장절차조항은 채취대상자인 청구인들의 재판청구권을 과도하게 제한하므로, 침해의 최소성원칙에 위반된다. (헌재 2018.8.30. 2016헌마344 등)

③ (X) [21 서울·지방7급]

> 헌법 제27조가 보장하는 재판청구권에는 공정한 헌법재판을 받을 권리도 포함되고, 헌법 제111조 제2항은 헌법재판소가 9명의 재판관으로 구성된다고 명시하여 다양한 가치관과 헌법관을 가진 9명의 재판관으로 구성된 합의체가 헌법재판을 담당하도록 하고 있으며, 같은 조 제3항은 재판관 중 3명은 국회에서 선출하는 자를 임명한다고 규정하고 있다. 그렇다면 헌법 제27조, 제111조 제2항 및 제3항의 해석상, 피청구인이 선출하여 임명된 재판관 중 공석이 발생한 경우, 국회는 공정한 헌법재판을 받을 권리의 보장을 위하여 공석인 재판관의 후임자를 선출하여야 할 구체적 작위의무를 부담한다고 할 것이다. (헌재 2014.4.24. 2012헌마2)

④ (O) 모든 사건에서 대법원의 재판을 받을 권리가 인정되는 것은 아니다. [21 서울·지방7급]

정답 ③

019

재판청구권에 대한 설명으로 옳지 않은 것은? (다툼이 있는 경우 판례에 의함)

① 「형사소송법」상 즉시항고 제기기간을 3일로 제한하고 있는 것은 헌법상 재판청구권을 공허하게 하므로 입법재량의 한계를 일탈하여 재판청구권을 침해한다.
② 법관에 대한 징계처분 취소청구소송을 대법원의 단심재판에 의하도록 규정한 「법관징계법」 조항은 재판청구권을 침해한다고 볼 수 없다.
③ 항소심에서 심판대상이 된 사항에 한하여 법령 위반의 상고이유로 삼을 수 있도록 상고를 제한하는 「형사소송법」 규정은 재판청구권을 침해하여 위헌이다.
④ 재심사유를 알고도 주장하지 아니한 때에는 재심의 소를 제기할 수 없도록 규정한 「민사소송법」 규정은 재판청구권을 침해하지 않는다.
⑤ 무죄판결이 확정된 형사피고인에게 국선변호인의 보수에 준하여 변호사 보수를 보상하여 주도록 규정한 「형사소송법」 규정은 재판청구권을 침해하지 않는다.

해설

① (O) 헌재 2018.12.27. 2015헌바77 등 [21 국회8급]
② (O) 헌재 2012.2.13. 2009헌바34 [21 국회8급]
③ (X) [17 5급행시]

> 항소심의 심판대상이 되지 않았던 사항이라도 항소심판결에 위법이 있는 경우 대법원은 그 위법이 판결에 영향을 미친 헌법·법률·명령 또는 규칙의 위반이라고 판단한 때에는 직권으로 심판할 수 있으므로, 항소심판결 자체의 위법을 시정할 기회는 피고인들에게 보장되어 있다. 그렇다면 항소심에서 심판대상이 된 사항에 한하여 법령 위반의 상고이유로 삼을 수 있도록 상고를 제한하는 형사소송법 조항이 합리적인 입법재량의 한계를 일탈하여 청구인들의 재판청구권을 침해하였다고 볼 수 없다. (헌재 2015.9.24. 2012헌마798)

④ (O) 헌재 2015.12.23. 2015헌바273 [17 5급행시]
⑤ (O) 헌재 2013.8.29. 2012헌바168 [17 5급행시]

정답 ③

020

재판을 받을 권리에 대한 설명으로 옳은 것만을 모두 고르면? (다툼이 있는 경우 판례에 의함)

> ㄱ. 공정한 재판을 받을 권리 속에는 신속하고 공개된 법정의 법관의 면전에서 모든 증거자료가 조사·진술되고 이에 대하여 피고인이 공격·방어할 수 있는 기회가 보장되는 재판, 원칙적으로 당사자주의와 구두변론주의가 보장되어 당사자가 공소사실에 대한 답변과 입증 및 반증을 하는 등 공격, 방어권이 충분히 보장되는 재판을 받을 권리가 포함되어 있다.
> ㄴ. 심급제도는 하급심에서 잘못된 재판을 하였을 때 상소심으로 하여금 이를 바로잡게 하는 것이 재판청구권을 실질적으로 보장하는 방법이 된다는 의미에서 재판청구권을 보장하기 위한 하나의 수단이며, 사법에 의한 권리보호에 관하여 한정된 사법자원의 합리적인 분배의 문제인 동시에 재판의 적정과 신속이라는 상반되는 요청을 어떻게 조화시키느냐의 문제에 속한다.
> ㄷ. 법관의 자격이 없는 법원공무원으로 하여금 소송비용액 확정결정절차 등 재판의 부수적 업무를 처리하게 하는 사법보좌관제도는 법관에 의한 재판을 받을 권리를 침해한다.
> ㄹ. 교도소장이 수형자가 출정비용을 예납하지 않았거나 영치금과의 상계에 동의하지 않았다는 이유로 행정소송 변론기일에 출정을 제한한 행위는 형벌의 집행을 위한 것으로 수형자의 재판청구권을 침해하였다고 볼 수 없다.
> ㅁ. 「군사법원법」의 적용대상이 되는 모든 범죄에 대하여 수사기관의 구속기간의 연장을 허용하는 것은 부적절한 방식에 의한 과도한 기본권 제한으로서, 신체의 자유 및 신속한 재판을 받을 권리를 침해하는 것이다.

① ㄱ, ㄴ, ㄷ   ② ㄱ, ㄴ, ㅁ   ③ ㄴ, ㄹ, ㅁ   ④ ㄷ, ㄹ, ㅁ

해설

ㄱ. (O) 재판을 받을 권리의 내용이다. [21 국가7급]
ㄴ. (O) 심급제도는 사법에 의한 권리보호에 관하여 한정된 법발견 자원의 합리적인 분배의 문제인 동시에 재판의 적정과 신속이라는 서로 상반되는 두 가지의 요청을 어떻게 조화시키느냐의 문제로 돌아가므로 기본적으로 입법자의 형성의 자유에 속하는 사항이다. [21 변호사]
ㄷ. (X) 사법보좌관의 소송비용액 결정에 대해 불복하면 법관에 의한 판단의 기회가 있으므로 헌법에 위반되지 않는다. [18 변호사]
ㄹ. (X) 법정에 출석하지 못하게 하는 것은 재판청구권을 침해하는 것이다. [18 변호사]
ㅁ. (O) 경찰단계에서 구속기간을 연장하는 것은 신속한 재판을 받을 권리를 침해하는 것이다. [18 변호사]

정답 ②

기출지문 OX

수형자와 소송대리인인 변호사와의 접견시간은 일반접견과 동일하게 회당 30분 이내로, 횟수는 다른 일반접견과 합하여 월 4회로 제한하고 있는 구 「형의 집행 및 수용자의 처우에 관한 법률」 및 동법 시행령 등의 규정은 이에 대해 폭넓은 예외를 인정함으로써 그로 인한 피해를 최소화할 수 있는 장치를 마련하고 있으므로 수형자의 재판청구권을 침해하는 것이 아니다. 16 국회8급

(O / X)

해설 수형자(사기미수로 형이 확정된 자)와 그의 민사소송 대리인인 변호사와의 접견시간을 일반접견과 동일하게 회당 30분 이내로, 횟수는 다른 일반접견과 합하여 월 4회로 제한하는 구 형의 집행 및 수용자의 처우에 관한 법률 시행령 및 동법 시행령 각 규정은 청구인의 재판청구권을 침해하므로 헌법에 합치되지 아니한다. (헌재 2015.11.26. 2012헌마858)

정답 X

021 회독 ☐☐☐ 재구성   20 5급행시, 16 국회8급

재판을 받을 권리에 대한 설명으로 옳지 않은 것은? (다툼이 있는 경우 판례에 의함)

① 헌법은 재판의 전심절차로서 행정심판을 할 수 있다고 규정하고 있다.
② 국가의 안전보장 또는 안녕질서를 방해하거나 선량한 풍속을 해할 염려가 있을 때에는 당사자의 청구가 있어야만 법원의 결정에 의해서 심리를 공개하지 않을 수 있다.
③ 국민과 외국인, 사법인과 공법인을 불문하고 재판청구권의 주체가 될 수 있다.
④ 군인 또는 군무원이 아닌 국민은 비상계엄이 선포된 경우 군사법원의 재판을 받을 수 있다.

해설

① (○) [20 5급행시]

> **헌법 제107조**
> ③ 재판의 전심절차로서 행정심판을 할 수 있다. 행정심판의 절차는 법률로 정하되, 사법절차가 준용되어야 한다.

② (✕) 심리의 비공개는 법원의 결정으로 가능하다. 물론 당사자의 청구에 의해 법원이 비공개결정을 하는 것도 가능하다. [20 5급행시]

> **헌법 제109조**
> 재판의 심리와 판결은 공개한다. 다만, 심리는 국가의 안전보장 또는 안녕질서를 방해하거나 선량한 풍속을 해할 염려가 있을 때에는 법원의 결정으로 공개하지 아니할 수 있다.

③ (○) 공법인은 헌법소원의 주체는 아니지만, 일반재판의 청구권은 인정된다. [16 국회8급]
④ (○) [20 5급행시]

> **헌법 제27조**
> 군인 또는 군무원이 아닌 국민은 대한민국의 영역 안에서는 중대한 군사상 기밀·초병·초소·유독음식물공급·포로·군용물에 관한 죄 중 법률이 정한 경우와 비상계엄이 선포된 경우를 제외하고는 군사법원의 재판을 받지 아니한다.

비교조문

> **헌법 제110조**
> ④ 비상계엄하의 군사재판은 군인·군무원의 범죄나 군사에 관한 간첩죄의 경우와 초병·초소·유독음식물공급·포로에 관한 죄 중 법률이 정한 경우에 한하여 단심으로 할 수 있다. 다만, 사형을 선고한 경우에는 그러하지 아니하다.

정답 ②

022

재판을 받을 권리에 대한 설명으로 옳은 것만을 모두 고르면? (다툼이 있는 경우 판례에 의함)

ㄱ. 우리 헌법은 공정하고 신속한 공개재판을 받을 권리를 보장하고 있다.
ㄴ. 우리 헌법은 상고심재판을 받을 권리를 명문화하고 있지는 않지만, 헌법 제27조의 재판을 받을 권리로부터 당연히 도출된다고 볼 수 있다.
ㄷ. 재심은 확정판결에 대한 특별한 불복방법이고 확정판결에 대한 법적 안정성의 요청은 미확정판결에 대한 그것보다 훨씬 크다고 할 것이므로, 재심을 청구할 권리가 헌법 제27조에서 규정한 재판을 받을 권리에 당연히 포함된다고 볼 수는 없다.
ㄹ. 국민의 재판청구에 대하여 법원은 신속한 재판을 하여야 할 헌법 및 법률상 작위의무가 존재한다.
ㅁ. 군사시설 중 전투용에 공하는 시설을 손괴한 일반국민이 항상 군사법원에서 재판받도록 하는 「군사법원법」 조항은 헌법과 법률이 정한 법관에 의한 재판을 받을 권리를 침해한다.

① ㄱ, ㄴ, ㄷ
② ㄱ, ㄷ, ㅁ
③ ㄴ, ㄷ, ㄹ
④ ㄴ, ㄹ, ㅁ

해설

ㄱ. (O) 헌법에는 공개재판과 신속재판에 대한 규정은 있지만, 공정재판에 대한 규정은 없다. 그러나 공정재판도 당연히 기본권으로 인정된다. [20 법원직]

ㄴ. (X) 재판을 받을 권리는 적어도 한 번의 사실심과 법률심을 받을 권리를 말하므로 상고심의 재판을 받을 권리가 모든 재판에 당연히 인정되는 것은 아니다. [20 법원직]

ㄷ. (O) 재심은 적어도 한 번 이상의 사실심과 법률심을 받은 후에 다시 하는 것이므로 재판을 받을 권리에 포함되지 않는다. [20 법원직]

ㄹ. (X) [19 법원직]

> 법원은 민사소송법 제184조에서 정하는 기간 내에 판결을 선고하도록 노력해야 하겠지만, 이 기간 내에 반드시 판결을 선고해야 할 법률상의 의무가 발생한다고 볼 수 없으며, 헌법 제27조 제3항 제1문에 의거한 신속한 재판을 받을 권리의 실현을 위해서는 구체적인 입법형성이 필요하고, 신속한 재판을 위한 어떤 직접적이고 구체적인 청구권이 이 헌법규정으로부터 직접 발생하지 아니하므로, 보안관찰처분들의 취소청구에 대해서 법원이 그 처분들의 효력이 만료되기 전까지 신속하게 판결을 선고해야 할 헌법이나 법률상의 작위의무가 존재하지 아니한다. (헌재 1999.9.16. 98헌마75)

ㅁ. (O) [19 법원직]

> '전투용에 공하는 시설'을 손괴한 군인 또는 군무원이 아닌 국민이 군사법원에서 재판받도록 하는, 구 군사법원법 제2조 제1항 제1호 중 '구 군형법 제1조 제4항 제4호' 가운데 '구 군형법 제69조 중 전투용에 공하는 시설의 손괴죄를 범한 내국인에 대하여 적용되는 부분'은 헌법과 법률이 정한 법관에 의한 재판을 받을 권리를 침해한다. (헌재 2013.11.28. 2012헌가10 등)
> 헌법 제27조 제2항에 규정된 군용물에는 군사시설이 포함되지 않는다. 그렇다면 '군사시설' 중 '전투용에 공하는 시설'을 손괴한 일반 국민이 항상 군사법원에서 재판받도록 하는 이 사건 법률조항은, 비상계엄이 선포된 경우를 제외하고는 '군사시설'에 관한 죄를 범한 군인 또는 군무원이 아닌 일반국민은 군사법원의 재판을 받지 아니하도록 규정한 헌법 제27조 제2항에 위반되고, 국민이 헌법과 법률이 정한 법관에 의한 재판을 받을 권리를 침해한다.

정답 ②

023 [20 입시, 17 서울7급]

재판청구권에 대한 설명으로 옳지 않은 것은? (다툼이 있는 경우 판례에 의함)

① 교원 징계처분에 관하여 재심청구를 거치지 않으면 행정소송을 제기할 수 없도록 하는 것은 재판청구권을 침해하지 않는다.
② 심의위원회의 배상금 등 지급결정에 신청인이 동의한 때에는 국가와 신청인 사이에 「민사소송법」에 따른 재판상 화해가 성립된 것으로 보는 「4·16세월호참사 피해구제 및 지원 등을 위한 특별법」 규정은 신청인의 재판청구권을 침해하지 않는다.
③ 법원 직권으로 원고에게 소송비용에 대한 담보제공을 명할 수 있도록 하고, 원고가 담보를 제공하지 않을 경우 변론 없이 판결로 소를 각하할 수 있다고 규정한 「민사소송법」 조항은 재판청구권을 침해하지 않는다.
④ 행정심판절차의 구체적 형성에 관한 입법자의 입법형성의 한계를 고려할 때, 필요적 전심절차로 규정되어 있는 경우뿐만 아니라 임의적 전심절차로 규정되어 있는 경우에도 반드시 사법절차가 준용되어야 한다.

해설

① (○) [20 입시]
② (○) 재판청구권 침해는 아니지만, 일반적 행동자유권 침해이다. [20 입시]

> [1] 4·16세월호참사 피해구제 및 지원 등을 위한 특별법(이하 '세월호피해지원법'이라 한다) 제16조가 지급결정에 재판상 화해의 효력을 인정함으로써 확보되는 배상금 등 지급을 둘러싼 분쟁의 조속한 종결과 이를 통해 확보되는 피해구제의 신속성 등의 공익은 그로 인한 신청인의 불이익에 비하여 작다고 보기는 어려우므로, 법익의 균형성도 갖추고 있다. 따라서 세월호피해지원법 제16조는 청구인들의 재판청구권을 침해하지 않는다.
> [2] 세월호피해지원법은 배상금 등의 지급 이후 효과나 의무에 관한 일반규정을 두거나 이에 관하여 범위를 정하여 하위법규에 위임한 바가 전혀 없다. 따라서 세월호피해지원법 제15조 제2항의 위임에 따라 시행령으로 규정할 수 있는 사항은 지급신청이나 지급에 관한 기술적이고 절차적인 사항일 뿐이다. 신청인에게 지급결정에 대한 동의의 의사표시 전에 숙고의 기회를 보장하고, 그 법적 의미와 효력에 관하여 안내해 줄 필요성이 인정된다고 하더라도, 세월호피해지원법 제16조에서 규정하는 동의의 효력범위를 초과하여 세월호 참사 전반에 관한 일체의 이의제기를 금지시킬 수 있는 권한을 부여받았다고 볼 수는 없다. 따라서 이의제기금지조항은 법률유보원칙을 위반하여 법률의 근거 없이 대통령령으로 청구인들에게 세월호 참사와 관련된 일체의 이의제기금지의무를 부담시킴으로써 일반적 행동의 자유를 침해한다. (헌재 2017.6.29. 2015헌마654)

③ (○) 헌재 2016.2.25. 2014헌바366 [17 서울7급]

④ (×) [17 서울7급]

> 입법자가 행정심판을 전심절차가 아니라 종심절차로 규정함으로써 정식재판의 기회를 배제하거나 어떤 행정심판을 필요적 전심절차로 규정하면서도 그 절차에 사법절차가 준용되지 않는다면 이는 헌법 제107조 제3항, 나아가 재판청구권을 보장하고 있는 헌법 제27조에도 위반된다고 할 것이다. 반면, 어떤 행정심판절차에 사법절차가 준용되지 않는다고 하더라도 임의적 전치제도로 규정함에 그치고 있다면 위 헌법조항에 위반된다고 할 수 없다. (헌재 2000.6.1. 98헌바8)

정답 ④

🔵 재판상 화해

국가배상심의회의 결정에 재판상 화해와 동일한 효력을 인정하는 것	재판청구권 침해
민주화 운동법에 정신적 보상을 규정하지 않은 것	재판청구권 침해는 아니지만, 국가배상청구권 침해
5·18 민주화 특별법상 재판상 화해를 인정하는 것	국가배상청구권 침해
학교안전공제회의 결정에 재결과 동일한 효력을 인정하는 것	재판청구권 침해
세월호 사건 배상에 대해 일체의 이의를 제기하지 못하게 하는 것	일반적 행동자유권 침해이지만, 재판청구권 침해는 아니다.
특수임무수행자 보상에 재판상 화해와 동일한 효력을 인정하는 것	합헌

024 재구성

19 서울7급(2월), 18 지방7급

재판청구권에 대한 설명으로 옳지 않은 것은? (다툼이 있는 경우 판례에 의함)

① 취소소송의 제소기간을 처분 등이 있음을 안 때로부터 90일 이내로 규정한 것은 지나치게 짧은 기간이라고 보기 어렵고 행정법관계의 조속한 안정을 위해 필요한 방법이므로 재판청구권을 침해하지 않는다.

② '민주화운동 관련자 명예회복 및 보상심의위원회'의 보상금 등 지급결정에 동의한 때 재판상 화해의 성립을 간주함으로써 법관에 의하여 법률에 의한 재판을 받을 권리를 제한하는 법규정은 재판청구권을 침해하지 않는다.

③ 재정신청절차의 신속하고 원활한 진행을 위하여 구두변론의 실시 여부를 법관의 재량에 맡기는 것은 재판청구권을 침해하지 않는다.

④ 「인신보호법」상 피수용자인 구제청구자의 즉시항고 제기기간을 3일로 정한 것은 피수용자의 재판청구권을 침해한다.

⑤ 토지수용위원회의 수용재결서를 받은 날로부터 60일 이내에 보상금증감청구소송을 제기하도록 한 「공익사업을 위한 토지 등의 취득 및 보상에 관한 법률」 조항은 보상금증감청구소송을 제기하려는 토지소유자의 재판청구권을 침해한다.

> **해설**

① (O) [19 서울7급(2월)]

② (O) [19 서울7급(2월)]

> 구 민주화운동 관련자 명예회복 및 보상 등에 관한 법률(이하 '민주화보상법'이라 한다) 제18조 제2항의 '민주화운동과 관련하여 입은 피해' 중 불법행위로 인한 정신적 손해에 관한 규정이 없다는 것은 헌법에 위반된다. (헌재 2018.8.30. 2014헌바180 등【일부위헌】)
> [1] 심판대상조항은 명확성원칙에 위반되지 아니한다.
> [2] 민주화보상법은 관련 규정을 통하여 보상금 등을 심의·결정하는 위원회의 중립성과 독립성을 보장하고 있고, 심의절차의 전문성과 공정성을 제고하기 위한 장치를 마련하고 있으며, 신청인으로 하여금 그에 대한 동의 여부를 자유롭게 선택하도록 정하고 있다. 따라서 심판대상조항은 관련자 및 유족의 재판청구권을 침해하지 아니한다.
> [3] 민주화보상법상 보상금 등에는 적극적·소극적 손해 내지 손실에 대한 배·보상의 성격이 포함되어 있다. 그러므로 관련자와 유족이 위원회의 보상금 등 지급결정이 일응 적절한 배·보상에 해당된다고 판단하여 이에 동의하고 보상금 등을 수령한 경우 보상금 등의 성격과 중첩되는 적극적·소극적 손해에 대한 국가배상청구권의 추가적 행사를 제한하는 것은, 동일한 사실관계와 손해를 바탕으로 이미 적절한 보상을 받았음에도 불구하고 다시 동일한 내용의 손해배상청구를 금지하는 것이므로, 이를 지나치게 가혹한 제재로 볼 수 없다. 다음으로, 정신적 손해에 대한 국가배상청구권 침해 여부에 대하여 살펴본다. 앞서 살펴본 바와 같이 민주화보상법상 보상금 등에는 정신적 손해에 대한 배상이 포함되어 있지 않음을 알 수 있다. 이처럼 정신적 손해에 대해 적절한 배상이 이루어지지 않은 상태에서 적극적·소극적 손해 내지 손실에 상응하는 배·보상이 이루어졌다는 사정만으로 정신적 손해에 관한 국가배상청구마저 금지하는 것은, 해당 손해 내지 손실에 관한 적절한 배·보상이 이루어졌음을 전제로 하여 국가배상청구권 행사를 제한하려 한 민주화보상법의 입법목적에도 부합하지 않으며, 국가의 기본권 보호의무를 규정한 헌법 제10조 제2문의 취지에도 반하는 것으로서, 지나치게 가혹한 제재에 해당한다. 따라서 심판대상조항 중 정신적 손해에 관한 부분은 관련자와 유족의 국가배상청구권을 침해한다.

③ (O) 헌재 2018.4.26. 2016헌마1043 [19 서울7급(2월)]

④ (O) [18 지방7급]

> 이 사건 법률조항은 인신보호법상 구제청구에 대한 결정의 즉시항고 제기기간을 지나치게 짧게 정하여 항고제기를 매우 어렵게 하고 있는바, 이는 헌법상 재판청구권을 공허하게 만드는 것이므로, 입법재량의 한계를 일탈한 것으로서 피수용자의 재판청구권을 침해한다. (헌재 2015.9.24. 2013헌가21)
> [1] 신체의 자유에 대한 제약은 재판청구권에 대한 제한으로 야기되는 부수적 현상에 불과한 점 등을 종합하면, 이 사건 법률조항으로 신체의 자유가 제한된다고 보기는 어렵다.

CHAPTER 06 청구권적 기본권   0641

[2] 제청법원이 제기하는 평등권의 문제는, 인신보호법상 피수용자가 형사소송법상 재소자에 준하는 인신구속상태에 있음에도, 전자의 경우는 후자의 경우와 달리 기간에 관한 특칙이 적용되지 않는 점에서 비롯된다. 그러나 이는 단기로 설정된 즉시항고기간의 위헌성을 다투는 취지가 아니라, 이 사건 법률조항의 적용과 관련하여 형사소송법상의 특칙과 같은 규정을 마련해 두지 않음으로 인한 위헌성을 제기하는 것으로서, 이러한 취지의 주장에 대해서는 재판청구권 침해 여부를 판단함에 있어 고려하면 족하다고 할 것이므로, 평등권 침해 여부는 별도로 판단하지 않는다.

⑤ (✗) 행정소송법상 제소기간보다 짧게 규정되어 있지만 재판청구권 침해가 아니다. 다만, 지금은 90일 이내로 개정되었다. [18 지방7급]

정답 ⑤

025 재구성 [18 국회8급·변호사]

재판을 받을 권리에 대한 설명으로 옳지 않은 것은? (다툼이 있는 경우 판례에 의함)

① 기피신청에 대한 재판을, 그 신청을 받은 법관의 소속 법원 합의부에서 하도록 한 「민사소송법」 조항은 재판청구권 또는 공정한 재판을 받을 권리를 침해하지 않는다.
② 상속재산 분할에 관한 사건을 가사비송사건으로 분류하고 있는 「가사소송법」 조항은 사건을 제기하는 자의 공정한 재판을 받을 권리를 침해하지 않는다.
③ 변호인과 증인 사이에 차폐시설을 설치하여 증인신문을 진행할 수 있도록 규정한 「형사소송법」 조항은 공정한 재판을 받을 권리를 침해하지 않는다.
④ 특허쟁송에 있어서 특허청의 심판과 항고심판을 거쳐 곧바로 법률심인 대법원의 재판을 받게 하는 것은 법관에 의한 재판을 받을 권리를 침해한다.
⑤ 법무부 징계위원회의 결정에 대하여 불복이 있는 경우 그 결정이 법령 위반을 이유로 한 경우에만 대법원에 즉시항고를 허용하는 「변호사법」 조항은 재판청구권 또는 공정한 재판을 받을 권리를 침해하지 않는다.

해설

① (O) [18 국회8급]

법관 기피신청에 대한 재판을 당해 법관 소속 법원 합의부에서 하는 것은 헌법에 위배되지 않는다. (헌재 2013.3.28. 2011헌바219)
재판이 공정하여야만 할 것은 당연한 전제이므로 '공정한 재판을 받을 권리'는 헌법 제27조의 재판청구권에 의하여 함께 보장된다. 그리고 헌법 제27조 제1항에서 명시적으로 규정하고 있는 바와 같이, 헌법상 재판을 받을 권리라 함은 '법관에 의하여' 재판을 받을 권리를 의미한다.

② (O) [18 국회8급]

가사비송조항이 상속재산 분할에 관한 사건을 가사비송사건으로 규정하였다고 하여도 이것이 입법재량의 한계를 일탈하여 상속재산 분할에 관한 사건을 제기하고자 하는 자의 공정한 재판을 받을 권리를 침해한다고 볼 수 없다. (헌재 2017.4.27. 2015헌바24)
공동상속인 간의 공평을 기하고자 하는 특별수익자조항의 입법취지에 비추어 볼 때, 이 사건 특별수익조항이 특별수익자가 배우자인 경우 특별수익 산정에 관한 예외규정을 두지 않은 것에는 그 정당성과 합리성이 인정된다. … 특별수익자조항이 특별수익자가 배우자인 경우 특별수익 산정에 관한 예외규정을 두지 않았다고 하더라도 이것이 입법자에게 주어진 입법재량의 한계를 벗어나 배우자인 상속인의 재산권을 침해한다고 볼 수 없다.

③ (O) [18 국회8급]

강력범죄 또는 조직폭력범죄의 수사와 재판에서 범죄입증을 위해 증언한 자의 안전을 효과적으로 보장해 줄 수 있는 조치가 마련되어야 할 필요성은 매우 크고, 경우에 따라서는 증인이 피고인의 변호인과 대면하여 진술하는 것으로부터 보호할 필요성이 있을 수 있다. 피고인 등과 증인 사이에 차폐시설을 설치한 경우에도 피고인 및 변호인에게는 여전히 반대신문권이 보장되고, 증인신문과정에서 증언의 신빙성에 대한 최종판단권한을 가진 재판부가 증인의 진술태도를 충분히 관찰할 수 있으며, 형사소송법은 차폐시설을 설치하고 증인신문절차를 진행할 경우 피고인으로부터 의견을 듣도록 하는 등 피고인이 받을 수 있는 불이익을 최소화하기 위한 장치를 마련하고 있다. 따라서 심판대상조항은 과잉금지원칙에 위배되어 청구인의 공정한 재판을 받을 권리 및 변호인의 조력을 받을 권리를 침해한다고 할 수 없다. (헌재 2016.12.29. 2015헌바221)

④ (O) 재판을 받을 권리는 헌법과 법률이 정한 법관에 의한 적어도 한 번의 사실심과 법률심을 받을 권리를 말한다. 그런데 특허의 경우에 1심과 2심을 모두 특허청에서 함으로써 법관에 의한 사실심을 받을 권리가 침해되는 것이다. 대법원에서는 원칙적으로 사실심을 하지 않기 때문이다. [18 변호사]

⑤ (X) [18 국회8급]

대한변호사협회 변호사징계위원회나 법무부 변호사징계위원회의 징계에 관한 결정은 비록 그 징계위원 중 일부로 법관이 참여한다고 하더라도 이를 헌법과 법률이 정한 법관에 의한 재판이라고 볼 수 없으므로, 법무부 변호사징계위원회의 결정이 법률에 위반된 것을 이유로 하는 경우에 한하여 법률심인 대법원에 즉시항고할 수 있도록 한 변호사법 제81조 제4항 내지 제6항은 법관에 의한 사실확정 및 법률 적용의 기회를 박탈한 것으로서 헌법상 국민에게 보장된 '법관에 의한' 재판을 받을 권리를 침해하는 위헌규정이다. (헌재 2000.6.29. 99헌가9)

정답 ⑤

026 회독 ☐☐☐ 재구성   18 서울7급, 10 법무사

재판을 받을 권리에 대한 설명으로 옳지 않은 것은? (다툼이 있는 경우 판례에 의함)

① 국민참여재판에서 배심원에게 사실의 인정, 법령의 적용, 형의 양정에 관하여 법관에게 의견을 제시하는 권한을 부여한 것은 '법관에 의한 재판을 받을 권리'를 침해하는 것은 아니다.

② 국민참여재판은 사법권의 민주적 정당성을 위한 것으로서 모든 국가권력이 국민의 의사에 기초해야 한다는 국민주권주의에 근거하고 있다.

③ 형사소송절차상의 권리로서 국민참여재판을 받을 권리를 배제함에 있어서는 헌법상 적법절차의 원칙이 적용될 여지가 없다.

④ 법률이 국민참여재판 신청권을 부여하면서 단독판사 관할 사건으로 재판받는 피고인과 합의부 관할 사건으로 재판받는 피고인을 다르게 취급하는 것은 합리적인 이유가 있다.

해설

① (O) 배심원은 증거능력에 관여할 수 없고 증인신문권이 없다. 재판장에게 증인신문요청을 할 수 있다. [10 법무사]

② (O) [18 서울7급]

> 국민주권주의는 모든 국가권력이 국민의 의사에 기초해야 한다는 의미로, 사법권의 민주적 정당성을 위한 국민참여재판을 도입한 근거가 되고 있으나, 그렇다고 하여 국민주권주의 이념이 곧 사법권을 포함한 모든 권력을 국민이 직접 행사하여야 하고 이에 따라 모든 사건을 국민참여재판으로 할 것을 요구한다고 볼 수 없다. 따라서 국민참여재판의 대상을 제한하는 심판대상조항이 국민주권주의에 위배될 여지가 없다. (헌재 2016.12.29. 2015헌바63)

③ (X) 적법절차원칙은 적용되어야 한다. [18 서울7급]

> 국민참여재판을 받을 권리는 헌법상 기본권으로서 보호될 수는 없지만, 국민의 형사재판 참여에 관한 법률에서 정하는 대상 사건에 해당하는 한 피고인은 원칙적으로 국민참여재판으로 재판을 받을 법률상 권리를 가진다고 할 것이고, 이러한 형사소송절차상의 권리를 배제함에 있어서는 헌법에서 정한 적법절차원칙을 따라야 한다. (헌재 2014.1.28. 2012헌바298)

④ (O) [18 서울7급]

> 형사사건의 다수를 차지하는 단독판사 관할 사건까지 국민참여재판의 대상사건으로 할 경우, 한정된 인적·물적 자원만으로는 현실적으로 제도 운영에 어려움이 있는 점, 합의부 관할 사건이 일반적으로 단독판사 관할 사건보다 사회적 파급력이 큰 점 등에 비추어 보면, 이 사건 법률조항이 단독판사 관할 사건으로 재판받는 피고인과 합의부 관할 사건으로 재판받는 피고인을 다르게 취급하고 있는 것은 합리적인 이유가 있으므로 이 사건 법률조항은 평등권을 침해하지 않는다. (헌재 2015.7.30. 2014헌바447)

정답 ③

기출지문 OX

검사의 기소유예처분에 대하여 피의자가 불복하여 법원의 재판을 받을 수 있는 절차를 국가가 법률로 마련해야 할 헌법적 의무는 존재하지 않는다. 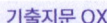 (O / X)

해설 별도의 절차가 없으므로 헌법소원이 가능하다. (헌재 2013.9.26. 2011헌마472) 정답 O

027

재판청구권에 대한 설명으로 옳지 않은 것은? (다툼이 있는 경우 판례에 의함)

① 교통사고로 사망한 사람의 부모는 헌법상 재판절차진술권이 보장되는 형사피해자의 범주에 속한다.
② 재판청구권은 재판이라는 국가적 행위를 청구할 수 있는 적극적 측면과 헌법과 법률이 정한 법관이 아닌 자에 의한 재판이나 법률에 의하지 아니한 재판을 받지 아니하는 소극적 측면을 아울러 가지고 있다.
③ 지방세심의위원회의 이의신청 및 심사청구를 거치지 아니하고는 지방세 부과처분에 대한 행정소송을 제기할 수 없도록 하는 것은 재판청구권을 침해한다.
④ 형사소송에서 배심원제도를 채택할 것을 헌법이 명시적으로 입법위임한 바 없지만, 헌법의 해석을 통해서 입법자에게 그와 같은 입법의무가 인정되는 것으로 볼 수 있다.

해설

① (O) "헌법조항의 형사피해자 개념은 반드시 형사실체법상의 보호법익을 기준으로 한 피해자 개념에 한정하여 결정할 것이 아니라 형사실체법상으로는 직접적인 보호법익의 향유주체로 해석되지 않는 자라고 하더라도 문제된 범죄행위로 말미암아 벌률상 불이익을 받게 되는 자의 뜻으로 풀이하여야 할 것이다."라고 판시하여 헌법 제27조 제5항의 형사피해자의 개념을 넓게 보고 있다. 다만, "검사의 불기소처분에 대하여 기소처분을 구하는 취지에서 헌법소원을 제기할 수 있는 자는 원칙적으로 헌법상 재판절차진술권의 주체인 형사피해자에 한한다."라고 한다. (헌재 1992.2.25. 90헌마91) [16 국회8급]

② (O) 헌재 1998.5.28. 96헌바4 [11 국회8급]

③ (O) [11 국회8급]

> 지방세 부과처분에 대한 이의신청 및 심사청구의 심의·의결기관인 지방세심의위원회는 그 구성과 운영에 있어서 심의·의결의 독립성과 공정성을 객관적으로 신뢰할 수 있는 토대를 충분히 갖추고 있다고 보기 어려운 점, 이의신청 및 심사청구의 심리절차에 사법절차적 요소가 매우 미흡하고 당사자의 절차적 권리 보장의 본질적 요소가 결여되어 있다는 점에서 지방세법상의 이의신청·심사청구제도는 헌법 제107조 제3항에서 요구하는 '사법절차 준용'의 요청을 외면하고 있다고 할 것인데, 지방세법 제78조 제2항은 이러한 이의신청 및 심사청구라는 이중의 행정심판을 거치지 아니하고서는 행정소송을 제기하지 못하도록 하고 있으므로 위 헌법조항에 위반될 뿐만 아니라, 재판청구권을 보장하고 있는 헌법 제27조 제3항에도 위반된다고 할 것이며, 나아가 필요적 행정심판 전치주의의 예외사유를 규정한 행정소송법 제18조 제2항·제3항에 해당하는 사유가 있어 행정심판제도의 본래의 취지를 살릴 수 없는 경우에까지 그러한 전심절차를 거치도록 강요한다는 점에서도 국민의 재판청구권을 침해한다고 할 것이다. (헌재 2001.6.28. 2000헌바30 [위헌])

④ (X) [11 국회8급]

> 청구인은 형사소송에서 배심원제도를 채택하지 않은 것은 국가의 중립의무에 반하여 헌법에 위반된다고 주장하나, 형사소송에서 배심원제도를 채택할 것을 우리 헌법이 명시적으로 입법위임한 바 없을 뿐 아니라 헌법의 해석을 통해서도 입법자에게 그와 같은 입법의무가 인정되는 것으로 볼 수 없다. (헌재 2006.4.27. 2006헌마187)

정답 ④

028 15 국가7급·법원직

재판을 받을 권리에 대한 설명으로 옳지 않은 것은? (다툼이 있는 경우 판례에 의함)

① 「도로교통법」상 주취운전을 이유로 한 운전면허취소처분에 대하여 행정심판의 재결을 거치지 아니하면 행정소송을 제기할 수 없도록 한 것은 재판청구권을 침해한 것으로서 위헌이다.
② 수형자인 청구인이 국선대리인인 변호사를 접견하는데 교도소장이 그 접견 내용을 녹음, 기록한 행위는 청구인의 재판을 받을 권리를 침해하는 것이다.
③ 공판기일의 소송절차로서 공판조서에 기재된 것은 그 조서만으로써 증명한다고 하여 공판조서의 절대적 증명력을 규정한 「형사소송법」 제56조가 재판을 받을 권리를 침해하는 것은 아니다.
④ 「헌법재판소법」 제68조 제1항 본문 중 '법원의 재판을 제외하고는' 부분에 대하여 헌법재판소는 '법원의 재판'에 헌법재판소가 위헌으로 결정한 법령을 적용함으로써 국민의 기본권을 침해한 재판이 포함되는 것으로 해석하는 한도 내에서 헌법에 위반된다고 본다.

해설

① (✗) [15 법원직]

> 교통 관련 행정처분에 대하여 행정심판 전치주의를 규정한 것은 재판청구권을 침해하지 않는다. 그러므로 도로교통법상 주취운전을 이유로 한 운전면허취소처분에 대하여 행정심판의 재결을 거치지 아니하면 행정소송을 제기할 수 없도록 한 것은 재판청구권을 침해하지 않는다. (헌재 2002.10.31. 2001헌바40)

② (○) 수형자와 변호사의 접견을 녹음, 기록하는 것은 허용되지 않는다. [15 국가7급]
③ (○) [15 국가7급]

> **공판조서의 절대적 증명력을 인정하는 형사소송법 제56조는 청구인의 재판을 받을 권리를 침해하거나 평등원칙에 위반되지 않는다.** (헌재 2013.8.29. 2012헌바470 등)
> 증거신청의 채택 등에 대하여 법원의 재량을 인정하고 있는 형사소송법 제295조 및 형사소송법 제296조 제2항은 청구인의 공정한 재판을 받을 권리를 침해하지 않는다.

④ (○) 헌재 1997.12.24. 96헌마172 [15 국가7급]

정답 ①

029

재판을 받을 권리에 대한 설명으로 옳지 않은 것만을 모두 고르면? (다툼이 있는 경우 판례에 의함)

> ㄱ. 「특수임무수행자 보상에 관한 법률」에 규정된 재판상 화해조항에 의하면 보상금 등의 지급결정은 신청인이 동의한 때에는 특수임무수행 또는 이와 관련한 교육훈련으로 입은 피해에 대하여 「민사소송법」의 규정에 따른 재판상 화해가 성립된 것으로 본다고 하였는데, 이는 재판청구권을 침해하지 아니한다.
> ㄴ. 형사실체법상으로 직접적인 보호법익의 주체로 해석되지 않는 자는 문제되는 범죄 때문에 법률상 불이익을 받게 되는 자라 하더라도 헌법상 형사피해자의 재판절차진술권의 주체가 될 수 없다.
> ㄷ. 재판청구권은 기본권의 침해에 대한 구제절차가 반드시 헌법소원의 형태로 독립된 헌법재판기관에 의하여 이루어질 것만을 요구하지는 않는다.
> ㄹ. 정의의 실현 및 재판의 적정성이라는 법치주의의 요청에 의해 재심제도의 규범적 형성에 있어서는 입법자의 형성적 자유가 축소된다.

① ㄱ, ㄴ
② ㄱ, ㄷ
③ ㄴ, ㄹ
④ ㄷ, ㄹ

해설

ㄱ. (○) [14 국가7급]

> 보상금 등의 지급결정에 동의한 때에는 특수임무수행 등으로 인하여 입은 피해에 대하여 재판상 화해가 성립된 것으로 보는 특수임무수행자 보상에 관한 법률 제17조의2는 재판청구권을 침해하지 아니한다. (헌재 2011.2.24. 2010헌바199)

ㄴ. (✗) 형사실체법상으로 직접적인 보호법익의 주체로 해석되지 않는 자(예 살인죄에 있어서 사망자의 유가족)도 문제되는 범죄 때문에 법률상 불이익을 받게 되면 헌법상 형사피해자의 재판절차진술권의 주체가 될 수 있다. [14 국가7급]

ㄷ. (○) [14 법원직]

> 재판청구권은 사실관계와 법률관계에 관하여 최소한 한 번의 재판을 받을 기회가 제공될 것을 국가에게 요구할 수 있는 절차적 기본권을 뜻하므로 기본권의 침해에 대한 구제절차가 반드시 헌법소원의 형태로 독립된 헌법재판기관에 의하여 이루어질 것만을 요구하지는 않는다. (헌재 1997.12.24. 96헌마172)

ㄹ. (✗) [14 법원직]

> 재심제도의 규범적 형성에 있어서, 입법자는 확정판결을 유지할 수 없을 정도의 중대한 하자가 무엇인지를 구체적으로 가려내어야 하는 바, 이는 사법에 의한 권리보호에 관하여 한정된 사법자원의 합리적인 분배의 문제인 동시에 법치주의에 내재된 두 가지의 대립적 이념, 즉 법적 안정성과 정의의 실현이라는 상반된 요청을 어떻게 조화시키느냐의 문제로 돌아가므로, 결국 이는 불가피하게 입법자의 형성적 자유가 넓게 인정되는 영역이라고 할 수 있다. (헌재 2009.4.30. 2007헌바121)

정답 ③

030　회독 ☐☐☐　12 법원직

다음 중 옳지 않은 것은? (다툼이 있는 경우 헌법재판소 결정에 의함)

① 헌법 제27조 제5항에서 정한 형사피해자의 재판절차진술권은 범죄피해자가 당해 사건의 재판절차에 증인으로 출석하여 자신이 입은 피해의 내용과 사건에 관하여 의견을 진술할 수 있는 권리를 말한다.

② 이는 형사피해자로 하여금 당해 사건의 형사재판절차에 참여하여 증언하는 이외에 형사사건에 관한 의견진술을 할 수 있는 청문의 기회를 부여함으로써 형사사법의 절차적 적정성을 확보하기 위한 것이다.

③ 헌법 제27조 제5항이 정한 법률유보는 기본권으로서의 재판절차진술권을 보장하고 있는 헌법규범의 의미와 내용을 법률로써 구체화하기 위한 것이다.

④ 헌법 제27조 제5항이 정한 법률유보는 법률에 의한 기본권의 제한을 목적으로 하는 자유권적 기본권에 대한 법률유보의 경우와 같이 보아야 한다.

해설

① (O)　② (O)　③ (O)

④ (X)

> 재판절차진술권에 관한 헌법 제27조 제5항이 정한 법률유보는 법률에 의한 기본권의 제한을 목적으로 하는 자유권적 기본권에 대한 법률유보의 경우와는 달리 기본권으로서의 재판절차진술권을 보장하고 있는 헌법규범의 의미와 내용을 법률로써 구체화하기 위한 이른바 기본권 형성적 법률유보에 해당한다. (헌재 1993.3.11. 92헌마48)

정답 ④

기출지문 OX

❶ 행정기관인 청소년보호위원회 및 각 심의기관에 '청소년 유해매체물'의 결정권한을 부여하는 것은 법관에 의한 재판을 받을 권리를 침해하는 것이다. 14 국회9급　(O / X)

> **해설**
> 청소년보호위원회 등에 의한 청소년 유해매체물의 결정은 그것이 이 사건 법률조항에 따라 그 위임의 범위 내에서 행하여지는 이상 법률상 구성요건의 내용을 보충하는 것에 불과하므로 이를 토대로 재판이 행하여진다 하더라도 그로 인하여 사실확정과 법률의 해석·적용에 관한 법관의 고유권한이 박탈된 것이라고 할 수 없으며, 더욱이 법관은 청소년보호위원회 등의 결정이 적법하게 이루어진 것인지에 관하여 독자적으로 판단하여 이를 기초로 재판할 수도 있으므로 청소년 유해매체물의 결정권한을 청소년보호위원회 등에 부여하고 있다고 하여 법관에 의한 재판을 받을 권리를 침해하는 것이라고는 볼 수 없다. (헌재 2000.6.29. 99헌가16)

정답 X

❷ 평시에 군사법원을 설치하여 군인 또는 군무원에 대한 재판권을 행사하는 것은 합헌이다. 14 서울7급　(O / X)

> **해설**
> 군기의 유지와 군지휘권 확립의 필요성, 평시에도 항상 대기하고 집단적 병영생활을 하는 군임무의 특성상 언제 어디서나 신속히 군사재판을 할 필요성, 군사범죄를 정확히 심리하고 판단할 필요성, 군사법원체제가 전시에 제대로 기능하기 위해서 평시에 미리 조직·운영될 필요성 등을 들어, 평시에 군사법원을 설치하여 군인 또는 군무원에 대한 재판권을 행사하는 것은 합헌이다. (헌재 1996.10.31. 93헌바25)

정답 O

031

재판청구권에 대한 설명으로 옳지 않은 것은? (다툼이 있는 경우 판례에 의함)

① 「소액사건심판법」의 적용을 받는 소액사건에 관하여 상고이유를 제한한 「소액사건심판법」 관련 규정은 해당 당사자의 재판청구권을 침해하여 헌법에 위반된다고 볼 수 없다.
② 헌법 제27조 제4항의 '형사피고인은 상당한 이유가 없는 한 유죄의 판결이 확정될 때까지는 무죄로 추정된다'는 규정은 재판청구권을 보장하기 위한 구체적 규정이라 할 수 있다.
③ 행정기관에 의한 심판은 재판의 전심절차로서만 허용되기 때문에, 그에 대해서는 반드시 법원에 의한 정식재판의 길이 열려 있어야 한다.
④ 사법보좌관에 의한 소송비용액 확정결정은 헌법과 법률이 정한 법관에 의한 재판을 받을 권리를 침해할 수 있으므로 이의절차 등에 의하여 종국적으로 법관이 소송비용액 확정결정철차를 처리할 수 있는 장치를 두고 있지 않으면, 헌법에 위배될 수 있다.

해설

① (O) [10 법무사]

> 소액사건심판법 제3조는 대법원에 상고할 수 있는 기회를 제한하는 것이지 근본적으로 박탈하고 있는 것이 아니므로, 결국 위 법률조항은 헌법에 위반되지 아니한다. (헌재 1992.6.26. 90헌바25)

② (X) 무죄추정의 원칙은 재판청구권을 보장하기 위한 법적 원리가 아니라 신체의 자유를 보장하기 위한 헌법원리이다. 무죄추정원칙에서 불구속수사의 원리와 미결구금일수의 형기산입원칙이 도출됨을 생각하라. [10 법원직]
③ (O) 헌재 2002.12.31. 2001헌바40 [09 법원직]
④ (O) 사법보좌관에 의한 소송비용액 확정결정 자체가 헌법에 위반되는 것은 아니다. (헌재 2009.2.26. 2007헌바8) 이에 대한 불복절차를 법관이 하도록 되어 있기 때문이다. [09 법원직]

> 소송비용액 확정결정이란 재판이 끝나고 나서 패소자가 승소자의 소송비용을 부담하는 것인데 법관이 아닌 사법보좌관이 한다.

정답 ②

032   09 국회8급

국민형사재판 참여제도에 관한 설명으로 옳지 않은 것은?

① 범죄에 대한 형사재판에 일반국민인 배심원이 심리에 관여한 판사와 함께 양형에 관해 토의하고 의견을 개진할 수 있는 제도를 말한다.
② 이 제도가 적용되는 사건은 고의로 사망의 결과를 야기한 범죄, 강도와 강간이 결합된 범죄, 강도 또는 강간에 치상·치사가 결합된 범죄, 일정한 범위의 수뢰죄 등이다.
③ 피고인은 공소장 부본을 송달받은 날부터 7일 이내에 국민참여재판을 원하는지 여부에 관한 의사가 기재된 서면을 제출하여야 한다.
④ 법정형이 사형·무기징역 또는 무기금고에 해당하는 대상사건에 대한 국민참여재판에는 9인의 배심원이 참여하도록 하고, 그 밖의 사건은 7인으로 하되, 피고인이 공소사실의 주요 내용을 인정한 경우에는 5인이 참여하도록 할 수 있다.
⑤ 배심원의 평결과 양형에 관한 의견은 법원을 기속하므로 평결 결과와 의견을 집계한 서면은 소송기록에 편철한다.

해설

① (O) 배심제는 영미상 제도로 사실심에만 관여하고, 참심제는 대륙법상 제도로 사실심과 법률심에 대한 관여가 가능한 제도이다. 우리나라의 국민형사재판 참여제도는 양자의 성격을 모두 가진 제도로서 배심원이 양형과 법률적용에 대해 의견을 개진할 수 있다.
② (O) 모든 범죄가 아니라 중대범죄에 한정된다. 또한 해당 범죄라고 하여도 피고인이 원하지 않으면 일반재판절차로 진행되고, 공판준비절차에는 국민참여재판이 적용되지 않는다.

국민의 형사재판 참여에 관한 법률 제5조(대상사건)
① 다음 각 호에 정하는 사건을 국민참여재판의 대상사건(이하 '대상사건'이라 한다)으로 한다.
  1. 법원조직법 제32조 제1항(제2호 및 제5호는 제외한다)에 따른 합의부 관할사건
  2. 제1호에 해당하는 사건의 미수죄·교사죄·방조죄·예비죄·음모죄에 해당하는 사건
  3. 제1호 또는 제2호에 해당하는 사건과 형사소송법 제11조에 따른 관련 사건으로서 병합하여 심리하는 사건
② 피고인이 국민참여재판을 원하지 아니하거나 제9조 제1항에 따른 배제결정이 있는 경우는 국민참여재판을 하지 아니한다.

③ (O) 국민의 형사재판 참여에 관한 법률 제8조 제2항
④ (O) 국민의 형사재판 참여에 관한 법률 제13조 제1항
⑤ (×) 배심원의 평결과 의견은 법원을 기속하지 아니한다. (국민의 형사재판 참여에 관한 법률 제46조 제5항)

정답 ⑤

예상조문

국민의 형사재판 참여에 관한 법률 제30조(무이유부기피신청) – 무이유부기피신청은 법관이 아니라 배심원을 대상으로 하는 것이다.
① 검사와 변호인은 각자 다음 각 호의 범위 내에서 배심원 후보자에 대하여 이유를 제시하지 아니하는 기피신청(이하 '무이유부기피신청'이라 한다)을 할 수 있다.
  1. 배심원이 9인인 경우는 5인
  2. 배심원이 7인인 경우는 4인
  3. 배심원이 5인인 경우는 3인
② 무이유부기피신청이 있는 때에는 법원은 당해 배심원 후보자를 배심원으로 선정할 수 없다.
③ 법원은 검사·피고인 또는 변호인에게 순서를 바꿔가며 무이유부기피신청을 할 수 있는 기회를 주어야 한다.

기출지문 OX

「국민의 형사재판 참여에 관한 법률」에 따라 심리에 관여한 배심원은 재판장의 설명을 들은 후 유·무죄에 관하여 평의를 하고 필요에 따라 심리에 관여한 판사의 의견을 들은 후 다수결에 따라 평결을 하여야 한다. 09 법원직   (O / X)

해설

국민의 형사재판 참여에 관한 법률 제46조(재판장의 설명·평의·평결·토의 등)
① 재판장은 변론이 종결된 후 법정에서 배심원에게 공소사실의 요지와 적용 법조, 피고인과 변호인 주장의 요지, 증거능력, 그 밖에 유의할 사항에 관하여 설명하여야 한다. 이 경우 필요한 때에는 증거의 요지에 관하여 설명할 수 있다.
② 심리에 관여한 배심원은 제1항의 설명을 들은 후 유·무죄에 관하여 평의하고, 전원의 의견이 일치하면 그에 따라 평결한다. 다만, 배심원 과반수의 요청이 있으면 심리에 관여한 판사의 의견을 들을 수 있다.
③ 배심원은 유·무죄에 관하여 전원의 의견이 일치하지 아니하는 때에는 평결을 하기 전에 심리에 관여한 판사의 의견을 들어야 한다. 이 경우 유·무죄의 평결은 다수결의 방법으로 한다. 심리에 관여한 판사는 평의에 참석하여 의견을 진술한 경우에도 평결에는 참여할 수 없다.
④ 제2항 및 제3항의 평결이 유죄인 경우 배심원은 심리에 관여한 판사와 함께 양형에 관하여 토의하고 그에 관한 의견을 개진한다. 재판장은 양형에 관한 토의 전에 처벌의 범위와 양형의 조건 등을 설명하여야 한다.
⑤ 제2항부터 제4항까지의 평결과 의견은 법원을 기속하지 아니한다.

정답 X

예상판례

❶ 과학기술의 발전으로 인해 기존의 확정판결에서 인정된 사실과는 다른 새로운 사실이 드러난 경우를 민사소송법상 재심의 사유로 인정하고 있지 않는 민사소송법 규정은 재판청구권 및 평등권을 침해하지 않는다. (헌재 2009.4.30. 2007헌바121)

❷ 재정신청사건의 심리 중 그 기록의 열람 또는 등사를 금지하고 있는 형사소송법 제262조의2 본문은 청구인의 재판청구권을 침해하지 않는다. (헌재 2013.9.26. 2012헌바34)
기록열람금지조항은 피의자의 사생활 침해, 수사의 비밀 저해 및 민사사건에 악용하기 위한 재정신청의 남발 등을 막기 위한 것으로서 그 입법목적의 합리성이 인정되고, 형사소송법 제262조의2 단서는 재정신청사건을 심리하는 법원이 그 증거조사과정에서 작성된 서류의 전부 또는 일부의 열람 또는 등사를 허가할 수 있도록 규정하고 있다. 따라서 기록열람금지조항은 합리적인 입법재량의 한계를 벗어나지 않았으므로 청구인의 재판청구권을 침해한다고 볼 수 없다.

❸ 민법상 비영리법인의 청산인을 해임하는 재판에 대하여 불복신청을 할 수 없도록 규정한 구 비송사건절차법 제36조 중 제119조 전문의 청산인 해임재판에 관한 부분을 준용하는 부분은 청산인 해임재판에 의하여 해임된 청구인의 재판을 받을 권리를 침해하지 않는다. (헌재 2013.9.26. 2012헌마1005)

❹ 자백간주로 인한 피고 패소판결을 항소의 대상에서 제외하는 규정을 두지 않은 민사소송법 제390조 제1항은 헌법에 위반되지 않는다. (헌재 2015.7.30. 2013헌바120)

❺ 개인회생절차에서의 면책취소신청 기각결정에 대한 즉시항고권을 규정하고 있지 아니한 채무자 회생 및 파산에 관한 법률 제627조는 재판청구권을 침해하지 아니한다. (헌재 2017.7.27. 2016헌바212)

❻ 구 □□주식회사가 제조하고 △△주식회사가 판매하였던 가습기살균제 제품인 'OO'의 표시·광고에 관한 사건처리에 있어서, 피청구인이 이 사건 제품 관련 인터넷 신문기사 3건을 심사대상에서 제외한 행위는 청구인의 평등권과 재판절차진술권을 침해한다. (헌재 2022.9.29. 2016헌마773)

❼ '교원, 사립학교법 제2조에 따른 학교법인 등 당사자'의 범위에 포함되지 않는 공공단체인 한국과학기술원의 총장이 교원소청심사결정에 대하여 행정소송을 제기할 수 없도록 규정한 구 '교원의 지위 향상 및 교육활동 보호를 위한 특별법' 제10조 제3항 및 공공단체를 명시적으로 행정소송 제기권자의 범위에서 제외한다고 규정하여 공공단체인 한국과학기술원의 총장 및 공공단체인 광주과학기술원이 교원소청심사결정에 대하여 행정소송을 제기할 수 없도록 규정한 '교원의 지위 향상 및 교육활동 보호를 위한 특별법' 제10조 제4항은 한국과학기술원 총장 또는 광주과학기술원의 재판청구권을 침해하지 아니하여 헌법에 위반되지 아니한다. (헌재 2022.10.27. 2019헌바117 【합헌】)

제 3 절 국가배상청구권

 **핵심노트**

헌법과 국가배상법

구분	헌법	국가배상법
배상 유형	공무원의 직무상 불법행위로 인한 배상만 규정하고, 영조물책임에 대한 규정은 없다.	공무원의 직무상 불법행위로 인한 배상과 영조물책임에 대한 규정이 둘 다 있다.
배상책임 주체	국가 또는 공공단체(지방자치단체, 사단, 재단, 영조물법인)	국가 또는 지방자치단체
공공단체의 불법행위	헌법과 국가배상법의 규정 차이 때문에 공공단체의 불법행위에 대해서는 민법이 적용되고, 민사소송으로 처리된다. 즉, 한국토지공사는 국가배상법상의 공무원이 아니다.	

공무원 개인의 책임

1. **공무원에게 경과실이 있는 경우**
   국가만 배상책임을 진다.

2. **공무원에게 고의·중과실이 있는 경우**
   ① 외부적 책임 인정, 즉 피해자는 국가 또는 공무원 개인을 상대로 선택적인 배상청구를 할 수 있다.
   ② 내부적 책임 인정, 즉 국가가 피해를 배상한 경우 공무원 개인에게 구상을 할 수 있다.

기출지문 OX

「진실·화해를 위한 과거사 정리 기본법」상 민간인 집단희생 사건, 중대한 인권침해·조작의혹 사건에 「민법」상 소멸시효조항의 객관적 기산점이 적용되도록 하는 것은 청구인들의 국가배상청구권을 침해한다. 22 경찰간부 (O / X)

해설 민법 제166조 제1항, 제766조 제2항의 객관적 기산점을 과거사정리법 제2조 제1항 제3호·제4호의 민간인 집단희생사건, 중대한 인권침해·조작의혹사건에 적용하도록 규정하는 것은, 소멸시효제도를 통한 법적 안정성과 가해자 보호만을 지나치게 중시한 나머지 합리적 이유 없이 위 사건 유형에 관한 국가배상청구권 보장 필요성을 외면한 것으로서 입법형성의 한계를 일탈하여 청구인들의 국가배상청구권을 침해한다. (헌재 2018.8.30. 2014헌바148 등)

정답 O

033 회독 ☐☐☐ NEW   24 경찰승진

국가배상청구권에 관한 설명 중 옳은 것을 모두 고른 것은? (다툼이 있는 경우 판례에 의함)

> ㄱ. 국가배상청구권의 성립요건으로서 공무원의 고의 또는 과실을 규정한 것은 원활한 공무집행을 위한 입법정책적 고려에 따라 법률로 이미 형성된 국가배상청구권의 행사 및 존속을 제한한 것이다.
> ㄴ. 청구기간 내에 제기된 헌법소원심판청구 사건에서 헌법재판소 재판관이 청구기간을 오인하여 각하결정을 한 경우, 이에 대한 불복절차 내지 시정절차가 없는 때에는 국가배상책임을 인정할 수 있다.
> ㄷ. 법률이 헌법에 위반되는지 여부를 심사할 권한이 없는 공무원으로서는 행위 당시의 법률에 따를 수밖에 없으므로, 행위의 근거가 된 법률조항에 대하여 행위 후에 위헌결정이 선고되더라도 위 법률조항에 따라 행위한 당해 공무원에게는 고의 또는 과실이 있다 할 수 없어 국가배상책임은 성립되지 아니한다.
> ㄹ. 보상금 등의 지급결정에 동의한 때 "민주화운동과 관련하여 입은 피해"에 대해 재판상 화해의 성립을 간주하는 구 「민주화운동 관련자 명예회복 및 보상 등에 관한 법률」 조항은 적극적·소극적 손해에 관한 부분에 있어서는 민주화운동 관련자와 유족의 국가배상청구권을 침해하지 않는다.

① ㄱ, ㄷ
② ㄴ, ㄷ
③ ㄱ, ㄴ, ㄹ
④ ㄴ, ㄷ, ㄹ

해설

ㄱ. (✕)

> 공무원의 고의 또는 과실이 없는데도 국가배상을 인정할 경우 피해자 구제가 확대되기는 하겠지만 현실적으로 원활한 공무수행이 저해될 수 있어 이를 입법정책적으로 고려할 필요성이 있다. 외국의 경우에도 대부분 국가에서 국가배상책임에 공무수행자의 유책성을 요구하고 있으며, 최근에는 국가배상법상의 과실관념의 객관화, 조직과실의 인정, 과실 추정과 같은 논리를 통하여 되도록 피해자에 대한 구제의 폭을 넓히려는 추세에 있다. 이러한 점들을 고려할 때, 이 사건 법률조항이 국가배상청구권의 성립요건으로서 공무원의 고의 또는 과실을 규정한 것을 두고 입법형성의 범위를 벗어나 헌법 제29조에서 규정한 국가배상청구권을 침해한다고 보기는 어렵다. (헌재 2015.4.30. 2013헌바395)

ㄴ. (○) 대판 2003.7.11. 99다24218
ㄷ. (○) 헌재 2015.9.1. 2015헌바275
ㄹ. (○) 정신적 손해에 관한 규정이 없는 것은 국가배상청구권 침해이지만 재판상화해 부분이 위헌은 아니다.

> 관련자와 유족이 위원회의 보상금 등 지급결정이 일응 적절한 배상에 해당된다고 판단하여 이에 동의하고 보상금 등을 수령한 경우 보상금 등의 성격과 중첩되는 적극적·소극적 손해에 대한 국가배상청구권의 추가적 행사를 제한하는 것은, 동일한 사실관계와 손해를 바탕으로 이미 적절한 배상을 받았음에도 불구하고 다시 동일한 내용의 손해배상청구를 금지하는 것이므로, 이를 지나치게 과도한 제한으로 볼 수 없다. (헌재 2018.8.30. 2014헌바180)
> 정신적 손해에 대한 국가배상청구권마저 금지하는 것은, 해당 손해에 대한 적절한 배상이 이루어졌음을 전제로 하여 국가배상청구권 행사를 제한하려 한 민주화보상법의 입법목적에도 부합하지 않으며, 국가의 기본권 보호의무를 규정한 헌법 제10조 제2문의 취지에도 반하는 것으로서, 국가배상청구권에 대한 지나치게 과도한 제한에 해당한다. 따라서 심판대상조항 중 정신적 손해에 관한 부분은 민주화운동 관련자와 유족의 국가배상청구권을 침해한다.

정답 ④

034

국가배상청구권에 관한 다음 설명 중 가장 옳지 않은 것은?

① 헌법상 국가배상청구권에 관한 규정은 국가배상청구권을 청구권적 기본권으로 보장하며, 그 요건에 해당하는 사유가 발생한 개별국민에게는 금전청구권으로서의 재산권으로서도 보장된다.

② 헌법 제29조 제1항 제1문은 '공무원의 직무상 불법행위'로 인한 국가 또는 공공단체의 책임을 규정하고 제2문은 '이 경우 공무원 자신의 책임은 면제되지 아니한다'고 규정하고 있으므로 헌법상 국가배상책임은 공무원의 책임을 일정 부분 전제하는 것으로 해석될 수 있다.

③ 국가배상청구권의 성립요건으로서 공무원의 고의 또는 과실을 규정한 「국가배상법」 조항은, 법률로 이미 형성된 국가배상청구권의 행사 및 존속을 '제한'하는 것이라기보다는 국가배상청구권의 내용을 '형성'하는 것이므로, 헌법상 국가배상제도의 정신에 부합하게 국가배상청구권을 형성하였는지의 관점에서 심사하여야 한다.

④ 위 ③항의 「국가배상법」 조항은 헌법에서 규정한 국가배상청구권을 침해한다고 보기 어려우나, 인권침해가 극심하게 이루어진 긴급조치 발령과 그 집행과 같이 국가의 의도적·적극적 불법행위에 대하여는 국가배상청구의 요건을 완화하여 공무원의 고의 또는 과실에 대한 예외를 인정하여야 한다.

해설

① (O)

> 우리 헌법상의 국가배상청구권에 관한 규정은 단순한 재산권의 보장만을 의미하는 것이 아니고 국가배상청구권을 청구권적 기본권으로 보장하고 있는 것이다. 그러나 위 헌법규정에 따라 국가 또는 지방자치단체의 손해배상의 책임과 절차에 관한 국가배상법이 제정되었다. (헌재 1997.2.29. 96헌바24)

② (O) 공무원에게 고의나 중과실이 있으면 공무원 개인의 책임도 인정된다.
③ (O) 자유권에 대한 입법은 기본권 제한적 법률유보이지만, 청구권에 대한 입법은 기본권 형성적 입법유보의 성격이다.
④ (✗) 국가배상은 고의나 과실이 없으면 인정되지 아니한다.

정답 ④

035

국가배상청구권에 대한 설명으로 옳지 않은 것은? (다툼이 있는 경우 판례에 의함)

① 군무원이 직무집행과 관련하여 받은 손해에 대하여는 법률이 정하는 보상 외에 국가 또는 공공단체에 공무원의 직무상 불법행위로 인한 배상은 청구할 수 없다.
② 국가배상청구권의 성립요건으로서 '공무원의 불법행위'에서 말하는 공무원에는 국가공무원과 지방공무원이 모두 포함되나, 공무를 위탁받아 실질적으로 공무를 수행하는 자는 포함되지 아니한다.
③ 현행 「국가배상법」에서는 당사자가 배상심의회에 배상신청을 하여 그 결과에 불복할 경우 소송을 제기할 수도 있고, 배상심의회를 거치지 아니하고 바로 법원에 소송을 제기할 수도 있다.
④ 법관이 행하는 재판사무의 특수성과 그 재판과정의 잘못에 대하여는 따로 불복절차에 의하여 시정될 수 있는 제도적 장치가 마련되어 있는 점 등에 비추어 보면, 특별한 경우가 아닌 한 법관의 재판에 법령의 규정을 따르지 아니한 잘못이 있다 하더라도 이로써 바로 그 재판상 직무행위가 「국가배상법」 제2조 제1항에서 말하는 위법한 행위로 되어 국가의 손해배상책임이 발생하는 것은 아니다.

해설

① (O) [14 국회8급]

> **헌법 제28조**
> ② 군인·군무원·경찰공무원 기타 법률이 정하는 자가 전투·훈련 등 직무집행과 관련하여 받은 손해에 대하여는 법률이 정한 보상 외에 국가 또는 공공단체에 공무원의 직무상 불법행위로 인한 배상은 청구할 수 없다.

② (✗) [14 국회8급]

> 국가배상법 제2조 소정의 '공무원'이라 함은 국가공무원법이나 지방공무원법에 의하여 공무원으로서의 신분을 가진 자에 국한하지 않고, 널리 공무를 위탁받아 실질적으로 공무에 종사하고 있는 일체의 자를 가리킨다. (대판 1991.7.9. 91다5570)

③ (O) [14 국회8급]

> **국가배상법 제9조(소송과 배상신청의 관계)**
> 이 법에 따른 손해배상의 소송은 배상심의회(이하 '심의회'라 한다)에 배상신청을 하지 아니하고도 제기할 수 있다.

④ (O) [21 변호사]

> 법관이 행하는 재판사무의 특수성과 그 재판과정의 잘못에 대하여는 따로 불복절차에 의하여 시정될 수 있는 제도적 장치가 마련되어 있는 점 등에 비추어 보면, 법관의 재판에 법령의 규정을 따르지 아니한 잘못이 있다 하더라도 이로써 바로 그 재판상 직무행위가 국가배상법 제2조 제1항에서 말하는 위법한 행위로 되어 국가의 손해배상책임이 발생하는 것은 아니고, 그 국가배상책임이 인정되려면 당해 법관이 위법 또는 부당한 목적을 가지고 재판을 하는 등 법관이 그에게 부여된 권한의 취지에 명백히 어긋나게 이를 행사하였다고 인정할 만한 특별한 사정이 있어야 한다고 해석함이 상당하다. (대판 2001.4.24. 2000다16114)

정답 ②

036

국가배상청구권에 대한 설명으로 옳지 않은 것만을 모두 고르면? (다툼이 있는 경우 판례에 의함)

ㄱ. 생명·신체 및 재산의 침해로 인한 국가배상을 받을 권리는 양도하거나 압류하지 못한다.
ㄴ. 군인이나 군무원이 타인에게 입힌 손해에 대한 배상신청사건을 심의하기 위하여 국방부에 특별심의회를 두며, 특별심의회는 국방부장관의 지휘를 받아야 한다.
ㄷ. 「국가배상법」이 정한 손해배상청구의 요건인 '공무원의 직무'에는 국가나 지방자치단체의 권력적 작용뿐만 아니라 비권력적 작용도 포함되지만 단순한 사경제의 주체로서 하는 작용은 포함되지 않는다.
ㄹ. 헌법재판소는 「국가배상법」상의 배상결정 전치주의가 법관에 의한 재판을 받을 권리와 신속한 재판을 받을 권리를 침해한다고 하였고, 이에 따라 「국가배상법」상의 배상결정 전치주의가 폐지되었다.

① ㄱ, ㄴ   ② ㄷ, ㄹ   ③ ㄱ, ㄴ, ㄹ   ④ ㄴ, ㄷ, ㄹ

해설

ㄱ. (✗) 생명·신체의 침해로 인한 국가배상을 받을 권리는 양도하거나 압류하지 못한다. **(국가배상법 제4조)** 뿐만 아니라 상계하거나 담보에 제공하지 못한다.

ㄴ. (✗)

> **국가배상법 제10조(배상심의회)**
> ① 국가나 지방자치단체에 대한 배상신청사건을 심의하기 위하여 법무부에 본부심의회를 둔다. 다만, 군인이나 군무원이 타인에게 입힌 손해에 대한 배상신청사건을 심의하기 위하여 국방부에 특별심의회를 둔다.
> ② 본부심의회와 특별심의회는 대통령령으로 정하는 바에 따라 지구심의회를 둔다.
> ③ 본부심의회와 특별심의회와 지구심의회는 법무부장관의 지휘를 받아야 한다.

ㄷ. (○)
ㄹ. (✗) 배상결정 전치주의는 합헌이었지만, 법이 개정되어 지금은 임의적 전치로 되었다.

정답 ③

예상판례

❶ 5·18민주화운동과 관련하여 재판상 화해 간주사유를 규정하고 있는 구 '광주민주화운동 관련자 보상 등에 관한 법률' 제16조 제2항 가운데 '광주민주화운동과 관련하여 입은 피해' 중 '정신적 손해'에 관한 부분 및 구 '5·18민주화운동 관련자 보상 등에 관한 법률' 제16조 제2항 가운데 '5·18민주화운동과 관련하여 입은 피해' 중 '정신적 손해'에 관한 부분은 헌법에 위반된다. (헌재 2021.5.27. 2019헌가17 [위헌])
심판대상조항은 적극적·소극적 손해의 배상에 상응하는 보상금 등 지급결정에 동의하였다는 사정만으로 정신적 손해에 대해서까지 재판상 화해가 성립한 것으로 간주하고 있는바, 이는 국가배상청구권에 대한 과도한 제한으로서 침해의 최소성에 위반된다.

❷ 긴급조치 제9호의 발령부터 적용·집행에 이르는 일련의 국가작용은 전체적으로 보아 공무원이 직무를 집행하면서 객관적 주의의무를 소홀히 하여 그 직무행위가 객관적 정당성을 상실한 것으로서 위법하다고 평가되고, 긴급조치 제9호의 적용·집행으로 강제수사를 받거나 유죄판결을 선고받고 복역함으로써 개별국민이 입은 손해에 대해서는 국가배상책임이 인정될 수 있다. (대판 2022.8.25. 2018다212610)

기출지문 OX

❶ 국가배상 성립요건의 직무집행판단은 행위자의 주관적 의사를 고려하여 실질적으로 직무집행행위인지에 따라 판단해야 한다. 18 서울7급 (O / X)

해설 직무집행성을 판단하는 것은 이른바 외형설, 즉 행위자의 주관적 의사와 관계없이 외형적으로 직무로 보여지면 직무행위를 할 의사가 없어도 직무행위성이 인정된다. 정답 X

❷ 국가배상청구에 있어서도 오랜 기간의 경과로 인한 과거사실 증명의 곤란으로부터 채무자를 구제하고 또 권리 행사를 게을리한 자에 대한 제재 및 장기간 불안정한 상태에 놓이게 되는 가해자를 보호하기 위하여 소멸시효제도의 적용은 필요하므로 헌법에 위반되지 아니한다. 18 서울7급 (O / X)

해설 헌재 1997.2.20. 96헌바24 정답 O

예상판례

❶ **국가배상법 제7조에서 정한 '상호보증'이 있는지 판단하는 기준** (대판 2015.6.11. 2013다208388)

[1] 상호보증은 외국의 법령, 판례 및 관례 등에 의하여 발생요건을 비교하여 인정되면 충분하고 반드시 당사국과의 조약이 체결되어 있을 필요는 없으며, 당해 외국에서 구체적으로 우리나라 국민에게 국가배상청구를 인정한 사례가 없더라도 실제로 인정될 것이라고 기대할 수 있는 상태이면 충분하다.

[2] 일본인 甲이 대한민국 소속 공무원의 위법한 직무집행에 따른 피해에 대하여 국가배상청구를 한 사안에서, 우리나라와 일본 사이에 국가배상법 제7조가 정하는 상호보증이 있다.

❷ **이중배상** (대판 2017.2.3. 2015두60075)

[1] 군인 등이 직무집행과 관련하여 공상을 입는 등의 이유로 보훈보상대상자 지원에 관한 법률이 정한 보훈보상대상자요건에 해당하여 보상금 등 보훈급여금을 지급받을 수 있는 경우, 국가를 상대로 국가배상을 청구할 수 없다.

[2] 직무집행과 관련하여 공상을 입은 군인 등이 먼저 국가배상법에 따라 손해배상금을 지급받은 다음 보훈보상대상자 지원에 관한 법률이 정한 보상금 등 보훈급여금의 지급을 청구하는 경우, 국가배상법에 따라 손해배상을 받았다는 이유로 그 지급을 거부할 수 없다.

제4절 형사보상청구권

헌법 제28조
형사피의자 또는 형사피고인으로서 구금되었던 자가 법률이 정하는 불기소처분을 받거나 무죄판결을 받은 때에는 법률이 정하는 바에 의하여 국가에 정당한 보상을 청구할 수 있다.

피의자는 불기소(기소유예, 기소중지 제외)의 경우에, 피고인은 무죄의 경우에 인정된다.
피고인 보상은 건국헌법부터, 피의자 보상은 9차 개정헌법(현행헌법)에서 규정되었다. [22 국회8급]

037 NEW [24 경찰간부]

형사보상에 대한 설명으로 가장 적절하지 않은 것은? (다툼이 있는 경우 판례에 의함)

① 헌법상 형사보상청구권은 국가의 형사사법절차에 내재하는 불가피한 위험에 의하여 국민의 신체의 자유에 관하여 형사사법기관의 귀책사유로 인해 피해가 발생한 경우 국가에 대하여 정당한 보상을 청구할 수 있는 권리로서, 실질적으로 국민의 재판청구권과 밀접하게 관련된 중대한 기본권이다.

② 판결 주문에서 무죄가 선고된 경우뿐만 아니라 판결 이유에서 무죄로 판단된 경우에도 미결구금 가운데 무죄로 판단된 부분의 수사와 심리에 필요하였다고 인정된 부분에 관하여는 보상을 청구할 수 있다.

③ 원판결의 근거가 된 가중처벌규정에 대하여 헌법재판소의 위헌결정이 있었음을 이유로 개시된 재심절차에서, 공소장의 교환적변경을 통해 위헌결정된 가중처벌규정보다 법정형이 가벼운 처벌규정으로 적용법조가 변경되어 피고인이 무죄판결을 받지는 않았으나 원판결보다 가벼운 형으로 유죄판결이 확정됨에 따라 원판결에 따른 구금형 집행이 재심판결에서 선고된 형을 초과하게 된 경우, 재심판결에서 선고된 형을 초과하여 집행된 구금에 대하여 보상요건을 규정하지 아니한 「형사보상 및 명예회복에 관한 법률」 제26조 제1항은 평등권을 침해한다.

④ 피고인이 대통령긴급조치 제9호 위반으로 제1, 2심에서 유죄판결을 선고받고 상고하여 상고심에서 구속집행이 정지된 한편 대통령 긴급조치 제9호가 해제됨에 따라 면소판결을 받아 확정된 다음 사망한 경우 피고인의 처는 형사보상을 청구할 수 있다.

해설

① (×)
> 형사보상청구권은 국가의 형사사법절차에 내재하는 불가피한 위험에 의하여 국민의 신체의 자유에 관하여 피해가 발생한 경우 형사사법기관의 귀책사유를 따지지 않고 국가에 대하여 정당한 보상을 청구할 수 있는 권리로서, 실질적으로 국민의 신체의 자유와 밀접하게 관련된 중대한 기본권이다. (헌재 2022.2.24. 2018헌마998)

② (○)
> 형사보상법 조항은 입법 취지와 목적 및 내용 등에 비추어 재판에 의하여 무죄의 판단을 받은 자가 재판에 이르기까지 억울하게 미결구금을 당한 경우 보상을 청구할 수 있도록 하기 위한 것이므로, 판결 주문에서 무죄가 선고된 경우뿐만 아니라 판결 이유에서 무죄로 판단된 경우에도 미결구금 가운데 무죄로 판단된 부분의 수사와 심리에 필요하였다고 인정된 부분에 관하여는 보상을 청구할 수 있고, 다만 형사보상법 제4조 제3호를 유추적용하여 법원의 재량으로 보상청구의 전부 또는 일부를 기각할 수 있을 뿐이다. (대판 2016.3.11. 2014모2521)

③ (○)

'원판결의 근거가 된 가중처벌규정에 대하여 헌법재판소의 위헌결정이 있었음을 이유로 개시된 재심절차에서, 공소장 변경을 통해 위헌결정된 가중처벌규정보다 법정형이 가벼운 처벌규정으로 적용법조가 변경되어 피고인이 무죄재판은 받지는 않았으나 원판결보다 가벼운 형으로 유죄판결이 확정된 경우, 재심재판에서 선고된 형을 초과하여 집행된 구금에 대하여 보상요건을 전혀 규정하지 아니한 '형사보상 및 명예회복에 관한 법률' 제26조 제1항은 평등원칙을 위반하여 청구인들의 평등권을 침해한다. (헌재 2022.2.24. 2018헌마998【헌법불합치】)

④ (○) 대판 2013.4.18. 2011초기689

정답 ①

038 23 경찰간부

형사보상청구권에 대한 설명으로 가장 적절하지 않은 것은? (다툼이 있는 경우 헌법재판소 판례에 의함)

① 외형상·형식상으로 무죄의 재판이 없는 경우에는 형사사법절차에 내재하는 불가피한 위험으로 인하여 국민의 신체의 자유에 관하여 피해가 발생하였더라도 형사보상청구권을 인정할 수는 없다.
② 형사보상청구는 무죄재판이 확정된 사실을 안 날부터 3년, 무죄재판이 확정된 때부터 5년 이내에 하여야 한다.
③ 「형사보상 및 명예회복에 관한 법률」에 따른 보상을 받을 자가 같은 원인에 대하여 다른 법률에 따라 손해배상을 받은 경우에 그 손해배상의 액수가 「형사보상 및 명예회복에 관한 법률」에 따라 받을 보상금의 액수와 같거나 그보다 많을 때에는 보상하지 아니한다.
④ 사형 집행에 대한 보상을 할 때에는 집행 전 구금에 대한 보상금 외에 3천만 원 이내에서 모든 사정을 고려하여 법원이 타당하다고 인정하는 금액을 더하여 보상하며, 이 경우 본인의 사망으로 인하여 발생한 재산상의 손실액이 증명되었을 때에는 그 손실액도 보상한다.

해설

① (✕)

헌법 제28조의 형사보상청구권이 국가의 형사사법작용에 의하여 신체의 자유가 침해된 국민에게 그 구제를 인정하여 국민의 기본권 보호를 강화하는 데 그 목적이 있는 점에 비추어 보면, 외형상·형식상으로 무죄재판이 없다고 하더라도 형사사법절차에 내재하는 불가피한 위험으로 인하여 국민의 신체의 자유에 관하여 피해가 발생하였다면 형사보상청구권을 인정하는 것이 타당하다. (헌재 2022.2.24. 2018헌마998 등)

② (○) 형사보상 및 명예회복에 관한 법률 제8조
③ (○)

형사보상 및 명예회복에 관한 법률 제6조(손해배상과의 관계)
② 이 법에 따른 보상을 받을 자가 같은 원인에 대하여 다른 법률에 따라 손해배상을 받은 경우에 그 손해배상의 액수가 이 법에 따라 받을 보상금의 액수와 같거나 그보다 많을 때에는 보상하지 아니한다. 그 손해배상의 액수가 이 법에 따라 받을 보상금의 액수보다 적을 때에는 그 손해배상 금액을 빼고 보상금의 액수를 정하여야 한다.

④ (○) 형사보상 및 명예회복에 관한 법률 제5조 제3항

정답 ①

039

형사보상청구권에 대한 설명으로 옳은 것은? (다툼이 있는 경우 판례에 의함)

① 형사보상청구권을 인정하는 헌법적 본질은 국민의 인신권을 침해하는 결과를 발생시킨 국가의 그릇된 형사사법작용에 대한 원인책임을 추궁하기 위한 것이다.
② 형사보상청구권과 직접적인 이해관계를 가진 당사자는 형사피고인과 국가밖에 없는데, 국가가 무죄판결을 선고받은 형사피고인에게 넓게 형사보상청구권을 인정함으로써 감수해야 할 공익은 경제적인 것에 불과하다.
③ 무죄판결이 확정된 피고인이 구금 여부와 상관없이 재판에 들어간 비용의 보상을 법원에 청구할 수 있도록 하는 내용의 비용보상청구권의 제척기간을 무죄판결이 확정된 날부터 6개월로 규정한 법률조항은 형사보상청구권을 제한한다.
④ 형사피의자로서 구금되었다가 검사의 불기소처분으로 풀려난 사람은 설령 검사의 공소제기가 있었더라면 무죄판결을 받았을 것이 명백한 경우에도 그 구금에 대한 보상을 청구할 수 없다.
⑤ 헌법이 명하는 정당한 보상이라 함은 구금 중에 받은 적극적인 재산상의 손실과 구금으로 인한 정신적·물질적 피해에 대한 보상을 요구할 수 있다는 것이며, 구금되지 않았더라면 얻을 수 있었던 소극적인 이익이나 기대이익의 상실 등은 청구할 수 없다.

해설

① (✕) 원인책임 추궁이 아니라 피해자보상이 목적이다. [13 국회8급]

> 형사사법절차에서는 범죄의 혐의를 받은 피의자가 수사기관의 조사를 받고 법원에 기소되었다 하더라도 심리 결과 무죄로 판명되는 경우가 발생할 수 있고, 이는 형사사법절차에 불가피하게 내재되어 있는 위험이다. 형사사법절차를 운영하는 국가는 그로 인한 부담을 무죄판결을 선고받은 자 개인에게 모두 지워서는 아니 되고, 이러한 위험에 의하여 발생되는 손해에 대응한 보상을 하지 않으면 안 된다. 헌법 제28조는 이러한 권리를 구체적으로 보장함으로써 국민의 기본권 보호를 강화하고 있다. (헌재 2010.10.28. 2008헌마514 등)

② (○) [20 국회8급]

> 형사보상청구권과 직접적인 이해관계를 가진 당사자는 형사피고인과 국가밖에 없는데, 국가가 무죄판결을 선고받은 형사피고인에게 넓게 형사보상청구권을 인정함으로써 감수해야 할 공익은 경제적인 것에 불과하고 그 액수도 국가 전체 예산규모에 비추어 볼 때 미미하다고 할 것이다. 또한 형사피고인에게 넓게 형사보상청구권을 인정한다고 하여 법적 혼란이 초래될 염려도 전혀 없다. (헌재 2010.7.29. 2008헌가4)
> 헌법 제28조의 형사보상청구권은 국가의 형사사법권이라는 공권력에 의해 인신구속이라는 중대한 법익의 침해가 발생한 국민에게 그 피해를 보상해주는 기본권이다. 이러한 형사보상청구권은 국가의 공권력작용에 의하여 신체의 자유를 침해받은 국민에 대해 금전적인 보상을 청구할 권리를 인정하는 것이므로 형사보상청구권이 제한됨으로 인하여 침해되는 국민의 기본권은 단순히 금전적인 권리에 불과한 것이라기보다는 실질적으로 국민의 신체의 자유와 밀접하게 관련된 중대한 기본권이라고 할 것이다.

③ (✕) 비용보상청구권은 형사사건에서 사선변호인을 선임하여, 당해 사건이 무죄가 된 경우 변호사비용을 국가에 청구하는 것이므로 형사보상청구권과는 관계가 없다. [21 변호사]

> 비용보상청구권을 6개월로 제한하는 것은 합헌으로 보았으나, (헌재 2015.4.30. 2014헌바408) 최근 군형법상 비용보상청구권을 6개월로 제한하는 것이 재판청구권과 재산권을 침해한다고 보았다. (헌재 2023.8.31. 2020헌바252)

④ (✕) [13 국회8급]

형사보상 및 명예회복에 관한 법률 제27조(피의자에 대한 보상)
① 피의자로서 구금되었던 자 중 검사로부터 불기소처분을 받거나 사법경찰관으로부터 불송치결정을 받은 자는 국가에 대하여 그 구금에 대한 보상(이하 '피의자보상'이라 한다)을 청구할 수 있다. 다만, 구금된 이후 불기소처분 또는 불송치결정의 사유가 있는 경우와 해당 불기소처분 또는 불송치결정이 종국적인 것이 아니거나 형사소송법 제247조에 따른 것일 경우에는 그러하지 아니하다.

⑤ (✕) 형사보상청구권에서의 정당한 보상도 역시 구금으로 인한 손해 전부를 완전하게 보상하는 것을 의미한다고 보아야 한다. (헌재 2010.10.28. 2008헌마514 등) [13 국회8급]

정답 ②

040 [21 5급행시, 20 국회8급]

형사보상청구권에 대한 설명으로 옳은 것은?

① 형사보상청구권은 국가의 형사사법작용에 의해 신체의 자유라는 중대한 법익을 침해받은 국민을 구제하기 위하여 헌법상 보장된 국민의 기본권이므로 일반적인 사법상의 권리보다 더 확실하게 보호되어야 할 권리이다.
② 보상청구는 무죄재판을 한 법원의 상급법원에 대하여 하여야 한다.
③ 보상을 청구하는 경우에는 국가배상을 청구할 수 없다.
④ 보상청구는 대리인을 통하여 할 수 없다.

해설

① (○) [20 국회8급]
② (✕) [21 5급행시]

형사보상 및 명예회복에 관한 법률 제7조(관할 법원)
보상청구는 무죄재판을 한 법원에 대하여 하여야 한다.

③ (✕) [21 5급행시]

형사보상 및 명예회복에 관한 법률 제6조(손해배상과의 관계)
① 이 법은 보상을 받을 자가 다른 법률에 따라 손해배상을 청구하는 것을 금지하지 아니한다.

④ (✕) [21 5급행시]

형사보상 및 명예회복에 관한 법률 제13조(대리인에 의한 보상청구)
보상청구는 대리인을 통하여서도 할 수 있다.

정답 ①

041 21 법원직

형사보상청구권에 관한 다음 설명 중 가장 옳지 않은 것은?

① 형사보상청구권은 국가의 공권력 작용에 의하여 신체의 자유를 침해받은 국민에 대해 금전적인 보상을 청구할 권리를 인정하는 것이므로, 형사보상청구권이 제한됨으로 인하여 침해되는 국민의 기본권은 단순히 금전적인 권리에 불과한 것이라기보다는 실질적으로 국민의 신체의 자유와 밀접하게 관련된 중대한 기본권이다.

② 형사보상의 구체적 내용과 금액 및 절차에 관한 사항은 입법자가 정하여야 할 사항으로 형사보상금을 일정한 범위 내로 한정하고 있는 「형사보상법」 조항은 형사보상청구권을 침해한다고 볼 수 없다.

③ 형사보상청구를 무죄재판이 확정된 때로부터 1년 이내에 하도록 규정한 「형사보상법」 조항은 그 청구기간이 지나치게 단기간이어서 입법목적 달성에 필요한 정도를 넘어선 것이다.

④ 형사보상청구에 대하여 한 보상의 결정에 대하여는 불복을 신청할 수 없도록 하여 형사보상의 결정을 단심재판으로 규정한 「형사보상법」 조항은 형사보상청구권 및 재판청구권을 침해한다고 볼 수 없다.

해설

① (O) 형사보상청구권의 성질이다.
② (O) ④ (X)

> **형사보상결정에 대한 불복금지** (헌재 2010.10.28. 2008헌마514 등 [일부기각, 위헌])
> [1] **형사보상청구금액의 상한제** [기각]
> 형사보상청구권은 헌법 제28조에 따라 '법률이 정하는 바에 의하여' 행사되므로 그 내용은 법률에 의해 정해지는바, 형사보상의 구체적 내용과 금액 및 절차에 관한 사항은 입법자가 정하여야 할 사항이다. … 보상금액의 구체화·개별화를 추구할 경우에는 개별적인 보상금액을 산정하는 데 상당한 기간의 소요 및 절차의 지연을 초래하여 형사보상제도의 취지에 반하는 결과가 될 위험이 크고 나아가 그로 인하여 형사보상금의 액수에 지나친 차등이 발생하여 오히려 공평의 관념을 저해할 우려가 있는바, 이 사건 보상금조항 및 이 사건 보상금 시행령조항은 청구인들의 형사보상청구권을 침해한다고 볼 수 없다.
> [2] **형사보상결정에 대한 불복금지** [위헌]
> 형사보상의 청구에 대하여 한 보상의 결정에 대하여는 불복을 신청할 수 없도록 하여 형사보상의 결정을 단심재판으로 규정한 형사보상법 제19조 제1항은 청구인들의 형사보상청구권 및 재판청구권을 침해한다.

③ (O)

> 형사보상의 청구는 무죄재판이 확정된 때로부터 1년 이내에 하도록 규정하고 있는 형사보상법 제7조는 헌법 제28조에 합치되지 아니한다. (헌재 2010.7.29. 2008헌가4 [헌법불합치])
> 이 사건 법률조항은 형사소송법상 형사피고인이 재정하지 아니한 가운데 재판할 수 있는 예외적인 경우를 상정하고 있는 등 형사피고인은 당사자가 책임질 수 없는 사유에 의하여 무죄재판의 확정사실을 모를 수 있는 가능성이 있으므로, 형사피고인이 책임질 수 없는 사유에 의하여 제척기간을 도과할 가능성이 있는바, 이는 국가의 잘못된 형사사법작용에 의하여 신체의 자유라는 중대한 법익을 침해받은 국민의 기본권을 사법상의 권리보다도 가볍게 보호하는 것으로서 부당하다.

정답 ④

042 형사보상청구권에 대한 설명으로 옳은 것만을 모두 고르면?

ㄱ. 형사피의자의 경우, 보상을 하는 것이 선량한 풍속 기타 사회질서에 반한다고 할 특별한 사정이 있다 하더라도 보상의 전부를 지급해야 한다.
ㄴ. 면소나 공소기각의 재판을 받은 경우에 형사보상을 청구할 수 있는 경우가 있다.
ㄷ. 1개의 재판으로 경합범의 일부에 대하여 무죄재판을 받고 다른 부분에 대하여 유죄재판을 받았을 경우 법원은 보상청구의 전부를 인용하여야 한다.
ㄹ. 다른 법률에 따라 손해배상을 받을 자가 같은 원인에 대하여 「형사보상 및 명예회복에 관한 법률」에 따른 보상을 받았을 때에는 그 보상금의 액수를 빼고 손해배상의 액수를 정하여야 한다.

① ㄱ, ㄴ
② ㄱ, ㄷ
③ ㄴ, ㄹ
④ ㄷ, ㄹ

해설

ㄱ. (X) [18 서울7급]

형사보상 및 명예회복에 관한 법률 제27조(피의자에 대한 보상)
① 피의자로서 구금되었던 자 중 검사로부터 불기소처분을 받거나 사법경찰관으로부터 불송치결정을 받은 자는 국가에 대하여 그 구금에 대한 보상(이하 '피의자보상'이라 한다)을 청구할 수 있다. 다만, 구금된 이후 불기소처분 또는 불송치결정의 사유가 있는 경우와 해당 불기소처분 또는 불송치결정이 종국적인 것이 아니거나 형사소송법 제247조에 따른 것일 경우에는 그러하지 아니하다.
② 다음 각 호의 어느 하나에 해당하는 경우에는 피의자보상의 전부 또는 일부를 지급하지 아니할 수 있다.
  1. 본인이 수사 또는 재판을 그르칠 목적으로 거짓 자백을 하거나 다른 유죄의 증거를 만듦으로써 구금된 것으로 인정되는 경우
  2. 구금기간 중에 다른 사실에 대하여 수사가 이루어지고 그 사실에 관하여 범죄가 성립한 경우
  3. 보상을 하는 것이 선량한 풍속이나 그 밖에 사회질서에 위배된다고 인정할 특별한 사정이 있는 경우

ㄴ. (O) [18 서울7급]

형사보상 및 명예회복에 관한 법률 제26조(면소 등의 경우)
① 다음 각 호의 어느 하나에 해당하는 경우에도 국가에 대하여 구금에 대한 보상을 청구할 수 있다. 【헌법불합치】
  1. 형사소송법에 따라 면소 또는 공소기각의 재판을 받아 확정된 피고인이 면소 또는 공소기각의 재판을 할 만한 사유가 없었더라면 무죄재판을 받을 만한 현저한 사유가 있었을 경우
  2. 치료감호법 제7조에 따라 치료감호의 독립 청구를 받은 피치료감호청구인의 치료감호사건이 범죄로 되지 아니하거나 범죄사실의 증명이 없는 때에 해당되어 청구기각의 판결을 받아 확정된 경우

ㄷ. (X) 1개의 재판으로 경합범의 일부에 대하여 무죄재판을 받고 다른 부분에 대하여 유죄재판을 받았을 경우에는 법원은 재량으로 보상청구의 전부 또는 일부를 기각할 수 있다. (형사보상 및 명예회복에 관한 법률 제4조 제3호) [16 국가7급]

ㄹ. (O) 형사보상 및 명예회복에 관한 법률 제6조 제3항 [16 국가7급]

정답 ③

> **기출지문 OX**
>
> ❶ 국가의 형사사법행위가 고의·과실로 인한 것으로 인정되는 경우에는 국가배상청구 등 별개의 절차에 의하여 인과관계 있는 모든 손해를 배상받을 수 있다. 17 법무사 (O / X)
>   해설 헌재 2010.10.28. 2008헌마514 등 정답 O
>
> ❷ 피고인으로서 구금되었다가 무죄판결을 받은 자뿐만 아니라, 피의자로 구금되었다가 검사로부터 불기소처분(기소중지, 기소유예 제외)을 받은 자도 형사보상의 대상이 된다. 17 법무사 (O / X)
>   해설 형사보상 및 명예회복에 관한 법률 제27조 제1항 정답 O
>
> ❸ 형사보상청구권은 일신전속적 권리이므로, 청구권자 본인이 사망한 경우에는 상속인은 청구할 수 없다. 17 법무사 (O / X)
>   해설 금전배상이므로 일신전속적이지 않다.
>
>   **형사보상 및 명예회복에 관한 법률** 제3조(상속인에 의한 보상청구)
>   ① 제2조에 따라 보상을 청구할 수 있는 자가 그 청구를 하지 아니하고 사망하였을 때에는 <u>그 상속인이 이를 청구할 수 있다.</u>
>
>   정답 X

제 5 절　범죄피해자구조청구권

헌법 제30조
타인의 범죄행위로 인하여 생명·신체에 대한 피해를 받은 국민은 법률이 정하는 바에 의하여 국가로부터 구조를 받을 수 있다.

📖 중요조문

범죄피해자 보호법 제9조(사생활의 평온과 신변의 보호 등)
① 국가 및 지방자치단체는 범죄피해자의 명예와 사생활의 평온을 보호하기 위하여 필요한 조치를 하여야 한다.
② 국가 및 지방자치단체는 범죄피해자가 형사소송절차에서 한 진술이나 증언과 관련하여 보복을 당할 우려가 있는 등 범죄피해자를 보호할 필요가 있을 경우에는 적절한 조치를 마련하여야 한다.

제10조(교육·훈련)
국가 및 지방자치단체는 범죄피해자에 대한 이해 증진과 효율적 보호·지원업무 수행을 위하여 범죄수사에 종사하는 자, 범죄피해자에 관한 상담·의료 제공 등의 업무에 종사하는 자, 그 밖에 범죄피해자 보호·지원 활동과 관계가 있는 자에 대하여 필요한 교육과 훈련을 실시하여야 한다.

제15조(범죄피해자보호위원회)
① 범죄피해자 보호·지원에 관한 기본계획 및 주요 사항 등을 심의하기 위하여 법무부장관 소속으로 범죄피해자보호위원회(이하 '보호위원회'라 한다)를 둔다.
② 보호위원회는 다음 각 호의 사항을 심의한다.
　1. 기본계획 및 시행계획에 관한 사항
　2. 범죄피해자 보호·지원을 위한 주요 정책의 수립·조정에 관한 사항
　3. 범죄피해자 보호·지원단체에 대한 지원·감독에 관한 사항
　4. 그 밖에 위원장이 심의를 요청한 사항
③ 보호위원회는 위원장을 포함하여 20명 이내의 위원으로 구성한다.
④ 제1항부터 제3항까지의 규정에서 정한 사항 외에 보호위원회의 구성 및 운영 등에 관한 사항은 대통령령으로 정한다.

제24조(범죄피해구조심의회 등)
① 구조금 지급에 관한 사항을 심의·결정하기 위하여 각 지방검찰청에 범죄피해구조심의회(이하 '지구심의회'라 한다)를 두고 법무부에 범죄피해구조본부심의회(이하 '본부심의회'라 한다)를 둔다.

> **★ 참고**
> [개정 2024.9.20.] [시행일: 2025.3.21.]
> **범죄피해자 보호법 제24조(범죄피해구조심의회 등)**
> ① 구조금 지급 및 제21조 제2항에 따른 손해배상청구권 대위에 관한 사항을 심의·결정하기 위하여 각 지방검찰청에 범죄피해구조심의회(이하 "지구심의회"라 한다)를 두고 법무부에 범죄피해구조본부심의회(이하 "본부심의회"라 한다)를 둔다.

제25조(구조금의 지급신청)
① 구조금을 받으려는 사람은 법무부령으로 정하는 바에 따라 그 주소지, 거주지 또는 범죄 발생지를 관할하는 지구심의회에 신청하여야 한다.
② 제1항에 따른 신청은 해당 구조대상 범죄피해의 발생을 안 날부터 3년이 지나거나 해당 구조대상 범죄피해가 발생한 날부터 10년이 지나면 할 수 없다.

　💡 범죄피해자 보호법은 금전보상만을 규정하고 있지 않다.

043

범죄피해자구조청구권 및 「범죄피해자 보호법」에 대한 설명으로 가장 적절한 것은? (다툼이 있는 경우 헌법재판소 판례에 의함)

① 구조대상 범죄피해를 받은 사람 또는 그 유족과 가해자 사이의 관계, 그 밖의 사정을 고려하여 구조금의 전부 또는 일부를 지급하는 것이 사회통념에 위배된다고 인정될 때에는 구조금의 전부 또는 일부를 지급하지 아니한다.

② 국가의 주권이 미치지 못하고 국가의 경찰력 등을 행사할 수 없거나 행사하기 어려운 해외에서 발생한 범죄에 대하여 국가에 그 방지책임이 없다고 보기는 어렵다.

③ 구조대상 범죄피해를 받은 사람이나 유족이 해당 구조대상 범죄피해를 원인으로 하여 「국가배상법」이나 그 밖의 법령에 따른 급여 등을 받을 수 있는 경우에는 대통령령으로 정하는 바에 따라 구조금을 지급하지 아니한다.

④ 범죄피해 구조금의 지급신청은 해당 구조대상 범죄피해의 발생을 안 날부터 2년간 행사하지 아니하면 시효로 인하여 소멸된다.

해설

① (×)

> **범죄피해자 보호법 제19조(구조금을 지급하지 아니할 수 있는 경우)**
> ⑥ 구조피해자 또는 그 유족과 가해자 사이의 관계, 그 밖의 사정을 고려하여 구조금의 전부 또는 일부를 지급하는 것이 사회통념에 위배된다고 인정될 때에는 구조금의 전부 또는 일부를 지급하지 아니할 수 있다.

② (×)

> 국가의 주권이 미치지 못하고 국가의 경찰력 등을 행사할 수 없거나 행사하기 어려운 해외에서 발생한 범죄에 대하여는 국가에 그 방지책임이 있다고 보기 어렵고, 상호보증이 있는 외국에서 발생한 범죄피해에 대하여는 국민이 그 외국에서 피해구조를 받을 수 있으며, 국가의 재정에 기반을 두고 있는 구조금에 대한 청구권 행사대상을 우선적으로 대한민국의 영역 안의 범죄피해에 한정하고, 향후 해외에서 발생한 범죄피해의 경우에도 구조를 하는 방향으로 운영하는 것은 입법형성의 재량의 범위 내라고 할 것이다. 따라서 범죄피해자구조청구권의 대상이 되는 범죄피해에 해외에서 발생한 범죄피해의 경우를 포함하고 있지 아니한 것이 현저하게 불합리한 자의적인 차별이라고 볼 수 없어 평등원칙에 위배되지 아니한다. (헌재 2011.12.29. 2009헌마354)

③ (○) 범죄피해자 보호법 제20조

④ (×)

> **범죄피해자 보호법 제31조(소멸시효)**
> 구조금을 받을 권리는 그 구조결정이 해당 신청인에게 송달된 날부터 2년간 행사하지 아니하면 시효로 인하여 소멸된다.

정답 ③

> 기출지문 OX

❶ 범죄피해자구조청구권의 주체는 자연인과 법인이며, 외국인은 상호보증이 있는 경우에 한하여 주체가 될 수 있다. 22 법원직

(O/X)

해설 범죄피해자 구조청구권은 생명·신체의 침해에 대한 것이므로 그 주체는 자연인에 한정된다. 외국인은 상호보증이 있는 경우에 한하여 주체가 될 수 있다.

정답 X

❷ 범죄피해자구조대상이 되는 범죄피해의 범위에는 「형법」 제20조 또는 제21조 제1항에 따라 처벌되지 아니하는 행위, 과실에 의한 행위는 제외한다. 22 법원직

(O/X)

해설 **범죄피해자 보호법** 제3조(정의)
① 이 법에서 사용하는 용어의 뜻은 다음과 같다.
　4. '구조대상 범죄피해'란 대한민국의 영역 안에서 또는 대한민국의 영역 밖에 있는 대한민국의 선박이나 항공기 안에서 행하여진 사람의 생명 또는 신체를 해치는 죄에 해당하는 행위(형법 제9조, 제10조 제1항, 제12조, 제22조 제1항에 따라 처벌되지 아니하는 행위를 포함하며, 같은 법 제20조(정당행위) 또는 제21조(정당방위) 제1항에 따라 처벌되지 아니하는 행위 및 과실에 의한 행위는 제외한다)로 인하여 사망하거나 장해 또는 중상해를 입은 것을 말한다.

정답 O

❸ 타인의 범죄행위로 피해를 당한 사람과 그 배우자, 직계친족뿐만 아니라 범죄피해방지 및 범죄피해자구조활동으로 피해를 당한 사람도 범죄피해자로 본다. 22 법원직

(O/X)

해설 **범죄피해자 보호법** 제3조(정의)
① 이 법에서 사용하는 용어의 뜻은 다음과 같다.
　1. '범죄피해자'란 타인의 범죄행위로 피해를 당한 사람과 그 배우자(사실상의 혼인관계를 포함한다), 직계친족 및 형제자매를 말한다.
② 제1항 제1호에 해당하는 사람 외에 범죄피해방지 및 범죄피해자구조활동으로 피해를 당한 사람도 범죄피해자로 본다.
　　부부(사실상의 부부 포함) 등 가까운 친족 간의 범죄에 대해서는 적용되지 않는다.

정답 O

044

범죄피해자구조청구권에 대한 설명으로 옳은 것은?

① 헌법상 범죄피해자구조청구권은 1987년 개정헌법에서 도입되었다.
② 범죄피해자구조청구권은 생명, 신체에 대한 피해를 입은 경우에 적용되는 것은 물론이고 재산상 피해를 입은 경우에도 적용된다.
③ 범죄피해자구조금의 지급신청은 해당 구조대상 범죄피해의 발생을 안 날부터 3년이 지나거나 해당 구조대상 범죄피해가 발생한 날부터 5년이 지나면 할 수 없다.
④ 범죄행위 당시 구조피해자와 가해자 사이에 사실상의 혼인관계가 있는 경우에도 구조피해자에게 구조금을 지급한다.

해설

① (O) 그 외 재판절차진술권도 현행헌법에서 도입되었다. [21 변호사]
② (X) 범죄피해자구조청구권은 생명, 신체에 대한 피해를 입은 경우에 한정된다. [19 5급행시]
③ (X) [19 5급행시]

> **범죄피해자 보호법 제25조(구조금의 지급신청)**
> ① 구조금을 받으려는 사람은 법무부령으로 정하는 바에 따라 그 주소지, 거주지 또는 범죄 발생지를 관할하는 지구심의회에 신청하여야 한다.
> ② 제1항에 따른 신청은 해당 구조대상 범죄피해의 발생을 안 날부터 3년이 지나거나 해당 구조대상 범죄피해가 발생한 날부터 10년이 지나면 할 수 없다.

④ (X) [18 지방7급]

> **범죄피해자 보호법 제19조(구조금을 지급하지 아니할 수 있는 경우)**
> ① 범죄행위 당시 구조피해자와 가해자 사이에 다음 각 호의 어느 하나에 해당하는 친족관계가 있는 경우에는 구조금을 지급하지 아니한다.
>   1. 부부(사실상의 혼인관계를 포함한다)
>   2. 직계혈족
>   3. 4촌 이내의 친족
>   4. 동거친족

정답 ①

CHAPTER 07 사회적 기본권

제1절 사회적 기본권의 구조와 체계

001 회독 □□□   22 5급행시

사회적 기본권에 대한 설명으로 옳지 않은 것은? (다툼이 있는 경우 판례에 의함)

① 「국민기초생활 보장법 시행령」상 '대학원에 재학 중인 사람'과 '부모에게 버림받아 부모를 알 수 없는 사람'을 조건 부과 유예의 대상자에 포함시키지 않았다는 사정만으로 국가가 인간다운 생활을 보장하기 위한 조치를 취함에 있어서 실현해야 할 객관적 내용의 최소한도 보장에 이르지 못하였다거나 헌법상 용인될 수 있는 재량의 범위를 명백히 일탈하였다고는 보기 어렵다.

② 지뢰피해자 및 그 유족에 대한 위로금 산정시 사망 또는 상이를 입을 당시의 월평균임금을 기준으로 하고, 그 기준으로 산정한 위로금이 2천만 원에 이르지 아니할 경우 2천만 원을 초과하지 아니하는 범위에서 조정·지급할 수 있도록 한 「지뢰피해자 지원에 관한 특별법」조항은 인간다운 생활을 할 권리를 침해한다고 볼 수 없다.

③ 구 「공무원연금법」상 유족급여수급권이 헌법상 보장되는 재산권에 포함되기 때문에 대통령령이 정하는 정도의 장애상태에 있지 아니한 19세 이상의 자녀를 유족의 범위에서 제외한 것은 유족급여수급권의 본질적 내용을 침해하여 입법형성권의 범위를 벗어난 것이다.

④ 산재피해 근로자에게 인정되는 산재보험수급권은 입법재량권의 행사에 의하여 제정된 「산업재해보상보험법」에 의하여 비로소 구체화되는 '법률상의 권리'이며, 개인에게 국가에 대한 사회보장·사회복지 또는 재해예방 등과 관련된 적극적 급부청구권이 인정되는 것은 아니다.

해설

① (○) 헌재 2017.11.30. 2016헌마448

② (○) 헌재 2019.12.27. 2018헌바236 등

③ (×)

> 유족급여수급권이 헌법상 보장되는 재산권에 포함되더라도 수급권자인 유족의 범위는 유족급여수급권의 내용과 한계를 형성하는 영역에 있는 것으로서 법률에 의하여 구체적으로 형성되어야만 비로소 확정된다. 그런데 유족급여수급권은 공무원의 사망이라는 위험에 대비하여 그 유족의 생활안정과 복지향상을 도모하기 위한 사회보장적 급여의 성격을 가지므로 입법자는 구체적인 내용을 형성함에 있어서 국가의 재정능력과 전반적인 사회보장수준, 국민 전체의 소득 및 생활수준, 그 밖의 여러 가지 사회적·경제적 여건 등을 종합하여 합리적인 수준에서 결정할 수 있는 광범위한 형성의 자유를 가진다. 따라서 입법자가 연령과 장애상태를 독자적 생계유지가능성의 판단기준으로 삼아 대통령령이 정하는 정도의 장애상태에 있지 아니한 19세 이상의 자녀를 유족의 범위에서 제외하였음을 들어 유족급여수급권의 본질적 내용을 침해하였다거나 입법형성권의 범위를 벗어났다고 보기 어렵다. (헌재 2019.11.28. 2018헌바335)

④ (○) 헌재 2003.7.24. 2002헌바51

정답 ③

002

사회적 기본권에 관한 다음 설명 중 가장 옳지 않은 것은?

① 모든 국민은 인간다운 생활을 할 권리를 가지며 국가는 생활능력 없는 국민을 보호할 의무가 있다는 헌법의 규정은 헌법재판에 있어서는 다른 국가기관, 즉 입법부나 행정부가 국민으로 하여금 인간다운 생활을 영위하도록 하기 위하여 객관적으로 필요한 최소한의 조치를 취할 의무를 다하였는지를 기준으로 국가기관의 행위의 합헌성을 심사하여야 한다는 통제규범으로 작용하는 것이다.

② 국가는 사회적 기본권에 의하여 제시된 국가의 의무와 과제를 언제나 국가의 현실적인 재정·경제능력의 범위 내에서 다른 국가과제와의 조화와 우선순위결정을 통하여 이행할 수밖에 없다.

③ 국가는 노인과 청소년의 복지향상을 위한 정책을 실시할 의무를 진다.

④ 헌법은 국가의 재해예방의무에 대해서 아무런 규정을 두고 있지 않다.

해설

① (O)

> 모든 국민은 인간다운 생활을 할 권리를 가지며 국가는 생활능력 없는 국민을 보호할 의무가 있다는 헌법의 규정은 입법부와 행정부에 대하여는 국민소득, 국가의 재정능력과 정책 등을 고려하여 가능한 범위 안에서 최대한으로 모든 국민이 물질적인 최저생활을 넘어서 인간의 존엄성에 맞는 건강하고 문화적인 생활을 누릴 수 있도록 하여야 한다는 행위의 지침 즉 행위규범으로서 작용하지만, 헌법재판에 있어서는 다른 국가기관, 즉 입법부나 행정부가 국민으로 하여금 인간다운 생활을 영위하도록 하기 위하여 객관적으로 필요한 최소한의 조치를 취할 의무를 다하였는지의 여부를 기준으로 국가기관의 행위의 합헌성을 심사하여야 한다는 통제규범으로 작용하는 것이다. 그러므로 국가가 인간다운 생활을 보장하기 위한 헌법적인 의무를 다하였는지의 여부가 사법적 심사의 대상이 된 경우에는 국가가 생계보호에 관한 입법을 전혀 하지 아니하였다든가 그 내용이 현저히 불합리하여 헌법상 용인될 수 있는 재량의 범위를 명백히 일탈한 경우에 한하여 헌법에 위반된다고 할 수 있다. (헌재 1997.5.29. 94헌마33)

② (O)
③ (O) ④ (×)

헌법 제34조	
① 모든 국민은 인간다운 생활을 할 권리를 가진다.	바이마르 헌법에서 처음 규정되고 우리나라는 제5차 개정헌법에서 규정되었다.
② 국가는 사회보장·사회복지의 증진에 노력할 의무를 진다.	
③ 국가는 여자의 복지와 권익의 향상을 위하여 노력하여야 한다.	제9차 개정헌법
④ 국가는 노인과 청소년의 복지향상을 위한 정책을 실시할 의무를 진다.	제9차 개정헌법
⑤ 신체장애자 및 질병·노령 기타의 사유로 생활능력이 없는 국민은 법률이 정하는 바에 의하여 국가의 보호를 받는다.	제9차 개정헌법 장애인 보호에 관한 규정은 있지만, 장애인 근로에 관한 규정은 없다.
⑥ 국가는 재해를 예방하고 그 위험으로부터 국민을 보호하기 위하여 노력하여야 한다.	제9차 개정헌법

정답 ④

003

공무원의 연금청구권에 관한 설명 중 옳지 않은 것은? (다툼이 있는 경우 판례에 의함)

① 공무원연금제도는 공무원을 대상으로 퇴직 또는 사망과 공무로 인한 부상·질병 등에 대하여 적절한 급여를 실시함으로써 공무원 및 그 유족의 생활안정과 복리향상에 기여하는 데 그 목적이 있으며, 사회적 위험이 발생한 때에 국가의 책임 아래 보험기술을 통하여 공무원의 구제를 도모하는 사회보험제도의 일종이다.

② 「공무원연금법」상의 퇴직급여 등 각종 급여를 받을 권리, 즉 연금수급권은 재산권의 성격과 사회보장수급권의 성격이 불가분적으로 혼재되어 있는데, 입법자로서는 연금수급권의 구체적 내용을 정함에 있어 어느 한쪽의 요소에 보다 중점을 둘 수 있다.

③ 공무원의 범죄행위로 인해 형사처벌이 부과된 경우에는 그로 인하여 공직을 상실하게 되므로, 이에 더하여 공무원의 퇴직급여청구권까지 박탈하는 것은 이중처벌금지의 원칙에 위반된다.

④ 공무원 또는 공무원이었던 자가 재직 중의 사유로 금고 이상의 형을 받은 때 퇴직급여 및 퇴직수당의 일부를 감액하여 지급하도록 한 「공무원연금법」 조항은 공무원의 신분이나 직무상 의무와 관련없는 범죄인지 여부 등과 관계없이 일률적·필요적으로 퇴직급여를 감액하는 것으로서 재산권을 침해한다.

⑤ 공무원의 직무와 관련이 없는 범죄라 할지라도 고의범의 경우에는 공무원의 법령준수의무, 청렴의무, 품위유지의무 등을 위반한 것으로 볼 수 있으므로 이를 퇴직급여의 감액사유에서 제외하지 아니하더라도 헌법에 위반되지 않는다.

해설

① (O) 사회보험제도의 기능이다.

② (O)

> 공무원연금법상의 퇴직급여, 유족급여 등 각종 급여를 받을 권리, 즉 연금수급권에는 사회적 기본권의 하나인 사회보장수급권의 성격과 재산권의 성격이 불가분적으로 혼재되어 있으므로, 입법자로서는 연금수급권의 구체적 내용을 정함에 있어 반드시 민법상 상속의 법리와 순위에 따라야 하는 것이 아니라 공무원연금제도의 목적 달성에 알맞도록 독자적으로 규율할 수 있고, 여기에 필요한 정책판단·결정에 관하여는 입법자에게 상당한 정도로 형성의 자유가 인정된다. (헌재 1999.4.29. 97헌마333)
> 공무원연금법 제3조 제2항에서 18세 이상으로서 폐질상태에 있지 않은 자는 신체적, 정신적으로 성숙하여 사회생활에 적응할 수 있고, 독자적 노동능력을 갖추어 적어도 최소한의 생활은 스스로 영위해 나갈 수 있는 것으로 보아 유족의 범위에서 배제, 유족급여를 받을 수 없게 하였다 하더라도, 이는 우리나라의 경제수준, 재정능력, 전체적인 사회보장수준, 우리 가족관계의 특성 등을 합리적으로 고려한 것으로서 입법형성의 한계를 벗어나 사회보장수급권, 재산권, 평등권을 침해하는 것이라고 할 수 없다.

③ (X) 이중처벌금지란 형벌을 두 번 부과하지 못하는 것을 말한다. 퇴직급여청구권을 박탈하는 것은 처벌이 아니므로 이중처벌금지의 원칙에 위반되지 않는다.

④ (O)

> 공무원의 신분이나 직무상 의무와 관련이 없는 범죄의 경우에도 퇴직급여 등을 제한하는 것은, 공무원범죄를 예방하고 공무원이 재직 중 성실히 근무하도록 유도하는 입법목적을 달성하는 데 적합한 수단이라고 볼 수 없다. 그리고 특히 과실범의 경우에는 공무원이기 때문에 더 강한 주의의무 내지 결과 발생에 대한 가중된 비난가능성이 있다고 보기 어려우므로, 퇴직급여 등의 제한이 공무원으로서의 직무상 의무를 위반하지 않도록 유도 또는 강제하는 수단으로서 작용한다고 보기 어렵다. 입법자로서는 입법목적을 달성함에 반드시 필요한 범죄의 유형과 내용 등으로 그 범위를 한정하여 규정함이 최소침해성의 원칙에 따른 기본권 제한의 적절한 방식이다. 단지 금고 이상의 형을 받았다는 이유만으로 이미 공직에서 퇴출당할 공무원에게 더 나아가 일률적으로 그 생존의 기초가 될 퇴직급여 등까지 반드시 감액하도록 규정한다면 그 법률조항은 침해되는 사익에 비해 지나치게 공익만을 강조한 입법이라고 아니할 수 없다. 나아가 이 사건 법률조항은 퇴직급여에 있어서는 국민연금법상의 사업장 가입자에 비하여, 퇴직수당에 있어서는 근로기준법상의 근로자에 비하여 각각 차별대우를 하고 있는바, 이는 자의적인 차별에 해당한다. (헌재 2007.3.29. 2005헌바33)

⑤ (O)

> 헌법재판소는 2005헌바33 결정에서 구 공무원연금법 제64조 제1항 제1호가 공무원의 '신분이나 직무상 의무'와 관련이 없는 범죄의 경우도 퇴직급여의 감액사유로 삼는 것이 퇴직공무원들의 기본권을 침해한다고 판시하였는데, 공무원의 직무와 관련이 없는 범죄라고 할지라도 고의범의 경우에는 공무원의 법령준수의무, 청렴의무, 품위유지의무 등을 위반한 것으로 볼 수 있으므로 이를 퇴직급여의 감액사유에서 제외하지 아니하더라도 위 결정의 취지에 반한다고 볼 수 없다. (헌재 2016.6.30. 2014헌바365)

정답 ③

004 20 법원직·변호사

사회적 기본권에 대한 설명으로 옳지 않은 것은? (다툼이 있는 경우 판례에 의함)

① 사회보장수급권은 사회적 기본권으로서 국가에게 적극적으로 급부를 요구할 수 있는 권리를 주된 내용으로 하며, 헌법 제34조 제1항·제2항에 의하여 보장된다.

② 인간다운 생활을 보장하기 위한 객관적인 내용의 최소한을 보장하고 있는지 여부는 심판대상조항만을 가지고 판단하여서는 안 되고, 다른 법령에 의거하여 국가가 최저생활보장을 위하여 지급하는 각종 급여나 각종 부담의 감면 등도 함께 고려하여 판단하여야 한다.

③ 보건복지부장관이 고시한 생활보호사업지침상의 생계보호급여의 수준이 일반 최저생계비에 못미친다고 하더라도 그 사실만으로 국민의 인간다운 생활을 보장하기 위하여 국가가 실현해야 할 객관적 내용의 최소한도의 보장에 이르지 못하였다거나 헌법상 용인될 수 있는 재량의 범위를 명백히 일탈하였다고 볼 수 없다.

④ 이름(성명)은 개인의 정체성과 개별성을 나타내는 인격의 상징으로서 개인이 사회 속에서 자신의 생활영역을 형성하고 발현하는 기초가 되므로, 부모가 자녀의 이름을 지을 자유는 혼인과 가족생활을 보장하는 헌법 제36조 제1항이 아니라 일반적 인격권 및 행복추구권을 보장하는 헌법 제10조에 의하여 보호받는다.

해설

① (O) [20 법원직]

② (O) [20 법원직]

③ (O) 헌재 1997.5.29. 94헌마33 [20 변호사]

④ (X) [20 변호사]

> 부모가 자녀의 이름을 지어주는 것은 자녀의 양육과 가족생활을 위하여 필수적인 것이고, 가족생활의 핵심적 요소라고 할 수 있으므로, '부모가 자녀의 이름을 지을 자유'는 혼인과 가족생활을 보장하는 헌법 제36조 제1항과 행복추구권을 보장하는 헌법 제10조에 의하여 보호받는다. (헌재 2016.7.28. 2015헌마964)
> 심판대상조항은 자녀의 이름에 사용할 수 있는 한자를 정함에 있어 총 8,142자를 '인명용 한자'로 지정하고 있는데 이는 결코 적지 아니하고, '인명용 한자'의 범위를 일정한 절차를 거쳐 계속 확대함으로써 이름에 한자를 사용함에 있어 불편함이 없도록 하는 보완장치를 강구하고 있다. 또한 '인명용 한자'가 아닌 한자를 사용하였다고 하더라도, 출생신고나 출생자 이름 자체가 불수리되는 것은 아니고, 가족관계등록부에 해당 이름이 한글로만 기재되어 종국적으로 해당 한자가 함께 기재되지 않는 제한을 받을 뿐이며, 가족관계등록부나 그와 연계된 공적 장부 이외에 사적 생활의 영역에서 해당 한자 이름을 사용하는 것을 금지하는 것도 아니다. 따라서 심판대상조항은 자녀의 이름을 지을 자유를 침해하지 않는다.

정답 ④

005 재구성

헌법상 사회적 기본권(사회권)에 대한 설명으로 옳지 않은 것은? (다툼이 있는 경우 판례에 의함)

① 참전명예수당은 국가를 위한 특별한 공헌과 희생에 대한 국가보훈적 성격과 고령으로 사회활동능력을 상실한 참전유공자에게 경제적 지원을 함으로써 참전의 노고에 보답하고 아울러 자부심과 긍지를 고양하며 장기적인 측면에서 수급권자의 생활보호를 위한 사회보장적 의미를 동시에 갖는 것이다.

② 「공무원연금법」에 따른 퇴직연금일시금을 지급받은 사람 및 그 배우자를 기초연금수급권자의 범위에서 제외하는 「기초연금법」 조항은 위 퇴직연금일시금을 지급받은 사람 및 그 배우자의 인간다운 생활을 할 권리를 침해하지 않는다.

③ 업무상 질병으로 인한 업무상 재해에 있어 업무와 재해 사이의 상당인과관계에 대한 입증책임을 이를 주장하는 근로자나 그 유족에게 부담시키는 「산업재해보상보험법」 조항이 해당 근로자나 그 유족의 사회보장수급권을 침해한다고 볼 수 없다.

④ 도시환경정비사업의 시행으로 인하여 철거되는 주택의 소유자를 위하여 임시수용시설을 설치하도록 규정하지 않은 「도시 및 주거환경정비법」 조항은 위 도시환경정비사업의 시행으로 철거되는 주택의 소유자에 대하여 최소한의 물질적 생활도 보장하지 않는 것이므로 인간다운 생활을 할 권리를 침해하는 것이다.

해설

① (O) [17 지방7급]
② (O) 연금 등의 사회보장은 이중적으로 하지 않는다. [19 법원직]
③ (O) 헌재 2015.6.25. 2014헌바269 [19 법원직]
④ (X) 임시수용시설과 같은 것은 생활보상의 내용으로 재산권 보장의 범위를 넘어서는 것으로 국가의 배려적 차원의 내용이다. [19 법원직]

> 헌법 제34조 제1항에 따른 인간다운 생활을 할 권리는 사회권적 기본권의 일종으로서 인간의 존엄에 상응하는 최소한의 물질적인 생활의 유지에 필요한 급부를 국가에게 적극적으로 요구할 수 있는 권리를 의미한다. 그런데 도시환경정비사업의 시행으로 인하여 철거되는 주택의 소유자를 위하여 사업시행기간 동안 거주할 임시수용시설을 설치하는 것은 국가에 대하여 최소한의 물질적 생활을 요구할 수 있는 인간다운 생활을 할 권리의 향유와 관련되어 있다고 할 수 없다. 또한 청구인과 같은 주택의 소유자는 정비사업에 의하여 건설되는 주택을 자신의 선택에 따라 분양받을 수 있는 우선적 권리를 향유하게 되고, 정비사업의 완료 후에는 종전보다 주거환경이 개선된 기존의 생활근거지에서 계속 거주할 수 있으므로 청구인의 주장처럼 생활의 근거를 상실하는 것도 아니다. 그렇다면 이 사건 법률조항이 인간다운 생활을 할 권리를 제한하거나 침해한다고 할 수 없다. (헌재 2014.3.27. 2011헌바396)

정답 ④

006 회독 ☐☐☐ 재구성   18 서울7급, 16 법원직, 09 국가7급

사회적 기본권에 대한 설명으로 옳지 않은 것은? (다툼이 있는 경우 판례에 의함)

① 사립학교 교원에 대한 명예퇴직수당은 장기근속자의 조기퇴직을 유도하기 위한 특별장려금이라고 할 것이고 사회보장수급권에 해당하지 않는다.
② 「공무원연금법」에서 다른 법령에 따라 국가나 지방자치단체의 부담으로 「공무원연금법」에 따른 급여와 같은 종류의 급여를 받는 자에게는 그 급여에 상당하는 금액을 공제하여 지급한다고 규정하고 있는 것은 사회보장수급권의 위헌적 침해로 볼 수 없다.
③ 「공무원연금법」상의 각종 급여는 후불임금으로서의 성격을 띠므로, 그에 관한 입법자의 입법재량은 일반적인 재산권과 유사하게 제한된다.
④ 「군인연금법」상의 퇴역연금은 퇴직군인의 생활을 보장하기 위한 사회보험 내지 사회보장·사회복지적 성질도 함께 갖는 것이며, 이와 같은 법적 성질은 퇴직일시금의 경우도 기본적으로 같다.

해설

① (O) [18 서울7급]

> 명예퇴직은 근로자의 청약(신청)에 대하여 사용자가 승낙함으로써 합의에 의하여 근로계약을 종료시키는 근로계약의 합의해지라고 할 것이다. 원칙적으로 계약의 자유가 보장되는 사적 자치의 영역이다. 사립학교법상 명예퇴직수당은 교원이 정년까지 근무할 경우에 받게 될 장래 임금의 보전이나 퇴직 이후의 생활안정을 보장하는 사회보장적 급여가 아니라 장기근속교원의 조기퇴직을 유도하기 위한 특별장려금이라고 할 것이다. (헌재 2007.4.26. 2003헌마533)

② (O) [18 서울7급]

> **연금지급사유가 두 개 이상 발생한 경우 그중 하나만 지급하는 것은 헌법에 위반되지 않는다.** (헌재 2013.9.26. 2011헌바272)
> 이 사건 법률조항은 다른 법령에 따라 국가나 지방자치단체의 부담으로 공무원연금법에 따른 급여와 같은 종류의 급여를 받는 자에게는 그 급여에 상당하는 금액을 공제하여 지급한다고 규정하고 있는바, 이는 연금수급자에게 적절한 사회보장제도를 제공하는 동시에 과도한 지출을 줄여 공무원 연금재정의 안정을 도모함으로써 연금재정을 합리적으로 운용하기 위한 것이므로 그 목적이 정당하다. … 따라서 이 사건 법률조항이 입법자의 입법형성권을 넘는 자의적인 것으로서 청구인의 사회보장수급권이나 재산권을 침해하였다고 보기 어렵다.

③ (X) [16 법원직]

> 공무원연금법상의 각종 급여는 모두 사회보장수급권으로서의 성격과 아울러 재산권으로서의 성격도 가지고, 그중 퇴직일시금 및 퇴직수당수급권은 후불임금 내지 재산권적 성격을 많이 띠고 있는 데 비하여, 퇴직연금수급권은 상대적으로 사회보장적 급여로서의 성격이 강하다. 따라서 퇴직연금수급자가 퇴직 후에 사업소득이나 근로소득을 얻게 된 경우 입법자는 사회정책적 측면과 국가의 재정 및 기금의 상황 등 여러 가지 사정을 참작하여 일반적인 재산권에 비하여 폭넓은 재량으로 소득과 연계하여 퇴직연금의 지급 정도를 결정할 수 있으므로, 소득심사제에 의하여 퇴직연금 중 일부의 지급을 정지하는 것은 포괄위임금지의 원칙에 위배되는 등 특별한 사정이 없는 한 위헌이라고 볼 수 없다. (헌재 2008.2.28. 2005헌마872 등)

④ (O) [09 국가7급]

> 군인연금법상의 퇴역연금의 법적 성질은 군인이 장기간 충실히 복무한 공로에 대한 공적 보상으로서의 은혜적 성질을 갖는 한편, 퇴역연금 중 군인이 부담하는 기여금에 상당하는 부분은 봉급연불적인 성질과 군인인 기간 동안 및 퇴직 후에 있어서의 공적 재해보험의 성질이 있고, 국고의 부담금은 군인과 그 가족을 위한 사회보장 부담금으로서의 성질이 있다 할 것이므로, 결국 퇴역연금은 퇴역군인의 생활을 보장하기 위한 사회보험 내지 사회보장·사회복지적인 성질도 함께 갖는 것이며, 이와 같은 법적 성질은 퇴직일시금의 경우도 기본적으로 같다. (헌재 1996.10.31. 93헌바55)

정답 ③

007 회독 ☐☐☐ 재구성   18 변호사, 16 법무사

사회보장수급권에 대한 설명으로 옳지 않은 것은? (다툼이 있는 경우 판례에 의함)

① 「공무원연금법」상의 각종 급여는 모두 사회보장수급권으로서의 성격과 아울러 재산권으로서의 성격도 가지고, 그 중 퇴직일시금 및 퇴직수당수급권은 후불임금 내지 재산권적 성격을 많이 띠고 있는 데 비하여, 퇴직연금수급권은 상대적으로 사회보장적 급여로서의 성격이 강하다.

② 국민연금이 근로관계로부터 독립하여 제3자인 보험자로 하여금 피보험자의 생활위험을 보호하도록 함으로써 순수한 사회정책적 차원에서 가입자의 노령보호를 주된 목적으로 하는데 비하여, 공무원연금은 근무관계의 한 당사자인 국가가 다른 당사자인 공무원의 사회보장을 직접 담당함으로써 피보험자(공무원)에 대한 사회정책적 보호 외에 공무원 근무관계의 기능유지라는 측면도 함께 도모하고 있다.

③ 헌법 제25조의 공무담임권은 공무원의 재임기간 동안 충실한 공직수행을 담보하기 위하여 공무원의 퇴직급여 및 공무상 재해보상보장까지 그 보호영역으로 하고 있으므로, 「공무원연금법」이 선출직 지방자치단체의 장을 위한 별도의 퇴직급여제도를 마련하지 않은 것은 사회보장수급권을 침해한다.

④ 공무원연금제도와 산업재해보상보험제도는 사회보장 형태로서 사회보험이라는 점에 공통점이 있을 뿐, 보험가입자, 보험관계의 성립 및 소멸, 재정조성주체 등에서 큰 차이가 있어, 「공무원연금법」상의 유족급여수급권자와 「산업재해보상보험법」상의 유족급여수급권자가 본질적으로 동일한 비교집단이라고 보기 어렵다.

해설

① (O) 퇴직연금수급권의 법적 성질에 대한 헌법재판소의 입장이다. [16 법무사]

② (O) 연금의 두 가지 성격에 관한 내용이다. [18 변호사]

③ (X) [18 변호사]

> 지방자치단체장을 위한 별도의 퇴직급여제도를 마련하지 않은 입법부작위는 헌법소원의 대상이 아니다. (헌재 2014.6.26. 2012헌마459)
> 지방자치단체장을 위한 별도의 퇴직급여제도를 마련하지 않은 것은 진정입법부작위에 해당하는데, 헌법상 지방자치단체장을 위한 퇴직급여제도에 관한 사항을 법률로 정하도록 위임하고 있는 조항은 존재하지 않는다. 나아가 지방자치단체장은 특정 정당을 정치적 기반으로 하여 선거에 입후보할 수 있고 선거에 의하여 선출되는 공무원이라는 점에서 헌법 제7조 제2항에 따라 신분보장이 필요하고 정치적 중립성이 요구되는 공무원에 해당한다고 보기 어려우므로 헌법 제7조의 해석상 지방자치단체장을 위한 퇴직급여제도를 마련하여야 할 입법적 의무가 도출된다고 볼 수 없고, 그 외에 헌법 제34조나 공무담임권 보장에 관한 헌법 제25조로부터 위와 같은 입법의무가 도출되지 않는다. 따라서 이 사건 입법부작위는 헌법소원의 대상이 될 수 없는 입법부작위를 그 심판대상으로 한 것으로 부적법하다.

④ (O) [18 변호사]

> 공무원이 유족 없이 사망하였을 경우, 연금수급자의 범위를 직계존·비속으로만 한정하고 있는 공무원연금법 제30조 제1항은 공무원의 형제자매 등 다른 상속권자들의 재산권(상속권)을 침해하지 않는다. 또한 이 사건 법률조항은 산업재해보상보험법이나 국민연금법상 형제자매에게 일정한 범위 내에서 연금수급권을 인정하는 것과 비교하여 평등권을 침해하지 않는다. (헌재 2014.5.29. 2012헌마555)
> 공무원연금제도와 산재보험제도는 사회보장형태로서 사회보험이라는 점에 공통점이 있을 뿐, 보험가입자, 보험관계의 성립 및 소멸, 재정조성 주체 등에서 큰 차이가 있어, 공무원연금법상의 유족급여수급권자와 산업재해보상보험법상의 유족급여수급권자가 본질적으로 동일한 비교집단이라고 보기 어렵다. 공무원연금과 국민연금은 사회보장적 성격을 가진다는 점에서 동일하기는 하나, 제도의 도입목적과 배경, 재원의 조성 등에 차이가 있고, 공무원연금은 국민연금에 비해 재정건전성 확보를 통하여 국가의 재정 부담을 낮출 필요가 절실하다는 점 등에 비추어 볼 때, 공무원연금의 수급권자에서 형제자매를 제외한 것은 합리적인 이유가 있다.

정답 ③

예상판례

연금보험료를 낸 기간이 그 연금보험료를 낸 기간과 연금보험료를 내지 아니한 기간을 합산한 기간의 3분의 2보다 짧은 경우 유족연금 지급을 제한한 구 국민연금법 제85조 제2호 중 '유족연금'에 관한 부분은 헌법에 위반되지 않는다. (헌재 2020.5.27. 2018헌바129【합헌】)

기출지문 OX

❶ 사회보험료를 형성하는 두 가지 중요한 원리는 '보험의 원칙'과 '사회연대의 원칙'이다. 13 국회9급 (O / X)

해설

사보험	사회보험	사회보험이 사보험과 다른 점을 헌법적으로 정당화하는 것은 사회연대의 원리이다.
• 임의가입 • 보험료는 보험급여에 비례	• 강제가입 • 보험료는 소득이나 재산에 비례 • 이질 부담(회사가 절반 부담) • 소득재분배	국민건강보험법은 직장가입자의 경우에는 월 보수만을 기준으로 보험료를 정하여 부과·징수하도록 정하고 있는 데 반해, 지역가입자의 경우 소득, 재산, 생활수준, 경제활동 참가율 등을 모두 고려하여 점수화한 보험료 부과 점수를 기준으로 보험료를 산정하도록 하고 있으나 헌법에 위반되지 않는다. (헌재 2016.12.29. 2015헌바199)

정답 X

❷ 헌법재판소는 「공무원연금법」상의 연금수급권은 사회보장수급권으로서의 성격과 재산권으로서의 성격이 혼재되어 있다고 보면서 양자 가운데 사회보장수급권으로서의 성격에 더 비중이 두어진다고 보고 있다. 16 국회8급 (O / X)

해설 공무원연금법상의 퇴직급여, 유족급여 등 각종 급여를 받을 권리, 즉 연금수급권은 일부 재산권으로서의 성격을 지니는 것으로 파악되고 있으나 이는 앞서 본 바와 같이 사회보장수급권의 성격과 불가분적으로 혼재되어 있으므로, 비록 연금수급권에 재산권의 성격이 일부 있다고 하더라도 그것은 이미 사회보장 법리의 강한 영향을 받지 않을 수 없다고 할 것이고, 입법자로서는 연금수급권의 구체적 내용을 정함에 있어 이를 전체로서 파악하여 어느 한 쪽의 요소에 보다 중점을 둘 수 있다고 할 것이다. 따라서 연금수급권의 구체적인 내용을 형성함에 있어서 입법자는 국가의 재정능력, 국민 전체의 소득 및 생활수준, 기타 여러 가지 사회적·경제적 여건 등을 종합하여 이 법의 입법목적 달성에 알맞도록 합리적인 수준에서 결정할 수 있고, 여기에 필요한 정책적인 판단 및 결정은 일차적으로 입법자의 재량에 맡겨져 있다고 할 것이다. (헌재 2009.5.28. 2008헌바107)

정답 X

❸ 일정한 법정요건을 갖춰 발생한 산재보험수급권은 구체적인 법적 권리로 보장되고 그 성질상 경제적·재산적 가치가 있는 공법상의 권리로서 헌법상 재산권의 보호대상에 포함된다. 16 법무사 (O / X)

해설 법정요건을 갖춘 경우에는 헌법상 기본권(추상적 권리)으로 본다.

정답 O

❹ 사회권(생존권)적 기본권은 헌법에 명문으로 규정된 구체적 권리로서 헌법소원 등을 통하여 그 권리를 실현할 수 있다. 09 법원직 (O / X)

해설 사회권이 구체적 권리인지 추상적 권리인지에 대해서는 학설상 다툼이 있으며 헌법재판소는 대체로 헌법의 규정만으로는 실현할 수 없고 개별입법이 있어야 한다고 보는 입장이다. 헌법재판소는 "인간다운 생활을 할 권리로부터는 인간의 존엄에 상응하는 생활에 필요한 '최소한의 물질적인 생활'의 유지에 필요한 급부를 요구할 수 있는 구체적인 권리가 상황에 따라서는 직접 도출될 수 있다고 할 수는 있어도, 동 기본권이 직접 그 이상의 급부를 내용으로 하는 구체적인 권리를 발생하게 한다고는 볼 수 없다고 할 것이다. 이러한 구체적 권리는 국가가 재정형편 등 여러 가지 상황들을 종합적으로 감안하여 법률을 통하여 구체화할 때에 비로소 인정되는 법률적 권리라고 할 것이다."라고 판시하여 인간다운 생활을 할 권리에 관하여 이분설의 태도를 보여 주고 있다. (헌재 1995.7.21. 93헌가14【합헌】)

정답 X

❺ 사회보장수급권은 헌법 제34조 제1항 및 제2항 등으로부터 개인에게 직접 주어지는 헌법적 차원의 권리이다. 13 서울7급

(O / X)

> [해설] 사회보장수급권은 헌법 제34조 제1항 및 제2항 등으로부터 개인에게 직접 주어지는 헌법적 차원의 권리라거나 사회적 기본권의 하나라고 볼 수는 없고, 다만 위와 같은 사회보장·사회복지 증진의무를 포섭하는 이념적 지표로서의 인간다운 생활을 할 권리를 실현하기 위하여 입법자가 입법재량권을 행사하여 제정하는 사회보장입법에 그 수급요건, 수급자의 범위, 수급액 등 구체적인 사항이 규정될 때 비로소 형성되는 법률적 차원의 권리에 불과하다고 할 것이다. (헌재 2003.7.24. 2002헌바51)

정답 X

008 회독 ☐☐☐ 재구성 17 변호사, 17·15 지방7급, 09 국가7급

사회적 기본권에 대한 설명으로 옳지 않은 것은? (다툼이 있는 경우 판례에 의함)

① '인간다운 생활을 할 권리'로부터는 인간의 존엄에 상응하는 생활에 필요한 '최소한의 물질적인 생활'의 유지에 필요한 급부를 요구할 수 있는 구체적인 권리가 상황에 따라서는 직접 도출될 수 있다고 할 수는 있어도, 동 기본권이 직접 그 이상의 급부를 내용으로 하는 구체적인 권리를 발생케 한다고는 볼 수 없다.

② 경과실의 범죄로 인한 사고는 개념상 우연한 사고의 범위를 벗어나지 않으므로 경과실로 인한 범죄행위에 기인하는 보험사고에 대하여 의료보험급여를 부정하는 것은 우연한 사고로 인한 위험으로부터 다수의 국민을 보호하고자 하는 사회보장제도로서의 의료보험의 본질을 침해하여 헌법에 위반된다.

③ 「공무원연금법」상 퇴직연금의 수급자가 「사립학교교직원 연금법」 제3조의 학교기관으로부터 보수 기타 급여를 지급받고 있는 경우, 그 기간 중 퇴직연금의 지급을 정지하도록 한 것은 기본권 제한의 입법한계를 일탈한 것으로 볼 수 없다.

④ 사회적 기본권에 관한 법률유보는 주로 권리의 내용을 구체화하는 기본권 구체화적 법률유보를 의미하기 때문에 국회가 사회적 기본권을 구체화하는 입법의무를 게을리할 경우 헌법재판소는 결정의 형식으로 스스로 입법할 수 있다.

해설

① (○) 헌법재판소는 인간다운 생활권에 대해 물질적 생활까지만 인정한다. [17 변호사]

② (○) 헌재 2003.12.18. 2002헌바1 [17 지방7급]

③ (○) [09 국가7급]

> 한정된 재원으로 보다 많은 공무원과 그 유족에게 적절한 사회보장적 급여를 실시하기 위하여는 연금지급이 필요하지 않은 경우에 그 지급을 정지할 필요성이 있으므로 … 위 규정에 의하여 지급이 정지되는 것은 사립학교기관으로부터 보수를 지급받고 있는 기간 중의 퇴직연금만이고 퇴직수당 등 다른 급여의 지급이 정지되는 것은 아니므로 이는 입법목적 달성을 위하여 필요하고 적정한 방법으로서 기본권 제한의 입법한계를 일탈한 것으로 볼 수 없다. (헌재 2000.6.29. 98헌바106)

④ (✕) [15 지방7급]

> 헌법재판소가 스스로 입법을 하는 것은 권력분립원칙에 위배된다. 국가기관 간의 권력분립원칙에 비추어 볼 때, 다만 헌법이 스스로 국가기관에게 특정한 의무를 부과하는 경우에 한하여 헌법재판소는 헌법재판의 형태로서 국가기관이 특정한 행위를 하지 않은 부작위의 위헌성을 확인할 수 있을 뿐이다. (헌재 2002.12.18. 2002헌마52)

정답 ④

009

사회적 기본권에 대한 설명으로 옳지 않은 것은? (다툼이 있는 경우 판례에 의함)

① 이른바 유니언 숍(Union Shop) 협정의 체결에서 근로자의 단결하지 아니할 자유와 노동조합의 적극적 단결권이 충돌하게 되나, 노동조합의 적극적 단결권은 근로자 개인의 단결하지 않을 자유보다 중시되어야 하므로 유니언 숍 협정은 헌법적으로 용인된다.

② 외국인 산업연수생이 연수라는 명목하에 사업주의 지시·감독을 받으면서 사실상 노무를 제공하고 수당 명목의 금품을 수령하는 등 실질적인 근로관계에 있는 경우에도 「근로기준법」이 보장한 근로기준 중 주요 사항을 그들에게 적용되지 않도록 하는 것은 합리적인 근거가 없으므로 자의적인 차별이다.

③ 기초생활보장제도의 보장단위인 개별가구에서 교도소 구치소에 수용 중인 자를 제외하도록 한 규정은 이들의 인간다운 생활을 할 권리를 침해하는 것이다.

④ 헌법 제33조 제1항에서 '단체협약체결권'을 명시하여 규정하고 있지 않다고 하더라도, 근로조건의 향상을 위한 근로자 및 그 단체의 본질적인 활동의 자유인 '단체교섭권'에는 단체협약체결권이 포함되어 있다고 보아야 한다.

해설

① (○) 헌재 2005.11.24. 2002헌바95 등 [12 변호사]

② (○) 헌재 2007.8.30. 2004헌마670 [12 변호사]

③ (×) [17 지방7급]

> 생활이 어려운 국민에게 필요한 급여를 행하여 이들의 최저생활을 보장하기 위해 제정된 국민기초생활 보장법은 부양의무자에 의한 부양과 다른 법령에 의한 보호가 이 법에 의한 급여에 우선하여 행하여지도록 하는 보충급여의 원칙을 채택하고 있는바, 형의 집행 및 수용자의 처우에 관한 법률에 의한 교도소·구치소에 수용 중인 자는 당해 법률에 의하여 생계유지의 보호를 받고 있으므로 이러한 생계유지의 보호를 받고 있는 교도소·구치소에 수용 중인 자에 대하여 국민기초생활 보장법에 의한 중복적인 보장을 피하기 위하여 개별가구에서 제외하기로 한 입법자의 판단이 헌법상 용인될 수 있는 재량의 범위를 일탈하여 인간다운 생활을 할 권리를 침해한다고 볼 수 없다. (헌재 2011.3.31. 2009헌마617 등)

④ (○) 헌재 1998.2.27. 94헌바13 등 [12 변호사]

정답 ③

제2절 인간다운 생활을 할 권리

010 회독 ☐☐☐ NEW   24 경찰간부

인간다운 생활을 할 권리에 대한 설명으로 가장 적절하지 않은 것은? (다툼이 있는 경우 헌법재판소 판례에 의함)

① 공영방송은 사회·문화·경제적 약자나 소외계층이 마땅히 누려야 할 문화에 대한 접근기회를 보장하여 인간다운 생활을 할 권리를 실현하는 기능을 수행하므로 우리 헌법상 그 존립가치와 책무가 크다.
② 재요양을 받는 경우에 재요양 당시의 임금을 기준으로 휴업급여를 산정하도록 한 구「산업재해보상보험법」조항은 진폐 근로자의 인간다운 생활을 할 권리를 침해하지 아니한다.
③ 공무원에게 재해보상을 위하여 실시되는 급여의 종류로 휴업급여 또는 상병보상연금 규정을 두고 있지 않은「공무원재해보상법」제8조가 인간다운 생활을 할 권리를 침해할 정도에 이르렀다고 할 수는 없다.
④ 자동차사고 피해가족 중 유자녀에 대한 대출을 규정한 구「자동차손해배상 보장법 시행령」조항 중 '유자녀의 경우에는 생계유지 및 학업을 위한 자금의 대출' 부분은, 대출을 신청한 법정대리인이 상환의무를 부담하지 않으므로, 유자녀의 아동으로서의 인간다운 생활을 할 권리를 침해한다.

해설

① (O)

> 한국방송공사로부터 수신료 징수업무를 위탁받은 자가 수신료를 징수할 때 그 고유업무와 관련된 고지행위와 결합하여 이를 행사하여서는 안 된다고 규정한 방송법 시행령 제43조 제2항은 청구인의 방송의 자유를 침해하지 아니하고, 위 시행령 조항 개정 과정에서의 입법예고기간 단축에 관한 심판청구는 부적법하다. (헌재 2024.5.30. 2023헌마820 등【기각, 각하】)
> 수신료의 분리징수를 규정하는 심판대상조항이 법률유보원칙, 적법절차원칙, 신뢰보호원칙을 위반하지 않고, 입법재량의 한계를 일탈하지 않아 청구인의 방송운영의 자유를 침해하지 않는다고 판단하였다.

② (O) 헌재 2024.4.25. 2021헌바316

③ (O)

> 공무원에게 재해보상을 위하여 실시되는 급여의 종류로 일반근로자에 대한 산업재해보상보험법과 달리 휴업급여 또는 상병보상연금 규정을 두고 있지 않은 '공무원 재해보상법' 제8조는 헌법에 위반되지 않는다. (헌재 2024.2.28. 2020헌마1587【기각】)

④ (×)

> 유자녀 생활자금 대출금의 상환의무를 대출신청자(법정대리인) 아닌 유자녀에게 부과하는 구 '자동차손해배상 보장법 시행령' 제18조 제1항 제2호는 청구인의 아동으로서의 인간다운 생활을 할 권리를 침해하지 않는다. (헌재 2024.4.25. 2021헌마473【기각】)
> [1] 국가는 헌법 제36조 제1항, 제34조 제4항에 따라 가족생활을 보장하고, 청소년의 복지향상을 위한 정책을 실시할 의무를 진다. 유자녀는 18세 미만의 자로서 우리나라가 비준한 '아동의 권리에 관한 협약' 및 아동복지법에서 정의하는 '아동'에 속하는 집단이고, 국가가 아동에 관한 복지정책을 실시할 때에는 아동의 이익을 최우선적으로 고려하여야 한다는 입법형성권의 한계가 존재한다.
> [2] 유자녀에 대한 적기의 경제적 지원 목적 달성 및 자동차 피해지원사업의 지속가능성 확보의 중요성, 대출 신청자의 이해충돌행위에 대한 민법상 부당이득반환청구 등 각종 일반적 구제수단의 존재 등을 고려하면, 심판대상조항이 청구인의 아동으로서의 인간다운 생활을 할 권리를 침해하였다고 보기 어렵다.

정답 ④

011 24 경찰2차

인간다운 생활을 할 권리에 관한 설명으로 가장 적절한 것은? (다툼이 있는 경우 헌법재판소 판례에 의함)

① 지방자치단체장을 「공무원연금법」상 퇴직급여 및 퇴직수당의 지급 대상에서 제외하고 있는 구 「공무원연금법」조항은, 근무형태 및 보수체계에 있어서 다른 일반공무원과 차이가 없음에도 차별을 두는 것으로 지방자치단체장의 인간다운 생활을 할 권리를 침해한다.

② 외국인만으로 구성된 가구 중 영주권자 및 결혼이민자만을 긴급 재난지원금 지급대상에 포함시키고 난민인정자를 제외한 관계 부처합동 '긴급재난지원금 가구구성 및 이의신청 처리기준(2차)' 중 해당 부분은, '영주권자 및 결혼이민자'와 '난민인정자' 간 합리적 차별이라 할 것이므로 난민인정자의 인간다운 생활을 할 권리를 침해하지 아니한다.

③ 「산업재해보상보험법」상 유족급여를 수령할 수 있는 소정의 유족의 범위에 '직계혈족의 배우자'를 포함시키고 있지 않은 동법 조항은, 입법형성의 한계를 일탈하여 청구인의 인간다운 생활을 할 권리를 침해하고 있다고 보기는 어렵다.

④ 「공무원연금법」에 따른 퇴직연금일시금을 받은 사람에게 기초 연금을 지급하지 아니하도록 한 「기초연금법」및 동법 시행령 조항은 퇴직연금일시금의 액수 및 수령시점, 현존 여부 등을 고려하지 않은 채 퇴직연금일시금을 받은 사람을 무조건 기초 연금 지급대상에서 제외하고 있으므로, 퇴직연금일시금 수령자의 인간다운 생활을 할 권리를 침해한다.

해설

① (×)
> 지방자치단체장을 공무원연금법의 적용대상에서 제외하고 있다고 하더라도, 이들의 인간다운 생활을 보장하기 위하여 국가가 실현해야 할 객관적 내용의 최소한도 보장에도 이르지 못하였다고 보기 어려우므로, 선례조항은 지방자치단체장의 인간다운 생활을 할 권리를 침해하지 아니한다. (헌재 2024.4.25. 2020헌바322)

② (×)
> 외국인 중 영주권자 및 결혼이민자만을 긴급재난지원금 지급대상에 포함시키고 난민인정자를 제외한 2020.5.13.자 관계 부처합동 '긴급재난지원금 가구구성 및 이의신청 처리기준(2차)' 중 'I. 가구구성 관련 기준, ② 가구구성 세부기준' 가운데 '외국인만으로 구성된 가구'에 관한 부분은 헌법에 위반된다. (헌재 2024.3.28. 2020헌마1079【인용(위헌확인)】)
> 1994년 이후 2023년 6월 말까지 1,381명이 난민인정을 받았는바, 난민인정자에게 긴급재난지원금을 지급한다 하여 재정에 큰 어려움이 있다고 할 수 없고, 가족관계 증명이 어렵다는 행정적 이유 역시 난민인정자를 긴급재난지원금의 지급대상에서 제외하여야 할 합리적인 이유가 될 수 없다. 그렇다면 이 사건 처리기준이 긴급재난지원금 지급 대상에 외국인 중에서도 '영주권자 및 결혼이민자'를 포함시키면서 '난민인정자'를 제외한 것은 합리적 이유 없는 차별이라 할 것이므로, 이 사건 처리기준은 청구인의 평등권을 침해한다.

③ (○)
> 산업재해보상보험법 소정의 유족의 범위에 '직계혈족의 배우자'(며느리, 사위를 말한다)를 포함시키고 있지 않은 것은 헌법에 위반되지 않는다. (헌재 2012.3.29. 2011헌바133)

④ (×)

> 이는 한정된 재원으로 노인의 생활안정과 복리향상이라는 기초연금법의 목적을 달성하기 위한 것으로서 합리성이 인정되고, 국가가 기초연금제도 외에도 다양한 노인복지제도와 저소득층 노인의 노후소득보장을 위한 기초생활보장제도를 실시하고 있으며, 퇴직공무원의 후생복지 및 재취업을 위한 사업을 실시하고 있는 점을 고려할 때 인간다운 생활을 할 권리를 침해한다고 볼 수 없다. (헌재 2018.8.30. 2017헌바197)

정답 ③

012   23 국회8급

인간다운 생활을 할 권리에 대한 헌법재판소의 판시 내용으로 적절하지 않은 것은?

① 직장가입자가 소득월액보험료를 일정 기간 이상 체납한 경우 그 체납한 보험료를 완납할 때까지 국민건강보험공단이 그 가입자 및 피부양자에 대하여 보험급여를 실시하지 아니할 수 있도록 한 구 「국민건강보험법」 조항은 해당 직장가입자의 인간다운 생활을 할 권리를 침해한다.
② 퇴직연금수급자가 유족연금을 함께 받게 된 경우 그 유족연금액의 2분의 1을 빼고 지급하도록 하는 구 「공무원연금법」 조항은 입법형성의 한계를 벗어나 인간다운 생활을 할 권리를 침해하였다고 볼 수 없다.
③ 유족연금수급권은 그 급여의 사유가 발생한 날로부터 5년간 이를 행사하지 아니하면 시효로 인하여 소멸하도록 규정한 구 「군인연금법」 조항은 유족연금수급권자의 인간다운 생활을 할 권리를 침해한다고 볼 수 없다.
④ '개별가구 또는 개인의 여건'에 관한 조건 부과 유예대상자로 '대학원에 재학 중인 사람'과 '부모에게 버림받아 부모를 알 수 없는 사람'을 규정하고 있지 않은 「국민기초생활 보장법 시행령」 조항은 인간다운 생활을 할 권리를 침해하지 않는다.
⑤ 보건복지부장관이 2002년도 최저생계비를 고시함에 있어 장애로 인한 추가지출비용을 반영한 별도의 최저생계비를 결정하지 않은 채 가구별 인원 수만을 기준으로 최저생계비를 결정한 '2002년도 최저생계비고시'가 생활능력 없는 장애인가구 구성원의 인간다운 생활을 할 권리를 침해하였다고 할 수 없다.

해설

① (×)

> 가입자 간 보험료 부담의 형평성을 제고하고자 하는 소득월액보험료의 도입취지를 고려하면, 소득월액보험료를 체납한 가입자에 대하여 보수월액보험료를 납부하였다는 이유로 보험급여를 제한하지 아니할 경우, 형평에 부합하지 않는 결과가 초래될 수 있다. 따라서 소득월액보험료 체납자에 대한 보험급여를 제한하는 것은 그 취지를 충분히 납득할 수 있다. 따라서 심판대상조항은 청구인의 인간다운 생활을 할 권리나 재산권을 침해하지 아니한다. (헌재 2020.4.23. 2017헌바244)

② (○) 연금을 중복지급하지 않는 것은 합헌이다. (헌재 2020.6.25. 2018헌마865)
③ (○) 헌재 2021.4.29. 2019헌바412

④ (O)

'대학원에 재학 중인 사람'과 '부모에게 버림받아 부모를 알 수 없는 사람'을 조건 부과 유예의 대상자에 포함시키지 않았다고 하더라도, 그러한 사정만으로 국가가 청구인의 인간다운 생활을 보장하기 위한 조치를 취함에 있어서 국가가 실현해야 할 객관적 내용의 최소한도의 보장에도 이르지 못하였다거나 헌법상 용인될 수 있는 재량의 범위를 명백히 일탈하였다고는 보기는 어렵다. (헌재 2017.11.30. 2016헌마448)

⑤ (O) 헌재 2004.10.28. 2002헌마328

정답 ①

013 인간다운 생활을 할 권리에 대한 설명으로 옳은 것은? (다툼이 있는 경우 판례에 의함)

22 경찰1차, 19 서울7급(2월), 12 국회8급

① 현대국가에서 조세의 유도적·형성적 기능은 국민이 공동의 목표로 삼고 있는 일정한 방향으로 국가사회를 유도하고 그러한 상태를 형성하기 위한 기능을 의미하고 이 같은 기능은 모든 국민으로 하여금 '인간다운 생활을 할 권리'를 보장한 헌법 제34조 제1항에 의하여 그 헌법적 정당성이 뒷받침되고 있다.

② 「국가유공자 등 예우 및 지원에 관한 법률」이 보상받을 권리의 발생시기를 국가보훈처장에게 등록신청을 한 날이 속하는 달부터 발생하도록 한 것은 행복추구권 및 인간다운 생활을 할 권리를 침해한다.

③ 65세 미만의 일정한 노인성 질병이 있는 사람의 장애인 활동지원급여 신청자격을 제한하는 「장애인활동 지원에 관한 법률」 제5조 제2호 본문 중 「노인장기요양보험법」 제2조 제1호에 따른 노인 등' 가운데 '65세 미만의 자로서 치매·뇌혈관성질환 등 대통령령으로 정하는 노인성 질병을 가진 자'에 관한 부분은 합리적 이유가 있다고 할 것이므로 평등원칙에 위반되지 않는다.

④ 인간다운 생활을 할 권리란 국가에 대하여 인간의 존엄에 상응하는 최소한의 급부를 국가에 청구할 수 있는 권리를 말하는데, 헌법재판소는 '건강하고 문화적인 최저한도의 생활'을 인간의 존엄에 상응하는 최소한의 보장수준으로 보고 있다.

해설

① (O) [12 국회8급]

현대에 있어서의 조세의 기능은 국가재정 수요의 충당이라는 고전적이고도 소극적인 목표에서 한걸음 더 나아가, 국민이 공동의 목표로 삼고 있는 일정한 방향으로 국가사회를 유도하고 그러한 상태를 형성한다는 보다 적극적인 목적을 가지고 부과되는 것이 오히려 일반적인 경향이 되고 있다. 이러한 조세의 유도적·형성적 기능은 우리 헌법상 '국민생활의 균등한 향상'을 기하도록 한 헌법전문, 모든 국민으로 하여금 '인간다운 생활을 할 권리'를 보장한 제34조 제1항, '균형 있는 국민경제의 성장 및 안정과 적정한 소득의 분배를 유지하고, 시장의 지배와 경제력의 남용을 방지하며, 경제주체 간의 조화를 통한 경제의 민주화를 위하여' 국가로 하여금 경제에 관한 규제와 조정을 할 수 있도록 한 제119조 제2항, '국토의 효율적이고 균형 있는 이용·개발과 보전을 위하여' 국가로 하여금 필요한 제한과 의무를 과할 수 있도록 한 제122조 등에 의하여 그 헌법적 정당성이 뒷받침되고 있다. (헌재 1994.7.29. 92헌바49)

② (X) [19 서울7급(2월)]

> 국가유공자 등 예우 및 지원에 관한 법률(이하 '예우법'이라 한다) 제9조 제1항 본문(이하 '이 사건 조항'이라 한다)은 지급대상자의 범위 파악과 보상수준의 결정에 있어서의 용이성, 국가의 재정적 상황 등 입법정책적 상황을 고려하여 규정된 것이며, 예우법은 보상금 이외에 생활조정수당이나 간호수당 등을 지급함으로써 국가유공자의 인간다운 생활에 필요한 최소한의 물질적 수요를 충족시켜 주고 있다고 할 것이므로, 사건 조항은 인간다운 생활을 할 권리를 침해하지 아니한다. (헌재 2011.7.28. 2009헌마27)
> [1] 사회보장법 분야에서 분쟁의 대상이 급부의 여부 혹은 그 정도일 때 해당 헌법규범의 실현은 국가재정 등 주변 여건에 의존할 수밖에 없다. 그러므로 이 사건 법률조항으로 인한 차별대상은 헌법에서 특별히 평등을 요구하는 경우에 해당한다고 볼 수 없으므로, 그 심사에는 자의금지원칙을 적용함이 상당하다.
> [2] 독립유공자법의 입법목적이나 적용대상에 비추어 볼 때, 5·18민주화운동보상법은 그 입법목적 및 적용대상을 달리하고 있을 뿐만 아니라, 5·18민주화운동보상법 제5조에 의해 지급되는 보상금은 5·18민주화운동과 관련하여 사망하거나 행방불명된 자 또는 상이를 입은 자 등에게 일시금으로 지급되는 위로금으로서의 성격을 가지는 것으로, 독립유공자법상의 보상금과는 그 성격을 달리하는바, 5·18민주화운동보상법의 적용을 받는 자들과 독립유공자법의 적용을 받는 자들을 동일한 비교집단으로 볼 수는 없다. 따라서 이 사건 법률조항은 평등원칙에 위반된다고 볼 수 없다.

③ (X) [22 경찰1차]

> 65세 미만의 비교적 젊은 나이인 경우, 일반적 생애주기에 비추어 자립 욕구나 자립지원의 필요성이 높고, 질병의 치료효과나 재활의 가능성이 높은 편이므로 노인성 질병이 발병하였다고 하여 곧 사회생활이 객관적으로 불가능하다거나, 가내에서의 장기요양의 욕구·필요성이 급격히 증가한다고 평가할 것은 아니다. 또한 활동지원급여와 장기요양급여는 급여량 편차가 크고, 사회활동 지원 여부 등에 있어 큰 차이가 있다. 그럼에도 불구하고 65세 미만의 장애인 가운데 일정한 노인성 질병이 있는 사람의 경우 일률적으로 활동지원급여 신청자격을 제한한 데에 합리적 이유가 있다고 보기 어려우므로 심판대상조항은 평등원칙에 위반된다. (헌재 2020.12.23. 2017헌가22 등)

④ (X) [12 국회8급]

> 모든 국민은 인간다운 생활을 할 권리를 가지며 국가는 생활능력 없는 국민을 보호할 의무가 있다는 헌법의 규정은 입법부와 행정부에 대하여는 국민소득, 국가의 재정능력과 정책 등을 고려하여 가능한 범위 안에서 최대한으로 모든 국민이 물질적인 최저생활을 넘어서 인간의 존엄성에 맞는 건강하고 문화적인 생활을 누릴 수 있도록 하여야 한다는 행위의 지침, 즉 행위규범으로서 작용하지만, 헌법재판에 있어서는 다른 국가기관, 즉 입법부나 행정부가 국민으로 하여금 인간다운 생활을 영위하도록 하기 위하여 객관적으로 필요한 최소한의 조치를 취할 의무를 다하였는지의 여부를 기준으로 국가기관의 행위의 합헌성을 심사하여야 한다는 통제규범으로 작용하는 것이다. (헌재 1997.5.29. 94헌마33)
>
> 국민기초생활 보장법은 건강하고 문화적인 생활로 규정하고 있다.

정답 ①

예상판례

❶ 국민연금과 직역연금의 연계에 관한 법률 공포일 전에 공무원연금 등 직역연금에서 국민연금으로 이동한 경우를 소급적인 연계신청의 허용대상에 포함시키지 않은 연금연계법 부칙 제2조 제2항 제2호는 연금연계법 공포일 전에 직역연금에서 국민연금으로 이동한 사람의 평등권을 침해하지 않으며, 이 사건 부칙조항은 연금연계법 공포일 전에 직역연금에서 국민연금으로 이동한 사람의 인간다운 생활을 할 권리를 침해하지 않는다. (헌재 2015.2.26. 2013헌바419)

❷ 공무원이거나 공무원이었던 사람이 재직 중의 사유로 금고 이상의 형을 받거나 형이 확정된 경우 퇴직급여 및 퇴직수당의 일부를 감액하여 지급함에 있어 그 이후 형의 선고의 효력을 상실하게 하는 특별사면 및 복권을 받은 경우를 달리 취급하는 규정을 두지 아니한 구 공무원연금법 제64조 제1항 제1호와 구 공무원연금법 제64조 제1항 제1호는 재산권과 인간다운 생활을 할 권리를 침해하지 않는다. (헌재 2020.4.23. 2018헌바402)

제3절 교육을 받을 권리와 교육제도

014 [24 경찰승진]

교육을 받을 권리에 관한 설명 중 가장 적절한 것은? (다툼이 있는 경우 판례에 의함)

① 헌법 제31조 제1항에서 보장되는 교육의 기회균등권은 '특히 경제적 약자가 실질적인 평등교육을 받을 수 있도록 국가가 적극적 정책을 실현해야 한다는 것'을 의미하므로 이로부터 국민이 직접 실질적 평등교육을 위한 교육비를 청구할 권리가 도출된다고 할 수 있다.
② 부모의 자녀교육권은 기본권의 주체인 부모의 자기결정권이라는 의미에서 보장되는 자유일 뿐만 아니라 자녀의 보호와 인격발현을 위하여 부여되는 기본권이다.
③ 한자를 국어과목에서 분리하여 초등학교 재량에 따라 선택적으로 가르치도록 하는 것은, 국어교과의 내용으로 한자를 배우고 일정 시간 이상 필수적으로 한자교육을 받음으로써 교육적 성장과 발전을 통해 자아를 실현하고자 하는 학생들의 자유로운 인격발현권을 제한하기는 하나 학부모의 자녀교육권을 제한하는 것은 아니다.
④ 교원의 지위를 포함한 교육제도 등의 법정주의를 규정하고 있는 헌법 제31조 제6항은 교원의 기본권보장 내지 지위보장뿐만 아니라 교원의 기본권을 제한하는 근거가 될 수도 있다.

해설

① (✕)
> 실질적인 평등교육을 실현해야 할 국가의 적극적인 의무가 인정되지만, 이러한 의무조항으로부터 국민이 직접 실질적 평등교육을 위한 교육비를 청구할 권리가 도출되는 것은 아니다. (헌재 2003.11.27. 2003헌바39)

② (✕)
> 부모의 자녀교육권은 다른 기본권과는 달리, 기본권의 주체인 부모의 자기결정권이라는 의미에서 보장되는 자유가 아니라, 자녀의 보호와 인격발현을 위하여 부여되는 기본권이다. (헌재 2000.4.27. 98헌가16)

③ (✕)
> 이 사건 한자 관련 고시는 한자를 국어과목에서 분리하여 학교 재량에 따라 선택적으로 가르치도록 하고 있으므로, 국어교과의 내용으로 한자를 배우고 일정 시간 이상 필수적으로 한자교육을 받음으로써 교육적 성장과 발전을 통해 자아를 실현하고자 하는 학생들의 자유로운 인격발현권을 제한한다. 또한 학부모는 자녀의 개성과 능력을 고려하여 자녀의 학교교육에 관한 전반적인 계획을 세우고, 자신의 인생관·사회관·교육관에 따라 자녀를 교육시킬 권리가 있는바, 이 사건 한자 관련 고시는 자녀의 올바른 성장과 발전을 위하여 한자교육이 반드시 필요하고 국어과목 시간에 이루어져야 한다고 생각하는 학부모의 자녀교육권도 제한할 수 있다. (헌재 2016.11.24. 2012헌마854【기각】)

④ (○) 헌재 1998.7.16. 96헌바33

정답 ④

015 NEW

24 경찰간부

교육을 받을 권리에 대한 설명으로 가장 적절하지 않은 것은? (다툼이 있는 경우 헌법재판소 판례에 의함)

① '2021학년도 대학입학전형기본사항' 중 재외국민 특별전형 지원자격 가운데 학생 부모의 해외체류요건 부분은 부모의 해외체류가능성을 기준으로 학생의 지원자격을 인정함으로써 균등하게 교육받을 권리를 침해한다.

② 헌법 제31조 제1항과 제6항은 변호사시험을 준비하는 법학전문대학원 졸업생에 대해 법학전문대학원에서의 보수교육을 시행하도록 하는 내용의 구체적이고 명시적인 입법의무를 입법자에게 부여하고 있다고 볼 수 없다.

③ 서울대학교 총장의 '2022학년도 대학 신입학생 정시모집('나'군) 안내' 중 수능 성적에 최대 2점의 교과이수 가산점을 부여하고, 2020년 2월 이전 고등학교 졸업자에게 모집단위별 지원자의 가산점 분포를 고려하여 모집단위 내 수능점수 순위에 상응하는 가산점을 부여하도록 한 부분은 균등하게 교육받을 권리를 침해하는 것이라고 볼 수 없다.

④ 국가는 국민의 교육을 받을 권리라는 기본권을 보장하고 의무교육을 시행하기 위하여 적기에 적절한 학교교지를 확보하여야 할 의무가 있다는 점 및 이를 고려하여 학교교지에 대하여는 유상으로 취득하도록 하는 점에 비추어 보면, 학교교지의 조성·개발에 소요된 비용 역시 국가 등이 부담하는 것이 상당하다.

해설

① (✕)

> 재외국민 특별전형 지원자격 가운데 학생의 부모의 해외체류요건 부분은 일반전형을 통한 진학기회를 전혀 축소하지 않고, 국내 교육과정 수학 결손이 불가피하여 대학교육의 균등한 기회를 갖기 어려운 때로 지원자격을 한정하고자 한 것으로서 그 문언상 해외근무자의 배우자가 없는 한부모 가족에는 적용이 없는 점을 고려할 때, 청구인 학생을 불합리하게 차별하여 균등하게 교육을 받을 권리를 침해하는 것이라고 볼 수 없다. (헌재 2020.3.26. 2019헌마212)

② (○)

> 변호사시험을 준비하는 법학전문대학원 졸업생에 대해 법학전문대학원에서의 보수교육을 시행하도록 하는 내용의 구체적이고 명시적인 입법의무를 입법자에게 부여하고 있다고 볼 수 없고, 그 밖에 다른 헌법조항을 살펴보아도 위와 같은 내용에 대한 명시적인 입법위임을 발견할 수 없다. (헌재 2024.1.25. 2021헌마113)

③ (○)

> 2015 개정 교육과정을 이수한 사람들이 대부분 가산점 2점을 받는다면 해당 모집단위에 지원한 다른 교육과정 지원자들도 대부분 가산점 2점을 받게 되는 구조이므로, 청구인을 불합리하게 차별하여 균등하게 교육받을 권리를 침해하는 것이라고 볼 수 없다. (헌재 2022.3.31. 2021헌마1230)

④ (○) 헌재 2021.4.29. 2019헌바444

정답 ①

016 NEW 23 서울·지방7급

교육제도에 대한 설명으로 옳지 않은 것은?

① 학교법인 운영의 투명성, 효율성은 사립학교 및 그에 의해 수행되는 교육의 공공성과 직결되므로, 이를 제고하기 위하여 사적 자치를 넘어서는 새로운 제도를 형성하거나 학교법인의 자율적인 조직구성권 및 학교운영권에 공법적 규제를 가하는 것까지도 교육이나 사학의 자유의 본질적 내용을 침해하지 않는 한 궁극적으로는 입법자의 형성의 자유에 속하는 것으로 허용된다 할 것이다.

② 헌법재판소는 비록 헌법에 명문의 규정은 없지만 학교법인을 설립하고 이를 통하여 사립학교를 설립·경영하는 것을 내용으로 하는 사학의 자유가 헌법 제10조, 제31조 제1항, 제4항에서 도출되는 기본권임을 확인한 바 있다.

③ 우리나라는 사립학교도 공교육체계에 편입시켜 국가 등의 지도·감독을 받도록 함과 동시에 그 기능에 충실하도록 많은 재정적 지원과 각종 혜택을 부여하고 있는바, 목적의 달성이 불가능하여 그 존재 의의를 상실한 학교법인은 적법한 절차를 거쳐 해산시키는 것이 필요하므로 구「사립학교법」상의 해산명령 조항은 과잉금지원칙에 반하지 않는다.

④ 대학의 자율성에 대한 침해 여부를 심사함에 있어서는 대학의 자치보장을 위하여 엄격한 심사를 하여야 하므로, 입법자가 입법형성의 한계를 넘는 자의적인 입법을 하였는지 여부만을 판단하여서는 아니 된다.

해설

① (O) 헌재 2013.11.28. 2007헌마1189

② (O)

> 헌법재판소는 비록 헌법에 명문의 규정은 없지만 학교법인을 설립하고 이를 통하여 사립학교를 설립·경영하는 것을 내용으로 하는 사학의 자유가 헌법 제10조, 제31조 제1항, 제4항에서 도출되는 기본권임을 확인한 바 있다. (헌재 2001.1.18. 99헌바63 ; 헌재 2016.2.25. 2013헌마692) 개인의 설립·경영이 허용(유아교육법 제2조, 제7조 제3호)되는 유치원의 경우, 설립·경영자인 개인에게 사립학교 운영의 자유가 인정된다.

③ (O) 헌재 2018.12.27. 2016헌바217

④ (X)

> 대학의 자율도 헌법상의 기본권이므로 기본권 제한의 일반적 법률유보의 원칙을 규정한 헌법 제37조 제2항에 따라 제한될 수 있고, 대학의 자율의 구체적인 내용은 법률이 정하는 바에 의하여 보장되며, 또한 국가는 헌법 제31조 제6항에 따라 모든 학교제도의 조직, 계획, 운영, 감독에 관한 포괄적인 권한 즉, 학교제도에 관한 전반적인 형성권과 규율권을 부여받았다고 할 수 있고, 다만 그 규율의 정도는 그 시대의 사정과 각급 학교에 따라 다를 수 밖에 없는 것이므로 교육의 본질을 침해하지 않는 한 궁극적으로는 입법권자의 형성의 자유에 속하는 것이라 할 수 있다. 따라서 교육공무원법 제24조 제4항 본문 및 제1호, 제6항, 제7항 중 위원회의 구성·운영 등에 관하여 필요한 사항은 대통령령으로 정하되 부분, 제24조의2 제4항, 제24조의3 제1항이 대학의 자유를 제한하고 있다고 하더라도 그 위헌 여부는 입법자가 기본권을 제한함에 있어 헌법 제37조 제2항에 의한 합리적인 입법한계를 벗어나 자의적으로 그 본질적 내용을 침해하였는지 여부에 따라 판단되어야 할 것이다. (헌재 2006.4.27. 2005헌마1047)

정답 ④

017 23 5급행시

교육을 받을 권리에 대한 설명으로 옳지 않은 것은?

① 검정고시로 고등학교 졸업학력을 취득한 사람들의 수시모집 지원을 제한하는 내용의 국립교육대학교 등의 '2017학년도 신입생 수시모집 입시요강'은 청구인들의 균등하게 교육을 받을 권리를 침해한다.
② 자녀의 양육과 교육은 일차적으로 부모의 천부적인 권리인 동시에 부모에게 부과된 의무이기도 하다.
③ 학교운영지원비를 학교회계 세입항목에 포함시키도록 한 구 「초·중등교육법」 규정은 헌법 제31조 제3항에 규정되어 있는 의무교육 무상의 원칙에 위배되지 않는다.
④ 의무교육제도는 국민에 대하여 보호하는 자녀들을 취학시키도록 한다는 의무 부과의 면보다는 국가에 대하여 인적·물적 교육시설을 정비하고 교육환경을 개선하여야 한다는 의무 부과의 측면이 보다 더 중요한 의미를 갖는다.

해설

① (○)

> 수시모집에서 검정고시 출신자에게 수학능력이 있는지 여부를 평가받을 기회를 부여하지 아니하고 이를 박탈한다는 것은 수학능력에 따른 합리적인 차별이라고 보기 어렵다. 피청구인들은 정규 고등학교 학교생활기록부가 있는지 여부, 공교육 정상화, 비교내신 문제 등을 차별의 이유로 제시하고 있으나 이러한 사유가 차별취급에 대한 합리적인 이유가 된다고 보기 어렵다. 그렇다면 이 사건 수시모집요강은 검정고시 출신자인 청구인들을 합리적인 이유 없이 차별함으로써 청구인들의 균등하게 교육을 받을 권리를 침해한다. (헌재 2017.12.28. 2016헌마649)

② (○) 헌재 2000.4.27. 98헌가16 등

③ (×)

> 학교운영지원비는 그 운영상 교원연구비와 같은 교사의 인건비 일부와 학교회계직원의 인건비 일부 등 의무교육과정의 인적 기반을 유지하기 위한 비용을 충당하는 데 사용되고 있다는 점, 학교회계의 세입상 현재 의무교육기관에서는 국고지원을 받고 있는 입학금, 수업료와 함께 같은 항에 속하여 분류되고 있음에도 불구하고 학교운영지원비에 대해서만 학생과 학부모의 부담으로 남아있다는 점, 학교운영지원비는 기본적으로 학부모의 자율적 협찬금의 외양을 갖고 있음에도 그 조성이나 징수의 자율성이 완전히 보장되지 않아 기본적이고 필수적인 학교교육에 필요한 비용에 가깝게 운영되고 있다는 점 등을 고려해 보면 이 사건 세입조항은 헌법 제31조 제3항에 규정되어 있는 의무교육의 무상원칙에 위배되어 헌법에 위반된다. (헌재 2012.8.23. 2010헌바220)

④ (○) 헌재 2005.3.31. 2003헌가20

정답 ③

기출지문 OX

학교운영지원비는 운영상 교원연구비와 같은 교사의 인건비 일부와 학교회계직원의 인건비 일부 등 의무교육과정의 인적 기반을 유지하기 위한 비용을 충당하는 데 사용되고 있으므로 의무교육 무상의 범위에 포함되어야 한다. 19 서울7급(2월) (○ / ×)

해설 헌재 2012.8.23. 2010헌바220   **정답** ○

018

교육을 받을 권리에 대한 설명으로 옳지 않은 것은? (다툼이 있는 경우 판례에 의함)

① 검정고시응시자격을 제한하는 것은 국민의 교육받을 권리 중 그 의사와 능력에 따라 균등하게 교육받을 것을 국가로부터 방해받지 않을 권리를 제한하는 것이므로 그 제한에 대하여는 과잉금지원칙에 따른 심사를 받아야 한다.

② 헌법 제31조 제1항이 보장하는 국민의 교육을 받을 권리로부터 국가 및 지방자치단체에게 사립유치원에 대한 교사 인건비, 운영비 및 영양사 인건비를 예산으로 지원하라는 작위의무가 도출된다.

③ 헌법 제31조 제3항에 규정된 의무교육 무상의 원칙에 있어서 무상의 범위는 헌법상 교육의 기회균등을 실현하기 위해 필수불가결한 비용, 즉 모든 학생이 의무교육을 받음에 있어서 경제적인 차별 없이 수학하는 데 반드시 필요한 비용에 한한다.

④ 의무교육 대상인 중학생의 학부모에게 급식 관련 비용 일부를 부담하도록 규정한 구 「학교급식법」의 조항은 헌법상 의무교육의 무상원칙에 반하지 않는다.

해설

① (O)

> 이 사건 규칙조항과 같이 검정고시 응시자격을 제한하는 것은 국민의 교육받을 권리 중 의사와 능력에 따라 균등하게 교육받을 것을 국가로부터 방해받지 않을 권리, 즉 자유권적 기본권을 제한하는 것이므로, 그 제한에 대하여는 헌법 제37조 제2항의 비례원칙에 의한 심사, 즉 과잉금지원칙에 따른 심사를 받아야 할 것이다. (헌재 2008.4.24. 2007헌마1456)

② (X)

> 국가 및 지방자치단체에게 사립유치원에 대한 교사 인건비, 운영비 및 영양사 인건비를 예산으로 지원하라는 헌법상 명문규정이 없음은 분명하다. 그리고 헌법 제31조 제1항은 국민의 교육을 받을 권리를 보장하고 있지만 그 권리는 통상 국가에 의한 교육조건의 개선·정비와 교육기회의 균등한 보장을 적극적으로 요구할 수 있는 권리로 이해되고 있을 뿐이고, 그로부터 위와 같은 작위의무가 헌법해석상 바로 도출된다고 볼 수 없다. (헌재 2006.10.26. 2004헌마13)

③ (O) ④ (O)

> 헌법 제31조 제3항에 규정된 의무교육의 무상원칙에 있어서 의무교육 무상의 범위는 원칙적으로 헌법상 교육의 기회균등을 실현하기 위해 필수불가결한 비용, 즉 모든 학생이 의무교육을 받음에 있어서 경제적인 차별 없이 수학하는 데 반드시 필요한 비용에 한한다. 따라서, 의무교육에 있어서 무상의 범위에는 의무교육이 실질적이고 균등하게 이루어지기 위한 본질적 항목으로, 수업료나 입학금의 면제, 학교와 교사 등 인적·물적 시설 및 그 시설을 유지하기 위한 인건비와 시설유지비 등의 부담제외가 포함되고, 그 외에도 의무교육을 받는 과정에 수반하는 비용으로서 의무교육의 실질적인 균등보장을 위해 필수불가결한 비용은 무상의 범위에 포함된다. 이러한 비용 이외의 비용을 무상의 범위에 포함시킬 것인지는 국가의 재정상황과 국민의 소득수준, 학부모들의 경제적 수준 및 사회적 합의 등을 고려하여 입법자가 입법정책적으로 해결해야 할 문제이다. 학교급식은 학생들에게 한 끼 식사를 제공하는 영양공급 차원을 넘어 교육적인 성격을 가지고 있지만, 이러한 교육적 측면은 기본적이고 필수적인 학교교육 이외에 부가적으로 이루어지는 식생활 및 인성교육으로서의 보충적 성격을 가지므로 의무교육의 실질적인 균등보장을 위한 본질이고 핵심적인 부분이라고까지는 할 수 없다. 이 사건 법률조항들은 비록 중학생의 학부모들에게 급식 관련 비용의 일부를 부담하도록 하고 있지만, 학부모에게 급식에 필요한 경비의 일부를 부담시키는 경우에 있어서도 학교급식 실시의 기본적 인프라가 되는 부분은 배제하고 있으며, 국가나 지방자치단체의 지원으로 학부모의 급식비 부담을 경감하는 조항이 마련되어 있고, 특히 저소득층 학생들을 위한 지원방안이 마련되어 있다는 점 등을 고려해 보면, 이 사건 법률조항들이 입법형성권의 범위를 넘어 헌법상 의무교육의 무상원칙에 반하는 것으로 보기는 어렵다. (헌재 2012.4.24. 2010헌바164)

정답

019 회독 ☐☐☐ 재구성
22 국회8급

사립학교 운영의 자유에 대한 설명으로 옳지 않은 것은? (다툼이 있는 경우 헌법재판소 판례에 의함)

① 사립유치원에 「사학기관 재무·회계 규칙」을 적용하여 수입 및 지출할 수 있는 비용의 항목이 한정되는 등 엄격한 재무·회계관리가 이루어진다고 하더라도, 이로 인해 사립유치원 운영의 자율성이 완전히 박탈되는 것은 아니다.

② 사립학교도 공교육의 일익을 담당한다는 점에서 국·공립학교와 본질적인 차이가 있을 수 없기 때문에 공적인 학교제도를 보장하여야 할 책무를 진 국가가 일정한 범위 안에서 사립학교의 운영을 관리·감독할 권한과 책임을 진다.

③ 사립유치원은 공교육이라는 공익적 서비스를 제공함에 따라 국가 및 지방자치단체로부터 그 운영재원의 대부분에 해당하는 재정지원 및 다양한 세제혜택을 받고 있으므로 사립유치원의 재정 및 회계의 투명성은 그 유치원에 의하여 수행되는 교육의 공공성과 직결된다.

④ 사립유치원의 공통적인 세입·세출 자료가 없는 경우 관할청의 지도·감독에는 한계가 존재할 수밖에 없다는 이유로 사립유치원의 회계를 국가가 관리하는 공통된 회계시스템을 이용하여 처리하도록 하는 것은 개인사업자인 사립유치원의 자유로운 회계처리방법 선택권을 과도하게 침해한다.

해설

① (O) ② (O) ③ (O) ④ (X)

> 사립유치원의 재정 및 회계의 건전성과 투명성은 그 유치원에 의하여 수행되는 교육의 공공성과 직결된다고 할 것이므로, 유아교육의 공공성을 전제로 국가와 지방자치단체의 재정지원을 받는 사립유치원이 개인의 영리추구에 매몰되지 아니하고 교육기관으로서 양질의 유아교육을 제공하는 동시에 유아교육의 공공성을 지킬 수 있는 재정적 기초를 다지는 것은 양보할 수 없는 매우 중요한 법익이다. 더욱이 이 사건 규칙은 사립유치원의 회계업무를 교육부장관이 지정하는 정보처리장치를 이용하여 기록하도록 하고 있을 뿐, 세출용도를 지정·제한하거나 시설물 자체에 대한 청구인들의 소유권 내지 처분권에 어떠한 영향도 미치지 않는다는 점까지 덧붙여 고려하여 보면, 이 사건 규칙이 사립유치원의 회계업무를 특정한 회계시스템을 통하여 처리하도록 하였다고 하여도 이를 두고 입법형성의 한계를 현저히 일탈하여 사립유치원 설립·경영자의 사립학교 운영의 자유를 침해한다고 볼 수 없다. (헌재 2021.11.25. 2019헌마542 등)

정답 ④

020   22 변호사·입시

교육을 받을 권리에 대한 설명으로 옳은 것만을 모두 고르면? (다툼이 있는 경우 판례에 의함)

ㄱ. 대학수학능력시험의 문항 수 기준 70%를 한국교육방송공사(EBS) 교재와 연계하여 출제하는 내용의 '2018학년도 대학수학능력시험 시행기본계획'은 대학수학능력시험을 준비하는 자의 교육을 받을 권리를 제한한다.
ㄴ. 교육을 받을 권리는 국민이 국가에 대하여 직접 특정한 교육제도나 교육과정을 요구할 수 있는 것을 포함한다.
ㄷ. 의무교육 무상의 원칙은 의무교육을 위탁받은 사립학교를 설치·운영하는 학교법인이 관련 법령에 의하여 이미 부담하도록 규정되어 있는 경비까지 종국적으로 국가나 지방자치단체의 부담으로 한다는 취지는 아니다.
ㄹ. 국민의 수학권과 교사의 수업의 자유는 다 같이 보호되어야 하겠지만, 그중에서도 국민의 수학권이 더 우선적으로 보호되어야 한다.
ㅁ. 헌법은 국가의 교육권한과 부모의 교육권의 범주 내에서 학생에게도 자신의 교육에 관하여 스스로 결정할 권리, 즉 자유롭게 교육을 받을 권리를 부여하고, 학생은 국가의 간섭을 받지 아니하고 자신의 능력과 개성, 적성에 맞는 학교를 자유롭게 선택할 권리를 가진다.

① ㄷ, ㄹ
② ㄷ, ㄹ, ㅁ
③ ㄱ, ㄷ, ㄹ, ㅁ
④ ㄱ, ㄴ, ㄷ, ㄹ, ㅁ

[해설]

ㄱ. (X) [22 입시]
> 수능시험을 준비하면서 무엇을 어떻게 공부하여야 할지에 관하여 스스로 결정할 자유가 심판대상계획에 따라 제한된다. 이는 자신의 교육에 관하여 스스로 결정할 권리, 즉 교육을 통한 자유로운 인격발현권을 제한받는 것으로 볼 수 있다. 청구인들은 행복추구권도 침해된다고 주장하지만, 행복추구권에서 도출되는 자유로운 인격발현권 침해 여부에 대하여 판단하는 이상 행복추구권 침해 여부에 대해서는 다시 별도로 판단하지 않는다. (헌재 2018.2.22. 2017헌마691)

ㄴ. (X) 교육을 받을 권리가 국가에 대하여 특정한 교육제도나 시설의 제공을 요구할 수 있는 권리를 뜻하는 것은 아니다. [22 입시]
ㄷ. (O) 대판 2015.1.29. 2012두7387 [22 변호사]
ㄹ. (O) 교사가 수업권을 내세워 수업거부를 할 수 없다는 의미이다. [22 변호사]
ㅁ. (O) [22 변호사]

> **학부모의 학교선택권의 헌법적 근거와 의의** (헌재 2009.4.30. 2005헌마514)
> [1] 부모의 자녀에 대한 교육권은 비록 헌법에 명문으로 규정되어 있지는 아니하지만, 혼인과 가족생활을 보장하는 헌법 제36조 제1항, 행복추구권을 보장하는 헌법 제10조 및 헌법 제37조 제1항에서 나오는 중요한 기본권이며, 이러한 부모의 자녀교육권이 학교영역에서는 자녀의 교육진로에 관한 결정권 내지는 자녀가 다닐 학교를 선택하는 권리로 구체화된다.
> [2] 대부분의 시·도에서 선구수지원·후추첨방식을 채택하고 있어 제한적으로 종교학교를 선택하거나 선택하지 않을 권리를 보장하고 있고, 종교과목이 정규과목인 경우 대체과목의 설치를 의무화하고 있는 점들을 고려할 때, 이 사건 조항으로 인하여 학부모의 '사립학교선택권'이나 종교교육을 위한 학교선택권이 과도하게 제한된다고 보기도 어렵다

정답 ②

021

교육을 받을 권리에 대한 설명으로 옳지 않은 것은? (다툼이 있는 경우 판례에 의함)

① 헌법 제31조 제3항의 의무교육 무상의 원칙은 교육을 받을 권리를 보다 실효성 있게 보장하기 위하여 의무교육 비용을 학령아동의 보호자 개개인의 직접적 부담에서 공동체 전체의 부담으로 이전하라는 명령일 뿐, 의무교육의 비용을 오로지 국가 또는 지방자치단체의 예산으로 해결해야 함을 의미하는 것은 아니다.

② 헌법 제31조 제1항에서 보장되는 교육의 기회균등권은 모든 국민에게 균등한 교육을 받게 하고 특히 경제적 약자가 실질적인 평등교육을 받을 수 있도록 국가에게 적극적 정책을 실현할 것을 요구하므로, 헌법 제31조 제1항으로부터 국민이 직접 실질적 평등교육을 위한 교육비를 청구할 권리가 도출된다.

③ 초·중등학교 교사인 청구인들이 교육과정에 따라 학생들을 가르치고 평가하여야 하는 법적인 부담이나 제약을 받는다고 하더라도 이는 헌법상 보장된 기본권에 대한 제한이라고 보기 어렵다.

④ 교육을 받을 권리가 국가에 대하여 특정한 교육제도나 시설의 제공을 요구할 수 있는 권리를 뜻하는 것은 아니므로, 대학의 구성원이 아닌 사람이 대학도서관에서 도서를 대출할 수 없거나 열람실을 이용할 수 없더라도 교육을 받을 권리가 침해된다고 볼 수 없다.

⑤ 학문의 자유와 대학의 자율성에 따라 대학이 학생의 선발 및 전형 등 대학입시제도를 자율적으로 마련할 수 있다 하더라도, 국민의 '균등하게 교육을 받을 권리'를 위해 대학의 자율적 학생 선발권은 일정 부분 제약을 받을 수 있다.

해설

① (○) 대판 2015.1.29. 2012두7387 [21 서울·지방7급]

② (✕) 헌법 제31조 제1항으로부터 국민이 직접 실질적 평등교육을 위한 교육비를 청구할 권리가 도출되는 것은 아니다. (헌재 2003.11.27. 2003헌바39) [21 서울·지방7급]

③ (○) [21 국가7급]

> 법률이 교사의 학생교육권(수업권)을 인정하고 보장하는 것은 헌법상 당연히 허용된다 할 것이나, 초·중등학교에서의 학생교육은 교사 자신의 인격의 발현 또는 학문과 연구의 자유를 위한 것이라기보다는 교사의 직무에 기초하여 초·중등학교의 교육목표를 실현하기 위한 것이므로, 교사인 청구인들이 이 사건 교육과정에 따라 학생들을 가르치고 평가하여야 하는 법적인 부담이나 제한을 받는다고 하더라도 이는 헌법상 보장된 기본권에 대한 제한이라고 보기 어려워 기본권 침해가능성이 인정되지 아니한다. (헌재 2021.5.27. 2018헌마1108)

④ (○) [21 국가7급]

> 이 사건 도서관 규정은 대학구성원이 아닌 사람에 대하여 도서 대출이나 열람실 이용을 확정적으로 제한하는 것이 아니다. 청구인은 이 사건 도서관 규정으로 인하여 도서 대출 및 열람실 이용을 하지 못하는 것이 아니고 피청구인들의 승인거부 회신에 따라 비로소 이 사건 도서관 이용이 제한된 것이므로, 이 사건 도서관 규정은 기본권 침해의 직접성이 인정되지 아니한다. 교육을 받을 권리가 국가에 대하여 특정한 교육제도나 시설의 제공을 요구할 수 있는 권리를 뜻하는 것은 아니므로, 청구인이 이 사건 도서관에서 도서를 대출할 수 없거나 열람실을 이용할 수 없더라도 청구인의 교육을 받을 권리가 침해된다고 볼 수 없다. (헌재 2016.11.24. 2014헌마977)

⑤ (○) [21 국가7급]

정답 ②

022 회독 □□□ 재구성 21 입시, 13 국회9급

교육을 받을 권리에 대한 설명으로 옳지 않은 것은? (다툼이 있는 경우 판례에 의함)

① 교육을 받을 권리는 국가에 대해 교육을 받을 수 있도록 적극적으로 배려해 줄 것을 요구할 권리와 능력에 따라 균등하게 교육받는 것을 공권력에 의하여 침해받지 않을 권리를 포함한다.

② 학부모의 자녀교육권과 학생의 교육을 받을 권리에는 학교교육이라는 국가의 공교육 급부의 형성과정에 균등하게 참여할 권리로서의 참여권이 내포되어 있다.

③ 학교제도에 관한 국가의 규율권한과 부모의 교육권이 서로 충돌하는 경우 어떠한 법익이 우선하는가의 문제는 구체적인 경우마다 법익형량을 통하여 판단해야 한다.

④ 헌법 제31조 제6항의 교육제도 법정주의는 교육의 영역에서 의회유보의 원칙을 규정한 것임과 동시에 국가에 대해 학교제도에 관한 포괄적인 규율권한을 부여한 것이다.

해설

① (O) [13 국회9급]

> 헌법 제31조 제1항의 교육을 받을 권리는, 국민이 능력에 따라 균등하게 교육받을 것을 공권력에 의하여 부당하게 침해받지 않을 권리와 국민이 능력에 따라 균등하게 교육받을 수 있도록 국가가 적극적으로 배려하여 줄 것을 요구할 수 있는 권리로 구성되는바, 전자는 자유권적 기본권의 성격이, 후자는 사회권적 기본권의 성격이 강하다고 할 수 있다. (헌재 2008.4.24. 2007헌마1456)

② (X) [21 입시]

> 교육받을 권리에 기초하여 교육기회 보장을 위한 국가의 적극적 행위를 요구할 수 있다고 하더라도, 이는 학교교육을 받을 권리로서 그에 필요한 교육시설 및 제도 마련을 요구할 권리이지 특정한 교육제도나 교육과정을 요구할 권리는 아니며, 학교교육이라는 국가의 공교육 급부의 형성과정에 균등하게 참여할 권리로서의 참여권이 내포되어 있다고 할 수 없다. (헌재 2019.11.28. 2018헌마1153)

③ (O) 어느 기본권이 더 우월한지 판단이 어렵기 때문이다. [21 입시]

④ (O) 교육제도 법정주의의 내용이다. [21 입시]

정답 ②

기출지문 OX

수업료나 입학금의 면제, 학교와 교사 등 인적·물적 기반 및 그 기반을 유지하기 위한 인건비와 시설유지비, 신규시설투자비 등의 재원마련 비용은 의무교육 무상의 범위에 포함된다. 19 서울7급(2월) (O / X)

해설

> 의무교육 무상의 범위에 있어서 학교교육에 필요한 모든 부분을 무상으로 제공하는 것이 바람직한 방향이라고 하겠으나, 균등한 교육을 받을 권리와 같은 사회적 기본권을 실현하는 데는 국가의 재정상황 역시 도외시할 수 없으므로, 원칙적으로 의무교육 무상의 범위는 헌법상 교육의 기회균등을 실현하기 위해 필수불가결한 비용, 즉 모든 학생들이 의무교육을 받음에 있어서 경제적인 차별 없이 수학하는 데 반드시 필요한 비용에 한한다고 할 것이다. 따라서 의무교육에 있어서 무상의 범위에는 의무교육이 실질적이고 균등하게 이루어지기 위한 본질적 항목으로, 수업료나 입학금의 면제, 학교와 교사 등 인적·물적 시설 및 그 시설을 유지하기 위한 인건비와 시설유지비, 신규시설투자비 등의 재원 부담으로부터의 면제가 포함된다 할 것이며, 그 외에도 의무교육을 받는 과정에 수반하는 비용으로서 의무교육의 실질적인 균등보장을 위해 필수불가결한 비용은 무상의 범위에 포함된다. 한편, 의무교육에 있어서 본질적이고 필수불가결한 비용 이외의 비용을 무상의 범위에 포함시킬 것인지는 국가의 재정상황과 국민의 소득수준, 학부모들의 경제적 수준 및 사회적 합의 등을 고려하여 입법자가 입법정책적으로 해결해야 할 문제이다. (헌재 2012.4.24. 2010헌바164)

정답 O

023 21 변호사

교육을 받을 권리에 대한 설명으로 옳지 않은 것은? (다툼이 있는 경우 판례에 의함)

① 헌법 제31조 제6항의 교육제도 법정주의는 교육제도에 관한 기본방침을 제외한 나머지 세부적인 사항까지 반드시 형식적 의미의 법률만으로 정하여야 한다는 것은 아니고, 입법자가 정한 기본방침을 구체화하거나 이를 집행하기 위한 세부시행사항은 하위법령에 위임하는 것이 가능하다.

② 부모는 자녀의 교육에 관하여 전반적인 계획을 세우고 자신의 인생관·사회관·교육관에 따라 자녀의 교육을 자유롭게 형성할 권리를 가지므로 학부모의 학교선택권에는 종교학교선택권도 포함된다.

③ 임시이사가 선임된 학교법인의 정상화를 위한 이사 선임에 관하여 사학분쟁조정위원회의 심의를 거치도록 하는 것은 사학분쟁조정위원회 구성에 공정성과 전문성이 갖추어진 점, 학교법인의 정체성 및 정상화 심의과정에서 사학분쟁조정위원회가 종전이사 등의 의견을 청취할 수 있는 점 등을 고려할 때, 학교법인과 종전이사의 사학의 자유를 침해하지 않는다.

④ 학교폭력과 관련하여 학교가 가해학생에 대해 일정한 조치를 내렸을 경우, 그 조치가 적절하였는지 여부에 대해 가해학생의 학부모가 의견을 제시할 권리는 법률상의 권리에 불과하여 학부모의 자녀교육권에 포함되지 않는다.

해설

① (O) 법규명령은 법률에 근거가 있으므로 법규명령으로 규정하는 것이 가능하다.

② (O) 헌재 2009.4.30. 2005헌마514

③ (O) 헌재 2015.11.26. 2012헌바300

④ (×)

> 부모는 자녀의 교육에 관하여 전반적인 계획을 세우고 자신의 인생관·사회관·교육관에 따라 자녀의 교육을 자유롭게 형성할 권리를 가지고, 아직 성숙하지 못한 초·중·고등학생인 자녀의 교육과정에 참여할 권리를 가진다. 따라서 학교가 학생에 대해 불이익 조치를 할 경우 해당 학생의 학부모가 의견을 제시할 권리는 자녀교육권의 일환으로 보호된다. 학교폭력예방 및 대책에 관한 법률 제17조 제5항이 학교폭력 가해학생에 대한 조치 전에 자녀교육권의 일환으로 그 보호자에게 의견 진술의 기회를 부여하는 것처럼, 가해학생에 대해 일정한 조치가 내려졌을 경우 그 조치가 적절하였는지 여부에 대해 의견을 제시할 수 있는 권리 또한 그 연장선상에서 학부모의 자녀교육권의 내용에 포함된다. (헌재 2013.10.24. 2012헌마832)

정답 ④

024 회독 ☐☐☐ 재구성   19 국회8급, 11 법원직

교육을 받을 권리에 대한 설명으로 옳지 않은 것만을 모두 고르면? (다툼이 있는 경우 판례에 의함)

> ㄱ. '부모의 자녀에 대한 교육권'은 비록 헌법에 명문으로 규정되어 있지는 않지만, 혼인과 가족생활을 보장하는 헌법 제36조 제1항, 교육을 받을 권리를 규정한 헌법 제31조 제1항에서 직접 도출되는 권리이다.
> ㄴ. 교육을 받을 권리를 규정한 헌법 제31조 제1항은 헌법 제10조의 행복추구권에 대한 특별규정으로서, 교육의 영역에서 능력주의를 실현하고자 하는 것이다.
> ㄷ. '의무교육은 무상으로 한다'는 제31조 제3항은 초등교육에 관하여는 직접적인 효력규정으로서, 이로부터 개인은 국가에 대하여 초등학교의 입학금·수업료 등을 면제받을 수 있는 헌법상의 권리를 가진다.
> ㄹ. 교원지위법정주의(헌법 제31조 제6항)에 의하여 입법자가 법률로 정하여야 할 교원지위의 기본적 사항에는 대학 교원의 신분이 부당하게 박탈되지 않도록 하는 최소한의 절차적 보장에 관한 사항이 포함되어야 한다.

① ㄱ, ㄴ
② ㄱ, ㄹ
③ ㄴ, ㄷ
④ ㄷ, ㄹ

해설

ㄱ. (✗) 교육을 받을 권리를 규정한 헌법 제31조 제1항에서 직접 도출되는 것은 아니다. [19 국회8급]

> [1] 자녀의 양육과 교육은 일차적으로 부모의 천부적인 권리인 동시에 부모에게 부과된 의무이기도 하다. '부모의 자녀에 대한 교육권'은 비록 헌법에 명문으로 규정되어 있지는 아니하지만, 이는 모든 인간이 누리는 불가침의 인권으로서 혼인과 가족생활을 보장하는 헌법 제36조 제1항, 행복추구권을 보장하는 헌법 제10조 및 "국민의 자유와 권리는 헌법에 열거되지 아니한 이유로 경시되지 아니한다."라고 규정하는 헌법 제37조 제1항에서 나오는 중요한 기본권이다. 부모는 자녀의 교육에 관하여 전반적인 계획을 세우고 자신의 인생관·사회관·교육관에 따라 자녀의 교육을 자유롭게 형성할 권리를 가지며, 부모의 교육권은 다른 교육의 주체와의 관계에서 원칙적인 우위를 가진다.
> [2] 자녀의 양육과 교육에 있어서 부모의 교육권은 교육의 모든 영역에서 존중되어야 하며, 다만, 학교교육에 관한 한, 국가는 헌법 제31조에 의하여 부모의 교육권으로부터 원칙적으로 독립된 독자적인 교육권한을 부여받음으로써 부모의 교육권과 함께 자녀의 교육을 담당하지만, 학교 밖의 교육영역에서는 원칙적으로 부모의 교육권이 우위를 차지한다. (헌재 2000.4.27. 98헌가16 등)

ㄴ. (✗) 능력주의가 아니라 교육에 있어서 평등주의를 추구하는 것이다. [19 국회8급]
ㄷ. (O) 헌재 1991.2.11. 90헌가27 [11 법원직]
ㄹ. (O) 헌재 2003.2.27. 2000헌바26 [11 법원직]

정답 ①

기출지문 OX

> 자녀의 양육과 교육에 있어서 부모의 교육권은 교육의 모든 영역에서 존중되어야 하며, 다만, 학교교육의 범주 내에서는 국가의 교육권한이 헌법적으로 독자적인 지위를 부여받음으로써 부모의 교육권과 함께 자녀의 교육을 담당하지만, 학교 밖의 교육영역에서는 원칙적으로 부모의 교육권이 우위를 차지한다. 20 변호사   (O / X)
> **해설** 헌재 2000.4.27. 98헌가16 등   **정답** O

025　회독 ☐☐☐　18 변호사

교육제도에 관한 설명 중 옳은 것은? (다툼이 있는 경우 판례에 의함)

① 한자를 국어과목에서 분리하여 초등학교 재량에 따라 선택적으로 가르치도록 하는 것은 국어교과의 내용으로 한자를 배우고 일정 시간 이상 필수적으로 한자교육을 받음으로써 교육적 성장과 발전을 통해 자아를 실현하고자 하는 학생들의 자유로운 인격발현권을 제한하는 것이나, 학부모의 자녀교육권을 제한하는 것은 아니다.

② 초등학교 교육과정의 편제와 수업시간은 교육현장을 가장 잘 파악하고 교육과정에 대해 적절한 수요예측을 할 수 있는 해당 부처에서 정하도록 할 필요가 있으므로, 「초·중등교육법」 제23조 제2항이 교육과정의 기준과 내용에 관한 기본적인 사항을 교육부장관이 정하도록 위임한 것 자체가 교육제도 법정주의에 반한다고 보기 어렵다.

③ 학교교육에 있어서 교원의 수업권은 직업의 자유에 의하여 보장되는 기본권이지만, 원칙적으로 학생의 학습권은 교원의 수업권에 대하여 우월한 지위에 있다. 교원의 고의적인 수업거부행위는 학생의 학습권과 정면으로 상충하는 것인바, 수업권의 우월적 지위가 인정되는 예외적인 경우에만 수업거부행위는 헌법상 정당화된다.

④ 대학의 자율의 구체적인 내용은 법률이 정하는 바에 의하여 보장되며, 국가는 헌법 제31조 제6항에 따라 모든 학교제도의 조직·계획·운영·감독에 관한 포괄적인 권한을 부여받지만, 대학의 자율성 보장은 대학자치의 본질이므로 대학의 자율에 대한 침해 여부를 심사함에 있어서는 엄격한 과잉금지원칙을 적용하여야 한다.

⑤ 대학의 장 후보자를 추천할 때 해당 대학 교원의 합의된 방식과 절차에 따라 직접선거로 선정하는 경우 해당 대학은 선거관리에 관하여 중앙선거관리위원회에 선거관리를 위탁할 수 있다.

해설

① (✗) 학부모의 자녀교육권에 대한 제한이 있지만 침해는 아니다.

> 국어 등의 개념을 정의한 국어기본법 제3조, 국어문화의 확산과 국어 정보화의 촉진을 규정한 위 법 제15조 및 제16조, 교과용 도서의 어문규범 준수를 규정한 구 국어기본법 제18조 및 교과용 도서에 관한 규정 제26조 제3항은 한자를 배제한 상태에서 문자생활을 할 것을 정한 것이라고 볼 수 없으므로, 한자 사용에 관한 청구인들의 법적 지위에 어떠한 영향도 미치지 아니한다. 따라서 기본권 침해가능성이 없으므로 위 조항들에 대한 심판청구는 모두 부적법하다. (헌재 2016.11.24. 2012헌마854)
> [1] 공문서의 한글전용을 규정한 국어기본법 제14조 제1항 및 국어기본법 시행령 제11조는 청구인들의 행복추구권을 침해하지 않는다.
> [2] 초·중등학교에서 한자교육을 선택적으로 받도록 한 '초·중등학교 교육과정'의 'Ⅱ 학교 급별 교육과정 편성과 운영' 중 한자교육 및 한문 관련 부분은 학생의 자유로운 인격발현권 및 학부모의 자녀교육권을 침해하지 않는다.

② (○) 교육제도 법정주의의 내용이다.

③ (✗) 교원의 수업권을 이유로 학생의 수업권을 침해할 수는 없다.

④ (✗)

> 대학의 자율도 헌법상의 기본권이므로 기본권 제한의 일반적 법률유보의 원칙을 규정한 헌법 제37조 제2항에 따라 제한될 수 있고, … 다만 그 규율의 정도는 그 시대의 사정과 각급 학교에 따라 다를 수밖에 없는 것이므로 교육의 본질을 침해하지 않는 한 궁극적으로는 입법권자의 형성의 자유에 속하는 것이라고 할 수 있다. 따라서 교육공무원법 제24조 제4항 본문 및 제1호, 제6항, 제7항 중 위원회의 구성·운영 등에 관하여 필요한 사항은 대통령령으로 정하되 부분, 제24조의2 제4항, 제24조의3 제1항이 대학의 자유를 제한하고 있다고 하더라도 그 위헌 여부는 입법자가 기본권을 제한함에 있어 헌법 제37조 제2항에 의한 합리적인 입법한계를 벗어나 자의적으로 그 본질적 내용을 침해하였는지 여부에 따라 판단되어야 할 것이다. (헌재 2006.4.27. 2005헌마1047 등)

⑤ (✗) 중앙선거관리위원회가 아니라 해당 시·군·구 선거관리위원회에 위탁하여야 한다.

정답 ②

기출지문 OX

조례에 의한 규제가 지역 여건이나 환경 등 그 특성에 따라 다르게 나타나는 것은 헌법이 지방자치단체의 자치입법권을 인정한 이상 당연히 예상되는 결과이나, 고등학생들이 학원 교습시간과 관련하여 자신들이 거주하는 지역의 학원조례 조항으로 인하여 다른 지역 주민들에 비하여 더한 규제를 받게 되었다면 평등권이 침해되었다고 볼 수 있다. 17 국가7급 (O/✗)

해설 조례에 의한 규제가 지역 여건이나 환경 등 그 특성에 따라 다르게 나타나는 것은 헌법이 지방자치단체의 자치입법권을 인정한 이상 당연히 예상되는 결과이다. 청구인들이 자신들이 거주하는 지역의 학원조례 조항으로 인하여 다른 지역 주민들에 비하여 더한 규제를 받게 되었다 하여 평등권이 침해되었다고 볼 수는 없다. … 인터넷통신강좌도 학습자가 교습시간과 교습장소를 임의로 결정할 수 있어 심야교습으로 인한 폐해가 학원에 비하여 작다. 학원조례 조항이 인터넷통신강좌와 같은 사교육 유형에 대하여는 교습시간을 제한하지 않으면서 학원 등에 대하여만 교습시간을 제한하였다고 하여 학원운영자를 합리적 이유 없이 차별하는 것이라고 할 수 없다. 재수생은 고등학생과 달리 성년인 경우가 많고 학교수업을 받지 않으므로, 재수생에 대한 심야교습을 제한하지 않더라도 그로 인한 폐해가 크지 않다. 따라서 학원조례 조항은 청구인들의 평등권을 침해하지 않는다. (헌재 2016.5.26. 2014헌마374)

정답 ✗

026

교육기본권에 대한 설명으로 옳지 않은 것은? (다툼이 있는 경우 판례에 의함)

① 헌법은 초등교육과 중등교육을 의무교육으로 실시하도록 명문으로 규정하고 있다.
② 「지방교육자치에 관한 법률」 등을 개정하여 의무교육 관련 경비를 국가뿐만 아니라 지방자치단체에도 부담케 하는 것은 지방자치단체의 자치재정권을 침해한다고 볼 수 없다.
③ 개발사업지역에서 100세대 규모 이상의 주택건설용 토지를 조성·개발하거나 공동주택을 건설하는 사업자에 대하여 학교용지부담금을 부과하는 것은 헌법상 의무교육의 무상원칙에 위배되지 않는다.
④ 학교교육에 있어서 교사의 가르치는 권리를 수업권이라고 한다면 그것은 자연법적으로는 학부모에게 속하는 자녀에 대한 교육권을 신탁받은 것이고, 실정법상으로는 공교육의 책임이 있는 국가의 위임에 의한 것이다.

해설

① (✕) 헌법에는 초등교육의 의무교육은 규정이 있지만, 중등 이상의 교육에 대해서는 법률에 위임되어 있다. [18 5급행시]

② (○) [12 국회8급]

> 헌법 제31조 제2항·제3항으로부터 직접 의무교육 경비를 중앙정부로서의 국가가 부담하여야 한다는 결론은 도출되지 않으며, 그렇다고 하여 의무교육의 성질상 중앙정부로서의 국가가 모든 비용을 부담하여야 하는 것도 아니므로, 지방교육자치에 관한 법률 제39조 제1항이 의무교육 경비에 대한 지방자치단체의 부담가능성을 예정하고 있다는 점만으로는 헌법에 위반되지 않는다. (헌재 2005.12.22. 2004헌라3)

③ (○) 학교용지부담금 [18 5급행시]

수분양자에게 부과	위헌. 의무교육의 무상원칙 위반, 특별부담금의 헌법적 한계 위반
개발사업자에게 부과	합헌
가구수가 증가하지 않는 개발사업자에게 부과	위헌. 평등원칙 위반

④ (○) 원래 교육은 국가가 아니라 부모가 하는 것인데 학교교육은 신탁이 있다는 의미이다. [18 5급행시]

> 자녀의 양육과 교육에 있어서 부모의 교육권은 교육의 모든 영역에서 존중되어야 하며, 다만, 학교교육에 관한 한, 국가는 헌법 제31조에 의하여 부모의 교육권으로부터 원칙적으로 독립된 독자적인 교육권한을 부여받음으로써 부모의 교육권과 함께 자녀의 교육을 담당하지만, 학교 밖의 교육영역에서는 원칙적으로 부모의 교육권이 우위를 차지한다. (헌재 2000.4.27. 98헌가16 등)

정답 ①

예상판례

> 정상적인 학사운영이 불가능한 경우 교육과학기술부장관(현 교육부장관)이 학교폐쇄를 명할 수 있다고 규정한 구 고등교육법 제62조 제1항 제1호 및 제2호와 학교법인이 목적의 달성이 불가능한 때 교육과학기술부장관이 학교법인에 대하여 해산을 명할 수 있다고 규정한 구 사립학교법 제47조 제1항 제2호는 헌법에 위반되지 않는다. (헌재 2018.12.27. 2016헌바217 [합헌])

027

16 국가7급

종업원의 복리를 위하여 기업체 A가 출연하여 설립한 자율형 사립고 B는 2014학년도 신입생 모집요강을 작성하면서, A기업 임직원자녀전형 70%, 사회배려자전형 20%, 일반전형 10%를 각각 배정하였다. 2013.9.13. B가 관할 교육감으로부터 신입생 모집요강을 승인받아, 2013.9.16. 모집요강을 공고하자 A기업 임직원이 아닌 일반인 甲과 2015년 졸업예정자인 甲의 아들 중학생 乙은 2013.12.3. 이 내용을 알게 되어 2014.2.24. B와 관할 교육감을 피청구인으로 하여 헌법소원심판을 청구하였다. 이 사례에서 헌법재판소 결정으로 옳은 것은?

① B의 신입생 모집요강이 A기업 임직원자녀전형에 70%를 배정하고 일반전형에 10%를 배정하여 모집비율을 달리 정하고 있는 것은 지나치게 자의적이어서 乙을 불합리하게 차별한 것이다.
② 乙은 기본권 침해의 현재성이 인정되지 않아 乙의 청구는 부적법하다.
③ 乙의 교육받을 권리의 제한은 문제되지 아니한다.
④ 乙은 교육감의 신입생 모집요강 승인처분의 직접적인 상대방이 아니므로 자기관련성이 인정되지 않아 부적법하다.

해설

① (×)

이 사건 입학전형요강이 비록 충남 ○○고(B)의 신입생 모집에 있어 ○○(A기업) 임직원자녀전형에 70%를 배정하고 일반전형에 10%를 배정하여 모집비율을 달리 정하고 있더라도, 이는 충남 ○○고가 기업형 자율형 사립고등학교라는 특성에 기인한 것으로서 합리적인 이유가 있으므로, 피청구인의 이 사건 승인처분이 지나치게 자의적이어서 청구인들을 불합리하게 차별한 것이라고 볼 수 없다. (헌재 2015.11.26. 2014헌마145)

② (×)

피청구인(교육감)은 모집정원의 70%를 임직원자녀전형에 배정하고 일반전형에는 모집정원의 10%만을 배정한 이 사건 입학전형요강을 승인하였는바, 이러한 일반전형 비율은 사실상 임직원 자녀 이외의 학생들이 충남 ○○고에 진학할 수 있는 기회를 배제한 것이나 다름없다. 이러한 불이익은 충남 ○○고에 진학하려는 학생들에게 있어 단순한 사실적·간접적 불이익이 아니며 법적 불이익이 발생한 것이라 봄이 상당하므로, 이 사건 승인처분은 2015학년도 졸업예정자인 청구인 8과 9(乙)의 기본권을 침해할 가능성이 있다. (헌재 2015.11.26. 2014헌마145)

③ (○)

헌법 제31조 제1항은 "모든 국민은 능력에 따라 균등하게 교육을 받을 권리를 가진다."라고 규정하여 국민의 교육을 받을 권리를 보장하고 있다. 그런데 특정 교육시설에 참여할 수 있는 기회를 늘려 달라고 요구하거나 입학전형에서 불리하다는 이유로 타인의 교육시설 참여기회를 제한해 달라고 요구하는 것이 균등한 취학기회보장을 목표로 하는 교육을 받을 권리의 내용이라고 볼 수는 없다. 청구인들은 이 사건 승인처분에 의하여 고등학교 진학기회 자체가 봉쇄되거나 박탈된 것이 아니며, 여전히 다른 고등학교에 진학할 수 있고, 충남 ○○고(B)의 경우 기존의 일반고등학교를 자율형 사립고등학교로 변경한 것이 아니라 추가적으로 고등학교를 신설한 것으로서 청구인들의 고등학교 진학기회를 축소시킨 것도 아니므로, 이 사건 승인처분과 관련하여서는 헌법 제31조 제1항의 교육을 받을 권리의 제한이 문제되지 아니한다. (헌재 2015.11.26. 2014헌마145)

④ (×)

청구인 8과 9(乙)는 2015년도 졸업예정자로서 2014학년도 입학전형요강과 직접적인 관련은 없다고 할 것이나, 2015학년도 입학전형에서도 동일한 비율로 선발인원이 배정될 것이 충분히 예측 가능하고, 2015학년도 입학전형요강이 공고되기를 기다려 그 승인처분을 다투게 한다면 권리구제의 실효성을 기대할 수 없으므로, 이 사건 입학전형요강과 그 승인처분이 위 청구인들에게 미치는 효과나 진지성의 정도 등을 고려할 때, 입시준비 중인 위 청구인들에게 기본권 침해의 자기관련성이 인정된다고 봄이 상당하다. (헌재 2015.11.26. 2014헌마145)

정답

028

교육을 받을 권리에 관한 우리 헌법재판소의 결정과 다른 것은? (다툼이 있는 경우 판례에 의함)

① 헌법 제31조 제6항이 규정하고 있는 교원지위법정주의는 교원의 권리 혹은 지위의 보장에 관한 것만이 아니라 교원의 기본권 제한의 근거규정이 되기도 한다.
② 교원의 노동권, 노동조합 등에 관하여는 헌법 제31조 제6항의 교원지위법정주의조항이 헌법 제33조의 노동3권 조항보다 우선하여 적용된다.
③ 부모의 자녀교육권은 부모의 자기결정권에 근거하는 것이 아니라 자녀의 보호와 인격발현을 위하여 부여되는 것이므로, 부모의 자녀교육권의 행사가 자녀의 행복을 추구하는 것에 합치하지 아니하는 경우에는 국가가 이를 제한할 수 있다.
④ 구 「지방교육자치에 관한 법률」에서 국·공립 초·중등학교의 경우 학교운영위원회의 설치를 의무화하면서 사립학교의 경우에는 그 설치를 임의적인 것으로 규정한 것은 학부모에게 헌법상 보장된 교육참여권과 평등권을 침해하는 것은 아니다.
⑤ 입법자가 사립초·중·고교에도 학교운영위원회 구성을 의무화하도록 한 법률개정은 사립학교의 자율성을 침해하는 것이다.

해설

① (O)
> 헌법 제31조 제6항에 근거하여 교원의 지위를 정하는 법률을 제정함에 있어서는 교원의 기본권 보장 내지 지위보장과 함께 국민의 교육을 받을 권리를 보다 효율적으로 보장하기 위한 규정도 반드시 함께 담겨 있어야 할 것이다. 그러므로 위 헌법조항을 근거로 하여 제정되는 법률에는 교원의 신분보장, 경제적·사회적 지위보장 등 교원의 권리에 해당하는 사항뿐만 아니라 국민의 교육을 받을 권리를 저해할 우려 있는 행위의 금지 등 교원의 의무에 관한 사항도 당연히 규정할 수 있는 것이므로 결과적으로 교원의 기본권을 제한하는 사항까지도 규정할 수 있게 되는 것이다. (헌재 1991.7.22. 89헌가106)

② (O)
> 헌법 제31조 제6항은 국민의 교육을 받을 기본적 권리를 보다 효과적으로 보장하기 위하여 교원의 보수 및 근무조건 등을 포함하는 개념인 '교원의 지위'에 관한 기본적인 사항을 법률로써 정하도록 한 것이므로 교원의 지위에 관련된 사항에 관한 한 위 헌법조항이 근로기본권에 관한 헌법 제33조 제1항에 우선하여 적용된다. (헌재 1991.7.22. 89헌가106)

③ (O)
> 부모의 자녀교육권은 다른 기본권과는 달리, 기본권의 주체인 부모의 자기결정권이라는 의미에서 보장되는 자유가 아니라, 자녀의 보호와 인격발현을 위하여 부여되는 기본권이다. 다시 말하면, 부모의 자녀교육권은 자녀의 행복이란 관점에서 보장되는 것이며, 자녀의 행복이 부모의 교육에 있어서 그 방향을 결정하는 지침이 된다. 따라서 부모는 자녀의 교육에 있어서 자녀의 정신적·신체적 건강을 고려하여 교육의 목적과 그에 적합한 수단을 선택해야 할 것이고, 부모가 자녀의 건강에 반하는 방향으로 자녀교육권을 행사할 경우에는 헌법 제31조는 부모 외에도 국가에게 자녀의 교육에 대한 과제와 의무가 있다는 것을 규정하고 있으므로 국가는 부모의 자녀교육권을 제한할 수 있다. (헌재 2009.10.29. 2008헌마635)

④ (O)
> 사립학교에도 국·공립학교처럼 의무적으로 운영위원회를 두도록 할 것인지, 아니면 임의단체인 기존의 육성회 등으로 하여금 유사한 역할을 계속할 수 있게 하고 법률에서 규정된 운영위원회를 재량사항으로 하여 그 구성을 유도할 것인지의 여부는 입법자의 입법형성영역인 정책문제에 속하고, 그 재량의 한계를 현저하게 벗어나지 않는 한 헌법 위반으로 단정할 것은 아니다. (헌재 1999.3.25. 97헌마130)

⑤ (✗)

> 사립학교에도 학교운영위원회를 의무적으로 설치하도록 한 초·중등교육법 조항에 의하여 사립학교 교육의 자주성·전문성이 어느 정도 제한된다고 하더라도, 그 입법취지 및 학교운영위원회의 구성과 성격 등을 볼 때, 사립학교 학교운영위원회제도가 현저히 자의적이거나 비합리적으로 사립학교의 공공성만을 강조하고 사립학교의 자율성을 제한한 것이라 보기 어렵다. (헌재 2001.11.29. 2000헌마278)

정답 ⑤

029 회독 □□□ 재구성   14 국가7급, 12·11 법원직

교육기본권에 대한 설명으로 옳지 않은 것은? (다툼이 있는 경우 판례에 의함)

① 헌법상 의무교육제도는 국민의 교육을 받을 권리를 뒷받침하기 위한 헌법상의 교육기본권에 부수하는 제도적 보장이다.
② 특수목적 고교에 비교평가에 의한 내신특례를 인정하고 그 시행에 따른 합리적인 경과조치를 정하는 것은 교육의 기회균등에 대한 침해가 아니다.
③ 고졸검정고시 또는 고등학교 입학자격 검정고시에 합격했던 자는 해당 검정고시에 다시 응시할 수 없도록 응시자격을 제한한 전라남도 교육청 공고는 교육을 받을 권리를 침해한다.
④ 헌법 제31조 제6항은 "교육제도와 그 운영에 관한 기본적인 사항은 법률로 정한다."라고 규정함으로써 국가는 모든 학교제도의 조직, 계획, 운영, 감독에 관한 포괄적인 권한을 부여받았기 때문에, 사립학교 운영의 자유는 헌법상의 기본권으로 인정되지 아니한다.

해설

① (O) 의무이기도 하다. [12 법원직]
② (O) 헌재 1996.4.25. 94헌마119 [14 국가7급]
③ (O) 헌재 2012.5.31. 2010헌마139 등 [14 국가7급]
④ (✗) [11 법원직]

> 설립자가 사립학교를 자유롭게 운영할 자유는 비록 헌법에 독일기본법 제7조 제4항과 같은 명문규정은 없으나 헌법 제10조에서 보장되는 행복추구권의 한 내용을 이루는 일반적인 행동의 자유권과 모든 국민의 능력에 따라 균등하게 교육을 받을 권리를 규정하고 있는 헌법 제31조 제1항 그리고 교육의 자주성·전문성·정치적 중립성 및 대학의 자율성을 규정하고 있는 헌법 제31조 제3항에 의하여 인정되는 기본권의 하나라고 하겠다. (헌재 2001.1.18. 99헌바63)

정답 ④

기출지문 OX

❶ 교원 재임용의 심사요소로 학생교육·학문연구·학생지도를 언급하되 이를 모두 필수요소로 강제하지 않는 사립학교법 제53조의2 제7항 전문은 교원의 신분에 대한 부당한 박탈을 방지함과 동시에 대학의 자율성을 도모한 것으로서 교원지위법정주의에 위반되지 아니한다. 15 국가7급 (O / X)

해설 헌재 2014.4.24. 2012헌바336   정답 O

❷ 국가 또는 지방자치단체의 정책결정에 관한 사항이나 기관의 관리·운영에 관한 사항으로서 근무조건과 직접 관련되지 아니하는 사항을 공무원노동조합의 단체교섭대상에서 제외하고 있는 공무원의 노동조합 설립 및 운영 등에 관한 법률 제8조 제1항 단서 중 '직접' 부분은 명확성원칙에 위반된다. 15 국가7급 (O / X)

해설 이 사항들 중 근무조건과 '직접' 관련되어 교섭대상이 되는 사항은 공무원이 공무를 제공하는 조건이 되는 사항 그 자체를 의미하는 것이므로, 이 사건 규정에서 말하는 공무원노조의 비교섭대상은 정책결정에 관한 사항과 기관의 관리·운영에 관한 사항 중 그 자체가 공무를 제공하는 조건이 되는 사항을 제외한 사항이 될 것이다. 따라서 이 사건 규정상의 '직접'의 의미가 법집행기관의 자의적인 법집행을 초래할 정도로 불명확하다고 볼 수 없으므로 명확성원칙에 위반된다고 볼 수 없다. (헌재 2013.6.27. 2012헌바169)

정답 X

❸ 수학능력에 대한 공개경쟁입학시험을 통해 교육을 받을 권리를 제한적으로 부여하거나 대학이 정하는 일정한 기준에 미달하는 자에 대하여 입학을 불허하는 것은 합헌이다. 13 지방7급 (O / X)

해설 대학입학지원자가 모집정원에 미달한 경우라도 대학이 정한 수학능력이 없는 자에 대해 불합격처분을 한 것은 교육법 제111조 제1항에 위반되지 아니하여 무효라고 할 수 없다. (대판 1983.6.28. 83누193)

정답 O

❹ 임용권자가 임용기간이 만료된 국·공립대학의 조교수에 대하여 재임용을 거부하는 취지로 한 임용기간 만료의 통지는 대학 교원의 법률관계에 영향을 주는 것으로서 행정소송의 대상이 되는 처분에 해당한다. 13 지방7급 (O / X)

해설 대법원은 원래 임용기간 만료의 통지에 대해서 처분성을 부정하였으나 헌법재판소의 위헌결정 이후 지금은 처분성을 인정한다.

정답 O

예상판례

서울대학교 2023학년도 저소득학생 특별전형의 모집인원을 모두 수능위주전형으로 선발하도록 정한, 피청구인의 2021.4.29.자 '서울대학교 2023학년도 대학 신입학생 입학전형 시행계획' 중 '2023학년도 모집단위와 모집인원' 가운데 기회균형특별전형 II의 모집인원 합계를 정한 부분, VI. 수능위주전형 정시모집 '나'군 기회균형특별전형 II 2. 전형방법·전형요소 및 배점 가운데 '수능 100%' 부분은 신뢰보호원칙에 위배하여 청구인의 균등하게 교육을 받을 권리를 침해하지 않는다. (헌재 2022.9.29. 2021헌마929)

기출지문 OX

❶ 만 6세가 되기 전에 앞당겨서 입학을 허용하지 않는다고 해서 헌법상의 '능력에 따라 균등하게 교육을 받을 권리'를 본질적으로 침해한 것이라 볼 수 없다. 12 국회8급 (O / X)

정답 O

❷ 능력에 따라 균등하게 교육을 받을 권리는 개인의 정신적·육체적·경제적 능력에 따른 차별만을 허용할 뿐 성별·종교·사회적 신분에 의한 차별은 허용하지 않는다. 13 국회9급 (O / X)

해설 우리 헌법은 제31조 제1항에서 "모든 국민은 능력에 따라 균등하게 교육을 받을 권리를 가진다."라고 규정함으로써 모든 국민의 교육의 기회균등권을 보장하고 있다. 이는 정신적·육체적 능력 이외의 성별·종교·경제력·사회적 신분 등에 의하여 교육을 받을 기회를 차별하지 않고, 즉 합리적 차별사유 없이 교육을 받을 권리를 제한하지 아니함과 동시에 국가가 모든 국민에게 균등한 교육을 받게 하고 특히 경제적 약자가 실질적인 평등교육을 받을 수 있도록 적극적 정책을 실현해야 한다는 것이다. (헌재 1994.2.24. 93헌마192)

정답 X

권한쟁의심판

1. 청구인이 주장하는 권한
피청구인의 처분 또는 부작위가 청구인의 헌법 또는 법률에 의해 부여된 권한을 침해하거나 침해할 현저한 위험이 있는 경우 청구 가능

2. 권한쟁의심판의 범위

헌법(제111조 제1항 제4호)	헌법재판소법(제62조 제1항)
국가기관 vs 국가기관	• 제1호: 국회, 정부, 법원, 중앙선거관리위원회 상호 간
국가기관 vs 지방자치단체	• 제2호: 정부 vs 시·도 또는 정부 vs 시·군·구
지방자치단체 vs 지방자치단체	• 제3호: 시·도 vs 시·도 / 시·도 vs 시·군·구 / 시·군·구 vs 시·군·구

3. 권한쟁의심판 사례: 국회의원 vs 국회의장

① 국회의원이 국회의장의 날치기 통과에 대해 심의·표결권(국회의원 개인의 권한)의 침해를 주장하며 국회의장을 상대로 권한쟁의를 할 수 있는가? → 당사자능력 확대의 문제(헌법재판소 인정)
- 헌법재판소 1차 결정: 열거조항(권한쟁의 불가)
- 헌법재판소 2차 결정: 예시조항(권한쟁의 가능)
- 부분 기관이 권한쟁의를 할 수 있는 요건
  - 헌법에 의해 설치된 기관
  - 독자적 권한을 가질 것
  - 분쟁시 해결방법이 없을 것

② 국회의원의 동의권 침해를 주장한 권한쟁의
→ 불가(동의권은 국회의원의 권한이 아니라 국회 자체의 권한이기 때문)
→ 당사자적격으로 제3자 소송담당의 문제(헌법재판소는 부정, 각하)

③ 지방자치단체 vs 정부
지방자치단체 vs 국회 ─ 가능
지방자치단체 vs 선거관리위원회

지방자치단체 간의 권한쟁의에 있어서 당사자에 관한 규정은 예시적 규정이 아니다(열거적 규정). 즉, 시·도 vs 시·도 / 시·도 vs 시·군·구 / 시·군·구 vs 시·군·구 이외의 권한쟁의를 인정하지 않는다.

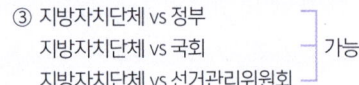 헌법재판소는 국가기관 간의 권한쟁의에 있어서 국가기관은 예시적 규정으로 보지만, 지방자치단체 간의 권한쟁의에 있어서 당사자는 열거적 규정으로 본다.

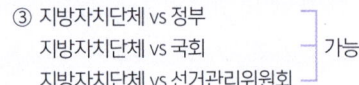 권한쟁의가 '지방교육자치에 관한 법률' 제2조에 따른 교육·학예에 관한 지방자치단체의 사무에 관한 것인 경우에는 교육감이 제1항 제2호 및 제3호의 당사자가 된다. (헌법재판소법 제62조 제2항)

제4절 근로의 권리

030 회독 □□□ 23 국회8급

근로의 권리에 대한 헌법재판소의 판시 내용으로 적절하지 않은 것은?

① 근로자 4명 이하 사용 사업장에 적용될 「근로기준법」 조항을 정하고 있는 「근로기준법 시행령」 조항이 정당한 이유 없는 해고를 금지하는 제23조 제1항과 노동위원회 구제절차에 관한 제28조 제1항을 근로자 4명 이하 사용 사업장에 적용되는 조항으로 나열하지 않은 것은 근로자 4명 이하 사용 사업장에 종사하는 근로자의 근로의 권리를 침해한다.
② 동물의 사육 사업 근로자에 대하여 「근로기준법」 제4장에서 정한 근로시간 및 휴일 규정의 적용을 제외하도록 한 구 「근로기준법」 조항은 축산업에 종사하는 근로자의 근로의 권리를 침해하지 않는다.
③ 4주간을 평균하여 1주간의 소정 근로시간이 15시간 미만인 근로자, 즉 이른바 '초단시간근로자'를 퇴직급여제도의 적용대상에서 제외하고 있는 「근로자퇴직급여 보장법」 조항은 근로조건의 기준은 인간의 존엄성을 보장하도록 법률로 정하도록 한 헌법 제32조 제3항에 위배되는 것으로 볼 수 없다.
④ 고용허가를 받아 국내에 입국한 외국인근로자의 출국만기보험금을 출국 후 14일 이내에 지급하도록 한 「외국인근로자의 고용 등에 관한 법률」 조항은 외국인근로자의 근로의 권리를 침해한다고 보기 어렵다.
⑤ 일용근로자로서 3개월을 계속 근무하지 아니한 자를 해고예고제도의 적용제외사유로 규정하고 있는 「근로기준법」 조항은 일용근로자의 근로의 권리를 침해한다고 보기 어렵다.

해설

① (X)
> 4인 이하 사업장에 부당해고제한조항이나 노동위원회 구제절차를 적용되는 근로기준법 조항으로 나열하지 않았다고 하여 헌법상 용인될 수 있는 재량의 범위를 벗어난 것이라고 볼 수 없으므로, 심판대상조항은 청구인의 근로의 권리를 침해하지 아니한다. (헌재 2019.4.11. 2017헌마820)

② (O)
> 동물의 사육 사업(축산업) 근로자에게 근로기준법 제4장의 근로시간 및 휴일에 관한 조항을 적용하지 않도록 한 구 근로기준법 제63조 제2호(심판대상조항)는 헌법에 위반되지 않는다. (헌재 2021.8.31. 2018헌마563[기각])
> 심판대상조항이 입법자가 입법재량의 한계를 일탈하여 인간의 존엄을 보장하기 위한 최소한의 근로조건을 마련하지 않은 것이라고 보기 어려우므로, 심판대상조항은 청구인의 근로의 권리를 침해하지 않는다.

③ (O) 헌재 2021.11.25. 2015헌바334 등
④ (O) 헌재 2016.3.31. 2014헌마367
⑤ (O) 헌재 2017.5.25. 2016헌마640

정답 ①

031 회독 □□□ 재구성   23 경찰간부, 22 국회8급

근로의 권리에 대한 설명으로 옳지 않은 것은? (다툼이 있는 경우 판례에 의함)

① 매월 1회 이상 정기적으로 지급하는 상여금 등이나 복리후생비는 그 성질이나 실질적 기능 면에서 기본급과 본질적인 차이가 있다고 보기 어려우므로, 기본급과 마찬가지로 이를 최저임금에 산입하는 것은 그 합리성을 수긍할 수 있다.
② 최저임금의 적용을 위해 주(週) 단위로 정해진 근로자의 임금을 시간에 대한 임금으로 환산할 때, 해당 임금을 1주 동안의 소정 근로시간 수와 법정 주휴시간 수를 합산한 시간 수로 나누도록 한 「최저임금법 시행령」 해당 조항은 사용자의 계약의 자유 및 직업의 자유를 침해한다.
③ 해고예고제도는 근로관계 종료 전 사용자에게 근로자에 대한 해고예고를 하게 하는 것이어서, 근로조건을 이루는 중요한 사항에 해당하고 근로의 권리의 내용에 포함된다.
④ '가구 내 고용활동'에 대해서는 「근로자퇴직급여 보장법」을 적용하지 않도록 규정한 같은 법 제3조 단서 중 '가구 내 고용활동' 부분은 합리적 이유가 있는 차별로서 평등원칙에 위배되지 아니한다.

해설

① (O) 헌재 2021.12.23. 2018헌마629 등 [23 경찰간부]
② (X) [23 경찰간부]

> 근로기준법이 근로자에게 유급주휴일을 보장하도록 하고 있다는 점을 고려할 때, 소정 근로시간 수와 법정 주휴시간 수 모두에 대하여 시간급 최저임금액 이상을 지급하도록 하는 것이 그 자체로 사용자에게 지나치게 가혹하다고 보기는 어렵다. 따라서 이 사건 시행령조항은 과잉금지원칙에 위배되어 사용자의 계약의 자유 및 직업의 자유를 침해한다고 볼 수 없다. (헌재 2020.6.25. 2019헌마15)

③ (O) [22 국회8급]
④ (O) [23 경찰간부]

> 심판대상조항이 가사사용인을 일반근로자와 달리 '근로자퇴직급여 보장법'의 적용범위에서 배제하고 있다고 하더라도 합리적 이유가 있는 차별로서 평등원칙에 위배되지 아니한다. (헌재 2022.10.27. 2019헌바454)

정답 ②

032

근로의 권리에 대한 설명으로 옳은 것은? (다툼이 있는 경우 판례에 의함)

① 근로의 권리는 사회적 기본권으로서 국가에 대하여 직접 일자리를 청구하거나 일자리에 갈음하는 생계비의 지급청구권을 의미하는 권리이다.
② 계속근로기간 1년 이상인 근로자가 근로연도 중도에 퇴직한 경우 중도퇴직 전 1년 미만의 근로에 대하여 유급휴가를 보장하지 않는 것은 근로의 권리를 침해한다.
③ 월급근로자로서 6개월이 되지 못한 자를 해고예고제도의 적용예외사유로 규정하고 있는 「근로기준법」 조항은 근로자보호와 사용자의 효율적인 기업경영 및 기업의 생산성이라는 측면의 조화를 고려한 합리적 규정이므로 헌법에 위배되지 않는다.
④ 근로자가 퇴직급여를 청구할 수 있는 권리는 헌법상 바로 도출되는 것이 아니라 「근로자퇴직급여 보장법」 등 관련 법률이 구체적으로 정하는 바에 따라 비로소 인정될 수 있는 것이므로, 계속 근로기간 1년 미만인 근로자가 퇴직급여를 청구할 수 있는 권리는 헌법 제32조 제1항에 의하여 보장된다고 보기 어렵다.

해설

① (✗) 근로의 권리는 일자리제공청구권이나 직장존속청구권이 아니고, 사회적·경제적 방법으로 고용의 기회를 늘려달라고 요구하는 권리이다.

> 헌법 제15조의 직업의 자유 또는 헌법 제32조의 근로의 권리, 사회국가원리 등에 근거하여 실업방지 및 부당한 해고로부터 근로자를 보호하여야 할 국가의 의무를 도출할 수는 있을 것이나, 국가에 대한 직접적인 직장존속보장청구권을 근로자에게 인정할 헌법상의 근거는 없다. (헌재 2002.11.28. 2001헌바50)

② (✗) ④ (○)

> [1] 이 사건 법률조항에서 '계속근로기간이 1년 미만인 근로자'를 퇴직급여 대상에서 제외하여 '계속근로기간이 1년 이상인 근로자'와 차별취급하는 것은, 퇴직급여가 1년 이상 장기간 근속한 근로자의 공로를 보상하고 업무의 효율성과 생산성의 증대 등을 위해 장기간 근무를 장려하기 위한 것으로 볼 수 있으며, 입법자가 퇴직급여법의 확대적용을 위한 지속적인 노력을 기울이는 과정에서 한편으로 사용자의 재정적 부담능력 등의 현실적인 측면을 고려하고, 다른 한편으로 퇴직급여제도 이외에 국민연금제도나 실업급여제도 등 퇴직 근로자의 생활을 보장하기 위한 다른 사회보장적 제도도 함께 고려하였다고 할 것이다. 따라서, 그 차별에 합리적 이유가 있으므로 청구인의 평등권이 침해되었다고 보기 어렵다.
> [2] 헌법 제32조 제1항이 규정하는 근로의 권리는 사회적 기본권으로서 국가에 대하여 직접 일자리를 청구하거나 일자리에 갈음하는 생계비의 지급청구권을 의미하는 것이 아니라 고용증진을 위한 사회적·경제적 정책을 요구할 수 있는 권리에 그치며, 근로의 권리로부터 국가에 대한 직접적인 직장존속청구권이 도출되는 것도 아니다. 나아가 근로자가 퇴직급여를 청구할 수 있는 권리도 헌법상 바로 도출되는 것이 아니라 퇴직급여법 등 관련 법률이 구체적으로 정하는 바에 따라 비로소 인정될 수 있는 것이므로 계속근로기간 1년 미만인 근로자가 퇴직급여를 청구할 수 있는 권리가 헌법 제32조 제1항에 의하여 보장된다고 보기는 어렵다. (헌재 2011.7.28. 2009헌마408)

③ (✗)

> 월급근로자로서 6개월이 되지 못한 자를 해고예고제도의 적용예외사유로 규정하고 있는 근로기준법 제35조 제3호는 근무기간이 6개월 미만인 월급근로자의 근로의 권리를 침해하고 평등원칙에도 위배된다. (헌재 2015.12.23. 2014헌바3 [위헌])

정답 ④

기출지문 OX

정직처분을 받은 공무원에 대하여 정직일수를 연차유급휴가인 연가일수에서 공제하도록 하는 것은 근로의 권리를 침해하지 않는다. 22 국회8급 (O / ×)

해설
> 정직기간을 연가일수에서 공제할 때 어떠한 비율에 따라 공제할 것인지에 관하여는 입법자에게 재량이 부여되어 있다고 할 것이므로 정직기간의 비율에 따른 일수가 공제되는 일반휴직자와 달리, 공무원으로서 부담하는 의무를 위반하여 징계인 정직처분을 받은 자에 대하여 입법자가 정직일수만큼의 일수를 연가일수에서 공제하였다고 하여 재량을 일탈한 것이라고 볼 수 없으므로 이 사건 법령조항이 청구인의 근로의 권리를 침해한다고 볼 수 없다. (헌재 2008.9.25. 2005헌마586)

정답 O

---

033 재구성 22 5급행시, 21 법무사, 11 법원직

근로의 권리에 대한 설명으로 옳지 않은 것은? (다툼이 있는 경우 판례에 의함)

① 국가는 헌법 제32조의 근로의 권리, 사회국가원리 등에 근거하여 실업방지 및 부당한 해고로부터 근로자를 보호하여야 할 의무가 있다. 그리고 우리 헌법상 국가는 근로관계의 존속보호를 위하여 최소한의 보호를 제공하여야 할 의무를 지고 있다. 그러므로 국가가 법률로 국가보조연구기관을 통폐합함에 있어 재산상의 권리·의무만 승계시키고, 근로관계의 당연승계조항을 두고 있지 아니한 것은 위헌이다.

② 최저임금제는 법률이 정하는 바에 의하여 보장되는 것이므로, 근로자가 최저임금을 청구할 수 있는 권리가 헌법상 근로의 권리로서 바로 보장되는 것은 아니다.

③ 근로의 권리는 개인인 근로자가 그 주체가 되는 것이고, 근로자의 모임인 노동조합은 그 주체가 될 수 없다.

④ 사용자로 하여금 2년을 초과하여 기간제근로자를 사용할 수 없도록 한 「기간제 및 단시간근로자 보호 등에 관한 법률」 조항은 해당 기간제근로자의 계약의 자유를 침해하지 않는다.

해설

① (×) [11 법원직]
> 한국보건산업진흥원법 부칙 제3조가 기존 연구기관의 재산상의 권리·의무만을 새로이 설립되는 한국보건산업진흥원에 승계시키고, 직원들의 근로관계가 당연히 승계되는 것으로 규정하지 않았다고 하여 위헌이라고 할 수 없다. (헌재 2002.11.28. 2001헌바50)

② (O) [21 법무사]
> 헌법 제32조 제1항 후단은 "국가는 사회적·경제적 방법으로 근로자의 고용의 증진과 적정임금의 보장에 노력하여야 하며, 법률이 정하는 바에 의하여 최저임금제를 시행하여야 한다."라고 규정하고 있어서 근로자가 최저임금을 청구할 수 있는 권리도 헌법상 바로 도출되는 것이 아니라 최저임금법 등 관련 법률이 구체적으로 정하는 바에 따라 비로소 인정될 수 있다. (헌재 2012.10.25. 2011헌마307)

③ (O) 헌재 2009.2.26. 2007헌바27 [21 법무사]

④ (O) 헌재 2013.10.24. 2010헌마219 등 [22 5급행시]

정답 ①

034

근로기본권에 대한 설명으로 옳지 않은 것은? (다툼이 있는 경우 판례에 의함)

① 청원경찰은 일반근로자일 뿐 공무원이 아니므로, 이들의 근로3권을 전면적으로 제한하는 것은 헌법에 위반된다.
② 헌법에서는 국가유공자의 유가족, 상이군경의 유가족 및 전몰군경의 유가족은 법률이 정하는 바에 의하여 우선적으로 근로의 기회를 부여받는다고 규정하고 있다.
③ 근로의 권리란 인간이 자신의 의사와 능력에 따라 근로관계를 형성하고, 타인의 방해를 받음이 없이 근로관계를 계속 유지하며, 근로의 기회를 얻지 못한 경우에는 국가에 대하여 근로의 기회를 제공하여 줄 것을 요구할 수 있는 권리를 말한다.
④ 해고예고제도는 근로관계의 존속이라는 근로자보호의 본질적 부분과 관련되는 것이 아니므로, 해고예고제도를 둘 것인지 여부, 그 내용 등에 대해서는 상대적으로 넓은 입법형성의 여지가 있다.
⑤ 사용자의 허가 없이 사업장 내에서 유인물을 배포한 근로자를 징계할 수 있도록 한 취업규칙의 규정은 헌법에 위반되지 않는다.

해설

① (○) [20 5급행시]

> 청원경찰의 복무에 관하여 국가공무원법 제66조 제1항을 준용하여 노동운동을 금지하는 청원경찰법 제5조 제4항 중 국가공무원법 제66조 제1항 가운데 '노동운동' 부분을 준용하는 부분은 헌법에 합치되지 아니한다. (헌재 2017.9.28. 2015헌마653[헌법불합치(잠정적용)])
> [1] 목적의 정당성 및 수단의 적합성은 인정된다.
> [2] 청원경찰은 청원주와의 고용계약에 의한 근로자일 뿐, 국민 전체에 대한 봉사자로서 국민에 대하여 책임을 지며 그 신분과 정치적 중립성이 법률에 의해 보장되는 공무원 신분이 아니므로, 기본적으로 헌법 제33조 제1항에 따라 근로3권을 보장받아야 한다. 국가기관이나 지방자치단체 이외의 곳에서 근무하는 청원경찰은 근로조건에 관하여 공무원뿐만 아니라 국가기관이나 지방자치단체에 근무하는 청원경찰에 비해서도 낮은 수준의 법적 보장을 받고 있으므로, 이들에 대해서는 근로3권이 허용되어야 할 필요성이 더욱 크다. 이들이 청원주와 실질적으로 동등한 지위에서 근로조건을 결정하기 위해서는 근로3권이 일률적으로 부정되어서는 아니 된다. 이상을 종합하여 보면, 심판대상조항이 모든 청원경찰의 근로3권을 전면적으로 제한하는 것은 입법목적 달성을 위해 필요한 범위를 넘어선 것으로서 침해의 최소성원칙에 위배된다.

② (✗) 국가유공자·상이군경 및 전몰군경의 유가족은 법률이 정하는 바에 의하여 우선적으로 근로의 기회를 부여받는다. (헌법 제32조 제6항) 여기서 국가유공자와 상이군경은 본인에게만 근로의 기회가 우선적으로 보장되고, 전몰군경은 유가족에게까지 근로의 기회가 보장된다. [20 5급행시]

③ (○) 근로의 권리의 내용이다. 따라서 일자리제공청구권이나 직장존속청구권 등은 인정되지 않는다. [20 5급행시]

> 헌법 제32조 제1항이 규정하는 근로의 권리는 사회적 기본권으로서 국가에 대하여 직접 일자리를 청구하거나 일자리에 갈음하는 생계비의 지급청구권을 의미하는 것이 아니라 고용증진을 위한 사회적·경제적 정책을 요구할 수 있는 권리에 그치며, 근로의 권리로부터 국가에 대한 직접적인 직장존속청구권이 도출되는 것도 아니다. (헌재 2011.7.28. 2009헌마408)

④ (○) 헌재 2017.5.25. 2016헌마640 [19 서울7급(2월)]
⑤ (○) 대판 1994.9.30. 94다4042 [06 법무사]

정답 ②

035 회독 ☐☐☐ 19 입시

근로의 권리 및 근로3권에 대한 설명으로 옳지 않은 것은? (다툼이 있는 경우 판례에 의함)

① 근로의 권리는 개인근로자가 주체이며, 노동조합은 그 주체가 될 수 없다.
② 교육공무원에게 근로3권을 일체 허용하지 않고 전면적으로 부정하는 것은 입법형성권의 범위를 벗어난다.
③ 법률이 정하는 주요방위산업체에 종사하는 근로자의 단체행동권은 법률로 제한할 수 있다.
④ 노동조합이 비과세 혜택을 받을 권리는 헌법 제33조 제1항이 당연히 예상한 권리에 포함된다고 보기 어렵고, 위 헌법조항으로부터 그러한 권리가 파생된다거나 이에 상응하는 국가의 조세법규범 정비의무가 발생한다고 보기도 어렵다.
⑤ '65세 이후 고용된 자'에게 실업급여에 관한 「고용보험법」의 적용을 배제하는 것은 근로의 의사와 능력의 존부에 대한 합리적인 판단을 결여한 것이다.

해설

① (O) 근로3권은 노동조합에도 인정된다.

② (O)

> 교원의 노동조합 설립 및 운영 등에 관한 법률의 적용대상을 초·중등교육법 제19조 제1항의 교원이라고 규정함으로써 고등교육법에서 규율하는 대학 교원의 단결권을 일체 인정하지 않는 교원의 노동조합 설립 및 운영 등에 관한 법률 제2조 본문이 대학 교원들의 단결권을 침해한다. (헌재 2018.8.30. 2015헌가38)
>
> [1] **교육공무원 아닌 대학 교원의 단결권 침해 여부**
>
> 교육공무원이 아닌 대학 교원들의 단결권을 전면적으로 제한하는 것은 필요 이상의 과도한 제한이다. 심판대상조항으로 인하여 공무원 아닌 대학 교원들이 향유하지 못하는 단결권은 헌법 제33조 제1항이 보장하고 있는 근로3권의 핵심적이고 본질적인 권리임에 비하여, 대학 사회가 다층적으로 변화하면서 대학 교원의 사회·경제적 지위의 향상을 위한 요구가 높아지고 있는 상황에서 공무원이 아닌 대학 교원이 단결권을 행사하지 못한 채 개별적으로만 근로조건의 향상을 도모해야 하는 불이익은 중대한 것이므로, 심판대상조항은 법익균형성도 갖추지 못한 것이다. 그러므로 심판대상조항은 과잉금지원칙에 위배되어 공무원 아닌 대학 교원의 단결권을 침해한다.
>
> [2] **교육공무원인 대학 교원의 단결권 침해 여부**
>
> 이러한 점들을 종합할 때, 공무원인 대학 교원의 단결권을 전면적으로 부정하고 있는 심판대상조항은 입법형성의 범위를 벗어난 입법이다.

③ (O)

> **헌법 제33조**
> ③ 법률이 정하는 주요방위산업체에 종사하는 근로자의 단체행동권은 법률이 정하는 바에 의하여 이를 제한하거나 인정하지 아니할 수 있다.

④ (O) 헌재 2009.2.26. 2007헌바27

⑤ (X) '65세 이후 고용된 자'에게 실업급여에 관한 고용보험법의 적용을 배제하는 것은 헌법에 위반되지 않는다. (헌재 2018.6.28. 2017헌마238)

정답 ⑤

036 회독 ☐☐☐　　　　　　　　　　　　　　　　　　　　　　　　　18 법원직

근로의 권리와 관련하여 현행헌법에서 명문으로 규정한 것이 아닌 것은?

① 국가의 고용증진의무
② 여성 근로자의 특별한 보호
③ 장애인 근로자의 특별한 보호
④ 국가유공자 등에 대한 근로기회 우선보장

> **해설**

① (O) ② (O) ④ (O)

> **헌법 제32조**
> ① 모든 국민은 근로의 권리를 가진다. 국가는 사회적·경제적 방법으로 근로자의 고용의 증진과 적정임금의 보장에 노력하여야 하며, 법률이 정하는 바에 의하여 최저임금제를 시행하여야 한다.
> ② 모든 국민은 근로의 의무를 진다. 국가는 근로의 의무의 내용과 조건을 민주주의원칙에 따라 법률로 정한다.
> ③ 근로조건의 기준은 인간의 존엄성을 보장하도록 법률로 정한다.
> ④ 여자의 근로는 특별한 보호를 받으며, 고용·임금 및 근로조건에 있어서 부당한 차별을 받지 아니한다.
> ⑤ 연소자의 근로는 특별한 보호를 받는다.
> ⑥ 국가유공자·상이군경 및 전몰군경의 유가족은 법률이 정하는 바에 의하여 우선적으로 근로의 기회를 부여받는다.

③ (✗) 장애인에 대한 헌법적 보호의무는 규정이 있지만, 장애인의 근로에 관해서는 헌법에 규정이 없다.

> **헌법 제34조**
> ⑤ 신체장애자 및 질병·노령 기타의 사유로 생활능력이 없는 국민은 법률이 정하는 바에 의하여 국가의 보호를 받는다.

정답 ③

037

공무원의 근로의 권리에 관한 설명 중 옳지 않은 것은? (다툼이 있는 경우 판례에 의함)

① 공무원도 근로의 대가로서 보수를 받아 생활하는 자라는 점에서는 근로자라고 할 수 있다.
② 국민과 국가이익을 실현하기 위한 공무에 종사한다는 점에서 일반경제활동상 사용자와 근로자의 관계와는 다르게 볼 수 있다.
③ 공무원인 근로자의 노동3권을 인정할 것인가의 여부와 그 인정범위는 과잉금지의 원칙에 따라서 심사된다.
④ 법률이 정하는 주요방위산업체에 종사하는 근로자의 단체행동권에는 제약이 따를 수 있다.
⑤ 헌법재판소는 단체행동권을 보장받는 '사실상 노무에 종사하는 공무원'의 범위를 조례에 위임할 수 있도록 한 「지방공무원법」 조항이 헌법에 위반되지 않는다고 결정하였다.

해설

① (O)
> 공무원도 각종 노무의 대가로 얻는 수입에 의존하여 생활하는 사람이라는 점에서는 통상적인 의미의 근로자적인 성격을 지니고 있다. (헌재 1992.4.28. 90헌바27)

② (O) 공무원의 국민 전체에 대한 봉사자라는 지위 등에 의해 일반근로자와는 다르다고 보는 것이 일반적이다.

③ (X) 헌법재판소는 공무원의 근로3권 제한에 대해서 과잉금지원칙이 적용되지 않는다는 입장이다.

> 헌법 제33조 제2항이 규정되지 아니하였다면 공무원인 근로자도 헌법 제33조 제1항에 따라 노동3권을 가진다고 할 것이고, 이 경우에 공무원인 근로자의 단결권·단체교섭권·단체행동권을 제한하는 법률에 대해서는 헌법 제37조 제2항에 따른 기본권 제한의 한계를 준수하였는가 하는 점에 대한 심사를 하는 것이 헌법원리로서 상당할 것이나, 헌법 제33조 제2항이 직접 '법률이 정하는 자'만이 노동3권을 향유할 수 있다고 규정하고 있어서 '법률이 정하는 자' 이외의 공무원은 노동3권의 주체가 되지 못하므로, 노동3권이 인정됨을 전제로 하는 헌법 제37조 제2항의 과잉금지원칙은 적용이 없는 것으로 보아야 할 것이다. (헌재 2008.12.26. 2005헌마971 등)

④ (O)

헌법 제33조
③ 법률이 정하는 주요방위산업체에 종사하는 근로자의 단체행동권은 법률이 정하는 바에 의하여 이를 제한하거나 인정하지 아니할 수 있다.

⑤ (O)
> 헌법 제117조 제1항은 "지방자치단체는 주민의 복리에 관한 사무를 처리하고 재산을 관리하며, 법령의 범위 안에서 자치에 관한 규정을 제정할 수 있다."라고 규정하여 법률의 위임이 있는 경우에는 조례에 의하여 소속 공무원에 대한 인사와 처우를 스스로 결정하는 권한이 있다고 할 것이므로, 사실상 노무에 종사하는 공무원의 범위에 관하여 당해 지방자치단체에 조례제정권을 부여하고 있다고 하여 헌법에 위반된다고 할 수 없다. (헌재 2005.10.27. 2003헌바50 등)
> 조례의 제정을 30여 년간 하지 아니한 행정입법부작위가 헌법에 위반된다는 점을 주의하여야 한다.

정답 ③

제 5 절 근로3권

038 회독 ☐☐☐ NEW   24 경찰간부

근로3권에 대한 설명으로 가장 적절하지 않은 것은? (다툼이 있는 경우 헌법재판소 판례에 의함)

① 「교원의 노동조합 설립 및 운영 등에 관한 법률」의 적용을 받는 교원의 범위를 초·중등학교에 재직 중인 교원으로 한정하고 있는 같은 법 제2조는 전국교직원노동조합 및 해직 교원들의 단결권을 침해하지 아니한다.

② 사용자가 노동조합의 운영비를 원조하는 행위를 부당노동행위로 금지하는 「노동조합 및 노동관계조정법」 제81조 제4호 중 '노동조합의 운영비를 원조하는 행위'에 관한 부분은 단서에서 정한 두 가지 예외를 제외한 일체의 운영비 원조행위를 금지함으로써 노동조합의 자주성을 저해할 위험이 없는 경우까지 금지하고 있으므로, 입법목적 달성을 위한 적합한 수단이라고 볼 수 없다.

③ 하나의 사업 또는 사업장에 복수 노동조합이 존재하는 경우 '교섭대표노동조합'을 정하여 교섭을 요구하도록 하는 「노동조합 및 노동관계조정법」 제29조 제2항은 과잉금지원칙을 위반하여 단체교섭권을 침해한다.

④ 국가비상사태하에서 근로자의 단체교섭권 및 단체행동권을 제한한 구 「국가보위에 관한 특별조치법」 조항 중 해당 부분은 단체교섭권·단체행동권의 행사요건 및 한계 등에 관한 기본적 사항조차 법률에서 정하지 아니한 채, 그 허용 여부를 주무관청의 조정결정에 포괄적으로 위임하고 이에 위반할 경우 형사처벌하도록 하고 있는바, 이는 근로3권의 본질적 내용을 침해하는 것이다.

해설

① (O) 해직 교원을 포함하지 않는 것은 합헌이다. (헌재 2015.5.28. 2013헌마671)

② (O)

> 운영비 원조행위가 노동조합의 자주성을 저해할 위험이 없는 경우에는 이를 금지하더라도 위와 같은 입법목적의 달성에 아무런 도움이 되지 않는다. 그런데 운영비 원조 금지조항은 단서에서 정한 두 가지 예외를 제외한 일체의 운영비 원조행위를 금지함으로써 노동조합의 자주성을 저해할 위험이 없는 경우까지 금지하고 있으므로, 입법목적 달성을 위한 적합한 수단이라고 볼 수 없다. (헌재 2018.5.31. 2012헌바90)

③ (✕)

> 교섭창구 단일화 제도는 근로조건의 결정권이 있는 사업 또는 사업장 단위에서 복수 노동조합과 사용자 사이의 교섭절차를 일원화하여 효율적이고 안정적인 교섭체계를 구축하고, 소속 노동조합이 어디든 관계없이 조합원들의 근로조건을 통일하기 위한 것이다. … 청구인들의 단체교섭권을 침해하지 아니하며 단체교섭권의 본질적 내용을 침해하지도 아니한다. (헌재 2024.6.27. 2020헌마237)

④ (O)

> 심판대상조항은 단체교섭권·단체행동권이 제한되는 근로자의 범위를 구체적으로 제한함이 없이, 단체교섭권·단체행동권의 행사요건 및 한계 등에 관한 기본적 사항조차 법률에서 정하지 아니한 채, 그 허용 여부를 주무관청의 조정결정에 포괄적으로 위임하고 이에 위반할 경우 형사처벌하도록 하고 있는바, 이는 모든 근로자의 단체교섭권·단체행동권을 사실상 전면적으로 부정하는 것으로서 헌법에 규정된 근로3권의 본질적 내용을 침해하는 것이다. (헌재 2015.3.26. 2014헌가5)

정답 ③

> **예상판례**
>
> 복수 노동조합이 구성된 경우 교섭대표노동조합을 통해 교섭하도록 하고 일정 기간 내에 자율적으로 교섭대표노동조합을 정하지 못할 경우 과반수 노동조합이 교섭대표노동조합이 되며, 교섭대표노동조합만이 쟁의행위를 주도할 수 있도록 규정한 노동조합 및 노동관계조정법 제29조 제2항, 구 노동조합 및 노동관계조정법 제29조의2 제1항 본문, 제3항, 제29조의5 중 제37조 제2항에 관한 부분, 노동조합 및 노동관계조정법 제29조의2 제1항 본문, 제4항, 제29조의5 중 제37조 제2항에 관한 부분에 대하여 헌법에 위반되지 않는다. (헌재 2024.6.27. 2020헌마237【합헌】)

039　23 경찰간부

근로3권에 대한 설명으로 가장 적절한 것은? (다툼이 있는 경우 판례에 의함)

① 「교원의 노동조합 설립 및 운영 등에 관한 법률」의 적용대상을 「초·중등교육법」 제19조 제1항의 교원이라고 규정함으로써 「고등교육법」에서 규율하는 대학 교원들의 단결권을 인정하지 않는 것은 그 입법목적의 정당성을 인정하기 어렵다.

② 출입국관리법령에서 외국인고용제한규정을 두고 있으므로 취업자격 없는 외국인은 「노동조합 및 노동관계조정법」상의 근로자의 범위에 포함되지 아니한다.

③ 근로자가 노동조합을 결성하지 아니할 자유나 노동조합에 가입을 강제당하지 아니할 자유, 그리고 가입한 노동조합을 탈퇴할 자유는 근로자에게 보장된 단결권의 내용에 포섭되는 권리이다.

④ 공항·항만 등 국가중요시설의 경비업무를 담당하는 특수경비원에게 경비업무의 정상적인 운영을 저해하는 일체의 쟁의행위를 금지하는 「경비업법」 해당 조항에 의한 단체행동권의 제한은 근로3권에 관한 헌법 제33조 제2항과 제3항의 개별유보조항에 의한 제한이다.

해설

① (○)

> 교원노조를 설립하거나 가입하여 활동할 수 있는 자격을 초·중등 교원으로 한정함으로써 교육공무원이 아닌 대학 교원에 대해서는 근로기본권의 핵심인 단결권조차 전면적으로 부정한 측면에 대해서는 그 입법목적의 정당성을 인정하기 어렵고, 수단의 적합성 역시 인정할 수 없다. (헌재 2018.8.30. 2015헌가38)

② (✕)

> 타인과의 사용종속관계하에서 근로를 제공하고 그 대가로 임금 등을 받아 생활하는 사람은 노동조합 및 노동관계조정법상 근로자에 해당하고, 노동조합 및 노동관계조정법상의 근로자성이 인정되는 한, 그러한 근로자가 외국인인지 여부나 취업자격의 유무에 따라 노동조합 및 노동관계조정법상 근로자의 범위에 포함되지 아니한다고 볼 수는 없다. (대판 2015.6.25. 2007두4995 전원합의체)

③ (✕)

> 헌법상 보장된 근로자의 단결권은 단결할 자유만을 가리킬 뿐이고, 단결하지 아니할 자유 이른바 소극적 단결권은 이에 포함되지 않는 다고 보는 것이 우리 재판소의 선례라고 할 것이다. 그렇다면 근로자가 노동조합을 결성하지 아니할 자유나 노동조합에 가입을 강제당 하지 아니할 자유, 그리고 가입한 노동조합을 탈퇴할 자유는 근로자에게 보장된 단결권의 내용에 포섭되는 권리로서가 아니라 헌법 제 10조의 행복추구권에서 파생되는 일반적 행동의 자유 또는 제21조 제1항의 결사의 자유에서 그 근거를 찾을 수 있다. (헌재 2005.11.24. 2002헌바95 등)

④ (✕) 개별적 헌법유보가 아니라 헌법 제37조 제2항의 일반적 유보에 의한 제한이다.

> 현행헌법에서 공무원 및 법률이 정하는 주요방위산업체에 종사하는 근로자와는 달리 특수경비원에 대해서는 단체행동권 등 근로3권의 제한에 관한 개별적 제한규정을 두고 있지 않다고 하더라도, 헌법 제37조 제2항의 일반유보조항에 따른 기본권 제한의 원칙에 의하여 특수경비원의 근로3권 중 하나인 단체행동권을 제한할 수 있다. 따라서 이 사건 법률조항은 과잉금지원칙에 위배되지 아니하므로 헌법 에 위반되지 아니한다. (헌재 2009.10.29. 2007헌마1359)

정답 ①

040 회독 ☐☐☐ 재구성 21·14 법원직

근로3권에 대한 설명으로 옳지 않은 것은? (다툼이 있는 경우 판례에 의함)

① 근로자는 근로조건의 향상을 위하여 자주적인 단결권·단체교섭권 및 단체행동권을 가진다.
② 공무원인 근로자는 법률이 정하는 자에 한하여 단결권·단체교섭권 및 단체행동권을 가진다.
③ 노동조합에는 헌법 제21조 제2항의 결사에 대한 허가제금지원칙이 적용되지 않는다.
④ 단체교섭권은 헌법 제37조 제2항에 의하여 국가안전보장·질서유지 또는 공공복리 등의 공익상의 이 유로 제한이 가능하다.
⑤ 「형법」상 업무방해죄는 모든 쟁의행위에 대하여 무조건 적용되는 것이 아니라, 단체행동권의 내재적 한계를 넘어 정당성이 없다고 판단되는 쟁의행위에 대하여만 적용된다.

해설

① (O) [21 법원직] ② (O) [21 법원직]

> **헌법 제33조**
> ① 근로자는 근로조건의 향상을 위하여 자주적인 단결권·단체교섭권 및 단체행동권을 가진다.
> ② 공무원인 근로자는 법률이 정하는 자에 한하여 단결권·단체교섭권 및 단체행동권을 가진다.
> ③ 법률이 정하는 주요방위산업체에 종사하는 근로자의 단체행동권은 법률이 정하는 바에 의하여 이를 제한하거나 인정하지 아니할 수 있다.

③ (✕) 노동조합도 일종의 결사이므로 허가제금지원칙이 적용된다. [21 법원직]
④ (O) 헌재 2004.8.26. 2003헌바58 등 [14 법원직]
⑤ (O) 헌재 2010.4.29. 2009헌바168 [14 법원직]

정답 ③

041 회독 ☐☐☐ 재구성   21 입시, 12 국회8급

근로3권에 대한 설명으로 옳지 않은 것은? (다툼이 있는 경우 판례에 의함)

① 헌법상 보장된 근로자의 단결권은 단결할 자유만을 의미하므로 근로자가 노동조합을 결성하지 아니할 자유는 헌법상 근거를 찾을 수 없다.
② 헌법 제33조 제1항에 의하면 단결권의 주체는 단지 개인인 것처럼 표현되어 있지만, 근로자 개인뿐만이 아니라 단체 자체의 단결권도 보장하고 있는 것으로 보아야 한다.
③ 노동조합이 노동조합으로서 자주성 등을 갖추고 있는지를 심사하여 이를 갖추지 못한 단체의 설립신고서를 반려하도록 하는 것은 근로자의 단결권을 침해한다고 볼 수 없다.
④ 「국가공무원법」 제66조 제1항이 근로3권이 보장되는 공무원의 범위를 사실상 노무에 종사하는 공무원에 한정한 것이 입법자에게 허용된 입법재량권의 범위를 벗어난 것이라 할 수 없다.
⑤ 노조전임자에 대한 급여지원을 금지하는 것은 노조전임자나 노동조합의 단체교섭권 및 단체행동권을 침해하지 않는다.

해설

① (✗) [12 국회8급]

> 헌법상 보장된 근로자의 단결권은 단결할 자유만을 가리킬 뿐이고, 단결하지 아니할 자유 이른바 소극적 단결권은 이에 포함되지 않는다. 그렇다면 근로자가 노동조합을 결성하지 아니할 자유나 노동조합에 가입을 강제당하지 아니할 자유, 그리고 가입한 노동조합을 탈퇴할 자유는 근로자에게 보장된 단결권의 내용에 포섭되는 권리로서가 아니라 헌법 제10조의 행복추구권에서 파생되는 일반적 행동의 자유 또는 제21조 제1항의 결사의 자유에서 그 근거를 찾을 수 있다. (헌재 2005.11.24. 2002헌바95 등)

② (○) [12 국회8급]
③ (○) 헌재 2012.3.29. 2011헌바53 [21 입시]
④ (○) 헌재 2007.8.30. 2003헌바51 등 [21 입시]
⑤ (○) [21 입시]

> 이 사건 노동조합 및 노동관계조정법 조항들은 노조전임자에 대한 비용을 원칙적으로 노동조합 스스로 부담하도록 함으로써 노동조합의 자주성 및 독립성 확보에 기여하는 한편, 사업장 내에서의 노동조합 활동을 일정 수준 계속 보호·지원하기 위한 것이다. 따라서 이 사건 노동조합 및 노동관계조정법 조항들이 과잉금지원칙에 위반되어 노사자치의 원칙 또는 청구인들의 단체교섭권 및 단체행동권을 침해한다고 볼 수 없다. (헌재 2014.5.29. 2010헌마606)

정답 ①

042 근로3권에 대한 설명으로 옳은 것만을 모두 고르면? (다툼이 있는 경우 판례에 의함)

ㄱ. 노동조합으로 하여금 행정관청이 요구하는 경우 결산 결과와 운영상황을 보고하도록 하고 그 위반시 과태료에 처하도록 하는 것은 노동조합의 단결권을 침해하는 것이 아니다.
ㄴ. 단결권은 '사회적 보호기능을 담당하는 자유권' 또는 '사회권적 성격을 띤 자유권'으로서의 성격을 가지고 있다.
ㄷ. 「교원의 노동조합 설립 및 운영 등에 관한 법률」에 의하면 사립학교 교원은 단결권과 단체교섭권이 인정되고 단체행동권이 금지되지만, 국·공립학교 교원은 근로3권이 모두 부인된다.
ㄹ. 「노동조합 및 노동관계조정법」 그리고 대법원 판례는 해고된 자는 설사 해고의 효력을 다투고 있다고 할지라도 근로자의 지위에 있지 않다고 해석하고 있다.
ㅁ. 「노동조합 및 노동관계조정법」은 동법상의 쟁의행위의 개념에 사용자의 직장폐쇄를 포함하고 있다.

① ㄱ, ㄴ, ㄷ
② ㄱ, ㄴ, ㅁ
③ ㄴ, ㄷ, ㄹ
④ ㄷ, ㄹ, ㅁ

해설

ㄱ. (O) 헌재 2013.7.25. 2012헌바116 [18 국회8급]
ㄴ. (O) 헌법재판소는 단결권에 대하여 기본적으로 사회적 기본권이지만 자유권의 성격도 인정하고 있다. [19 지방7급]
ㄷ. (X) 공무원, 국·공립학교 교원도 사립학교 교원과 같다. [19 지방7급]
ㄹ. (X) [14 서울7급]

> 해고된 자가 노동위원회에 부당노동행위의 구제신청을 한 경우에는 중앙노동위원회의 재심판정이 있을 때까지는 근로자가 아닌 자로 해석하여서는 아니 된다. 이 규정은 해고된 근로자가 해고된 때로부터 상당한 기간 내에 노동위원회에 부당노동행위 구제신청을 하거나 법원에 해고 무효확인의 소를 제기하여 그 해고의 효력을 다투고 있는 경우에는 그 해고에도 불구하고 근로자의 신분이나 노동조합의 조합원으로서의 신분을 계속 보유하는 것으로 보아 그 지위를 보장하여 주려는 데에도 있는 것이므로, 근로자가 회사로부터 해고를 당하였다고 하더라도 상당한 기간 내에 법원에 해고 무효확인의 소를 제기하여 그 해고의 효력을 다투고 있다면 위 법 규정의 취지에 비추어 노동조합원으로서의 지위를 상실하는 것이라고 볼 수 없다. (대판 1997.3.25. 96다55457)

ㅁ. (O) '쟁의행위'라 함은 파업·태업·직장폐쇄 기타 노동관계 당사자가 그 주장을 관철할 목적으로 행하는 행위와 이에 대항하는 행위로서 업무의 정상적인 운영을 저해하는 행위를 말한다. (노동조합 및 노동관계조정법 제2조 제6호) [14 서울7급]

정답 ②

043

근로3권에 대한 설명으로 옳지 않은 것은? (다툼이 있는 경우 판례에 의함)

① 노동조합이 정치적 목적의 쟁의행위(파업)를 하는 것은 허용되지 않는다.
② 특수경비원에게 경비업무의 정상적인 운영을 저해하는 쟁의행위를 금지하는 「경비업법」 규정은 단체행동권을 침해하는 것이 아니다.
③ 근무조건과 직접 관련되지 않는 정책결정이나 임용권의 행사와 같은 기관의 관리·운영에 관한 사항은 행정기관이 전권을 가지고 자신의 권한과 책임하에 집행해야 할 사항으로서, 이를 교섭대상에서 배제하여도 공무원노조의 단체교섭권에 대한 과도한 제한이라고 보기 어렵다.
④ 단체협약의 해석 또는 이행방법에 관하여 관계당사자 간에 의견의 불일치가 있는 때에는 당사자 쌍방 또는 단체협약에 정하는 바에 의하여 어느 일방이 노동위원회에 그 해석 또는 이행방법에 관한 견해의 제시를 요청할 수 있다.
⑤ 구 「사립학교법」상 교원은 노동조합 결성 등 집단행동이 금지되었는데 이는 헌법에 위반된다.

해설

① (O) 순수한 정치파업은 헌법 제33조의 단체행동권에 포함시킬 수 없다. 그러나 노동관계법령의 개폐 등과 같은 근로자의 지위 등에 직접 관계되는 사항을 쟁점으로 하는 산업적 정치파업은 헌법 제33조가 보장하는 정당한 쟁의행위로서 형사상·민사상 책임이 면제된다고 본다. [11 국회8급]
② (O) 헌재 2009.10.29. 2007헌바1359 [11 국회8급]
③ (O) [14 지방7급]

> 정책결정에 관한 사항이나 기관의 관리·운영사항이 근무조건과 직접 관련되지 않을 때 이를 교섭대상에서 제외하도록 한 이유는, 이 사항들은 모두 국가 또는 지방자치단체가 행정책임주의 및 법치주의원칙에 따라 자신의 권한과 책임하에 전권을 행사하여야 할 사항으로서 이를 교섭대상으로 한다면 행정책임주의 및 법치주의원칙에 반하게 되고, 설령 교섭대상으로 삼아 단체협약을 체결한다고 하더라도 무효가 되어 교섭대상으로서의 의미를 가지지 못하기 때문이다. 이러한 상황이 발생하는 것을 방지하기 위해서는 위 사항들을 교섭대상에서 제외하는 것이 부득이하므로 이 사건 규정이 과잉금지원칙에 위반된다고 볼 수 없다. (헌재 2013.6.27. 2012헌바169)

④ (O) 노동조합 및 노동관계조정법 제34조 제1항 [16 지방7급]
⑤ (X) 교원의 노조결성금지는 합헌이었지만 법률의 개정으로 가능하게 되었다. [18 서울7급]

정답 ⑤

044

근로의 권리 또는 근로3권에 대한 설명으로 옳지 않은 것은? (다툼이 있는 경우 헌법재판소 결정에 의함)

① 헌법 제37조 제2항에 의하여 근로자의 근로3권에 대해 일부 제한이 가능하다 하더라도, '공무원 또는 주요방위사업체 근로자'가 아닌 근로자의 근로3권을 전면적으로 부정하는 것은 본질적 내용 침해금지에 위반된다.
② 헌법은 사립학교 교원의 단체행동권을 제한하는 명문규정을 두고 있지 않다.
③ 국회는 헌법 제33조 제2항에 따라 공무원인 근로자에게 단결권·단체교섭권·단체행동권을 인정할 것인가의 여부, 어떤 형태의 행위를 어느 범위에서 인정할 것인가 등에 대하여 필요한 한도에서만 공무원의 근로3권을 제한할 수 있을 뿐 광범위한 입법형성의 자유를 갖는 것은 아니다.
④ 연차유급휴가는 근로자의 건강하고 문화적인 생활의 실현에 이바지할 수 있도록 여가를 부여하는 데 그 목적이 있는 것으로, 인간의 존엄성을 보장하기 위한 합리적인 근로조건에 해당하므로 연차유급휴가에 관한 권리는 근로의 권리의 내용에 포함된다.

해설

① (O) [17 국가7급(하)]

> 헌법 제33조는 제1항에서 근로3권을 규정하되, 제2항 및 제3항에서 '공무원인 근로자' 및 '법률이 정하는 주요방위산업체 근로자'에 한하여 근로3권의 예외를 규정한다. 그러므로 헌법 제37조 제2항 전단에 의하여 근로자의 근로3권에 대해 일부 제한이 가능하다고 하더라도, '공무원 또는 주요방위사업체 근로자'가 아닌 근로자의 근로3권을 전면적으로 부정하는 것은 헌법 제37조 제2항 후단의 본질적 내용 침해금지에 위반된다. (헌재 2015.3.26. 2014헌가5)

② (O) [16 법무사]
③ (X) [17 국가7급(하)]

> 국회는 헌법 제33조 제2항에 따라 공무원인 근로자에게 단결권·단체교섭권·단체행동권을 인정할 것인가의 여부, 어떤 형태의 행위를 어느 범위에서 인정할 것인가 등에 대하여 광범위한 입법형성의 자유를 가진다. (헌재 2008.12.26. 2005헌마971 등)

④ (O) 헌재 2008.9.25. 2005헌마586 [17 지방7급]

정답 ③

예상판례

[1] 노동조합을 지배·개입하는 행위를 금지하는 노동조합 및 노동관계조정법 제81조 제4호 본문 중 '근로자가 노동조합을 조직 또는 운영하는 것을 지배하거나 이에 개입하는 행위' 부분은 죄형법정주의의 명확성원칙에 위배되지 않는다.
[2] 노조전임자의 급여를 지원하는 행위를 금지하는 노동조합 및 노동관계조정법 제81조 제4호 본문 중 '노동조합의 전임자에게 급여를 지원하는 행위' 부분은 과잉금지원칙에 위배되지 않는다. (헌재 2022.5.26. 2019헌바341)

> **기출지문 OX**
>
> ❶ 제헌헌법은 근로자의 단결, 단체교섭과 단체행동의 자유는 법률의 범위 내에서 보장된다고 규정하였다. 16 법무사 (O / ×)
>
> 해설 제헌헌법은 바이마르헌법의 영향을 받아 사회적 기본권을 규정하였다 정답 O
>
> ❷ 청원경찰로서 「국가공무원법」 제66조 제1항의 규정에 위반하여 노동운동 기타 공무 이외의 일을 위한 집단적 행위를 한 자를 형사처벌하도록 규정한 「청원경찰법」 제11조는 과잉금지의 원칙을 위배하여 청원경찰의 근로3권을 침해한다. 16 지방7급
> (O / ×)
>
> 해설 청원경찰로서 국가공무원법 제66조 제1항의 규정에 위반하여 노동운동 기타 공무 이외의 일을 위한 집단적 행위를 한 자를 형사처벌하도록 규정한 청원경찰법 조항이 과잉금지의 원칙이나 책임과 형벌 간의 비례성원칙에 위반되어 청구인들의 근로3권을 침해한다고 인정되지 아니한다. (헌재 2008.7.31. 2004헌바9)
>
> 정답 ×

045 16 법원직

교원의 노동3권에 대한 설명으로 옳은 것만을 모두 고르면? (다툼이 있는 경우 판례에 의함)

> ㄱ. 「교원의 노동조합 설립 및 운영 등에 관한 법률 시행령」(2013.3.23. 대통령령 제24447호로 개정된 것) 제9조 제1항 중 「노동조합 및 노동관계조정법 시행령」 제9조 제2항에 관한 부분(이하 '법외노조 통보조항'이라 한다)은 시정 요구 및 법외노조 통보라는 별도의 집행행위를 예정하고 있으므로, 법외노조 통보조항에 대한 헌법소원은 기본권 침해의 직접성이 인정되지 아니한다.
> ㄴ. 고용노동부장관의 청구인 전국교직원노동조합에 대한 2013.9.23.자 시정 요구(이하 '이 사건 시정 요구'라 한다)는 청구인 전국교직원노동조합의 권리·의무에 변동을 일으키는 행정행위에 해당하나, 청구인 전교조는 이 사건 시정 요구에 대하여 다른 불복절차를 거치지 아니하고 곧바로 헌법소원심판을 청구하였으므로, 이에 대한 헌법소원은 보충성요건을 결하였다.
> ㄷ. 다만 교원이 아닌 사람이 교원노조에 일부 포함되어 있다는 이유로 이미 설립신고를 마치고 활동 중인 노동조합을 법외노조로 하도록 정하는 것은 과잉금지의 원칙에 반한다고 할 것이다.

① ㄱ
② ㄱ, ㄴ
③ ㄴ, ㄷ
④ ㄱ, ㄴ, ㄷ

해설

ㄱ. (O) ㄴ. (O) ㄷ. (X)

> **전국교직원노동조합 사건** (헌재 2015.5.28. 2013헌마671 등)
> [1] 교원의 노동조합 설립 및 운영 등에 관한 법률 시행령 제9조 제1항 중 노동조합 및 노동관계조정법 시행령 제9조 제2항에 관한 부분(이하 '법외노조 통보조항'이라 한다)은 시정 요구 및 법외노조 통보라는 별도의 집행행위를 예정하고 있으므로, 법외노조 통보조항에 대한 헌법소원은 기본권 침해의 직접성이 인정되지 아니한다.
> [2] 고용노동부장관의 청구인 전국교직원노동조합에 대한 2013.9.23.자 시정 요구는 청구인 전국교직원노동조합의 권리·의무에 변동을 일으키는 행정행위에 해당하나, 청구인 전교조는 이 사건 시정 요구에 대하여 다른 불복절차를 거치지 아니하고 곧바로 헌법소원 심판을 청구하였으므로, 이에 대한 헌법소원은 보충성 요건을 결하였다.
> [3] 이 사건 법률조항 단서는 교원의 노동조합활동이 임면권자에 의하여 부당하게 제한되는 것을 방지함으로써 교원의 노동조합활동을 보호하기 위한 것이고, 해직교원에게도 교원노조의 조합원 자격을 유지하도록 할 경우 개인적인 해고의 부당성을 다투는 데 교원노조의 활동을 이용할 우려가 있으므로, 해고된 사람의 교원노조 조합원 자격을 제한하는 데에는 합리적 이유가 인정된다. 한편, 교원이 아닌 사람이 교원노조에 일부 포함되어 있다는 이유로 이미 설립신고를 마치고 활동 중인 노동조합을 법외노조로 할 것인지 여부는 법외노조 통보조항이 정하고 있고, 법원은 법외노조 통보조항에 따른 행정 당국의 판단이 적법한 재량의 범위 안에 있는 것인지 충분히 판단할 수 있으므로, 이미 설립신고를 마친 교원노조의 법상 지위를 박탈할 것인지 여부는 이 사건 법외노조 통보조항의 해석 내지 집행의 운용에 달린 문제라고 할 것이다. 따라서 이 사건 법률조항은 침해의 최소성에도 위반되지 않는다. 이 사건 법률조항으로 인하여 교원노조 및 해직교원의 단결권 자체가 박탈된다고 할 수는 없는 반면, 교원이 아닌 자가 교원노조의 조합원 자격을 가질 경우 교원노조의 자주성에 대한 침해는 중대할 것이어서 법익의 균형성도 갖추었으므로, 이 사건 법률조항은 청구인들의 단결권을 침해하지 아니한다.

정답 ②

046 회독 □□□ 재구성

13 법원직

헌법에서 명문으로 규정하고 있지 않은 것만을 모두 고르면?

| ㄱ. 부당해고금지 | ㄴ. 국가의 고용증진의무 |
| ㄷ. 상이군경의 유가족의 근로기회 우선보장 | ㄹ. 최저임금제 시행 |

① ㄱ, ㄴ
② ㄱ, ㄷ
③ ㄴ, ㄹ
④ ㄷ, ㄹ

해설

ㄱ. (X) 부당해고금지에 관한 헌법규정은 없다.

ㄴ. (O) ㄹ. (O)

> **헌법 제32조**
> ① 모든 국민은 근로의 권리를 가진다. 국가는 사회적·경제적 방법으로 근로자의 고용의 증진과 적정임금의 보장에 노력하여야 하며, 법률이 정하는 바에 의하여 최저임금제를 시행하여야 한다.

ㄷ. (X)

> 헌법 제32조 제6항은 국가유공자·상이군경 및 전몰군경의 유가족은 법률이 정하는 바에 의하여 우선적으로 근로의 기회를 부여받는다고 규정하였는데, 헌법재판소는 위 조항의 대상자는 조문의 문리해석대로 '국가유공자', '상이군경' 그리고 '전몰군경의 유가족'이라고 판시하였다. (헌재 2006.2.23. 2004헌마675 등)

정답 ②

047

근로3권에 대한 설명으로 옳지 않은 것은? (다툼이 있는 경우 판례에 의함)

① 노동조합에 가입할 수 있는 특정직 공무원의 범위를 '6급 이하의 일반직공무원에 상당하는 외무행정·외교정보 관리직공무원'으로 한정하여 소방공무원을 노동조합 가입대상에서 제외한 것은 헌법 제33조 제2항에 근거를 두고 있을 뿐 아니라 합리적인 이유가 있다.
② 5급 이상 공무원의 노동조합 가입을 금지하는 외에 6급 이하의 공무원 중에서도 '업무총괄자' 등의 노동조합 가입을 금지하는 것은 공무원의 단결권 및 평등권을 과도하게 제한하는 것으로 헌법에 위반된다.
③ 「공무원의 노동조합 설립 및 운영 등에 관한 법률」이 공무원인 노동조합원의 쟁의행위를 처벌하면서 사용자측인 정부 교섭대표의 부당노동행위에 대하여는 그 구제수단으로서 민사상의 구제절차를 마련하는 데 그치고 형사처벌까지 규정하지 아니하는 것이 공무원의 단체교섭권을 침해하여 헌법에 위반된다고 할 수는 없다.
④ 국가의 행정관청이 사법상 근로계약을 체결한 경우 국가는 그러한 근로계약관계에 있어서 사업주로서 단체교섭의 당사자의 지위에 있는 사용자에 해당한다.
⑤ 현행헌법 제33조 제2항은 공무원의 경우에 전면적으로 단체행동권을 제한하거나 부인하는 것이 아니라 일정 범위 내의 공무원인 노동자의 경우에는 단결권, 단체교섭권을 포함하여 단체행동권을 갖는 것을 전제하며, 그 구체적인 범위는 법률에 위임하고 있다.

해설

① (○) 헌재 2008.12.26. 2006헌마462 [09 국회8급]
② (✗) 업무총괄자에 대한 노동조합 가입을 금지하는 것은 공무원의 단결권 및 평등권을 침해하는 규정이 아니라 하여 합헌결정을 한 바 있다. (헌재 2008.12.26. 2005헌마971 등) [09 법원직]
③ (○) 헌재 2008.12.26. 2005헌마971 [09 국회8급]
④ (○) 대판 2008.9.11. 2006다40935 [09 국회8급]
⑤ (○) 공무원인 근로자는 법률이 정하는 자에 한하여 단결권·단체교섭권 및 단체행동권을 가진다. **(헌법 제33조 제2항)** 현재 근로3권을 모두 가지는 공무원은 사실상 노무에 종사하는 공무원이다. [09 국회8급]

정답 ②

048

근로자의 단체행동권에 관한 설명으로 옳은 것은?

① 정당한 쟁의행위 중에 발생한 손해에 대하여 형사상 책임을 지지는 않으나, 민사상 책임은 인정된다.
② 헌법 제33조 제1항에 규정되어 있는 단체행동권의 주체는 근로자와 사용자이다.
③ 단체행동권은 단체교섭이 행해지는 도중이라도 행사할 수 있다.
④ 사용자의 직장폐쇄는 노동조합이 쟁의행위를 개시한 이후에만 행할 수 있다.

해설

① (✗) 정당한 쟁의행위에 대해서는 형사상, 민사상 모든 책임이 면제된다.

> **노동조합 및 노동관계조정법 제3조(손해배상청구의 제한)**
> 사용자는 이 법에 의한 단체교섭 또는 쟁의행위로 인하여 손해를 입은 경우에 노동조합 또는 근로자에 대하여 그 배상을 청구할 수 없다.

② (✗) 단체행동권의 주체는 근로자다. 사용자는 직장폐쇄권을 가진다.
③ (✗) 단체행동은 단체교섭이 행해지는 도중에는 행사할 수 없고 단체교섭이 결렬된 경우 일정한 절차를 거쳐 하여야 한다.
④ (○)

정답 ④

제6절 환경권

049 NEW
25 경찰간부

환경권에 대한 설명으로 가장 적절하지 않은 것은? (다툼이 있는 경우 헌법재판소 판례에 의함)

① 환경침해는 사인에 의해서 빈번하게 유발되므로 입법자가 그 허용 범위에 관해 정할 필요가 있다는 점, 환경피해는 생명·신체의 보호와 같은 중요한 기본권적 법익 침해로 이어질 수 있다는 점 등을 고려할 때, 일정한 경우 국가는 사인인 제3자에 의한 국민의 환경권 침해에 대해서도 적극적으로 기본권 보호조치를 취할 의무를 진다.

② 구「동물보호법」제33조 제3항 제5호가 동물장묘업 등록에 관하여「장사 등에 관한 법률」제17조 외에 다른 지역적 제한사유를 규정하지 않았다는 사정만으로 동물장묘시설에 관한 건축신고가 이루어진 지역에 사는 청구인들의 환경권을 보호하기 위한 입법자의 의무를 과소하게 이행하였다고 평가할 수는 없다.

③ 헌법 제35조 제1항은 국민의 환경권의 보장, 국가와 국민의 환경보전의무를 규정하고 있는데, 이는 국가뿐만 아니라 국민도 오염방지와 오염된 환경의 개선에 관한 책임을 부담함을 의미한다.

④ 학교시설에서의 유해중금속 등 유해물질의 예방 및 관리기준을 규정한「학교보건법 시행규칙」해당 조항에 마사토 운동장에 대한 규정을 두지 아니한 것은 과잉금지원칙에 위반하여 마사토 운동장이 설치된 고등학교에 재학 중이던 학생인 청구인의 환경권을 침해하지 아니한다.

해설

① (O) 헌재 2008.7.31. 2006헌마711
② (O) 헌재 2020.3.26. 2017헌마1281
③ (O) 헌재 2012.8.23. 2010헌바28
④ (✗) 기본권 보호의무니까 과잉금지가 아니라 과소보호금지원칙이 적용된다.

> 심판대상조항에 마사토 운동장에 대한 기준이 도입되지 않았다는 사정만으로 국민의 환경권을 보호하기 위한 국가의 의무가 과소하게 이행되었다고 평가할 수 없다. 따라서 심판대상조항은 청구인의 환경권을 침해하지 아니한다. (헌재 2024.4.25. 2020헌마107 [기각])

정답 ④

기출지문 OX

❶ 헌법 제35조 제1항은 "모든 사람은 건강하고 쾌적한 환경에서 생활할 권리를 침해받지 아니하며, 국가는 환경보전을 위하여 노력하여야 한다."라고 규정하고 있다. 23 경찰간부 (O / X)

> **해설**
> **헌법 제35조**
> ① <u>모든 국민</u>은 건강하고 쾌적한 환경에서 생활할 권리를 가지며, 국가와 국민은 환경보전을 위하여 노력하여야 한다.

정답 X

❷ 환경권을 행사함에 있어 국민은 국가로부터 건강하고 쾌적한 환경을 향유할 수 있는 자유를 침해당하지 않을 권리를 행사할 수 있고, 일정한 경우 국가에 대하여 건강하고 쾌적한 환경에서 생활할 수 있도록 요구할 수 있는 권리가 인정되기도 하는바, 환경권은 그 자체 종합적 기본권으로서의 성격을 지닌다. 23 경찰간부 (O / X)

> **해설** 헌재 2019.12.27. 2018헌마730

정답 O

❸ 일상생활에서 소음을 제거·방지하여 '정온한 환경에서 생활할 권리'는 환경권의 한 내용을 구성한다. 23 경찰간부 (O / X)

> **해설**
> 환경권의 보호대상이 되는 환경에는 자연환경뿐만 아니라 인공적 환경과 같은 생활환경도 포함되므로(환경정책기본법 제3조), 일상생활에서 소음을 제거·방지하여 '정온한 환경에서 생활할 권리'는 환경권의 한 내용을 구성한다. (헌재 2019.12.27. 2018헌마730)

정답 O

❹ 국가는 주택개발정책 등을 통하여 모든 국민이 쾌적한 주거생활을 할 수 있도록 노력하여야 한다. 21 법원직 (O / X)

> **해설**
> **헌법 제35조**
> ① 모든 국민은 건강하고 쾌적한 환경에서 생활할 권리를 가지며, 국가와 국민은 환경보전을 위하여 노력하여야 한다.
> ② 환경권의 내용과 행사에 관하여는 법률로 정한다.
> ③ 국가는 주택개발정책 등을 통하여 모든 국민이 쾌적한 주거생활을 할 수 있도록 노력하여야 한다.

정답 O

❺ 독서실과 같이 특별히 정온을 요하는 사업장에 대해서는 실내소음규제기준을 만들어야 할 입법의무가 헌법의 해석상 곧바로 도출된다. 24 입시 (O / X)

> **해설**
> 독서실과 같이 정온을 요하는 사업장의 실내소음 규제기준을 제정하여야 할 입법자의 입법의무를 인정할 수 없으므로, 이 사건 심판청구는 헌법소원의 대상이 될 수 없는 입법부작위를 대상으로 한 것으로서 부적법하다. (헌재 2017.12.28. 2016헌마45)

정답 X

050 20 국회8급

환경권에 대한 설명으로 옳지 않은 것은? (다툼이 있는 경우 판례에 의함)

① 모든 국민은 건강하고 쾌적한 환경에서 생활할 권리를 가지며, 국가와 국민은 환경보전을 위하여 노력하여야 한다.
② 헌법 제35조 제1항은 환경정책에 관한 국가적 규제와 조정을 뒷받침하는 헌법적 근거가 되며 국가는 환경정책 실현을 위한 재원 마련과 환경침해적 행위를 억제하고 환경보전에 적합한 행위를 유도하기 위한 수단으로 환경부담금을 부과·징수하는 방법을 선택할 수 있다.
③ 헌법이 환경권에 대하여 국가의 보호의무를 인정한 것은, 환경피해가 생명·신체의 보호와 같은 중요한 기본권적 법익침해로 이어질 수 있다는 점 등을 고려한 것이므로, 환경권 침해 내지 환경권에 대한 국가의 보호의무 위반도 궁극적으로는 생명·신체의 안전에 대한 침해로 귀결된다.
④ 국민의 생명·신체의 안전이 질병 등으로부터 위협받거나 받게 될 우려가 있는 경우, 국가는 국민의 생명·신체의 안전을 보호하기 위하여 필요한 적절하고 효율적인 입법·행정상의 조치를 취함으로써 침해의 위험을 방지하고 이를 유지할 구체적이고 직접적인 의무를 진다.

해설

① (O) 헌법 제35조 제1항
② (O) 헌재 2007.12.27. 2006헌바25
③ (O) 헌재 2015.9.24. 2013헌마384
④ (X) 보건에 관한 국가의 의무는 구체적 의무가 아니라 포괄적 의무이다.

> 헌법은 "모든 국민은 보건에 관하여 국가의 보호를 받는다."라고 규정하여 질병으로부터 생명·신체의 보호 등 보건에 관하여 특별히 국가의 보호의무를 강조하고 있으므로(제36조 제3항), 국민의 생명·신체의 안전이 질병 등으로부터 위협받거나 받게 될 우려가 있는 경우 국가로서는 그 위험의 원인과 정도에 따라 사회·경제적인 여건 및 재정사정 등을 감안하여 국민의 생명·신체의 안전을 보호하기에 필요한 적절하고 효율적인 입법·행정상의 조치를 취하여 그 침해의 위험을 방지하고 이를 유지할 포괄적인 의무를 진다고 할 것이다. (헌재 2008.12.26. 2008헌마419 등)

정답 ④

051 회독 ☐☐☐ 재구성　　　　　　　　　　　　　　　　　　　　　　　　18 법무사

환경권과 관련한 다음 설명 중 가장 옳지 않은 것은? (다툼이 있는 경우 대법원 판례 및 헌법재판소 결정에 의함)

① 환경권은 명문의 법률규정이나 관계 법령의 규정취지 및 조리에 비추어 권리의 주체, 대상, 내용, 행사방법 등이 구체적으로 정립될 수 있어야만 인정되는 것이므로, 사법상의 권리로서의 환경권을 인정하는 명문의 규정이 없으면 환경권에 기하여 직접 방해배제청구권을 인정할 수는 없다.
② 환경영향평가 대상사업이라도 그 대상지역 밖의 주민의 경우에는 그들이 누리는 환경상의 이익은 공익으로서의 추상적 이익에 해당하므로 대상사업을 허용하는 허가나 승인처분 등의 취소를 구할 원고적격이 전혀 인정되지 않는다.
③ 환경에는 자연환경뿐 아니라 생활환경까지도 포함된다.
④ 환경권은 건강하고 쾌적한 환경에 대한 침해배제를 청구할 수 있는 자유권적 측면과 쾌적한 환경에서 생활할 수 있도록 배려하는 보호·보장청구권의 측면을 모두 가지고 있다.

해설

① (○) 헌법상 환경권만으로 방해배제청구권의 원고적격은 인정되지 않는다. 환경권만으로 인정하면 결국 모든 국민이 원고가 되어 남소의 우려가 있기 때문이다.
② (✕) 영향평가 대상지역 밖의 주민은 원래 원고적격이 인정되지 않지만, 수인한도를 초과하는 불이익을 입증하면 원고적격이 인정된다. 한편, 대상지역 안의 주민에게는 원고적격이 추정된다.
③ (○) 환경에는 생활환경 등 인공환경도 포함된다(예 소음, 빛, 공해).
④ (○) 환경권의 두 가지 측면이다.

정답 ②

기출지문 OX

헌법 제35조 제1항은 환경정책에 관한 국가적 규제와 조정을 뒷받침하는 헌법적 근거이므로, 여기에서 대기오염으로 인한 국민 건강 및 환경에 대한 위해를 방지하여야 할 국가의 구체적 작위의무가 도출된다. 24 국회8급　　　　　(○ / ✕)

해설

> 국민의 생명·신체의 안전이 질병 등으로부터 위협받거나 받게 될 우려가 있는 경우, 국가로서는 그 위험의 원인과 정도에 따라 사회·경제적인 여건 및 재정사정 등을 감안하여 국민의 생명·신체의 안전을 보호하기에 필요한 적절하고 효율적인 입법·행정상의 조치를 취함으로써, 그 침해의 위험을 방지하고 이를 유지할 포괄적인 의무를 진다. (헌재 2008.12.26. 2008헌마419)

정답 ✕

제7절 혼인, 가족, 모성보호, 보건에 관한 권리

052 [24 입시]

혼인과 가족생활의 보호에 대한 설명으로 옳은 것은? (다툼이 있는 경우 판례에 의함)

① 법적으로 승인되지 아니한 사실혼도 헌법 제36조 제1항의 보호범위에 포함된다.
② 8촌 이내 혈족의 혼인을 일률적으로 금지하는 「민법」 조항은 과잉금지원칙에 위배되어 혼인의 자유를 침해한다.
③ 헌법 제36조 제1항은 혼인과 가족생활을 스스로 결정하고 형성할 수 있는 자유를 기본권으로서 보장하는 것일 뿐, 혼인과 가족에 대한 제도를 보장하는 것은 아니다.
④ 태어난 즉시 출생등록될 권리는 헌법 제10조뿐만 아니라, 헌법 제34조 제1항의 인간다운 생활을 할 권리, 헌법 제36조 제1항의 가족생활의 보장, 헌법 제34조 제4항의 국가의 청소년복지향상을 위한 정책실시의무 등에도 근거가 있다.
⑤ 육아휴직신청권은 헌법 제36조 제1항으로부터 개인에게 직접 주어지는 헌법적 차원의 권리이다.

해설

① (×)

> 헌법 제36조 제1항에서 규정하는 '혼인'이란 양성이 평등하고 존엄한 개인으로서 자유로운 의사의 합치에 의하여 생활공동체를 이루는 것으로서 법적으로 승인받은 것을 말하므로, 법적으로 승인되지 아니한 사실혼은 헌법 제36조 제1항의 보호범위에 포함된다고 보기 어렵다. (헌재 2014.8.28. 2013헌바119)

② (×)

> [1] 8촌 이내의 혈족 사이에서는 혼인할 수 없도록 하는 민법 제809조 제1항은 혼인의 자유를 침해하지 아니한다. 【합헌】
> [2] **민법 제809조 제1항을 위반한 혼인을 무효로 하는 민법 제815조 제2호는 혼인의 자유를 침해한다. 【헌법불합치(잠정적용)】**
> 이 사건 무효조항은 이 사건 금혼조항의 실효성을 보장하기 위한 것으로서 정당한 입법목적 달성을 위한 적합한 수단에 해당한다. 결국 이 사건 무효조항은 근친혼의 구체적 양상을 살피지 아니한 채 8촌 이내 혈족 사이의 혼인을 일률적·획일적으로 혼인무효사유로 규정하고, 혼인관계의 형성과 유지를 신뢰한 당사자나 그 자녀의 법적 지위를 보호하기 위한 예외조항을 두고 있지 않으므로, 입법목적 달성에 필요한 범위를 넘는 과도한 제한으로서 침해의 최소성을 충족하지 못한다. (헌재 2022.10.27. 2018헌바115)

③ (×) 헌법 제36조 제1항은 혼인과 가족생활을 스스로 결정하고 형성할 수 있는 자유를 기본권으로서 보장하는 것일 뿐만 아니라, 혼인과 가족에 대한 제도를 보장하는 것이고 공사법의 모든 영역에 미치는 헌법적 원리이다.

④ (○)

> '혼인 중 여자와 남편 아닌 남자 사이에서 출생한 자녀에 대한 생부의 출생신고'를 허용하는 규정을 두지 아니한 '가족관계의 등록 등에 관한 법률' 제46조 제2항, '가족관계의 등록 등에 관한 법률' 제57조 제1항, 제2항은 모두 헌법에 합치되지 아니한다. (헌재 2023.3.23. 2021헌마975【헌법불합치(잠정적용)】)
> [1] **태어난 즉시 '출생등록될 권리'는 기본권이다.**
> 태어난 즉시 '출생등록될 권리'는 '헌법 제10조의 인간의 존엄과 가치 및 행복추구권으로부터 도출되는 일반적 인격권을 실현하기 위한 기본적인 전제로서 헌법 제10조뿐만 아니라, 헌법 제34조 제1항의 인간다운 생활을 할 권리, 헌법 제36조 제1항의 가족생활의 보장, 헌법 제34조 제4항의 국가의 청소년 복지향상을 위한 정책실시의무 등에도 근거가 있다. 이와 같은 태어난 즉시 '출생등록될 권리'는 앞서 언급한 기본권 등의 어느 하나에 완전히 포섭되지 않으며, 이들을 이념적 기초로 하는 헌법에 명시되지 아니한 독자적 기본권으로서, 자유로운 인격실현을 보장하는 자유권적 성격과 아동의 건강한 성장과 발달을 보장하는 사회적 기본권의 성격을 함께 지닌다.

[2] **혼인 외 출생자인 청구인들의 태어난 즉시 '출생등록될 권리'를 침해한다.**
혼인 중인 여자와 남편이 아닌 남자 사이에서 출생한 자녀의 경우, 혼인 중인 여자와 그 남편이 출생신고의 의무자에 해당한다. 생부는 모의 남편의 친생자로 추정되는 자신의 혼인 외 자녀에 대하여 곧바로 인지의 효력이 있는 친생자출생신고를 할 수 없다. 그런데 모가 장기간 남편 아닌 남자와 살면서 혼인 외 자녀의 출생신고를 한다는 것은 자신이 아직 혼인관계가 해소되지 않은 상황에서 부정한 행위를 하였다는 점을 자백하는 것이고, 혼인 외 출생한 자녀가 모의 남편의 자녀로 추정됨으로써 남편이 자신의 가족관계등록부를 통하여 쉽게 아내의 부정한 행위를 확인할 수 있다는 점에서 모가 신고의무를 이행할 것이라는 점이 담보되지 않는다. 따라서 심판대상조항들은 입법형성권의 한계를 넘어서서 실효적으로 출생등록될 권리를 보장하고 있다고 볼 수 없으므로, 혼인 중 여자와 남편 아닌 남자 사이에서 출생한 자녀에 해당하는 혼인 외 출생자인 청구인들의 태어난 즉시 '출생등록될 권리'를 침해한다.
[3] 심판대상조항들이 생부인 청구인들의 평등권을 침해하는 것은 아니다.

⑤ (×)

[1] 양육권은 공권력으로부터 자녀의 양육을 방해받지 않을 권리라는 점에서는 자유권적 기본권으로서의 성격을, 자녀의 양육에 관하여 국가의 지원을 요구할 수 있는 권리라는 점에서는 사회권적 기본권으로서의 성격을 아울러 가진다.
[2] 육아휴직신청권은 헌법 제36조 제1항 등으로부터 개인에게 직접 주어지는 헌법적 차원의 권리라고 볼 수는 없고, 입법자가 입법의 목적, 수혜자의 상황, 국가예산, 전체적인 사회보장수준, 국민정서 등 여러 요소를 고려하여 제정하는 입법에 적용요건, 적용대상, 기간 등 구체적인 사항이 규정될 때 비로소 형성되는 법률상의 권리이다.
[3] 육아휴직의 적용대상으로부터 의무복무 중인 단기장교를 제외한 것이 입법재량의 범위를 벗어났다거나 의무복무군인인 남성 단기복무장교의 평등권을 침해한다고 볼 수 없다. **(헌재 2008.10.30. 2005헌마1156)**

정답 ④

053 [24 경찰2차]

혼인과 가족생활에 관한 설명으로 가장 적절한 것은? (다툼이 있는 경우 헌법재판소 판례에 의함)

① 태아의 성별고지 행위는 그 자체로 태아를 포함하여 누구에게도 해가 되는 행위가 아니지만, 보다 풍요롭고 행복한 가족생활을 영위하도록 하기 위해 진료과정에서 알게 된 태아에 대한 성별 정보는 낙태방지를 위하여 임신 32주 이전에는 고지하지 못하도록 금지하여야 할 이유가 있다.

② 당사자 사이에 혼인의사의 합의가 없음을 원인으로 하는 혼인 무효판결에 의한 가족관계등록부 정정신청으로 해당 가족관계등록부가 정정된 때, '그 혼인무효사유가 한쪽 당사자나 제3자의 범죄행위로 인한 경우'에 한정하여 등록부 재작성 신청권을 부여한 '가족관계등록부의 재작성에 관한 사무처리지침' 조항은 혼인과 가족생활을 스스로 결정하고 형성할 수 있는 자유를 제한한다.

③ 국가에게 혼인과 가족생활의 보호자로서 부모의 자녀양육을 지원할 헌법상 과제가 부여되어 있다 하더라도, 그로부터 곧바로 헌법이 국가에게 자녀를 양육하는 모든 병역의무 이행자들의 출퇴근 복무를 보장하여 자녀가 있는 대체복무요원들까지 합숙 복무의 예외를 인정하여야 할 명시적인 입법의무를 부여하였다고 할 수는 없다.

④ '혼인 중 여자와 남편 아닌 남자 사이에서 출생한 자녀에 대한 생부의 출생신고'를 허용하도록 규정하지 아니한 「가족관계의 등록 등에 관한 법률」 조항은 과잉금지원칙을 위배하여 생부인 청구인들의 가족생활의 자유를 침해한다.

해설

① (×)

> 의료인이 임신 32주 이전에 태아의 성별을 임부 등에게 알리는 것을 금지한 의료법 제20조 제2항은 헌법에 위반된다. (헌재 2024.2.28. 2022헌마356 【위헌】)
> 심판대상조항은 의료인에게 임신 32주 이전에 태아의 성별고지를 금지하여 낙태, 특히 성별을 이유로 한 낙태를 방지함으로써 성비의 불균형을 해소하고 태아의 생명을 보호하기 위해 입법된 것이므로 그 목적의 정당성을 수긍할 수 있다. 부모가 태아의 성별을 알고자 하는 것은 본능적이고 자연스러운 욕구로 태아의 성별을 비롯하여 태아에 대한 모든 정보에 접근을 방해받지 않을 권리는 부모로서 누려야 할 마땅한 권리이다. 따라서 심판대상조항은 태아의 생명 보호라는 입법목적을 달성하기 위한 수단으로서 적합하지 아니하고, 부모가 태아의 성별 정보에 대한 접근을 방해받지 않을 권리를 필요 이상으로 제약하여 침해의 최소성에 반한다. 이에 따라 심판대상조항은 법익의 균형성도 상실하였고, 결국 과잉금지원칙을 위반하여 부모가 태아의 성별 정보에 대한 접근을 방해받지 않을 권리를 침해한다.

② (×)

> 혼인무효로 정정된 가족관계등록부의 재작성 신청을 제한하는 '가족관계등록부의 재작성에 관한 사무처리지침' 제2조 제1호 중 '혼인무효'에 관한 부분 및 제3조 제3항 중 제2조 제1호의 사유로 인한 가족관계등록부 재작성 신청시 '혼인무효가 한쪽 당사자나 제3자의 범죄행위로 인한 것임을 소명하는 서면 첨부'에 관한 부분은 과잉금지원칙을 위반하여 청구인의 개인정보자기결정권을 침해하지 않는다. (헌재 2024.1.25. 2020헌마65 【기각】)

③ (○)

> ㉠ 대체복무요원의 복무기간을 '36개월'로 한 '대체역의 편입 및 복무 등에 관한 법률' 제18조 제1항, ㉡ 대체복무요원으로 하여금 '합숙'하여 복무하도록 한 같은 법 제21조 제2항, ㉢ 대체복무기관을 '교정시설'로 한정한 같은 법 시행령 제18조는 청구인들의 양심의 자유를 침해하지 않는다. (헌재 2024.5.30. 2021헌마117 등 【기각】)

④ (×) 헌재 2023.3.23. 2021헌마975 【헌법불합치(잠정적용)】

정답 ③

054 NEW 24 경찰간부

혼인과 가족생활에 대한 설명으로 가장 적절하지 않은 것은? (다툼이 있는 경우 헌법재판소 판례에 의함)

① 혼인의사의 합의가 없음을 원인으로 혼인무효판결을 받았으나 혼인무효사유가 한쪽 당사자나 제3자의 범죄행위로 인한 경우에 해당하지 않는 사람에 대해서는 가족관계등록부 재작성 신청권이 인정되지 않고, 정정된 가족관계등록부가 보존되도록 한 '가족관계등록부의 재작성에 관한 사무처리지침' 조항 중 '혼인무효'에 관한 부분은 혼인과 가족생활을 스스로 결정하고 형성할 수 있는 자유를 제한한다.

② 입법자는 혼인 및 가족관계가 가지는 고유한 특성 등을 두루 고려하여, 사회의 기초단위이자 구성원을 보호하고 부양하는 자율적 공동체로서의 가족의 순기능이 더욱 고양될 수 있도록 혼인과 가정을 보호하고 개인의 존엄과 양성의 평등에 기초한 혼인·가족제도를 실현해야 한다.

③ 부부의 자산소득을 합산하여 과세하도록 규정하고 있는「소득세법」제61조 제1항이 자산소득합산과세의 대상이 되는 혼인한 부부를 혼인하지 않은 부부나 독신자에 비하여 차별취급하는 것은 헌법상 정당화되지 아니하기 때문에 헌법 제36조 제1항에 위반된다.

④ 혼인한 등록의무자 모두 배우자가 아닌 본인의 직계존·비속의 재산을 등록하도록「공직자윤리법」이 개정되었음에도 불구하고, 개정전「공직자윤리법」조항에 따라 이미 배우자의 직계존·비속의 재산을 등록한 혼인한 여성 등록의무자는 종전과 동일하게 계속해서 배우자의 직계존·비속의 재산을 등록하도록 규정한 같은 법 부칙 제2조는 그 목적의 정당성을 인정할 수 없다.

해설

① (✗) 심판대상조항은 신분등록제도에 관한 규정일 뿐, 혼인과 가족생활을 스스로 결정하고 형성할 수 있는 자유를 제한하고 있다고 볼 수 없고, 청구인의 개인정보자기결정권이 제한된다. (헌재 2024.1.25. 2020헌마65【기각】)

② (O) 헌재 2022.10.27. 2018헌바115

③ (O)

> 자산소득 합산대상 배우자의 자산소득이 주된 소득자의 연간 종합소득에 합산되면 합산 전의 경우보다 일반적으로 더 높은 누진세율을 적용받기 때문에, 더 높은 세율이 적용되는 만큼 소득세액이 더 증가하게 되어 합산대상소득을 가진 부부는 자산소득이 개인과세되는 독신자 또는 사실혼관계의 부부보다 더 많은 조세를 부담하게 되는바, 특정한 조세법률 조항이 혼인을 근거로 혼인한 부부를 혼인하지 아니한 자에 비해 차별 취급하는 것이라면 비례의 원칙에 의한 심사에 의해 정당화되지 않는 한 헌법 제36조 제1항에 위반된다. (헌재 2005.5.26. 2004헌가6)

④ (O)

> 이는 성별에 의한 차별금지 및 혼인과 가족생활에 서의 양성의 평등을 천명하고 있는 헌법에 정면으로 위배되는 것으로 그 목적의 정당성을 인정할 수 없다. 따라서 이 사건 부칙조항은 평등원칙에 위배된다. (헌재 2021.9.30. 2019헌가3)

정답 ①

055 회독 ☐☐☐ 재구성 [23 경찰간부·법원직]

혼인과 가족생활에 대한 설명으로 옳지 않은 것은? (다툼이 있는 경우 판례에 의함)

① 이름은 인간의 모든 사회적 생활관계 형성의 기초가 된다는 점에서 중요한 사회질서에 속한다. 이름의 특정은 사회 전체의 법적 안정성의 기초이므로 이를 위해 국가는 개인이 사용하는 이름에 대해 일정한 규율을 가할 수 있다.

② 헌법은 국가사회의 최고규범이므로 가족제도가 비록 역사적·사회적 산물이라는 특성을 지니고 있다 하더라도 헌법의 우위로부터 벗어날 수 없으며, 가족법이 헌법이념의 실현에 장애를 초래하고, 헌법규범과 현실과의 괴리를 고착시키는 데 일조하고 있다면 그러한 가족법은 수정되어야 한다.

③ 헌법 제36조 제1항은 혼인과 가족을 보호해야 한다는 국가의 일반적 과제를 규정하였을 뿐, 청구인들의 주장과 같이 양육비 채권의 집행권원을 얻었음에도 양육비 채무자가 이를 이행하지 아니하는 경우 그 이행을 용이하게 확보하도록 하는 내용의 구체적이고 명시적인 입법의무를 부여하였다고 볼 수 없다.

④ 대한민국 국민으로 태어난 아동은 태어난 즉시 '출생등록될 권리'를 가지며, 이러한 권리는 '법 앞에 국민으로 인정받을 권리'로서 법률로써 제한할 수 있을 뿐이다.

해설

① (O) 헌재 2016.7.28. 2015헌마964 [23 법원직]
② (O) 헌재 2005.2.3. 2001헌가9 등 [23 법원직]
③ (O) [23 경찰간부]

> 양육비 대지급제 등 보다 실효성 있는 양육비 지급 확보에 관한 법률을 제정하지 아니한 입법부작위의 위헌확인을 구하는 심판청구에 대하여, 양육비 지급 확보에 관한 기존의 여러 입법 이외에 양육비 대지급제 등과 같은 구체적·개별적 사항에 대한 입법의무가 헌법해석상 새롭게 발생한다고 볼 수 없다. (헌재 2021.12.23. 2019헌마168【각하】)

④ (✕) [23 경찰간부]

> 현대사회에서 개인이 국가가 운영하는 제도를 이용하려면 주민등록과 같은 사회적 신분을 갖추어야 하고, 사회적 신분의 취득은 개인에 대한 출생신고에서부터 시작한다. 대한민국 국민으로 태어난 아동은 태어난 즉시 '출생등록될 권리'를 가진다. 이러한 권리는 '법 앞에 인간으로 인정받을 권리'로서 모든 기본권 보장의 전제가 되는 기본권이므로 법률로써도 이를 제한하거나 침해할 수 없다. (대결 2020.6.8. 2020스575)

정답 ④

056 회독 ☐☐☐ 재구성
22 법원직, 18 지방7급, 17 변호사

혼인과 가족생활의 보장에 대한 설명으로 옳지 않은 것은? (다툼이 있는 경우 판례에 의함)

① 헌법은 제정 당시부터 평등원칙과 남녀평등을 일반적으로 천명하는 것에 덧붙여 특별히 혼인의 남녀동 권을 헌법적 혼인질서의 기초로 선언하였다.

② 중혼취소청구권의 소멸사유나 제척기간을 두지 않고 언제든지 중혼을 취소할 수 있게 하는 것은 헌법 제36조 제1항의 규정에 의하여 국가에 부과된 개인의 존엄과 양성의 평등을 기초로 한 혼인과 가족생활의 유지·보장의무 이행과 직접적으로 관련되므로, 더 나아가 과잉금지원칙 위배 여부를 판단하여야 한다.

③ 친양자 입양을 청구하기 위해서는 친생부모의 친권 상실, 사망 기타 동의할 수 없는 사유가 없는 한 친생부모의 동의를 반드시 요하도록 하는 것은 친양자가 될 자의 가족생활에 관한 기본권을 침해하지 않는다.

④ 헌법 제36조 제1항은 혼인과 가족생활을 스스로 결정하고 형성할 수 있는 자유를 기본권으로서 보장하며, 친양자 입양의 경우에도 친양자로 될 사람이 그의 의사에 따라 스스로 입양의 대상이 될 것인지 여부를 결정할 수 있는 자유를 보장한다.

해설

① (O) [22 법원직]

② (X) [22 법원직]

> 중혼을 무효사유로 볼 것인가, 아니면 취소사유로 볼 것인가, 취소사유로 보는 경우 어떠한 범위 내에서 취소청구권을 인정할 것인가 하는 문제는 중혼의 반사회성·반윤리성과 가족생활의 사실상 보호라는 공익과 사익을 어떻게 규율할 것인가의 문제로서 기본적으로 입법형성의 자유가 넓게 인정되는 영역이다. 따라서 이 사건 법률조항의 위헌 여부는 중혼을 취소사유로 정하면서 그 취소청구권에 제척기간 또는 권리소멸사유를 규정하지 않은 것이 입법형성의 한계를 벗어나 현저히 부당한 것인지 여부를 심사함으로써 결정해야 할 것이다. (헌재 2014.7.24. 2011헌바275)

③ (O) [18 지방7급]

> 친양자로 될 자와 마찬가지로, 친생부모 역시 그로부터 출생한 자와의 가족 및 친족관계의 '유지'에 관하여 헌법 제10조에 의하여 인정되는 가정생활과 신분관계에 대한 인격권 및 행복추구권 및 헌법 제36조 제1항에 의하여 인정되는 혼인과 가정생활의 자유로운 형성에 대한 기본권을 가진다는 점에 대해서는 별다른 의문이 없다. 그런데 친양자 입양으로 인해 친생부모와 그 자 사이의 친족관계는 완전히 종료된다는 점에서 이는 친생부모의 기본권에 제한을 초래하게 된다. 즉 친양자가 될 자의 헌법 제36조 제1항 및 헌법 제10조에 의한 가족생활에서의 기본권을 보장하기 위해 친생부모의 동의를 무시하고 친양자 입양을 성립시키는 경우에는 친생부모의 기본권이 제한되게 되고, 친생부모의 친족관계 유지에 대한 기본권을 보장하기 위해 친생부모가 동의하지 않는 이상 무조건 친양자 입양이 성립되지 않는다고 보는 경우에는 친양자가 될 자의 기본권이 제한될 가능성이 발생한다. 결국 친양자 입양은 친생부모의 기본권과 친양자가 될 자의 기본권이 서로 대립·충돌하는 관계라고 볼 수 있다. 그리고 이들 기본권은 공히 가족생활에 대한 기본권으로서 그 서열이나 법익의 형량을 통하여 어느 한쪽의 기본권을 일방적으로 우선시키고 다른 쪽을 후퇴시키는 것은 부적절하다. (헌재 2012.5.31. 2010헌바87)

④ (O) [17 변호사]

> 친양자 입양의 경우에도 헌법 제36조 제1항은 친양자로 될 자가 그의 의사에 의해 스스로 입양의 대상이 될 것인지 말 것인지를 결정할 수 있는 자유, 나아가 친생부모가 사실상 부모로서의 자격을 상실하였거나 양육의 의지가 없는 경우에는 입양이라는 제도를 통해 열악한 양육환경에서 적극적으로 벗어나 양부모에 의해 양육받을 수 있는 자유를 보장하고, 국가는 그러한 개인의 자유가 최대한 보장되도록 입양제도를 형성할 의무가 있다. 따라서 이 사건에서 '친양자가 될 자'의 지위에 있는 당해 사건 본인들은 자신들의 양육에 보다 적합한 가정환경에서 양육을 받을 것을 선택할 권리가 있고, 부당한 외부적 간섭에 의해 그의 선택을 방해받지 아니할 권리를 가진다고 할 것이다. (헌재 2012.5.31. 2010헌바87)

정답 ②

057 22 국회8급

혼인과 가족생활의 보호에 대한 설명으로 옳은 것(○)과 옳지 않은 것(×)을 올바르게 조합하면? (다툼이 있는 경우 판례에 의함)

ㄱ. 수형자의 배우자에 대해 인터넷화상접견과 스마트접견을 할 수 있도록 하고 미결수용자의 배우자에 대해서는 이를 허용하지 않는 것이 미결수용자의 배우자의 평등권을 침해하는지 여부는 헌법상 혼인과 가족생활에 대한 특별한 헌법적 보호에 비추어 볼 때, 엄격한 비례성심사를 하여야 한다.

ㄴ. 혼인 종료 후 300일 이내에 출생한 자를 전남편의 친생자로 추정하는 것은 모가 가정생활과 신분관계에서 누려야 할 혼인과 가족생활에 관한 기본권을 침해하지 않는다.

ㄷ. 중혼을 혼인취소의 사유로 정하면서 후혼의 취소가 가혹한 결과를 발생시키는 경우에도 취소청구권의 제척기간 또는 소멸사유를 규정하지 않은 것은 후혼배우자의 혼인과 가족생활에 관한 기본권을 침해한다.

① ㄱ(○), ㄴ(○), ㄷ(○)
② ㄱ(○), ㄴ(×), ㄷ(×)
③ ㄱ(×), ㄴ(○), ㄷ(○)
④ ㄱ(×), ㄴ(×), ㄷ(×)

해설

ㄱ. (×) 자의금지가 적용된 사례이다.

ㄴ. (×)

> 심판대상조항에 따르면, 혼인 종료 후 300일 내에 출생한 자녀가 전남편의 친생자가 아님이 명백하고, 전남편이 친생추정을 원하지도 않으며, 생부가 그 자를 인지하려는 경우에도, 그 자녀는 전남편의 친생자로 추정되어 가족관계등록부에 전남편의 친생자로 등록되고, 이는 엄격한 친생부인의 소를 통해서만 번복될 수 있다. 그 결과 심판대상조항은 이혼한 모와 전남편이 새로운 가정을 꾸리는 데 부담이 되고, 자녀와 생부가 진실한 혈연관계를 회복하는 데 장애가 되고 있다. 이와 같이 민법 제정 이후의 사회적·법률적·의학적 사정변경을 전혀 반영하지 아니한 채, 이미 혼인관계가 해소된 이후에 자가 출생하고 생부가 출생한 자를 인지하려는 경우마저도, 아무런 예외 없이 그 자를 전남편의 친생자로 추정함으로써 친생부인의 소를 거치도록 하는 심판대상조항은 입법형성의 한계를 벗어나 모가 가정생활과 신분관계에서 누려야 할 인격권, 혼인과 가족생활에 관한 기본권을 침해한다. (헌재 2015.4.30. 2013헌마623)

ㄷ. (×)

> 이 사건 법률조항은 중혼을 혼인무효사유가 아니라 혼인취소사유로 정하고 있는데, 혼인 취소의 효력은 기왕에 소급하지 아니하므로 중혼이라고 하더라도 법원의 취소판결이 확정되기 전까지는 유효한 법률혼으로 보호받는다. 따라서 중혼취소청구권의 소멸에 관하여 아무런 규정을 두지 않았다고 하더라도, 이 사건 법률조항이 현저히 입법재량의 범위를 일탈하여 후혼배우자의 인격권 및 행복추구권을 침해하지 아니한다. (헌재 2014.7.24. 2011헌바275)

정답 ④

기출지문 OX

❶ 인간의 존엄과 양성평등의 가족생활의 보장, 나아가 혼인과 가족생활의 구체적인 제도 보장인 일부일처제도의 공익적 이익에서 비롯된 중혼금지에 대하여 현행법상 그 어떤 예외도 인정되지 않는다. 19 법무사 (O / X)

해설 중혼을 무효사유로 볼 것인가, 아니면 취소사유로 볼 것인가, 나아가 취소사유로 보는 경우 취소청구권자로 어느 범위까지 인정할 것인가 하는 문제는 중혼의 반사회성·반윤리성과 혼인생활의 사실상 보호라는 공익과 사익을 어떻게 규율할 것인가의 문제로서 기본적으로 입법형성의 자유가 넓게 인정되는 영역이라고 할 것이다. (헌재 2010.7.29. 2009헌가8)
무효가 아니므로 취소 전까지는 중혼도 있을 수 있다는 의미이다.

정답 X

❷ 「민법」에서 중혼의 취소청구권자를 규정하면서 직계비속을 제외한 것은 합리적 사유 없이 직계비속을 차별하는 것이다.
19 법무사 (O / X)
해설 자의금지원칙을 적용한 사례이다.

정답 O

058

혼인과 가족생활에 대한 설명으로 옳지 않은 것은? (다툼이 있는 경우 판례에 의함)

① 호주제는 당사자의 의사나 복리와 무관하게 남계혈통 중심의 가의 유지와 계승이라는 관념에 뿌리박은 특정한 가족관계의 형태를 일방적으로 규정·강요함으로써 개인을 가족 내에서 존엄한 인격체로 존중하는 것이 아니라 가의 유지와 계승을 위한 도구적 존재로 취급하고 있는데, 이는 혼인·가족생활을 어떻게 꾸려나갈 것인지에 관한 개인과 가족의 자율적 결정권을 존중하라는 헌법 제36조 제1항에 부합하지 않는다.

② 공동사업 합산과세제도를 정하고 있는 법률조항은 공동사업이라는 특정한 사업형태에 대하여 단지 조세회피행위에 대처하기 위한 입법정책적 법익만을 내세워 혼인한 부부를 사실혼관계의 부부나 독신자에 비하여 차별하는 것으로 헌법 제36조 제1항에 위반된다.

③ 배우자로부터 증여를 받은 때에 300만 원에 결혼년수를 곱하여 계산한 금액에 3천만 원을 합한 금액을 증여세 과세가액에서 공제하도록 하는 것은 혼인과 가족생활 보장 및 양성의 평등에 위반되지 아니한다.

④ 출생 직후의 자에게 성을 부여할 당시 부가 이미 사망하였거나 부모가 이혼하여 모가 단독으로 친권을 행사하고 양육할 것이 예상되는 경우에도 부의 성을 사용할 것이 강제되도록 한 법률조항은 헌법에 합치하지 아니한다.

해설

① (○) 헌재 2005.2.3. 2001헌가9 [16 법무사]

② (✗) [12 법원직]

> **공동사업에서 특수관계자의 소득을 지분비율이 높은 자의 소득으로 의제하는 것은 비례원칙에 위배되지만 헌법 제36조 제1항을 위반한 것은 아니다.** (헌재 2006.4.27. 2004헌가19)
> [1] "거주자 1인과 그와 대통령령이 정하는 특수관계에 있는 자가 사업소득이 발생하는 사업을 공동으로 경영하는 사업자 중에 포함되어 있는 경우에는 당해 특수관계자의 소득금액은 그 지분 또는 손익분배의 비율이 큰 공동사업자의 소득금액으로 본다."라고 규정한 부분은 헌법상 비례의 원칙에 위반하여 헌법에 위반된다.
> [2] 헌법 제36조 제1항을 위반한 것은 아니다. 공동사업 합산과세제도는 공동사업이라는 특정한 사업형태에 대한 소득세 조세규율에 있어 조세회피방지라는 목적을 위해 특수한 관계에 있는 자들을 예외적으로 규율하는 것으로 이러한 관계 속에 배우자나 가족이 들어간다 하여도 이것이 혼인이나 가족관계를 결정적 근거로 한 차별취급이라고 볼 수 없으며 … 그러한 집단을 선정함에 있어 혼인이나 가족관계를 특별히 차별취급하려는 것이 아니라 위장 분산의 개연성이 높고 그 입증이 쉽지 않을 것으로 예상되는 여러 집단 중의 하나로 규정한 것으로 이 사건 법률조항은 헌법 제36조 제1항에 위반되지 않는다.

③ (○) 헌재 2012.12.27. 2011헌바132 [14 지방7급]

④ (○) 부의 성을 사용하는 것 자체는 합헌이지만, 예외를 인정하지 않는 것이 헌법에 합치되지 않는다. (헌재 2005.12.22. 2003헌가5) [11 법원직]

정답 ②

059 회독 ☐☐☐ 재구성
[09 지방7급, 08 법원직]

납세의 의무에 관한 다음 내용 중 가장 타당하지 않은 것은? (다툼이 있는 경우 판례에 의함)

① 구 「지방세법」 제22조와 관련하여 비상장법인의 과점주주 중 주식을 가장 많이 소유하는 자와 생계를 함께 하는 자에게 서로 도와서 일상생활비를 공동으로 부담한다는 이유로 법인의 체납세액 전부에 대하여 제2차 납세의무를 부담시키는 것은 위헌이다.
② 납세의무자는 자신이 납부한 세금을 국가가 효율적으로 사용하는가를 감시할 수 있으므로, 재정사용의 합법성과 타당성을 감시하는 납세자의 권리는 헌법에 열거되지 않은 기본권이다.
③ 납세의 의무는 역사적으로 국민의 재산권의 보장을 위한 소극적 성격을 가지는 동시에 국민주권주의 사상하에서는 국가공동체의 재정적 기초의 형성을 의미하는 적극적 성격을 가진다.
④ 과세의 대상이 되는 행위를 할 때에는 외국인에 대해서도 과세할 수 있다.

해설

① (○) [09 지방7급]

> 이 사건 법률조항은 비상장법인의 과점주주 중 주식을 가장 많이 소유하거나 법인의 경영을 사실상 지배하는 자와 생계를 함께하는 자에게 소유하고 있는 주식이 몇 주인지도 묻지 않고 제2차 납세의무를 지우고 있다. 따라서 과점주주 자신이 법인의 경영을 사실상 지배하거나 당해 법인의 발행주식 총액의 100분의 51 이상의 주식에 관한 권리를 실질적으로 행사하는 자에 해당하는지 여부에 관계없이 과점주주 중 주식을 가장 많이 소유한 자와 서로 도와서 일상생활비를 공동으로 부담한다는 이유만으로 책임의 범위와 한도조차 뚜렷하게 설정하지 아니한 채 법인의 체납세액 전부에 대하여 일률적으로 제2차 납세의무를 지우고 있는 것으로 과점주주들 간에 불합리한 차별을 하여 조세평등주의에 위반되고 과점주주의 재산권을 침해한다. (헌재 2007.6.28. 2006헌가14)

② (✗) [08 법원직]

> 헌법상 조세의 효율성과 타당한 사용에 대한 감시는 국회의 주요책무이자 권한으로 규정되어 있어(헌법 제54조, 제61조), 재정지출의 효율성 또는 타당성과 관련된 문제에 대한 국민의 관여는 선거를 통한 간접적이고 보충적인 것에 한정되며, 재정지출의 합리성과 타당성 판단은 재정분야의 전문성을 필요로 하는 정책판단의 영역으로서 사법적으로 심사하는 데에 어려움이 있을 수 있고, 재정지출에 대한 국민의 직접적 감시권을 기본권으로 인정하게 되면 재정지출을 수반하는 정부의 모든 행위를 개별국민이 헌법소원으로 다툴 수 있게 되는 문제가 발생할 수 있으므로, 재정사용의 합법성과 타당성을 감시하는 납세자의 권리를 헌법에 의해 보장되는 기본권으로 볼 수 없다. (헌재 2006.3.30. 2005헌마598)

③ (○) 납세의 의무는 국민이 스스로 국가적 공동체의 재정력을 형성한다는 적극적 성격과 자의적 과세로부터 재산권을 침해당하지 아니한다는 소극적 성격을 함께 가지고 있다. [08 법원직]
④ (○) 외국인도 국내에 재산이 있거나 과세대상이 되는 행위를 한 때에는 과세대상이 될 수 있다. 국내에서 활동하는 외국기업을 생각해 보라. [08 법원직]

정답 ②

예상판례

❶ 남녀가 각 주택을 소유하다가 혼인으로 1가구 3주택이 된 후 주택을 양도할 때 60%의 고율의 양도소득세를 적용하는 것은 헌법에 합치되지 아니한다. (헌재 2011.11.24. 2009헌바146 [헌법불합치(잠정적용)])

이 사건 법률조항이 완화규정을 두지 아니한 채 1세대 3주택 이상에 해당한다는 이유만으로 주택 양도소득세를 중과세하도록 하는 것은 과잉금지원칙에 반하여 헌법 제36조 제1항이 정하고 있는 혼인의 자유를 침해하고, 혼인에 따른 차별금지원칙에 위배된다.

❷ 피상속인의 4촌 이내의 방계혈족을 4순위 법정상속인으로 규정한 민법 제1000조 제1항 제4호는 헌법에 위반되지 아니한다. (헌재 2020.2.27. 2018헌가11 [합헌])

혈족상속의 전통은 혈족들이 경제적으로 상호부조하고 깊은 정서적 유대감을 공유하던 과거의 혈족사회에서 유래한 것이기는 하나, 오늘날 변화된 사회상을 고려하더라도 그 의미를 현저히 상실하여 상속권 부여의 기준이 되지 못할 정도에 이르렀다고 보기 어렵다.

기출지문 OX

❶ 구 「지방세법」 제112조와 관련하여 '대통령령으로 정하는 고급주택 또는 고급오락장'을 취득하거나 또는 이를 구분하여 그 일부를 취득하는 경우 및 취득한 토지나 건축물이 5년 이내에 그러한 고급주택 또는 고급오락장이 된 때에 통상의 취득세율의 7.5배(100분의 750)로 중과세할 것을 대통령령에 위임한 것은 합헌이다. 09 지방7급 (O / X)

> **해설** 통상의 취득세율의 100분의 750으로 중과세하면서 그 대상을 '대통령령으로 정하는 고급주택'이라고 규정하여 대통령령에 위임한 것은 조세법률주의와 포괄위임입법 금지원칙에 위반된다. (헌재 1999.1.28. 98헌가17)

정답 X

❷ 구 「상속세법」 제29조의2 제5항과 관련하여 수증자가 증여받은 재산을 증여자에게 반환하는 경우에(통상 '증여의 합의해제'), 증여받은 때부터 1년이 도과한 경우에는 그 반환에 대하여 증여세를 부과하도록 하는 것은 위헌이다. 09 지방7급 (O / X)

> **해설** 수증자가 증여받은 재산을 증여자에게 반환하는 경우(통상 '증여의 합의해제'), 증여받은 때부터 1년이 도과한 경우에는 반환에 대하여 증여세를 부과하도록 한 구 상속세법 제29조의2 제5항 중 반환에 관한 부분은 계약자유의 원칙과 실질적 조세법률주의에 위반되지 않는다. (헌재 2002.1.31. 2000헌바35 [합헌])

정답 X

060 회독 ☐☐☐ 21.5급행시

보건에 관한 권리에 대한 설명으로 옳지 않은 것은? (다툼이 있는 경우 판례에 의함)

① 모든 국민은 보건에 관하여 국가의 보호를 받는다.
② 국가는 국민의 건강을 소극적으로 침해하여서는 아니 될 의무를 부담하는 것에서 한 걸음 더 나아가 적극적으로 국민의 보건을 위한 정책을 수립하고 시행하여야 할 의무를 부담한다.
③ 헌법 제10조, 제36조 제3항에 따라 국가는 국민의 생명·신체의 안전이 위협받거나 받게 될 우려가 있는 경우 국민의 생명·신체의 안전을 보호하기에 필요한 적절하고 효율적인 조치를 취하여 그 침해의 위험을 방지하고 이를 유지할 포괄적 의무를 진다.
④ 국민의 보건에 관한 권리는 국민이 자신의 건강을 유지하는 데 필요한 국가적 급부와 배려까지 요구할 수 있는 권리를 포함하는 것은 아니다.

해설

① (O) 헌법 제36조
② (O) ④ (X)

> 헌법 제36조 제3항이 규정하고 있는 국민의 보건에 관한 권리는 국민이 자신의 건강을 유지하는 데 필요한 국가적 급부와 배려를 요구할 수 있는 권리를 말하는 것으로서, 국가는 국민의 건강을 소극적으로 침해하여서는 아니 될 의무를 부담하는 것에서 한 걸음 더 나아가 적극적으로 국민의 보건을 위한 정책을 수립하고 시행하여야 할 의무를 부담한다는 것을 의미한다. (헌재 2012.2.23. 2011헌마123)
> 구체적인 내용을 요구할 권리는 아니다.

③ (O) 헌재 2019.6.28. 2017헌마1309

정답 ④

기출지문 OX

헌법 제36조 제3항은 '모든 국민은 보건에 관하여 국가의 보호를 받는다.'고 규정하여 국가의 국민보건에 관한 보호의무를 명시하고 있으므로 국가는 국민보건의 양적·질적 향상을 위하여 제반 인적·물적 의료시설을 확충하는 등 높은 수준의 국민보건증진 의료정책을 수립·시행하여야 한다. 13 법원직 (O / X)

해설 헌재 1993.11.25. 92헌마87   **정답** O

CHAPTER 08 국민의 기본적 의무

001 NEW
24 경찰2차

국방의무에 관한 설명으로 가장 적절하지 않은 것은? (다툼이 있는 경우 헌법재판소 판례에 의함)

① 민주국가에서 병역의무는 납세의무와 더불어 국가라는 정치적 공동체의 존립·유지를 위하여 국가 구성원인 국민에게 그 부담이 돌아갈 수밖에 없는 것으로서, 병역의무 부과를 통해서 국가방위를 도모하는 것은 국가공동체에 필연적으로 내재하는 헌법적 가치이다.
② 남자만을 징병검사의 대상이 되는 병역의무자로 정한 것은 현저히 자의적인 차별취급이라 보기 어려워 평등권을 침해하지 않는다.
③ 병역의무를 부과하게 되면 그 의무자의 기본권은 여러 가지 면에서 제약을 받으므로, 법률에 의한 병역의무 형성에도 헌법적 한계가 없다고 할 수 없고 헌법의 일반원칙, 기본권 보장 정신에 의한 한계를 준수하여야 한다.
④ 국가정보원이 주관하는 신규채용경쟁시험에서 '남자는 병역을 필한 자'로 제한하여, 현역군인 신분자의 시험응시기회를 제한하는데, 이는 병역의무를 이행하느라 받는 불이익이므로 헌법 제39조 제2항에서 금지하는 '불이익한 처우'에 해당한다.

> 해설

① (O) 병역의무의 내용이다.
② (O) 헌재 2010.11.25. 2006헌마328
③ (O) 헌재 2011.6.30. 2010헌마460
④ (✕)

> 국가정보원 채용시험에서 군미필자 응시자격 제한 (헌재 2007.5.31. 2006헌마627【기각】)
> 이 사건 공고는 현역군인 신분자에게 다른 직종의 시험응시기회를 제한하고 있으나 이는 병역의무 그 자체를 이행하느라 받는 불이익으로서 병역의무 중에 입는 불이익에 해당될 뿐, 병역의무의 이행을 이유로 한 불이익은 아니므로 이 사건 공고로 인하여 현역군인이 타 직종에 시험응시를 하지 못하는 것은 헌법 제39조 제2항에서 금지하는 '불이익한 처우'라 볼 수 없다.

정답 ④

002 회독 ☐☐☐   21 국가7급

군사제도 및 군인의 기본권에 대한 설명으로 옳지 않은 것은? (다툼이 있는 경우 판례에 의함)

① 헌법 제110조 제1항에 따라 특별법원으로서 군사법원을 둘 수 있지만, 법률로 군사법원을 설치함에 있어서 군사재판의 특수성을 고려하여 그 조직·권한 및 재판관의 자격을 일반법원과 달리 정하는 것은 헌법상 허용되지 않는다.
② 병에 대한 징계처분으로 일정 기간 부대나 함정 내의 영창, 그 밖의 구금장소에 감금하는 영창처분은 인신의 자유를 덜 제한하면서도 병의 비위행위를 효율적으로 억지할 수 있는 징계수단을 강구하는 것이 얼마든지 가능함에도, 병의 신체의 자유를 필요 이상으로 과도하게 제한하므로 침해의 최소성원칙에 어긋난다.
③ 사관생도의 모든 사적 생활에서까지 예외 없이 금주의무를 이행할 것을 요구하는 것은 사관생도의 일반적 행동자유권은 물론 사생활의 비밀과 자유를 지나치게 제한하는 것이다.
④ 국군통수권은 군령과 군정에 관한 권한을 포괄하고, 여기서 군령이란 국방목적을 위하여 군을 현실적으로 지휘·명령하고 통솔하는 용병작용을, 군정이란 군을 조직·유지·관리하는 양병작용을 말한다.

해설

① (✗) 헌법상 군사법원은 특별법원이므로 일반법원과 달리 정하는 것이 가능하지만, 최근 군사법원법의 개정으로 군사법원도 법관의 자격을 가진 자만 군판사가 될 수 있다.

② (○)

> 병에 대한 징계처분으로 일정 기간 부대나 함정 내의 영창, 그 밖의 구금장소에 감금하는 영창처분이 가능하도록 규정한 구 군인사법 제57조 제2항 중 '영창'에 관한 부분은 헌법에 위반된다. (헌재 2020.9.24. 2017헌바157 등【위헌】)
> 심판대상조항은 병의 복무규율 준수를 강화하고, 복무기강을 엄정히 하기 위하여 제정된 것으로, 군의 지휘명령체계의 확립과 전투력 제고를 목적으로 하는바, 그 입법목적은 정당하고, 심판대상조항은 병에 대하여 강력한 위하력을 발휘하는바, 수단의 적합성도 인정된다. 병의 복무규율준수를 강화하고, 복무기강을 엄정히 하는 것은 인신구금과 같이 징계를 중하게 하는 것으로 달성되는 데 한계가 있고, 병의 비위행위를 개선하고 행동을 교정할 수 있도록 적절한 교육과 훈련을 제공하는 것 등으로 가능할 것이다. 이와 같은 점은 일본, 독일, 미국 등 외국의 입법례를 살펴보더라도 그러하다. 따라서 심판대상조항은 침해의 최소성원칙에 어긋난다.

③ (○)

> 사관생도의 모든 사적 생활에서까지 예외 없이 금주의무를 이행할 것을 요구하는 것은 사관생도의 일반적 행동자유권은 물론 사생활의 비밀과 자유를 지나치게 제한하는 것이고, 둘째 구 예규 및 예규 제12조에서 사관생도의 모든 사적 생활에서까지 예외 없이 금주의무를 이행할 것을 요구하면서 제61조에서 사관생도의 음주가 교육 및 훈련 중에 이루어졌는지 여부나 음주량, 음주장소, 음주행위에 이르게 된 경위 등을 묻지 않고 일률적으로 2회 위반시 원칙으로 퇴학조치하도록 정한 것은 사관학교가 금주제도를 시행하는 취지에 비추어 보더라도 사관생도의 기본권을 지나치게 침해하는 것이므로, 위 금주조항은 사관생도의 일반적 행동자유권, 사생활의 비밀과 자유 등 기본권을 과도하게 제한하는 것으로서 무효인데도 위 금주조항을 적용하여 내린 퇴학처분이 적법하다고 본 원심판결에 법리를 오해한 잘못이 있다. (대판 2018.8.30. 2016두60591)

④ (○) 우리나라는 군정·군령 병합주의이다.

정답 ①

003 회독 ☐☐☐ 재구성
12 국회8급

헌법상 기본적 의무에 관한 설명으로 옳은 것은? (다툼이 있는 경우 판례에 따름)

① 기본적 의무에 관한 헌법규정은 모든 국민과 국가기관을 구속할 수 있는 직접적 효력을 가지고 있다.
② 근로의 의무는 국민뿐만 아니라 외국인도 그 주체가 된다.
③ 재산권 행사의 공공복리 적합의무는 헌법상의 의무로서, 입법형성권의 행사에 의해 현실적인 의무로 구체화된다.
④ 과세요건, 즉 납세의무자, 과세물건, 과세표준, 과세기간, 세율 등은 법률로 규정해야 하지만 조세의 부과나 징수절차까지 법률로 규정할 필요는 없다.

해설

① (✗) 기본적 의무에 관한 헌법규정이 직접적 효력을 갖는 것이 아니라, 기본적 의무에 관한 구체적인 법률규정이 헌법적 근거가 된다. 전국가적 의무는 인정되지 않는다.
② (✗) 근로의 의무의 주체는 국민이며, 외국인은 주체가 될 수 없다. 한편, 근로의 권리의 주체는 원칙적으로 국민이지만 근로의 권리 중 일할 환경에 관한 권리는 외국인에게도 인정된다.
③ (O) 헌재 1989.12.22. 88헌가13
④ (✗)

> 조세법률주의는 조세는 국민의 재산권을 침해하는 것이 되므로 납세의무를 성립시키는 납세의무자, 과세물건, 과세표준, 과세기간, 세율 등의 모든 과세요건과 조세의 부과·징수절차는 모두 국민의 대표기관인 국회가 제정한 법률로 이를 규정하여야 한다는 것(과세요건법정주의)과 또 과세요건을 법률로 규정하였다고 하더라도 그 규정 내용이 지나치게 추상적이고 불명확하면 과세관청의 자의적인 해석과 집행을 초래할 염려가 있으므로 그 규정 내용이 명확하고 일의적이어야 한다는 것(과세요건명확주의)을 그 핵심적 내용으로 하고 있다. (헌재 1992.12.24. 90헌바21)

정답 ③

기출지문 OX

❶ 조세의 부과·징수로 인해 납세의무자의 사유재산에 관한 이용·수익·처분권이 중대한 제한을 받게 되는 경우에는 재산권의 침해가 될 수 있다. 16 국가7급 (O/✗)

> **해설** 헌법 제23조 제1항이 보장하고 있는 사유재산권은 사유재산에 관한 임의적인 이용, 수익, 처분권을 본질로 하기 때문에 사유재산의 처분금지를 내용으로 하는 입법조치는 원칙으로 재산권에 관한 입법형성권의 한계를 일탈하는 것일 뿐만 아니라 조세의 부과·징수는 국민의 납세의무에 기초하는 것으로서 원칙으로 재산권의 침해가 되지 않는다고 하더라도 그로 인하여 납세의무자의 사유재산에 관한 이용, 수익, 처분권이 중대한 제한을 받게되는 경우에는 그것도 재산권의 침해가 될 수 있는 것이다. (헌재 1997.12.24. 96헌가19 등)

정답 O

❷ 국방의 의무는 「병역법」에 의하여 군복무에 임하는 등의 직접적인 병력형성의무만을 가리키는 것이 아니라, 구 「향토예비군설치법」, 「민방위기본법」 등에 의한 간접적인 병력형성의무도 포함하며, 병력형성 이후 군작전명령에 복종하고 협력하여야 할 의무도 포함한다. 16 국가7급 (O/✗)

> **해설** 헌재 1995.12.28. 91헌마80

정답 O

❸ 헌법 제39조 제2항의 병역의무 이행으로 인한 '불이익한 처우'라 함은 단순한 사실상·경제상의 불이익을 모두 포함하는 것이 아니라 법적인 불이익을 의미한다. 16 국가7급 (O / X)

> 해설 헌법 제39조 제2항은 병역의무의 이행을 이유로 불이익한 처우를 하는 것을 금지하고 있을 뿐이고, 이 조항에서 금지하는 '불이익한 처우'라 함은 단순한 사실상, 경제상의 불이익을 모두 포함하는 것이 아니라 법적인 불이익을 의미하는 것이다. (헌재 2003.6.26. 2002헌마484)

정답 O

❹ 군복무로 인한 휴직기간을 법무사시험의 일부 면제에 관한 「법무사법」 제5조의2 제1항의 공무원 근무경력에 산입하지 아니한 것은 병역의무의 이행으로 인한 불이익처우금지를 규정한 헌법 제39조 제2항을 위반한 것이다. 11 법원직 (O / X)

> 해설 군복무로 인하여 휴직함으로써 법원사무직렬 공무원으로 실제 근무하지 못하게 된 사정과 법무사시험의 제1차시험 면제의 취지에 비추어 보면, 군복무로 인한 휴직기간을 법무사시험의 일부 면제에 관한 법무사법 제5조의2 제1항의 공무원 근무경력에 산입하지 아니하였다고 하여 이를 두고 병역의무의 이행으로 인하여 불이익한 처우를 받지 아니한다고 규정한 헌법 제39조 제2항 위반이라고 할 수 없다. (대판 2006.6.30. 2004두4802)

정답 X

❺ 병역의무는 국민 전체의 인간으로서의 존엄과 가치를 보장하기 위한 것이므로, 양심적 병역거부자의 양심의 자유가 국방의 의무보다 우월한 가치라고 할 수 없다. 11 법원직 (O / X)

> 해설 헌재 2004.10.28. 2004헌바61

정답 O

❻ 병역의무 그 자체를 이행하느라 받는 불이익은 '누구든지 병역의무 이행으로 인하여 불이익한 처우를 받지 아니한다'고 규정하고 있는 헌법 제39조 제2항과 관련이 없다. 11 법원직 (O / X)

> 해설 병역의무 이행 중에 입은 불이익은 병역의무의 이행으로 인한 불이익에 해당하지 않는다. 병역의무의 이행으로 인한 불이익은 사실상·경제상의 불이익이 아니라 법적인 불이익을 의미한다. 그러나 병역의무 이행을 직접적 이유로 한 불이익만이 아니라 병역의무 이행으로 인한 결과적·간접적 불이익을 포함한다. (헌재 1999.2.25. 97헌바3)

정답 O

예상판례

군법무관 출신의 개업장소를 제한하는 것은 헌법에 위반된다. (헌재 1989.11.20. 89헌가102)
사법연수원을 수료하고 즉시 개업하는 변호사의 경우 개업지를 선택함에 있어 아무런 제한을 받지 아니하나, 병역의무의 이행을 위하여 군법무관으로 복무한 자는 전역 후 변호사로 개업함에 있어 개업지의 제한을 받게 된다. 군법무관으로의 복무 여부가 자신의 선택에 의하여 정해지는 경우와는 달리 병역의무의 이행으로 이루어지는 경우, 이는 병역의무의 이행으로 말미암아 불이익한 처우를 받게 되는 것이라 아니할 수 없어 이의금지를 규정한 헌법 제39조 제2항에 위반된다.

MEMO